# 집 · 필 · 진


## 대표저자

- **강경숙** 남부대학교

## 집 필 진

- **조명숙** 동강대학교
- **류화라** 송원대학교
- **장윤경** 호남대학교
- **송명경** 경동대학교
- **김형선** 부천대학교
- **정미라** 한영대학교
- **이원유** 여주대학교
- **김미정** 두원공과대학교
- **김경숙** 강서대학교
- **이영희** 충북보건과학대학교
- **오수현** 남부대학교
- **김성민** 동강대학교
- **홍시명** 청암대학교
- **김유리** 여주대학교

제5판

# 머·리·말

바야흐로 2023년 2월, 세계는 COVID-19 팬데믹에서 서서히 벗어나고 있다. 사회, 경제, 문화 등 다양한 측면에서 예측이 어려웠던 이 시기 동안 질병과 건강관리를 위한 생명공학과 IT기술은 더욱 빠른 진보를 보였다. 반면에 세계는 팬데믹 이전의 국경 없는 글로벌 파트너십에서 미국 등 강대국들에 의한 자국 중심의 무한 경쟁사회로 빠르게 변화해 가고 있다.

그럼에도 불구하고 건강은 어떤 조건하에서도 보호받고 존중받아야 할 인간의 기본권이다. 최근 변화하는 보건의료정책은 건강수명 연장과 건강형평성을 제고하여 지역사회의 통합적인 건강증진사업을 강조하고 있으며, 인구집단별로 예방중심의 건강생활 실천을 확산하고 건강한 환경조성을 위해 간호사의 강화된 역량을 요구하고 있다.

본 서는 한국간호과학회와 지역사회간호학회의 간호사 국가시험 지침에 따라 4개 분야 11개 영역의 세부학습목표를 근간으로 학습내용의 계열성과 통합성을 고려하여 편성하였다. 특히 제5판 개정의 가장 큰 의의는 최근 보건의료환경의 변화에 따라 한국간호교육평가원의 4주기 프로그램학습성과(PO)가 12개에서 8개로 통합 또는 확대, 신설됨에 따라 집필진이 여러 차례 논의를 통해 이의 연관성 정도를 반영하였고, 이를 위해 그동안 단행본이었던 교재를 지역사회간호학 1, 2권으로 확대 개편하였다는 점이다. 또한 학생들이 실습현장에서 인구집단 건강관리 수행 시 용이하게 활용할 수 있도록 보건사업 기획과 지역사회 간호과정분야를 대폭 수정·개편하였고, 최신 보건의료체계 내에서 활용되고 있는 간호정보화 분야로 웨어러블 기기 등을 활용한 모바일 헬스케어 활용과 사례를 제시하였다. 그리고 새롭게 추가되는 통계자료나 개정된 법률 및 시행령 등을 최대한 업데이트하는 등 최근 이슈가 되고 있는 변화들을 반영하려고 노력하였다.

5th EDITION

# 성과기반
# 지역사회간호학

I
V·O·L·U·M·E

COMMUNITY HEALTH NURSING

Pacific Book

COMMUNITY HEALTH NURSING

지역사회간호학1은 총론영역으로 제1장 지역사회간호와 건강, 제2장 국내외 보건정책의 이해는 지역사회간호의 기본개념, 보건의료체계 및 정책에 대한 이해를 높이고자 하였다. 제3장 보건사업 기획과 지역사회 간호과정, 제4장 지역사회 간호활동 및 자원 활용은 지역사회간호사가 직무활동을 수행하는데 필요한 방법과 전략을 제시하였다. 제5장 건강증진사업 운영은 건강증진과 보건교육에 대한 지역사회간호 중재 시 적용할 방법론을 설명하고 있다.

지역사회간호학2는 각론영역으로 제6장 생활터별 일차보건의료 제공, 제7장 생애주기별 일차보건의료 제공은 지역사회 인구집단과 다양한 지역사회 기반 실무현장을 관리하는데 요구되는 건강관리에 대해 이해를 높이고자 하였다. 제8장 역학지식 및 통계기술 실무적용, 제9장 감염성질환과 만성질환 관리는 현재 진행 중인 감염성·만성질환의 예방, 관리 및 이의 역학적 접근과 그 의의를 소개하고 있다. 제10장 환경보건관리, 제11장 재난관리는 다양한 지역사회 내 환경과 재난관리 전반 및 실무에 대한 이해를 도모하고자 하였다.

본 서는 2년마다 개정하고 있다. 그러나 급변하는 보건의료 환경에 대한 지역사회 간호교육 요구를 반영하기 위해 집필진이 이론부터 실무까지 다양한 내용을 담아내고자 노력하였음에도 불구하고 여전히 미흡한 부분이 있으리라 생각한다. 지역사회간호학 교수님들과 지역사회간호실무자 분들의 성원과 조언을 기대하며, 본 교재가 출판될 수 있도록 아낌없는 지원을 해주신 퍼시픽북 임직원께 감사를 표한다.

2023년 2월

**저자 일동**

# 단원별 학습성과 연관성

**PO1.** 간호학문과 다양한 학문 분야의 지식을 응용한다.

**PO2.** 임상추론을 통해 간호상황에 적합한 간호를 제공한다.

**PO3.** 보건의료체계 내에서 인구집단 건강을 관리한다.

**PO4.** 법과 윤리에 따라 간호를 수행한다.

**PO5.** 안전과 질 향상 원리를 적용한다.

**PO6.** 건강증진과 건강문제 해결을 위해 보건의료팀과 협력한다.

**PO7.** 개인과 전문직 발전을 위한 리더십을 개발한다.

**PO8.** 정보통신과 최신 보건의료기술을 활용한다.

| | PO1 | PO2 | PO3 | PO4 | PO5 | PO6 | PO7 | PO8 |
|---|---|---|---|---|---|---|---|---|
| 1장. 지역사회간호와 건강 | ● | | | | | | | |
| 2장. 국내외 보건정책의 이해 | | | ● | ◑ | | | ○ | |
| 3장. 보건사업 기획과 지역사회 간호과정 | | ● | ◑ | | ◑ | ◑ | ◑ | ● |
| 4장. 지역사회 간호활동 및 자원활용 | | ◑ | ◑ | | | ● | | ◑ |
| 5장. 건강증진사업 운영 | ◑ | | ● | | | ◑ | | |
| 6장. 생활터별 일차보건의료 제공 | ◑ | ● | ● | ◑ | | | | |
| 7장. 생애주기별 일차보건의료 제공 | ◑ | | ● | | | | | ◑ |
| 8장. 역학지식 및 통계기술 실무적용 | ◑ | ◑ | ● | | | | | ○ |
| 9장. 감염성질환과 만성질환 관리 | | | ● | ◑ | | | | |
| 10장. 환경보건 관리 | | | ◑ | ◑ | | | | |
| 11장. 재난관리 | | | ● | ○ | ◑ | ◑ | ○ | ○ |
| [학습성과와의 연관성] | ● : 강한 연관성 ◑ : 중간정도 연관성 ○ : 약한 연관성 | | | | | | | |

주) 한국간호교육평가원의 학습성과를 기준하여 단원별 연관성을 제시한 것으로 대학의 상황에 따라 차이가 있을 수 있음

# 분야별 영역구분

| 분 야 | 영 역 |
|---|---|
| Ⅰ.<br>지역사회 간호요구사정 | 1장. 지역사회간호와 건강 |
| | 2장. 국내외 보건정책의 이해 |
| Ⅱ.<br>보건사업 기획 및 자원활용 | 3장. 보건사업 기획과 지역사회 간호과정 |
| | 4장. 지역사회 간호활동 및 자원활용 |
| Ⅲ.<br>인구집단별 건강증진 및 유지 | 5장. 건강증진사업 운영 |
| | 6장. 생활터별 일차보건의료 제공 |
| | 7장. 생애주기별 일차보건의료 제공 |
| | 8장. 역학지식 및 통계기술 실무적용 |
| | 9장. 감염성질환과 만성질환 관리 |
| Ⅳ.<br>안전과 환경관리 | 10장. 환경보건 관리 |
| | 11장. 재난관리 |

CONTENTS

# 제 I 권

CONTENTS

# 제 Ⅱ 권

CONTENTS

## 제1장 지역사회간호와 건강

CONTENTS

CONTENTS

CONTENTS

CONTENTS

CONTENTS



## 부 록

제 01 장

# 지역사회간호와 건강

COMMUNITY HEALTH NURSING

## 학습목표



### 제1절 지역사회의 이해

1. 지역사회의 정의를 설명한다.
2. 지역사회의 특성을 설명한다.
3. 지역사회의 유형을 설명한다.
4. 지역사회의 기능을 설명한다.
5. 지역사회의 중요성을 설명한다.

### 제2절 지역사회간호의 이해

1. 지역사회간호를 설명한다.
2. 공중보건의 개념과 특성을 설명한다.
3. 지역사회보건의 개념을 설명한다.
4. 보건간호와 지역사회간호의 차이를 비교한다.
5. 지역사회 간호사의 역할을 설명한다.

### 제3절 지역사회와 건강

1. 건강의 개념을 설명한다.
2. 건강의 결정요인을 설명한다.
3. 건강의 연속선과 질병예방수준의 관계를 설명한다.
4. 적정 기능수준에 대해 설명한다.
5. 건강형평성의 개념과 중요성을 설명한다.
6. 건강권 보장의 의미를 설명한다.
7. 건강한 지역사회의 특성을 설명한다.
8. 건강도시에 대해 이해한다.

### 제4절 지역사회간호와 문화적 다양성

1. 다문화사회의 배경을 설명한다.
2. 다문화 대상자의 문화적 특성을 설명한다.
3. 다문화 가족의 보건의료에 대하여 설명한다.
4. 다문화사회와 간호사의 문화역량을 설명한다.

### 제5절 지역사회간호의 역사

1. 외국 공중보건의 역사를 설명한다.
2. 외국 지역사회간호의 역사를 설명한다.
3. 우리나라 지역사회간호의 역사를 설명한다.

### 제6절 지역사회간호이론

1. 체계이론을 설명한다.
2. 기획이론을 설명한다.
3. 교환이론을 설명한다.
4. Neuman의 건강관리체계이론을 설명한다.
5. Orem의 자가간호이론을 설명한다.
6. Roy의 적응이론을 설명한다.

## 제1절 + 지역사회의 이해

Keywords

- 지역사회
- 구조적 지역사회
- 집합체
- 대면 공동체
- 지정학적 공동체
- 조직 공동체
- 생태학적 문제의 공동체
- 문제해결공동체
- 기능적 지역사회
- 요구공동체
- 자원 공동체
- 감정적 지역사회
- 소속 공동체
- 특수흥미 공동체
- 국민건강증진법

### 1 지역사회의 정의

일반적으로 지역사회는 주민들의 일상생활을 영위하는 사회적 단위로서, 그 사회의 여러 가지 공동이익을 위하여 서로 협조하고 노력하는 사회적 집단이라고 할 수 있다. 지금까지 지역사회 간호사들은 간호서비스를 제공하는 단위로 개인이나 가족, 그룹을 대상으로 하고 있었으나, 최근에는 간호대상자로서의 지역사회(community as client) 개념을 바탕으로 지역사회 자체를 실무의 대상 또는 일차적인 초점으로 바라보고 있기도 하다. 지역사회는 과거에는 일정한 경계로 구분되었으나 오늘날에는 빈번한 인구 이동과 교통 및 통신 수단의 발달로 인하여 지리적이고 행정적 구분으로서의 정의보다는 공동의 이익 및 기능과 수요에 따라 정의하는 등 관심의 초점에 따라 다양한 정의가 내려지고 있다.

지역사회(community)의 어원은 라틴어의 'communis' 또는 'communite'에서 파생되었다. 영어로는 'common' 또는 'fellowship'을 의미하며, '공유', '공통성'의 뜻을 가지고 있다. 어원적 의미는 단순히 사람과 장소를 지칭하는 것이 아닌 문화와 언어처럼 어떤 것을 공유하는 공동체 집단을 의미한다.

지역사회의 정의는 지역사회의 여러 측면에 초점을 두고 다양하게 정의되고 있다.

우선, 지역사회에 의해서 수행되는 기능에 초점을 둔 Goeppinger, Lassiter와 Wilcox(1982)는 '집단 구성원의 공동적 요구를 충족시키는 기능과 상호의존성에 의해서 이루어진 공식적 또는 비공식적 집단체계'라고 하였다. Wigley와 Cook(1975)은 '개인의 요구를 충족할 수 있는 곳'이라고 정의하였다.

또한 지역사회의 기본원리인 장소에 초점을 Josten(1989)은 '하나의 사회체계(a social system), 하나의 장소(a place), 어느 집단의 사람들(a people)'로 정의하였다.

지역사회에 속한 단체에 초점을 두어 Thompson과 Kinne(1990)은 '그들의 삶에 어떤 중요한 특징적인 것을 서로 나누며 사는 사람들의 집합체 또는 가치관이나 공공시설을 서루 나누어 갖는 사람들의 모임'이라고 정의하였으며, Green과 Anderson(1986)은 '일정한 단위를 형성하고 있는 사람들 가운데 공통적인 생활을 취하고 있는 하나의 사회적 단위'라고 하였다. 그리고 Kathryn과 Gardner(1988)는 '지리적 위치, 직업, 인종, 주택 상태 등 최소한 한 가지 이상의 공통된 특성을 공유한 집단 또는 사람들의 모임'이라고 정의하였다.

지역사회의 여러 측면을 포괄적으로 개념화한 예로, WHO(1974)는 '지역사회란 지리적 경계 또는 공동가치와 관심에 의해 구분되는 사회집단으로 특정 사회구조 내에서 기능하며, 규범, 가치, 사회제도를 나타내며 창출한다.'고 하였다. 그리고 지역사회의 중요한 속성 3가지에 근거하여 지역사회간호에서 실제로 사용할 수 있는 정의로는 '지역사회는 일정한 유형의 결속관계를 이루고 있는 인구집단, 서로 상호작용을 맺고 있는 인구집단, 그리고 공통의 관심에 관하여 공동으로 기능하고 있는 인구집단'이다.

## 2 지역사회의 특성

지역사회는 비슷한 지역, 특성, 관심을 중심으로 모인 인간의 공동체이지만 지리적 영역, 사회적 상호작용, 공동의 유대감이라는 특징을 모두 갖추고 있는 것은 아니다. 이러한 지역사회는 다음과 같은 특성을 가지고 있다.

- **일정한 지역적 경계와 이로 인한 분리성**(Separateness) **및 독특성**(Uniqueness) : 동일한 지역에 거주함으로써 주민들은 공동생활이 가능하다. 이로 인하여 동일한 지역의 주민들은 공동체 의식을 높이며 다른 지역사회와 분리되어 자신들만의 독특성을 강화한다.
- **공통된 특징과 관심의 동질성**(Homogeneity) : 기능적 지역사회 또는 감정적 지역사회의 구성원들은 다른 지역사회의 구성원과 비교할 때 공통된 특징과 동일한 관심을 가진 경우가 많다. 따라서 그들은 종교적 신념이나 직업, 출신 지역 및 학교, 취미 등에 의해 상호 연결된다.
- **공동의 목표 공유**(Consensus)**와 이를 위한 자조성**(Self-help) : 지역사회의 구성원들은 공동의 목표를 공유하며 그러한 목표를 달성하기 위하여 서로 돕는다. 물론 자신의 지역사회에 대한 소속감은 다양하지만 다른 지역사회의 구성원들과는 차별되는 동료의식을 지닌다.

## 3 지역사회의 유형

지역사회의 유형은 집단구성원 간의 결속 유형에 따라 결정된다. 이것을 구조적 지역사회와 기능적 지역사회, 그리고 감정적 지역사회로 크게 분류할 수 있다.

### 1) 구조적 지역사회

구조적 지역사회는 지역사회를 시간적·공간적 단위로 규정하는 것으로, 가까운 거리 내에 살고 있으면서 공통의 이해관계와 습관, 전통 및 문화를 공유하는 공동체이다. 구조적 지역사회로는 다음과 같은 것이 있다.

- **집합체**(Aggregate) : 구조적 지역사회는 사람들이 모인 이유에 상관없이 '집합' 그 자체이다. 이 집합체는 큰 집단에서 작은 집단에 이르기까지 다양하며, 동일한 건강문제가 있는 집단이나 보건의료문제 측면에서 생활환경 자체가 위험에 노출된 위험집단을 말한다. 지역사회 간호사가 이러한 정의로 지역사회를 받아들이면, 사업 대상자가 어떤 형태이든 항상 관련을 시킬 수 있으므로 아주 유용하다.
- **대면 공동체**(Face to face community) : 가족, 이웃과 같이 얼굴을 마주하며 쉽게 감정 및 정보를 공유할 수 있는 공동체이다. 대면 공동체는 서로 쉽게 소식이 전달되고 모든 사람들이 서로의 사업에 대하여 알고 있다. 지역사회 주민들 간에 공동의식과 친밀성이 있어 서로 돕고 서로의 의사를 자유롭게 교환한다. 따라서 유사한 습관 및 문화를 공유하기 때문에 건강 서비스의 접근성이 용이하다.
- **지정학적 공동체**(Geopolitical community) : 행정적 관할 구역단위와 지리적 경계로 나뉜 공동체로서 시, 군, 구, 동 등이다. 이러한 공동체는 법적·정치적 힘의 통제를 받기 때문에 행정적인 접근법을 사용하기 쉽지만, 지역 간의 갈등을 유발할 수 있다.

- **조직 공동체**(Organizational community) : 학교, 병원, 직장과 같이 구성원들이 수행하는 활동이 유사한 공동체이다. 조직은 구성원들의 생물학적·사회학적 유사성이 높기 때문에 선택적인 건강 서비스를 집중적으로 제공하기 쉽고, 그 결과를 유사한 집단에 적용하기가 용이하다.
- **생태학적 문제의 공동체**(Community of ecology problem) : 기후 및 환경 등과 같이 지리적 경계를 넘어서서 건강에 영향을 미치는 유사한 요인들을 가지고 있는 공동체이다. 그 예로는 산성비, 대기오염, 수질오염 등이 있다. 따라서 지정학적 공동체로서는 이해관계가 있는 경우에도 생태학적 문제의 공동체로서는 연계가 가능하며, 이러한 경우에는 문제해결공동체(community of solution)로 전환되어 공동의 문제해결을 위한 협력이 가능할 수 있다.
- **문제해결공동체**(Community of solution) : 이 공동체는 문제점이 확인되고 다루어져 해결될 수 있는 범위 내의 경계면을 말한다. 문제해결을 위한 공동체는 문제를 해결하기 위하여 최대한의 지역을 확보하고자 할 때 지정학적 지역을 초월한다.

### 2) 기능적 지역사회

기능적 지역사회는 단순한 지리적 경계보다는 목표성취라는 과업의 결과로 나타난 공동체이다. 따라서 목표성취를 이루는 데 도움이 되는 지역적 공감을 바탕으로 하며 지역사회 주민의 관심 및 목표에 따라 유동성이 존재하는 지역사회이다. 기능적 지역사회로는 다음과 같은 것이 있다.

- **동일한 요구공동체**(Community of identifiable need) : 일반적인 공통의 문제 및 요구에 기반한 공동체로 장애아동 집단, 환우회 등이 있다. 이러한 공동체는 동일한 문제 및 요구를 가지고 있기 때문에 이에 맞는 간호서비스를 선택하여 집중적인 제공이 가능하다.
- **자원 공동체**(Critical mass community) : 어떠한 문제해결을 위하여 활용가능한 자원의 한계로 모임 공동체이다. 여기서 'critical mass'라는 것은 사업을 제공하기 위한 충분한 자원을 의미하는데, 자원에는 인력, 경제력, 영향력, 물자 등이 있으며 이러한 자원을 문제해결, 요구 충족 등에 제공한다. 따라서 자원 공동체는 구조적, 기능적, 감정적 지역사회를 혼합하여 이루어지는 경우가 많다.

### 3) 감정적 지역사회

감정적 지역사회는 지역사회의 감성이나 감각을 중심으로 모여진 공동체이다. 대표적인 감정적 지역사회로는 동문회나 향우회 등의 소속 공동체(belonging community), 동호회 등의 특수흥미 공동체(special interest community)가 있다.

- **소속 공동체**(Belonging community) : 감성적인 지역사회로 동지애와 같은 정서적인 감정으로 결속된 지역사회이다. 지역적 공간을 공유함으로써 형성되는 고향과 같은 지연, 출신학교가 같은 학연 또는 종친회와 같은 친밀감으로 결속된 집단이 그 예이다.
- **특수흥미 공동체**(Special interest community) : 특수 분야에 서로 같은 요구와 관심을 가지고 모인 공동체이다. 그러므로 특별한 논제나 화제가 생겼을 때 이러한 공동체가 더욱 부각된다. 여기에는 협회, 산악회, 낚시회 등이 있다.

우리나라의 지역사회 간호사업에서 주로 다루어지고 있는 대상을 살펴보면, 구조적 지역사회로서 지정학적 공동체(시, 군, 구, 동)와 조직 공동체(학교, 직장 등)가 있으며, 기능적 지역사회로서 요구공동체(모자보건 대상집단, 결핵관리 대상집단, 치매예방관리 대상집단, 전염병관리 대상집단)가 있다. 간호대상자로서의 지역사회는 지역사회의 여러 가지 특성을 동시에 내포하고 있기 때문에 통합적인 이해 및 접근이 필요하다.

## 4 지역사회의 기능

지역사회는 하나의 개방체계로서 그 기능에 관하여 많은 학자들이 여러 가지 측면으로 접근하여 기술하였으며 이를 종합하면 경제적 기능, 사회화 기능, 사회통제의 기능, 사회통합 또는 참여의 기능, 상부상조의 기능과 같이 정리할 수 있다.

### 1) 경제적 기능

경제적 기능이란 지역주민들이 일상생활에 필요한 물품과 서비스를 생산 및 분배하여 소비하는 과정과 관련된 기능이다. 지역사회는 특산품을 개발하거나 기업을 유치하는 등 자립을 위한 활동들이 이에 포함된다.

### 2) 사회화 기능

사회화 기능이란 지역사회가 공유하고 있는 일반적인 상식, 가치, 행동 양상들을 유지 및 전달하며 또한 새로이 창출하는 기능으로 이러한 과정을 통하여 사회 구성원들은 다른 지역사회 구성원들과 구별되는 생활양식을 가진다.

### 3) 사회통제의 기능

사회통제의 기능이란 정부기관의 법적인 통제력 이외의 지역사회에서 전통적으로 내려오는 규칙이나 규범에 따라 구성원들의 행동을 통제하는 활동이다.

### 4) 사회통합 또는 참여의 기능

사회통합의 기능이란 비통합적인 상태에 있는 사회 내 집단이나 개인이 서로 적응함으로써 단일의 집합체로 통합되어 가는 과정을 말한다. 지역사회 주민들 간에는 공통의 목표가 있으며 그 목표를 달성하기 위해 각자의 역할을 분담하고 있다. 역할의 수행은 권리이자 의무이며, 그 역할은 사람들의 욕구를 충족시킨다. 통합은 이러한 상태 또는 그 상태로 가는 과정이다. 지역사회는 하나의 체계로서 지역사회 구성원이나 단위조직들 간의 관계와 관련된 기능으로 지역사회를 유지하기 위하여 결속력과 사기를 높이고, 주민 공동의 문제해결을 위하여 공동으로 노력하는 활동들을 포함한다.

### 5) 상부상조의 기능

상부상조의 기능이란 지역사회 주민들의 결혼, 질병, 사망 등의 도움이 필요한 경우 경조사에 대하여 상호간에 지지해주고 조력해주는 기능이다.

## 5 지역사회의 중요성

지금까지 지역사회가 무엇이고 어떠한 특성을 가지고 있는지 알아보았다. 그러면 지역사회 간호사업을 포함하는 보건사업에서 왜 지역사회가 중요한 것일까? 이제부터는 지역사회의 중요성을 살펴보기로 하자.

### 1) 건강문제의 유사성

건강에 있어서 물리적·사회적인 환경이 중요하다는 것은 이미 널리 알려진 사실이다. 지역사회 주민들은 동일지역에 거주하므로 동일한 물리적 환경에 노출되며, 공통된 문화와 관습을 가지고 있으므로 동일한 사회적 환경에 노출된다. 따라서 지역사회 주민은 다른 지역사회 주민과 비교할 경우 유사한 건강문제를 가지게 된다.

### 2) 경제적 공동체

지역사회는 경제적 공동체로서 생산, 분배 및 소비에 영향을 미친다. 지역사회를 통해서 구성원들은 일상생활에 필요한 물자와 서비스를 생산, 분배하고 소비한다. 특히 공정한 분배는 지역사회 구성원들 간의 갈등을 예방할 뿐만 아니라 지역사회의 건강수준에 영향을 미친다. 이는 우리나라의 제5차 국민건강증진종합계획(Health Plan 2030)의 목표 가운데 하나가 건강형평성의 제고라는 것에서도 쉽게 알 수 있다.

### 3) 가치와 문화의 공유

지역사회는 구성원들이 공유하는 일반적 지식, 사회적 가치, 행동양식을 새로이 창출하고 유지 및 전달하는 사회화(socialization) 기능을 가진다. 또한 지역사회는 그 구성원들이 사회규범에 순응하도록 사회통제(social control)의 기능도 수행한다. 이러한 기능을 통해서 지역사회 구성원은 다른 지역사회와는 구별되는 생활양식을 터득한다. 이러한 생활양식은 구성원의 건강행태에 영향을 미칠 뿐만 아니라 건강문제 해결을 위한 지지와 연대에도 영향을 미친다.

### 4) 정치적 의사결정 기구

지역사회는 정치적으로 주민자치의 단위이다. 따라서 건강한 공공정책을 수립할 수 있는 의사결정의 단위이다. 건강문제의 해결을 위해서는 개인의 건강 행태 및 건강 서비스도 중요하지만 사회제도적인 접근 또한 중요하다. 이는 지역사회의 정치적 결단에 의해 가능하다. 따라서 최근에는 지역사회 주민들이 보건사업의 의사결정에 참여하여 스스로의 건강문제를 탐색하고 해결방법을 모색하는 지역사회 기반(community-based) 사업 및 연구가 활발히 논의되고 있는 실정이다.

## 제2절 + 지역사회간호의 이해

Keywords

- 지역사회간호
- 지역사회보건
- 공중보건
- 보건간호
- 지역사회 간호사의 역할

# 1 지역사회간호

### 1) 지역사회간호의 정의

지역사회간호가 무엇인지를 알기 위해서는 우선 지역사회 간호현상을 알아야 하고, 지역사회 간호현상을 알기 위해서는 지역사회간호를 구성하는 기본요소를 알아야 한다.

Stevens(1979)는 간호현상을 구성하는 요소로 다음과 같이 여섯 가지를 제시하였다.

**Stevens의 간호현상 구성 요소**

① 간호의 대상
② 간호의 목표
③ 간호행위
④ 간호대상과 간호목표와의 관계
⑤ 간호목표와 간호행위와의 관계
⑥ 간호대상과 간호행위와의 관계

따라서 지역사회간호를 Stevens가 제시한 여섯 가지 구성 요소로 설명한다면 지역사회간호가 무엇인지 쉽게 알 수 있을 것이다.

김화중(1981)은 일반체계이론에 입각하여 지역사회를 설명하였고 이에 근거하여 지역사회간호의 개념틀을 마련하였다[그림 1-1].

김화중의 개념틀에 의하면 지역사회간호의 대상은 지역사회이며, 하나의 체계로서 개인, 가족, 집단 등의 하위체계로 구성된다. 지역사회를 사업의 대상이자 변화시켜야 할 표적으로 보는 것이다. 지역사회간호의 목표는 적정 기능수준의 향상이며, 이를 위해 지역사회 간호사는 지역사회 간호대상인 지역사회의 건강문제를 지역사회 스스로가 해결할 수 있도록 자기 건강관리 기능을 향상하도록 돕는다. 지역사회간호 행위는 지역사회

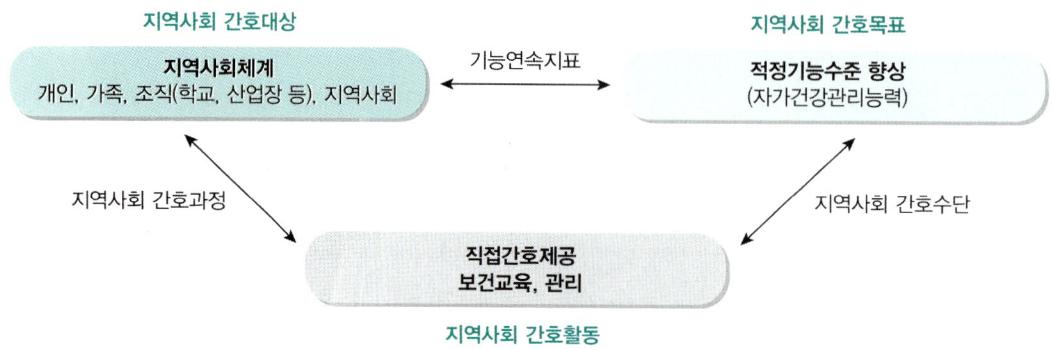


그림 1-1 김화중의 지역사회간호 개념틀

간호 활동으로 지역사회 간호사의 직접적인 간호 제공과 보건교육 및 관리 등 복합적인 행위를 포함한다.

지역사회간호의 기본요소 간 상호관련성에서 지역사회간호 대상에 대한 지역사회간호 활동이 지역사회 간호과정이다. 지역사회간호 대상은 지역사회간호 목표와 연결되어 지역사회라는 체계가 적정 기능수준에 도달하도록 방향을 제시해 주며 이를 기능연속지표라고 한다. 지역사회간호활동은 지역사회간호 목표를 달성하기 위해 지역사회간호 수단으로 방문활동, 클리닉, 상담, 매체활용 등을 동원한다. 이를 바탕으로 지역사회간호는 '지역사회를 대상으로 간호제공 및 보건교육을 실시함으로써 지역사회의 적정기능수준의 향상을 목표로 하는 과학적인 실천'이라고 정의된다.

윤순녕(2011)은 지역사회간호를 '개인, 가족, 집단을 포함하는 전체로서의 지역사회를 대상으로 건강의 유지·증진을 도모하여 건강형평성과 건강한 장수를 목표로 하는 실무'로 정의하고, 실무현장을 공공부문과 민간부문으로 구분하였다. 보건소, 보건지소, 보건진료소, 학교, 장기요양시설 등이 공공부문에 해당되고, 민간부문에는 산업장, 목회구역 등이 있다. 지역사회간호는 연구와 교육을 근거로 사회적 환경에 의해 영향을 받으며 정책, 규제적 영향에 의해 결정된다.

미국간호협회(American Nurses Association; ANA, 1980)는 지역사회간호란 간호학과 공중보건학을 지역주민의 건강유지·증진에 적용하는 것으로, 보편성과 포괄성을 갖추어야 한다고 하였다. 즉 지역주민 전체를 대상으로 간호서비스를 제공하는 것이므로 특정 연령층을 대상으로 하거나, 특정 진단을 받은 인구 집단에게 서비스를 제공하는 제한된 사업이 아니라고 하였다. 따라서 지역사회 전체를 대상으로 지역주민의 질병예방과 건강유지·증진을 목표로 연속적이고 지속적인 평생건강관리를 실시하는 것이며, 개인이나 가족, 지역 내 인구집단을 대상으로 가정이나 시설 수용자나 학교, 사업장 등에서 간호를 제공하는 것이다.

Stanhope와 Lancaster(2012)는 미국에서 사용되고 있는 지역사회간호에 관한 주요 정의를 다음의 4가지로 정리하였다.

- **공중보건 간호실무**(Public health nursing practice) : 인간 집단의 건강을 보존하고 증진하기 위하여 적용된 간호이론과 공중보건이론의 합성을 말하며, 공중보건간호실무의 초점은 전체로서의 지역사회이며 지역사회의 건강수준이 개인, 가족, 집단의 건강에 미치는 효과이다. 간호실무는 지역사회의 건강을 보호하고 증진하며 질병과 장애를 예방하는 범위 안에서 제공된다.
- **지역사회보건 간호실무**(Community health nursing practice) : 개인, 가족, 집단에게 개별적 보건의료를 제공함으로써 인구 집단의 건강을 유지, 보존 및 증진하기 위하여 적용된 간호이론과 공중보건이론의 합성을 말한다. 지역사회보건간호실무의 초점은 개인, 가족 및 집단이며 이들의 건강수준이 지역사회의 건강에 미치는 효과이다.
- **지역사회지향 간호실무**(Community-oriented nursing practice) : 지역사회 간호사가 지역사회와 인구 집단의 주요 건강문제와 환경문제를 조사하고 진단을 내리며 감시와 모니터링을 통하여 인구 집단과 지역사회의 건강상태를 평가하는 보건의료를 제공한다. 그리고 그 목적은 사람들이 건강할 수 있는 조건을 만들어 건강을 유지, 보호 및 증진시키는 것에 있다.
- **지역사회기반 간호실무**(Community-based nursing practice) : 개별적인 간호대상자 또는 가족이 거주하거나 활동하는 장소에서 행해지는 간호실무이다. 지역사회기반 간호실무는 급성기나 만성질환에 대한 간호와 포괄적이며 협업적이고 연속적인 간호에 초점을 두고 있으며, 이를 담당하는 간호사는 모성, 아동, 성인, 산업, 정신간호영역의 간호사 또는 전문간호사를 지칭한다.

### 2) 지역사회간호의 특징과 속성

미국간호협회(ANA, 2005)는 지역사회간호가 다른 간호 영역과 구분되는 특징으로 다음의 8가지를 제시하고 있으며, 지역사회간호 실무의 기본 지침으로 이해되고 있다.

① 간호의 대상자 또는 간호의 단위는 인구집단이다.
② 일차적인 목표는 최대 다수 또는 인구집단 전체를 위한 최고 수준의 행복이다.
③ 동등한 동반자로서 대상자를 대한다.
④ 일차예방을 우선시한다.
⑤ 인구집단의 쾌적한 생활이 가능하도록 환경적·사회경제적으로 건강한 여건 조성에 초점을 둔다.
⑥ 서비스를 통해 개선될 수 있는 모든 사람들을 적극적으로 도와야 한다.
⑦ 인구집단의 전반적인 건강보장을 위해 적절한 자원사용이 필수적이다.
⑧ 다른 전문 인력, 조직, 기구들과의 협동은 인구집단의 건강을 유지하고 증진하는 데 있어 가장 효과적인 방법이다.

지역사회간호의 속성은 인구집단 중심, 건강지향성, 자율성, 창의성, 지속성, 협력성, 친밀감, 다양성으로 설명할 수 있다[표 1-1].

## 2 공중보건의 개념

### 1) 공중보건

지역사회의 건강수준을 향상시키기 위한 사회의 조직적 노력을 의미하는 공중보건(public health)은 지역사회 수준에서의 질병 감소와 건강 수준 향상을 목적으로 한다. 이러한 목적을 달성하기 위해 공중보건은 개인보다는 지역사회에 대한 조직적 접근을 중시한다(Novick & Morrow, 2007).

**표 1-1 지역사회간호의 속성**(Clark, 2008)

| 구 분 | 내 용 |
|---|---|
| 인구집단 중심(population oriented) | 개인뿐 아니라 인구집단의 건강에 영향을 미치는 요인에 관심 |
| 건강지향성(orientation to health) | 질병의 치료보다 건강증진과 질병예방 강조 |
| 자율성(autonomy) | 다른 실무 영역에 비해 간호사와 대상자의 의견이 존중 |
| 창의성(creativity) | 건강증진과 건강문제 해결 과정에 혁신적인 접근을 사용 |
| 지속성(continuity) | 일시적·단기적 접근보다 지속적·포괄적 접근법이 요구 |
| 협력성(collaboration) | 간호사와 대상자 간 동등한 협력관계를 유지하며, 다른 분야와의 협력기회가 많음 |
| 친밀감(intimacy) | 다른 간호 실무 영역보다 대상자의 실제적인 삶과 상황에 더 밀접한 관련성을 지님 |
| 다양성(variability) | 다양한 실무 영역을 포함하고 있으며, 다양한 수준과 다양한 문화적 배경을 지님 |

공중보건에 대한 가장 고전적이며 보편적인 정의는 C.E.A Winslow(1920)의 정의로 '조직된 지역사회의 노력으로 환경위생관리, 감염병 관리, 개인위생에 관한 보건교육과 질병의 조기발견 및 예방적 치료를 위한 의료 및 간호사업의 체계화 그리고 모든 사람들이 자기의 건강을 유지하는 데 적합한 생활수준을 보장하는 사회제도를 발전시킴으로써 질병예방과 수명을 연장하며 건강을 유지 및 증진시키는 과학이자 기술'이다. 이는 보건사업의 기본 철학인 '예방'과 '지역사회'라는 개념을 토대로 하였으며 지역주민의 기본적인 생존권까지 포함하는 '공공성'을 강조한다. 이후 1988년 미국의학연구소(Institute of Medicine; IOM)는 '공중보건의 미래(The Future of Public Health)'라는 보고서에서 공중보건을 '질병예방 및 건강증진을 위해 과학적, 기술적 지식을 적용하여 건강에 대한 대중의 관심을 충족시키기 위한 지역사회의 조직적 노력'이라고 정의하였다 (IOM, 1988).

공중보건의 목적은 질병 예방과 수명 연장, 그리고 건강의 유지 및 증진이다. 이러한 목적을 달성하기 위한 공중보건의 사업 영역은 다음과 같다.

**공중보건의 사업 영역**

- 환경위생관리
- 감염병관리
- 개인위생에 대한 보건교육
- 질병의 조기 발견과 예방적 치료를 위한 의료와 간호 사업의 조직화
- 사회적 장치의 개발과 건강서비스의 조직화

이러한 공중보건사업은 지역사회를 최소 단위로 하여 지역사회 주민 전체를 대상으로 한다.

공중보건은 기본적으로 국가의 세금으로 운영되는 정부수준에서의 사업으로 국민의 건강증진 및 질병 예방의 개념이 강하여 최근 변화하는 다양한 지역사회의 보건의료 요구 충족을 위한 공중보건의 확대된 사업으로서 지역사회보건사업의 필요성이 대두되었다.

## 2) 공중보건의 특성

### (1) 공공성

공중보건은 공공의료의 성격을 가지며 세금을 재원으로 하여 운영되고 일반국민을 대상으로 예방 중심의 보건사업을 제공하는 것을 의미한다. 따라서 공중보건의 조직은 정부조직인 보건복지부, 시·도 보건복지국, 시·군·구 보건소, 읍·면 보건지소, 마을단위 보건진료소 등이다.

공공보건의료는 민간보건의료와 대치되는 개념이다. 공공보건의료란 '국가, 지방자치단체, 또는 공공단체가 설립 운영하는 보건의료기관이 국민의 건강을 보호·증진하기 위하여 행하는 모든 활동'으로 규정하고 있으며, '다수의 공중을 대상으로 하는 보건의료서비스', '개인의 편익보다 사회적 편익을 지향하는 보건의료서비스' 등으로 강조되고 있다. 그러므로 공공의료기관과 보건소 등의 보건기관이 제공하는 보건의료서비스는 공공성(public nature)을 가져야 한다. 따라서 공중보건의 공공성은 민간의료가 미치지 못하는 분야인 응급의료, 만성노인성질환의 장기요양관리, 지역사회 장애인 보건관리, 중증 특수질환자 관리, 신종 감염병 관리, 그리고 모든 국민의 관심사가 되고 있는 비만, 환경, 안전과 재난 등을 포괄하여 건강 위험요소로부터 주민의 건강을 보호하는 것을 의미한다.

### (2) 접근성

보건의료 서비스의 제공이 지역사회 주민들에게 경제적, 지리적, 사회·문화적 이유로 인하여 제한을 받아서는 안 된다. 의료서비스 이용의 접근성(accessibility)이 제한되면 건강형평성이 이루어지지 못하므로, 이용이 편리하고 불편이 없어야 한다.

### (3) 포괄성

공중보건은 예방, 치료, 재활 및 건강증진사업이 상호 조정되고 연속적으로 운영되어야 한다. 이를 위하여 일차 보건의료(primary health care)와 이차 보건의료(secondary health care) 및 삼차 보건의료(tertiary health care)가 포괄적(comprehensive)으로 제공되어야 한다.

### (4) 지속성

각 개인에게 제공되는 보건의료는 시간적, 지리적으로 상관을 갖고 적절히 연계되어 지속성(continuity)이 있어야 한다. 특히 제도적으로 의뢰제도가 확립되어서 기관 간에 이송이나 정보제공이 협력적으로 이루어져야 한다.

### (5) 효율성

지역사회 보건서비스는 목적 달성에 투입되는 자원의 양을 최소화하거나, 일정한 자원의 투입으로 최대의 목적을 달성하는 효율성(efficiency)이 높아야 한다. 특히 의료비가 지나치게 상승하는 추세에 대처하기 위한 전략으로 건강보험재정의 적자 문제와 주민의 보험료 상승에 대한 불만, 그리고 서비스의 질 보장 문제와 결부되어 효율성 문제는 미래의 보건사업에서 중요한 화두가 될 것이다.

## 3) 공중보건의 핵심기능과 필수 보건서비스

1988년 미국의학연구소(IOM)는 공중보건의 핵심기능으로 인구집단에 대한 사정(assessment), 정책개발(policy development), 필요한 서비스의 질적 보장(assurance)의 세 가지를 제시하였으며, 이는 많은 사람들로부터 지지를 받았다. 이후 공중보건의 기능을 보다 구체적으로 조직화하고, 실제 보건기관 업무나 서비스들과 연관하여 설명하고 그 성과를 측정 및 평가하기 위한 노력들이 모여 1994년 US Public Health Service의 Public Health Functions Steering Committee에서 공중보건의 비전, 미션과 함께 10가지의 필수적인 공중보건서비스를 제안하였다[그림 1-2, 표 1-2].

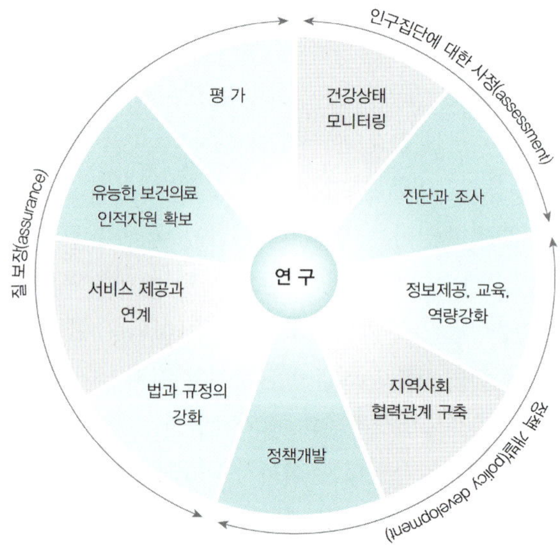


〈 자료원 : http://www.health.gov/phfunctions/public.htm 〉

그림 1-2 공중보건의 3대 기능과 필수서비스와의 관계

**표 1-2 공중보건의 비전, 미션, 핵심서비스(미국)**

| 구분 | 내용 | |
|---|---|---|
| 비 전 | 건강한 지역사회의 건강한 주민(Healthy people in healthy communities) | |
| 미 션 | 신체적·정신적 건강의 증진과 질병, 사고, 장애의 예방<br>(Promote physical and mental health and prevent disease, injury, and disability) | |
| 목 표 | • 감염병 및 질병 확산의 예방<br>• 환경위험으로부터의 보호<br>• 사고의 예방 | • 건강한 생활습관 증진과 조장<br>• 재난의 대처와 복구중인 지역에 대한 지원<br>• 보건서비스의 질과 접근성 보장 |
| 필수 공중보건 서비스 | 1. 인구집단에 대한 사정<br>① 지역사회문제 규명을 위한 건강상태 모니터링<br>② 지역사회 건강문제와 건강 위험에 대한 진단과 조사<br>2. 정책개발<br>③ 건강 이슈에 대한 정보 제공, 교육, 역량강화<br>④ 건강문제 규명과 해결을 위한 지역사회 협력관계 구축<br>⑤ 개인과 지역사회 건강노력 지원을 위한 정책과 계획의 개발<br>3. 질 보장<br>⑥ 건강보호와 안전 보장을 위한 법과 규정의 강화<br>⑦ 필요한 건강서비스의 연계와 미충족 보건의료서비스에 대한 이용의 보장<br>⑧ 유능한 보건의료 인적자원 확보<br>⑨ 개인 및 집단 보건서비스의 효과와 접근성, 질 평가<br>⑩ 건강문제에 대한 새로운 시각과 혁신적 해결책 강구를 위한 연구 | |

〈 자료원 : Public Health Functions Steering Committee, U.S. Public Health Service(1994). Public Health in America. Washington, DC. 〉

## 3 지역사회보건의 개념

지역사회보건은 보건문제 인식과 이론적 지식을 인구집단에게 효율적으로 전달하는 실천과학으로, 양질의 보건의료서비스를 보건의료기관과 지역주민의 협동에 의해 일정 인구집단에게 효율적으로 제공하는 실천적 보건의료 활동을 의미한다. 지역사회의 다양한 보건의료 요구 충족을 위해 지역사회와 대상자를 둘러싸고 있는 지리적·사회경제적 환경을 총체적으로 파악하고, 우선순위를 정해 지역사회 가용자원을 효율적으로 활용하여 포괄적인 보건의료를 제공할 수 있는 접근법을 사용한다.

지역사회보건은 세금에 의해 재정적 지원을 받으며 법에 따라 국민들에게 정부기관 같은 공공의 통로를 통해서 서비스를 제공하는 공중보건과는 달리, 민간기금에 의해 운영되는 민간 기관을 포함하여 정부든 개인이든 양자의 노력을 통해 보건의료서비스를 받는 전체 인구집단의 건강유지 및 증진을 위한 조직적인 모든 노력들을 포함한다. 따라서 지역사회보건은 공중보건의 실제를 확대한 용어라고 할 수 있다. 뿐만 아니라 지역사회보건에는 실제적인 의료와 간호 개념이 포함되어 있으므로 지역사회의학과 지역사회간호학을 포함하는 포괄적 개념으로 이해하기도 한다. 이처럼 지역사회보건은 그 지역사회가 가지고 있는 모든 건강문제와 건강 관련 요인을 파악하여 관리하는 총괄적인 건강관리의 전 영역을 말한다. 이는 질병의 치료 및 예방을 중심으로 하는 예방의학의 측면과 개인, 가족, 지역사회의 건강을 유지하며 그들의 잠재성을 최대로 개발한다는 공중보건 실무의 측면을 포함한다.

이러한 지역사회보건은 인적 요소, 물적 요소 및 지역사회 조직의 구조적 틀 요소로 구성되어 있다. 인적 요소에는 건강의 유지 및 증진이 필요한 지역사회 주민과 그들의 건강요구에 맞는 서비스를 제공해야 하는 보건전문인이 포함된다. 물적 요소에는 보건의료 시설과 장비, 이를 위한 재원이 포함된다. 그리고 시설과 장비, 재정의 요소들이 원활히 사용될 수 있도록 지역사회 조직의 구조적 틀이 마련되고 운영되어야 한다.

## 4 보건간호와 지역사회간호의 차이 이해

우리나라에서 사용하는 지역사회간호의 개념은 공중보건사업에서 출발하였으며 오랜 기간 보건간호로 사용되어져 왔다. 보건간호에서 지역사회간호로 명칭이 바뀌면서 그 개념과 활동범위의 변화가 있었다. 보건간호가 수동적이고 하향식이며 질병관리사업에 중점을 두었다면, 지역사회간호는 능동적이고 상향식 또는 수평식이며 일차보건사업 및 건강증진에 중점을 두고 있다. 또한, 보건간호가 조세재정지원으로 법적 의무를 수행하는 공공보건기관에서 근무하는 간호사가 「지역보건법」에 의거하여 기초자치단체가 설립한 보건소 관할 개인, 가족, 인구집단 및 지역사회를 대상으로 보건간호사업을 수행하는 것을 의미한다면 지역사회간호는 보건소, 학교, 산업장, 농어촌, 민간기관, 가정 등 다양한 지역사회 실무현장에서 근무하는 간호사가 보건의료서비스를 받는 전체 인구집단의 건강유지와 증진에 초점을 맞추며 지역사회단위, 실무현장단위, 가족단위로 지역사회간호사업을 수행하는 것을 의미한다. 이러한 보건간호와 지역사회간호의 차이를 살펴보면 [표 1-3]과 같다.

**표 1-3 보건간호와 지역사회간호의 비교**

| 구 분 | 보건간호 | 지역사회간호 |
|---|---|---|
| 사업 목적 | 총체적 관점에서 지역사회의 건강증진,<br>취약계층의 의료이용 접근성 제고 | 지역사회 주민의 적정 기능수준 향상<br>(질병 예방, 건강 유지·증진, 삶의 질 향상) |
| 운영 주체 | 정부 | 정부, 지역사회 주민 및 기관 |
| 재 정 | 국비, 지방비 | 국비, 지방비, 지역사회 기금 |
| 사업 대상 | 선택된 집단, 고위험 집단 | 개인, 가족, 기관, 지역사회 |
| 사업운영방법 | 정부정책 지원 사업, 지역진단에 의한 보건사업 | 대상자의 요구에 근거한 지역보건사업 |
| 사업전달방식 | 하향식(정부 → 지역사회) | 상향식(지역사회 → 정부 및 기관) 또는 수평식(지역사회 → 지역사회) |
| 간호체계 | 보건사업체계 | 건강관리 사업체계(개별적 간호서비스 전달) |
| 실무현장 | 조세재정지원으로 법적 의무를 수행하는 공공<br>보건기관에서 일하는 간호사 | 지역사회 내의 실무현장에서 일하는 모든 간호사<br>(지역사회에서 일하는 모든 간호사에 대한 총칭) |

## 5 지역사회 간호사의 역할과 기능

지역사회 간호사는 지역사회 내에서 개인, 가족, 집단 등이 최적의 건강수준을 위한 보건의료서비스의 접근성을 높이고 필수적인 건강관리서비스를 제공하는 역할을 한다. 최근에는 건강문제와 보건의료서비스 요구도의 변화에 따라서 지역사회 간호사의 역할은 더욱 확대되고 있는 실정이다.

### 1) 지역사회 간호사의 역할과 기능

지역사회 간호사의 역할과 기능은 실무환경이나 간호사의 위치에 따라 달라진다. Clark(2008)은 지역사회 간호사의 역할과 기능을 대상자 중심(client-oriented), 서비스전달 중심(delivery-oriented), 인구집단 중심(populationoriented)의 역할로 구분하여 설명하고 있다[표 1-4].

**표 1-4 지역사회 간호사의 역할**(Clark, 2008)

| 대상자 중심 역할 (client-oriented) | 서비스전달 중심 역할 (delivery-oriented) | 인구집단 중심 역할 (population-oriented) |
|---|---|---|
| • 직접간호제공자(caregiver)<br>• 교육자(educator)<br>• 상담자(counsellor)<br>• 의뢰자(refer agent)<br>• 역할모델(role model)<br>• 사례관리자(care manager) | • 조정자(coordinator)<br>• 협력자(collaborator)<br>• 교섭자(liaison) | • 사례발굴자(case finder)<br>• 지도자(leader)<br>• 변화촉진자(change agent)<br>• 지역사회 동원자(community mobilizer)<br>• 정책옹호자(policy advocator)<br>• 사회적 마케터(socal marketer)<br>• 연구자(researcher) |

### (1) 대상자 중심의 지역사회 간호사 역할

지역사회 간호사는 대상자에게 필요한 서비스를 직접적으로 제공하는 역할을 수행한다.

#### ① 직접간호제공자(Caregiver)

직접간호제공자는 지역사회 간호사에게 가장 기본적인 역할이다. 지역사회 간호사는 개인을 가족과 집단의 구성원으로 파악함과 동시에 체계의 상호작용과 전체성에 대한 이해를 기초로 하여 건강문제를 파악해야만 한다. 또한 질병 예방과 건강증진 등 안녕과 복지 지향의 간호제공에 초점을 둔다. 이를 위해서 기본간호 기술, 전문간호 기술, 의사소통, 관찰과 경청기법, 교육기법 등의 기술이 필요하며, 이를 사용하여 대상자의 간호진단을 도출하고, 간호 수행 계획을 마련하고 간호를 수행한다. 이를 통하여 간호 중재의 결과를 평가한다.

#### ② 교육자(Educator)

교육자로서 지역사회 간호사의 역할은 직접간호 제공자의 역할만큼이나 널리 인식되고 있는 역할이다. 지역사회 간호사는 대상자의 건강문제와 관련된 필요한 지식을 제공한다. 이를 통해서 질병에 대한 인식 변화 및 행동의 변화에 도움을 줄 수 있다. 이는 지역사회 간호사가 교육을 통한 변화촉진자로서의 기능을 담당하는 것으로, 대상자의 교육 요구의 사정, 보건교육의 계획 및 수행, 결과 평가를 수행한다.

#### ③ 상담자(Counsellor)

상담자로서 지역사회 간호사는 대상자의 건강문제 해결을 위해 실현가능한 방법을 선택하는 과정을 돕는 활동을 수행한다. 대상자가 해결해야 할 문제를 확인 및 이해하고 해결할 문제의 범위 선정에 도움을 주며, 선택된 해결방법을 대상자가 스스로 실행하도록 지지한다. 또한 해결방법에 대한 결과 평가를 도와주고, 대상자가 문제 해결과정을 이해하여 추후에는 스스로 할 수 있도록 도움을 준다. 이때 지역사회 간호사는 면접 기술, 자료분석 기술, 효과적인 의사소통 기술이 필요하다.

#### ④ 의뢰자(Refer agent)

의뢰는 대상자로 하여금 다른 지역사회 자원을 활용할 수 있도록 하는 과정이다. 지역사회간호사는 대상자를 사정하고 발견된 문제의 중요성에 대해 논의하고, 문제해결을 위한 다양한 자원을 탐색할 수 있어야 한다. 이를 위해 지역사회간호사는 유용한 기관이나 자원에 대한 지식을 가지고 대상자의 요구를 해결할 수 있도록 다양한 분야와 접촉하며 적절하게 의뢰할 수 있어야 한다. 지역사회 자원은 가깝고 이용하기 편리한 자원부터 선정하며, 지역사회 주민이 활용할 수 있는 모든 자원에 대한 자료를 파악하여 필요시 신속하게 의뢰할 수 있어야 한다.

#### ⑤ 역할모델(Role model)

지역사회 간호사는 지역사회 간호사가 접촉하는 사람들에게 역할 모델이 될 수 있다. 서로 접촉하는 사람들은 상대방을 통하여 유사한 역할을 수행할 수 있도록 서로 영향을 미치는데, 지역사회 간호사는 대상자와 타 분야의 보건전문가, 학생간호사 등과 접촉하며 그들의 역할 모델이 된다.

#### ⑥ 사례관리자(Case manager)

사례관리자로서 지역사회 간호사의 역할은 많은 대상자 중심의 역할을 함축하고 있는 포괄적인 역할이다. 사례관리는 고위험 대상자의 확인, 고비용이 요구되는 잠재성을 지니고 있는 대상자의 확인, 동등한 간호 기회의 확인, 적합한 치료선택의 선정 및 가격 조절, 대상자를 최적의 결과로 이끌기 위한 간호관리를 포함한다. 지역사회 간호사는 대상자 건강요구의 사정과 확인, 요구에 부합하는 간호 계획 및 수행과 결과를 평가한다.

### (2) 서비스 전달 중심의 지역사회 간호사 역할

지역사회 간호사는 건강관리 전달체계의 운영을 강화하여 대상자에게 더 좋은 간호를 제공하기 위한 역할을 수행한다.

#### ① 조정자(Coordinator)

조정이란 가능한 최대의 유효한 방법으로 대상자의 요구에 충족되는 최선의 서비스를 조직하고 통합하는 과정이다. 지역사회 간호사는 대상자의 상태와 요구에 대해서 다른 보건의료 인력과 의사소통을 실시하며 필요한 경우 사례연구 모임을 준비하여 수행하기도 한다.

#### ② 협력자(Collaborator)

지역사회 간호사는 다른 간호사, 의사, 약사, 물리치료사, 사회복지사, 영양사 등 보건의료 인력과 함께 협력적으로 업무를 추진하는 경우가 많다. 따라서 다른 보건의료 인력과 의사소통을 실시하고, 공동 의사결정 등 대상자의 건강문제 해결 방안을 결정하는 공동모임에 참여하게 된다.

#### ③ 교섭자(Liaison)

교섭자로서의 지역사회 간호사의 역할은 조정자, 자원의뢰자, 옹호자의 역할을 포함한다. 지역사회 간호사는 대상자와 기관이 처음 접촉하는 단계에 도움을 주고, 대상자와 기관의 직원들 간의 의사소통을 원활하게 해준다. 또한 서비스 제공자의 추천사항을 대상자에게 설명하고 행동을 강화하고 필요한 경우 대상자의 옹호자와 같은 도움을 주기도 한다.

### (3) 인구집단 중심의 지역사회 간호사 역할

지역사회 간호사는 개인이나 가족뿐 아니라 지역사회나 인구집단을 위한 간호를 제공하는 역할을 수행한다.

### ① 사례발견자(Case finder)

사례발견의 근본적인 의도는 전반적인 지역사회 주민의 건강을 분석하여 보호하려는 것이다. 이를 통하여 건강관련 상태와 기여요인의 징후와 증상의 지식을 발전시킬 수 있으며, 질병과 이에 관련된 상태의 사례를 확인하는 진단적 과정을 이용하여 확인된 사례의 추후관리를 제공한다. 이는 기본적으로 지역사회 간호사의 간호사정 수행능력에 기반한다.

### ② 지도자(Leader)

지도력은 다른 사람의 행동에 영향을 주는 능력으로 개인, 가족, 집단 및 지역사회에서 행해진다. 지역사회 간호사는 활동에 대한 요구를 확인하고 적합한 지도력의 유형을 결정하기 위하여 상황과 추종자를 사정한다. 또한 추종자들이 활동을 하도록 동기부여하고 활동 계획 수립 및 수행 집단 구성원의 활동을 조정하며 평가한다.

### ③ 변화촉진자(Change agent)

변화촉진자는 지역사회 간호사 자신이 변화에 대한 필요성을 인식하고 다른 사람에게 변화의 필요성을 인식시키며 그들이 변화하도록 동기화하여 개인, 가족 및 지역사회 수준의 건강문제에 대처하는 능력을 증진하는 것이다. 이는 종종 지도력의 역할과 결부되어 수행된다. 특히 지역사회 간호사는 농어촌의 경우에 지역사회 보건사업의 대표자로서 의료적인 감독, 산전관리, 예방접종 등 포괄적인 보건사업을 이끌어 나간다.

### ④ 지역사회 동원자(Community mobilizer)

지역사회 간호사는 지역사회 구성원들이 건강관련 이슈에 관심을 가지도록 하고 지역사회가 건강관련 행동을 취할 수 있도록 동원자의 역할을 수행해야 하며, 지역사회 행동 조성을 위한 연합이 이뤄질 수 있도록 하여야 한다. 또한, 지역사회가 건강을 위한 목표를 설정하도록 돕고 목표달성을 위한 전략을 개발하고 이행하는 데 참여하여야 한다.

### ⑤ 정책옹호자(Policy advocator)

지역사회의 건강관련 정책의 개발요구를 파악하고 정책 목표를 설정하며, 건강관련 정책에 영향을 미치는 요인을 파악하여 인구집단의 건강을 증진시킬 수 있는 정책형성이 이뤄질 수 있도록 해야 한다. 또한 건강관련 정책을 제안하고 정책개발과정을 모니터링하는 역할을 수행해야 한다.

### ⑥ 사회적 마케터(Social marketer)

마케팅은 일반적으로 생산자와 소비자 간의 상품 또는 서비스의 원활한 유통을 위한 사업 활동을 총칭하는 것으로 시장조사와 상품화 계획, 판매촉진, 선전 광고 등의 활동을 포함한다. 지역사회 간호사는 이러한 마케팅의 개념을 지역사회 간호사업에 도입하여 대상자의 요구를 확인하고, 바람직한 행동변화를 촉진하거나 방해하는 요인을 분석한 뒤 바람직한 중재 방안을 개발하고 시도하여 최종적으로 바람직한 전략을 개발할 수 있어야 한다.

### ⑦ 연구자(Researcher)

연구자로서 지역사회 간호사는 건강관리 전문가로서 의의가 큰 활동이며, 프로그램 개발이나 사례관리자로서 중요한 역할을 수행하게 된다. 지역사회 간호사는 연구문제를 확인하고 연구 계획을 수립한다. 이에 따른 자료

수집을 실시하고 연구를 수행하며 연구결과를 검토하고 이를 실무에 적용한다. 연구하는 자세는 지속적인 탐구심과 주의 깊은 관찰력을 필요로 하며 이를 통하여 지역사회 간호사는 간호 실무의 질 향상을 꾀할 수 있다.

## 2) 지역사회 간호사의 주요 활동현장과 역할

### (1) 보건기관의 보건간호사

보건간호사는 지역사회 주민의 건강관리를 위해 전국의 보건소와 보건지소, 지방자치단체 등에 근무하는 간호직 또는 보건직 공무원이다. 지역주민의 질병예방과 건강증진을 위한 사업, 정신보건, 모자보건, 노인보건 등의 업무를 수행하며, 이들의 배치근거는 「지역보건법」이다. 보건간호사라는 명칭은 공식 명칭은 아니며 보건기관에 근무하는 간호사라는 뜻이다. 이는 보건복지부장관이 자격을 인정하는 보건전문간호사와는 구분된다.

### (2) 보건진료소의 보건진료 전담공무원

보건진료 전담공무원(보건진료원)은 농어촌 및 벽·오지 지역주민의 건강관리를 위해 보건진료소에서 일차보건의료 서비스를 제공하는 사람이다. 보건진료 전담공무원은 간호사 또는 조산사 면허소지자로서 24주간의 훈련과 교육을 받은 후 임용된다. 보건진료 전담공무원은 지방공무원이며 특별자치시장, 특별자치도지사, 시장·군수 또는 구청장이 근무지역을 지정하여 임용한다. 이들의 배치근거는 「농어촌 등 보건의료를 위한 특별조치법」이다.

### (3) 산업장의 보건관리자(산업간호사)

산업장의 보건관리자는 산업장 건강관리실에서 직장인의 건강관리를 위해 활동하는 간호사를 말한다. 근로자의 건강관리와 보건교육, 작업환경 및 위생 관리, 사업장 안전보건체계 수립 등을 담당하며 「산업안전보건법」에 의해 배치된다. 산업간호사는 산업장 보건관리자로서 근무하는 자 외에 산업보건 대행 업무에 종사하는 간호사 등도 포함된다. 산업관련 업무에 종사하는 간호사를 채용할 때 산업전문간호사가 필수 조건은 아니다.

### (4) 학교의 보건교사

초·중·고등학교의 보건실에서 근무하는 간호사를 보건교사라고 한다. 보건교사는 초·중·고등학교 보건실에서 근무하며 학교 인구의 건강관리를 위해 「학교보건법」에 의해 활동을 한다. 보건교육, 학생과 교직원의 건강관리, 학교 보건사업계획 수립 등의 업무를 담당한다. 간호대학에서 소정의 교직학점을 이수한 후 간호사 면허를 취득한 사람에게 보건교사 자격증이 주어진다. 현재는 학생정원의 10%만이 교직과정을 이수할 수 있으며, 국·공임용고시를 통과해야만 한다.

### (5) 방문간호사

방문간호사는 가정방문을 통하여 대상자의 건강관리를 하는 간호사를 말한다. 주로 보건소에 소속되어 방문건강관리사업의 서비스 제공 활동을 하는 방문간호사와 노인요양기관에 소속되어 있으면서 노인장기요양보험 수급대상 가정을 방문하는 간호사가 있다.

보건소의 방문건강관리사업의 방문간호사는 공무원 또는 계약직 전담인력의 신분으로 방문건강관리사업의 대상 가정을 방문하여 간호 서비스를 제공하기 때문에, 크게 보면 보건간호사라고도 할 수 있다.

노인요양 방문간호사는 「노인장기요양보험법」에 근거하여 2년 이상의 간호업무경력이 있는 간호사로서 의사, 한의사 또는 치과의사의 방문간호 지시서에 따라 전문적 간호서비스를 제공하는 간호사이다.

#### (6) 보건교육사

「국민건강증진법」 제12조에 따르면 국가 및 지방자치단체는 모든 국민이 올바른 보건의료의 이용과 건강한 생활습관을 실천할 수 있도록 개인 또는 집단의 특성, 건강상태, 건강의식 수준 등에 따라 적절한 보건교육을 실시한다. 「국민건강증진법」 제12조의2에 따르면 보건복지부장관은 국민건강증진 및 보건교육에 관한 전문지식을 가진 자에게 보건교육사의 자격증을 교부할 수 있다. 보건교육사의 등급은 1~3급으로 하고 등급별 시험과목, 자격기준 및 자격증의 교육절차 등에 관하여 필요한 사항은 대통령령으로 정한다.

보건교육사는 2003년 국가자격으로 도입되어, 2010년 제1회 국가시험이 시행되었다. 건강증진 및 보건교육 전문화와 관련된 보건교육사는 공공보건기관, 학교, 병원 등에서 다양하게 활동할 수 있다.

「국민건강증진법」 제12조4에 의거 보건교육사의 채용은 국가 및 지방자치단체는 대통령령이 정하는 국민건강증진사업관련 법인 또는 단체 등에 대하여 보건교육사를 채용하도록 권장하여야 한다.

### 3) 지역사회 간호사의 역할 확대

최근에는 건강에 대한 사회적 요구가 증가하고 다양화되고 있으며 질적인 의료수준의 향상이 요구되고 있다. 이에 따라 전문 직종의 역할과 상호관계 또한 변화하고 있는 추세이다. 이에 지역사회 간호사의 역할 또한 기존에 비하여 확대되고 있다. 이러한 지역사회 간호사의 역할 확대의 배경은 다음과 같다.

- 의학지식과 기술이 빠르게 새로워지고 의료시설과 장비의 현대화가 이루어지며 이로 인하여 의료비가 상승하고 있다. 의료도 전문화되어 진료영역이 더욱 세분화되고 있으며, 특히 우리나라의 경우 민간중심의 의료로 발전하여 의사와 의료기관의 도시집중화가 심화되고 있는 상황이다.
- 국민의 교육수준과 소득수준이 향상되면서 건강을 기본권으로 인식하게 되었고 이에 따라 의료수요는 계속 증가하고 의료에 대한 기대는 더욱 커지고 있다.
- 국가는 복지사회를 건설하기 위해 의료보장과 형평의 의무를 지니고 있으나 자원은 제한적이기 때문에 형평을 위한 의료서비스 제공은 한계를 지니고 있다.

지역사회 간호사의 역할 개발은 역할의 연장과 역할의 확대 측면이 있다. 역할의 연장은 보건의료체계 안에서 인지도나 틈을 메꾸기 위하여 동일한 기능을 확장하여 수행하거나 이미 담당된 기능을 확장하는 단선적인 연장을 말한다. 이에 비하여 역할의 확대는 다방면적인 변화로 보건의료의 새로운 요소나 체계를 산업화하기 위해 일어나는 역할 변화의 과정이다.

현재 우리나라에서 지역사회 간호사의 확대된 역할로 전문간호사를 들 수 있다. 21세기 건강관리체계는 질병의 치료보다는 건강의 유지·증진, 질병의 예방이 강조됨에 따라 다양한 분야에서 전문화된 인력의 필요성이 대두되고 있는데, 이러한 시대적 사명은 2000년 1월에 공포된 「의료법」 제6장 제56조에서 '분야별 간호사' 조항이 '전문간호사'로 개정되어 법적 근거의 발판을 마련하였으며, 2008년 2월 전문간호사의 분야가 보건, 마취, 정신, 가정, 감염관리, 산업, 응급, 노인, 중환자, 호스피스, 종양, 임상, 아동 분야의 13개로 지정되었다. 지역사회 간호 분야의 자격 및 직무는 「의료법」에 의한 전문간호사 외에도 「학교보건법」, 「농어촌 등 보건의료에 관한 특별조치법」, 「정신보건법 시행령」 등에 의해 규정된다.

## 제3절 + 지역사회와 건강

Keywords

- 건강
- 건강결정요인
- 건강연속성
- 적정기능수준
- 건강형평성
- 건강불평등
- 건강한 지역사회
- 건강도시

### 1 건강의 개념

인간의 건강은 의학, 간호학, 보건학 등의 여러 학문에서 핵심적으로 다루어지는 개념이다. 사물에 대한 정의는 우리가 그 사물을 바라보는 시각을 반영하기 때문에 건강에 대한 개념이나 정의 또한 우리가 건강을 바라보는 시각, 나아가 건강하기 위한 방법에 대한 시각의 차이를 반영한다. 여기서는 세계보건기구(WHO)와 의학적 관점, 그리고 간호학 및 지역사회간호학에서의 건강 정의에 대해서 알아보자.

#### 1) 세계보건기구의 건강 정의

가장 일반적으로 인용되는 건강의 정의는 세계보건기구가 제시한 것이다. 세계보건기구는 1948년 건강을 '질병이나 불구가 없을 뿐만 아니라 완전한 신체적·정신적·사회적인 안녕 상태'라고 정의하였다. 이러한 세계보건기구의 정의는 신체적 영역을 넘어서서 정신적, 사회적 영역으로까지 건강의 개념을 확대함으로써 단순히 질병의 부재라는 부정적 개념이 아닌 적극적인 건강 개념을 도입한 것으로 의의가 있다. 하지만 이 정의는 규범적인 상태로서 성취하기 어려운 이상적 목표로 기술되어 있으며 따라서 측정하기 어렵다는 한계를 지니고 있다.

이후 세계보건기구는 1998년 건강을 '질병이나 불구가 없을 뿐만 아니라 신체적·정신적·사회적 및 영적으로 완전히 안녕된 상태'라고 재정의 내리며 영적(spiritual) 안녕까지를 포함하였다.

#### 2) 의학적 관점

일반적으로 근대의학의 생성기에 의사들의 건강에 대한 관점은 질병관리 시대에 주류를 이루던 사고방식인 '질병이 없는 상태'를 건강한 상태라고 정의한다. 구체적으로 건강한 상태란 '정상적인 신체 상태, 예를 들어 육체적이거나 정신적인 질환이나 고통이 없고, 완전하여 신체의 각 부분이 고유한 생리적 기능을 수행할 수 있는 상태'를 의미한다(Critchley, 1978). 즉 모든 부속품이 정상적으로 작동하는 기계처럼 신체의 각 부위가 효율적으로 작동하는 상태를 건강한 상태로 보는 것이다. 이는 인간을 기계론적 관점의 바탕으로 사유하는 것이며, 여기에는 사회적, 정신적, 심리적인 요소가 개입할 여지가 없다. 따라서 이러한 의학적 관점은 기계론적 관점이라 비판받는다.

또한 의학적 관점에서는 인구 집단을 건강한 사람(질병이 없는 사람)과 건강하지 않은 사람(질병이 있는 사람)으로 이분법적으로 분류한다. 그리고 의학적 관점에서는 질병이 발생하는 이유는 질병을 일으키는 원인균이나 인체의 정상 기능에 필요한 특정 인자(호르몬 등)의 부족이나 과다 때문이라고 생각한다. 따라서 과학의 발전을 통해 특정 원인을 발견하거나 관리방법을 개발하면 질병을 관리할 수 있게 되고, 이로 인해서 사람이 건강하게 된다고 생각한다.

## 3) 간호학적 관점

간호학 이론에서는 간호학문의 공통적인 탐구 영역으로 인간, 건강, 환경, 간호행위를 다루고 있다(Tomey & Alligood, 1998). 탐구 영역이란 의미 있는 언명들로 구성되는 그 분야의 중요한 문제 영역을 담고 있으며 지식개발을 위한 기준과 도구는 그 영역 안에서 규정된다. 따라서 위에서 언급한 4가지의 탐구 영역 가운데 '건강'에 대한 논의 또한 간호의 영역에서 다루어지고 있다.

Smith(1981)는 문헌고찰을 통하여 간호학에서 바라보는 건강에 대한 기본적인 개념을 알아보았는데, 건강을 상대적인 개념으로 파악하였고 건강에 대한 모형을 다음과 같이 4가지 유형으로 구분하였다[표 1-5].

### (1) 행복론

이는 고대 그리스 의학과 플라톤, 아리스토텔레스의 도덕 철학에 기반을 두고 있으며, 건강을 일반적인 안녕과 자아실현까지로 확대한다. 이 모형의 최근의 대표자는 Maslow인데, 그는 건강을 '이상적인 본성과 개성'이라고 표현하였다. 이상적인 인간은 최고의 지성과 최고의 열망으로 측정할 수 있고, 최고의 열망이란 실현과 완전한 발달을 지향하는 것이며 내적인 잠재력에 의해 개발된다. 건강은 이러한 잠재력이 현실화되거나 실현된 상태이다. 따라서 질병은 생리학적인 상태의 치료가 끝나지 않아서 자아실현을 저해하는 상태이다. 이 모형을 건강의 연속선상으로 볼 때 한쪽 끝은 풍족한 안녕상태이고, 그 반대의 끝은 질병상태로서 무기력을 의미한다.

### (2) 적응론

이 모형에서 건강에 대한 생각은 의학적인 개념에서 발전하였으나 질병의 치료를 넘어서까지 확대하였다. 건강은 유기체가 그의 물리적, 사회적 환경과 효과적으로 상호작용을 할 수 있는 상태이며, 이 상호작용의 특징적인 방식이 적응이다. 질병은 유기체가 환경의 변화에 대처하는 능력, 즉 적응에 실패한 경우이다. 이를 위하여 의학적인 치료는 유기체가 적응기전을 이용하는 능력을 복원하도록 하는 것이다. 이 모형에 따르면 개인이 질병이 없다고 해서 건강한 상태라고 말할 수 없다. 이 모형을 건강의 연속선상으로 볼 때 한쪽 끝은 유기체가 환경과 융통성 있게 적응을 유지하고 환경과 상호작용하는 것이고, 그 반대의 끝은 유기체가 환경으로부터 소외되거나 자기교정적인 반응을 하는 데 실패하는 것을 의미한다.

**표 1-5 Smith(1981)의 건강모형에 따른 건강-질병의 의미**

| 모 형 | 건강의 의미 | 질병의 의미 |
|---|---|---|
| 행복론 | 풍족한 안녕과 자아실현 | 무기력 |
| 적응론 | 유기체가 환경과 융통성 있게 적응 | 환경으로부터 유기체의 소외 |
| 역할 수행론 | 최고의 성과와 사회적 역할 수행 | 역할수행의 실패 |
| 임상적 모형 | 불구, 질병의 증상·증후가 없는 것 | 질병의 증상·증후가 있는 것 |

〈 자료원 : Smith, J.A.(1981). The idea of health: A philosophy inquiry. Advances in Nursing Science, 3, 43-50 〉

#### (3) 역할수행론

이 모형은 사회의학과 구조기능주의에 바탕을 두고 있으며, 적절한 역할수행이 건강의 기준이다. 따라서 질병이란 사람들이 그들의 업무수행을 방해하는 것을 말하며, 자신의 역할을 효과적으로 수행할 수 있는 상태가 건강이다. 단, 이러한 경우 업무수행의 일반적인 기준은 보건정책이나 행정 지침이 된다. 또한 하나의 효과적인 역할수행은 다른 역할의 수행을 저해할 수도 있기 때문에 이는 상대적인 가치와 우선순위에 관한 문제라고 할 수 있다. 이 모형을 건강의 연속선상으로 볼 때 한쪽 끝은 최고의 성과를 거두는 사회적 역할의 수행이고, 그 반대의 끝은 역할수행의 실패이다.

#### (4) 임상적 모형

이 모형은 의학에 기초하고 있으며 앞에서 살펴본 의학적 관점과 유사하다. 이 모형을 건강의 연속선상으로 볼 때 한쪽 끝은 질병의 증상이나 증후가 없고 의학적으로 불구가 없는 상태이고, 그 반대의 끝은 질병의 증상이나 증후가 있는 상태이다.

이상의 4가지 모형의 건강에 대한 생각은 서로 완전히 구분되기보다는 중복되는 부분이 있다. 행복론은 나머지 세 가지의 모형을 포괄하기도 하고, 임상적 모형은 건강에 대한 최소한의 개념이라고 할 수 있다. 적응론은 역할수행론이나 임상적 모형을 포함하고 있으며, 역할수행론은 광범위한 관점에서 사회적인 관계와 기능의 복잡성을 내포한다.

### 4) 지역사회간호학에서의 건강의 정의

지역사회간호학에서의 건강의 정의는 지역사회 간호학자에 따라 다소 차이가 있다. Freshman(1979)은 '간호대상자에 의한 적정 기능수준'이라고 하였고, Clemen 등(1981)은 지역사회간호 실무의 목적은 건강이며 건강이란 '신체적·정신적·사회적 기능의 최고 수준'이라 하였다. Spradely(1985)도 건강은 '적정 건강이라는 한 지점으로부터 전적으로 불기능 상태인 반대지점을 이은 하나의 연속선'으로 보았다.

김화중(1991)은 구조적 모형(임상적 모형과 적응모형 포함), 기능적 모형, 체계모형과 발달모형으로 구분하였다. 구조적 모형은 Smith의 임상적 모형과 같은 입장이며, 적응모형은 Smith보다 협의의 의미로 보았다. 기능적 모형은 Smith의 역할수행론과 같은 유형이며, 체계모형은 체계이론을 근간으로 하여 개방체계인 유기체의 역동적인 평형 상태를 말한다. 발달모형은 유기체가 한 방향을 따라 진행하는 것을 가정하여 목표 혹은 최종 상태, 최종 상태로 되는 과정, 그리고 발달 또는 성숙의 증가를 나타낸다. 따라서 건강은 한 체계가 주어진 어느 시점에서 성취 또는 발달해야 할 최종 상태를 말한다.

이상의 관점을 정리하면 지역사회간호학에서 건강은 절대적이며 정지된 상태를 의미하는 개념이 아니라, 상대적이며 역동적인 개념이라는 것이다. 또한 지역사회간호학에서는 건강을 임상적인 관점보다는 기능적인 관점으로 본다는 것이다.

## 2 건강의 결정요인

캐나다의 보건성 장관이었던 Lalonde의 보고서(1974)에서는 건강에 결정을 미치는 주요 요인을 '건강의 장(場; health field)'이라는 용어로 표현하고 있는데, 주요 건강의 장으로 생물학적 요인, 생활양식, 환경, 보건의료조직의 4가지를 제시하였다.

- **생물학적 요인**(Human biology) : 생물학적 기능, 즉 조직과 기관의 활동의 결과로 신체 내부에서 발생하는 신체적, 정신적 건강과 관련된 모든 측면을 의미한다. 유전적 소인, 노화과정, 각종 신체 기관 등이 이에 해당된다.
- **생활습관**(Life style) : 개인이 통제력을 가지고 있으면서 건강에 영향을 미치는 의사결정들이 이에 해당된다.
- **환경**(Environment) : 사람의 외부에 존재하고 개인이 통제력을 미치지 못하거나 거의 못 미치는 자연적, 사회적 요인들을 의미한다. 식품, 의약품, 화장품, 식수, 각종 기기의 공급, 공해, 오염, 소음, 쓰레기 및 하수의 처리, 건강과 관련된 각종 사회 환경 등이 이에 해당된다.
- **보건의료조직**(Health care organization) : 흔히 보건의료체계(health care system)라고 불리는 부분으로 보건의료서비스를 제공하는 인력과 자원의 양, 질, 배치, 그리고 관계 등을 의미한다.

라론드 보고서는 대부분의 국민의료비가 보건의료조직에 사용되는 데 비해, 질병과 조기사망의 원인 대부분은 생물학적 요인, 환경, 생활습관이라는 세 가지 장, 그 중에서도 특히 생활습관에 의해 결정됨을 지적하고 보건의료정책의 변화를 요구하였다.

1970년대 이후 건강결정요인에 대한 이해가 증대됨에 따라 건강결정요인을 복합적으로 생각하게 되었다. 그리고 건강결정요인들 사이의 상호관련성에 대한 관심이 높아졌다. 또한 '건강결정요인의 근원적 요인(cause of causes)'이라고 불리는 사회적 건강결정요인의 중요성이 강조되기 시작하였다.

이러한 경향을 반영하여 다양한 건강결정요인과 그들 사이의 상호관련성을 하나의 틀로 정리하기 위한 노력이 이루어져 왔다. 이 가운데 Dahlgren과 Whitehead(1991)가 건강결정요인을 다음과 같이 5가지 군으로 분류한 모형이 가장 널리 인용되고 있다[그림 1-3].

**건강결정요인의 5가지 분류**

- 생물학적 요인 : 유전적 소인, 성, 연령 등
- 생활습관
- 사회적 및 지역사회 네트워크
- 생활 및 작업환경 : 근로환경, 교육, 위생, 주택, 실업, 보건서비스, 식품과 식수 공급
- 전반적인 사회경제적, 문화적, 환경 상태

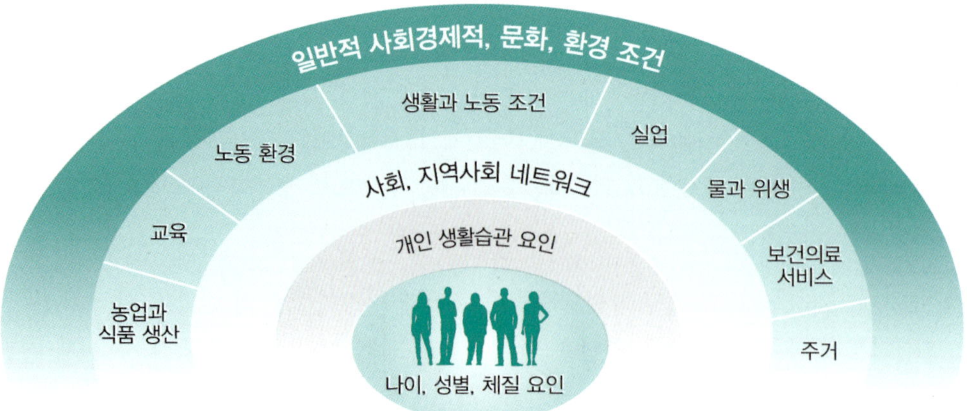


그림 1-3 Dahlgren과 Whitehead가 제시한 건강결정요인의 틀

Evans와 Stoddart(1990)는 인구구성원의 건강에 영향을 주는 것이 무엇인지에 대한 개념적 구조를 제시하였다[그림 1-4]. 이 개념적 구조는 건강을 생산하는 데 중요한 요인들을 찾아내어, 단순한 건강수준(health outcome) 이상의 건강 및 웰빙(well-being)에 대한 폭넓은 개념으로 접근하고 있다. 일반적으로 다이어그램의 상층부(사회적·물리적·유전적 환경)에 있는 결정요인들은 하층부에 있는 요인에 영향을 주게 되는데, 어떻게 인구구성원의 건강이 생산되고 있는지에 관하여 유용한 정보를 제공하고 있다. 인구구성원에 대한 의료서비스 기여는 제한되어 있는 반면, 사회적·물리적·유전적 환경 조건이 건강 차이, 질병 및 사고를 생산하는 데 중요한 역할을 하는 것을 보여준다. 위험결정(risk decision) 또는 스트레스에 대한 반응과 같은 개인요인은 환경요인이 건강에 미치는 일반적 요인을 완화시킬 수 있으며, 개인요인은 또한 사회적·물리적 환경에 의해 형성될 수 있다. 질병 및 사고는 사람들이 어떻게 자신의 상태 및 기능을 경험하고 있는지에 좌우된다. 인구구성원의 건강 프로파일(profile)을 변화시키기 위해서는 보건의료보다는 사회적·물리적 환경에서의 변화를 유도할 수 있도록 고려해야 하며, 동시에 건강행태에 영향을 주고 있는 요인을 고려해야 한다.

Murray와 Lopez(1999)는 인구구성원의 건강수준에 대한 인과경로(casual pathway)를 단순화하여 보여주었다[그림 1-5]. 건강에서 질병으로의 경로에 대한 요인들은 상이한 수준에서 복잡한 관계를 나타내고 있는데, 일

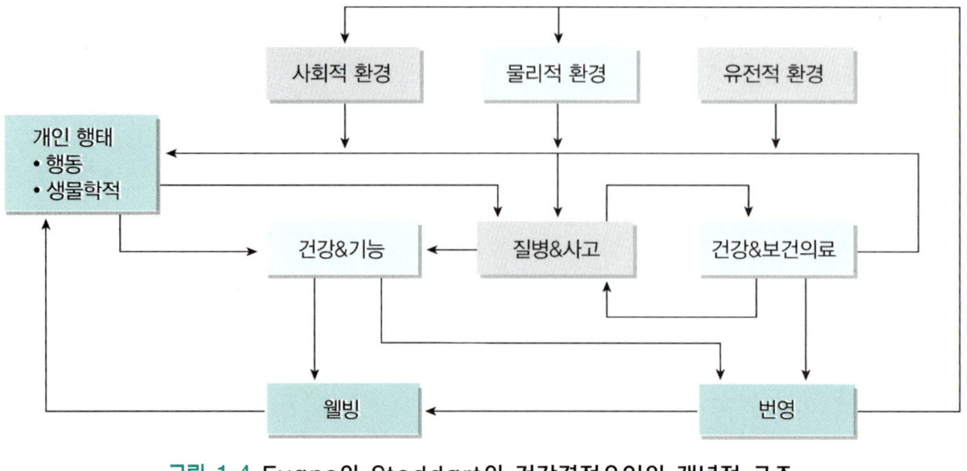


그림 1-4 Evans와 Stoddart의 건강결정요인의 개념적 구조

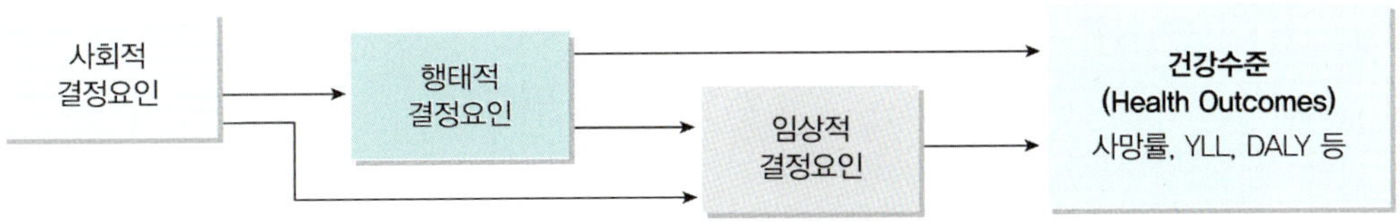


그림 1-5 Murray와 Lopez의 건강수준에 대한 인과경로

반적인 사회적 조건(빈곤, 차별, 불평등, 사회적 고립 등)에서 개인별 행태, 그리고 이는 다시 유전적·생물학적 과정으로의 경로를 보여주고 있다. 인구구성원의 건강을 이러한 방식을 통해 평가하고 평가결과를 통해 이를 예방함으로써 건강관련 삶의 질을 향상시키면 건강불평등을 제거할 수 있게 된다.

## 3 건강의 연속선과 질병예방수준의 관계

건강의 정의에서 신체적, 정신적, 사회적으로 완전한 안녕상태라 함은 이론적으로는 정의가 가능하나 실제로 개인에게는 적용하기 어려운 점이 있다. 건강과 질병 사이의 명확한 구획을 구분하는 것은 불가능하다고 하겠다. 생의학적 관점에서는 건강이란 여러 가지 필수적인 생명기능이 완전하게 작동되는 상태이며, 질병이란 이들의 기능이 불완전하게 작동되어 정상 범위에서 벗어나는 상태를 말한다. 그러므로 건강과 사망은 하나의 연속선상에 있으며 가장 건강하지 못한 상태는 죽음에 다다른 상태라고 보는 것이다.

Terris(1975)는 건강상태나 상병상태는 어떤 절대차가 아니고 정도의 차이를 가지고 연속된 상태이므로 세계보건기구는 건강의 정의에서 질병이란 용어 대신에 상병이라고 함이 타당하다고 주장하였다. 그 이유는 임상적으로 전혀 앓지 않고도 질병이 있어 건강과 질병은 공존할 수 있지만, 건강과 상병은 배타적인 까닭에 건강－상병을 정도의 차이로 그 연속성을 표현할 수 있기 때문이라고 하였다.

한편, Freshman(1979)은 기능연속지표로 제시하였는데, 이는 기능을 긍정적으로 영향을 주는 기능과 부정적으로 영향을 주는 기능으로 나누고 있다. 두 개의 대비되는 기능을 중앙에 두고 어느 주어진 시점에서의 건강수준은 기능연속선 상인 적정기능과 부적정기능인 기능장애 사이에 놓이게 된다[그림 1-6].

보건학의 발달은 질병 발생을 용이하게 하는 요인으로 생물학적 요인뿐만 아니라 사회적 요인인 경제수준, 교육수준, 그리고 기타 요인이 상호작용함을 알게 되었다. 이와 같이 건강은 여러 가지 복잡한 요인과 관계가 있으며 개인 간의 차이가 있음을 인정해야 한다. 그 이유는 모든 사람은 노화라는 기능의 퇴화과정을 거치며 불가역적인 현상으로 죽음에 이르게 되지만 모든 사람이 동일한 질병에 동시에 걸리는 일은 거의 없기 때문이다.

치료 중심의 임상의학과 임상간호학에서는 질병에 이환되어 아픈 상태에 있는 환자를 치료하고 회복시키는 데 많은 노력을 해왔다. 특히 질병의 진단과 치료기술의 개발에 치중하였다. 그러나 질병의 예방과 건강증진 활동을 지역사회의 건강한 주민을 대상으로 제공하는 것이 치료보다는 효과적이라고 할 수 있으므로, '질병치료'보다는 '건강증진' 및 '예방'이라는 개념이 지역사회 보건활동에서는 더욱 중요하다.

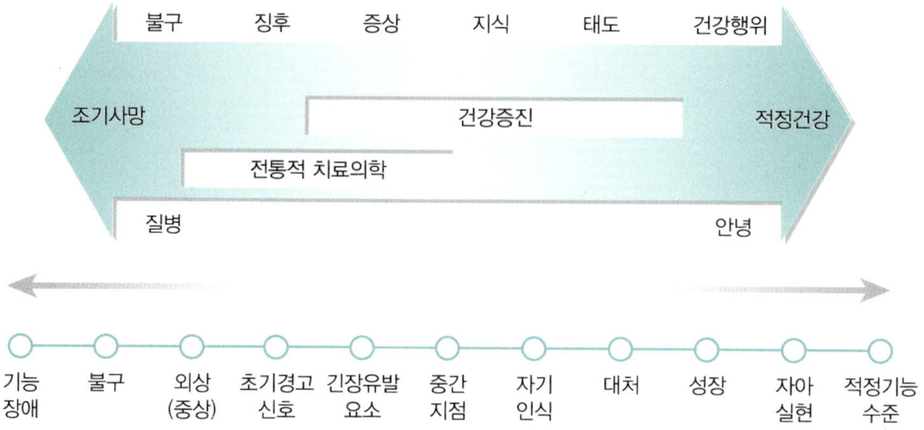


**그림 1-6** Terris(1975)의 건강연속선/Freshman(1979)의 기능연속선

## 4 적정 기능수준의 영향요인

지역사회간호의 목표인 적정 기능수준(optimal level of function)이란 '고려될 수 있는 모든 요인으로 최대한 이룩할 수 있는 기능'을 말한다. 즉 기능을 수행하는 데 영향을 미치는 모든 조건을 고려하여 최대한으로 성취할 수 있는 기능이다. 지역사회의 적정 기능수준에 영향을 미치는 요소들은 다음과 같다.

### 1) 정치적인 영향

정치적 통제는 합법적인 권한과 권력으로 안정된 지역사회의 유지를 돕지만 한편으로 지역사회에 압력으로 작용하기도 한다. 음주나 흡연은 개인의 의지에 따른 행위이나 이러한 행위를 규제하는 법적인 장치의 존재 여부에 따라 개인 및 지역사회는 적정 기능수준이 달라진다. 이러한 법적인 장치는 정치적인 영향을 받는다. 반대로 이러한 정치적인 영향으로 제도에 의하여 차별을 받는 경우가 발생할 수도 있다.

### 2) 습관적인 영향

습관적인 영향은 개인의 행동과 상황에 대한 대처 양상으로 적정 기능수준에 영향을 준다. 예를 들어 균형 잡힌 식사, 활동, 흡연, 음주, 스트레스와 도전을 다루는 방법 등이다.

### 3) 유전적인 영향

유전적인 형질은 수명, 건강상태, 특정한 질환의 발현 가능성을 결정한다. 유전적인 소인과 잠재력은 수정하기 어렵다는 문제를 가지고 있지만, 유전학의 발달은 유전적인 영향이 적정 기능수준에 미치는 영향력을 줄일 수 있는 가능성을 가지고 있다.

### 4) 보건의료 전달체계의 영향

보건의료 전달체계는 지역사회의 적정 기능수준 향상에 영향을 미친다. 보건의료 전달체계가 질병치료 중심인지 아니면 예방과 건강증진 중심인지에 따라서 적정 기능수준은 달라지며, 또한 보건의료 전달체계의 수혜범위에 따라서도 그 지역사회의 적정 기능수준은 달라질 수 있다.

### 5) 환경적인 영향

안전한 물, 깨끗한 공기, 건강에 이로운 작업장 등은 모두 적정기능수준에 영향을 미친다. 향후 적정기능수준에 영향을 미치는 환경적인 영향에 대한 관심은 커질 것으로 예상할 수 있다.

### 6) 사회·경제적인 영향

최근에는 수입 수준과 사회적 지위에 따른 건강과의 관계 등의 고찰을 통하여 적정 기능수준과 사회·경제적인 요소에 대하여 활발히 논의하고 있다. 이는 부유층과 빈곤층 간의 격차가 클수록 지역사회의 적정 기능수준 향상이 어렵다는 것을 보여주며, 이러한 문제를 해소하기 위하여 최근에는 건강형평성이 강조되고 있다.

## 5 건강형평성

### 1) 건강형평성의 개념

세계적으로 양극화가 심해지면서 사회·경제적 차이에 따른 건강격차가 커지고 있으며 건강형평성과 건강불평등이 건강수준에 영향을 주어 해결해야 할 주요과제로 대두되고 있다.

건강형평성(health equity)을 이해하기 위해서는 우선 평등(equality)을 이해해야 한다. 평등은 '같음'을 의미하며, 불평등은 '같지 않은' 상태를 의미한다. 개념적으로 불평등은 차이(difference), 부등(disparity), 변이(variation)와 같은 의미이다. 즉 차이가 있으면 불평등한 것이다. 형평성은 불평등 현상에 대한 윤리적 가치판단을 필요로 한다. 다시 말해 불평등 현상이 정의(justice)의 기준으로 볼 때, 공정한지(fairness)를 판단하는 것이다. 따라서 건강형평성은 개인들이나 집단들이 불공정하거나 부당함에서 비롯된 '피할 수 있는(avoidable)' 건강상의 차이에 대한 가치판단을 내포한 윤리적이고 도덕적인 개념이다.

Whitehead(1992)는 건강 불형평성을 '회피가능(avoidable)'하거나 '불필요한(unnecessary)' 불평등으로 규정하였으며, 국제건강형평성학회(International Society for Equity in Health)는 '사회적, 경제적, 인구학적, 지리적으로 구분된 인구집단이나 인구집단들 사이에 존재하는 한 가지 이상의 건강측면에서 나타나는 체계적이고 잠재적인 교정 가능한 차이'라고 정의하였다.

또한 건강형평성은 건강에서의 개인 간 변이가 아닌 사회경제적 위치에 따른 건강수준의 차이를 나타내는 용어로 '사회경제적 건강 불평등'을 의미하기도 한다.

## 2) 건강형평성의 중요성

WHO에서는 건강불평등 문제의 심각성을 인식하고 "건강의 사회적 결정요인위원회(Commission on Social Determinants of Health)를 설립하여 지속적으로 문제해결을 위해 다양하게 노력하고 있다.

국가 전체의 건강수준을 향상시키기 위해서는 국민 개개인의 건강수준향상이 중요할 수 있지만 인구집단 간 건강불평등을 감소시키는 것이 중요하다. 다시 말하면 건강형평성이 중요하다. 따라서 국가수준에서 건강정책의 목표 중 하나로 건강불평등 문제를 제시하고 있다.

WHO는 "건강의 사회적 결정요인위원회"가 제시한 개념틀에서 건강불평등의 요인을 발견하고 주요요인이 상호 어떻게 연관되어 있는지를 설명하고 있다. 핵심구성요소는 사회·경제적·정치적 맥락, 구조적요인과 사회·경제적 지위, 중재요인 등이다[그림 1-7].

'건강의 사회적 결정요인 개념 틀'은 구조적 요인(structural determinants)이 개인의 사회·경제적 위치를 결정하고 사회를 계층화하거나 이를 강화한다고 전제한다. 사회·경제적·정치적 맥락의 주요 요소는 거버넌스, 거시경제 정책, 사회정책, 다른 관련분야의 공공정책 등이며, 구조적 요인인 소득, 직업, 교육, 성, 인종, 사회적 계층 등으로 구성되는 사회경제적 위치에 영향을 미치며 상호작용한다.

이러한 요인은 물리적 환경, 건강행태, 사회심리적 요인, 보건체계 등 중재요인에 영향을 주고, 중재 요인 또한 상호작용하는 가운데 건강격차를 나타내며, 이러한 건강격차는 다시 구조적 요인과 중재요인에 영향을 준다. 사회통합과 사회자본은 구조적 요인과 중재요인 사이의 매개체로서 역할을 설명하고 있다.

그럼 최근에 건강형평성이 중요하게 논의되는 이유에 대해서 알아보자.

### (1) 규범적인 이유

UN은 '모든 이에게 건강을(Health for All)'이란 모토로 2000년 이후 MDG(Millenium Declaration and Development Goal)를 시행하고 있으며, WHO는 2005년 건강의 사회적결정요인위원회(Commission on Social

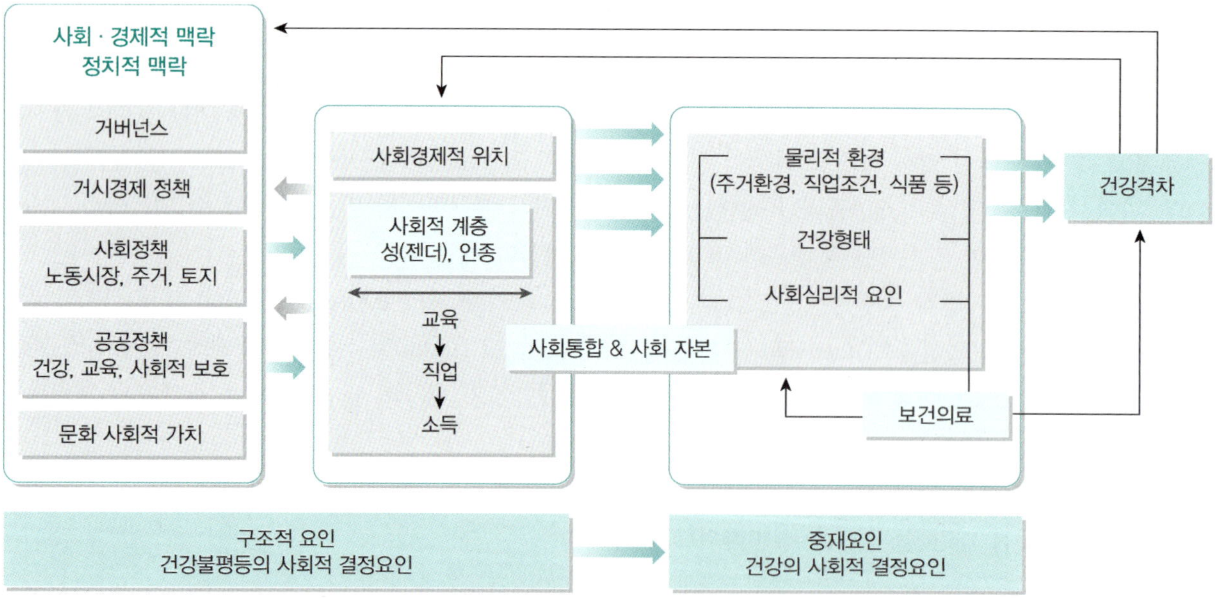


〈 자료원 : World Health Organization(2008) 〉

그림 1-7 WHO의 건강의 사회적 결정요인의 개념틀(SDH conceptual framework)

Determinants of Health; CSDH)를 결성하면서 '사회정의, 형평, 권한부여'를 비전으로 한 사업을 전개하고 있다. 이에 따른 보건의료 분야의 과제는 사회경제적 조건에 따른 건강의 차이를 해결해야 하는 것이다. 이를 반영하여 주요 선진국에서는 국가 건강목표에 건강수준의 향상과 함께 건강불평등의 해소를 핵심 목표로 설정하고 있으며, 우리나라 또한 제5차 국민건강증진종합계획(Health Plan 2030)의 목표 가운데 하나가 건강형평성의 제고이다. MDG에서는 중·저개발 국가를 대상으로 한 절대빈곤 및 기아 퇴치, 보편적 초등교육 달성, 남녀평등 및 여성능력 고양 등을 목표로 제시하고 있다.

#### (2) 전반적인 건강수준의 악화

건강불평등 문제의 중요성은 20세기 후반부터 진행되어 온 건강불평등 크기의 증가 양상에서도 찾을 수 있다. 전 세계적으로 경제·사회분야 전반에 불고 있는 신자유주의의 영향에 따라 건강불평등도 심화되고 있다. 주요 선진국의 연구 결과, 사망률로 대표되는 건강수준에서의 사회경제적 불평등 크기는 최근 수십 년간 지속적인 증가 추세를 보이고 있다. 이러한 연구 결과들은 낮은 사회계층의 생활수준 향상을 통하여 이들의 건강수준을 향상시키지 않고서는 전반적인 국민의 건강 향상도 기대하기 어렵다는 점을 보여주고 있다.

### 3) 우리나라의 건강형평성 현황

우리나라 건강불평등은 중요한 사회문제이고 건강형평성 확보를 보건정책의 핵심 목표로 삼고 있지만 건강불평등 현황에 대한 연구가 많지 않다.

'Health Plan 2020'의 일환으로 국민건강보험공단에서 '건강보험 빅데이터를 활용한 HP 2020 평가지표 생산 및 모니터링 지원방안 마련' 연구를 시작하였다.

이 연구는 지역별, 성별, 연령별, 사회경제적 수준별 등 세부 집단별로 건강형평성 지표를 개발하고 활용하는 내용을 포함하며, 무엇보다 정기적으로 지표를 생산하여 건강증진 정책이나 사업을 평가하고 정책 수립의 근거로 활용하는 것을 목표로 하고 있다.

우리나라 건강불평등의 주요 인식은 다음과 같다.

- 불평등 인식과 보편적 신뢰, 정치적 성향과의 연관성
- 사회경제적 수준 및 거주 지역에 따른 불평등 인식
- 불평등 인식과 삶의 만족도 및 건강 등

저소득층이 인식하는 건강불평등의 의미를 조사한 초점집단 인터뷰 연구에서는 개인의 건강행태(음주, 흡연, 영양 및 식습관, 과중노동, 건강인식, 건강검진), 빈곤수준(낮은 경제 상태, 열악한 주거환경), 지역주민 특성(공동체의식 약화, 심리정서) 등이 건강불평등의 영향요인으로 분석되었다.

우리나라는 사회·경제적 격차에 따른 건강격차가 커져가는 등 보건환경의 변화에 따른 보건정책의 변화를 도모하기 위해 "2020년 보건복지부 주요업무추진계획"의 기본방향을 국민이 행복한 포용적 복지국가실현(따뜻한 복지, 건강한 미래)으로 설정하였다.

보건복지부에서는 건강한 미래를 위해 국가차원의 건강증진사업을 위해 2002년 제1차 국민건강증진 종합계획(Health Plan 2010, HP2010)을 발표하고 2021년에는 제5차 건강증진종합계획 HP 2030은 건강수명연장과 건강형평성제고를 목표로 하고 있다.

'Health Plan 2020'(2011～2020) 성과분석에 따르면 건강격차를 모니터하는 지표 20개 중 4개 감소(20%), 4개 유지(20%), 12개 증가(60%)로 나타났는데 남녀 모두 고위험음주율, 비만유병률의 지역 간 격차가 증가, 특히 여성은 소득수준 간 격차가 커졌다.

OECD에 보고한 「2020 한국경제보고서」에 따르면, 우리나라는 최근 수년간의 분배개선 조치들로 소득분배지표는 개선되는 경향이나, 여성·청년 고용률이 낮고, 고령층은 주된 일자리에서 퇴직 후 소득감소 발생, 세후 지니계수로 측정한 소득불평등도는 OECD 국가 중 7번째로 높은 수준이다. 따라서 건강불평등에 대한 적절한 정책개입이 없다면 소득계층 간 또는 지역 간 건강격차는 커질 것으로 전망하여 'Health Plan 2030'의 비전은 성, 계층, 지역 간 건강형평성을 확보, 적용 대상을 모든 사람으로 확대하여 출생부터 노년까지 전 생애주기에 걸친 건강권 보장, 정부를 포함한 사회 전체를 포괄하고 있다.

'Health Plan 2030'부터 건강수명의 자료원을 기존 WHO 건강수명에서 국내 연구로 변경하고 2018년 기준 70.4세인 건강수명을 2030년까지 73.3세로 연장하고 건강수명의 소득 및 지역간 건강형평성을 제고할 수 있는 건강증진정책이 강화된다.

'Health Plan 2030'은 건강 형평성 지표 관리 강화, 건강 영향평가 도입 추진, 해외 사례를 고려한 건강위해 품목에 대한 건강증진부담금 부과 수준 대상 연구 논의 등을 주요 과제로 정하고 있다.

### 4) 우리나라의 건강형평성 정책과 과제

1990년대 이후 유럽 국가들에서부터 시작하여 2000년대 들어서는 전 세계적으로 형평성에 근거한 건강 정책 및 전략에 대한 관심이 급증하고 있다. 세계보건기구가 2008년 발간한 「Closing the Gap in a Generation」 보고서는 전 세계적으로 건강형평 정책의 중요성을 알리는 계기가 되었다.

우리나라도 2005년 수립된 제2차 국민건강증진종합계획을 통해 처음으로 건강형평성 제고를 국가적 목표로 제시하였으며, 2016년 발표된 제4차 국민건강증진종합계획에서도 그 기조를 계속 유지하고 있다. 제2차 계획('06～'10)과 제3차 계획('11～'20)에서 모두 '건강형평성 제고'가 목표로 제시되었고 제4차 계획('16～'20)에서도 제5차 계획('21～'30)도 건강수명연장과 건강형평성 제고가 목표였다. 정부는 건강형평성 제고를 위한 사업의 필요성을 인지하여 인구집단별 건강관리 등을 통해 저소득층이나 건강취약계층에 대하여 건강관리사업을 실시함으로써 그들의 건강을 보호하고자 노력하였다. 〈p.134 제2장의 4) '국민건강증진종합계획' 참고〉

보편적인 건강수준 향상과 건강형평성 제고를 같이 추진하기 위한 기본원칙은 중점과제별로 취약한 집단 계층을 확인하고, 이들에게 편익이 돌아갈 수 있도록 정책목표와 우선순위를 설정한다. 또한 세부사업 및 성과지표 선정 시 기본적으로 성별 분리지표를 설정하고, 소득·지역 등 건강의 사회적 결정요인에 따른 격차 감소를 고려하는 것이다.

'Health Plan 2030'에서는 건강형평성 제고를 위한 성별, 지역별, 소득별 건강격차 완화 정책을 중점적으로 추진한다. 건강수명에 대하여 소득수준 상위 20%와 하위 20%의 격차를 2030년까지 7.6세 이하로 낮추고, 지역 간 형평성 확보를 위해서는 해당 지자체의 건강수명 상위 20%와 하위 20%의 격차를 2030년까지 2.9세 이하로 낮춰 취약집단(하위 20%)의 건강수명 향상과 건강격차 감소를 동시에 목표로 설정하였다.

또한 건강형평성을 주요 의제로 국가 전략을 설정하며 그에 따른 정책 수행과 성과지표의 가이드라인이 제시될 것이다.

세계보건기구의 건강의 사회적결정요인위원회(2008)는 건강불평등 완화 전략으로 크게 세 가지를 권고하였다. 첫째, 일상의 생활조건을 개선하고, 둘째, 권력, 금전, 자원의 불평등한 분포를 개선하며, 셋째, 문제를 이해하고 측정하며 조치의 영향을 평가하는 것이다.

이 가운데 첫 번째 권고는 사람들의 일상생활이야말로 불평등이 구체적으로 발생하고 경험되는 공간이라는 점에서 건강불평등 완화정책의 직접적인 표적이 되어야 한다는 점을 분명히 하고 있다. 즉 건강불평등을 완화하기 위해서는 태어나고, 성장하고, 살아가고, 일하며, 나이 들어가는 생애 전 과정에 걸쳐 일상생활의 조건들을 개선하는 것이 중요하다는 것이다(김명희와 이주희, 2013).

## 6 건강권 보장

건강에 대한 권리의 건강권은 참정권, 재산권 등과 마찬가지로 인간이면 누구에게나 보장되어야 하는 인권 목록 중의 하나이다.

건강권을 최초로 규정한 세계보건기구(1946)는 '건강권이란 도달 가능한 최고 수준의 건강에 대한 권리'라고 정의하였다. 이러한 건강권에 대한 가장 권위 있는 해석은 1976년 경제·사회문화적 권리에 관한 규약의 제12조 제1항에 따른 '도달 가능한 최고 수준의 신체적, 정신적 건강을 모든 사람들이 누릴 권리(the right to the highest attainable standard of physical and mental health)'로 알려져 있다.

건강권은 건강할 수 있는 권리가 아닌, 정부와 공공기관이 가능한 가장 빠른 시일 내에 모든 사람들에게 이용 가능하며 접근 용이한 보건서비스를 제공할 수 있도록 하는 정책과 실행 계획을 이행하여야 한다는 의무를 나타낸다. 건강권은 적시에 적절한 보건의료뿐만 아니라 안전한 식수 및 적절한 위생에 대한 접근, 안전한 음식, 영향 및 주거의 적정 공급, 건강한 직장 및 환경조건, 성 및 생식보건을 포함한 보건 관련 교육 및 정보에 대한 접근과 같은 기본적인 건강결정요인들에까지 확대하는 포괄적인 권리이다. 또한 건강권은 음식, 주거, 근로, 교육, 참여, 과학적 진보와 그 응용기술의 혜택 향유, 생명, 차별 금지, 평등, 고문 금지, 사생활, 정보 접근, 결사·집회·이동의 자유 등을 포함하는 기타 인권의 실현과 밀접한 관련이 있을 뿐만 아니라 그에 좌우된다.

세계보건기구(2002)의 건강권의 평가기준은 다음과 같다.

### 건강권의 평가기준

- **이용가능성(availability)** : 운영 중인 공중보건 및 보건의료 프로그램뿐 아니라 관련 시설, 물품 및 서비스가 충분한 수량으로 이용 가능하여야 한다.
- **접근용이성(accessibility)** : 보건 시설, 물품 및 서비스가 차별 없이 모든 사람이 당사국 관할권 내에서 접근할 수 있어야 한다.
- **수용가능성(acceptability)** : 모든 보건 시설, 물품 및 서비스는 비밀을 준수하고 관련 당사자의 건강상태를 개선할 수 있도록 설계되어야 하며, 의료 윤리를 존중하고 문화적으로 적절하며 성별과 생명주기 요건을 고려하여야 한다.
- **질적우수성(quality)** : 보건시설, 물품 및 서비스는 과학적으로 적절하며 우수한 품질이어야 한다.

우리나라는 「헌법」 제11조에서 '모든 국민은 법 앞에 평등하다. 누구든지 성별·종교 또는 사회적 신분에 의하여 정치적·경제적·사회적·문화적 생활의 모든 영역에 있어서 차별을 받지 아니한다.'라고 명시하였고,

제34조에서는 '모든 국민은 인간다운 생활을 할 권리를 가진다.'라고 명시하였다. 또한 제36조 제3항에서는 '모든 국민은 보건에 관하여 국가의 보호를 받는다.'라고 하였다.

「보건의료기본법」 제10조 제1항은 '모든 국민은 이 법 또는 다른 법률이 정하는 바에 의하여 자신과 가족의 건강에 관하여 국가의 보호를 받을 권리를 가진다.'라고 하였으며, 제2항에서는 '모든 국민은 성별·연령·종교·사회적 신분 또는 경제적 사정 등을 이유로 자신과 가족의 건강에 관한 권리를 침해 받지 아니한다.'라고 명시되어 있다.

그 외에도 「의료법」, 「국민건강증진법」, 「소비자기본법」, 「환자권리장전」, 「국민기초생활보장법」 등에서 우리나라 국민의 건강권을 명시하여 법률로써 건강권을 보호하고 있다.

## 7 건강한 지역사회

### 1) 건강한 지역사회의 개념

지역사회는 복잡한 체계를 가지고 있으며, 지속적으로 변화하고 있다. 현대에 들어와 지역사회는 급속히 도시화가 이루어지면서 인구밀집으로 인한 문제, 교통체증이나 사고, 환경오염, 인위적 환경변화에 의한 자연재해, 주거환경의 악화와 범죄율의 증가, 그리고 고용의 불안정이나 경제 불황, 정치적 불안정 등 많은 문제들이 발생하고 있다. 이러한 문제는 인간의 건강과 삶의 질에 크게 영향을 미치고 있으며, 이를 해결하기 위해 건강한 지역사회 구축의 필요성이 부각되고 있다.

건강한 지역사회란 현대사회에서 나타나는 다양한 건강욕구를 효율적으로 충족시키는 사회를 말한다. 따라서 건강한 지역사회 구축의 목적은 건강과 관련된 지역사회의 문제들을 찾아내고 해결함으로써 모든 사람들이 건강하게 살도록 하는 것이다. 이를 위해서는 지역사회의 모든 공적·사적 기능과 체계를 유기적으로 연결하여 함께 협력함으로써 효율적으로 지역사회의 문제에 대응하여야 한다.

건강한 지역사회의 개념은 원래 건강증진의 개념에서 출발하였다. 건강증진에 대한 사업과 국제회의가 축적되면서 1986년 오타와에서 세계보건기구의 제1차 국제건강증진회의에서 '오타와 건강증진헌장'을 발표하였다. 이 건강증진헌장의 목적은 모든 사람들의 건강잠재력을 최대한 발휘할 수 있도록 동등한 기회와 자원을 확보하는 것이다. 또한 건강한 공공정책의 수립, 지지적 환경의 창출, 지역사회 활동의 강화, 개인의 건강관리 기술의 개발, 보건의료 서비스에 대한 재조정 등을 건강한 지역사회를 조성하는 방향으로 제시하였다.

우리나라는 1995년 「국민건강증진법」과 「지역보건법」이 제정되면서, 1997년부터 과천시 보건소에서 보건소 중심의 건강증진사업의 일환으로 건강도시 프로젝트를 기획하였다. 시정부 차원에서 시의 건강결정요인과 문제점을 연구하고 해결방안을 정책으로 실행하는 본격적인 건강도시 프로젝트가 시작되었다. 우리나라는 2004년 세계보건기구 서태평양 사무국 산하 건강도시연맹(Alliance for Health Cities)에 가입하여 건강도시에 대한 국제적인 정보교류와 친교를 시작하였다.

건강한 지역사회(healthy communities)의 개념은 더욱 체계적으로 도시주민 전체의 건강을 관리하고 촉진하는 방향으로 발전하면서 건강도시(healthy cities)의 개념으로 발전하였다. 건강한 지역사회는 마을, 동네, 학교 등의 작은 범위도 포함하지만 건강도시는 이를 확대하여 시나 군 전체를 대상으로 하고 있다.

### 2) 건강한 지역사회의 특성

세계보건기구(WHO)는 건강도시를 '지역사회의 물리적·사회적·환경적 여건을 지속적으로 개선해 나가면서, 개인의 잠재능력을 최대한 발휘하고, 시민들이 상호협력함으로써 최상의 삶을 누리는 도시'라고 정의하고 있다.

세계보건기구가 제시한 다음과 같은 건강도시의 특성을 갖춘 지역사회를 건강한 지역사회라고 할 수 있다.

**건강도시의 특성**

- 기본적 욕구의 충족
- 안전한 생활환경과 자연환경
- 통합적인 사회와 경제
- 다양한 교류와 참여
- 의료보장
- 높은 건강수준

이는 세계보건기구의 건강도시 지표에서도 잘 나타나고 있다. 세계보건기구는 건강도시의 지표로 다음의 9가지를 제시하고 있다.

**건강도시의 9가지 지표**

① 인구
② 건강수준
③ 생활양식 : 흡연, 음주, 운동, 체중조절 등
④ 공중보건정책 및 서비스
⑤ 주거환경
⑥ 사회경제적 여건 : 교육, 취업, 수입, 범죄, 문화행사
⑦ 물리적 환경 : 대기, 수질, 소음, 식품관리
⑧ 불평등
⑨ 물리적 및 사회적 하부구조 : 교통, 도시계획 등

# 8 건강도시

## 1) 건강도시의 개념

인구의 도시집중으로 인한 도시의 과밀화, 급진적 도시화 등으로 인해 도시는 여러 가지 건강문제들이 파생되고 있다. 이에 1980년대 초반부터 전세계적으로 당국자들은 점차 도시에 나타나는 커다란 공중보건 문제에 관심을 갖기 시작했다. 건강도시(health city)는 1984년 캐나다 토론토 시에서 'Healthy Toronto 2000'이라는 워크숍 중 Trevor Hancock에 의해 조직된 'Beyond Health Care'라는 회의에서 비롯되었다. 이 회의에서 Leonard Duhl(캘리포니아 버클리대학) 교수에 의해 건강도시프로젝트가 제안되었고, 2년 후인 1986년 건강도시 시범프로젝트가 시작되었다.

건강도시는 쾌적하고 살기 좋은 도시를 만들고자 다양한 분야의 사람들이 노력과 힘을 결집하면서 가장 활발하게 추진되는 삶의 터 기반의 건강증진 운동으로 건강한 지역사회를 만들기 위한 하나의 흐름이다. 세계보건기구(1998)는 건강도시를 '시민들의 상호협조 하에 시민들이 삶의 모든 기능을 수행하고, 그들의 잠재력을 최대한 발휘할 수 있도록 물리적, 사회적 환경을 지속적으로 창조하고 개선하며, 지역자원을 확충하는 도시'라고 정의하고 있다. 세계보건기구의 건강도시에 대한 정의는 건강도시를 도시의 건강이나 생활수준에 따라서가 아니라 건강도시를 추진하고자 하는 의지, 즉 건강도시의 추진 노력에 따라 정의하고자 하는 것이다.

세계보건기구 유럽지구(WHO Regional Office for Europe, 1997)에서는 건강도시가 갖추어야 할 필수요건 11가지를 [그림 1-8]과 같이 정리하였다.

따라서 건강도시란 살기에 적합하고, 지속적으로 개발가능하고, 형평성이 있으며, 통합적이고, 환경의 질이 높은 수준을 유지하고, 적절하게 번영하기 위해 노력하는, 그리고 때로는 상충하는 이들 가치간의 균형을 추구하는 공동체라는 특성을 가지고 있다고 할 수 있다[그림 1-9].

**건강도시의 조건**

1. 깨끗하고 안전하며, 질 높은 도시의 물리적 환경
2. 안정되고, 장기적으로 지속 가능한 생태계
3. 계층 간, 부문 간 강한 상호지원 체계와 착취하지 않는 지역사회
4. 개개인의 삶, 건강 및 복지에 영향을 미치는 문제에 대한 시민의 높은 참여와 통제
5. 모든 시민을 위한 기본적 요구(음식, 물, 주거, 소득, 안전, 직장) 등의 충족
6. 시민들 간의 다양한 만남, 상호작용 및 의사소통을 가능하게 하는 기회와 자원에 대한 접근성
7. 다양하고 활기 넘치며, 혁신적인 도시 경제
8. 역사, 문화 및 생물학적 유산 혹은 지역사회 내 모임들과 개인 간의 연계를 도모
9. 모든 시민에 대한 적절한 공중보건 및 치료서비스의 최적화
10. 높은 수준의 건강과 낮은 수준의 질병 발생
11. 이상의 요건들이 서로 양립할 뿐만 아니라 더불어 이 요소들을 증진시키는 도시 행태

그림 1-8 건강도시가 갖추어야 할 요건

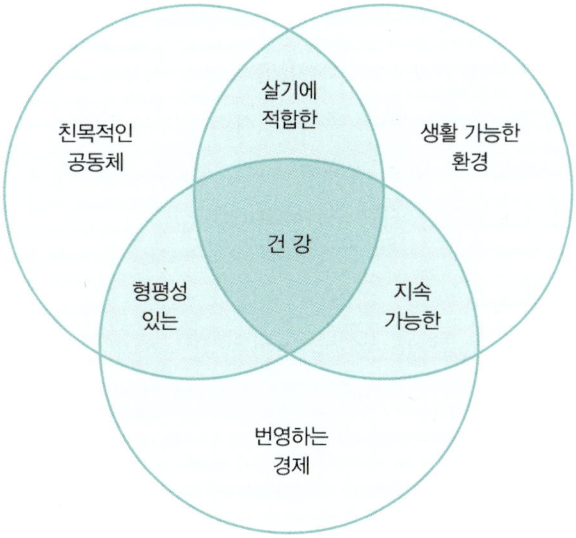


**그림 1-9 지속가능한 개발 및 건강도시의 통합접근법**(Hancock, 1993)

## 2) 건강도시의 추진과정

### (1) 추진과정의 특징

건강도시는 일정한 건강수준에 도달한 도시가 아니라 건강을 자각하고 이를 향상시키기 위해 노력하는 도시로서 결과가 아니라 과정에 의해 정의된다. 이러한 건강도시 추진과정의 특징을 건강도시 운동에 참여하고 있는 도시들을 분석하면 추진과정에 있어 다음과 같은 공통점을 지니고 있다.

#### ① 건강을 위한 전념(Commitment to health)

건강도시는 건강에 대한 결단과 전념을 특징으로 한다. 건강은 모든 사람이 사회적 및 경제적으로 생산적인 삶을 영위할 수 있도록 해주는 수단이므로 건강도시에서 건강은 도시 행정 및 정책의 최우선 과제가 되어야 한다. 세계보건기구(2005)는 방콕헌장에서 건강증진을 위해서는 건강을 위한 투자가 중요하다고 선언하였다. 인간자본은 사회발전을 가능하게 하는 중요한 자본이며, 인간자본을 형성하는 중요한 수단의 하나가 건강이다. 따라서 건강에 대한 투자는 사회 발전을 가능하게 하면서 궁극적으로 시민의 삶의 질을 향상시키는 사회적 투자로 간주되고, 높은 우선순위를 부여 받아야 한다. 대부분의 건강도시는 건강을 위해 전념하고, 건강도시 사업의 원칙과 전략을 준수하겠다는 그들의 의지를 시장이나 시의회와 같은 행정기관의 최고위급 의사결정기구를 통해 명백하게 천명하고 있다.

#### ② 건강도시에 대한 비전과 추진계획 수립

모든 건강도시는 시민의 건강수준을 향상시키겠다는 목표를 가지고 있지만 각기 역사적 배경이나 현재의 상황, 추진력 등은 매우 다르다. 따라서 건강도시를 추진하는 대부분의 시는 건강도시 운동의 방향을 가시화하고, 추진력을 결집하기 위해 시민 모두가 공유하는 건강도시 비전을 수립하고 있다. 또 사업의 목표와 실행계획, 평가를 위한 건강도시 추진계획을 수립하고 있다.

#### ③ 지역사회 역량강화를 통한 공식적, 비공식적 협력의 활성화

건강도시 운동은 행정 당국자나 전문가에 의해 추진되는 것이 아니라 지역사회와 주민이 건강도시를 시작하고, 형상화하며 추진하는 책임을 맡아야 한다. 주민과 지역사회는 건강도시에 대한 그들의 관심을 높이고 건강도시 만들기 과정에 직접 참여할 수 있는 기회와 권리, 자원을 부여받아야 한다. 이러한 맥락에서 많은 건강도시가 추진과정에서 지역사회 역량강화를 중시하고 있다.

#### ④ 건강한 공공정책의 수립 유도

건강도시는 다양한 건강결정요인의 포괄적이고 종합적인 관리 노력을 특징으로 한다. 교육, 환경, 복지, 교통, 주택, 문화, 산업, 정책 등이 모두 시민의 건강에 직·간접적으로 영향을 미친다. 건강도시는 정책과 행정의 모든 영역과 수준에서 건강을 의사결정의 주요 기준으로 삼고, 모든 의사결정이 건강에 미치는 영향을 고려하며, 관계자들이 건강에 대한 책임을 지도록 유도하기 위해 노력하고 있다.

#### ⑤ 삶의 터의 활용

삶의 터는 건강도시 활동의 대상이 되는 사람들이 거주 또는 활동하는 장소로서, 건강도시를 위한 자원이 투입되는 곳이며, 사람들 스스로 건강증진을 위한 동기의 부여와 활동이 이루어지는 공간이다. 따라서 삶의 터는 단순히 건강도시 사업이 시행되는 장소가 아니다. 삶의 터는 사업장소라는 수동적인 의미를 넘어서 사업의 주체와 자원이 존재하는 건강도시 사업의 주체이다.

#### ⑥ 건강형평성 향상을 위한 노력

건강도시가 건강형평성에 관심을 가지는 이유는 취약계층의 건강수준을 향상시키는 것이 인간의 자율성과 삶의 질을 보장하려고 하는 건강도시의 기본 취지와 부합하기 때문이다. 취약계층이야말로 도시 건강수준을 가장 현저하게 저하시키는 집단이므로 이들을 표적집단으로 하는 것이 도시의 건강수준을 향상시킬 수 있는 효과적 전략이 될 수 있다.

#### ⑦ 건강도시들 간의 협력 강화

건강도시 운동을 추진하는 많은 도시는 건강도시 활동의 경험을 공유하고, 관련 인력의 역량을 강화하기 위해 국가, 또는 지역 건강도시 네트워크에 가입하여 활동하고 있다. 건강도시들 간의 협력은 건강도시 네트워크를 통한 공식적인 활동 이외에도 각 도시가 개최하는 다양한 행사에 다른 건강도시를 초정하거나 자발적으로 참여함으로써도 이루어진다.

### (2) 추진단계

건강도시를 만들기 위한 사업을 건강도시 프로젝트라고 표현한다. 세계보건기구(1995)는 건강도시 프로젝트의 목표를 다음과 같이 제시하였다.

- 건강도시계획 작성과 실행에 있어 정치적 동원과 지역사회 참여
- 보건분야 이외의 부처와 기관을 포함하는 시 및 국가당국의 도시발전을 위한 건강문제의 중요성에 대한 인식제고

- 도시문제를 해결하기 위한 시 정부의 역량 향상과 빈곤지역의 생활수준 향상을 위한 지역사회 및 지역사회기반 조직과의 파트너십 형성
- 다른 도시와 정보와 기술을 공유하기 위한 건강도시 네트워크의 형성

또한 세계보건기구 유럽지역 사무국은 건강도시 프로젝트를 추진하기 위한 단계를 다음과 같이 구분하고 총 20단계를 제시하였다[그림 1-10].

| 시작하기 | | 조직하기 | | 실행하기 |
|---|---|---|---|---|
| 1) 지지그룹 형성 | → | 8) 운영위원회 구성 | → | 15) 건강에 대한 전념 |
| 2) 건강도시개념의 이해 | | 9) 사업환경 분석 | | 16) 전략적 기획의 제안 |
| 3) 도시에 대해 파악 | | 10) 사업내용 확정 | | 17) 부문간 연계 활동 |
| 4) 재원 확보 | | 11) 사무실 설치 | | 18) 지역사회 참여 유도 |
| 5) 주무조직의 결정 | | 12) 전략 수립 | | 19) 혁신의 촉진 |
| 6) 계획서 준비 | | 13) 역량 구축 | | 20) 건강한 공공정책 확보 |
| 7) 승인 획득 | | 14) 책임성 확보 | | |

〈 자료원 : WHO. Regional office for Europe(1997). Twenty Steps for developing a Healthy Cities Project 〉

**그림 1-10 건강도시 프로젝트 수행 단계**

## 3) 우리나라의 건강도시 현황

우리나라의 건강도시 개념은 1986년 초기에 학계에 소개되었고 WHO의 영향으로 건강도시라는 개념을 도입하고 건강증진을 강화하여 적극적으로 건강한 지역사회를 만드는 노력을 하고 있다.

1996년 과천시 시범사업이 처음으로 시도되었다. 2004년 4개 도시(창원시, 서울시, 원주시, 부산진구)가 세계보건기구 건강도시연맹 정회원으로 가입된 후 관심이 급증하였고, 2006년 14개 도시로, 2017년 12월 기준 90개의 도시, 2020년 현재 100개 광역 및 기초지방자치단체회원 도시와 11개 준회원기관으로 건강도시 프로젝트를 수행하고 있다.

과천시는 세계보건기구 서태평양지역 건강도시연맹에 가입하지는 않았지만 우리나라 건강도시 프로젝트를 가장 먼저 추진했던 도시이다. 과천시, 과천시 보건소, 연세대학교 보건대학원의 건강증진연구소가 협력하여 과천 건강도시사업을 추진하였으며, 이 사업의 목적은 건강을 해치지 않고 건강에 친화적인 환경을 조성하는 것이었다. 1996년 '건강도시를 위한 건강증진 실현방안 연구' 및 1998년 '건강환경과천 21사업'을 추진하였으며, 이를 통하여 과천시민들의 보건의식, 건강상태 등의 조사를 통한 건강도시 장단기 계획을 수립하여 건강정보지 발간, 금연 및 흡연 예방 프로그램, 영양 프로그램, 여성건강 프로그램, 지역건강관리정보시스템, 고혈압 예방 및 관리사업 등 여러 보건사업을 시행하였다.

창원시는 2002년 지역사회진단 계획 수립을 시작으로 건강도시 창원을 추진하기 시작하였으며, 건강도시연맹 가입 이후 창원시민을 위한 건강증진 전략개발 및 건강도시 운영위원회 구성을 위한 조례를 제정하는 등 활발한 사업을 추진하였다. 또한 지속 가능한 도시의 개발, 물리적 환경의 개선, 깨끗한 음용수 공급, 운송체계의 개선, 주거정책의 개선, 감염성질환, 식중독 그리고 예방접종, 음주습관의 개선, 금연 프로그램, 외국인

근로자의 건강증진, 젊은이들의 건강증진 등을 포함하는 창원시 건강도시 10대 과제를 선정하여 건강도시를 구축하려고 노력하였다.

서울시는 2005년 1월 복지건강국에 건강도시 추진반을 신설하고 2005년부터 4개의 건강도시 시범구와 2개의 안전도시 시범구를 선정하여 사업비 및 기술지원을 실시하였다. 건강도시 추진을 위한 전담반은 주로 보건소에서 운영하고 있으며, 건강도시 프로젝트를 운영하고 있다.

원주시는 보건소가 중심이 되어 건강도시 프로젝트를 추진하는 대부분의 도시들과 달리, 시청에서 직접 건강도시 프로젝트를 주로 담당하고 있다는 점이 특징이다. 이는 정책을 결정하는 부서에서 건강도시 전담반을 설치하여 정책 결정 시에 건강을 최상위 개념에 위치시킨다는 건강도시의 목적에 효율적으로 다가갈 수 있다는 데 의미가 있다.

부산진구는 2003년에 건강도시 프로젝트를 구상하여 사업을 시작하였다. 구민을 위한 건강환경 조성사업의 일환으로 대도시 방문보건사업, 학교구강보건실 운영, 금연사업, 각종 건강교실 운영, 이동진료 및 재활사업 등을 운영하고 있다.

2004년 세계보건기구 서태평양 사무국 건강도시 연맹 가입, 2021년 95개 도시가 참여하고 있다.

2019년 김해시가 인증받은 WHO 건강도시는 WHO가 선정한 것이 아니라 AFHC(서태평양 건강도시연맹)이 주관하는 도시인증이고 일본 동경 의과치과대학의 WHO 건강도시 연구협력센터에서 사무국을 담당하고 있다. 즉 WHO가 인증하는 것이 아니라 WHO가 권장하는 건강도시의 기준을 충족하였다는 의미이고, 서태평양 건강도시연맹은 서태평양 지역의 회원도시에서 추진하는 건강도시사업을 지원하고 상호협력하기 위해 만들어진 국제적인 도시연합이다.

실제 우리나라에서 WHO 건강도시를 선정하는 곳은 "대한민국 건강도시 협의회"라는 지방정부간 협의기구이다. 서울, 부산, 대구들을 비롯한 광역시들이 다 포함되어 있고 경남에서는 남해, 진주, 창원, 양산, 하동, 통영, 거창, 김해가 건강도시로 회원등록되어 있다.

더 많은 건강도시 정보를 얻기 위해 대한민국 건강도시 협의회 홈페이지[www.khcp.kr]에서 더 많은 실시간 정보를 얻을 수 있다.

# 제4절 + 지역사회간호와 문화적 다양성

Keywords
• 다문화
• 문화적 역량
• 횡문화 간호

## 1 문화적 다양성과 간호사의 문화적 역량

다민족으로 구성된 미국에서는 1980년대 후반부터 간호현장에서의 문화적 역량의 중요성을 인식하고 1990년부터 의료진의 문화적 역량을 위한 교육이 시작되었다. 미국 간호사협회(American Nursing Association, 1998)는 간호사가 인간 존엄성을 존중하며 다양성을 포함한 돌봄을 제공해야 할 필요성을 제시하였으며, 미국간호대학협의회(American Association of Colleage of Nursing, 2013)에서도 문화적 역량을 간호대학 교육의 필수적 요소로 강조하는 등 간호현장 및 간호교육에서 문화적 다양성에 대한 역량을 간호사의 핵심역량으로 제시하고 있다.

문화와 돌봄은 서로 다른 양상을 보이지만, 인간이 살아가고 활동하는 모든 영역에서 크게 영향을 미치는 요소이기 때문에 다양한 문화적 배경을 지닌 간호대상자들에게 그들의 문화를 고려한 간호를 제공하는 것이 중요하다. 그 이유는 간호대상자에게 문화적으로 적합한 간호가 제공될 때 간호대상자의 순응도가 높아지며, 건강 결과에서도 긍정적인 영향을 미칠 수 있기 때문이다. 문화적으로 적합한 간호란, 간호대상자에게 문화적으로 일치하고 의미가 있으면서 유익한 돌봄을 제공하는 것이라 할 수 있다.

우리나라도 2000년 이후 외국인 노동자, 결혼이민자, 외국인 자녀 및 유학생 등 외국인 거주자가 증가하면서 다문화 사회로 변화하고 있으며, 이로 인해 임상현장에서 문화적으로 다양한 대상자를 만나게 되는 경우가 빈번해짐에 따라 다른 문화권 출신이 건강서비스 이용 시 경험하는 편견과 차별, 장애요소들을 개선하고 건강형평성을 제고하기 위해 타문화를 수용하고 이해할 수 있는 문화적 역량을 갖추는 것이 중요해지고 있다.

문화는 해당 문화권 사람의 질병 원인에 대한 인식, 질병경험의 해석, 신체적·정신적·건강행위, 출산과정, 의료체계 내에서의 의사소통 및 보건의료서비스 이용행태 등에 영향을 미친다. 따라서, 간호사는 대상자의 건강에 대한 가치 및 신념을 포함하여 문화적 맥락을 이해하고, 올바른 건강관리를 할 수 있도록 해야 한다.

문화적 역량이란 한 개인이 자신과 다른 문화적 배경을 가진 사람들과 효과적으로 상호작용하는 능력으로, 문화적 역량 향상을 위해서는 새로운 문화에 대한 지식 습득 뿐 아니라 문화적 민감성과 유연한 태도를 기반으로 상호 작용 시 타인의 가치나 관점, 삶의 방식 등을 이해하려는 복합적인 노력이 요구된다.

간호사는 문화적 차이가 있는 대상자의 건강욕구를 충족시키기 위해 대상자의 문화적 차이에 대한 문화적 민감성을 갖추어야 하며, 다양한 문화를 가진 대상자들과 효과적인 의사소통을 통해 치료적 인간관계를 형성하고 적합한 간호를 제공하기 위해 간호사의 기본 역량 외에 특별히 문화적 역량이 요구된다. 일반적으로 문화적 역량은 다음을 포함한다.

**문화적 역량**

- 자신과 다른 문화적 배경을 가진 사람들과 관계를 맺고 유지할 수 있는 능력
- 타문화 사람들과 오해와 손실을 최소화하면서 유연하게 의사소통할 수 있는 능력
- 타문화 사람들과 협력할 수 있는 능력

국제간호협의회(International Council of nurses; ICN, 2013)는 간호사의 문화적 역량을 다음과 같이 제시하면서, 간호사가 건강관리 대상자인 개인, 가족, 지역사회의 문화적이고 언어적 요구에 대한 효과적인 반응과 이해를 위해 문화적 역량의 중요성을 강조하고 있다.

**간호사의 문화적 역량(ICN, 2013)**

- 자신의 문화인지를 개발시켜 타인에게 그들의 배경에 따른 부당한 영향을 주지 않아야 한다.
- 다른 문화에 대한 지식과 이해를 보여 줄 수 있다.
- 건강관리자와 대상자의 문화신념과 가치의 차이를 받아들일 수 있다.
- 문화적 차이를 수용하고 존중한다.
- 대상자의 문화와 기대에 적합한 간호를 제공한다.
- 문화적으로 적절한 간호를 제공함으로써 최선의 간호성과를 도출한다.

## 2 다문화간호를 위한 문화사정모델

다문화 건강이란 다문화사회 구성원들에 대한 인간 존엄성의 존중 차원에서 기본적으로 건강권을 유지하기 위해 인종적, 문화적 다양성에 의해 발생할 수 있는 충돌을 조화롭게 극복하여 형성되는 총체적 결과이며, 다문화 건강 수준은 건강과 질병의 연속선상에 영향을 미치는 주요 요인에 따라 결정될 수 있다.

문화적 돌봄은 대상자 중심의 돌봄을 제공한다는 것에 근거를 두고 있기 때문에, 환자 옹호자로서 문화적으로 다양한 대상자의 의료 불균형을 줄일 수 있는 역할을 하는 간호사는 문화적 돌봄에 대한 지식과 역량을 갖추는 것이 중요하다.

### 1) Leininger의 다양성과 보편성의 문화돌봄 이론

횡문화 간호를 처음 제시한 Madeline Leininger는 간호사들이 더 효율적이고 만족스러우면서도 문화적으로 일치하는 간호를 제공하기 위해서는 개인과 가족 그리고 집단의 문화적 신념, 돌봄행위와 가치를 고려해야 한다고 설명하고 있다. 또한, 개인이나 집단의 건강, 복지, 질병 또는 사망에 영향을 주는 문화적으로 다양하고 보편적인 돌봄의 요인들을 발견하고 설명하고자 하였다. 이 이론은 문화와 돌봄에 초점을 둔 문화돌봄 이론에서 시작되었다. 문화는 인간의 권리로서 돌봄을 받는 동안에 문화적 가치관, 신념, 요구는 이해되고 존중되며 적합하게 다루어져야 한다. 따라서 간호사가 문화와 돌봄 현상에 대한 교육을 받고 횡문화간호를 이해하고 문화적으로 적합한 간호를 수행하면 문화적 충돌, 갈등, 스트레스, 그리고 해가 될 수 있는 간호 수행 같은 환자에게 부정적이고 위험이 될 수 있는 결과를 예방할 수 있다고 강조하였다[그림 1-11].

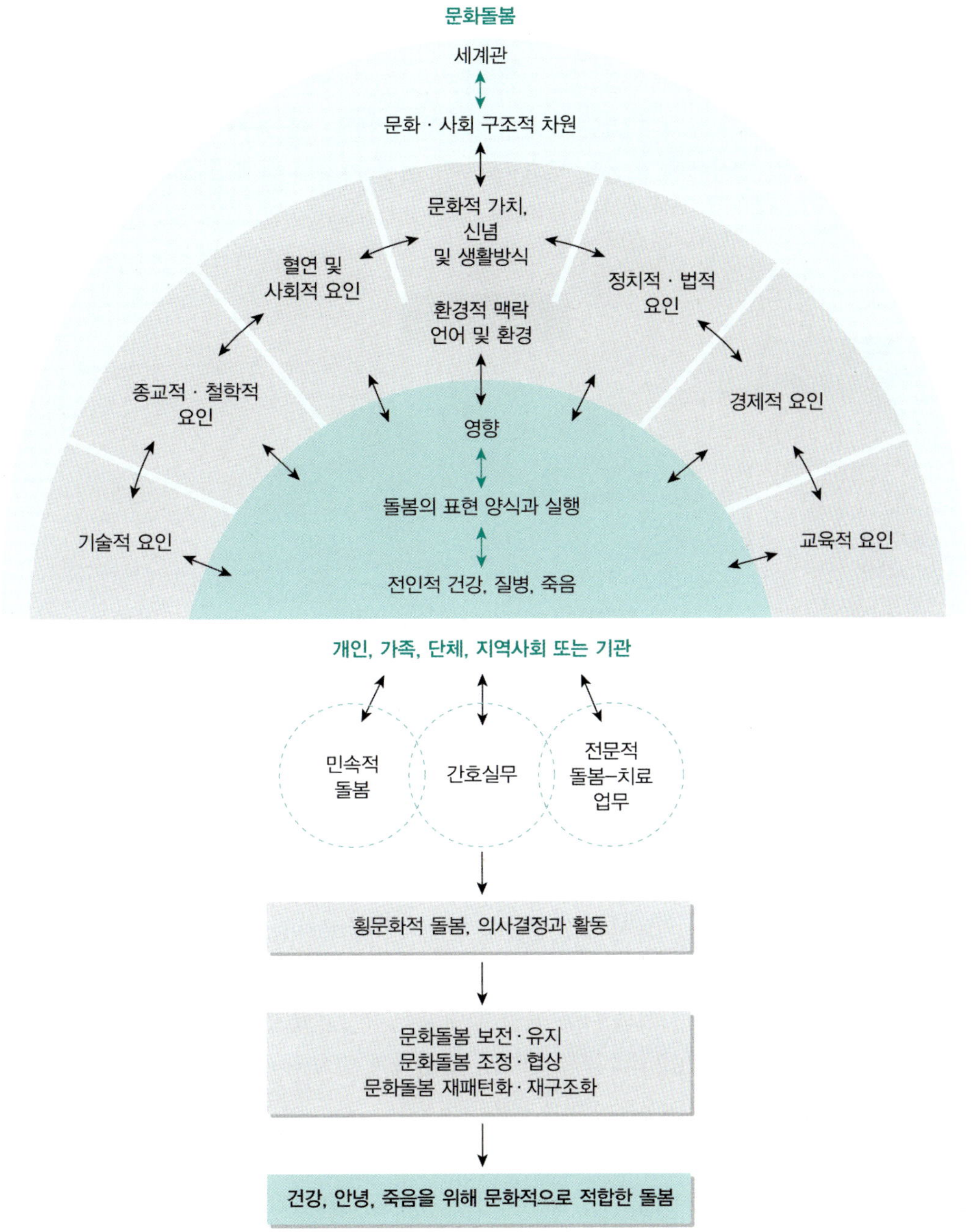


〈 자료원 : 노인숙 외(2012). 다문화사회와 건강간호 〉

**그림 1-11 Leininger의 선라이즈 모형**

### 2) Giger와 Davidhizar의 횡문화사정모델(Transcultural assessment model)

Giger와 Davidhizar(2013)는 모든 문화가 똑같지는 않지만, 기본적인 구성요인들을 함께 공유하고 있다고 설명하면서 건강과 질병에 대한 문화의 역할을 조직적으로 사정하는 틀을 제시하였다. 이 사정틀은 돌봄을 구성하는 여섯 가지 문화적 현상들에 초점을 두고 있으며, 여섯 가지 문화적 현상은 다음과 같다[그림 1-12]. 〈부록 1 참고〉

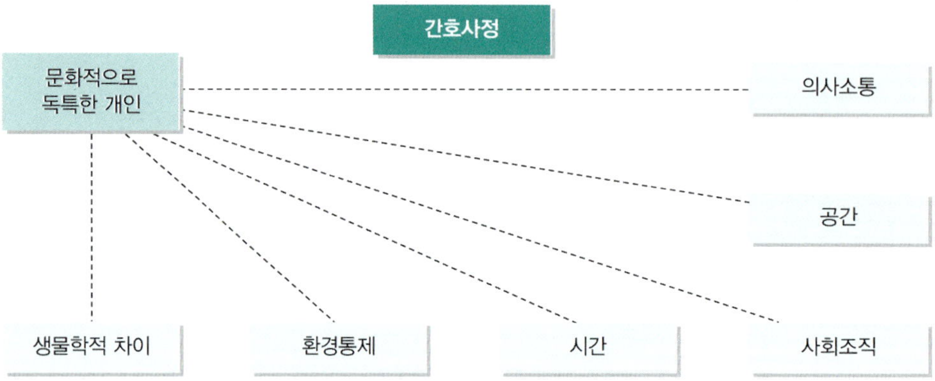


그림 1-12 Giger와 Davidhizar의 횡문화사정모델 구성

#### (1) 의사소통(Communication)

의사소통은 언어, 목소리 특징, 억양과 발음, 침묵 등의 언어적 의사소통 뿐 아니라 몸짓, 표정과 같은 비언어적 의사소통 등 모든 인간 상호작용과 행동을 포함하며, 우리가 다른 사람들과 관계를 맺고 연결하는 방법이다. 효과적인 의사소통은 효율적 의료서비스 전달의 필수적 요소로 이는 대상자의 건강을 위해 대상자와 간호사가 함께 일할 수 있도록 동기를 부여하며, 대상자가 더 충분히 건강 행위에 참여할 수 있도록 도와주기 때문이다. 하지만, 간호사와 대상자가 서로 다른 문화적 배경을 가지고 있을 때 다양한 소통의 차이를 경험하게 되며, 대상자와 가족, 간호사 사이에 소통의 장애가 발생하여 간호의 결과를 악화시킬 수 있다.

#### (2) 공간(Space)

공간은 사람들이 상호작용을 할 때 가지는 사람 사이의 거리를 의미한다. 개인적 공간은 몸을 둘러싼 부분이며, 모든 소통은 공간의 맥락 안에서 일어난다. 하지만, 개인적 거리를 정하는 규칙은 문화마다 다양해서 적절한 공간거리를 보는 관점은 문화에 따라 다를 수 있다. 사람들은 개인적 공간이 침해되었다고 느낄 때 불편감을 느끼게 되는데, 개인적 공간 영역의 크기는 개인적 및 문화적 선호에 따라 다르다는 것을 인지하고 있어야 한다.

#### (3) 사회조직(Social Organization)

문화적 행동 또는 어떠한 상황에서 어떤 행동을 취할 것 인가는 유전적으로 물려받는 것이 아니라 사회적으로 습득되는 행동이다. 이러한 문화적 행동의 패턴들은 사회화(문화화) 과정을 통해 학습되어지며, 대부분의 사람들은 이러한 사회화(문화화)를 통해 그들의 문화에 능숙하게 된다. 사회조직은 문화집단이 가족집단을 중심으로 조직되는 방식을 의미하기 때문에 가족의 구조와 조직, 종교적 가치와 믿음, 역할분담 등 모든 것이 문화와 연관되어 진다.

일반적으로 여러 문화집단은 사회적 일치성을 유지하고자 하는 강한 욕구가 있기 때문에 때로는 다른 문화적 배경의 의료행위에 있어서 사회적 불일치가 발생하는 경우 의료행위에 부정적으로 작용될 수 있다.

### (4) 시간(Time)

시간은 크게 두 가지 의미를 지니는데, 첫 번째는 지속성(시간의 간격, 시계의 시간)이고 두 번째는 특별한 경우 또는 어떠한 시점을 의미하기도 한다. 이러한 서로 다른 의미로 인해 시간에 대한 해석은 매우 문화적으로 작용될 수밖에 없으며, 표면적으로 명백하게 드러나지 않더라도 시간은 개인 간의 소통에 중요한 요소로 작용하게 된다. 예를 들어 어떠한 활동이 마쳐지고 나서야 새로운 활동이 시작되는 것을 중시하는 문화에서의 시간의 개념은 시계의 시간이 아닌 어떠한 시점의 의미가 더 크게 작용되기 때문에 시계의 시간(지속성)을 중시하는 문화에서는 이해가 쉽게 되지 않는 경우가 발생하기도 한다. 또한, 문화권에 따라 사람들이 과거, 현재 또는 미래 중 어디에 주로 초점을 맞추는지에 대한 시간 지향성의 차이를 보이기도 하는데, 이러한 문화적 차이는 건강행위를 수행하는데 영향을 미치기도 한다. 미래지향적 시간관념을 보이는 문화권에서는 미래에 생길 건강문제에 대한 걱정으로 예방적 치료를 더 쉽게 받아들이는 경향이 있으나, 현재 지향적이거나 과거 지향적인 시간관념이 주를 이루는 문화권에서는 종종 치료계획에 대한 수행이 잘 이행되지 않는 경우도 있다. 이러한 이유로 다양한 문화권에 있는 사람들의 시간에 대한 경향을 이해하는 것이 중요한다.

### (5) 환경적 통제(Environmental control)

환경적 통제는 자연을 통제하고, 환경의 영향요인들을 계획하고 지시하는 인간의 능력을 의미하는데, 대표적으로 자기통제위(Locus of control)로 설명할 수 있다. 자기통제위란 자기에게 영향을 주는 사건을 자신이 통제할 수 있다고(또는 통제할 수 없다고) 믿는 정도에 따라 내적 자기통제위, 외적 자기통제위, 우연 자기통제위로 설명되어 진다. 일반적으로 자신의 행위가 결과에 영향을 미친다고 믿으며, 건강에 대한 책임을 기꺼이 수용하는 것은 내적 자기통제위로 여겨진다. 반면, 자신의 건강을 의료인이나 그 밖에 강력한 타인 혹은 절대적 존재에 의존하는 성향은 외적 자기 통제위이며, 자신의 건강이 운명이나 운에 의해 결정된다는 신념은 우연통제위로 설명된다. 이러한 문화적 건강관습, 병을 낫게 하는 힘의 원천 등에 대한 환경적 통제는 문화마다 서로 다른 특징을 지니고 있다.

### (6) 생물학적 차이(Biological variations)

생물학적 차이, 특히 유전적 차이는 다른 문화와 인종 집단 간 뿐 아니라 같은 문화와 종족 집단 내에서도 많은 차이점이 존재하지만, 특별한 문화집단에 관한 생물학적 차이에 대한 일반적인 기초지식은 문화적 돌봄을 제공하는데 있어 기초가 되기 때문에 보건의료인들은 타 문화권 사람들이 지니고 있는 생물학적 차이와 민감성을 이해할 수 있어야 한다.

## 3 국내 다문화 사회 배경과 현황

다문화사회란 일반적으로 다양한 소수민족이 거주하고, 국제결혼의 증가로 다문화가족 자녀의 출생이 늘어나고, 많은 유학생 등이 거주하는 상태를 말한다. 뿐만 아니라 다문화가족으로 인해 늘어나는 사회문제를 예방하기 위해 법과 제도를 만들고 그들을 위한 서비스 제공 시설이 증가하는 사회를 말한다.

우리나라의 경우 '다문화가족'의 법적근거는 「다문화가족지원법」 제2조에서 정의하고 있는데, '다문화가족'이란 「재한외국인처우기본법」 제2조 제3호의 결혼이민자와 「국적법」 제2조부터 제4조까지의 규정에 따라 대한민국 국적을 취득한 자로 이루어진 가족을 말한다.

우리나라는 1980년대까지만 해도 노동력 수출 국가였으나, 1988년 올림픽 개최를 계기로 그 위상이 역전되어 아시아의 주요한 노동력 유입국가가 되었다. 1980년대 말에서 1990년대 초 산업의 발달, 고학력으로 인한 내국인의 3D 업종의 기피 현상 및 저출산, 고령인구에 따른 경제활동 인구의 감소로 중소기업의 인력난이 심화됨에 따라 대거 유입된 이주 노동자와 관련된 이주 노동자 관리 정책이 시작되었다. 정부는 1992년 세계화를 국정 목표로 하였고, 일정 규모를 형성한 이주노동자들을 '연수생'이라는 명목으로 관리하는 '산업연수제도'라는 공식 제도를 도입하여 시행하였다. 그러나 이 제도는 연수생(이주노동자)을 부족한 중소기업의 노동력으로 충당하면서도 외국인 노동자 자체는 받아들이지 않겠다는 이중적 의지를 가지고 있었다. 이로써 이주노동자는 한 사업장에 고정 근무해야 한다는 제약과 3년이라는 시간적 제약을 받게 되었다. 결국 노동자들이 사업장을 이탈하고 주어진 시간에 중개인의 빚을 갚지 못함으로써 본국으로 돌아가지 못한 '등록되지 않은' 불법 노동자들을 양산하게 되었다.

2005년에 정부는 다문화주의를 선포하고, 기존의 산업연수제도와 독일, 싱가포르 등의 선진국들이 도입하여 실시하는 고용허가제도를 병행하여 실시하였다. 2007년에는 산업연수생제도를 완전 폐지하고 단순노무인력제도를 '고용허가제'로 통합하였다. 2006년에는 '혼혈인 및 이주자의 사회통합 기본방향' 및 '여성결혼이민자 가족의 사회통합 지원 대책' 등이 마련되었다. 이처럼 대내외적 환경의 변화와 다문화 사회에 대한 인식이 확대되면서 그 동안 법무부, 외교통상부, 여성가족부 등으로 흩어져 있던 외국인 관련 업무를 종합적·거시적으로 연계하는 「재한외국인처우기본법」이 입법되어 2007년 7월 18일부터 시행되었다. 이 법의 제정으로 각 부처에서 개별적·단편적으로 시행하던 외국인 관련 정책을 종합적·거시적으로 수립하기 위한 추진체계를 마련하였으며 재한 외국인에 대한 조기 사회적응을 지원함으로써 사회통합에 기여할 수 있는 기틀을 제공하였다. 또한 이 법은 외국인정책 수립 및 추진 체계, 재한 외국인 등의 처우, 국민과 재한 외국인이 더불어 살아가는 환경 조성 등에 관한 내용을 규정하고 있다.

우리나라는 국내 거주 외국인 주민에 관한 기본정책 수립·시행 및 제도개선을 위한 기초자료확보를 위해 「통계법」 제18조에 의거, 매년 1회 지방자치단체 외국인 주민 현황을 조사하여 발표하고 있다. 2021년 11월 기준 우리나라 외국인주민현황 통계에 따르면 외국인주민은 2,134,569명으로 외국인주민 현황발표를 시작한 2006년 이후 꾸준히 증가추세를 보이다가 2020년부터 감소세를 보이고 있다. 성별로 보면 남자 1,090,073명, 여자 1,044,496명이며, 유형별로는 한국 국적을 가지지 않은 자가 1,649,967명(77.3%), 한국 국적을 취득한 자가 210,880명(9.9%), 외국인 주민 자녀(출생)는 273,772명으로 집계 되었으며, 한국 국적 미취득자 비율은 감소한 반면, 한국 국적취득자 및 외국인 주민 자녀는 각각 5.9%, 4.6% 증가 하였다. 시·도별로는 경기 714,497명(33.5%), 서울 426,743명(20.0%), 인천 134,714명(6.3%), 충남 124,492명(5.8%), 경남 123,074명(5.8%) 순으로 외국인주민이 많이 거주하고 있으며, 외국인주민 1만 명 이상 또는 인구 대비 5% 이상 거주하는 '외국인주민 집중거주지역'은 총 86곳으로, 경기 23개, 서울 17개, 경남 8개, 충남·경북이 각 7개 지역 등이다.

주요 국적별로는 중국인(한국계 중국인 포함)이 43.4%(716,146명), 베트남(12.1%), 태국(9.6%), 우즈베키스탄(3.6%), 미국(3.5%), 필리핀(2.5%), 캄보디아(2.4%) 등 순이며, 체류기간별로는 5년 미만 거주자가 61.3%(1,011,717명), 5년 이상 10년 미만 거주자 23.4%(386,049명), 10년 이상 거주자 15.3%(251,793명)으로 분석되었다[표 1-6, 그림 1-13].

**표 1-6 외국인 주민 유형별 현황** (단위 : 명)

| 구분 | 외국인주민 합계(①+②+③) | | | ① 한국국적을 가지지 않은 자 | | | | | | ② 한국국적 취득자 | ③ 외국인주민 자녀(출생) |
|---|---|---|---|---|---|---|---|---|---|---|---|
| | 계 | 남 | 여 | 계 | 외국인 근로자 | 결혼 이민자 | 유학생 | 외국국적 동포 | 기타 외국인 | | |
| '21년 | 2,134,569 | 1,090,073 | 1,044,496 | 1,649,967 | 395,175 | 174,632 | 156,607 | 368,581 | 554,972 | 210,880 | 273,722 |
| | 전체 외국인주민 대비 구성비 | (51.1%) | (48.9%) | (77.3%) | (18.5%) | (8.2%) | (7.3%) | (17.3%) | (26.0%) | (9.9%) | (12.8%) |
| '20년 | 2,156,417 | 1,117,399 | 1,039,018 | 1,695,643 | 455,287 | 173,756 | 142,569 | 345,110 | 578,921 | 199,128 | 261,646 |
| | 전체 외국인주민 대비 구성비 | (51.8%) | (48.2%) | (78.7%) | (21.1%) | (8.1%) | (6.6%) | (16.0%) | (26.8%) | (9.2%) | (12.1%) |
| 증감 | Δ21,848 | Δ27,326 | 5,478 | Δ45,676 | Δ60,112 | 876 | 14,038 | 23,471 | Δ23,949 | 11,752 | 12,076 |
| | (Δ1.0%) | (Δ2.4%) | (0.5%) | (Δ2.7%) | (Δ13.2%) | (0.5%) | (9.8%) | (6.8%) | (Δ4.1%) | (5.9%) | (4.6%) |

〈 자료원 : 행정안전부(2022). 2021 지방자치단체 외국인 주민현황 〉

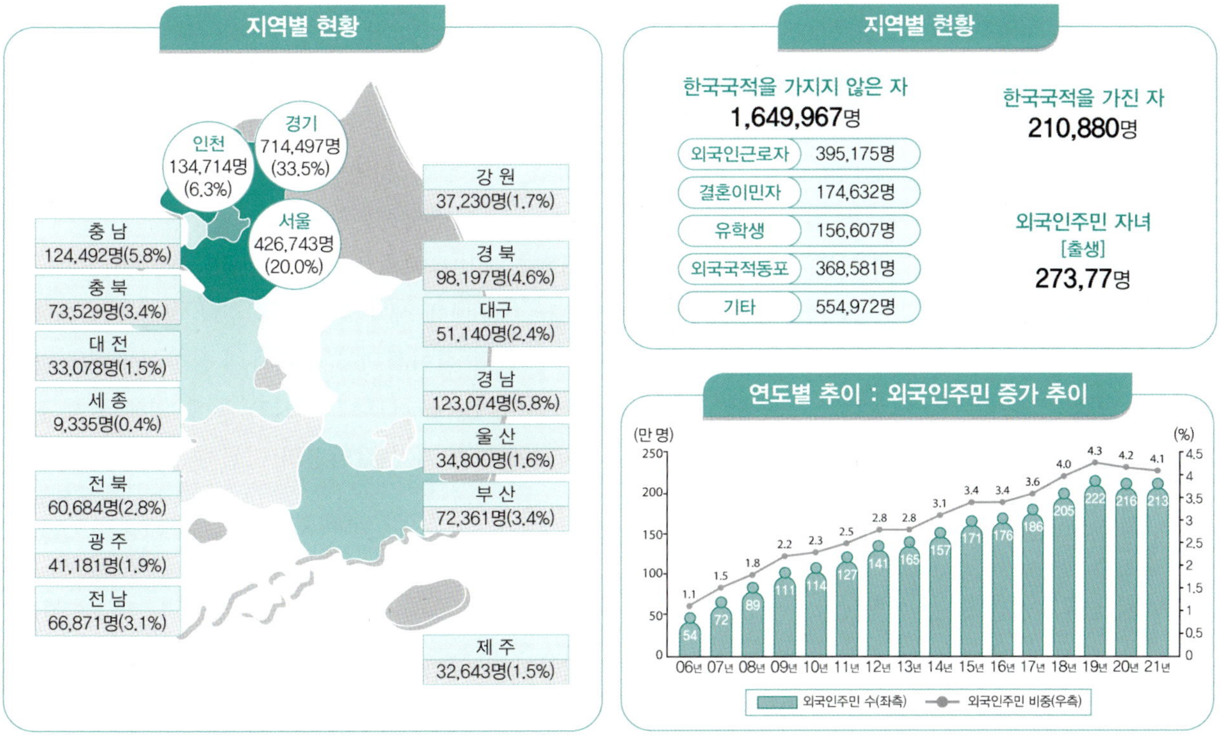


〈 자료원 : 행정안전부(2022). 2021 지방자치단체 외국인주민 현황 〉

**그림 1-13 2021 지방자치단체 외국인주민 현황**

# 제5절 + 지역사회간호의 역사

Keywords
• 영국 방문간호 • 미국 방문간호 • 나이팅게일 • 우리나라 지역사회간호 역사

## 1 외국 공중보건의 역사

### 1) 서양 근대 공중보건의 확립

근대 공중보건은 영국의 산업혁명을 계기로 발전했다고 할 수 있다. 영국에서 이루어진 산업혁명(1796~1830)은 유럽의 다른 나라에도 급속하게 파급되면서 기존의 수공업을 압도하고 공장을 중심으로 하는 대도시를 발전시켰다. 산업화가 진행됨에 따라 농촌인구는 노동자로서 도시로 유입되었고 자본주의적 경제사회를 확립하기에 이르렀다. 급속한 도시화는 노동자의 비위생적 집단생활, 교통의 발달 등을 가져왔고, 이는 집단적인 감염병 발생 및 유행으로 이어져 건강에 심각한 위협을 주게 되었다.

Chadwick은 1837~1838년에 런던을 중심으로 크게 유행한 열병의 참상을 조사한 「열 보고서(Fever Report)」를 정부에 제출하였다. 이를 계기로 「대영제국의 노동자 계층의 위생 상태에 관한 보고서」에 제시된 위생 개혁의 필요성, 지역 공중보건 활동의 중요성, 중앙과 지방을 관장하는 보건행정 기구 확립의 중요성 등의 기본적인 개념은 오늘날까지 공중보건과 보건행정의 원칙으로 준용되고 있다.

영국에서는 1848년 최초의 「공중보건법(Public Health Act)」을 제정하였다. 한편, 영국의 통계국에서는 Farr(1807~1883)에 의해 공중보건 활동의 나침반이라 할 수 있는 인구동태 등록제를 확립하였다. 영국의 J. Snow(1813~1858)는 런던에 콜레라가 유행하였을 당시의 사망자 발생장소를 지도상에 표시하여 봄으로써, 이 지역 사망자가 브로드 스트리트(Broad Street)를 중심으로 발생하고 있으며 동 지역 내의 공동우물에 의한 것임을 입증하여 그 우물을 폐쇄함으로써 유행을 종식시켰다.

한편, 독일에서는 비스마르크 시대이던 1883년에 세계 최초로 질병보험을 실시하였으며, 1889년에는 「노령폐질보험법」을 실시하였다. 독일의 Pettenkofer(1818~1901)는 1866년에 세계 최초로 위생학 강좌를 뮌헨대학에서 개설하여 영양, 의복, 환기, 난방, 상하수 등 위생학 전 분야를 실험실에서 연구하는 실험위생학을 발전시켰다. 19세기 후반은 Pasteur(1822~1895), Koch(1843~1910), Behring(1857~1917) 등에 의해서 세균학, 면역학이 확립되며 획기적인 발달을 이룩한 시기이다. 이 시기에 여러 가지 감염병의 병원체가 규명되어 근대 예방의학 발전의 기초가 되었다.

### 2) 서양 현대 공중보건의 발전

19세기 후반의 위생 개혁과 세균학의 비약적인 발전에 의하여, 20세기 초기 유럽과 미국의 각국의 조사망률은 현저하게 감소하였다. 한편, 이 시기는 자본주의의 발전과 더불어 공업화와 도시화가 진전되어 주기적인 불황과 실업, 대도시의 빈민촌, 빈곤과 질병, 노동자 계층, 특히 미숙련공의 저임금 계층에서 영유아 및 모성 사망이 사회문제로 대두되었다. 영국에서는 1906년에 「학교급식법」, 1907년에 「학교보건법」 등이 제정되어

모자보건에 큰 발전이 있었다.

1909년 하버드 의과대학에 예방의학부가 설립되고, 1913년에는 하버드대학교 보건대학원(School of Public Health)이 설립되었다. 1910년경에 Rosenau의 『공중보건과 예방의학(Public Health and Preventive Medicine)』이 발간되었고, 1920년에는 Winslow(1877～1957)가 공중보건의 정의를 발표하였다.

1920년 영국의 보건부(Department of Health)의 의료 및 관련 서비스에 관한 자문위원회 보고는 보건소의 기능을 분명하고 구체적으로 제시한 최초의 보고서로, 이 보고서의 주안점은 일반 의사에 의한 일차 의료와 조직적인 예방을 위한 모든 서비스를 종합적으로 제공하는 시설로서 일차진료소(primary health center)와 이를 뒷받침하는 이차진료소(secondary health center)의 설치를 구체적으로 구상한 것이다.

미국은 제1차 세계대전 후의 경제적인 호황 이후 발생한 1929년의 대공황이 계기가 되어 1935년에 세계 최초의 「사회보장법(Social Security Act)」을 제정하였다. 그리고 1935～1936년에 미국의 도시와 농촌에 대한 최초의 국민건강조사가 공중보건 서비스 기구(Public Health Service; PHS)에 의해 실시되었다. 이후 미국에서는 환경위생과 검역 등 공중보건 업무 수준에서 모자보건, 학교보건, 보건사업 등 사람을 직접 대하는 사업, 즉 대인보건 서비스가 발전하기 시작하였다.

영국은 제2차 세계대전 이후 사회보장제도를 세계에서 최초로 채택한 나라로서 '요람에서 무덤까지'라는 구호와 같이 거의 완벽한 사회보장제도를 1948년에 실시하였다. 영국의 국민보건서비스(National Health Service; NHS)는 모든 국민에게 경제적 부담 없이 종합적인 보건의료 서비스를 제공하며, 한편으로는 이를 위한 의료공급의 사회화를 실행한 점에서 획기적인 제도라 할 수 있다.

미국은 보건의료의 전문지식, 보건기획, 연구 및 교육기관으로서 1948년에 국립보건원(National Institute of Health)을 설립하였고, 그 후 1952년에는 질병관리센터(Center for Disease Control and Prevention; CDC)를 설립하였다.

국제보건기구로는 처음으로 노동자의 노동조건 개선 및 지위향상을 위한 국제연합인 국제노동기구(International Labor Organization; ILO)가 1919년 창립되었으며, 1945년 국제연합식량농업기구(Food and Agriculture Organization of United Nations; FAO), 1946년 국제연합아동기금(United Nations International Children's Emergency Fund; UNICEF) 등이 창립되었다. 대표적인 국제보건기구인 세계보건기구(World Health Organization; WHO)는 1948년에 발족되었으며 현재 195개국이 가입되어 있다.

1960년대 중반 이후 세계 각국에서 도시화, 중화학공업 발달로 인한 환경문제가 심각해지면서, 환경오염을 감소시키기 위한 다양한 국제사회의 공조가 시작되었다. 20세기 후반에 이르면서 인간질병의 근원을 특정 원인이 아닌 전체적 맥락에서 찾고자 하는 관점이 강화되면서 산업사회의 주된 건강훼손 원인이 되는 장기 만성질환의 발생 원인을 이해하기 위해서는 생물학적 원인뿐 아니라 사회적, 심리적, 생리적인 모든 측면이 고려되어야 한다는 관점이 재등장하게 되었다.

# 2 외국 지역사회간호의 역사

## 1) 방문간호시대 : 1900년대 이전

### (1) 초대 기독교 시대의 간호

지역사회 간호사업은 방문간호사업으로 시작되었다. 최초의 지역사회 간호사는 기원 후 60년경에 여집사 페뵈(Pheobe)가 종교적인 활동을 위해 로마로 가던 중 여러 가정을 방문하여 병자를 돌보고 위로하였던 것을 시초로 보고 있다. 이 시기에는 교회가 조직되면서 다양한 성격의 여집사단이 생겨 간호사업과 사회사업을 발전시켰다. 로마시대에는 파비올라(Fabiola)가 자신의 궁을 병원으로 개조하여 거지와 행려병자 등을 위한 기독교계의 첫 자선병원을 설립하여 극빈자 중심의 간호활동과 제자 양성을 하였다.

### (2) 중세시대의 간호

중세 전반기인 기원 후 500～1000년 사이는 총체적 암흑시대로, 상업발달과 도시 인구 증가에 따른 위생문제가 발생하였으며, 수녀들의 헌신적인 간호에도 불구하고 질병을 신의 섭리로 여기는 종교적 관점에 의해 감염병이 자주 유행하였다. 특히 중세 후반기인 1349년 페스트의 유행으로 전 유럽인구의 1/4에 해당하는 2,500만 명의 사망자가 발생하였으며, 이후 나병과 매독 등의 만연으로 환자간호를 위한 새롭고 다른 유형의 단체설립의 필요성이 대두되었다. 또한, 11세기 말에서 13세기에 걸쳐 진행된 십자군 원정으로 기사간호단이 창설되었다.

### (3) 르네상스와 산업혁명(1500～1850년)

종교개혁으로 인한 사회변화로 가톨릭교회 세력이 약화되어 교회가 경영하던 병원의료와 구호사업이 중단되고, 간호사업기관이 폐쇄되면서 수준 높은 간호를 수행하던 수녀간호단이 해체되었으며, 여성의 사회활동과 평신도의 간호활동을 까다롭게 제한하는 등의 이유로 훈련받은 간호인력이 부족하여 간호의 암흑기를 맞이하게 되었다. 약 200년 간 지속된 암흑기 이후 몇몇 사회 개혁가들의 노력과 근대과학의 발달로 사회개혁의 성격을 지닌 간호사업단체들이 조직되기 시작하였으며, 산업혁명 이후의 여성의 사회참여와 남녀 균등 사회적 인식의 확대로 간호업무를 직업적 간호로 만드는 전환기로 만들었다. 이 시기 방문간호의 공통점은 비전문인에 의한 종교적 형태의 사업이었다.

### (4) 나이팅게일과 근대 간호(1850～1900년)

근대 임상간호의 선구자인 나이팅게일(Florence Nightingale, 1820～1910)은 지역사회간호와 구역간호 발달에 도움을 주었다. 1851년 나이팅게일은 프리드너(Fliedner)가 빈민들의 간호와 여집사 대상 간호교육을 위해 설립한 카이저스베르트에서 간호교육을 받았다. 이후 나이팅게일은 농촌지역의 위생관리와 방문간호사업 및 방문간호사 양성의 중요성을 강조하였으며, 나이팅게일 간호학교를 졸업한 간호사들에 의해 적극적인 방문간호사업이 진행될 수 있었다.

### ① 영국 방문간호의 발전

1859년 영국의 리버풀에서 구역간호사업을 실시한 윌리엄 라스본(W. Rathbone)은 정식 교육을 받은 간호사에 의한 방문간호사업을 진행하는 비종교적 바탕의 최초의 방문간호단을 조직하였다. 라스본은 구역공중보건간호협회를 조직하고 근대적인 지역사회 간호의 원리를 구현하기 위해 노력했다. 라스본이 제시한 원리는 다음 내용을 담고 있다. 첫째, 간호사에게는 특별교육이 필요하다. 둘째, 순수한 간호를 제공한다. 셋째, 간호사에 의한 종교개종을 금지한다.

1875년에는 대도시를 중심으로 전국 규모의 간호협회를 설립하였으며, 공중보건간호 교육에 대한 요구사항으로 병원에서의 임상교육 후 공중보건 교육을 3개월 이상 받아야만 한다는 것을 제시하였다. 이러한 라스본의 활동과 저서들은 나이팅게일에도 영향을 미쳤다. 이 시기의 구역간호는 간호교육을 받은 전문가에 의한 비종교적 형태의 사업이었다.

### ② 미국 방문간호의 발전

미국에서는 1877년 뉴욕 선교회(New York City Mission)의 여성부 간호학교의 첫 졸업생인 프란시스 루트(Francis Root)를 채용하여 가정방문을 하면서 기독교 교리를 가르치게 하였으며, 1886년에는 필라델피아의 방문간호회가 환자에게 가정간호를 제공하기 시작하였다. 1893년에는 간호사인 릴리안 왈드(L. Wald)와 메리 브류스터(M. Brewster)가 뉴욕 헨리가에 구제사업소(Settlement House)를 설치하였으며, 이는 후에 뉴욕 방문간호사회의 모체가 되었다. 이들은 가난하고 병든 사람의 가정을 방문하여 간호를 제공하였으며, 간호 요구가 있는 대상 지역에 사업소를 설치하여 간호의 접근성을 높였다. 이 사업체는 간호비용지불체계를 확립하고 당시 가장 심각한 공중보건 문제인 감염성질환으로 인한 사망률을 감소시키는 등 체계적이며 비종교적인 전문적 방문간호사업을 전개하여 지역사회 간호 발전에 큰 영향을 주었다.

## 2) 보건간호시대 : 1900~1960년대

20세기에 들어와서는 가난하고 병든 사람뿐만 아니라 일반 대중의 건강과 이에 관련된 제반 복지시설 등에 초점을 두는 접근이 시작되었다. 1902년에 처음으로 뉴욕시 교육위원회가 학교간호사를 채용 및 배치하여 학교간호가 시작되었다. 그 후 1910년 「연방정부법」에서 각 주 단위로 지역주민의 건강에 관한 제반 사업을 책임지게 되었다. 1920년에는 미국의 모든 주와 대부분의 대도시에는 보건소가 설치되었고 간호사가 주요 인력을 차지하였다. 변경지역 간호사업(Frontier Nursing Services)은 1925년부터 미개척지역과 농촌지역의 주민에게 제공되었다. 1935년에는 「사회보장법」이 통과되면서 지역사회보건사업의 범위가 확대되었고 주정부와 지방보건인력의 훈련이 강화되었다.

1949년 미국 보건간호단체 간호행정위원회는 '보건간호는 영리 목적이 아닌 조직화된 지역사회사업으로서 개인과 가족, 지역사회에 제공되는 것으로, 이 사업은 불구 교정, 질병예방, 건강유지를 위한 의학적·위생학적·사회적 방법의 응용이며 가정에서의 환자간호도 포함한다'는 보건간호의 대표적인 정의를 발표하였다. 이 정의는 기능 면에서 보조자 역할을 벗어나 직접 지식과 원리를 응용하는 보건간호사의 독자적 기능을 표현하고 있다. 1950년에 와서 비로소 보건간호에 대한 간호기술의 필요성이 강조되며 하나의 간호전문 분야로서 대두되었다.

### 3) 지역사회간호시대 : 1960년~현재

미국의 1960년대의 보건의료 개혁은 보건사업과 보건간호사업에도 영향을 미쳤는데, 1964년 지역사회 건강센터에 대한 재정적 지원이 합법화되어 모자보건, 정신보건, 정신지체 등의 보건사업과 보건사업을 위한 훈련에 재원이 증가되었다. 1965년에는 노인을 위한 메디케어(Medicare)와 저소득층을 위한 보건의료 혜택인 메디케이드(Medicaid)가 제정되었는데 의사의 지시에 의한 가정간호사업의 비용 지불이 허용되었다. 1960년대 보건간호사업에 영향을 미친 요인으로는 전문간호사제도와 보건사업의 효과에 대한 평가를 들 수 있다. 전문간호사제도는 1965년에 콜로라도 대학에서 시작되어 일차보건의료에 간호사의 참여를 가능하게 하였다.

1970년대는 1960년대의 개인중심 보건의료에서 포괄적인 보건의료제도로의 전환기로, 지역사회 간호사는 지역사회 건강을 향상시키는 데 영향력 있는 인력으로 인식되었다. 1980년대에는 보건의료의 비용효과 측면이 강조되면서 병원과 의료시술 비용이 강등되고 건강증진과 질병예방에 대한 우선순위가 높아졌다. 동시에 건강유지조직(Health Maintenance Organization; HMO)의 이용과 통원치료가 권장되고 가정간호와 전문간호사의 이용이 증가하였다. 1980년에 국립보건연구원에는 간호연구센터가 설치되면서 비용효과적이며 간호중재의 성과를 볼 수 있는 질적인 수준의 간호에 대한 노력이 계속되고 있다.

1980년대 이후에는 지역사회간호의 대상이 지역사회 또는 인구집단으로 합의되면서 적정 기능수준이나 건강지향적이며 질병예방과 건강증진이 핵심인 포괄적인 지역사회 간호사업이 강조되고 있다. 미국보건협회(1996)는 보건간호를 '간호학, 사회과학, 공중보건학의 지식을 사용하여 인구의 건강을 증진하고 보호하기 위한 실무'라고 정의한 것을 볼 때, 지역사회간호의 대상이 지역사회에서 인구 대상으로 점차 변화되어 가는 것을 알 수 있다. 이는 지역사회간호가 하위체계로 가족과 집단을 중심으로 한 체계이론과 건강의 생태학적 모델에 기반한 개념틀을 차용하여 학문적 체계를 갖추고 연구와 실무의 관련성을 높이고자 노력하고 있다는 것을 보여주는 것이라 할 수 있다.

## 3 우리나라 지역사회간호의 역사

### 1) 방문간호시대 : 1945년 이전

우리나라 지역사회간호는 정부에서 실시한 전국적인 예방보건사업에 여성 보건의료인으로 간호사를 활용한 예에서 그 출발점을 찾을 수 있다. 1907년에 설립된 대한의원에서는 두창 예방을 위한 우두 예방접종사업을 관장하였는데 1909년에 여성 지원자 중에서 간호사를 선발하여 우두접종에 관해 교육한 후 '부인종두인허원(婦人種痘認許員)'을 배출하였다. 여성 종두인허원은 모두 25명으로 이들은 전국 10개의 동에 파견되어 활동하였다.

1920년대에는 전국 각지의 선교회에서 본격적인 보건간호사업이 시작되었다. 1923년 로선복(E.T. Rosenberger)은 태화여자관에서 모자보건을 중심으로 하는 간호사업을 시작하였다. 이때 수행한 간호사업으로는 가정방문을 통한 육아법 교육과 진찰소 내소자에 대한 서비스 제공을 들 수 있다. 이러한 선교회의 보건사업은 1930년대 중반 이후 일본과 서구와의 관계가 악화되어 서양인 선교사들을 귀국시키면서 쇠퇴하였다.

### 2) 보건간호시대 : 1945~1980년

해방 이후 미군정하에서 보건후생부가 설립되었고, 보건후생부 6개국 중에 간호사업국이 편성되었다. 그 안에는 기관간호과, 조산사업과와 함께 보건간호과가 설치되어 보건간호사업을 관장함으로써 미국 보건간호사업과 같은 형태의 체계가 중앙 정부의 수준으로 자리잡게 되었다.

하지만, 1948년 대한민국 정부 수립 후에는 보건후생부가 사회부 보건국으로 축소되고 더불어 간호사업국도 간호사업과로 축소되었다. 1949년 「정부조직법」이 개정되면서 보건국이 보건부로 다시 독립되었으며, 그 중 의정국 소속으로 산파간호과가 조직되었다가 1952년 간호사업과로 개편되었다. 1955년에는 보건부와사회부가 통합되어 보건사회부가 되었고 간호사업과는 1970년 보건사회부 개편에 따라 간호담당관으로 축소되었다가 1975년 의정2과에 속한 간호계로 더욱 축소되었으며 1981년에는 간호사업계가 폐지되었다. 1994년에는 보건복지부로 개편되었으며, 2008년 다시 보건복지가족부로 개편되었다가 2010년 다시 보건복지부로 개정이 이루어졌다.

보건간호사업은 1956년 「보건소법」이 제정 및 공포되면서 보건소를 중심으로 전국적인 차원에서 이루어지게 되었다. 이때의 보건간호사업은 세분화된 간호사업 위주로 진행되었는데 주로 결핵관리, 모자보건 및 가족계획사업 등이 주된 사업내용이었다.

### 3) 지역사회간호시대 : 1980년~현재

1980년 이후는 지역사회간호의 여러 실무 영역이 발전되어 지역사회간호사의 역할과 실무범위가 확대되는 전환기이다. 1980년 12월 「농어촌 보건의료를 위한 특별조치법」이 공포되면서 리 단위의 무의촌 지역에 보건진료소가 설치되었고, 1981년부터 간호사로서 24주의 직무교육을 받은 보건진료원이 배치되기 시작하였으며 지역사회의 일차보건의료 요구에 부응하는 포괄적인 지역사회 간호사업을 수행하며 오늘까지 이르고 있다.

1981년에는 「산업안전보건법」이 제정되고 이듬해 시행령이 통과되면서 상시근로자 300명 이상인 사업장은 건강관리 보건담당자로서 간호사를 배치하도록 하였다. 이로써 본격적인 산업간호사업이 시작되었으나 직무내용은 거의 대부분 보건관리자인 의사에게 의존적인 활동이었다. 1990년 「산업안전보건법 시행령」이 개정되면서 산업장의 간호사는 의사, 위생기사와 함께 보건관리자로 개칭되었으며 이어 보건관리자의 배치 기준은 상시근로자 50명 이상인 경우부터 1인을 두도록 하였다.

이와 비슷한 시기인 1991년에 「학교보건법」도 개정되었는데 양호교사의 직무 내용이 학교에서의 일차보건의료제공자로서의 역할과 독자적인 역할이 강조되었으며 보건교육, 보건지도와 환경위생관리의 직무로 강화되었다.

또한 1990년 「의료법 시행규칙」이 개정되면서 보건간호사, 마취간호사, 정신간호사에 이어 법적으로 가정간호사제도가 마련되었다. 가정간호사제도는 질병 양상의 변화와 노인인구 비율 증가, 보건의료전달체계의 정비, 평균수명 연장, 그리고 사회구조의 변화 등으로 의료기관에서 퇴원 후에도 전문적이고 지속적인 간호와 의료서비스와의 연계를 위한 제도로 이러한 가정간호사제도는 임상간호와 지역사회간호 영역의 통합이라고 할 수 있다.

1995년에는 「국민건강증진법」이 제정되었다. 이 법은 국민에게 건강에 대한 가치와 책임의식을 함양하도록 건강에 관한 바른 지식을 보급하고 스스로 건강생활을 실천할 수 있는 여건을 조성함으로써 국민의 건강을 증진함을 목적으로 한다. 같은 해에 「보건소법」이 「지역보건법」으로 개정됨에 따라 기초 지방자치단체는 주민의 건강요구사정에 기초한 지역보건의료계획을 수립하여 이를 수행 및 평가하는 실질적이며 지속적인 포괄적 보건의료사업을 수행하고 있다. 이와 동시에 「지역보건법」에 보건소 방문보건사업의 법적 근거가 마련되면서, 2001년에 방문보건사업 표준지침의 개발 및 보급이 이루어지고, 전국 보건소 정규인력을 통해 방문보건사업이 전면적으로 실시되었다. 2000년 「의료법」 개정으로 전문간호사의 명칭과 법적 근거가 마련되었으며, 2003년 본격적으로 전문간호사제도가 시행되었고, 2006년 자격기준이 현재의 13개 분야로 확대되었다. 2007년에는 '맞춤형 방문건강관리사업'으로 전문인력 2,000명을 확보하고 사업을 실시하였으며 2013년부터 '지역사회 통합건강증진사업'의 한 분야인 '방문건강관리사업'으로 운영되고 있다.

이와 더불어 2008년 7월 고령화 정책의 일환으로 노인장기요양보험제도가 출범하여 장기요양입소시설과 재가 장기요양 방문간호 서비스의 체계가 마련되었다. 고령이나 노인성 질병 등의 사유로 일상생활을 혼자서 수행하기 어려운 노인 등에게 신체활동 또는 가사활동 지원 등의 장기요양급여서비스를 제공하여 노후의 건강증진 및 생활안정을 도모하고 그 가족의 부담을 덜어줌으로써 국민의 삶의 질을 향상하기 위한 사회보험제도로 운영되고 있다.

우리나라는 「국민건강증진법」 제4조에 따라 국민건강증진 및 질병예방을 위해 5년마다 건강증진정책의 방향을 제시하는 장기종합계획으로 국민건강증진종합계획(Health Plan)을 수립하고 있다.

### 국민건강증진종합계획(Health Plan)

- 2002년 제1차 국민건강증진종합계획 2010(2002~2005) 수립
- 2005년 제2차 국민건강증진종합계획 2010(2006~2010) 수립
- 2010년 제3차 국민건강증진종합계획 2020(2011~2020년에 이르는 10년 계획) 수립
- 2015년 제4차 국민건강증진종합계획 2020(2016~2020)은 제3차 2020의 중간 수정 형태로 수립
- 2021년 제5차 국민건강증진종합계획 2030(2021~2030) 수립

'온 국민이 함께 만들고 누리는 건강세상'이라는 비전 아래 Health Plan 2010(제1차와 제2차 국민건강증진종합계획)에서 72세였던 건강수명 연장의 목표를 제3차 국민건강증진종합계획(Health Plan 2020)에서는 75세로 높이고 건강형평성을 제고하는 것을 목표로 삼고 있다.

2017년 공공부문 일자리 창출을 주목적으로 추가경정예산에 치매관련 예산을 반영해 '치매 국가책임제'를 실시하였다. 치매 국가책임제는 치매 의료비 90%를 건강보험으로 보장하는 내용을 골자로 치매문제를 개별 가정 차원이 아닌 국가 돌봄 차원으로 해결하겠다는 취지로 전국 보건소에 치매안심센터를 설립하였다.

2018년에 정부는 '모두가 누리는 포용적 복지국가'를 국정전략으로 추진하면서 경제성장의 과실과 복지서비스를 모두가 골고루 누리고 개개인이 인간으로서 가치를 존중받는 국가를 실현하기 위해 지역사회 통합돌봄 기본계획을 발표하였다.

2020년 코로나19의 전 세계적인 대유행으로 국내 대규모 감염이 발생하면서, 정부의 방역역량강화의 필요성이 커지게 되었다. 이에 2020년 9월 질병관리본부가 질병관리청으로 승격되었다[표 1-7].

**표 1-7 우리나라 보건/간호사업의 주요 역사**

| 구 분 | 연 도 | 주요 보건/간호사업 역사 | 비 고 |
|---|---|---|---|
| 1960년대 | 주요 보건사업 | 가족계획사업, 예방접종사업, 급성감염병 예방, 결핵, 나병, 성병, 기생충 박멸, 모자보건사업 집중 | • 인구 2,500만 명, 1인당 국민소득 91달러(1961년 기준)<br>• 1962년 개발 5개년계획 수립<br>• 1963년 국립보건원 발족<br>• 1963년 간호사 독일 파견<br>• 1965년 베트남 파병 |
| | 1961 | 국가결핵관리사업 시작 | |
| | 1962 | 가족계획사업 추진, 「보건소법」 개정 및 보건소 사업 확장 | |

**표 1-7 우리나라 보건/간호사업의 주요 역사** (계속)

| 구 분 | 연 도 | 주요 보건/간호사업 역사 | 비 고 |
|---|---|---|---|
| 1970년대 | 주요 보건사업 | 가족계획사업, 예방접종사업, 급성감염병 예방, 결핵, 나병, 성병, 기생충박멸, 모자보건사업 집중 | • 인구 3,200만 명, 1인당 국민소득 1,000달러<br>• 1970년 새마을운동 시작/보건간호이수과정 시작/한국보건간호원회 창립<br>• 1973년 분야별 간호사 : 보건간호 인정 |
| | 1970 | 가족계획연구원 설립 | |
| | 1973 | 「모자보건법」 제정 | |
| | 1976 | 한국보건개발연구원 설립 | |
| 1980년대 | 주요 보건사업 | 일차보건의료 강화, 전국민의료보험 실시 | • 인구 3,800만 명 (수출 200억 달러)<br>• 1981년 보건진료원(현 보건진료 전담공무원) 전국배치<br>• 1983년 보건간호이수과정 폐지 |
| | 1980 | 「농어촌 등 보건의료를 위한 특별조치법」 공포 | |
| | 1981 | 인구증가억제대책 발표, 한국인구보건연구원 설립, 「산업안전보건법」 제정 | |
| | 1981~1982 | 수돗물불소화사업 일부지역 시행 | |
| | 1987 | 「후천성면역결핍증예방법」 제정 | |
| | 1989 | 전국민의료보험 실시 | |
| 1990년대 | 주요 보건사업 | 건강증진사업 정착을 위한 만성퇴행성질환 관리사업 시작, 보건소 현대화 | • 인구 4,200만 명, 1인당 국민소득 11,432달러<br>• 1991년 남북한 UN 동시 가입<br>• 1991년 분야별 간호사 : 가정간호사 인정<br>• 1995년 지방자치제 전면 실시 |
| | 1990 | 「산업안전보건법」 개정 | |
| | 1991 | 보건소 만성질환자 방문간호사업/산업재해예방 5개년 계획 | |
| | 1995 | 「국민건강증진법」, 「정신보건법」 개정, 「지역보건법」 개정 및 시행 | |
| | 1996 | 인구억제정책 폐지/암정복 10개년 계획수립 | |
| | 1997 | 국민건강증진기금 조성/15개 보건소 건강증진사업 실시 | |
| | 1998 | 21세기 보건의료발전종합계획 수립, 식품의약품안전청 승격 | |
| 2000년대 | 주요 보건사업 | 사회안전망확충, 보건의료의 선진화 | • 인구 4,700만 명, 1인당 국민소득 21,695달러<br>• 2002년 보건간호사 1차 보건교육<br>• 2007년 보건소맞춤형 방문건강관리사업<br>• 2008년 노인장기요양보험 제도 실시 |
| | 2000 | 의약분업 | |
| | 2002 | 제1차 국민건강증진종합계획 2010(2002~2005) 수립 | |
| | 2003 | 질병관리본부 출범 | |
| | 2005 | 제2차 국민건강증진종합계획 2010(2006~2010) 수립, 「저출산·고령사회기본법」 제정 | |
| | 2006 | 제1차 저출산·고령사회기본계획 수립 | |
| | 2007 | 「노인장기요양보험법」 제정 | |
| | 2008 | 「다문화가족지원법」 제정 | |
| 2010년대 | 주요 보건사업 | 저출산·고령화 대책, 통합건강증진사업 | • 인구 4,880만 명, 1인당 국민소득 22,500달러<br>• 2016년 건강생활지원센터 설립(읍·면·동)<br>• 2017년 치매안심센터 설립 |
| | 2010 | 제3차 국민건강증진종합계획 2020(2011~2020년에 이르는 10년 계획) 수립, 제2차 저출산·고령사회기본계획 수립, 건강박람회 개최 | |
| | 2011 | 보건소 건강생활실천통합서비스 실시, 국민건강증진재단 출범, 「치매관리법」 제정 | |
| | 2013 | 지역사회 통합건강증진사업(방문건강관리사업) | |
| | 2015 | 제4차 국민건강증진종합계획 2020(2016~2020)은 제3차 2020의 중간 수정 형태로 수립 | |
| | 2017 | 치매 국가책임제 | |
| | 2018 | 지역사회 통합돌봄 기본계획 발표 | |
| 2020년대 | 2020 | 질병관리본부 질병관리청으로 승격 | |

## 제6절 + 지역사회간호이론

Keywords

- 체계이론
- 기획이론
- 교환이론
- Neuman의 건강관리체계이론
- Orem의 자가간호이론
- Roy의 적응이론

간호학은 전문 분과학문으로서 간호 고유의 지식체인 이론을 필요로 한다. 간호이론은 간호현상이나 사건을 그대로 기술하거나 그 현상의 원인을 설명해주며, 앞으로 일어날 일을 예측해주고 통제할 수 있는 근거가 된다. 간호 이론은 인간, 환경, 건강과 간호라는 네 가지 주요 개념들을 정의하고, 개념들 간의 상호관계를 진술하며 구성요소들을 구체화하여 모델로 제시한다. 간호이론은 간호교육과 연구 및 간호실무의 근간을 이루므로, 이론개발을 통해 학문적 발전을 이루고 이론적인 근거 하에 대상자 중심의 과학적이고 체계적인 간호중재방안을 모색해야 한다.

지역사회간호이론은 개인, 가족, 조직이나 집단 및 지역사회를 대상으로, 개인의 독특성과 집단의 역동성을 고려하여 지역사회의 적정기능수준을 향상할 수 있는 효과적이고 효율적인 간호중재를 찾아내는 근거가 된다. 지역사회간호사는 지역사회간호 대상자에게 최적의 간호중재를 제공하기 위해 관련된 이론을 적절하게 활용할 수 있어야 하므로, 관련된 이론인 체계·기획·교환·뉴만·오렘·로이 이론을 소개하고자 한다.

## 1 체계이론

체계이론(System theory)은 간호이론을 이해하는 데 사용되는 배경이론으로, 생물학자인 Bertalanffy가 일반체계이론으로 개발하였다. Bertalanffy는 일반체계이론을 생물학, 물리학 등 자연과학 분야뿐 아니라 사회학, 심리학, 정신병리학, 인류학, 역사학 등에도 적용하여 인간의 행동과 사회 및 문화현상까지를 설명하고자 하였다. 간호학에서 일반체계이론의 활용은 어떤 전반적인 양상에 대한 모형이며 이전에 간과한 것을 보게 하는 하나의 방법론적 기본원칙이라고 할 수 있다.

### 1) 주요 개념

체계는 상호작용과 상호의존적인 부분들의 집합으로, 구성물(component), 자원(resource), 상호작용(interaction), 경계(boundary), 목표(goal)로 구성된다.

체계는 개방체계와 폐쇄체계로 구분하는데, 개방체계는 체계의 경계를 통해 체계 내의 구성물과 자원이 외부환경과 상호교환이 가능하고, 폐쇄체계는 체계 내의 구성물과 자원이 외부로 이동하면 체계가 파괴된다. 개방체계는 투입(input), 변환(transformation), 산출(output)의 과정을 거친다. 투입은 체계속으로 들어오는 구성물이나 자원이며, 변환은 구성물과 자원이 상호작용하는 현상을, 산출은 구성물과 자원이 상호작용하여 만들어 낸 산물이다. 인간은 개방체계의 한 예이다.

### (1) 체계의 구조와 기능

체계의 구조는 경계(boundary), 환경(environment), 계층(hierarchy), 속성(attributes)의 네 가지 주요 특성을 가진다.

#### ① 경계

경계는 체계를 환경으로부터 구분하는 것으로 투과성에 따라 체계가 얼마나 개방적인지를 결정한다. 경계는 외부체계로부터 들어오고 나가는 에너지의 흐름을 규제한다.

#### ② 환경

환경은 경계 외부의 세계로서 속성의 변화가 이루어지는 요소이다.

#### ③ 계층

위계적 질서는 체계의 배열에 관한 것으로, 체계는 하위체계의 요소들의 계속적인 교환과 활동에 의해 유지된다.

#### ④ 속성

속성은 체계의 부분이나 요소들의 특성으로 설명된다.

체계의 기능은 체계에 의해 행해지는 활동으로서 에너지를 필요로 하며, 에너지는 물질과 정보와 함께 존재하고 이들이 체계에 유입되는 과정을 투입(input), 체계가 이러한 에너지, 물질, 정보를 사용하는 과정을 변환(transformation), 그리고 체계 내에서 보유되지 않고 나가는 에너지, 물질, 정보를 산출(output)이라고 한다. 체계가 완전한 기능을 발휘하기 위해서는 환류(feedback)의 과정을 포함해야 한다.

### (2) 주요 개념

체계의 변화는 항상성(homeostasis), 물질과 에너지, 균등종국(equifinality), 위계적 질서(hierarchy)의 특성을 갖는다.

#### ① 항상성(Homeostasis)

항상성은 생성과 파괴가 일어남에도 불구하고 체계는 변화하지 않고 그 요소들의 균형상태를 유지하는 것을 의미한다. 이것은 체계의 자기조절 능력으로 안정상태를 이루는 것을 말한다.

#### ② 물질과 에너지

물질과 에너지는 동등하여 서로 변환이 가능한데, 물질은 질량을 갖고 공간에 존재하며, 에너지는 일할 수 있는 능력을 갖는다. 엔트로피(entropy)는 일로 전환될 수 없는 체계 내의 에너지 양으로 정의되며, '무질서의 에너지'로도 불린다. 네겐트로피(negentropy)는 체계에 의해 운용될 수 있는 '자유 에너지'로서 일할 수 있는 에너지의 양이다.

#### ③ 균등종국(Equifinality)

균등종국이란 체계가 목표지향적이고 서로 다른 시작의 조건과 다른 과정을 거치면서, 과정에서의 방해가 있음에도 불구하고 동일한 목표에 도달하게 되는 개방체계의 속성을 말한다.

#### ④ 위계적 질서(Hierarchy)

모든 체계는 복잡한 계열과 과정을 통해 상호연결되며 질서와 양상(pattern)이 있으며, 체계의 부분이나 구성요소 간에는 순차적이고 논리적인 관계가 있다.

### 2) 지역사회간호에의 적용

지역사회도 하나의 체계이다. 지역사회는 지역사회라는 경계를 이루며, 구성물인 지역사회 주민과 지역사회 자원인 지역사회 내 건강과 관련된 인적·물적·사회 환경적 자원들로 구성된다. 구성물과 자원은 서로 상호작용하며, 적정기능수준향상이라는 건강에 대한 목표를 달성하고자 한다. 지역사회체계는 항상 투입, 변환, 산출의 체계과정을 통해 목표를 달성하기 위하여 움직인다. 여기에는 지역사회간호에 관련된 정치적·제도적·정책적·기술적·물리적·경제적·사회적 환경 등이 제약요인으로 등장하며 하부체계로는 지역사회간호 단위인 가족체계 등이 있다[그림 1-14].

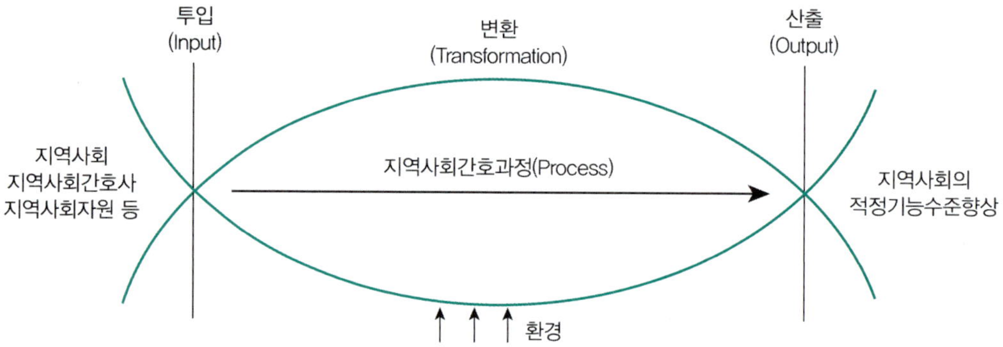


**그림 1-14 지역사회간호 사업체계 모형**

## 2 기획이론

지역사회 간호과정 중 기획과정은 지역사회 간호사업을 추진하는 데 도움을 제공하는 과정이다. 기획이란 의도된 미래의 모습을 달성하기 위하여 현재를 변화시키는 과정으로 목표를 달성하기 위한 구체적인 단계와 방법을 제시하여 준다. 따라서 모든 기획에는 현재의 상태, 미래에 원하는 방향, 그리고 원하는 방향으로 가기 위한 방법이 기본적인 구성요소로 포함되어 있어야 한다(배상수, 2015).

### 1) 기획의 특성

기획의 특성은 다음의 다섯 가지로 정리할 수 있다.

- 기획은 본질적으로 미래지향적이다.
  우리가 얼마나 미래를 잘 예측하고 통제할 수 있을지는 모르나, 거의 모든 경우에 기획이란 미래의 행동에 관한 것이다. 기획은 불확실성을 최소화하면서 미래를 건설하고자 하는 인간의 노력이다.
- 기획은 목표지향적이다.
  기획은 미래를 우리의 의도에 맞게끔 변화시키고자 하는 인간의 희망을 반영하는 수단이다. 기획이란 결코 미래가 인간의 힘 밖에 있다고 생각하지 않는다. 기획은 미래를 우리의 의도대로 만들어가고자 하는 수단의 하나이다.
- 기획은 목표달성을 위한 최적의 수단을 제시한다.
  기획은 막연히 바람직한 미래를 상상하는 것이 아니라 그것을 달성하는 구체적인 수단을 제시한다. 그리고 기획은 여러 번의 시행착오를 거듭함으로써 문제를 해결하려는 접근방법과도 다르다. 기획이란 목표에 도달하기 위한 최적의 수단을 계획적으로 제시하는 것이다.
- 기획은 권한과 자원을 동반하는 행동지향적이다.
  기획이 나름의 가치를 가지기 위해서는 기획을 하는 사람에게 권한을 부여하여 계획을 성공적으로 수행할 수 있도록 해야 하며, 이를 위하여 자원을 제공한다.
- 기획은 체계적인 일련의 의사결정 과정이다.
  기획은 일회적이거나 단편적인 의사결정들이 아니라 하나의 연속적인 과정으로 이루어지며, 기획과정의 여러 단계는 체계적으로 연결되어 상호 영향을 미친다.

## 2) 기획과정

일반적으로 보건관리는 업무를 기획하여 이를 집행한 후 그 결과를 평가하고 이를 다시 기획에 반영하는 과정을 반복한다. 보건사업의 기획과정은 전문가에 따라 조금씩 상이하나 일반적으로는 다음과 같은 단계를 따른다.

- 1단계 : 기획팀의 조직과 전제조건 사정
  기획을 시작하며 가장 먼저 할 일은 기획담당자를 지정하거나 팀을 조직하는 것이다. 기획팀은 기획을 위한 어떤 특정 전제조건을 사정하거나 혹은 설정한다. 전제조건 사정은 기획 전에 기획가능성을 결정하기 위한 준비단계로서, 정부의 관심과 정책, 법적 뒷받침, 기획담당 기구, 행정능력 등을 사정한다. 이를 통하여 현재 상태를 사정하고 부족한 부분들을 보완한다.
- 2단계 : 지역사회 현황분석
  기획팀을 조직했으면 기획팀에서는 건강문제와 해결방안의 우선순위를 결정하고 지역사회와 조직의 문제해결 능력을 평가해야 한다. 그리고 보건사업의 평가를 위한 기초 자료를 확보하고 외부환경의 변화가 보건사업에 미칠 영향을 분석하기 위하여 지역사회 현황분석을 실시한다.
  지역사회 현황분석은 현재 보건문제, 보건 및 간호상태, 자원분석 등을 통해 지역의 건강수준을 평가하고, 지역사회의 관심과 장점을 파악하며 지역보건체계를 평가하는 것이다. 그리고 건강문제와 해결능력에 영향을 미치는 환경의 변화를 사정하는 것을 포함한다.
- 3단계 : 우선순위의 설정
  지역사회 현황분석을 통하여 얻은 자료를 기반으로 수행할 사업들을 선정하게 되면 이후에는 어떤 사업을 먼저 수행하고 어떤 사업을 나중에 수행할 것인지에 대한 사업의 우선순위를 설정한다. 우선순위를 설정하게 위해서는 우선순위 결정기준을 따르며 결정기준은 기획자 및 기획의 목표 등에 따라서 선택된다.

- 4단계 : 목적과 목표의 설정

목적(goal)이란 보건사업이 궁극적으로 달성하고자 하는 것에 대한 일반적인 기술이며, 목표(objectives)란 사업의 목적을 달성하기 위해 필요한 변화에 대한 구체적인 기술이다. 사업이 우선순위에 따라 선정되면 사업에 따른 목적과 목표를 세워야 한다.

- 5단계 : 전략과 세부사업 계획서 작성

사업의 목적과 목표를 세우면 이후에는 이러한 목적과 목표를 달성하기 위한 전략을 마련한다. 전략(strategy)은 경쟁적 우위를 지니고 지속적으로 조직 목표를 달성하기 위한 일련의 활동이다. 이러한 활동은 구체적인 세부사업으로 나뉘어져 이루어지며 이를 수행하기 위한 인력, 자원, 방법 등에 대한 계획서를 작성하게 된다.

- 6단계 : 실행

세부사업 계획이 마련되면 이에 따라서 사업을 실행한다.

- 7단계 : 평가

기획과정의 마지막 단계는 평가이다. 평가는 첫째, 사업이 목적을 달성하였는지를 알기 위해서 이루어지며, 둘째, 사업이 효과적이었는지를 판정하기 위해서, 셋째, 사업개선방안을 찾기 위해서 이루어진다. 평가는 계획되고 수행된 사업의 결과를 양적·질적으로 측정하며 정해진 기준에 따라 비교하는 것이다 [그림 1-15].

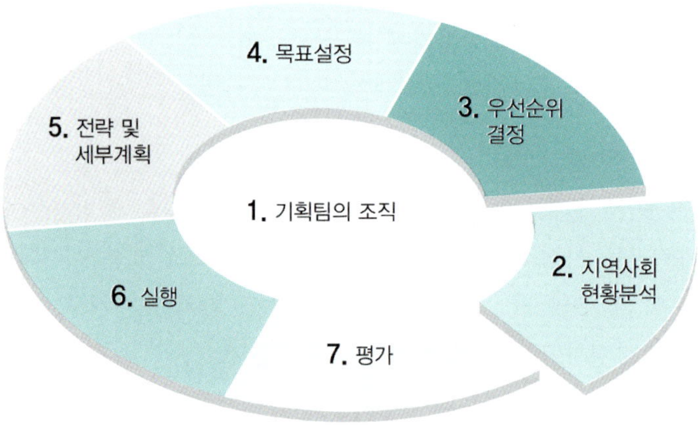


〈 자료원 : 배상수(2015). 보건사업기획 제3판 〉

**그림 1-15 보건사업의 기획단계**

## 3 교환이론

### 1) 주요 개념

Homans의 교환이론(exchange theory)은 인간의 사회적인 관계는 비용(cost)과 보상(reward)에 토대를 둔다고 본다. 교환은 인간이 서로 상호작용하는 것으로, Homans는 타인과 집단과의 상호작용을 설명하는 데 사회적 교환이론을 제시한다. Homans는 개인 간의 관계에 중점을 두었고, Blau는 사회적 구조에 중점을 두었다.

사회적 행동의 본질은 비용 같은 물질과 칭찬이나 명성 같은 비물질의 교환이라고 본다.

인간의 기본적인 사회적 행동은 행동의 결과 생기는 보상을 최대한으로 하고, 행동에 수반되는 비용은 최소화하도록 행동한다는 것이다. 사람들은 자신의 이익을 극대화하기 위해 손해 보는 행동은 피하고 투입한 이상의 보상을 얻는 방향으로 타인과 상호작용을 한다. 타인과 비교하여 보상이 유리하면 행동을 지속하고 불리하면 관계를 중단하거나 개선해서 새로운 관계로 나아간다는 것이다.

보상은 교환을 통해 얻을 수 있는 것으로 심리적·사회적·물질적·신체적 보상이 있다. 보상에는 기쁨·만족·충족을 주는 개인적인 매력, 사회적인 수용, 사회적인 인정, 수단적인 서비스, 존경과 명성, 순종과 권력 등을 들 수 있다. 보상을 얻기 위해 지불하는 비용에는 금전과 같은 직접비용, 자원을 얻는 데 소모한 시간과 노력 등의 투자비용, 선택한 교환 때문에 다른 대안의 보상을 상실하게 되는 기회비용 등이 있다.

교환에는 최소의 노력으로 최대의 효과를 기대하는 경제 원리가 내재한다. 이러한 비용과 보상은 경제적이거나 심리적인 부분이 될 수도 있다. 또한 교환은 비용과 보상을 고려하여 의식적으로 행하기도 하지만 무의식적인 습관화된 사회의 계약 속에서 이루어지는 경우도 있다.

Homans에 의한 교환이론의 기본명제는 다음과 같다.

- **성공명제**(success proposition) : 특정행동이 성공하면 그 행동은 되풀이된다.
- **자극명제**(stimulus proposition) : 특정자극을 포함한 과거 행동이 보상을 받으면 이전과 동일, 유사한 활동을 많이 한다.
- **가치명제**(value proposition) : 특정행동의 결과가 가치 있을수록 그런 행동 취할 가능성이 커진다.
- **박탈－포만 명제**(deprivation–satiation proposition) : 특정의 보상을 많이 받을수록 그 이상의 보상은 점차 가치 없는 것으로 되어간다.
- **욕구불만－공격 명제**(frustration–aggression proposition) : 기대한 보상을 못 받거나 생각지 않은 벌을 받았을 때 인간은 분노한다.

### 2) 지역사회간호에의 적용

지역사회 간호사가 주민을 대상으로 지역사회간호를 수행하는 과정에서 물질적 비물질적 교환이 많이 이루어진다. 교환은 성공적으로 되기 위해 교환과정(절차), 교환과정을 위한 조직 및 기준, 교환결과에 대한 회환(feedback) 등을 확립해서 다음 과정에 참고한다.

지역사회 간호사는 일방적인 교환이 되지 않도록 정기적으로 주민 및 보건의료팀들과 교환과정을 관찰 및 평가하고, 주민과 서로 주고받는 대등한 위치에서 주민과 함께 계획하고 긍정적인 교환을 이루도록 노력한다.

## 4 Neuman의 건강관리 체계이론

Neuman은 1972년에 건강관리 체계이론을 개발하였다. 뉴만모델은 일반체계이론에 기초를 두며, 서로 상호작용하고 더불어 환경과도 상호작용한다는 점에서 개방 체계인 생물 유기체의 특성을 반영한다. 이 모델은 개인, 집단, 사회가 환경 스트레스원의 영향을 받는 현상을 포괄적이고도 역동적인 시각에서 바라본 것이며, 스트레스원에 대해 이를 대상자 체계의 반응과 회복에 초점을 맞춘 이론이다. 간호대상자에 개인·가족·집단 및 지역사회 포함하여 실무적용에 쉽고, 간호활동을 예방활동을 위한 개념으로 정리하여 지역사회영역에서 많이 활용할 수 있다.

뉴만모델은 간호학이 건강하거나 아픈 사람을 하나의 완전한 체계로 바라보며, 환경이 건강에 미치는 영향을 중요하게 여긴다는 사실을 반영한다. 스트레스원과 자원에 대한 대상자와 간호사의 인지를 강조하며, 대상자는 간호사와 협력하여 목적을 설정하고 적절한 예방법을 찾아낸다. 대상자 체계란 개인·가족, 다른 형태의 집단, 지역사회, 사회 문제 등이 모두 해당되며, 또한 생리적, 심리적, 사회문화적, 발달적, 영적 변수들이 서로 상호작용하는 혼합체라고 볼 수 있다.

### 1) 주요 개념

뉴만모델에서 안녕(wellness)은 대상자 체계의 부분들이 전체 체계와 조화를 이루며 상호작용하는 안정된 상태로 체계의 요구가 모두 충족된 상태이다.

반면에 질병(illness)은 체계의 요구가 충족되지 않아 불안정하고 에너지가 고갈된 상태이다. 반응 정도(degree of reaction)는 대상자가 스트레스원에 적응하는 데 필요한 에너지의 양을 말한다.

뉴만모델은 총체적 접근(wholistic approach)으로 대상자 간호에 대한 역동적이고 열린 방식의 체계적 접근법이다[그림 1-16]. 원래, 간호 문제를 설명하고 또 환경과 상호작용하는 대상자를 가장 잘 이해할 수 있는 일관된 시각을 제공하려고 개발하였다. 체계로서의 대상자는 개인, 가족, 집단, 지역사회, 사회적 문제 등으로 정의할 수 있다.

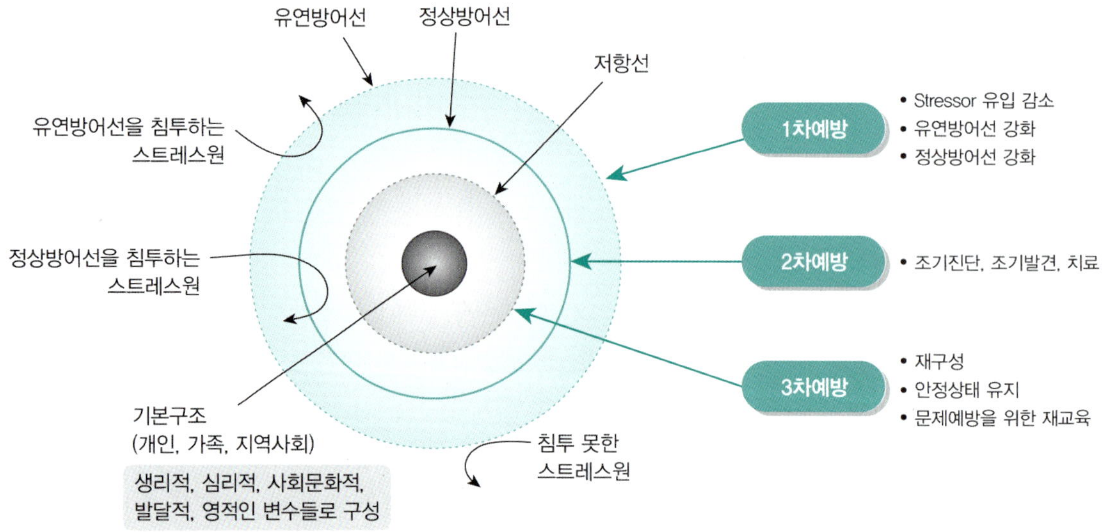


그림 1-16 Neuman체계 모형의 대상자 구성요소들

환경(environment)은 대상자에게 영향을 미치는 내부 및 외부의 힘이다. 특히 창조된 환경(created environment) 대상자가 체계의 총체성(system wholeness)이라는 상징을 표현하기 위해 무의식적으로 만든 것이다. 이것의 목적은 대상자 체계가 잘 기능할 수 있는 안전한 영역을 제공하고, 대상자를 스트레스원에서 격리시키기 위함이다.

### (1) 대상자 체계(Client system)

대상자 체계인 인간은 생리적, 심리적, 사회문화적, 발달적, 영적 변수로 구성되며 하나의 체계를 이루어 환경과 상호작용한다. 생리적 변수는 신체 구조와 기능을 말하며, 심리적 변수는 환경과 상호작용하는 정신과정으로 건강에 대한 자아개념과 태도를 말한다. 사회문화적 변수는 문화, 교육수준, 수입 같은 사회문화적 조건이 미치는 효과와 영향력을 말하며, 발달적 변수는 연령에 따른 발달정도와 활동을 말한다. 영적 변수는 종교적인 중재와 신과의 관계에 대한 신념 등 영적 신념과 작용을 말한다.

#### ① 기본 구조(Basic structure)

체계로서의 대상자는 중앙에 핵이 있고 그 중위를 동심원들이 둘러싼 구조로 되어 있다. 안쪽 원은 대상자가 가지고 있는 에너지 자원 또는 기본 생존 요인을 나타낸다. 이 핵심 구조는 본질적 혹은 유전적 특징과 마찬가지로 모든 종이 공통적으로 가지고 있는 기본 생존 요인으로 이루어져 있다.

#### ② 저항선(Lines of resistance)

기본 핵 구조를 둘러싸는 몇 개의 점선 원을 지칭한다. 이 원들은 대상자가 스트레스원에 저항하여 자신을 지킬 수 있도록 돕는 자원(resource factors)을 나타낸다. 예를 들어 인체의 면역반응체계가 그 하나이다. 저항선이 효과적으로 작동하면 대상자 체계를 복구되고, 비효과적으로 작동하면 사망할 수 있다. 스트레스원에 대한 저항 정도는 대상자 체계 내 5대 변수들의 상호작용 결과에 따라 결정된다.

#### ③ 정상방어선(Normal line of defense)

저항선 바깥쪽에 있는 실선으로 된 원이다. 개인 혹은 체계가 안정되어 있는 상태를 나타낸다. 이것은 장기간에 걸쳐 유지되며, 대상자가 평소 건강상태에서 얼마나 벗어나 있는지를 평가하는 기준이 된다. 여기에는 개인의 일상적 적응 양식, 생활방식, 발달단계 같은 체계 변수와 행동들이 포함되어 있다. 정상방어선이 확장되는 것은 건강상태가 좋아짐을 의미하고, 정상방어선이 축소되는 것은 건강상태가 나빠짐을 의미한다.

#### ④ 유연방어선(Flexible line of defense)

기본구조를 둘러싼 선 중 가장 바깥쪽에 있는 점선으로 된 원이다. 이는 역동적이기 때문에 짧은 시간 안에 빠르게 변할 수 있다. 평소 건강상태를 의미하는 정상방어선을 스트레스원이 파괴하지 않도록 막아주는 방어적 완충지대로 이해할 수 있다.

### (2) 스트레스원(Stressors)

긴장을 유발하는 자극으로 체계의 안정성을 교란시킬 수 있다. 스트레스원은 대상체계의 밖, 즉 모든 환경이며 이는 자극으로 존재하고 있다. 스트레스원은 인간내적, 인간외적, 대인적 요인으로 구분한다. 스트레스원의 영향력은 스트레스원의 강도와 수에 따라 달라지며, 스트레스원에 반응하기 위해 3가지 방어선을 사용하는 대상자의 방어능력에 따라 다르다.

① **내적요인** : 개체 내에서 일어나는 요소로서 대상체계에 영향을 줄 수 있는 자극을 의미하며 통증, 상실, 분노, 불구 등을 들 수 있다.
② **대인적 요인** : 개체 간에 일어나는 자극요인으로서 역할기대를 포함하며, 사람들 사이에서 의사소통과 상호작용과정에서 발생된다.
③ **외적요인** : 개체 외부에서 발생되는 요인으로 관습의 변화, 경제상황, 실직, 지진과 같은 천재지변 등을 들 수 있다.

### (3) 예방 중재(Prevention as intervention)

대상자가 체계 안정성을 유지하고 획득하며 지속할 수 있도록 돕는 활동이다. 이 활동은 반응과 복구(re-constitution)가 방어선과 저항선을 관통하여 발생하는 시점 전후에도 투입될 수 있다.

#### ① 일차예방(Primary prevention)

대상체계에서 어떤 증상이나 반응이 생기지 않은 상태에서, 스트레스원의 존재가 의심되거나 확인될 때 이루어진다. 스트레스원 자체를 약화시키거나 유연방어선과 정상방어선을 강화시키는 간호중재이다.

#### ② 이차예방(Secondary prevention)

스트레스원이 정상방어선을 침입하여 증상이 나타나기 시작했을 때, 저항선을 강화하고 반응을 감소시켜서 체계 안정성을 유지할 수 있도록 대상자 안팎의 자원들을 이용하는 활동으로 문제의 조기발견과 증상치료가 해당된다.

#### ③ 삼차예방(Tertiary prevention)

이차예방이나 적극적 처치 후에도 대상체계의 균형이 깨져 기본구조가 무너졌을 때 합리적인 적응정도를 유지하는 것으로 체계균형상태의 재구성을 돕는 중재활동이다. 주된 목적은 반응이나 퇴행이 재발하지 않도록, 스트레스원에 대한 저항력을 강화시키는 것이다. 이 과정은 순환하여 일차 예방으로 되돌아간다. 재적응의 증진으로 질병예방과 적극적인 치료 후에 새로운 수준의 안정성을 얻게 된다.

※ 재구성(복구; reconstitution) : 대상체계가 침투되면 체계의 안정과 정상방어선을 향해 되돌아가는 것으로 이때의 안정성은 스트레스원이 침범하기 전의 건강상태보다 높아질 수도 낮아질 수도 있다. 심폐소생술 후에 순환기 기능이 회복되고 유지되면 재구성이 이룩된 것이다.

## 2) 뉴만모델의 장점과 단점

### (1) 장점

- 지역사회 간호대상을 개인·가족·지역사회로 파악하고 이들을 서로 유기적인 상하위 체계로 구체화할 수 있다는 것이다.

- 간호의 목적인 적정기능수준의 적정선을 뉴만모델의 도입을 통해 정상방어선으로 명료하게 표현한다.
- 방어선을 기초로 간호대상과 목표 간의 관계는 좀 더 구체적인 적정기능 지표 개발을 통해 할 수 있을 것이다.
- 간호행위를 3단계로 구체화하여 활동의 한계를 정할 수 있도록 한 것은 향후 지역사회간호와 타 간호 분야, 더 나아가 다른 보건의료 전문가 간의 업무 한계를 규명하는 데 도움을 준다.

#### (2) 단점

- 간호행위에 대한 구체적인 활동양상이 제시되지 않아 어떤 행동을 어떻게 해야 하는지 모호하다.
- 간호사의 구체적인 간호활동을 실제화하기 부족하여 구체적인 간호수단이나 도구에 대한 제시가 어렵다.

### 3) 지역사회간호에의 적용

뉴만모델을 지역사회간호에 적용해보면, 기본 구조는 지역사회를 구성하는 개인이고 인구학적 소견 외에 가치, 신념, 역사를 포함하며 지역사회의 하부체계와 상호작용을 한다.

저항선은 지역사회의 정상상태를 보호하고 안정시키기 위해 스트레스원에 대항하여 작용하는 내적 기전이다. 예를 들어 청소년을 대상으로 하는 저녁 오락 프로그램의 신설, 성병을 진단하고 치료하기 위한 무료 클리닉의 개설, 건강과 질병에 대한 서비스, 경찰 및 형사 체계 등이다.

정상방어선은 지역사회가 오랜 기간에 걸쳐 도달한 건강수준을 유지하기 위해 생활자극 요인들에 대처하는 방법으로, 예방접종률, 신생아사망률, 생활양식, 문제해결 능력, 소득 수준, 가능한 주거 및 고용 등이다.

유연방어선은 체계의 경계로 작용하며, 법, 정치, 갈등해결, 의사결정과 같은 과정을 통해 물질 에너지와 정보의 교환을 조절한다. 예를 들어 중앙정부의 보건의료 비용절감 및 재원감축, 사회적 스트레스원이나 환경적 스트레스원에 대응하는 주민의 활동 등을 말한다.

일차 예방 간호는 스트레스원에 대비하여 유연방어선의 강도를 높이기 위한 것으로 지역사회 위험요소를 규명하고, 교육 프로그램을 계획하는 것이다. 이차 예방 간호는 스트레스원의 규명, 치료의 시작, 더 이상의 불가능을 예방하기 위한 저항선 강화를 위한 중재이다. 삼차 예방 간호는 만성적으로 불기능 상태인 지역사회에 적합한 중재이다[그림 1-17].

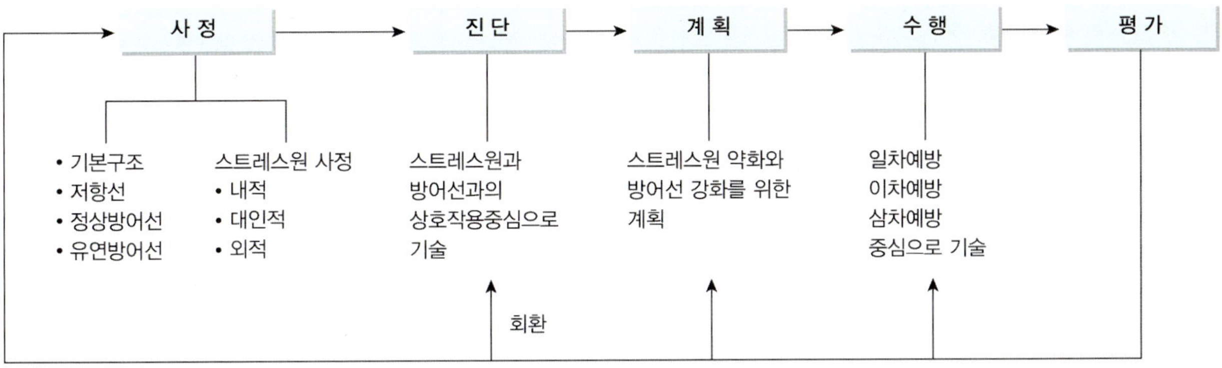


그림 1-17 Neuman이론을 적용한 간호과정

## 5 Orem의 자가간호이론

Orem의 자가간호이론은 자가간호결핍이론(Self-Care Deficit Nursing Theory)이라고도 한다. Orem은 간호의 대상자인 인간을 생물학적, 사회적, 상징적으로 기능하는 하나의 통합된 개체로서 파악하고, 자가간호라는 행동 형태를 통하여 계속적인 자기유지와 자기조절을 수행하는 자가간호를 가진 자가간호 행위자라고 보았다. Orem의 자가간호이론에 따르면 간호란 자가간호 활동을 수행하는 능력과 자가간호요구의 차이를 줄이는 것으로 보았다.

### 1) 주요 개념

Orem의 자가간호이론 주요 개념은 다음과 같다[그림 1-18].

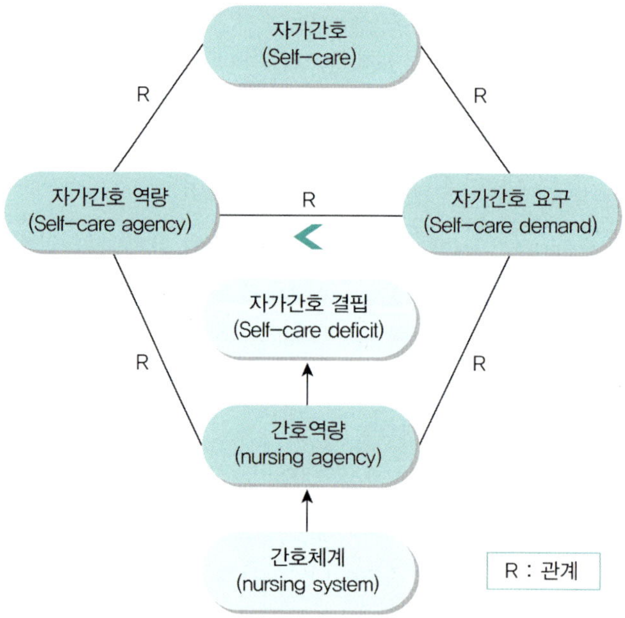


그림 1-18 Orem의 자가간호이론 구성요소

#### (1) 자가간호(Self-care)

성숙중인, 또는 성숙한 인간이 어떤 일정 시간대(time frame)에서 기능적, 발달적 측면의 요구를 충족시킴으로써, 자신의 삶과 기능을 건강하게 유지하고 계속적으로 개인의 발달과 안녕상태를 지속시키기 위하여 자신이 주도하고 수행하는 활동으로 이루어진다.

#### (2) 자가간호요구(Self-care requisities)

인간의 기능과 발달, 어떠한 상태나 상황을 조절하기 위하여 필요하다고 알려졌거나, 필요할 것이라고 가정하여 수행해야 하는 활동이다. 자가간호요구는 두 요소로 이루어졌는데, 첫째는 개인의 삶, 건강, 안녕 상태를 양립할 수 있는 규범 내에서 인간의 기능과 발달적인 면을 조절하고 유지하기 위한 요인이며, 둘째는 요구되는 활동 특성으로 공식적으로 표현된 자가간호요구는 자가간호의 목표를 구성한다.

#### ① 일반적 자가간호요구(Universal self-care requisities)

모든 인간이 공통적으로 가지고 있는 자가간호요구로서 인간의 구조, 기능을 유지하는 내적, 외적 조건과 관련된 요구이다. 다음은 8가지 자가간호요구이다.

- 충분한 공기공급의 유지
- 충분한 음식섭취의 유지
- 충분한 수분섭취의 유지
- 배설과정과 배설물과 관련된 간호 제공
- 활동과 휴식의 균형 유지
- 고립과 사회적 상호작용의 균형 유지
- 삶, 기능, 안녕에 위험이 되는 것을 예방
- 인간의 잠재력, 한계, 정상적이고 싶은 인간의 욕망과 조화를 이루는 사회그룹 내에서의 기능 및 발달 증진이다.

#### ② 발달적 자가간호요구(Developmental self-care requisities)

발달과정에서 특정하게 필요로 하는 자가간호요구로, 발달을 촉진하는 상황 제공, 자기발달에 관여 또는 개입, 인간의 발달에 부정적 영향을 미치는 상태나 상황을 대비하거나 극복하는 것으로 구성된다. 임신, 배우자와 부모의 사망 등이 해당된다.

#### ③ 건강이탈적 자가간호요구(Health deviation self-care requisities)

질병이나 상해를 입은 사람, 특정한 질병 상태나 손상, 결함이나 기능장애가 있는 사람, 의학적 진단과 치료를 받고 있는 사람들이 갖게 되는 자가간호요구이다. 건강이탈의 특성은 시간이 지나면서 변화되는 상태이므로 질병상태와 질병기간에 따라 자가간호요구가 결정된다.

치료적 자가간호요구(therapeutic self-care demand)는 특정한 기간에 필요한 간호 또는 일정기간 동안 개인의 자가간호요구를 모두 충족시키기 위하여 현재의 상태나 상황을 조절하는 간호의 총합이다.

그 예로 질병, 장애, 불능을 가진 자, 진단과 치료를 받은 자 등에게 적당한 의료서비스를 받고 처방효과적 수행하는 것, 부작용 시 대처, 자아개념수정, 생활습관 개선, 건강이탈 결과에 적응 등을 들 수 있다.

### (3) 자가간호역량(Self-care agency)

성숙된 또는 성숙 중인 인간이 자신의 요구를 알고 그 요구를 충족시키는 복합적이고 습득된 능력으로, 자신의 기능과 발달을 조절하기 위한 의도적이고 목적적인 활동이다. 자가간호할 수 있는 지식, 기술, 태도, 신념, 가치, 동기화로 구성된다.

### (4) 자가간호결핍(Self-care deficit)

개인의 치료적 자가간호요구와 자가간호역량 간의 관계를 나타내는 것으로, 요구가 역량보다 클 때 결핍이 나타난다.

#### (5) 간호역량(Nursing agency)

자신을 간호사라고 나타낼 수 있고, 간호사로서의 교육을 받은 사람의 발달된 능력이다.

#### (6) 간호체계(Nursing systems)

간호사가 수행하는 일련의 연속적인 실무활동으로 환자가 치료적 자가간호요구를 알고 그 요구를 충족하도록 환자 자신의 자가간호능력을 사용하고 발달시켜주는 활동이다. 간호체계는 전체적 보상체계, 부분적 보상체계, 지지적 교육체계가 있다.

##### ① 전체적 보상체계(Wholly compensatory nursing system)

신체적으로 무능력하지만 환경 내에서 일어나는 사건을 인식하는 경우나 환자의 정신활동이 생명안전을 위해 효율적으로 기능하지 못할 때 적용한다. 간호사가 환자를 위해서 산소공급, 영양공급, 배설, 신체청결, 신체운동 등 욕구 충족을 위해 활동하거나 조력하는 것을 말한다.

##### ② 부분적 보상체계(Partly compensatory nursing system)

환자가 자가간호 행위를 수행하도록 간호사가 도와주는 것으로 환자의 기동을 위해 간호사가 환자와 함께 수행하는 상황이다.

##### ③ 지지적 교육체계(Educative supportive system)

환자에 의해서 대부분의 간호가 수행되지만 간호사의 도움 없이는 완전하게 간호를 수행할 수 없는 상황에 적용한다. 자가간호를 배워서 다른 사람의 도움을 받지 않고 수행할 수 있는 상황에서의 예로는 신진대사 기능에 이상이 있는 환자에게 투약, 운동의 필요성, 식사요법 등에 대한 교육이 있다.

### 2) 지역사회간호에의 적용

Orem의 이론은 간호의 대상을 인간 개인을 중심으로 하기 때문에 구체적으로 가족이나 지역사회에 바로 적용하기는 어렵다. 자가간호요구나 자가간호역량 등 구체적인 개념 설명으로 인하여 이를 가족과 지역사회의 전반적인 요구에 맞게 수정한다면 지역사회 접근도 가능할 것이다.

또한 간호사가 대상자에게 접근할 때 간호의 목표를 대상자 스스로 자신의 삶, 건강, 안녕을 위해 자가간호를 하는 것에 둔다. 이를 위한 간호활동은 대상자의 자가간호요구와 자가간호역량 그리고 이들 간의 관계로 나타나는 자가간호결핍에 초점을 맞추어야 함을 제시한다. 그리고 간호를 제공할 때 자가간호결핍의 정도에 따라 적절한 간호체계를 설계하고, 이를 위한 간호역량이 있어야 함을 제시하고 있어, 이러한 개념은 지역사회간호에도 적용 가능하다고 본다[그림 1-19].

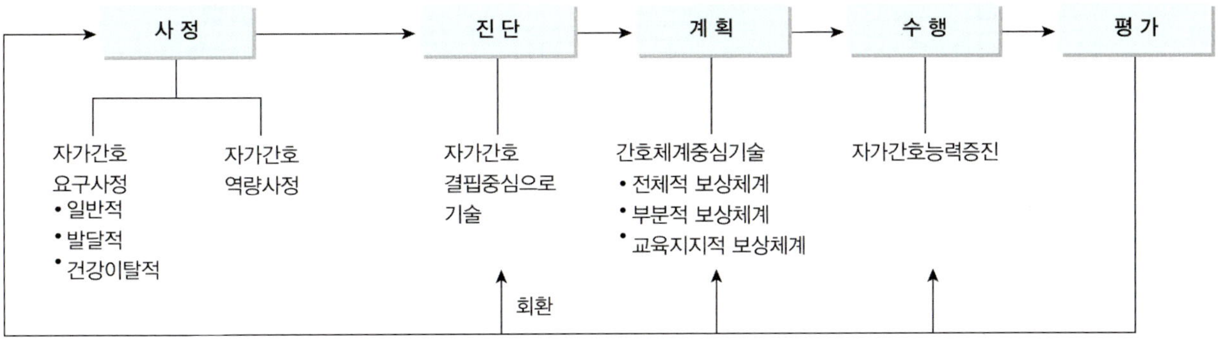


그림 1-19 Orem 이론을 적용한 간호과정

## 6 Roy의 적응이론

### 1) 적응이론의 개요

Callista Roy(1970)가 개발한 적응이론은 다양한 기존의 이론을 개념화한 것으로 기존의 적응수준이론, 체계이론 및 스트레스 적응이론 등을 바탕으로 체계화되었다.

Roy는 간호대상인 인간은 하나의 체계로서 주위환경으로부터 계속적으로 투입되는 자극을 받고 있으며, 이러한 자극에 대하여 내부의 과정인 대처기전을 활용하여 적응양상을 나타내고, 그 결과로 반응을 나타낸다고 하였다. 이 산출물인 반응은 회환되어 다시 자극의 형태로 투입원이 된다. 즉, 인간을 변화하는 환경과 끊임없이 상호작용하는 생물적·심리적·사회적 존재로서 환경에 긍정적으로 반응하기 위해서 인간 스스로가 환경변화에 효과적으로 조정하여야 한다고 하였다.

인간이 자극에 적응하는 과정에는 2가지의 서로 상호관계가 있는 대처기전과 적응양상이 작용을 한다. 대처기전은 적응을 하는 방법으로 이 대처기전의 활동으로 적응양상이 활성화되며, 이 적응양상이 반응으로 이어진다. 이러한 적응양상이 일어나는 목적은 환경적 자극에 대하여 생리적·정신적·사회적으로 통합된 총체적 상태를 이루기 위함이다.

Roy의 적응이론에 의하면 인간이 궁극적으로 도달하여야 하는 목표, 즉 간호목표는 인간이 통합된 총체적 상태인 적응의 상태를 유지하는 것이다. 간호활동은 자극 자체를 감소시키거나 내적 과정인 적응양상에 영향을 주어 인간이 적응반응을 나타낼 수 있게 돕는 것이다.

### 2) 주요 개념

Roy의 적응이론의 주요개념은 다음과 같다[그림 1-20].

#### (1) 자극

인간의 행동과 발달에 영향을 주는 모든 상황인 주위 여건이나 이간 내부에서 일어나는 상태는 적응체계인 인간에게 투입으로 작용하는 내·외적 자극이 된다. Roy는 인간체계에 영향을 주는 모든 자극은 아래의 3가지가 서로 복합되어 있으므로 자극을 사정할 때는 이 3가지를 구분하여 사정해야 한다고 하였다.

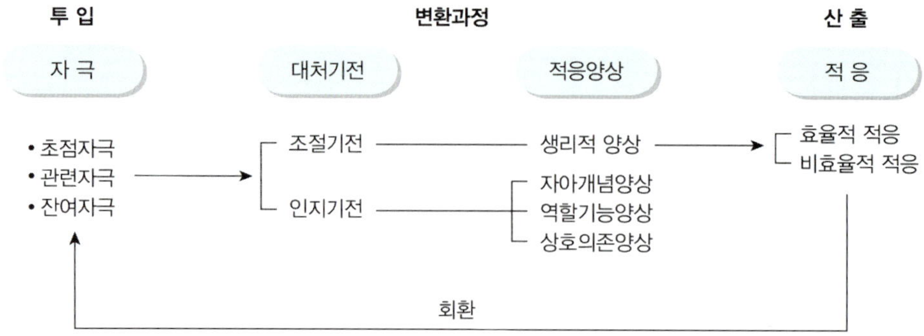


그림 1-20 Roy의 적응이론 구성요소

① **초점자극**(Focal stimuli)

자극 중에서 인간의 행동유발에 가장 큰 영향을 미치는 즉각적이며, 직접적으로 직면하고 있는 사건이나 상황의 변화이다.

② **관련자극**(Contextual stimuli)

초점자극 이외에 행동유발과 관련된 다른 모든 자극을 말하는 것으로, 현재 상태에 영향을 주며 대개 측정될 수 있는 내·외적 세계에 존재하는 자극이다.

③ **잔여자극**(Residual stimuli)

인간 행동에 간접적으로 영향을 줄 수 있는 요인으로, 대부분은 측정하기 어려운 신념, 태도, 개인의 성품 등이다. 즉, 초점자극에 대한 현재 반응에 영향을 줄 과거의 경험, 신념가치의 결과이다.

### (2) 대처기전(Coping mechanism)

인간은 변화하는 환경에 대처하는 생물학적·심리학적 능력이 있으며 Roy는 이를 대처기전이라고 설명하고 있다. 일부 생물학적 대처기전은 유전으로 결정되기도 하나, 대부분은 후천적으로 학습을 통해 습득된다.

① **조절기전**(Regulation)

자극이 투입되었을 때 중추신경계의 통로를 통하여 척수·뇌를 중심으로 하는 자율신경계 반응 또는 내분비계를 중심으로 하는 호르몬계 반응, 지각을 중심으로 하는 정신신체반응을 주로 관장하는 기전이다. 대개 자동적이고 무의식적인 반응을 나타낸다.

② **인지기전**(Cognator)

자극이 투입되었을 때 인지적 정보처리 과정, 학습, 판단, 정서과정을 통하여 사회심리적 반응을 관장하는 기전이다. 인지적 정보처리 과정은 주의집중·기억에 대한 행동을 포함한다. 학습은 모방·강화의 행동을, 판단은 문제해결과 의사결정에 관한 행동을, 정서과정은 애착·애정·불안해소 등의 행동을 관장한다.

### (3) 적응양상(Adaptive model)

적응양상이란 대처기전의 활동으로 나타나는 적응방법의 종류로서, 인간의 기본적인 욕구를 나타내는 행위들의 모임이다.

#### ① 생리적 양상(Physiological model)

환경 자극에 대해 인간이 신체적으로 반응하는 방법으로, 신체의 기본욕구에 반응하는 방법이다. 따라서 이 적응양상은 생리적 통합성에 대한 인간의 기본욕구를 다루며, 이에 포함되는 욕구는 수분과 전해질, 활동과 휴식, 배설, 영양, 순환과 산소 그리고 감각, 체온 및 내분비계 조절 등이다.

#### ② 자아개념 양상(Self-concept model)

정신적 통합성을 유지하기 위하여 일어나는 적응양상으로, 자아개념은 신념과 느낌의 복합체로서 신체적 자아(physical self)와 개인적 자아(personal self)로 구분할 수 있다.

신체적 자아는 신체적으로 자신을 지각하고 형성하는 능력 또는 자신의 신체에 대한 주관적인 생각으로, 감각과 신체상이 포함된다. 개인적 자아는 자신의 성격, 기대, 가치에 대한 평가로서 도덕-윤리적 자아, 자아일관성, 자아이상·기대가 포함된다.

#### ③ 역할기능 양상(Role function model)

사회적 통합성에 대한 적응방식이다. 사회적 통합성을 유지하기 위해서는 환경 내의 다른 사람과 상호작용하고, 적합한 행동역할을 하며 능숙하게 역할을 수행해야 한다.

#### ④ 상호의존 양상(Interdependence model)

사회적 통합성 중에서도 특히 상호작용에 초점을 둔 적응방법이며, 상호의존감이란 독립심과 의존심 사이의 균형으로 의미 있는 타인이나 지지체계와의 관계, 사랑, 존경, 가치를 주고받는 것과 관련된다.

### (4) 반응(Response)

반응은 효율적 적응반응과 비효율적 적응반응의 2가지 형태로 구분된다. 효율적 적응반응은 생존·성장·재생산·자아실현 등과 같이 개인의 통합성을 증진시키는 반응이며, 비효율적 적응반응은 통합성을 증진시키지 못하거나 방해하는 반응이다.

적응과정은 인지기전과 조절기전이 잘 기능하도록 촉진하여 적응반응을 가져오는 적응양상을 형성한다. 만일 초점자극이 개인의 적응수준 범위 안에 주어지면 반응은 적응적이지만, 적응수준을 벗어나는 자극의 경우에는 비효율적으로 반응한다. 이러한 비효율적 반응은 적응문제를 일으키고 개인의 통합성과 일반적 목표달성을 방해한다.

살아 있는 개방체계로서 인간은 자신과 환경으로부터 초점자극, 관련자극, 잔여자극으로 구성된 자극을 계속적으로 투입 받는다. 자극이 투입되면 인간 내부에서 이 자극에 대하여 스스로를 조정하기 위해 조절기전과 인지기전으로 이루어진 대처기전을 활성화시키며, 이들 활동은 4가지 적응양상으로 나타난다.

### 3) 지역사회간호에의 적응

적응이론의 간호목표는 인간의 통합성의 상태인 적응상태를 유지하게 하는 것이며, 이를 위하여 간호활동은 자극과 적응양상의 반응에 초점을 맞추어야 함을 제시하고 있다.

또한 적응이론은 개인을 주요 대상으로 하여 적응기전을 중심으로 개발한 이론이기 때문에, 가족이나 지역사회 단위로 접근하기보다는 지역사회나 가족 내의 환자를 중심으로 하는 개인 접근에 쉽게 적용할 수 있다. 따라서 적응이론은 지역사회 보건사업에서도 개인 중심의 사업에 적용하는 것이 바람직하다. 즉, 적응이론은 개인의 건강을 위한 간호접근에 생리적인 문제뿐만 아니라 자아개념, 역할기능, 상호의존 양상을 사정하여야 하며, 이에 영향을 미치는 자극원도 항상 관련자극과 잔여자극을 함께 고려하여 지역사회 접근에 바람직한 방향을 제시해준다[그림 1-21].

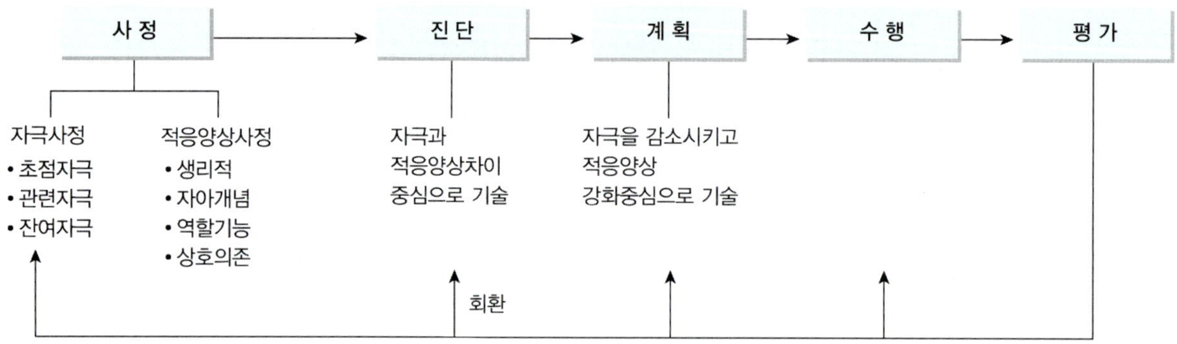


그림 1-21 Roy 이론을 적용한 간호과정

제 02 장

# 국내외 보건정책의 이해

COMMUNITY HEALTH NURSING

## 학·습·목·표



### 제1절 보건의료체계의 이해

1. 보건행정을 설명한다.
2. 보건의료체계의 개념과 구성요소를 설명한다.
3. 국가보건의료체계의 유형을 설명한다.
4. 주요 국가별 보건의료체계의 특성을 비교한다.
5. 진료비 지불보상제도를 설명한다.
6. 사회보장제도와 의료보장제도를 설명한다.

### 제2절 지역사회간호와 보건정책

1. 보건의료정책을 설명한다.
2. 일차보건의료를 설명한다.
3. 우리나라 일차보건의료 발전과정을 설명한다.
4. 우리나라 지역보건기관(보건소, 보건지소, 건강생활지원센터, 보건진료소)을 설명한다.
5. 지역보건의료계획을 설명한다.
6. 우리나라 주요 보건정책을 설명한다.

### 제3절 국제보건의 이해

1. 국제보건의 개념을 설명한다.
2. 국제보건기구를 설명한다.
3. 공적개발원조사업을 설명한다.
4. 국제보건사업과 간호사의 역할을 설명한다.

# 제1절 + 보건의료체계의 이해

Keywords

- 보건의료체계 구성요소
- 국가보건의료체계 유형
- 진료비지불보상제도
- 국민건강보험
- 사회보장제도

## 1 보건행정

### 1) 보건행정의 정의

보건행정이란 한 국가의 보건의료체계(health care system)가 국민보건 향상을 위해 효과적이고 효율적으로 인적·물적·제도적 제반조건이 작용하도록 관리하고 집행하는 기능을 말한다. 따라서 보건행정에서 '보건의료체계'와 '관리'는 중요한 구성요소이다.

Smillie(1993)는 보건행정을 '공적 또는 사적 기관이 사회복지를 위하여 공중보건의 원리와 기법을 응용하는 것'이라고 하였다. 가메야마 고이치(1935)는 '보건행정이란 공중의 보건에 관한 행정을 일컫는다'고 하였다. 이를 정리하면 보건행정이란 공중보건의 목적을 달성하기 위하여 행정조직이 공중보건의 원리를 적용하여 업무를 수행하는 일련의 과정이라고 할 수 있다. 보건행정의 좁은 의미는 정부에서 하는 공공행정을 말하지만, 넓은 의미로는 공공 및 민간단체에까지도 확대하여 사용하고 있다.

### 2) 보건행정의 특성과 범위

#### (1) 보건행정의 특성

##### ① 공공성과 사회성

보건행정은 공공복지와 집단의 건강을 추구하므로 이익을 추구하는 사적 행정과는 목적이 다르고, 행정행위가 사회전체 구성원을 위한 사회적 건강향상에 있으므로 사회·행정적 성격을 갖는다.

##### ② 봉사성

보건행정은 봉사행정이라고 말할 수 있다. 행정국가 개념의 발전과 더불어 현대국가는 복지국가의 성격을 띠면서 공공행정이 소극적인 질서유지로부터 적극적인 사회정의에 입각하여 국민의 행복과 복지를 위해 직접 개입하여 간섭하고 봉사하게 되었다. 사회보장이 그 예이며, 보건행정은 국민에게 적극적으로 봉사하는 봉사행정의 성격을 갖는다.

#### ③ 조장성과 교육성

보건행정 사업은 지역사회 또는 집단 및 국가의 책임 아래 실시되며, 주로 교육을 통해 이루어진다. 보건행정은 자율적이고 지방분권적인 성격을 강조하는 조장행정 또는 교도행정의 성격을 갖는다.

#### ④ 과학성과 기술성

보건행정은 과학행정이며 기술행정이라고 말할 수 있다. 보건행정은 자연과학적 지식과 사회적 건강을 증진하기 위한 사회과학적 지식을 방법으로 이용하고 있다. 이용하는 기술은 실천적 이용도가 높은 실제적인 것이어야 한다. 저렴하고 간단하고 조작이 용이한 과학적 지식과 기술의 이용도와 적용도가 높다. 하지만 기술이 간단하고 용이하더라도 과학적인 특수지식과 기술이 필요하므로 보건행정은 과학행정인 동시에 기술행정이다.

### (2) 보건행정의 범위

보건행정의 범위는 각국의 역사적 배경과 사회·정치적 이념 등에 따라 차이가 있다. 전통적으로 자유방임적인 체제를 갖고 있는 국가에서는 보건행정에 관하여도 민간주도형으로서 보건의료에 국가의 간섭이 없었으며, 형평을 강조하는 체제의 나라에서는 보건의료에 국가의 주도적 또는 완전한 개입이 있어 왔다.

이와 같이 그 나라가 취하고 있는 보건의료제도의 특성에 따라서 보건행정의 범위는 조금씩 다르다. 하지만 보건행정이 공중보건에 관한 내용을 행정적으로 계획·조정·통제하는 일차 과정으로 볼 때, 보건행정의 범위에 포함되어야 할 사업으로는 보건교육, 보건통계, 보건간호, 학교보건, 산업보건, 모자보건, 구강보건, 감염병관리 및 역학, 정신보건, 보건검사, 환경위생, 식품위생, 영양개선, 성인병관리, 지역사회보건, 국제보건사업 등이 있다.

세계보건기구, 미국공중보건협회, 그리고 Emerson이 규정한 보건행정의 범위에서 보건행정의 범위를 살펴보면 다음과 같다.

#### ① 세계보건기구의 보건행정 범위

- 보건관계 기록의 보존
- 대중에 대한 보건교육
- 환경위생
- 감염병관리
- 모자보건
- 의료
- 보건간호

#### ② 미국공중보건협회의 보건행정 범위

- 보건자료의 기록과 분석
- 보건교육과 홍보
- 감독과 통제
- 직접적 환경서비스
- 개인 보건서비스의 실시
- 보건시설의 운영
- 사업과 자원 간의 조정

#### ③ Emerson의 보건행정 범위

- 보건통계
- 보건교육
- 환경위생
- 감염병관리
- 모자보건
- 만성병관리
- 보건검사실 운영

## 2 국가보건의료체계

### 1) 보건의료체계의 개념

우리나라에서 보건의료체계는 보건의료제도와 동의어로 사용되고 있으며, 유사하게 사용되는 용어로는 보건체계(Health System), 국가보건체계(National Health System), 보건의료전달체계(Health Care Delivery) 등이 있다.

체계(system)란 특정 목표를 추구하는 상호 관련된 요인들의 집합체를 말한다. 체계는 서비스, 조직, 기획의 세 가지 변수로 구성된다. 따라서 보건의료체계는 보건의료서비스, 보건조직, 그리고 보건기획의 세 가지 변수를 내용으로 한다.

보건의료서비스는 병·의원, 보건기관, 조산소 등 보건의료서비스를 제공하는 제도를 총칭하므로 인력과 시설의 양과 질, 배분 상태, 물리적인 접근도 등을 모두 포함한다. 보건의료서비스는 다시 보건의료서비스의 자원과 이용으로 구분된다. 보건조직은 보건자원이 생산되고 분배되는 과정을 총칭하는 것이며, 보건기획은 보건자원의 배분과 통제뿐만 아니라 총괄적인 조정 및 개발을 포함한다.

따라서 보건의료체계란 한 국가나 사회가 구성원의 건강 수준을 향상시키기 위하여 마련한 보건의료사업에 관한 제반 법률과 제도를 의미한다. 즉 보건의료서비스의 수요와 공급에 관련되는 요인들 간의 구조적·기능적 체계를 총칭하여 보건의료체계라고 한다.

세계보건기구(WHO, 2000)는 보건의료체계의 3가지 본질적인 목표로서 건강수준, 보건의료체계에 대한 반응성, 재정의 형평성을 제시하였으며, 관리, 자원의 생산, 재원조달, 서비스 전달이라는 4가지 핵심적 기능을 통해 달성할 수 있다고 하였다.

선진국에서는 최근에 계속해서 보건의료체계를 개편하기 위해 개혁을 추진하고 있는데 그 주요 목적은 다음과 같다.

#### (1) 보건의료서비스의 형평성(Equity) 유지

일반적으로 시장경제 원리에 입각한 자유방임적인 보건의료체계는 사회계층 간의 의료서비스 이용에 차등을 유발한다. 따라서 공공행정이 주도하여 주민과 더불어 의료서비스 이용의 형평성을 기하기 위한 의료보장 실현 및 보건의료자원의 개발과 확충, 민간자원 지원정책 등을 통해 의료의 공익성과 사회성을 높이도록 체계를 개편해 나간다.

### (2) 보건의료자원의 효율성(Efficiency) 강화

보건의료체계에 투입되는 인적, 물적 자원의 생산성을 높이기 위해 자원의 합리적인 조직화와 적정 배분, 그리고 의료전달체계 개발 및 사업 개발 등을 통한 자원관리의 효율성을 높일 수 있도록 체계를 개편해 나간다.

### (3) 보건의료서비스의 질(Quality) 향상

적극적인 건강 수준 향상을 위해 예방 및 건강증진, 일차보건의료의 개선을 위한 연구와 자원의 개발이 계속되어야 한다. 특히 면허관리와 교육의 개선으로 의료인 및 보건인력의 자질을 향상해 나가야 하며, 공급자 간 적정한 자유경쟁 원리의 유지와 적절한 보상제도 또한 필요로 한다.

### (4) 국민의료비 상승 억제

보험 재정의 안정화를 통해 보건의료체계의 지속성을 유지하기 위한 것으로, 현재 대부분의 국가에서 의료비 증가율이 국민소득 증가율을 상회하고 있어 이를 위한 대책 마련이 주요 국가정책의 과제가 되고 있다.

## 2) 보건의료체계의 구성 요소

보건의료체계의 구조 및 기능을 분석하기 위하여 여러 가지 종류의 모델이 제시되고 있으나, 세계보건기구(WHO)에서 제시한 것이 가장 널리 인용되고 있다[그림 2-1].

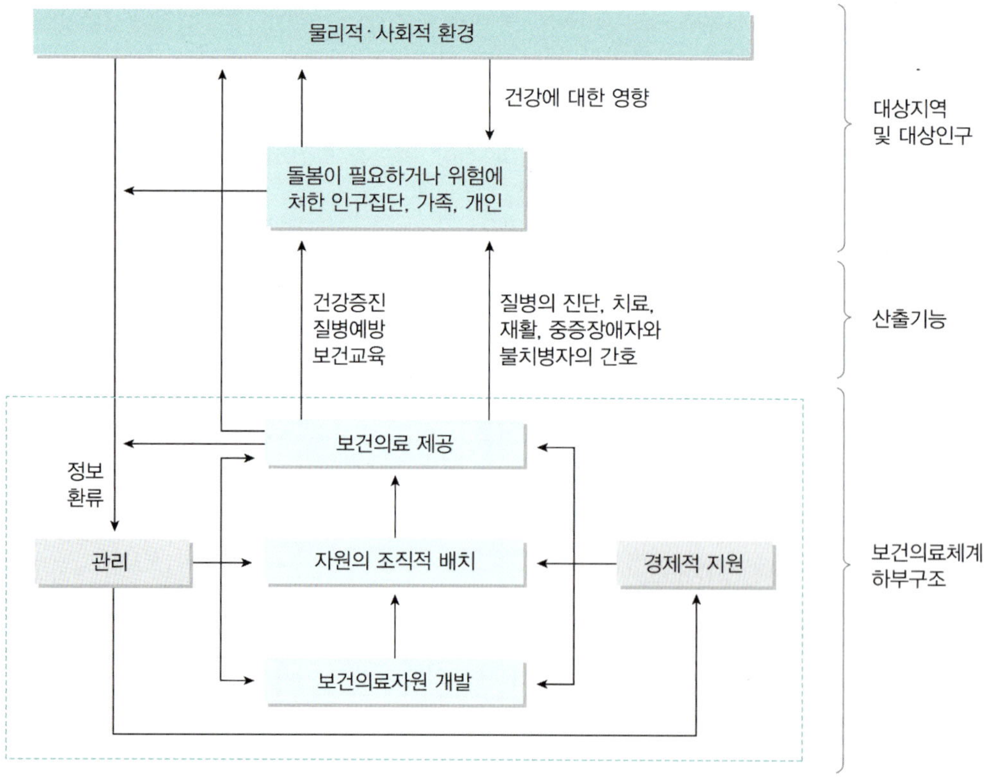


〈 자료원 : Kleczkowski B.M., Roemer M.I., Van Der Wreff A.(1984). National health systems and their reorientation towards health for all. WHO 〉

그림 2-1 국가보건의료체계의 모형

국가보건의료체계의 기본적인 목표는 다섯 가지 분야로 구분된 의료제도 하부구조들의 종합적인 활동을 통하여 의료혜택이 필요한 대상지역의 주민들에게 건강증진을 위한 예방, 치료, 재활에 걸친 일련의 활동을 전개함으로써 주민들의 건강을 확보하는 것이다(Kleczkowski 등, 1984). 또한 이러한 의료제도 하부구조들의 활동을 통하여 지역 주민들의 건강에 영향을 미치는 물리적이고 사회적인 환경이 주민건강 확보에 긍정적인 효과를 미치도록 제반 활동을 하는 것이다.

의료체계의 하부구조 다섯 분야는 보건의료자원의 개발, 자원의 조직적 배치, 보건의료서비스의 제공, 경제적 지원, 관리 분야로 구성되어 있다[그림 2-2].

### (1) 보건의료자원의 개발(Development of health resources)

보건의료체계의 운영에 있어서 초기 단계는 보건의료를 제공하고 보건의료체계의 기능을 수행하기 위한 인적·물적 자원의 개발이다. 보건의료자원은 보건의료인력(Health manpower), 보건의료시설(Health facilities), 보건의료장비 및 물자(Health equipment and supplies), 보건의료지식(Health knowledge)으로 분류할 수 있다.

#### ① 보건의료인력

보건의료인력이란 보건의료서비스를 공급하기 위하여 보건의료 분야에 종사하는 개인을 의미한다. 즉 의사, 치과의사, 한의사, 간호사, 조산사 등의 의료인과 약사, 임상기사, 방사선기사, 영양사, 재활치료사, 위생기사, 위생검사관 및 보건의료행정가 등의 비의료인 모두를 포함한다.

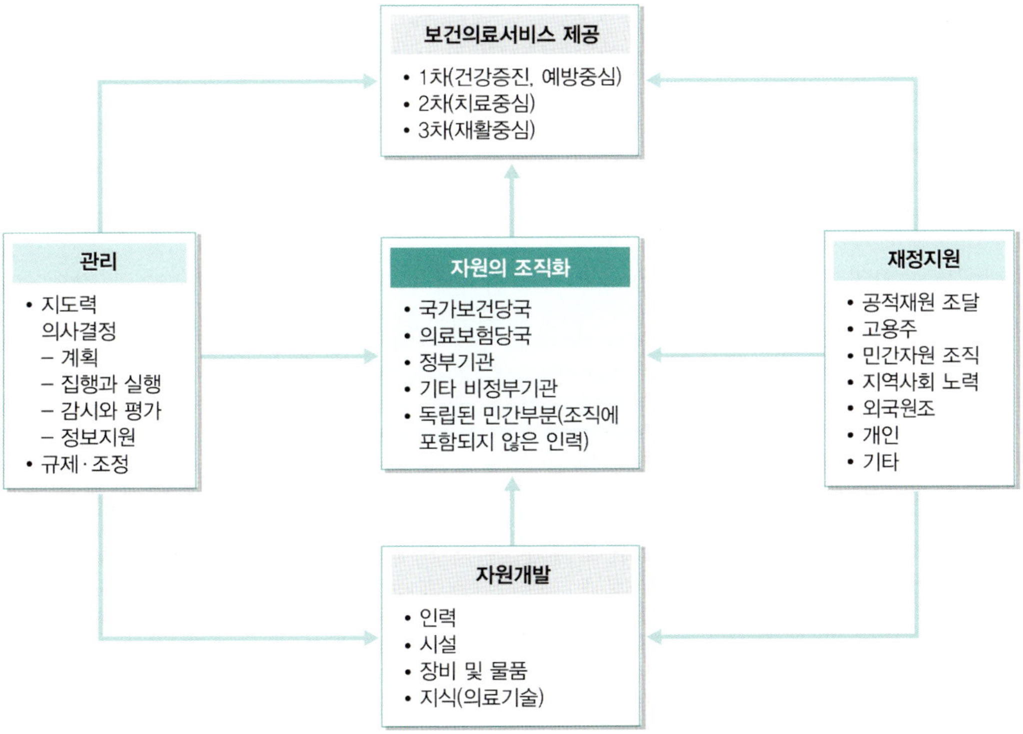


〈 자료원 : Kleczkowski B.M., Roemer M.I., Van Der Wreff A.(1984). National health systems and their reorientation towards health for all. WHO 〉

그림 2-2 국가보건의료체계 하부구조의 주요 구성요소

#### ② 보건의료시설

보건의료시설에는 중증환자의 입원치료를 위한 병원, 통원치료를 위한 시설(외래진료소, 보건소, 보건지소), 약국, 임상실험실 등이 포함되며, 넓은 의미에서는 보건과 관련된 상수도 처리시설과 같은 환경위생, 하수처리 등이 포함된다.

#### ③ 보건의료장비 및 물자

보건의료에 사용되는 장비와 물자는 매우 다양하다. 방사선의학 장비, 심전도기기, 생화학적 분석기구 등과 같은 의료장비가 있으며, 수송, 냉장, 화학분석 등에 필요한 일반 장비들도 있고, 안경, 보청기, 의수족 등의 보장구도 있다. 또한 의약품 및 붕대, 주사기, 혈압계와 같은 다양한 물자들도 포함된다.

#### ④ 보건의료지식

오늘날 보건의료지식의 대부분은 과학적 연구로부터 유도된 것이다. 보건의료지식의 축적에 기여한 관련 학문으로는 생화학 및 생리학, 미생물학, 병리학 및 임상의학, 유기화학 및 약리학, 역학 및 통계학 등이 있다. 이러한 학문을 토대로 이루어지는 생의학적 연구들은 질병의 예방이나 치료 개발에 지대한 공헌을 해왔다. 최근에는 사회학 등 여러 분야의 전문가가 팀을 이루어 사회의학적 연구를 시도하고 있다.

### (2) 자원의 조직적 배치(Organized arrangement of resources)

보건의료체계의 다양한 자원을 보건의료 활동으로 전환하고 각각의 기능을 적절하게 수행하기 위해서는 적절한 유형의 사회적 조직의 존재와 적절한 배치가 요구된다.

이러한 조직화된 장치나 상관성의 구성 정도는 국가보건의료체계의 다양한 유형에 따라 상이하다. 보건의료자원의 조직화된 배열은 5개 범주로 구분되는데, 이는 국가보건 당국(national health authorities), 의료보험 프로그램(health insurance programs), 기타 정부기관(other governmental agencies), 비정부기관(nongovernmental agencies), 독립적 민간부문(independent private sector)이다.

#### ① 국가보건 당국

모든 나라에는 보건의료 활동을 담당하는 주요 정부기관이 존재한다. 흔히 이 기관은 보건부이며, 보건부의 책임은 나라마다 다르다. 보건의료자원 및 서비스의 조직적 배치에 대한 모든 책임이 보건부에 있는 국가가 있는 반면에, 일차보건의료에 한하여 책임이 있는 국가도 있다.

#### ② 의료보험 프로그램

의료보험은 의료보장의 한 종류로, 의료보험 관련 기구는 경제적 지원 과정을 통해 보건의료제공자의 행위에 영향을 미칠 수 있는 권한을 부여 받는다. 따라서 의료보험 프로그램의 조직적 배치는 단순한 재정구조 차원을 넘어 의료서비스의 내용과 질을 결정하는 하나의 방법이다.

의료보장제도는 크게 무상의료서비스 방식과 사회보험 방식의 2가지로 구분한다. 무상의료서비스 방식은 국가보건의료서비스(National Health Service; NHS) 방식으로서 국민에게 무상으로 의료를 제공하는 국가의 직접적인 의료관장방식으로 조세방식이라고도 한다. 사회보험방식(National Health Insurance; NIH)인 의료보험은 사회적 연대를 기초로 하여 개인의 소득수준에 근거한 보험료 부담 방식이다.

#### ③ 기타 정부기관

보건의료를 담당하는 주요 정부기관 이외에 보건의료체계의 구성요소들과 관련된 많은 기타 정부기관이 존재한다. 고용노동부는 근로자의 건강과 안전을 보호하는 부차적인 기능을 수행하며, 교육부는 학령기 아동 및 청소년의 건강을 보호한다. 이들 기관은 보건부와의 협조 아래 기능을 수행할 수도 있고 단독으로 수행하기도 한다.

#### ④ 비정부기관

비정부기관은 정부 조직체계 밖에서 보건의료와 관련된 역할을 담당하는 단체와 기관을 말한다. 그 중 일부는 결핵이나 암과 같은 특정질환 관리를 목적으로 하며, 어떤 단체들은 아동이나 장애인 같은 특정 대상에게 보건의료를 제공하기도 한다. 또한 여기에는 의사나 간호사 등 보건의료 인력들로 구성된 자발적인 보건의료 조직도 포함된다.

#### ⑤ 독립적 민간부문

독립적 민간부문은 위에서 언급한 조직 가운데 어디에도 속하지 않고 개별적인 보건의료서비스를 제공하는 분야이다. 우리나라의 일반적인 개업의원이 이에 포함되며, 의료서비스를 받은 환자가 직접 의료비를 지불하거나 정부나 의료보험 재정에서 지불된다. 일반적으로 공공부문의 서비스가 잘 개발되면 민간부문은 축소되고, 민간부문이 공공부문에 대한 보조적 성격을 띠게 된다.

### (3) 보건의료서비스의 제공(Delivery of health care)

보건의료서비스가 제공되는 과정은 나라마다 다양하다. 보건의료서비스의 제공은 여러 방면으로 분류될 수 있는데, 서비스의 목적에 따라 다섯 가지로 구분할 수 있다. 이는 건강증진, 예방, 치료, 재활, 그리고 심한 장애 혹은 불치 환자의 사회의학적 의료이고, 이 다섯 가지를 예방적 차원에서 1차, 2차, 3차 예방으로 구분할 수 있다. 즉, 1차 예방은 개인 또는 지역사회의 노력에 의해 질병의 발생을 막고 건강을 증진시키는 것이며, 2차 예방은 개인 또는 인구집단의 불건강 상태를 조기 발견하여 즉각적이고 효과적인 대응을 할 수 있게 하는 것이다. 3차 예방은 기능장애를 줄이고 지속적인 질병의 고통을 완화하고, 환자를 적응시키려는 재활과 사회의학적 접근을 의미한다.

### (4) 재정지원(Economic support)

모든 보건의료자원과 보건의료전달체계는 언제나 경제적 지원이 요구된다. 한 국가 안에는 항상 다양한 요구가 끊임없이 존재하며, 보건의료체계 속에 그 요구를 충족시키기 위한 자금을 조달하는 과정이 필요하게 된다. WHO는 의료서비스의 재정조달에 대한 재원을 다음과 같이 분류하고 있다(Kleczkowski 등, 1984).

**의료서비스 재정조달에 관한 WHO의 재원 분류**

- 보건부, 의료보험기구 및 기타 관련 정부기관의 공공재원
- 의료보험료의 일부를 부담하거나 보건의료서비스를 직접 제공하는 기업주
- 자선단체나 임의보험 등의 조직화된 민간기관
- 지역사회의 기여
- 외국의 원조
- 개별 가계의료비
- 복권 등의 기타 가능한 재원들

#### (5) 관리(Management)

국가보건의료체계의 관리는 그 나라의 정치·경제체계에 따라 다르기 마련이다. 국가보건의료체계의 관리에 대한 세계보건기구의 세 가지 주요 견해는 지도력, 의사결정, 규제이다(Kleczkowski 등, 1984).

##### ① 지도력(Leadership)

전통적인 관리의 개념에서 지도력은 상급자가 명령을 내리고 하급자는 명령을 수행하는 방식이었다. 이에 반해 최근에는 '참여' 방식이 선호되어 이를 위한 지도력의 개발이 요구되고 있다. 이 방식은 모든 조직 구성원들이 조직의 원활한 운영에 관심을 갖고 구성원 모두가 의사결정 과정에 참여해야 한다는 신념에 바탕을 두고 있는 것이다.

##### ② 의사결정(Decision-making)

의사결정 과정의 범위, 특성 및 조직은 자원의 배치방법과 의사결정 구조의 다양한 속성에 따라 좌우된다. 최근에는 각 단계별 의사결정 과정에서 주민이나 구성원의 참여가 얼마나 잘 이루어지고 있는지가 중요하게 대두되고 있다.

##### ③ 규제(Regulation)

규제는 어떤 문제를 미연에 방지하기 위한 장치로 보건의료체계의 운영에 있어서 일정한 역할을 담당한다. 법적규제 형식으로는 보건의료 인력에 대한 면허 부여, 보건의료기관에 대한 인가, 의약품 통제 및 의료서비스에 대한 조건 등이 있다.

### 3) 보건의료체계의 유형

국가보건의료체계의 유형은 국가마다 다양하게 나타나는데 이를 몇 가지 유형으로 분류할 수 있다.

Kleczkowski 등(1984)은 보건의료체계에 가장 영향을 미치는 국가의 특징을 두 개의 중요한 차원인 경제적 차원과 사회정치적 차원으로 구분하여 국가보건의료체계의 유형을 9가지로 분류하였다[표 2-1].

**표 2-1 국가보건의료체계 : 국민경제수준 및 보건의료체계의 조직 정도에 따른 유형**

| 국민경제 수준 | 보건의료체계의 조직 정도 | | |
|---|---|---|---|
| | 방임적 조직화 | 중간정도의 조직화 | 고도의 조직화 |
| 선진국 | 1 | 2 | 3 |
| 개발도상국 | 4 | 5 | 6 |
| 저개발국 | 7 | 8 | 9 |

분류의 기준으로 제시한 국가의 경제적 특성은 그 나라의 경제규모와 발전정도를 말하는 것인데 이는 가용할 수 있는 보건의료자원과 재정에 직접적인 영향을 미쳐 보건의료체계의 유형이 달라지게 된다. 한편, 사회정치체계의 특성에는 건강의 사회적 가치, 집단주의 대 개인주의, 분배의 책임 정도가 포함된다. 건강의 사회적 가치는 보건의료서비스에 필요한 재정부담 및 조직운영에 대한 사회적 책임의 수준에 따라 구분한 것이다. 집단주의 대 개인주의의 기준은 보건의료체계가 사회 전체의 편익 증가와 개인의 선택 자유보장 중 어느 편을 더 강조하는가를 평가한 것이다. 분배의 책임은 생산된 보건의료서비스의 배분에 대한 국민 각자의 권리와 책임 정도에 의해 구분될 수 있다.

Roemer(1991)는 보건의료체계의 구성요소를 중심으로 자유기업형(Entrepreneurial & Permissive Health System), 복지지향형(Welfare Oriented Health System), 포괄형(Universal & Comprehensive Health System), 사회주의형(Socialist & Centrally Planned Health System)으로 구분하고 이들을 다시 국가의 경제수준 정도에 따라 선진산업국(Affluent & Industrialized Country), 개발도상국(Developing & Transitional Country), 저개발국(Very Poor Country), 자원풍요국(Resource Rich Country)으로 구분하여 특징적인 국가들을 제시하였다 [표 2-2].

또한 정치·경제이념을 근간으로 국가보건의료체계를 3가지 유형으로 분류하기도 하는데(Fry, 1970), 이는 자유방임형, 사회보장형, 사회주의형이며 각각의 유형에 따른 장단점은 [표 2-3]과 같다.

### (1) 자유방임형

자유방임형은 개개인의 능력과 자유를 최대한으로 존중하고, 정부의 통제나 간섭을 최소화하는 민간주도 방식이다. 장점으로는 국민에게 의료인이나 보건의료인을 선택할 자유가 최대한 부여되며 그로 인하여 보건의료의 질적 수준이 높다. 하지만 의료수준이나 자원이 지역적, 계층별로 불균형을 초래하고 의료자원의 비효율적인 활용 등으로 인한 의료비 상승의 단점이 있다.

### (2) 사회보장형

사회보장형은 정치적으로 자유민주주의를 표방하여 개인의 자유를 존중하고 사회문제, 교육, 의료, 실업 등 사회보장을 크게 중요시하는 나라에서 시행하는 방식이다. 장점으로는 정부에 의해 주도되어 보건기획 및 자원의 효율적 활용이 가능하고, 국민의 선택 자유를 일정 정도 인정하면서도 국민 전체에게 보건의료서비스가 무료로 제공된다. 하지만 대규모 보건의료조직으로 인한 관료 및 행정체계의 복잡성이 유발되며, 의료 수준이나 열의가 자유방임형에 비하여 상대적으로 낮다.

**표 2-2 Roemer의 보건의료체계의 유형**

| | |
|---|---|
| 자유기업형 | 미국, 한국, 태국, 필리핀, 남아공, 가나, 네팔, 케냐, 방글라데시 |
| 복지지향형 | 독일, 일본, 캐나다, 프랑스, 호주, 브라질, 멕시코, 이집트, 칠레, 말레이시아, 터키, 인도, 미얀마, 리비아, 가봉 |
| 포괄형 | 영국, 뉴질랜드, 노르웨이, 스웨덴, 이스라엘, 니카라과, 코스타리카, 스리랑카, 탄자니아, 사우디아라비아, 쿠웨이트 |
| 사회주의형 | 쿠바, 알바니아, 북한, 중국, 베트남, 모잠비크 |

주) Roemer에 의한 초기 분류는 보건의료체계를 자유기업형, 복지지향형, 포괄형 사회주의형의 4가지 구성요소로 분리하고 국가의 경제수준에 따라 선진산업국, 개발도상국, 저개발국, 자원풍요국으로 구분하여 matrix 형으로 제시하였으나, 2018년 현재 각 국가의 경제수준의 변화에 따라 본 교재에서는 4가지 구성요소만 통합하여 제시함

〈 자료원 : Roemer, M.I.(1992). National Health Systems of the World. Oxford University Press 〉

**표 2-3 각국의 보건의료 서비스 제공체계 유형별 장단점 비교**

| 기 준 | 자유방임형 (미국) | 사회보장형 (영국) | 사회주의형 (중국) |
|---|---|---|---|
| 의료서비스의 질 | ++ | + | − |
| 의료서비스의 포괄성 | − | ++ | ++ |
| 의료 균등 | − | ++ | ++ |
| 선택의 자유 | ++ | + | − |
| 형평성 | − | ++ | ++ |
| 의료비 절감 | − | ++ | ++ |

#### (3) 사회주의형

사회주의형은 의료자원과 보건의료서비스의 균등한 분포와 균등한 기회를 부여하고자 하는 방식이다. 따라서 의료서비스의 포괄성이 높으나 개개인의 선택의 자유가 제한되고 의료서비스의 질적 개선에 문제가 있다는 단점이 있다.

### 4) 주요 국가별 보건의료체계

#### (1) 영국의 보건의료체계

영국의 보건의료체계는 공적 의료기관인 국가보건서비스(National Health Service; NHS)와 사적 의료기관으로 구성되어 있다. 모든 국민에게 무료로 의료서비스를 제공하는 NHS가 근간이며, 지불능력을 가진 국민들이 자기 부담 하에 서비스를 받을 수 있는 사립병원이 NHS를 보완한다.

NHS는 정부가 운영하는 의료체계로서 '지불능력이 아닌 필요에 따라 공평한 의료서비스를 제공한다'는 취지하에 1948년 설립되었다. NHS 도입 이전에는 환자가 자기 부담 하에 사립 의료기관을 이용하는 사적 서비스 형태 위주였으나, 1945년 집권한 노동당 정부는 「국민건강서비스법」을 제정하고 의료산업을 사실상 국유화하였다.

NHS는 크게 1차 진료기관(Primary Care Trust; PCT), 2차 진료기관(NHS Trust), 의료행정기관 등 3개로 구분된다. 1차 진료기관은 일정지역을 맡아서 환자의 1차 진료를 담당하는 NHS의 중심조직으로서 1개의 PCT는 50~100명의 일반의사와 관련 행정요원으로 구성된다. 2차 진료기관은 병원, Care Center 등 1차 진료기관에서 치료 및 검사를 받은 환자를 다시 치료하는 상위개념의 의료기관이다. 의료행정기관은 NHS 제도를 운영하고, 일반의사와 병원에 대한 비용 지급 등 모든 행정업무를 담당하며, 보건부, 지방행정조직(Local Authority Health Services) 등 다양한 형태로 존재한다. NHS 소속의 의사, 간호사, 행정요원들은 모두 공무원의 신분을 가진다.

사적 의료기관은 우리나라의 사립병원으로서 모든 비용을 개인 혹은 보험가입 시 보험회사가 부담하는 체계이다. 사립병원은 독립된 영리병원 또는 NHS 병원에 소속된 부서의 형태로 운영되며, 사실상 고소득자 혹은 사보험 가입자만이 이용 가능하다.

#### (2) 미국의 보건의료체계

미국은 선진국 중 유일하게 전 국민을 대상으로 한 의료보장제도가 없는 나라이다. 미국의 보건의료체계는 크게 공적 의료보험과 민간 사회보험으로 구분되어 있으나, 의료보장은 민간의료보험을 통해 주로 제공되고 있다. 2014년 미국 전체 인구의 54%가 기본적 의료보장을 받기 위해 민간의료보험에 가입된 것으로 보고되고 있으며, 공적으로 재정이 조달되는 보험을 통해서는 전체 인구의 34.5%(노인, 저소득층 또는 장애인)가 보장을 받고 있어 결론적으로 전체 인구의 11.5%는 보험 적용을 받지 못하고 있는 상황이다. 이러한 보험 미적용자의 비율은 2013년 전체 인구의 14.4%에서 2018년 8.8%로 감소하였는데, 이는 의료보험 보장범위를 확대할 목적으로 만들어진 「의료개혁법(Affordable Care Act; ACA)」 시행 이후 나타난 현상으로 해석되고 있으나, 여전히 성인(18~64세)의 인구 중 12.5%는 보험의 혜택을 받지 못하고 있다(Cohen, Zammitti & Martinez, 2018).

공적 의료보험은 65세 이상 노인 및 장애인에 대한 연방정부의 의료보장인 메디케어(Midicare)와 주 정부가 관장하는 저소득층의 의료보장인 메디케이드(Medicaid), 고용주가 제공하는 의료보험 등으로 구성되어 있다.

민간 사회보험은 매우 다양한데, 크게 Blue Cross / Blue Shield, 건강유지기구(Health Maintenance Organization; HMO) / 선호공급자조직(Preferred Provider Organization; PPO), 그리고 민간보험제도 등으로 분류할 수 있다. Blue Cross / Blue Shield는 미국에서 가장 역사가 깊은 최대의 민간 의료보험제도로 비영리조직이 운영하는 자율적인 단체가 운영하고 있다. Blue Cross는 계약병원을 통한 입원서비스를 제공하고 Blue Shield는 계약 개업의를 통한 외래서비스를 제공한다. HMO는 미리 의사에게 일정액을 지불하고 건강 진단을 비롯한 포괄적인 의료서비스를 받을 수 있는 조직체였으나, 1970년대 의료비 억제를 위해서 이용자의 의료서비스 선택을 제한하는 방식으로 바뀌게 되었다. HMO의 회원은 HMO가 지정한 의료기관에서만 의료 서비스를 받을 수 있으며, 다른 의료기관에서 진료를 받으면 보험금을 지급하지 않는다. 1980년대 이후로는 PPO로 대표되는 계약제도가 급속하게 증가하면서 HMO와 경합관계를 이루게 되었다. HMO나 PPO와 같이 공급자조직과 보험조직 또는 소비자조직을 기능적으로 연결함으로써 가격, 수량, 서비스 강도 또는 제공하는 장소 등을 통제하게 되는데, 이러한 조직의료를 관리의료(managed care) 또는 관리된 경쟁(managed competition)이라고 한다. 즉, 이를 통하여 의료서비스 혜택을 극대화하고 상호조정하며 비용을 최소화하는 것이다.

### (3) 우리나라의 보건의료체계

#### ① 보건의료 자원

우리나라는 보건의료 인력에 대하여 법으로 규정하고 있다. 의료인으로는 의사, 치과의사, 한의사, 간호사, 조산사(의료법 제2조)가 있으며, 약사 및 한약사(약사법 제3조), 의료기사로는 임상병리사, 방사선사, 물리치료사, 작업치료사, 치과기공사, 치과위생사(의료기사 등에 관한 법률 제2조)가 있다. 또한 의무기록사, 안경사(의료기사 등에 관한 법률 제2조), 응급구조사(응급의료에 관한 법률 제36조), 간호조무사(의료법 제80조)도 보건의료 인력으로 법에서 규정하고 있다.

보건의료시설에는 「의료법」에 명시된 의료기관과 「지역보건법」에 규정된 보건소, 보건지소와 「농어촌 등 보건의료를 위한 특별조치법」에 의한 보건진료소 및 「약사법」에 의한 약국 등이 해당된다. 의료기관이란 의료인이 공중 또는 특정 다수인을 위하여 의료·조산업을 행하는 곳으로, 「의료법」 제3조에 의하여 종합병원, 병원, 치과병원, 한방병원, 요양병원, 의원, 치과의원, 한의원 및 조산원으로 9종이다.

#### ② 보건의료조직

우리나라 보건의료를 관장하는 국가 조직은 중앙행정조직과 지방보건행정조직으로 구성되어 있다. 보건복지부는 보건의료 활동과 관련된 대표 정부기관으로 보건위생·방역·의정·약정·생활보호·자활지원 및 사회보장, 아동·청소년·노인과 장애인에 관한 사무를 관장하는 중앙 보건행정조직이다. 지방보건행정조직은 일반행정체계와 마찬가지로 시·도와 시·군·구 및 읍·면 행정구역별로 이루어져 있으며, 보건복지부의 정책방향에 맞추어 지역실정에 맞는 보건의료사업을 수행한다.

하지만, 우리나라 보건행정조직과 관련하여 공무원 인사에 관한 사항과 지방자치단체의 재정에 관한 사무는 행정안전부에서 관장하고 있어 중앙의 보건행정조직인 보건복지부는 지역보건의료조직에 대한 인사권과 예산집행권 없이 보건정책결정기관으로서 기술지원만을 담당하고 있다. 따라서 시·도의 보건행정조직과 시·군·구 보건소, 읍·면 보건지소 및 보건진료소는 일반 행정의 한 부분으로 행정안전부의 직접적 통제를 받으며, 보건복지부의 기술지원을 받는 이원적 행정 구조를 띄고 있다.

민간 보건의료조직이란 보건의료에 관한 특정한 목적을 달성하기 위하여 민간인들로 구성된 조직을 말한다. 민간 보건의료조직은 비영리조직과 영리조직으로 구분된다. 비영리조직은 공공의 이익을 위해 설립되고 운영되는 것으로 대한결핵협회와 한국한센복지협회 같은 특정질병관리를 위한 조직과 국민 건강관리를 목적으로 하는 한국건강관리협회, 사회복지사업과 관련된 대한적십자사, 한국사회복지협의회 등이 있다. 또한 전문직 단체로는 대한보건협회, 대한간호협회, 대한의사협회, 대한약사회 등이 있다.

#### ③ 보건의료의 제공

우리나라는 1977년 국민건강보험제도를 도입하였고, 1989년에 전국민의료보험제도를 실시하고 진료권 제도를 도입하였다. 이를 통하여 보건의료전달체계를 마련하였는데, 이는 제한된 의료자원의 효율적 운용과 무분별한 의료의 남용을 방지하기 위함이다. 이에 따라 전국을 도 단위 행정구역을 중심으로 8개 진료권으로 나누고 각 대진료권이 1, 2, 3차 의료서비스를 독자적으로 공급할 수 있도록 하였다. 그러다가 1998년에 진료권 제도를 폐지하며 1단계 진료와 2단계 진료로만 구분하여 진료전달체계를 간소화하였다. 1단계 진료는 상급종합병원을 제외한 전 지역의 모든 의료기관에서 진료를 받는 경우이며, 2단계 진료는 상급종합병원에서 진료를 받는 경우를 말한다.

#### ④ 우리나라 보건의료체계의 특징과 문제점

우리나라 보건의료체계의 특징은 높은 민간의료 부문 의존도, 보건행정체계의 이원적 구조, 보건의료상호체계 간 기능적 단절의 문제점을 지니고 있다(문재우 등, 2004). 특히 보건행정체계에 있어서 행정안전부가 인사권, 예산권, 감독권을 가지고 있고, 보건복지부는 정책결정기관으로서의 기술적 지원만 하고 있는 이원적 구조로 되어 있어 상부조직과 하부조직 간에 직접적인 행정적 연계가 이루어지지 않고 있는 실정이다. 이러한 보건행정조직의 이원화로 인해 현실적으로 보건복지부의 고유사무가 행정안전부의 일선행정기관을 통해서 지도·감독되고 있으며, 말단 보건조직은 대민 진료기관으로서의 전문성을 충분히 살리지 못하고 있다. 또한, 적정 보건의료 구역이 반드시 일반 행정 구역과는 반드시 일치하지 않는다는 사실이 무시되고 있으며, 말단 보건조직은 명령 계통의 이원화로 업무 수행에 혼란이 초래되고 있다는 등의 문제점이 나타나고 있다.

## 3 진료비 지불보상제도

진료비 지불제도는 건강보험과 같은 의료보장제도의 도입과 밀접한 관련을 가지고 있다. 의료보장제도가 도입되기 이전에는 의료서비스도 다른 서비스와 마찬가지로 제공자가 서비스를 제공하고, 소비자는 서비스를 제공받은 대가로 제공자에게 일정 금액의 보수를 지불하는 방식이었다. 이러한 진료비 지불은 정형화된 방식을 취하기보다는 의료제공자에 따라, 또는 상황에 따라 다른 방식을 취하는 경우가 보통이었다. 하지만 의료보장제도가 도입되면서 국가나 보험자 같은 제3의 관리자가 의료제공자와 소비자의 양자 관계에 개입하게 되었다. 이러한 삼자관계 하에서 소비자는 의료제공자에게 대가를 직접 지불하는 대신 관리자에게 조세나 보험료를 납부하고, 관리자가 소비자를 대신해서 의료제공자에게 보수를 지불하게 되었다. 관리자는 여러 의료제공자를 상대해야 하기 때문에 일정한 방식으로 정형화된 지불방법이 필요하게 되었으며 이에 따라 다양한 방식의 진료비 지불제도가 고안되게 되었다.

이러한 진료비 지불제도는 제공자에 대한 보수 지불방법으로서의 전통적 역할뿐만 아니라 최근에는 의료제공자의 진료행태를 변경하기 위한 정책수단으로서 활용되고 있다. 지불방법에 따라 의료제공자가 가지는 인센티브구조가 달라지기 때문에, 지불제도 개혁을 통해서 보건의료정책목표를 달성하려는 노력이 증가하고 있다. 급증하는 국민의료비를 억제하기 위해서 진료비 지불방식을 행위별수가제에서 포괄수가제나 총액계약제로 변경하려는 시도가 이러한 노력의 한 예라고 할 수 있다. 또한 성과에 따른 지불(Pay for Performance) 역시 지불제도를 정책수단으로 활용한 또 다른 예라고 할 수 있다.

의료공급에 대한 대가로 지불되는 진료비 지불방식은 각 나라마다 상이하며, 그 나라의 보건의료체계와 밀접한 관련이 있다. 한 국가에서도 한 가지 지불방식만이 사용되는 것이 아니라 여러 방식이 혼합되어 사용되는 경우도 있다.

대표적인 진료비 지불방식에는 행위별수가제(Fee For Service; FFS)와 포괄수가제(Bundled-Payment)가 있다. 행위별수가제는 서비스 하나하나를 단위로 지불액을 정하는 방식이다. 반면에 포괄수가제는 일정 그룹의 서비스를 일괄 단위별로 지불액을 정하는 방식이다. 포괄수가제도 단위에 따라 다양한데, 일반적으로 진단군을 단위로 하는 DRG 방식, 일당 또는 건당으로 일정액을 지불하는 정액지불방식, 사람 수로 정하는 인두제(capitation) 등이 있다. 그리고 총액계약제(global budget)라 불리는 전체 상한의 설정 방식은 앞의 구분과는 분류의 차원이 다른 지불방식이다. 총액방식 하에서 위의 여러 가지 지불보상방식은 개별 공급자에 대한 배분기준으로서 사용된다. 이러한 여러 가지 지불보상방식과 총액방식은 상호 배타적이기보다는 보완적 위치에 있다고 할 수 있다.

### 1) 행위별수가제(Fee For Service; FFS)

행위별수가제는 진단, 치료, 투약과 개별 행위의 서비스를 총합하여 의료행위를 시행한 만큼 보상하는 방식이다. 진료의 내역에 따라 의료비가 결정되므로 현실적으로 시행이 용이하고, 의료인의 자율성을 보장한다. 또한 양질의 서비스 제공이 가능하고 환자에 대한 의료인의 책임감이 높아 의료인과 환자 간의 신뢰가 높다. 이로 인해서 전문적인 진료에 적합하며 의학 발전을 촉진한다. 반면에 서비스 제공자의 수입 극대화를 위한 과잉진료의 위험성이 내포되어 있다. 그로 인해서 의료비 상승의 가능성이 높고 의료자원의 지역 간이나 계층 간의 편재 가능성이 있다. 또한 의료비 지불심사상의 행정절차가 복잡하고 이로 인한 비용이 많이 소요된다. 이는 의료의 자본주의화를 초래한다.

### 2) 포괄수가제(Bundled-Payment)

포괄수가제는 한 가지 치료행위가 기준이 아니고, 환자가 어떤 질병의 진료를 위하여 입원했는가에 따라 질병군(또는 환자군)별로 미리 책정된 일정액의 진료비를 지급하는 제도로 미국에서 의료비의 급격한 상승을 억제하기 위하여 1983년부터 DRG(Diagnosis Related Groups)에 기초를 둔 선불상환제도로 개발되었다.

사전결정 방식으로 과잉진료 및 총 진료비의 억제 효과가 있으며 진료비 청구를 위한 행정적 업무 절차가 간편하다. 또한 수익을 위해서 의료기관의 자발적인 경영효율과 노력을 기대할 수 있고 환자의 치료 속도가 빨라질 수 있다. 결과적으로 의료비 상승 억제 효과가 있다. 이에 비하여 과소진료로 인한 의료의 질적 저하가 우려되며, 많은 의료서비스를 요구하는 환자를 기피하는 현상이 발생할 수 있다. 또한 분류정보 조작을 통한 부당청구 가능성이 있으며, 합병증이 생기거나 신기술, 신의약품에 적용하기 곤란하다. 이 방식은 또한 치료의 난이도를 고려하지 않는다는 단점을 가지고 있다.

### 3) 인두제(Capitation)

인두제는 정해진 기간 동안 등록한 사람 수에 따라 일정액의 보수를 지불하는 방식이다. 등록자가 많을수록 보상액이 늘어나기 때문에 등록자 1인의 진료비가 지불단위가 된다고 할 수 있다. 일정 지역의 주민들을 대상으로 일차의료서비스를 제공하고 등록 주민의 수에 따라 보상을 받는 영국식 주치의가 이러한 방식의 지불을 받는 대표적인 예라고 할 수 있다. 이처럼 인두제는 기본적이고 비교적 단순한 1차 보건의료에 적용되며, 의료전달체계의 확립이 선행되어야 한다. 따라서 주치의사 또는 가정의의 1차 진료 후에 후송의뢰가 필요한 경우에만 전문의의 진료를 받을 수 있다.

### 4) 봉급제(Salary)

사회주의국가나 영국과 같은 국영의료체계의 병원급 의료기관소속 의사에게 주로 적용되는 방식으로, 법·제도상 모든 국민이 공공의료의 혜택을 받을 수 있어 농·어촌 등 벽·오지에 거주하는 국민도 필요한 때 쉽게 의료서비스를 제공 받을 수 있는 장점이 있다. 그러나 진료수준은 낮은 편이며, 제한된 의료시설 및 인력으로 인해 의사의 윤리적 기준이 낮은 나라의 경우 개인적인 친밀관계나 뇌물수수 등에 의해 의료혜택의 기회가 부여될 여지가 있다.

봉급제의 단점은 의사의 관심이 환자진료보다는 승진 또는 더 높은 보수를 위해서 승진결정권을 가진 상사나 고위공직자의 만족에 맞추어진다는 것이다.

### 5) 총액계약제(Global Budget)

총액계약제는 보험자 측과 의사단체(보험의협회) 간에 국민에게 제공되는 의료서비스에 대한 진료비 총액을 추계하고 협의한 후, 사전에 결정된 진료비 총액을 지급하는 방식이다. 의사단체는 행위별 수가기준 등에 의하여 각 의사에게 진료비를 배분하며, 전체 보건의료체계 또는 보건의료체계의 특정 부문에 국한하여 적용이 가능하다.

전체 보건의료체계 또는 총액계약제가 적용되는 보건의료 부문의 비용에 대한 효과적 조정이 가능하므로, 진료의 가격과 양을 동시에 통제 및 조정함으로써 진료비 지출 증가 속도를 조절하고 예측할 수 있다는 장점이 있다. 그러나 이 제도는 의료서비스 제공자가 과소진료를 제공하거나 건강상태가 좋지 못한 환자를 기피하는 현상도 발생할 수 있으며, 첨단 의료서비스 도입의 동기가 상실될 우려가 있고, 진료비 계약교섭에 따른 의료공급의 혼란이 야기될 가능성이 있다는 단점이 있다.

위에서 열거한 지불방법은 지불단위의 크기라는 측면에서 연속선상에 있다고 볼 수 있다. 행위별수가제는 검사나 수술처치 등 개별 서비스를 지불단위로 하고 있고, 포괄수가제는 외래방문당, 일당, 입원건당 등으로 정의된 진료비를 지불단위로 하고 있다. 인두제는 일정기간 등록환자 1인의 진료비를 지불단위로 하고 있고, 총액계약제는 일정기간 특정 기관의 총 진료비 혹은 일정기간 한 나라의 의사진료비 총액을 지불단위로 하고 있다. 이처럼 행위별수가제에서 총액계약제로 갈수록 지불단위가 커진다고 볼 수 있다[표 2-4].

**표 2-4 진료비 지불보상제도의 장·단점**

| 종 류 | 장 점 | 단 점 |
|---|---|---|
| 행위별 수가제 | • 양질의 서비스 제공<br>• 의사에게 재량권 부여 | • 과잉진료 및 의료남용<br>• 의료인과 보험자 간 마찰<br>• 의료비 심사 시 행정적 절차 및 감사 필요 |
| 포괄 수가제 | • 과잉진료 억제<br>• 행정업무의 간편성<br>• 의료기관의 효율적 경영 | • 서비스 양의 최소화<br>• 의료의 질 저하<br>• 행정직의 지나친 진료에 대한 간섭 |
| 인두제 | • 과잉진료 억제<br>• 진료의 계속성 유지<br>• 치료보다 예방 우선 | • 환자의 선택권 제한<br>• 과소진료 우려<br>• 환자의 후송, 의뢰 증대 |
| 봉급제 | • 의사수입의 안정<br>• 불필요한 경쟁 억제 | • 진료의 형식화, 관료화 |
| 총액 계약제 | • 총 진료비에 대한 억제<br>• 과잉진료에 대한 억제 | • 진료비 교섭 마찰<br>• 첨단 의료기술 도입에 대한 동기 상실 |

## 4 사회보장제도와 의료보장제도

### 1) 사회보장제도

사회보장(social security)이란 용어는 1940년대에 개념이 확립되었으나, 1935년 미국에서 「사회보장법(Social Security Act)」이 제정되어 처음 사용된 이후 보편적으로 사용되고 있다.

사회보장의 영어 어원을 살펴보면 '불안을 없게 한다'는 뜻으로, 사회적 불안을 제거한다는 의미와 평온한 삶을 사회가 보장한다는 뜻으로 이해되며, 질병이나 분만·실업·폐질(廢疾)·직업상 상해·노령 및 사망으로 인한 소득의 상실이나 감소 등으로 인한 경제적 곤궁에서 유래하는 근심과 불안을 제거함으로써 사회평화를 도모하자는 것이다.

#### (1) 사회보장제도의 정의

사회보장이라는 용어는 역사적·사회적 배경과 시대 및 학자 그리고 국가에 따라 여러 가지로 표현되고 있다. W. Beveridge(1942)는 사회보장의 정의를 '실업·질병 혹은 재해로 인하여 수입이 중단된 경우의 대처, 노령에 의한 퇴직이나 본인 이외의 사망에 의한 부양상실의 대비, 그리고 출생·결혼·사망 등과 관련된 특별한 지출을 감당하기 위한 소득보장을 의미하는 것으로, 빈곤과 결부시켜 사회보장은 궁핍의 퇴치'라고 하며, 이는 국민소득의 재분배로 실현될 수 있고, 이를 통한 일정소득의 보장은 결국 국민생활의 최저보장을 의미하는 것이라고 하였다.

국제노동기구(ILO, 1972)의 보고서에 의하면 '사회보장은 사회구성원이 부딪치는 일정한 위험에 대해서 사회가 적절한 조직을 통해 부여하는 보장'이라고 정의하였으며 다음의 특징을 가진다고 하였다.

**사회보장의 구성요소**

- 전체 국민을 대상으로 해야 하고,
- 최저생활이 보장되어야 하며,
- 모든 위험과 사고가 보호되어야 할 뿐만 아니라,
- 공공의 기관을 통해서 보호나 보장이 이루어져야 한다.

이는 사회보장제도가 국민생활상에 닥치는 불의의 위험이나 소득이 중단되더라도 정상적인 생활을 유지할 수 있도록 그 생활을 보장하는 수단을 국가가 책임지고 수행하는 제도라는 것을 의미한다.

우리나라는 「사회보장기본법」 제3조 제1호에서 '사회보장이란 출산, 양육, 실업, 노령, 장애, 질병, 빈곤 및 사망 등의 사회적 위험으로부터 모든 국민을 보호하고 국민 삶의 질을 향상시키는 데 필요한 소득·서비스를 보장하는 사회보험, 공공부조, 사회서비스를 말한다'라고 정의하고 있다.

사회보장제도의 기능을 요약하면 다음과 같다.

**사회보장제도의 기능**

- **최저생활의 보장**
  사회보장이 보장하는 생활수준은 최저생활이며, 이는 생리적 한계에서 최저생활을 의미한다. 즉 최저생활의 보장을 사회보장이 책임짐으로써 모든 국민이 인간으로서의 존엄을 보장받는 기본조건을 충족하게 되는 것이다.
- **소득분배의 기능**
  개인의 소득은 시기에 따라 변동을 가져온다. 시간적 소득분배, 사회적 소득분배로 분류한다.
- **경제적 기능**
  사회보장은 그 정책을 통하여 국민경제의 성장과 경제변동을 완화하는 기능을 하기도 한다.
- **사회적 기능**
  사회보장은 국민생활을 안정시키는 정책목적을 수행하고 있지만, 동시에 그것은 국민생활에 대한 각종 요구나 이해대립을 조정하는 기능도 있다.

우리나라는 1960년 「사회보장에 관한 법률」을 제정한 이후 1980년 개정된 「헌법」에서 '사회보장'이라는 용어를 최초로 사용하였다. 「사회보장기본법」 제3조 제1호에 의하면 '사회보장이란 질병·장애·노령·실업·사망 등 각종 사회적 위협에서 모든 국민을 보호하고 빈곤을 해소하며, 국민생활의 질을 향상시키기 위하여 제공되는 사회보험, 공공부조, 사회복지서비스 및 관련 복지제도를 말한다'고 정의하고 있다.

### (2) 사회보장의 종류

#### ① 사회보험

사회보험은 국민을 대상으로 질병·사망·노령·실업·기타 장애 등으로 인하여 활동능력의 상실과 소득의 감소가 발생하였을 때에 보험방식에 의하여 그것을 보장하는 제도이다. 우리나라의 「사회보장기본법」 제3조 제2호에 의하면 '사회보험이라 함은 국민에게 발생하는 사회적 위험을 보험방식에 의하여 대처함으로써 국민건강과 소득을 보장하는 제도를 의미한다'고 정의하고 있다.

사회보험이 사보험과 다른 점은 강제 적용이고 국가나 공공단체 등의 보조금이 있어 본인이 지출하는 것 이상으로 서비스를 받을 수 있다는 것이다[표 2-5].

**표 2-5 사회보험과 사보험의 특성 비교**

| 구 분 | 사회보험 | 사보험 |
|---|---|---|
| 제도의 목적 | 최저생계 또는 의료보장 | 개인적 필요에 따른 보장 |
| 가입방법 | 강제가입 | 임의가입 |
| 보호대상 | 질병, 분만, 부상, 사망, 산재, 노령, 폐질(장애), 실업, 유족 등 | 발생위험을 알 수 없는 모든 위험 |
| 독점/경쟁 | 정부 및 공공기관의 독점 | 자유경쟁 |
| 공동부담여부 | 공동부담의 원칙 | 본인부담 위주 |
| 재원부담 | 능력비례부담 | 개인의 선택 |
| 보험급여수준 | 재정규모를 감안한 필요에 따른 균등급여 | 보험료 부담수준에 따른 차등급여 |
| 보험사고 대상 | 인적 보험 | 인적·물적 보험 |

사회보험에서 다루는 보험사고로는 업무상의 재해, 질병, 분만, 폐질, 사망, 유족, 노령 및 실업 등이 있으며 이러한 보험사고는 몇 부문으로 나누어 사회보험의 형태를 이룬다. 즉 업무상 재해에 대해서는 산업재해보상보험, 질병과 부상에 대해서는 건강보험 또는 질병보험, 폐질·사망·노령 등에 대해서는 연금보험, 실업에 대해서는 고용보험, 그리고 노인장기요양보험이 있으며, 이를 5대 사회보험이라고 한다.

#### ② 공공부조

공공부조는 나라마다 상이하게 표현되는데, 우리나라와 일본, 미국에서는 법률상 공공부조 또는 공적부조(public assistance)로, 영국에서는 국가부조(national assistance), 프랑스에서는 사회부조(social assistance)로 표현한다.

「사회보장기본법」 제3조 제3호에 의하면 '공공부조라 함은 국가 및 지방자치단체의 책임 아래 생활유지 능력이 없거나 생활이 어려운 국민의 최저생활을 보장하고 자립을 지원하는 제도를 의미한다'고 정의하고 있다. 예전에는 '공적부조'라는 용어를 사용하였으나, 1995년 제정된 「사회보장기본법」에서 '공공부조'라는 용어로 변경되었다.

공공부조는 사회보험에서 취급할 수 없는 극빈자의 건강과 문화적인 최저생활을 보장하기 위한 것으로, 이는 최저수준에 그쳐야 하며 이를 국가최저(national minimum) 또는 사회최저(social minimum) 원칙이라고 부른다.

공공부조제도는 사회보험계획을 추진하는 과정에서 대상자 적용에 문제가 발생할 때 이를 보완하기 위하여 사용할 수 있다. 따라서 공공부조가 지니는 제한점이 있음에도 빈곤퇴치 대책의 일환으로 이를 적용하게 된다.

공공부조는 저소득으로 인한 생활의 어려움을 보장해주는 기초생활보장과 의료에 대한 보장을 하는 의료급여로 구분된다.

#### ③ 사회복지서비스

「사회보장기본법」 제3조 제4호에서 '사회복지서비스란 국가와 지방자치단체 및 민간부문의 도움을 필요로 하는 모든 국민에게 상담·재활·직업소개 및 지도·사회복지시설 이용 등을 제공하여 정상적인 사회생활이 가능하도록 지원하는 제도'를 말한다. 예전에 사회보장체계에서 '사회복지'로 불리던 것이 '사회복지서비스'로 변경되었다. 사회복지서비스와 관련해서는 「노인복지법」, 「영유아보육법」, 「아동복지법」, 「장애인복지법」, 「장애인아동복지법」, 「건강가정지원법」, 「한부모지원법」 등이 적용되고 있다[그림 2-3].

## 2) 의료보장제도

의료보장이란 국민의 건강권을 보장하기 위해 필요한 보건의료서비스를 국가나 사회가 제도적으로 제공하는 것이다. 따라서 의료보장의 목적은 예기치 못한 의료비의 부담으로부터 국민을 재정적으로 보호하고, 국민들에게 보건의료서비스가 균등하게 분배되도록 하며 보건의료비의 적정수준을 유지하는 것이다.

이러한 목표를 달성하기 위해 의료보장제도는 보험의 원리와 방식을 이용한 의료보험과 생활능력이 없는 사람들에게 국가가 의료비를 지원해주는 의료급여 등을 이용하고 있다.

### (1) 의료보장의 유형

의료보장제도는 각국의 문화와 전통을 배경으로 하여 단순하게 분류하기 어려우나, 일반적으로 경제협력

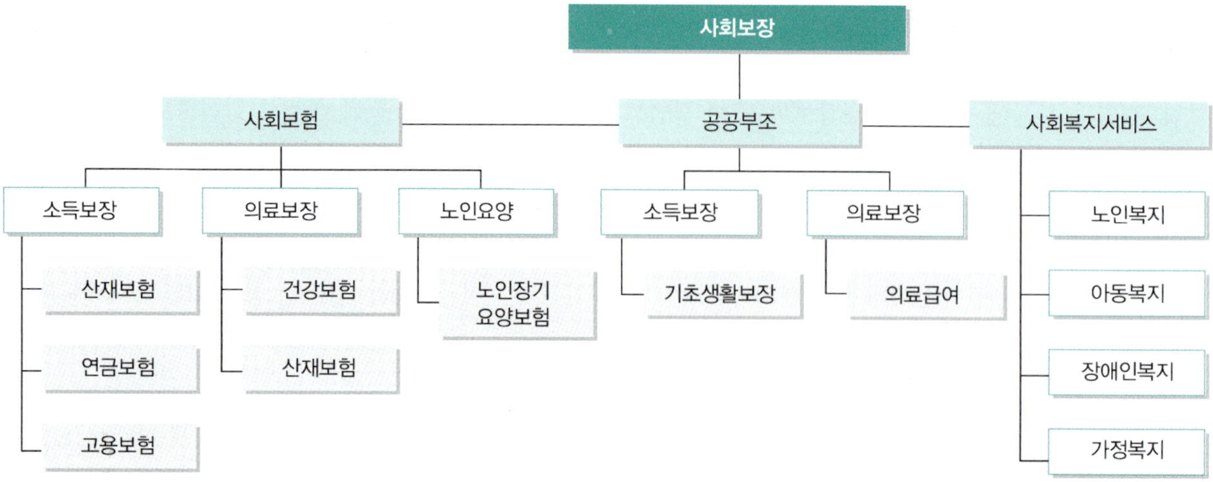


그림 2-3 사회보장제도

개발기구(OECD)는 다음과 같이 사회보험 방식, 국가보건서비스 방식, 그리고 민간보험 방식의 3가지로 분류하고 있다. 여기서는 민간보험 방식을 제외하고 사회보험 방식과 국가보건서비스 방식에 대해서만 알아보자.

### ① 사회보험 방식

사회보험 방식(National Health Insurance; NHI)은 의료비를 정부기관이 아닌 보험자의 보험료로 재원을 마련하여 의료를 보장하는 방식으로, 이는 보험원리에 의해 1차적으로 국민의 보험료로 재원을 조달하고, 국가는 2차적 지원과 지도기능을 수행하는 제도이다. 관리체계는 민간 자율기구(조합) 중심의 자치적 운영을 원칙으로 하며, 의료의 사유화를 전제로 의료공급자가 국민과 보험자 간에서 보험급여를 대행하는 방식이다.

사회보험 방식의 장점은 조합원이 대표의결기구를 통해 국민건강보험 운영에 관한 의사결정에 참여함으로써 제도운영의 효율화를 기할 수 있고, 상대적으로 양질의 의료를 제공할 수 있다는 것이다. 반면에 소득유형 등이 서로 다른 구성원에 대한 단일보험료 부과기준 적용에 어려움이 있고, 의료비 증가에 대한 억제기능이 취약하여 보험재정 안정을 위한 노력이 필요하다는 단점이 있다. 사회보험 방식을 적용하는 대표적인 국가에는 독일, 일본, 프랑스, 한국 등이 있다.

### ② 국가보건서비스 방식

국가보건서비스 방식(National Health Service; NHS)은 국민의 의료문제는 국가가 책임져야 한다는 관점에서 정부가 일반 조세로 재원을 마련하여 모든 국민에게 무상으로 의료를 제공하는 국가의 직접적인 의료관장 방식으로, 의료기관의 상당 부분이 사회화 내지 국유화되어 있다.

국가보건서비스 방식의 장점으로는 소득 수준에 관계없이 모든 국민에게 포괄적으로 균등한 의료를 보장하며, 정부가 관리주체로서 의료공급이 공공화되어 의료비 증가에 대한 효율적인 통제가 가능하고, 조세제도를 통한 재원조달은 비교적 소득 재분배 효과가 있다는 것이다. 반면에 의료의 사회화는 상대적으로 의료의 질을 저하시키며, 조세에 의한 의료비 재원조달에 큰 어려움이 있어 정부의 과다한 복지비용 부담의 문제, 의료수용자 측의 비용의식 부족과 민간보험의 확대, 그리고 장기간 진료대기 문제 등의 단점을 가지고 있다. 국가보건서비스 방식을 적용하는 대표적인 국가에는 영국, 스웨덴, 이탈리아 등이 있다.

### (2) 우리나라의 의료보장제도

우리나라 의료보장제도의 유형은 사회보험방식을 취하면서 전국민을 대상으로 단일한 보험자가 운영하는 국민건강보험과 공공부조 방식의 의료급여로 구성되어 있다.

#### ① 국민건강보험제도

건강보험은 국민의 질병, 부상에 대한 예방, 진단, 치료, 재활과 출산, 사망 및 건강증진에 대하여 보험급여를 실시함으로써 국민보건을 향상시키고 사회보장을 증진하는 데 목적이 있다. 1989년부터 자영업자와 지역주민을 대상으로 하는 지역의료보험이 실시되면서 전국민의료보험시대로 들어섰으며, 2000년 7월부터는 지역의료보험조합, 공교의료보험관리공단과 직장의료조합을 국민건강보험공단으로 통합하여 건강보험의 관리 및 운영을 통일화하였다. 국민건강보험은 보건복지부, 국민건강보험공단, 건강보험심사평가원에 의하여 관리 및 운영되고 있다. 건강보험의 재원은 가입자 및 사용자로부터 징수한 보험료와 국고 및 건강증진기금 등 정부 지원금으로 구성된다[그림 2-4, 표 2-6].

##### 가. 적용대상

국내에 거주하며 의료급여 대상자를 제외한 국민이 건강보험 대상자이다. 가입자는 직장가입자와 지역가입자로 구분되며, 직장가입자의 피부양자는 배우자, 직계존속, 직계비속 및 그 배우자, 형제 및 자매 중 직장가입자에 의해 주로 생계를 유지하는 자로서 보수 또는 소득이 없는 자가 그 대상이다.

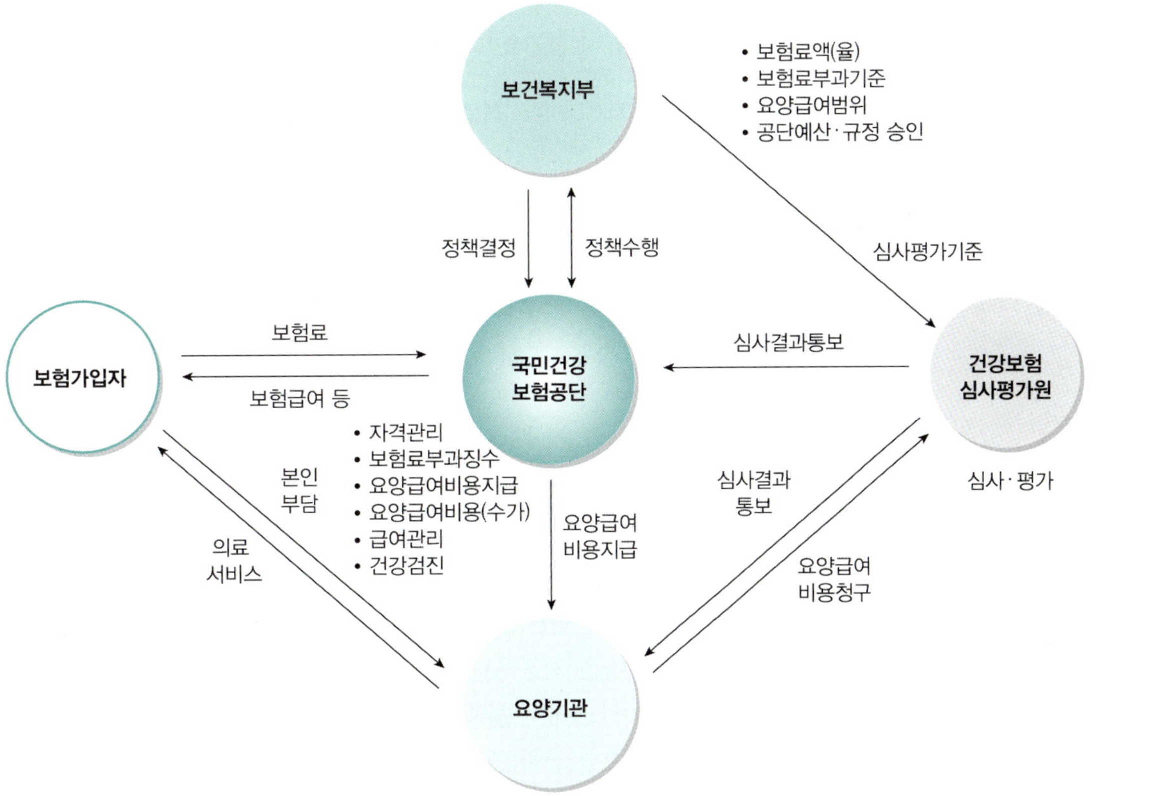


〈 자료원 : 보건복지부(2022). http://www.mohw.go.kr 〉

그림 2-4 국민건강보험관리 운영체계

**표 2-6 우리나라 국민건강보험제도 연혁**

- 1963.12.16. 「의료보험법」 제정(300인 이상 사업장 조합 임의설립)
- 1976.12.22. 「의료보험법」 전문개정
- 제4차 경제개발 5개년 계획으로 의료보장제도 실시
  - 생활보호대상자 등에 대하여 의료보호 실시('77.1.)
  - 국민부담능력 등을 고려하여 실시 가능한 임금소득계층부터 점진적으로 의료보험 적용 확대
- ◦ 1977.7. 500인 이상 사업장근로자 의료보험 실시(최초 강제 적용)
- ◦ 1979.1. 공무원 및 사립학교교직원 의료보험 실시
- ◦ 1979.7. 300인 이상 사업장까지 의료보험 확대
- 1980년 이후 전국민의료보험 확대 실시를 위한 기반조성
  - 1981.7. 지역의료보험 1차 시범사업 실시(홍천, 옥구, 군위)
  - 1982.7. 지역의료보험 2차 시범사업 실시(강화, 보은, 목포)
  - 1988.7. 5인 이상 사업장까지 의료보험 당연적용 확대
- 한방의료보험 실시
  - 1984.12. 의료보험 시범사업(청주, 청원)
  - 1987.2. 한방의료보험 전국 실시
- 지역의료보험 실시
  - 1988.1. 농·어촌지역의료보험 실시
  - 1989.7. 도시지역의료보험 실시(제도 도입 후 12년 만에 전 국민의료보험 실시)
- 1989.10. 약국의료보험 실시('82.8.~'84.12. 의약분업 시범운영, 목포시)
- 의료보험조직 통합
  - 1998.10. 1차 조직통합(공무원·사립학교교직원의료보험 및 227개 지역의료보험조합 통합)
    → 국민의료보험관리공단 업무개시
  - 2000.7. 의료보험조직 완전통합(국민의료보험관리공단 및 139개 직장조합 통합)
    → 국민건강보험공단 및 건강보험심사평가원 업무개시
- 2000.3. 보험자직영병원 개원
- 2002.1. 「국민건강보험 재정건전화 특별법」 제정·시행(건강보험정책심의위원회 설치, 보험재정에 대한 정부지원율 명시)
- 2003.7. 직장·지역 가입자 재정통합 운영
- 2007.1. 「국민건강보험 재정건전화 특별법」 만료('06.12.31.)에 따른 해당 법령 근거 「국민건강보험법」 삽입 시행
- 2008.7.1. 노인장기요양보험 실시
- 2011.1.1. 사회보험징수통합 실시
- 2012.7. 포괄수가제 병·의원급 의료기관 당연적용(7개 질병군 입원환자)
- 2013.8. 중증질환 재난적 의료비 지원사업 실시
- 2015.1. 간호·간병통합서비스 보험급여 적용
- 2015.12. 「의료법」 개정으로 기존 포괄간호서비스에서 간호·간병통합서비스로 명칭 변경
- 2019.7. 외국인 지역가입자 당연적용 실시

〈 자료원 : 보건복지부(2022). 우리나라 국민건강보험제도 연혁 〉

### 나. 보험급여

건강보험이 적용되는 요양급여는 진찰·검사, 약제·치료 재료의 지급, 처치·수술·기타의 치료, 예방·재활, 입원, 간호, 이송 등이 포함된다. 또한 가입자 및 피부양자가 보건복지부령이 정하는 긴급, 기타 부득이한 사유로 인하여 요양기관과 유사한 기능을 수행하는 기관으로서 보건복지부령이 정하는 기관에서 질병·부상·출산 등에 대하여 요양을 받거나 요양기관 외 장소에서 출산을 한 때는 요양급여에 상당하는 금액을 가입자 또는 피부양자에게 요양비로 지급한다. 입원 시 요양급여비용 총액의 20%(15세 미만 아동은 총액의 5% 부담), 자연분만은 본인부담금이 면제된다.

### 다. 요양기관

요양기관에는 의료기관(상급종합병원, 종합병원, 병원, 한방병원, 치과병원, 요양병원, 의원, 한의원, 치과의원), 약국, 조산원, 보건소·보건의료원, 보건지소 및 보건진료소 등이 있다.

### 라. 국민건강보험 관련기관

국민건강보험 관련기관으로는 보건복지부, 국민건강보험공단과 건강보험심사평가원이 있다.

보건복지부는 건강보험사업 관장 부처로서 건강보험에 관련된 정책을 결정하고 건강보험에 관련된 업무를 총괄하고 있다. 국민건강보험공단은 건강보험의 보험자로서 국민의 질병·부상에 대한 예방·진단·치료·재활과 출산·사망 및 건강증진에 대하여 보험급여비용 지급 업무를 수행함으로써 국민건강을 향상시키고 사회보장을 증진시킨다. 이 외의 관장업무로는 가입자 및 피부양자의 자격관리, 기타 「국민건강보험법」에 의한 징수금의 부과·징수, 보험급여의 관리, 가입자 및 피부양자의 건강 유지·증진을 위하여 필요한 예방사업 등을 전개한다. 건강보험심사평가원은 요양급여비용을 심사하고 요양급여의 적정성을 평가하기 위하여 설립되었으며 주요 관장업무로는 요양급여비용의 심사, 요양급여의 적정성에 대한 평가, 심사 및 평가기준의 개발, 요양급여비용의 심사 내지 심사 및 평가 기준의 개발업무와 관련 조사연구 및 국제협력과 같은 업무 등이 있다.

### 마. 관리운영체계

우리나라의 건강보험 적용체계는 최근까지 보험료 부담과 급여의 형평을 기하기 위하여 소득의 형태, 소득파악의 용이성, 의료이용 정도 등이 유사한 집단별로 보험자(조합, 공단)를 구성하고 각 보험자별 독립채산방식에 의하여 운영하도록 하여 왔다. 그러나 관리운영의 효율화와 보험료 부담의 형평성을 제고하기 위하여 1998년 10월에 지역의료보험과 공무원 및 사립학교 교직원의료보험을 통합하였으며, 2000년 7월에 1차 통합체인 국민의료보험관리공단과 직장의료보험을 통합함으로써 의료보험은 단일조직으로 완전히 통합됨과 동시에 국민건강보험으로 출범하게 되었다.

### 바. 재원조달체계

건강보험의 재원은 건강보험 납부의무자로부터 징수하는 보험료(본인+사용자+정부)와 국고보조금, 이자수입, 기타로 이루어진다. 보험료를 부담함에 있어 임금 근로자의 경우에는 보수총액에 대하여 2012년 5.8%, 2013년 5.9%, 2014년 5.99%, 2016년 6.12%, 2018년 6.24%, 2023년 7.09%로 인상되었다. 장기요양보험요율 역시 건강보험 대비 2008년 4.05%에서 2023년 12.81%로 인상되었다[표 2-7].

### 사. 보험급여체계

보험급여의 수준은 피보험자의 보험료부담능력, 보험재정상태 등을 감안하여 보험료부담수준과 균형을 이루는 수준에서 결정되어야 할 것이다. 건강보험의 급여형태는 의료서비스를 보장하는 현물급여와 의료비의 상환제도인 현금급여 두 가지 형태가 있으며 우리나라는 현물급여를 원칙으로 하되 현금급여를 병행하고 있다.

### 아. 우리나라 건강보험제도의 특성

우리나라 건강보험제도는 강제적용, 부담능력에 따른 보험료 차등 부담, 보험급여의 균등한 보장의 특성을 지니고 있다.

**표 2-7 건강보험 재원조달 구성(2023년 기준)**

| 구 분 | | 직장근로자 | 지역가입자 |
|---|---|---|---|
| 재원 조달 | 보험료 | • 보수월액보험료<br>– 보수월액×보험료율(7.09%)<br>– 사용자, 근로자가 각 50%씩 부담<br>– 사용자가 원천징수하여 공단에 납부<br>– 사립학교 교원은 본인, 사립학교 설립·운영자, 정부가 각 50%, 30%, 20%씩 부담<br>• 소득월액 보험료<br>– 소득월액 × 보험료율(6.99%) × 50 / 100<br>– 가입자가 납부 | • 소득·재산(자동차포함) 등의 등급별 점수를 합산한 보험료부과점수에 점수당 단가(205.3원)를 곱한 금액<br>• 세대주가 납부 |
| | 정부지원 | 당해연도 보험료 예상수입액의 14% | |
| | 건강증진기금 | 당해연도 보험료 예상수입액의 6%(단, 담배부담금 예상수입액의 65% 상한) | |

〈 자료원 : 보건복지부(2022). http://www.mohw.go.kr 〉

- **강제적용(의무적인 보험가입 및 보험료 납부)** : 보험가입을 기피할 수 있도록 제도화 될 경우 질병 위험이 큰 사람만 보험에 가입하여 국민 상호 간 위험부담 및 의료비 공동해결이라는 건강보험제도의 목적을 실현할 수 없다. 그러므로 일정한 법적 요건이 충족되면 본인 의사와 관계없이 건강보험가입이 강제되며 보험료 납부 의무가 부여된다.
- **부담능력에 따른 보험료 차등 부담** : 민간보험은 보장의 범위, 질병위험의 정도, 계약의 내용 등에 따라 보험료를 부담하는 데 비해, 사회보험방식으로 운영되는 국민건강보험은 사회적 연대를 기초로 의료비 문제를 해결하는 것을 목적으로 한다. 그러므로 소득수준 등 보험료 부담능력에 따라 보험료를 차등 부과한다.
- **보험급여의 균등한 보장** : 민간보험은 보험료 수준과 계약내용에 따라 개인별로 다르게 보장되지만, 사회보험인 국민건강보험은 보험료 부담수준과 관계없이 관계법령에 의해 균등하게 보험급여가 이뤄진다.

### 자. 국민건강보험제도의 기능과 역할

- **의료보장의 기능** : 건강보험은 피보험대상자 모두에게 필요한 기본적 의료를 적정한 수준까지 보장함으로써 그들의 의료문제를 해결하고 누구에게나 균등하게 적정수준의 급여를 제공한다.
- **사회연대의 기능** : 건강보험은 국민의 의료비문제를 해결해 줌으로써 국민의 건강과 가계를 보호하는 제도로서, 전 국민을 당연적용 대상자로 하는 사회보험 방식을 채택하고 있다. 따라서 국가 또는 개인의 책임이 아닌 사회공동의 연대책임을 활용하여 소득재분배기능과 위험분산의 효과를 거두고, 이를 통하여 사회적 연대를 강화하여 사회통합을 이룬다.
- **소득 재분배의 기능** : 질병은 개인의 경제생활에 지장을 주어 소득을 감소시키고 다시 건강을 악화시키는 악순환을 초래한다. 따라서 건강보험은 각 개인의 경제적 능력에 따른 일정한 부담으로 재원을 조성하고 개별부담과 관계없이 필요에 따라 균등한 급여를 받음으로써 질병 발생 시 가계의 경제적 부담을 경감시켜주는 소득재분배 기능을 수행한다.

- 위험분산 기능의 수행 : 많은 인원을 집단화하여 위험을 분산함으로써 개개인의 부담을 경감하는 기능과 미리 적은 돈을 갹출하여 둠으로써 위험을 시간적으로 분산하는 기능도 겸하여 수행하고 있다. 형평한 비용부담과 적정한 보험급여 비용(보험료)부담은 형편에 따라 공평하게 부담하는 것으로 주로 소득이나 능력에 비례하여 부담하게 되며, 집단구성원 상호간의 사회적 연대성에 의하여 그 기능이 발휘된다. 또한 보험급여 측면에서는 피보험대상자 모두에게 필요한 기본적 의료를 적정한 수준까지 보장함으로써 그들의 의료문제를 해결하고 누구에게나 균등하게 적정수준의 급여를 제공한다.

#### ② 의료급여제도

공공부조 방식의 의료급여는 생활유지능력이 없거나 생활이 어려운 자에게 필요한 보호를 행하여 이들의 최저생활을 보장하고 자활을 조성하는 데 목적을 두고 국가가 보호하고 있는 저소득층을 대상으로 자력으로 의료문제를 해결할 수 없는 경우 국가재정으로 의료혜택을 주는 제도이다.

##### 가. 의료급여 수급권자

「국민기초생활보장법」에 의한 수급자는 1종 및 2종 수급권자로 구분하여 본인부담금에 차등을 두고 있다. 1종과 2종을 구분하는 대표적인 근거는 근로능력의 유무인데 기초생활보장수급권자 중 근로능력이 없는 자는 1종, 근로능력이 있는 자는 2종으로 구분된다. 하지만, 그 외에도 특수질환 등록자 및 시설 수급자, 행려환자 및 타법에 의한 적용자의 경우에도 1종 수급권자의 권리를 지닌다.

##### 나. 의료급여내용(의료급여법 제7조)

질병이나 부상, 출산 등에 대한 진찰, 검사, 약제·치료재료의 지급, 처치·수술과 그 밖의 치료, 예방·재활, 입원, 간호, 이송, 기타의 의료목적 달성을 위한 조치 등이 있다[표 2-8].

##### 다. 의료급여 진료체계

의료급여 수급권자는 「의료급여법 시행규칙」 제3조의 규정에 따라 제1차 의료급여기관 → 제2차 의료급여기관 → 제3차 의료급여기관에서 단계적으로 진료를 받을 수 있다. 제1차 의료급여기관은 「의료법」에 따라 시장·군수·구청장에게 개설 신고한 의원, 보건소·보건의료원 및 보건지소 등의 보건기관 및 보건의료원이 포함되며, 제2차 의료급여기관은 「의료법」에 따라 시·도지사가 개설 허가한 병원, 종합병원, 3차 의료급여기관은 상급종합병원을 의미한다[그림 2-5].

##### 라. 의료급여 관리운영체계

의료급여업무의 운영체계는 의료급여 사업기관인 보건복지부와 지방자치단체, 국민건강보험공단, 건강보험심사평가원으로 나누어 의료급여 수급권자가 원활한 의료급여를 받을 수 있도록 각각의 역할을 부여하고 있다[그림 2-6].

**표 2-8 의료급여 종별 대상자 및 선정기준**

| 구분 | 수급권자 |
|---|---|
| 1종 | • 국민기초생활보장수급자 : 근로무능력가구, 산정특례 등록한 결핵질환자, 희귀질환자, 중증난치질환자 및 중증질환(암환자, 중증화상환자만 해당) 등록자, 시설 수급자<br>• 행려환자<br>• 타법적용자 : 이재민, 의상자 및 의사자의 유족, 입양아동(18세 미만), 국가유공자, 국가무형문화재의 보유자, 북한이탈주민, 5·18 민주화운동 관련자, 노숙인 |
| 2종 | • 국민기초생활보장대상자 중 1종 수급대상이 아닌 가구 |

〈 자료원 : 보건복지부(2022). 2022 의료급여사업안내 〉

**표 2-9 의료급여 진료비 부담기준**

| 구 분 | | 1차(의원) | 2차(병원, 종합병원) | 3차(상급종합병원) | 약 국 | PET 등 |
|---|---|---|---|---|---|---|
| 1종 | 입원 | 없음 | 없음 | 없음 | – | 없음 |
| | 외래 | 1,000원 | 1,500원 | 2,000원 | 500원 | 5% |
| 2종 | 입원 | 10% | 10% | 10% | – | 10% |
| | 외래 | 1,000원 | 15% | 15% | 500원 | 15% |

1) 보건복지부장관이 고시하는 경증질환으로 종합병원 이상급 기관에서 원외처방전을 발급받아 약국에서 조제 받는 경우 약국약제비 본인부담은 급여비용총액의 3%
2) 상기 본인부담금은 급여청구분에 대한 것으로 비급여 청구분은 전액 본인이 부담해야 하며, 선별 급여시에는 급여항목별로 30~90% 본인이 부담해야 함

〈 자료원 : 보건복지부(2022). 2022 의료급여사업안내 〉

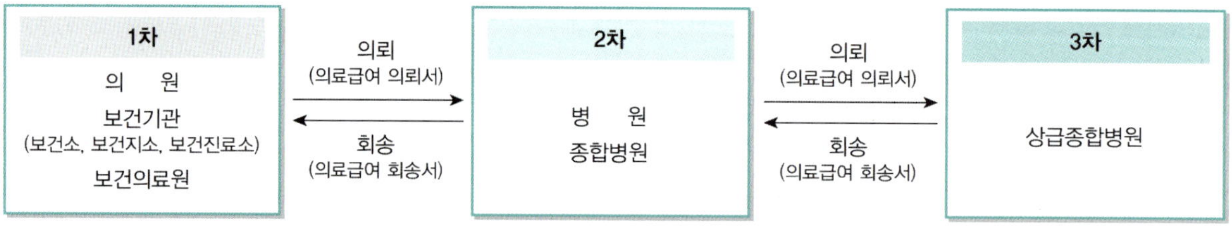


〈 자료원 : 보건복지부(2022). 2022 의료급여사업안내 〉

**그림 2-5 의료급여 진료절차 체계도**

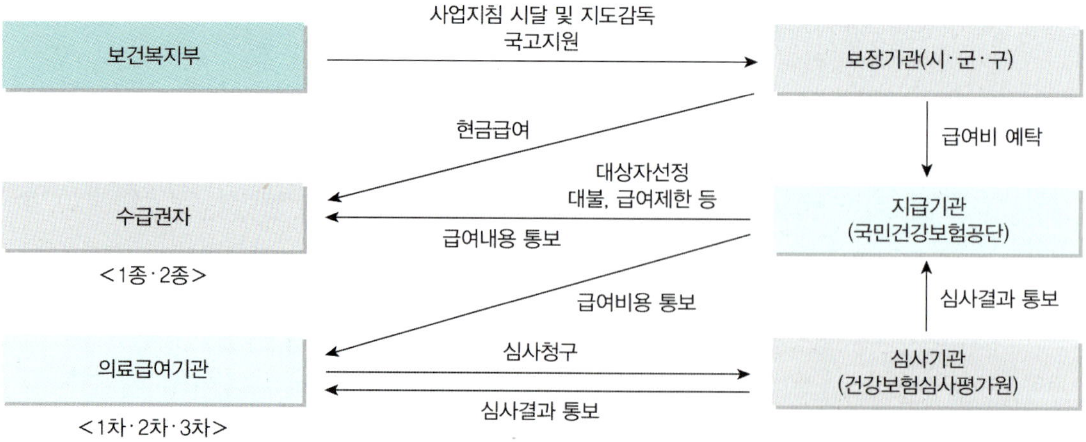


〈 자료원 : 보건복지부(2022). http://www.mohw.go.kr 〉

**그림 2-6 의료급여 관리운영체계**

# 제2절 + 지역사회간호와 보건정책

Keywords

- 보건정책
- 정책결정과정
- 일차보건의료
- 지역보건
- 지역보건기관
- 지역보건법
- 지역보건의료계획
- 국민건강증진종합계획
- 지역사회 통합건강증진사업

## 1 보건의료정책

### 1) 정책의 개념

#### (1) 정책

정책(policy)의 개념은 사회의 변화에 따라 복잡하게 변화하고 있으며, 학자마다도 다양하게 제시되고 있지만 일반적으로 유형화 된 정책의 개념은 다음과 같다.

- 정부단위와 환경과의 관계로서의 정책
- 일련의 활동이나 활동과정으로서의 정책
- 정부활동 총체로서의 정책
- 개인이나 조직의 중요한 선택으로서의 정책
- 사회문제를 해결하기 위한 정부의 계획이나 행동으로서의 정책
- 구성요소에 의한 정책

이와 같이 정책의 개념은 다양하게 제시되고 있으나, 잠정적으로 정책은 '바람직한 사회 상태를 이룩하려는 정책목표와 이를 달성하기 위해 필요한 정책수단에 대하여 권위 있는 정부기관이 공식적으로 결정한 기본 방침'으로 설명될 수 있다.

#### (2) 공공정책

공공정책은 공공이익과 공공사항을 내포한 개념이며, 활동의 주체는 정부 및 지방자치단체 등의 공공기관이다.

공공정책의 개념은 다음과 같은 요소를 포함한다.

- 공공기관이 주체가 되기 때문에 정치 권력성을 띤다.
- 목표 지향적 활동이기 때문에 미래성과 방향성이 있다.
- 목표와 함께 그 실현수단을 핵심으로 한다.
- 비용과 편익 배분을 통해 국민의 이해관계에 영향을 미친다.
- 의도적인 행위뿐 아니라 의식적 부작위(不作爲), 즉 무의사결정(non-decision making)도 포함한다.
- 일련의 선택이므로 일회의 선택을 의미하는 의사결정과 구별된다.

- 공익을 표방하는 공공기관의 활동이라는 점에서 의사결정과 구별된다.
- 서로 관련된 많은 의사결정 과정에서 발생하는 상호작용의 결과인 경우가 많다.

### 2) 정책과정

정책에 대한 정의가 다양한 것처럼 정책과정(policy process)에 대해서도 여러 학자들의 견해가 있으나 대체적으로 공통된 것이 많다. 그 중에서 이론적인 틀로서 가장 자주 인용되는 정책과정 모형의 하나인 Anderson의 정책과정에서 제시하는 다섯 단계는 다음과 같다[그림 2-7].

① **문제정의와 정책의제 형성**(problem identification and agenda formation) **단계** : 정책당국이 심각성을 인정하여 해결해야 하는 정책문제를 선정하는 단계이다.
② **정책형성**(formulation) **단계** : 문제해결에 이바지할 수 있고 실현가능한 대안들을 발전시키는 단계이다.
③ **정책채택**(adoption) **단계** : 최종안을 선택하고 지지를 모아서 권위 있는 기관이 의결하거나 합법성을 부여하도록 하는 단계이다.
④ **정책집행**(implementation) **단계** : 정부의 행정기구가 결정된 정책을 실행에 옮기는 단계이다.
⑤ **정책평가**(evaluation) **단계** : 정책이 효과적이었는지를 판단하고 성공이나 실패의 원인을 찾는 단계이다.

이 중에서 ②와 ③을 합쳐서 흔히 '정책결정' 단계로 분류한다.

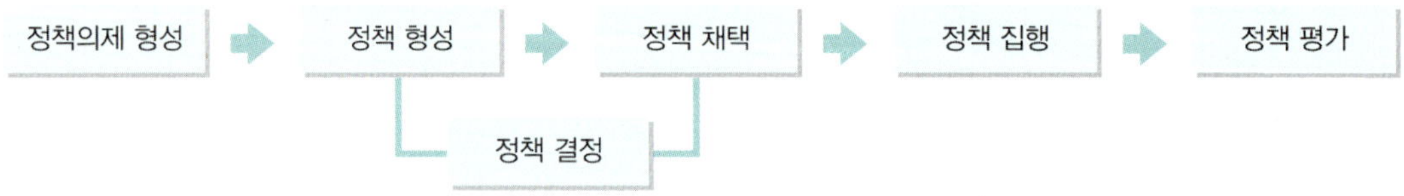


**그림 2-7 정책과정**

### 3) 정책결정

정책결정 과정이란 의제 형성과정에 의해 채택된 정책의제를 그 해결책을 강구하는 정책으로 바꾸어 나가는 정책의 작성이나 정책 수립과정을 뜻한다. 이 과정은 공식·비공식의 참여자와 다양한 압력주체들이 상호영향을 주고받는 동태적 과정이며, 정치권력의 영향력이 함께 작용하는 정치적 과정이기도 하다. 또한 이해관계를 달리하는 많은 개인 및 집단이 보다 자기에게 유리한 정책이 될 수 있도록 갖가지 전략과 수단을 동원해가는 경쟁과정의 속성을 지닌다. 그리고 이 정책결정 과정은 다시 문제의 파악과 정의, 정책목표의 설정, 정책 대안의 탐색과 개발, 정책대안의 미래 예측, 대안의 비교 및 평가, 최적대안의 선택이라는 소과정으로 세분된다.

### 4) 보건의료정책

보건의료정책에 대한 전통적인 정의는 '건강에 영향을 미치거나, 보건영역에서의 역할을 수행하는 주요 요소를 찾는 공공의 의사결정(public decisions that seek primary to affect health or principal actors in their roles in the health arena)'이다.

보건의료정책이 '정책'으로서 갖는 특성으로, 첫째는 전문가의 역할에 대한 것이다. 즉 보건의료정책의 형성과 집행에는 다른 분야 정책과는 달리 전문가의 역할이 두드러지고 이들의 이해관계가 주로 반영된다는 것이다.

둘째는 보건의료의 '가치(value)' 규정이 어렵다는 점이다. 계획을 수립하기 위한 대안을 선택하는 과정은 가치체계에 기초를 두고 있으며 계획에서 지향하여야 할 가치를 선택하는 것이야말로 가장 중요한 정치적 결정이다. 그러나 보건의료분야에서는 이러한 가치에 대한 합의가 없으며, 그 결과 정책의 결과(산출물)에 대한 통계적 자료가 빈약하다. 특히 산출에 관계되는 요인이 너무나 많고, 이들의 대부분은 정책과 직접 관련이 없는 것들이다. 이외에도 의료제공이 복잡하고 개인 소비자가 의료의 질을 판단할 수 없기 때문에 경제나 사회분야의 다른 모형이 잘 적용되지 않는다는 점, 생사와 관련된 의료문제의 의사결정에 대한 심리적 스트레스와 사회의 특별한 기대가 있기 때문에 사회적으로 의료인이나 의료를 '남다른 것'으로 보게 된다는 점 등이 보건의료정책의 중요한 특성으로 지적되고 있다. 또한 이러한 특성과 아울러 환경적 측면에서는 대부분의 보건의료정책이 비교적 우호적인 정책환경(favorite political climate) 속에 있다는 것도 특성으로 지적된다. 즉 대부분의 사람들은 보건의료나 의학의 효용을 믿기 때문에 본인의 조세부담이 늘지 않는 한도 안에서는 보건분야에 자원을 투입하는 것에 대해 지지를 표명하는 것이 보통이라는 것이다.

보건의료정책은 흔히 보건의료 진료정책, 보건의료 예방정책 및 건강관련 보건의료정책의 3종류로 분류된다. 보건의료정책을 수립할 경우의 고려사항은 다음과 같다.

**보건의료정책 수립 시 고려사항**

- 정확한 현황 파악이 전제되어야 한다. 이는 관련 문제의 성격 규명 및 우선순위 파악 등을 위해 반드시 필요하기 때문이다.
- 보건의료정책의 목표가 국민이 그 기준이 되어야 한다. 관련 의료계층마다 특정 정책을 주장하면서 국민의 이익을 위한 길임을 표방하지만, 많은 경우 자신의 이해에 따른 주장일 경우가 많다.
- 보건의료의 기본 속성상 국민의 참여가 없이는 소기의 성과를 거둘 수 없다는 점을 고려한다.
- 특정 정책의 시행을 위해서는 필요한 재원의 확보가 전제되어야 한다.

보건의료정책의 기본이념은 보건의료를 통하여 모든 국민이 인간으로서의 존엄과 가치를 가지며 행복을 추구할 수 있도록 하고 국민 개개인이 건강한 삶을 영위할 수 있도록 제도와 여건을 조성하며, 보건의료의 형평과 효율의 조화를 기할 수 있도록 함으로써 국민의 삶의 질을 향상시키는 것이다(보건의료기본법 제2조).

보건의료의 기본이념을 충족하기 위한 보건의료정책을 수립하고 결정할 때 흔히 직면하게 되는 3가지 문제는 다음과 같다.

**보건의료정책 수립 시 직면하게 되는 문제**

- 보건의료서비스에 투입되는 양과 서비스의 구성을 결정해야 한다.
- 보건의료서비스 생산의 최적 방법을 선택해야만 한다.
- 보건의료서비스 분배 방법을 선택해야 한다. 이러한 선택의 문제는 결국 경제적 능률성(economic efficiency)과 형평성(equity)의 문제로 귀결된다.

보건의료정책환경은 보건의료정책을 둘러싸고 있으면서 밀접한 영향을 주고받는 일체의 외부요소, 즉 유·무형의 환경을 총칭한다. 유형의 환경은 정책과정에 영향을 미치는 제반 참여자들을 말하는 것으로 정당,

이익집단 및 대중매체 등을 말한다. 무형의 환경은 정치·행정문화, 공익, 사회경제적 여건 등 정치 및 행정체계에 영향을 미치는 요소를 의미한다.

보건의료정책과정은 국민의 건강을 위해서 비용과 편익을 배분하는 과정인 만큼, 사회 내의 다양한 관련 단체와 개인들이 자신들에게 유리한 정책을 위해 정책과정에 참여하거나 영향력을 행사하려고 한다. 일반적으로 보건의료정책과정의 참여자는 공식적 참여자와 비공식적 참여자로 나뉜다. 공식적 참여자는 대통령, 국회, 고급 공무원, 사법부 등이며 비공식적 참여자는 정당, 이익집단, 전문가와 학자, 언론기관 및 일반국민 등이다. 특히 보건의료정책에 있어서는 이익집단의 참여가 가져다주는 복잡함이 어느 분야보다 크다고 할 수 있다.

## 2 일차보건의료

### 1) 일차보건의료의 배경과 개념

일차보건의료는 1970년대 세계보건기구(WHO)가 모든 인간의 건강보장을 위한 전략으로 제시한 개념이다. 당시 지구상 인구의 80%는 보건의료를 접하지 못하는 상태였으며, 높은 의료비용으로 인해 보건의료 접근성이 매우 낮은 상황으로 기본적 보건서비스에 있어 많은 문제점을 보이고 있었다.

1977년도에 세계보건기구의 지역사무국별로 일차보건의료에 대한 토의가 열렸으며, 같은 해에 우리나라에서는 한국보건개발연구원(한국보건사회연구원의 전신)에서 Primary Health Care(PHC)를 '일차보건의료'라고 명명하였다.

1978년에 세계보건기구 주관으로 구소련의 알마타(Alma-ata)에서 134개국 보건관계자가 모여서 일차보건의료에 관한 국제회의 보고서를 채택했는데, 이것이 '알마타 선언'이다. 이 회의에서는 '2000년까지 모두에게 건강을(Health for All by the Year 2000)'이라는 목표를 내세웠다. 이 회의에서 내세운 기본가치는 첫째, 주민이 보건의료의 주체가 되는 것이고, 둘째, 보건의료의 형평성을 달성하는 것이고, 셋째, 보건의료의 수용성과 효율성을 달성한다는 것 등이었다.

알마타 선언에서 규정한 일차보건의료는 단순히 일차진료를 넘어 국가보건체계의 중심적 기능을 담당하며 개인·가족 및 지역사회를 위한 건강증진, 예방, 치료 및 재활 등의 서비스가 통합된 기능을 의미한다.

WHO에서 제시한 일차보건의료의 주요 필수요소 접근방법(4A)은 다음과 같다.

- **접근성**(Accessible) : 지역사회의 개인·가족이 일반적으로 쉽게 접근할 수 있어야 한다. 그러기 위해서는 지리적 접근성을 높이고 경제적 차등, 사회계층의 차별이 없도록 해야 한다.
- **수용가능성**(Acceptable) : 지역사회 주민이 받아들일 수 있는 방법으로 사업을 해야 한다. 예를 들어 기존의 치료방법을 활용하여 주민이 쉽게 받아들이도록 하는 것 등이다.
- **주민참여**(Available) : 지역사회의 적극적인 참여를 통한 사업이어야 한다. 사업의 주권이 주민에게 있다는 인식을 가지고 주민이 사업 운영에 참여하게 해야 한다.
- **지불부담능력**(Affordable) : 주민의 지불 능력에 맞는 비용으로 서비스가 제공되어야 한다. 서비스에 대한 돈을 받기는 하되 모든 주민이 지불할 수 있는 수준의 낮은 비용으로 해야 한다.

일차보건의료의 철학은 건강은 인간의 기본권리(기본권)이며, 모든 국민에게 균등(평등권)하게 제공되어야 한다. 국가는 국민의 건강을 책임져야 하며(건강권), 국민 개개인이 건강에 대한 자조성을 확보하도록 하고, 사회적, 경제적, 지리적 저해 요인이 없이 접근 용이성과 연관성이 있도록 제공되어야 한다는 것이다.

## 2) 일차보건의료의 전개

최근 일차보건의료는 보건의료의 지역화(regionalization), 보건사업의 조정(program coordination) 및 통합(integration), 부문 간 협조(intersectional collaboration / cooperation) 등이 강조되고 있는 추세이다.

알마타 선언에서는 일차보건의료의 기본적인 8가지 필수사업영역을 제시하였고, 이후에 하나의 영역이 추가되었다. 그 내용은 다음과 같다.

① 지역사회의 주요 건강문제와 그 예방 및 관리방법에 대한 교육
② 식량공급의 촉진과 적절한 영양의 증진
③ 안전한 식수 공급과 기본적 위생
④ 가족계획을 포함한 모자보건
⑤ 지역사회 주요 감염병에 대한 예방접종
⑥ 지역적 풍토병의 예방과 관리
⑦ 통상질환과 상해의 적절한 치료
⑧ 필수 의약품의 제공
⑨ 심신장애자의 사회·의학적 재활

알마타 선언 이후 일차보건의료의 개념은 확장과 발전되었다. 1984년 세계보건기구의 유럽지구 회의에서는 인간이 건강하게 살기 위한 기본적인 필요조건과 유럽지역의 전 주민을 위하여 2000년까지 달성할 건강증진 활동을 제안하였다. 여기에서는 6가지 주요 주제 및 38가지 목표를 정하였다.

6가지 주요 주제는 다음과 같다.

① HFA(Health for All)은 형평을 의미한다. 다시 말해, 국내 및 국가 간의 건강 불평등이 가능한 한 감소되어야 한다.
② 모든 주민들이 육체적·정신적 잠재력을 활용할 수 있게 해서 건강하다고 느끼게 함이 목적이며, 건강증진과 질병예방의 실행을 강조한다.
③ HFA는 주민들 스스로에 의해 이룩되어야 할 것이다. 주민들의 적극적인 참여는 공동의 목표를 달성하는 데 중요한 요소이다.
④ HFA는 관련 전 부문의 통합된 활동을 요구한다. 여러 부문 간의 협조는 건강의 전제조건을 확실하게 하고, 보건정책을 증진시키고, 육체적·경제적·사회적 환경에 있어서의 위험을 가장 효율적으로 감소시키는 방법이다.
⑤ 보건의료전달체계는 그 초점을 일차보건의료에 두어야 한다. 주민들은 살고 일하는 곳 가까이에서 제공받는 서비스를 통해 지역사회의 기본적 보건요구를 충족시킬 수 있다. 접근 가능하며, 모두가 받아들일 수 있고, 지역사회 전 주민이 참여하는 일차보건의료에 초점을 맞추어야 한다.

⑥ 보건문제는 국가 간의 국경을 초월한다. 환경오염 등 건강에 해로운 물질들은 문제의 해결을 위해서 국제적인 협조를 필요로 한다.

알마타 선언 10주년인 1988년에 구소련 라트비아 공화국의 수도인 리가(Riga)에서 세계보건기구가 개최한 일차보건의료 평가회의가 열렸다(리가회의). 리가회의에서는 HFA 전략이 전 세계적으로 윤리적 교훈, 정책적 규범, 기술적 방향을 제시하였다고 평가하였으나, 여전히 많은 개발도상국에는 심각한 보건의료문제가 존재한다고 판단하고 이 나라들을 대상으로 한 새로운 전략 개발의 필요성을 강조하였다.

리가회의 보고서인 '알마타에서부터 2000년까지 : 중간지점의 반성'에서 추천된 활동들을 살펴보면 다음과 같다.

① 2000년대까지 또는 그 후에도 모든 국가는 영원한 목표로서 HFA를 유지한다.
② 각 나라는 그 나라 고유의 보건문제를 계속 감시하며 HFA 정신에 입각하여 그 나라 고유의 보건전략을 개발한다. 이때 보건사업은 형평에 맞게 취약인구를 향해야 하고, 사업의 계획 및 집행 등에 그들이 적극적으로 참여할 수 있도록 해야 한다.
③ 일차보건의료에 기초한 지역보건체계(district health system; DHS)를 강화해야 한다. 보건요구가 있으나 서비스를 받지 못하는 사람들에게 일차보건의료 정신에 따라 지역의 사정에 맞게 사업을 제공하여 문제를 해결하는 것이 필요하다.
④ 보건과 관련된 모든 메커니즘을 활성화하여 HFA를 현실화하기 위해서 부문 간 협조를 이루어야 한다.
⑤ 주민이 건강에 스스로 관심을 보이고 보건사업에 대한 권리와 책임을 가지게 하기 위해서, 주민의 역량을 강화해야 한다. 즉 주민에게 정보를 제공하고, 기술을 지원하며, 의사결정에 참여하게 해야 한다.
⑥ HFA를 위해서는 자원 배분과 정책 결정이 필요한데, 이것을 요구하고 지지할 사회·정치·경제적 활동의 강화가 필요하다. 정부, 지역사회, 비정부기구 등의 협조 메커니즘을 형성해야 한다.
⑦ 일차보건의료에 기초하여 보건요원의 교육 및 훈련을 재정립한다.
⑧ 높은 출생률, 높은 영아사망률, 높은 모성사망률, 담배 및 술과 같은 약물남용, 사회경제적 자원의 불균형 등 보건문제들을 극복하려는 목표를 정하고 사업을 해야 한다.
⑨ 세계적으로 사람들을 위협하는 보건문제를 해결하기 위하여 적절한 과학, 기술을 합리적으로 이용하고 연구 및 개발해야 한다.

### 3) 우리나라의 일차보건의료

우리나라의 일차보건의료사업은 국민의 건강요구 상승과 알마타 선언에 맞추어 보다 구체화되기 시작하였다.

정부는 1976년 한국보건개발원을 설립하여 1976~1980년까지 강원도 홍천군, 전북 옥구군 및 경북 군위군을 대상으로 5년간의 시범사업을 실시하였다. 시범사업 결과, 공중보건의사의 지속적 농촌지역 배치와 보건진료원의 훈련 및 활용방안이 정부에 의해 수용되었으며, 이는 1980년 12월 「농어촌 등 보건의료를 위한 특별조치법」의 공포로 이어졌다. 이 법에 의해 읍·면 지역의 보건지소에 공중보건의사를 배치하였고, 벽·오지에는 보건진료소를 설치하여 보건진료원을 배치함으로써 보건의료 취약지역에 보건의료사업을 제공하게 되었다.

정부는 1981년부터 연간 500명의 간호사에게 보건진료원의 직무를 수행할 수 있도록 하여, 1984년 말에는 2,000명의 보건진료원을 전국에 배치한다는 계획 하에 직무교육을 시작하였으며, 2013년 보건진료전담공무원으로 명칭이 변경되었다.

보건진료전담공무원의 의료행위 범위는 상병상태를 판별하기 위한 진찰 및 검사행위, 환자의 이송, 외상 등 흔히 볼 수 있는 환자의 치료 및 응급을 요하는 환자에 대한 응급처치, 상병의 악화방지를 위한 처치, 만성병 환자의 요양지도 및 관리, 정상분만 시의 분만개조(分娩介助), 예방접종 및 의료행위에 따른 의약품의 투여 등이다.

그 외에 환경위생 및 영양개선에 관한 업무, 질병예방에 관한 업무, 모자보건에 관한 업무, 주민의 건강에 관한 업무를 담당하는 사람에 대한 교육 및 지도에 관한 업무, 그 밖에 주민의 건강증진에 관한 업무를 수행한다.

## 3 지역보건

### 1) 우리나라의 보건기관

우리나라의 지역 보건기관은 크게 시·도의 보건과, 시·군·구의 보건소, 그리고 보건지소와 건강생활지원센터, 보건진료소로 이루어져 있다.

「보건소법」이 개정된 1962년 이후 보건소는 급격하게 증가하였으나, 1970년 이후에는 지방자치단체의 통합에 의해 감소하기도 하고, 또 대도시에서 구(區)의 분리에 의해 증가하기도 하였다. 하지만 「지역보건법」의 제정 이후에는 큰 변화가 없다. 그 동안 농어촌 인구가 급감하고 교통수단이 발달하는 등의 사회적 변화가 있었지만 보건지소와 보건진료소의 수는 1980년 이후 큰 변화가 없이 유지되고 있다. 반면, 건강생활지원센터는 2015년 14개소에서 2020년 12월 현재 77개소로 증가되었다.

지역보건기관의 설치 근거는 「지역보건법」과 「농어촌 등 보건의료를 위한 특별조치법」에 근거하고 있으며, 각 설치기준은 [표 2-10]과 같다. 시도별 지역보건기관의 현황은 [표 2-11]과 같다.

**표 2-10 보건소 등 설치 기준**

| 구 분 | 설치 근거 | 설치 기준 |
|---|---|---|
| 보건소 | 「지역보건법」 제10조, 동법 시행령 제8조 | 시·군·구별 1개소(다만, 지역주민의 보건의료를 위하여 특별히 필요하다고 인정되는 경우에는 필요한 지역에 보건소를 추가 설치·운영) |
| 보건지소 | 「지역보건법」 제13조, 동법 시행령 제10조 | 읍·면별 1개소(보건소가 설치된 읍·면은 제외한다. 다만, 지역주민의 보건의료를 위하여 특별히 필요하다고 인정되는 경우에는 필요한 지역에 보건지소를 설치·운영하거나 여러 개의 보건지소를 통합하여 설치·운영) |
| 건강생활지원센터 | 「지역보건법」 제14조 동법 시행령 제11조 | 읍·면·동별 1개소(보건소가 설치된 읍·면·동은 제외한다) |
| 보건진료소 | 「농어촌 등 보건의료를 위한 특별조치법」 제15조 | 보건의료 취약지역 |

**표 2-11 시도별 지역보건기관 현황** (단위 : 개소, 2020.12.기준)

| 시도별 | 합계 | 보건소(보건의료원 포함) | 보건지소 | 건강생활지원센터 | 보건진료소 | 시도별 | 합계 | 보건소(보건의료원 포함) | 보건지소 | 건강생활지원센터 | 보건진료소 |
|---|---|---|---|---|---|---|---|---|---|---|---|
| 계 | 3,571 | 256 | 1,337 | 77 | 1,901 | 경기 | 344 | 46 | 121 | 16 | 161 |
| 서울 | 53 | 25 | 28 | 0 | 0 | 강원 | 254 | 18 | 100 | 7 | 129 |
| 부산 | 37 | 16 | 10 | 6 | 5 | 충북 | 270 | 14 | 96 | 2 | 158 |
| 대구 | 28 | 8 | 9 | 3 | 8 | 충남 | 408 | 16 | 151 | 6 | 235 |
| 인천 | 69 | 10 | 26 | 8 | 25 | 전북 | 405 | 14 | 150 | 4 | 237 |
| 광주 | 24 | 5 | 0 | 9 | 10 | 전남 | 570 | 22 | 215 | 6 | 327 |
| 대전 | 19 | 5 | 6 | 0 | 8 | 경북 | 560 | 25 | 223 | 1 | 311 |
| 울산 | 25 | 5 | 8 | 1 | 11 | 경남 | 419 | 20 | 173 | 5 | 221 |
| 세종 | 19 | 1 | 10 | 1 | 7 | 제주도 | 67 | 6 | 11 | 2 | 48 |

〈 자료원 : 보건복지부(2022). 보건복지통계연보 〉

### (1) 보건소

#### ① 보건소의 변천과정

보건소는 「지역보건법」 제1조에 의하면, 우리나라의 대표적인 지방보건행정조직으로 지역보건사업을 효율적으로 추진하여 지역주민의 건강증진에 이바지함을 목적으로 한다. 우리나라 보건소의 변천과정을 살펴보면 [표 2-12]와 같다.

**표 2-12 보건소의 변천과정**

| 년 도 | 내 용 |
|---|---|
| 1946년 | 보건소 시초인 모범 보건소 설립 |
| 1956년 | 「보건소법」 제정(시·도립 보건소 직제 완성) |
| 1958년 | 「보건소법 시행령」 공포 |
| 1962년 | 「보건소법」 전면 개정(시·군 보건소로 이관, 보건소 업무 13개 규정) |
| 1976년 | 「보건소법 시행령」 공포(보건소 설치기준 제정, 보건소장에 의사, 보건직 공무원 임용 가능) |
| 1980년 | 「농어촌 등 보건의료를 위한 특별조치법」 제정으로 보건진료소 설치 근거 마련 |
| 1991년 | 「보건소법」 개정(보건지소 설치 마련 및 보건소 업무 보완) |
| 1995년 | 「보건소법」이 「지역보건법」으로 전환, 「국민건강증진법」 제정 |
| 1999년 | 전국 18개 보건소건강증진프로그램 운영 |
| 2005년 | 도시보건지소 시범사업 실시 |
| 2007년 | 맞춤형 방문건강관리사업시행(방문건강관리 인력 2,000여 명 확대 배치) |
| 2010년 | 보건소 통합정보시스템 구축사업 실시 |
| 2013년 | 지역사회통합 건강증진사업 시작 |
| 2015년 | 도시보건지소의 건강생활지원센터 본격 전환 및 법적근거 마련 |

### ② 보건소의 조직

보건소의 설치는 「지역보건법」 제10조에 의하여 시·군·구에 대통령령으로 정하는 기준에 따라 해당 지방자치단체의 조례로 시·군·구별로 1개씩 보건소를 설치한다. 보건소를 추가로 설치하려는 경우에는 「지방자치법 시행령」 제75조에 따라 행정자치부장관은 보건복지부장관과 미리 협의하여야 한다.

보건소 조직은 「지방자치법」 제112조의 규정에 의거한다(지방보건법 제11조). 보건소의 조직기준을 정할 때 행정안전부장관은 미리 보건복지부장관과 협의하여야 하며(지역보건법 시행령 제9조 제1항), 보건소의 조직은 당해 시·군·구의 인구 규모, 지역 특성, 보건의료 수요 등을 감안하고 다른 지방자치단체와의 균형을 유지하여 합리적으로 정하여야 한다(지역보건법 시행령 제9조 제2항). 또한 보건소의 기능과 업무량이 변경될 경우에는 그에 따라 보건소의 조직과 정원도 조정하여야 한다(지역보건법 시행령 제9조 제3항).

우리나라 보건소 조직은 보건소마다 조금씩 상이하다. 하지만 일반적으로 특별시형, 광역시형, 일반시형, 도농통합시형, 군형, 보건의료원형으로 구별할 수 있다[그림 2-8].

현재 보건소의 조직은 1970~1980년대와 비교할 때 큰 변화가 없다. 여전히 수평적 분화와 수직적 분화의 정도가 낮고, 중앙집권적인 의사결정 구조를 가지고 있다. 보건소의 내·외부적 환경이 변하고 그에 따라 사업

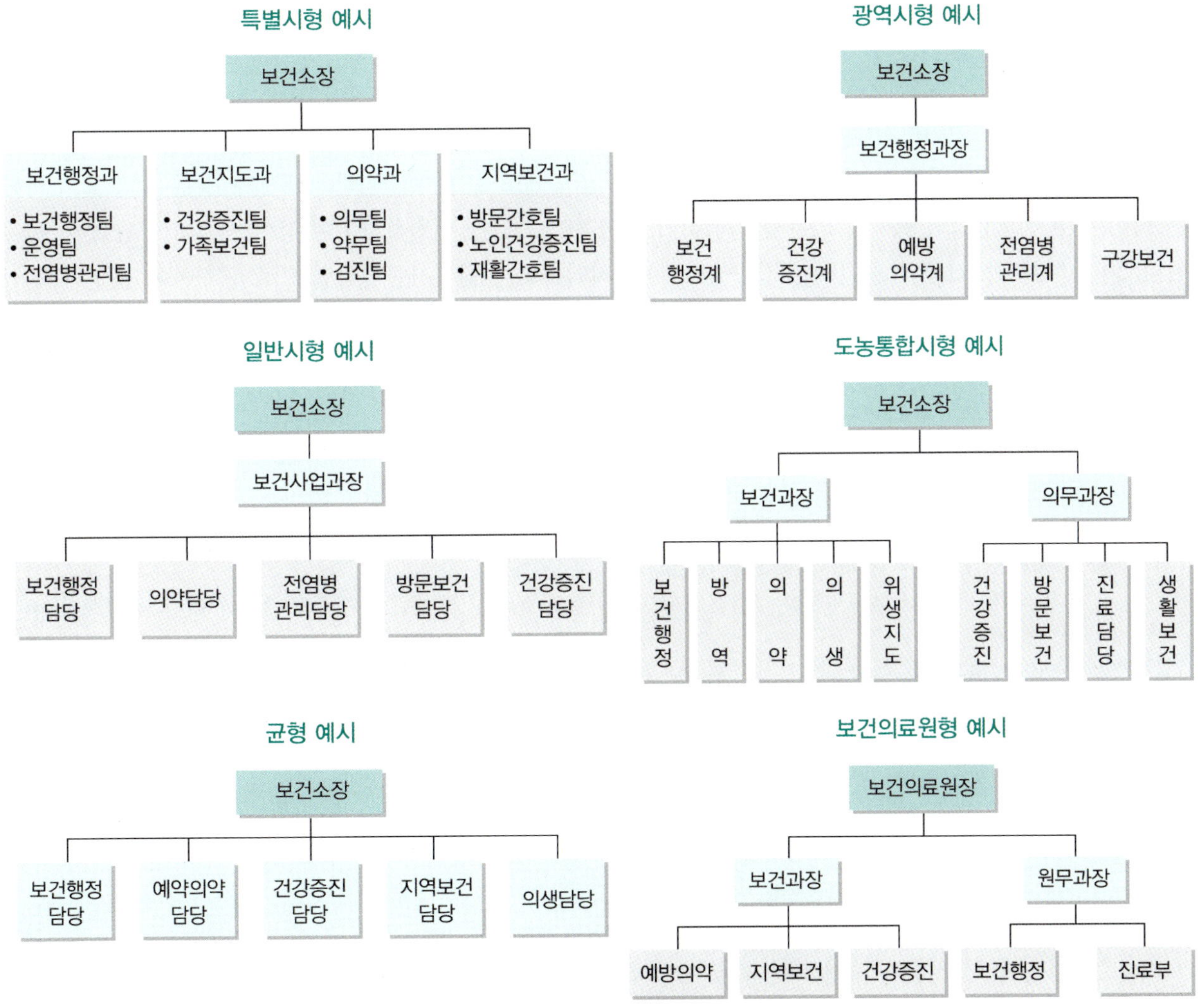


그림 2-8 보건소 조직체계의 예시

이 다양해진 현재에도 과거의 전염병 관리 중심의 조직모형으로는 효율적이고 효과적인 업무수행이 곤란하다. 따라서 자율성과 유연성을 강화하는 새로운 모형의 도입이 필요한 시점이다.

### ③ 보건소의 인력

보건소에 근무하는 총 인력의 수는 1995년 12,132명에서 2000년에는 10,929명으로 감소하였다가 2005년에 12,165명으로 회복되었다가 2020년에는 18,153명으로 다시 증가하였다.

보건소장은 「지역보건법 시행령」 제13조에 의거하여 1명을 두되, 의사 면허가 있는 사람 중에서 보건소장을 임용한다. 다만, 의사 면허가 있는 사람 중에서 임용하기 어려운 경우에는 「지방공무원 임용령」에 따른 직렬의 공무원을 보건소장으로 임용할 수 있다. 보건소장은 시장·군수·구청장의 지휘·감독을 받아 보건소의 업무를 관장하고 소속 공무원을 지휘·감독하며, 보건지소, 건강생활지원센터, 보건진료소의 직원 및 업무에 대하여 지도·감독한다.

보건소의 전문 인력 적정 배치는 「지역보건법」 제16조에 의하여, 의무·치무·약무·보건·간호·의료기술·식품위생·영양·보건통계·전산 등 보건의료에 관한 업무를 전담할 전문 인력을 두고 있다. 전문 인력 등의 면허 또는 자격의 종별에 따른 최소 배치기준은 보건복지부령으로 정하도록 명시되어 있다(지역보건법 시행령 제16조 규칙 제4조 제1항).

### ④ 보건소의 업무

보건소의 업무는 지역보건법에 토대를 두고 있다.

우리나라의 보건소 업무는 질병구조나 사회 환경의 변화에도 불구하고 기존 업무에 새로운 업무를 추가하는 방식이었다. 보건소의 복잡한 업무를 정리하여 핵심적인 사업을 선별하자는 주장이 제기되어 왔으며, 이에 따라 2013년부터는 기존의 보건소 건강증진사업을 '지역사회 통합건강증진사업'으로 변경하여 운영하고 있는 중이다.

보건소의 주요 기능 및 업무 내용은 다음과 같다.

**지역보건법 제11조(보건소의 기능 및 업무)**

① 보건소는 해당 지방자치단체의 관할 구역에서 다음 각 호의 기능 및 업무를 수행한다.

1. 건강 친화적인 지역사회 여건의 조성
2. 지역보건의료정책의 기획, 조사·연구 및 평가
3. 보건의료인 및 「보건의료기본법」 제3조 제4호에 따른 보건의료기관 등에 대한 지도·관리·육성과 국민보건 향상을 위한 지도·관리
4. 보건의료 관련기관·단체, 학교, 직장 등과의 협력체계 구축
5. 지역주민의 건강증진 및 질병예방·관리를 위한 다음 각 목의 지역보건의료서비스의 제공
   - 가. 국민건강증진·구강건강·영양관리사업 및 보건교육
   - 나. 감염병의 예방 및 관리
   - 다. 모성과 영유아의 건강유지·증진
   - 라. 여성·노인·장애인 등 보건의료 취약계층의 건강유지·증진
   - 마. 정신건강증진 및 생명존중에 관한 사항
   - 바. 지역주민에 대한 진료, 건강검진 및 만성질환 등의 질병관리에 관한 사항
   - 사. 가정 및 사회복지시설 등을 방문하여 행하는 보건의료사업
   - 아. 난임의 예방 및 관리

> ② 보건복지부장관이 지정하여 고시하는 의료취약지의 보건소는 제1항 제5호 아목 중 대통령령으로 정하는 업무를 수행할 수 있다.
> ③ 제1항 및 제2항에 따른 보건소 기능 및 업무 등에 관하여 필요한 세부 사항은 대통령령으로 정한다.

### (2) 보건지소

보건지소는 「지역보건법」 제13조에 근거하여 지방자치단체의 조례로 설치할 수 있다. 보건지소의 설치에 대한 기준은 「지역보건법 시행령」 제10조에 따라서 보건소가 설치된 읍·면을 제외한 읍·면마다 1개소씩 설치할 수 있다. 다만, 지역주민의 보건의료를 위하여 특별히 필요하다고 인정되는 경우에는 필요한 지역에 보건지소를 설치·운영하거나 여러 개의 보건지소를 통하여 설치·운영할 수 있다.

1980년 12월 「농어촌 보건의료를 위한 특별조치법」이 공포되며 이에 따라 공중보건의사제도가 신설되면서 이들을 보건지소에 배치하며 보건지소가 활성화되기 시작하였다.

「지역보건법 시행령」에 의거, 보건지소의 인력은 의사, 치과의사, 간호사(또는 간호조무사), 치과위생사로 구성되며, 최소배치기준은 6명으로 규정되어 있다.

한편 보건복지부는 취약인구의 대다수가 도시에 거주하나 도시지역에는 건강증진, 만성질환관리 등 보건서비스를 제공할 보건기관 인프라가 부족하여 서비스의 접근성이 낮다는 명분하에 2005년부터 도시에도 보건지소를 건설하기 시작하였다. 하지만, 도시보건지소의 큰 사업규모 및 진료기능 유인 등으로 지자체 확충이 저조하고, 진료기능을 둘러싼 민간과의 갈등 문제 등의 문제점이 지적되어 설치규모와 방식 등을 효율화 하여 지역 밀착형 건강관리 전담기능을 수행할 수 있는 '건강생활지원센터'의 모형으로 전환하기 시작하였으며, 2013년 시범 운영기간을 거쳐 2015년 「지역보건법」 개정을 통해 건강생활지원센터의 설치 근거를 마련하였다.

보건복지부는 보건지소와 보건진료소의 기능전환을 모색하고 있는데, 구체적인 내용은 다음과 같다.

- 도시지역의 보건지소는 민간에서 제공하기 어려운 건강증진 및 질병예방 서비스, 재활서비스 등은 강화하고 단순 진료를 최대한 제한하며 만성질환관리사업 등에서 발생하는 진료수요는 민간의료기관에 연계하는 체계를 구축한다. 도시지역 보건지소는 보건의료취약지수(노인 인구 비율, 의료급여 비율, 재정자립도, 등록 장애인 수 등)를 감안하여 취약지역에 우선 설치하고 자치단체가 직접 운영하는 방법 이외에 민간기관에 위탁하여 운영하는 방법 등을 검토한다.
- 농어촌지역은 교통, 통신 등의 발달과 보건의료 환경의 변화에 맞추어 오·벽지는 기존의 진료기능을 유지 또는 강화하되 도시화가 진행되어 민간의료기관이 충분히 분포된 지역은 도시보건지소의 운영모델에 따라 기능을 전환한다.

### (3) 건강생활지원센터

2020년 12월 기준 전국 건강생활지원센터 77개소에서 건강생활지원센터 정규사업을 실시하고 있다. 건강생활지원센터는 「지역보건법」 제14조에 의거하여 보건소의 업무 중에서 특별히 지역주민의 만성질환 예방 및 건강한 생활습관 형성을 지원하는 업무를 수행하고 있으며, 「지역보건법 시행령」 제11조에 의거하여 건강생활지원센터는 보건소가 설치된 읍·면·동을 제외한 읍·면·동마다 1개씩 설치할 수 있다.

### (4) 보건진료소

보건진료소는 오·벽지 주민의 건강관리를 위한 일차적인 창구역할을 수행하는 기관이다. 「농어촌 보건의료를 위한 특별조치법」에 근거하여 1980년 이후 도서지역은 300인 이상, 오·벽지 지역은 500인 이상에서 5,000인 이하 지역의 의료취약지역에 설치하도록 되어 있으나 이농현상으로 인해 관할인구는 계속 감소하였다. 2020년 기준 1,901개소가 운영되고 있다.

보건진료소는 보건진료소장 1명과 필요한 직원을 두되, 보건진료소장은 보건진료 전담공무원이 맡는다(농어촌 등 보건의료를 위한 특별조치법 제15조 제2항). 보건진료 전담공무원은 간호사·조산사 면허를 가진 사람으로서 보건복지부장관이 실시하는 24주 이상의 직무교육을 받은 사람이어야 한다(농어촌 등 보건의료를 위한 특별조치법 제16조 제1항).

보건진료 전담공무원의 역할은 진료업무와 기타업무로 구분된다. 진료업무는 다음과 같다.

**농어촌 등 보건의료를 위한 특별조치법 시행령 제14조 제1항**

1. 질병·부상의 상태를 판별하기 위한 진찰·검사
2. 환자의 이송
3. 외상 등 흔히 볼 수 있는 환자의 치료 및 응급조치가 필요한 환자에 대한 응급처치
4. 질병·부상의 악화 방지를 위한 처치
5. 만성병 환자의 요양지도 및 관리
6. 정상분만 시의 분만도움
7. 예방접종
8. 1~7호까지의 의료행위에 따르는 의약품의 투여

기타업무는 다음과 같다.

**농어촌 등 보건의료를 위한 특별조치법 시행령 제14조 제2항**

1. 환경위생 및 영양개선에 관한 업무
2. 질병예방에 관한 업무
3. 모자보건에 관한 업무
4. 주민의 건강에 관한 업무를 담당하는 사람에 대한 교육 및 지도에 관한 업무
5. 그 밖에 주민의 건강증진에 관한 업무

## 2) 지역보건의료계획

보건소의 주요 기능 중 하나는 지역보건의료계획을 수립하는 것이다. 지역보건의료계획은 기초 및 광역단체 수준에서 지역실정에 맞는 지역보건의료계획을 수립 및 시행함으로써 지역주민의 보건의료서비스 질을 향상시키고 궁극적으로 주민건강 향상에 기여함을 목적으로 한다. 1995년 「지역보건법」에 근거하여 지역보건의료계획 및 연차별 시행계획 수립과 연차별 시행결과 보고를 의무화하고 있다. 또한 지방자치단체 보건사업계획 수립의 효율화, 업무부담 완화 등을 위해 2009년부터 각종 보건사업 계획을 지역보건의료계획으로 통합하여 수립하고 있다.

지역보건의료계획에 포함되어야 하는 내용은 다음과 같다.

> **지역보건법 제7조 제1항**
> 1. 보건의료 수요의 측정
> 2. 지역보건의료서비스에 관한 장기·단기 공급대책
> 3. 인력·조직·재정 등 보건의료자원의 조달 및 관리
> 4. 지역보건의료서비스의 제공을 위한 전달체계 구성 방안
> 5. 지역보건의료에 관련된 통계의 수집 및 정리

또한 「지역보건법 시행령」 제4조에서는 지역보건의료계획의 내용을 크게 시·군·구와 시·도로 구분하여 제시하고 있다[표 2-13].

1996년에 제1기 지역보건의료계획(1997~1998년)이 수립되었으며, 1998년에는 제2기 지역보건의료계획(1999~2002년)을 수립하였다. 2002년에 진행된 제2기 지역보건의료계획 평가는 서류평가와 더불어 현지확인 평가를 병행하여 전국의 보건소를 대상으로 진행하였다.

2002년에 제3기 지역보건의료계획(2003~2006년)을 수립하고 이를 평가하였다. 2003년부터 2006년까지 매해 지역보건의료계획 연차별 시행계획 및 시행 결과를 수립한 내용을 평가하여 모니터링을 실시하였다.

2007년에 제4기 지역보건의료계획(2007~2010년)을 수립하고 이를 평가하였다. 제3기와 마찬가지로 매해 지역보건의료계획 연차별 시행계획 및 시행 결과를 작성하였으나, 지자체의 업무부담 경감과 업무 효율성 향상을 위해 계획 및 평가 방식을 변경하였다. 이때부터 개별적으로 수행되던 보건사업 평가를 지자체 보건사업 통합평가로 추진하기 시작하였다.

2010년 제5기 지역보건의료계획(2011~2014년)이 수립되어 추진되었으며, 2014년 제6기 지역보건의료계획(2015~2018년), 2018년 제7기 지역보건의료계획(2019~2022년)을 거쳐 2023년 현재 제8기 지역보건의료계획(2023~2026년)이 시행되고 있다[그림 2-9].

**표 2-13 시·군·구 및 시·도의 지역보건의료계획 내용(지역보건법 시행령 제4조)**

| 구분 | 내용 |
|---|---|
| 시·도 및 시·군·구 공통사항 | 1. 지역보건의료계획의 달성 목표<br>2. 지역현황과 전망<br>3. 지역보건의료기관과 보건의료 관련기관·단체 간의 기능 분담 및 발전 방향<br>4. 법 제11조에 따른 보건소의 기능 및 업무의 추진계획과 추진현황<br>5. 지역보건의료기관의 인력·시설 등 자원 확충 및 정비 계획<br>6. 취약계층의 건강관리 및 지역주민의 건강상태 격차 해소를 위한 추진계획<br>7. 지역보건의료와 사회복지사업 사이의 연계성 확보 계획 |
| 시·도(광역단위) 포함사항 | 8. 의료기관의 병상(病床)의 수요·공급<br>9. 정신질환 등의 치료를 위한 전문치료시설의 수요·공급<br>10. 시·군·구 지역보건의료기관의 설치·운영 지원<br>11. 시·군·구 지역보건의료기관 인력의 교육훈련<br>12. 지역보건의료기관과 보건의료 관련기관·단체 간의 협력·연계 |

**제1기**
1997~1998
- 농어촌 의료서비스 개선사업 신청서 일부로 시작

**제2기**
1999~2002
- 농어촌 의료서비스 개선사업으로 형식적인 계획 수립

**제3기**
2003~2006
(본격적 시행)
- 명실상부한 보건의료종합계획으로서 지역보건의료계획 본격 수립 시작
- 핵심사업 도입 및 개별사업 수립

**제4기**
2007~2010
- 중점과제 선정하여 주요 보건사업에 대한 중장기전략 수립
- 현황분석을 통해 도출된 건강문제를 이해관계자와 협의

**제5기**
2011~2014
- 비전 및 목표, 실행 방안을 전략적으로 제시
- 중점과제 및 과학적 진단 강화로 지자체 보건의료종합계획으로서의 역할 제고

**제6기**
2015~2018
- 다부문간 공조, 협력과 국민 건강증진종합계획과의 연계성 있는 계획 수립 강조
- 지역사회 전체 보건 의료정책에 대한 총괄관리 기능 강화

**제3기**
2019~2022
- 정책방향 공유 및 광역 리더십 강화
- 성과관리 및 환류 내실화
- 보건의료서비스 접근성 강화 및 건강격차 해소 도모
- 다양한 구성원의 참여 및 계획의 연계 강화

**제8기**
2023~2026
- 제7기 지역보건의료계획 기본 틀 유지, 이행력 제고
- 중앙 정책방향 공유 및 광역–기초 간 소통 강화
- 인구구조 변화, 신종감염병, 만성·정신질환 증가, 기술혁신, 기후변화, 건강격차 감소 등 보건의료 환경 및 정책 변화 대비 강조

〈 자료원 : 보건복지부. 한국건강증진개발원(2022). 제8기 지역보건의료계획 수립 안내 〉

**그림 2-9** 지역보건의료계획 추진 경과

제8기 지역보건의료계획의 기본방향은 다음과 같다.

**제8기 지역보건의료계획의 특징**

① 제7기 지역보건의료계획 기본 틀 유지, 이행력 제고
② 중앙 정책방향 공유 및 광역–기초 간 소통 강화
③ 인구구조 변화, 신종 감염병, 만성·정신질환 증가, 기술혁신, 기후변화, 건강격차 감소 방안 등 보건의료 환경 및 정책변화 대비 강조

지역보건의료계획과 지역보건의료계획 시행계획 및 시행결과를 비교하면 [표 2-14]와 같다.

**표 2-14** 지역보건의료계획과 지역보건의료계획 시행계획 및 시행결과 비교

| 구 분 | 지역보건의료계획 | 지역보건의료계획 시행계획 | 지역보건의료계획 시행결과 |
|---|---|---|---|
| 수립주체 | 시·도 및 시·군·구 | | |
| 수립시기 | 4년마다 | 매년 | 매년 |
| 수립절차 | • 주민·전문가 등의 의견 수렴<br>• 지역 내 보건의료실태조사 의회 의결 등 | • 의회의결 거치지 않음<br>• 지역보건의료심의위원회 심의를 거침 | • 의회의결 거치지 않음<br>• 지역보건의료심의위원회 심의를 거침 |
| 수립내용 | 4년간의 중장기 총괄계획 | 지역보건의료계획을 근거로 당해 연도 사업수행을 위한 세부 실행계획 | 지역보건의료계획 시행계획에 따른 시행결과 |

# 4 우리나라 주요 보건정책

## 1) 우리나라 보건의료정책의 변화

국가의 보건의료정책은 사회경제적 환경 요인뿐 아니라 시대적 상황에 영향을 받으며 변화한다. 우리나라의 보건의료정책 변천과정을 시기별로 살펴보면, 광복과 전쟁 이후 국가의 기본적 보건체계를 확립하던 1945~1950년대, 기본체계 형성 후 보건의료의 기초 인프라 조성에 집중하던 1960~1970년대, 국민건강보험의 단계적 확대 및 완성 등 보건의료 인프라를 확충하였던 1980년대, 보건정책의 성숙기에 해당하는 1990년대, 보건의료 선진화에 중점을 둔 2000년대, 보건의료체계 효율화를 위해 노력하고 있는 2010년 이후로 나누어 설명할 수 있다[그림 2-10].

**1945~1950년대** — **전후 복구 및 기초법령 제정에 초점**
- 급성전염병 관리, 의료구호사업, 해외 원조에 의한 의료시설 재건 등의 사업 중심
- 보건소법, 국민의료법, 약사법, 전염병 예방법, 마약법, 대한 약전 등의 법규 제정

**1960~1970년대** — **보건의료의 기초 인프라 조성**
- 인구조절을 국책사업으로 한 가족계획사업, 모자보건사업, 결핵관리사업 등을 통한 보건소 예방관리체계 구축, 의료급여(보호)사업과 건강보험사업 등의 기반 조성

**1980년대** — **취약지역 보건의료 인프라 확충**
- 일차보건의료제도 도입, 농어촌 등 보건의료 특별조치법 제정, 공중보건의, 보건진료원 배출
- 외국 차관을 통한 모자보건센터, 취약지 병원건립 및 시설 장비의 확충
- 전국민 건강보험 달성

**1990년대** — **보건인프라 발전을 정책방향으로 설정**
- 보건소 현대화, 의약품 유통 현대화, 식품의약품안전청 설립
- 응급의료에 관한 법률, 국민건강증진법, 보건의료기술진흥법, 정신보건법, 장기이식 등에 대한 법률 제정, 지역보건법

**2000년대** — **보건의료의 선진화**
- 사회안전망 확충, 저출산 고령화 사회 대응, 국민의 건강과 안전보장 강화
- 공공보건정책, 혈액수급 및 안전관리, 장기기증 및 이식 정책 등의 구체적 사업
- 국민건강증진종합계획 수립(HP2010)

**2010년 이후** — **보건의료체계의 효율화**
- 통합건강증진사업 출범, 재난 및 안전관리 강화, 제2차 저출산 · 고령화 기본계획 수립
- 제3차 국민건강증진종합계획 수립(HP2020), 취약계층 의료안전망 내실화

그림 2-10 우리나라 보건정책의 변천

### (1) 1945~1950년대 보건정책

1945년 광복 이후 미군정은 일제강점기의 관료주의적 경성부 체제에서 벗어나 이 군정청 내 보건후생부를 두고 사회, 보건, 노동 등을 포함한 보건의료정책을 담당하게 하였다. 그러나 1950년 한국전쟁으로 인해 광복 이후 이뤄온 사회경제 질서와 의료기관 등의 사회제반 시설이 대부분 파괴되고, 전후 취약한 환경위생 상태로 인한 전염병 창궐 등으로 높은 출생률과 사망률, 낮은 평균수명, 낮은 의료접근 등 전형적인 후진국형 보건의료 상황이 되었다. 따라서 보건의료정책은 방역행정과 구역행정에 집중되었으며, 1958년 「보건소법」 제정 및 1962년 「보건소법」 전면개정을 통해 전국 보건소 조직망을 갖추어 기생충, 결핵, 한센병 등 감염성질환의 퇴치정책 등을 실시하였다.

### (2) 1960~1970년대 보건정책

1960년대는 경제개발계획의 시작과 함께 경제정책을 뒷받침할 수 있는 인구 및 가족계획정책과 필수적 질병관리 등의 기본적인 정책만이 추진되는 상황이었다. 이 시기, 가족계획정책의 일환으로 수행된 대표적인 보건정책으로는 국가보건의료사업체인 보건소망 구축 및 민간 보건의료단체인 대한가족계획협회 등의 체계화, 무의촌 지역해소를 위한 정책적 노력을 들 수 있다.

1970년대 가족계획사업과 모자보건사업 및 결핵관리사업 등 공공부문을 통한 보건사업이 보건정책의 핵심을 이루었으며, 이는 출산율과 감염병 발생률을 낮추는 성과를 낳았다. 1970년대 중반 이후 경제성장의 성과를 분배하는 과정에서 의료이용의 불균형 문제가 사회정책의 주요 의제로 형성되어 1977년 의료급여사업과 건강보험사업이 보건정책의 핵심으로 등장하였다.

### (3) 1980년대 보건정책

정부의 성장 중심 정책기조와 민간 주도 시장원리를 근간으로 하는 정책 경향이 계속되는 가운데 1978년 세계보건기구(WHO)의 알마타 선언으로 국내에서도 일차보건의료사업의 중요성이 대두되었다. 1980년 「농어촌 등 보건의료를 위한 특별조치법」을 통한 보건진료원 제도가 도입되었고, 건강보험이 제도화 되어 1989년에 건강보험제도의 도입 12년 만에 전국민건강보험이 실시되었다.

이 시기는 보건정책의 양적 확대를 통해 모든 국민에게 최소의 의료를 제공하는 데 초점을 두어 국민들의 기본적 의료요구 충족을 위한 정책적 관심이 태동되었지만 여전히 질병치료 위주의 소극적 건강관리정책 수준에서 크게 벗어나지는 못하였다.

### (4) 1990년대 보건정책

1980년대 건강보험의 정착으로 보건의료의 양적인 규모확대와 건강과 의료에 대한 국민의식의 변화를 초래하였으나, 이에 따른 의료 이용의 증가와 의료비 상승, 의료에 대한 소비자 권리의식의 확산, 현대 의료기술의 발전과 복잡성 증대 등은 보건정책의 범위와 내용을 크게 확대 시키는 결과를 낳았다. 따라서 1990년대 보건의료정책은 그간의 보건의료서비스의 양적 확대 정책을 체계화 하는 작업을 통해 국민보건의 질적 향상에 중점을 두었다.

1990년대 주요 보건정책으로 의료서비스 공급의 비효율을 해결하기 위한 의료전달체계 마련, 「정신보건법」 제정 등의 정신보건 정책, 농어촌 보건소 개선을 위한 농어촌 의료서비스 개선사업, 의료서비스 평가사업,

응급의료체계 확립, 국민의료비 절감을 위한 포괄수가제도 시범사업 등의 정책이 시행되었다. 또한, 1995년 「국민건강증진법」의 제정과 「지역보건법」 개정을 통해 건강증진정책이 활발하게 이루어지기 시작하였다.

1998년 국민의 정부에서는 형평성을 강조하고 국가개입을 강화하는 정책기조 하에 건강보험 관리조직 및 재정 통합 등의 국민건강보험제도의 개편, 의약품 오남용을 막기 위한 의약분업 등의 정책이 시행되었다.

### (5) 2000년대 보건정책

2000년 이후는 보건의료의 질 향상과 선진화기로 보건정책은 공공보건의료의 확충과 보장성 강화에 초점을 맞추면서 의료산업의 발전에 관심을 보이기 시작하였다. 2000년 「공공보건의료에 관한 법률」을 제정함으로써 양질의 공공보건의료를 효율적으로 제공하여 국민보건을 향상시키는 공공보건의료 개념을 제도화 하였으며, 2002년부터 건강증진종합계획을 수립하여 체계적인 건강증진사업의 기초를 수립하게 되었다. 또한, 2000년 8월 노인요양보장제도의 도입이 제시되었으며, 2005년부터 시범사업을 실시하여 2008년 노인장기요양보험제도가 시행되기 시작하였다. 또한, 급격한 출산율 저하와 인구 노령화 문제가 사회적 문제로 대두되면서 저출산·고령화 사회에 대비하기 위한 다양한 정책이 제시되었다.

### (6) 2010년 이후 보건정책

그동안 정부는 효율적이고 형평성 있는, 그리고 의료서비스의 질을 향상시킬 수 있는 보건의료체계 구축을 위해 다양한 노력을 기울여 왔지만, 여전히 심화되고 있는 저출산·고령화 및 사회계층간 건강불평등 문제 등은 앞으로 해결해야 하는 주요과제이며, 2020년 COVID-19 감염병으로 인한 팬데믹과 나날이 심각해져 가는 기후변화 위기 등에 대응하기 위한 전략이 요구되고 있다.

2021년 제5차 국민건강증진종합계획(Health Plan 2030)과 제4차 저출산·고령화 기본계획을 발표하였으며, 재난 및 안전관리의 강화, 지역사회 통합건강증진사업을 통한 효율적인 건강증진사업의 제공, 의료취약계층의 의료안전망 내실화, 보건의료의 선진화 및 보건의료체계의 효율화 등을 위한 노력을 기울이고 있다.

## 2) 보건환경 및 보건정책 변화

코로나19 감염병에 따른 팬데믹 상황은 우리의 일상 곳곳에까지 영향을 미치면서 미래대응의 중요성은 더욱 부각 되고 있다. 보건정책 내에서는 감염병 대응을 비롯하여 인구고령화에 따른 고령자 질환 관리, 노인자살률이 이미 중요한 사회적 문제로 논의되고 있다. 또한 기후환경의 변화가 가속화될 것으로 전망되는 상황에서, 그에 따른 다양한 건강 문제에 대해 보건정책적 대응의 필요성이 높아지고 있으며, 더불어 미래기술 발전에 따른 변화와 부작용에 대한 준비도 요구되어 지고 있다. 세계보건기구는 향후 10년간 공중보건 분야 우선순위 과제를 기후위기로 인한 건강문제 해소, 분쟁지역의 보건의료서비스 제공, 건강격차 및 불평등 해소, 의약품 접근성 확대, 감염성 질환 확산 방지, 감염병 대유행 예방 및 대비, 건강위해물질/식품으로부터 보호, 보건의료인력에 대한 투자 확대, 청소년 건강 및 안전 보장, 공중보건에 대한 대중의 신뢰 확보, 새로운 기술의 활용, 항생제 내성 대응, 위생 수준 강화의 13가지로 제시하고 있다.

코로나19 이후 창출된 새로운 보건의료 수요 외에도 전통적으로 가지고 있던 보건의료체계의 문제의식이 시대의 변화와 함께 더욱 부각되고 있는 상황이다. 대부분 국가에서는 인구고령화에 따라 현재 세대와 미래 세대의 부양 부담이 증가하고, 저성장 고착화로 인해 의료비 지출이 경제성장률을 상회하는 수준으로 증가해 어려움을 겪고 있다. 또한 다양화·세분화되어 가는 의료수요에 대응하지 못하는 의료이용체계, 공공성과 혁신의 대립 속에서 제도권으로 포괄되지 못하는 혁신기술 등 전통적인 보건의료 정책 패러다임의 접근으로는 해결이 어려운 복합적 문제들이 증가하고 있다. 이러한 문제점들은 대부분 국가에서 공통적으로 나타나고 있는 현상이며, 이에 대응하기 위한 보건정책 개혁을 위한 노력을 기울이고 있다.

코로나19 이후 새로운 보건의료정책의 수요는 다음과 같다[그림 2-11].

| | 코로나 19 이후, 일상의 변화 | 새로운 보건의료 정책 수요 |
|---|---|---|
| 공간의 재정의 | 내가 살고 있는 **동네**, **집**에서 모든 걸 해결 (Localism) | 시간적–공간적 제약과 격차 없이 삶터에서 단절 없는 양질의 의료이용 |
| 건강 더 중시 | 나와 가족의 **건강과 안녕**을 최우선 (Health and Safety First) | 건강활력–치료, 신체–마음건강까지 포괄하는 포용적 건강성과 달성 |
| 디지털 대전환 | 언택트, 온택트로 인한 **디지털**의 일상화 (Digital Transformation) | 국민 생활 속에서 체감할 수 있는 디지털 헬스케어 활성화 |
| 국가 역할 강화 | 일상의 회복을 위한 **공공역량** 강화 요구 (Great Government) | 국민건강에 꼭 필요한 정책은 공백 없이 과감하게 추진하는 국가 책임 강화 |
| 새 세대, 새 가치 | **공정**하고 **지속가능한** 미래에 대한 갈망 (Sustainability) | 현 세대와 미래 세대(MZ) 모두 신뢰할 수 있는 공정한 보건의료체계 구축 |

〈 자료원 : 여나금, 이재은(2022). 주요국의 보건의료 정책 개혁 동향. 보건복지포럼 〉

**그림 2-11 새로운 보건의료 정책 수요**

### 가. 지역의료체계 도입 및 구축의 중요성(Localism)

거주지와 가까운 곳에서 적절한 치료를 받을 수 있도록 지역 의료체계 도입 및 구축에 대한 투자가 확대되고 있다. 우리나라에서도 코로나19로 인한 지역 간 이동 제한 등에 따라 지역사회 내에서의 완결적 의료이용의 중요성이 더욱 강조되고 있으며, 병원 매개감염에 대한 두려움, 필요에서 필수 서비스 중심으로 병원 이용 문화가 전환되어 병원 밖 의료에 대한 관심이 증대되면서 집과 지역사회 내에서 의료-요양-돌봄 요구를 충족하기 위한 노력이 요구되고 있다.

### 나. 디지털 헬스케어 도입 가속화(Digital Transformation)

기술 발전, 인구 구조 변화, 코로나19 등 외부환경 변화에 따라 디지털 헬스케어·비대면 의료에 대한 관심과 투자가 증대되면서 의료이용 방식의 다변화를 위한 조치들이 이루어지고 있다. 우리나라에서도 코로나19로 비대면 진료 등 디지털 헬스케어에 대한 필요성이 더욱 부각되면서 향후 어떤 형태로든 비대면 진료가 도입될 전망이다. 따라서 국민의 건강관리 및 의료이용 접근성 향상에 기여할 수 있도록 디지털 헬스케어가 나아가야 할 방향을 설정하고, 이를 위한 사회적 합의 과정을 진행하는 것이 필요하다.

### 다. 공공의료 강화 등 정부의 역할과 책임 강화(Great Government)

공공의료 강화, 의료인력 확충 등 보건의료 분야에서 중앙정부의 역할과 책임이 강화되고 있다. 특히 양질의 우수한 의료인력을 충분히 확보 하는 것이 코로나19와 같은 위험 상황에서 가장 중요한 과제임이 확인됨에 따라 의료인력 양성에 대한 적극적인 투자가 이루어지고 있다. 우리나라에서도 코로나19가 건강·의료 취약계층에게 더 위협적으로 작동함에 따라 건강·의료 격차 해소를 위한 정부의 노력이 강조되고 있다. 그간 공백이 발생하는 취약 지역·서비스·영역 등에 대해 정부의 적극적인 투자를 강화하는 것을 두고 많은 논의가 진행되어 왔는데, 논의에만 그치지 않고 코로나19 위기를 통해 이러한 정책들이 현장에서 실현될 수 있는 추진력이 확보 될 필요가 있다.

### 라. 재정 지속가능성 확보(Sustainability)

불필요한 지출은 절감하되, 필요한 분야에 적극적으로 투자하는 방식을 통해 보건의료(건강보험) 재정 지속가능성을 확보하기 위한 노력을 추진 중이다.

우리나라도 매년 국민 의료비가 경제성장률을 상회하여 증가하는 등 보건의료 재정의 지속가능성 문제가 중요한 이슈로 대두되고 있다. 가까운 미래에 보건의료 분야의 재원 조달은 위기에 직면할 것으로 전망된다. 앞으로는 보험료를 쉽게 올리기 힘든 구조로, 잘 쓰는 방법에 대해 더 적절한 고민이 필요한 상황이다. 보건의료 재정의 지속가능성을 위해 국내총생산(GDP) 대비 국민 의료비 비율에 대한 범정부 차원의 관리 체계를 마련하는 동시에 보건의료 문제에 대한 혁신적인 해결책 모색을 위해 더욱 적극적으로 투자할 필요가 있다.

## 3) 보건의료 관련법과 지역사회 간호실무

보건의료 법령은 다양하고 복잡한 보건의료 환경의 변화 속에서 일하는 보건의료인들을 통제하는 기능뿐 아니라 법에 대한 바른 이해를 통해 보건의료를 촉진시키는 역할을 한다. 따라서 간호사는 예측하기 어려운 다양한 환경에서 대상자의 요구와 권리를 충족시키고, 여러 변화에 효율적으로 대응해 나갈 수 있는 역량을 개발하기 위해 국가 보건의료정책에 대한 이해와 의약관계법령에 대해 숙지하고 적용할 수 있어야 한다.

특히 지역사회간호사가 지역사회 간호진단에 앞서 간호기준 및 업무지침을 적용해 도출된 건강문제 중 지역사회 간호문제를 확정하기 위하여 간호기준 및 업무지침으로 활용되는 것이 각종 법령, 규정, 기준, 기침, 업무분장표 등이며, 업무 수행에 있어 가장 중요하고 기초가 되는 기준이 각종 보건의료 법령이라 할 수 있다. 지역사회간호사의 실무에 필요한 국내 보건의료 관계법령은 [표 2-15]와 같다.

**비전**

**코로나19 위기극복을 위해 끝가지 최선을 다하고,**
**포용적 선도국자로 도약하는 대한민국을 만들겠습니다!**

**중점 목표**

- 코로나19 위기극복 및 일상회복
- 포용적 복지 안착 및 성과 가시화
- 변화에 대비하는 미래 대응력 강화

**핵심 추진 과제**

**위기극복과 일상회복**
"코로나 위기를 극복하고, 국민의 생명·안전을 끝까지 지키겠습니다."

① 코로나19 위기극복 및 단계적 일상회복 연착륙
- 의료대응체계 구축
- 단계적 거리두기 개편
- 적극적 백신접종 및 방역 대응

② 안전한 건강·의료 체계 구축
- 안전하고 튼튼한 의료시스템 구축
- 온 국민 건강관리·마음회복
- 모두가 신뢰하는 의료 생태계

**포용적 복지국가 안착**
"포용적 회복과 격차해소를 통해 국민의 삶을 끝까지 책임지겠습니다."

③ 소득지원 확대
- 취약계층 소득지원 강화
- 청장년 투자 확대
- 중층적 노후소득 보장 및 장애인 지원
- 전달체계 고도화를 통한 체감도 향상

④ 돌봄보장 강화
- 아이와 부모가 행복한 돌봄
- 아동보호 종합지원체계 내실화
- 노인·장애인 돌봄 강화
- 돌봄의 공공성 제고·스마트 기반 확대

**미래 선도국가 도약**
"바이오헬스를 혁신성장 동력으로 육성하고, 인구변화 적응력을 제고하겠습니다."

⑤ 바이오헬스 산업 혁신
- K-글로벌 백신 허브
- 디지털 뉴딜 기반 미래 헬스케어
- 바이오 혁신 생태계 조성 및 유망 바이오 분야 육성

⑥ 인구구조 변화 대응
- 영아기 집중투자
- 노후생활 지원
- 청년 정책 지원 강화
- 사회보험 재정 관리

〈 자료원 : 보건복지부(2022). http://www.mohw.go.kr 〉

**그림 2-12** 2022년 보건복지부 주요 업무 추진 계획

**표 2-15** 지역사회 간호실무에 필요한 보건의료 관계법령

| 법 령 | 목 적 |
|---|---|
| 의료법 | 모든 국민이 수준 높은 의료 혜택을 받을 수 있도록 국민의료에 필요한 사항을 규정함으로써 국민의 건강을 보호하고 증진함 |
| 보건의료기본법 | 보건의료에 관한 국민의 권리·의무와 국가 및 지방자치단체의 책임을 정하고 보건의료의 수요와 공급에 관한 기본적인 사항을 규정함으로써 보건의료의 발전과 국민의 보건 및 복지의 증진에 이바지함 |
| 지역보건법 | 지역보건의료기관의 설치·운영 및 지역보건의료사업의 연계성 확보에 필요한 사항을 규정함으로써 보건행정을 합리적으로 조직·운영하고, 보건시책을 효율적으로 추진하여 국민보건의 향상에 이바지함 |
| 농어촌 등 보건의료를 위한 특별조치법 | 보건의료취약지역의 주민 등에게 보건의료를 효율적으로 제공함으로써 국민이 고르게 의료혜택을 받게 하고 국민의 보건을 향상시키는 데 이바지함 |
| 국민건강증진법 | 국민에게 건강에 대한 가치와 책임의식을 함양하도록 건강에 관한 바른 지식을 보급하고 스스로 건강생활을 실천할 수 있는 여건을 조성함으로써 국민의 건강을 증진함 |

**표 2-15 지역사회 간호실무에 필요한 보건의료 관계법령** (계속)

| 법 령 | 목 적 |
|---|---|
| 국민건강보험법 | 국민의 질병·부상에 대한 예방·진단·치료·재활과 출산·사망 및 건강증진에 대하여 보험급여를 실시함으로써 국민보건 향상과 사회보장 증진에 이바지함 |
| 의료급여법 | 생활이 어려운 사람에게 의료급여를 함으로써 국민보건의 향상과 사회복지의 증진에 이바지함 |
| 모자보건법 | 모성(母性) 및 영유아의 생명과 건강을 보호하고 건전한 자녀의 출산과 양육을 도모함으로써 국민보건 향상에 이바지함 |
| 학교보건법 | 학교의 보건관리와 환경위생정화에 필요한 사항을 규정하여 학생과 교직원의 건강을 보호·증진함 |
| 산업안전보건법 | 산업안전·보건에 관한 기준을 확립하고 그 책임의 소재를 명확하게 하여 산업재해를 예방하고 쾌적한 작업환경을 조성함으로써 근로자의 안전과 보건을 유지·증진함 |
| 정신보건법 | 정신질환의 예방과 정신질환자의 의료 및 사회복귀에 관하여 필요한 사항을 규정함으로써 국민의 정신건강증진에 이바지함 |
| 노인장기요양보험법 | 고령이나 노인성 질병 등의 사유로 일상생활을 혼자서 수행하기 어려운 노인 등에게 제공하는 신체활동 또는 가사활동 지원 등의 장기요양급여에 관한 사항을 규정하여 노후의 건강증진 및 생활안정을 도모하고 그 가족의 부담을 덜어줌으로써 국민의 삶의 질을 향상하도록 함 |
| 장애인복지법 | 장애인의 인간다운 삶과 권리보장을 위한 국가와 지방자치단체 등의 책임을 명백히 하고, 장애발생 예방과 장애인의 의료·교육·직업재활·생활환경개선 등에 관한 사업을 정하여 장애인복지대책을 종합적으로 추진하며, 장애인의 자립생활·보호 및 수당지급 등에 관하여 필요한 사항을 정하여 장애인의 생활안정에 기여하는 등 장애인의 복지와 사회활동 참여증진을 통하여 사회통합에 이바지함 |
| 치매관리법 | 치매의 예방, 치매환자의 진료·요양 및 치매퇴치를 위한 연구 등에 관한 정책을 종합적으로 수립·시행함으로써 치매로 인한 개인적 고통과 피해 및 사회적 부담을 줄이고 국민건강증진에 이바지함 |
| 재난 및 안전관리기본법 | 각종 재난으로부터 국토를 보존하고 국민의 생명·신체 및 재산을 보호하기 위하여 국가와 지방자치단체의 재난 및 안전관리체제를 확립하고, 재난의 예방·대비·대응·복구와 안전문화활동, 그 밖에 재난 및 안전관리에 필요한 사항을 규정함 |
| 환경정책기본법 | 환경보전에 관한 국민의 권리·의무와 국가의 책무를 명확히 하고 환경정책의 기본 사항을 정하여 환경오염과 환경훼손을 예방하고 환경을 적정하고 지속가능하게 관리·보전함으로써 모든 국민이 건강하고 쾌적한 삶을 누릴 수 있도록 함 |
| 후천성면역결핍증 예방법 | 후천성면역결핍증의 예방·관리와 그 감염인의 보호·지원에 필요한 사항을 정함으로써 국민건강의 보호에 이바지함 |
| 검역법 | 우리나라로 들어오거나 외국으로 나가는 운송수단, 사람 및 화물을 검역(檢疫)하는 절차와 감염병을 예방하기 위한 조치에 관한 사항을 규정하여 국내외로 감염병이 번지는 것을 방지함으로써 국민의 건강을 유지·보호 |
| 혈액관리법 | 혈액관리업무에 관하여 필요한 사항을 규정함으로써 수혈자와 헌혈자(獻血者)를 보호하고 혈액관리를 적절하게 하여 국민보건의 향상에 이바지함 |
| 응급의료에 관한 법률 | 국민들이 응급상황에서 신속하고 적절한 응급의료를 받을 수 있도록 응급의료에 관한 국민의 권리와 의무, 국가·지방자치단체의 책임, 응급의료제공자의 책임과 권리를 정하고 응급의료자원의 효율적 관리에 필요한 사항을 규정함으로써 응급환자의 생명과 건강을 보호하고 국민의료를 적정하게 함 |
| 감염병의 예방 및 관리에 관한 법률 | 국민 건강에 위해(危害)가 되는 감염병의 발생과 유행을 방지하고, 그 예방 및 관리를 위하여 필요한 사항을 규정함으로써 국민 건강의 증진 및 유지에 이바지함 |
| 마약류 관리에 관한 법률 | 마약·향정신성의약품(向精神性醫藥品)·대마(大麻) 및 원료물질의 취급·관리를 적정하게 함으로써 그 오용 또는 남용으로 인한 보건상의 위해(危害)를 방지하여 국민보건 향상에 이바지함 |
| 전문간호사 자격인정 등에 관한 규칙 | 의료법 제78조에 따라 전문간호사의 자격구분, 자격기준, 자격증, 그 밖에 자격인정에 관하여 필요한 사항을 규정함 |

### 4) 국민건강증진종합계획

우리나라는 1983년 전국 규모의 국민건강조사 실시 이후 1989년부터 한국보건사회연구원이 주관하는 보건의식행태조사를 매 3년마다 실시하고 있다. 1995년「국민건강증진법」제정 이후에는 기존의 국민건강조사 및 보건의식행태조사와 국민영양조사를 포함하는 국민건강영양조사를 1998년부터 매년 실시하여 국민들의 건강 수준을 평가하고 있다.

보건복지부에서는 국가 차원의 건강증진사업 추진을 위해 1998년부터 2001년까지 건강증진 거점 보건소를 중심으로 한 건강증진 시범사업을 실시하였으며, 2002년 제1차 국민건강증진 종합계획(Health Plan 2010, HP2010)을 발표하였다.

국민건강증진종합계획은「국민건강증진법」제4조에 근거하여 국민의 건강증진·질병예방을 위하여 건강증진정책의 방향을 제시하는 범정부적 중장기 종합계획으로 매 5년마다 수립하며, 10년 단위의 계획에 있어 중간평가(수립 이후 5년)와 최종평가(수립 이후 10년)를 통해 사업을 관리해 오고 있다[그림 2-13].

#### (1) 국민건강증진종합계획의 추진 경과

2002년 제1차 국민건강증진종합계획(HP2010)이 시작된 이후 2005년 HP2010의 중간평가 및 수정·보완을 통한 제2차 국민건강증진 종합계획(2006~2010)이 수립되어 시행되었으며, 2010년 WHO의 건강증진 개념, HP2010에 대한 평가, 건강문제와 관련된 우리나라 환경 및 보건의료환경 변화를 반영한 제3, 4차 국민건강증진종합계획(Health Plan 2020, HP2020)을 거쳐 현재는 제5차 국민건강증진종합계획(2021~2030)이 진행 중에 있다[표 2-16, 그림 2-14].

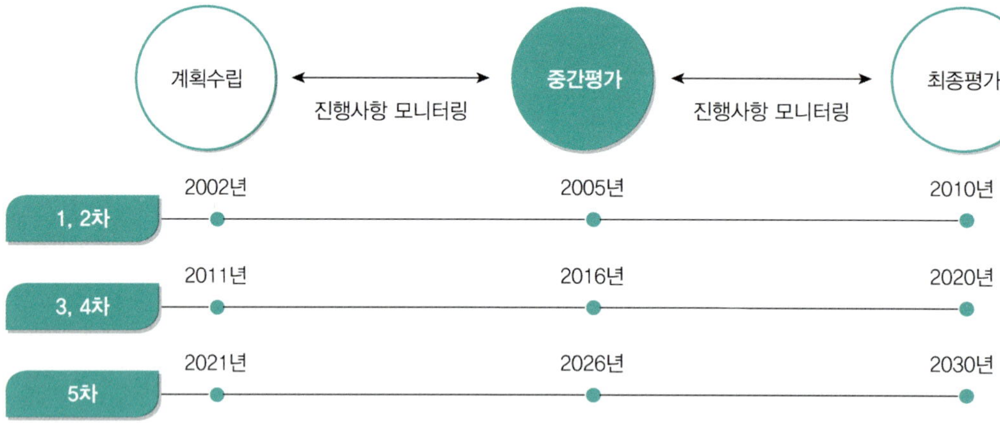


〈 자료원 : 한국건강증진개발원(2020). https://www.khealth.or.kr/healthplan 〉

그림 2-13 국민건강증진종합계획 평가 개요

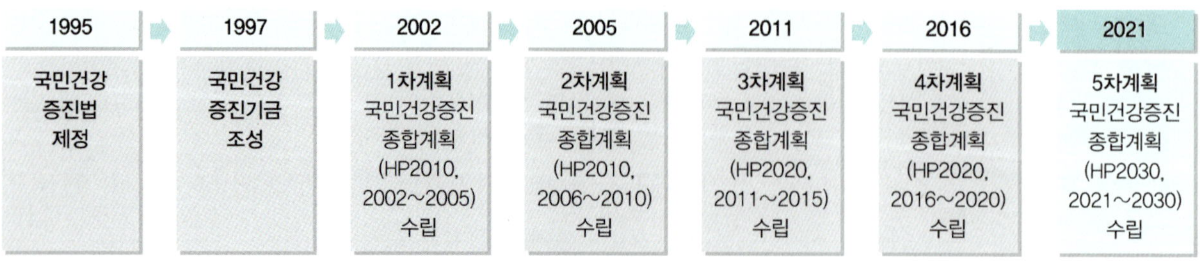


그림 2-14 국민건강증진종합계획 추진 경과

표 2-16 제1~4차 국민건강증진종합계획 개요

| 구분 | Health Plan 2010 | | Health Plan 2020 | |
|---|---|---|---|---|
| | 제1차('02~'10) | 제2차('06~'10) | 제3차('11~'20) 및 제4차('16~'20) | |
| 비전 | 75세의 건강장수 실현이 가능한 사회 | 온 국민이 함께하는 건강세상 | 온 국민이 함께 만들고 누리는 건강세상 | |
| 총괄목표 | 건강수명 연장<br>('02 66.0세 → '10 75.1세 목표) | 건강수명 연장<br>('06 67.8세 → '10 72.0세 목표) | 건강수명 연장<br>('10 71.4세 → '20 75.0세 목표) | |
| | – | 건강형평성 제고 | 건강형평성 제고 | |
| 대표지표 | – | 12개 | 16개 | 19개 |
| 세부사업 | 6개 분야<br>39개 사업 | 4개 분야<br>24개 중점과제<br>108개 사업 | 6개 분야<br>32개 중점과제<br>140개 사업 | 6개 분야<br>27개 중점과제<br>140개 사업 |
| 성과지표 | 40개 | 244개 | 405개 | 369개 |

〈 자료원 : 보건복지부(2022). 제5차 국민건강증진종합계획 개정판 〉

### (2) 제 1, 2차 국민건강증진종합계획(Health Plan 2010)

2002년 수립된 제 1차 국민건강증진종합계획은 '75세 건강장수 실현이 가능한 사회'를 비전으로 건강수명 연장을 총괄 목표로 하는 6개 분야, 39개 사업으로 구성되었으며, 제2차 국민건강증진종합계획에서는 '온 국민이 함께하는 건강세상'을 비전으로 하고, 건강수명 연장과 함께 건강형평성 제고를 총괄목표에 포함시키기 시작하였다. 하지만, 제 1, 2차 국민건강증진사업의 총괄목표인 건강수명 연장의 목표가 현실적으로 달성하기 어려운 목표량으로 측정되었으며, 건강형평성 역시 계층 간 불평등을 감소시킬 수 있는 명확한 목표가 설정되지 않았다. 세부 목표 역시 건강증진의 목표를 포괄적으로 제시하지 못한 지엽적인 목표이거나 부적절한 목표가 많았다는 한계가 있었다.

### (3) 제 3, 4차 국민건강증진종합계획(Health Plan 2020)

제 1, 2차 국민건강증진종합계획(Health Plan 2010)을 거치면서 정부는 미흡했던 부분을 대폭 보완하고, 사회 환경과 보건의료 환경변화를 반영하여 제3차 국민건강증진종합계획(Health Plan 2020)을 발표하였다.

HP2020에서는 WHO에서 제시한 포괄적인 건강의 시각(신체적, 정신적, 사회적 안녕의 상태)을 바탕으로 건강을 하나의 기본권으로서의 모든 사람에게 차별 없이 적용되어야 하는 건강형평성을 중요시 하였다. 또한, 건강결정요인 중 건강행동, 보건의료서비스제공 환경, 사회물리적 환경요인의 개선은 사업과제로서 중점적으로 적용하였으며, 건강과 건강결정요인에 대한 관리 능력 강화의 전략으로 방콕헌장에서 제시한 건강증진 전략을 기본방향으로 설정하였다[표 2-17, 표 2-18]. 2016년 제3차 국민건강증진종합계획의 평가를 통해 기존의 사업분야를 유지하되, 평가결과를 고려하여 유사과제 및 집중·강화가 필요한 과제를 통합하고, 사업의 효과적 추진을 위한 사업체계 관리분야를 포함한 제4차 국민건강증진종합계획(2016~2020)이 시행되었다. 제4차 국민건강증진종합계획에서는 계획을 추진함에 있어 집중 노력의 대상이 되는 중점과제를 건강결정요인을 중심으로 설정하고, 건강형평성 제고를 위한 건강격차 모니터링 지표 및 전략의 강화, 사전예방 중심 평생 건강관리 전략의 강화, 건강환경 조성 및 건강정책 추진체계 강화를 위한 개선책을 제시하였다.

**표 2-17 건강결정요인의 분류 및 건강 기여정도**

| 건강결정요인 | | | 건강 기여정도 | 사업 분야와의 관련성 |
|---|---|---|---|---|
| 대분류 | 중분류 | 소분류 | | |
| 개인적 요인 | 개인적 특성 | 생물의학적 요인 | 9~19% | 인구집단별 건강관리(생애주기별 건강관리, 건강취약집단 건강관리) |
| | 사회경제적 특성 | 개인의 사회경제적 요인 | 40% | |
| | 건강행동 | 건강행태 보건의료이용 | 22~51% | 건강생활실천 확산 |
| 환경적 요인 | 보건의료서비스 제공 환경 | 건강증진 | 10% | 예방중심의 상병관리 |
| | | 보건의료서비스 | | |
| | 사회적 환경 | 사회적 환경요인 | 2~20% | 안전 환경보건 |
| | 물리적 환경 | 물리적 환경요인 | | |

〈 자료원 : 보건복지부(2016). 제4차 국민건강증진종합계획 〉

**표 2-18 WHO의 건강 및 건강증진의 정의에 근거한 HP2020 방향 설정**

| WHO의 건강 및 건강증진 개념 | HP2020 적용 | |
|---|---|---|
| WHO에서는 오타와헌장, 방콕헌장 등에서 건강증진의 개념 및 실천 방향을 정함 | WHO의 건강증진에 대한 시각을 존중하여, 이를 근거로 계획을 수립함 | |
| 건강은 기본권으로서 존중하며, 건강형평성을 중요시 함 | 목표 : 건강형평성 추가 | |
| 변화대상은 건강결정요인이며, 건강결정요인 중 건강행동, 보건의료서비스 제공 환경, 사회 물리적 환경요인의 개선을 우선적으로 적용함 | **건강결정요인대분류**<br>• 개인사회적 특성<br>• 건강행동<br>• 보건의료서비스<br>• 사회물리적 환경 | **HP2020의 중점분야 적용**<br>• 인구집단별 접근<br>• 건강생활실천확산<br>• 예방중심의 상병관리<br>• 안전 환경 |
| 접근의 원칙은 개인의 주도적 참여를 유도하며, 이를 정부가 지원함 | 비전 : 온 국민이 함께 만들고 누리는 건강세상 | |
| 접근전략 : 주창, 투자, 역량함양, 법규 제정 및 규제, 파트너십의 형성 및 연대구축을 근간으로 함 | 접근전략, 인프라, 정보체계 재원 등 | |

〈 자료원 : 보건복지부(2016). 제4차 국민건강증진종합계획 〉

### (4) 제5차 국민건강증진종합계획(Health Plan 2030)

#### ① 제4차 국민건강증진종합계획 평가결과와 국가 건강수준 및 보건정책환경 변화 반영

제4차 국민건강증진종합계획을 통해 지역사회 중심의 건강증진 정책이 확대되고, 건강실천 환경이 조성되었으며, 건강증진분야 인프라와 재정투자가 확대되는 건강정책의 성과를 거두었다. 그러나 여전히 치료 중심의 보건의료 정책의 한계와 건강증진분야에 대한 인력과 예산투입은 여전히 부족하며, 건강 규제 정책과 거버넌스 구조가 미흡하다는 한계점이 드러나기도 하였다. 따라서, 건강증진과 질병예방문제를 국가차원의 주요 아젠다로 설정하고, 예방중심의 보건의료정책에 대한 중요성을 재인식할 필요가 있음이 강조되었다. 이러한 평가 결과와 함께, 양호한 기대수명에 비해 답보 상태에 있는 건강의 질, 만성질환과 이에 따른 질병부담의 증가, 개인의 건강행태와 마음건강의 악화, 급속한 고령화로 인한 사회부담 증가, 기후변화 등 환경문제 심화로 인한 신종 질환의 출현, 4차 산업혁명에 따른 새로운 형태의 건강수요－공급의 발생, 소득양극화와 건강불평등의 심화 등 국가의 건강수준과 보건정책환경 변화를 반영하여 제5차 국민건강증진종합계획(Health Plan 2030)이 수립되었다[그림 2-15].

### ② 기본 원칙

#### 가. 국가와 지역사회의 모든 정책 수립에 건강을 우선적으로 반영

- 건강의 사회적 결정요인(Social Determinants of Health)을 확인하고, 건강증진과 지속가능 발전을 도모하기 위한 다부처·다분야 참여 추진
- 모든 정책에서 건강을 우선적으로 고려(Health in All Policies)하는 제도 도입 지향

#### 나. 보편적인 건강수준 향상과 건강형평성 제고를 함께 추진

- 중점과제별로 특히 취약한 집단·계층을 확인하고, 이들에게 편익이 돌아갈 수 있도록 정책목표와 우선순위 설정 : 세부사업 및 성과지표 선정 시 기본적으로 성별 분리지표를 설정하고, 소득·지역 등 건강의 사회적 결정요인에 따른 격차 감소를 고려

#### 다. 모든 생애과정과 생활터에 적용

- 영유아·아동·청소년·성인·노인 등 생애주기별 단계와 학교·군대·직장 등 생활터 내에서 적절한 건강정책이 투입될 수 있도록 정책 설계

#### 라. 건강친화적인 환경 구축

- 모든 사람이 자신의 건강과 안녕(well-being)을 위한 잠재력을 최대한 발휘할 수 있는 사회적·물리적·경제적 환경 조성

#### 마. 누구나 참여하여 함께 만들고 누릴 기회 보장

- 전문가·공무원뿐만 아니라 일반 국민의 건강정책 의견 수렴 및 주도적 역할 부여

#### 바. 관련된 모든 부문이 연계하고 협력

- SDGs 등 국제 동향과 국내 분야별/지역별 건강정책과의 연계성 확보, 향후 분야별 / 지역별 신규 계획 수립 시 지침으로 기능

### ③ 제5차 국민건강증진종합계획 기본틀

제5차 국민건강증진종합계획은 '모든 사람이 평생건강을 누리는 사회'를 비전으로 건강수명 연장과 건강형평성제고를 총괄목표로 제시하고 있다. 최종목표 달성을 위해 건강결정요인별로 우선적으로 달성해야 하는 정책 목표를 6개의 분과로 설정하고 각 분과 내에서 우선적으로 추진해야 하는 28개의 중점과제와 400개의 성과지표를 제시하고 있다. 특히, 성과지표 중 성, 소득, 지역별로 분리되어 있거나, 그 격차를 모니터링할 수 있는 176개의 형평성 지표를 설정하여 건강형평성의 평가와 모니터링을 강화하였다[그림 2-15, 2-16].

### ④ 중점과제 개요

#### 가. 1분과 : 건강생활실천

건강생활실천분과에서는 개인의 금연, 절주 행동변화 및 위해물질에 대한 규제 강화와 취약계층과 생활터

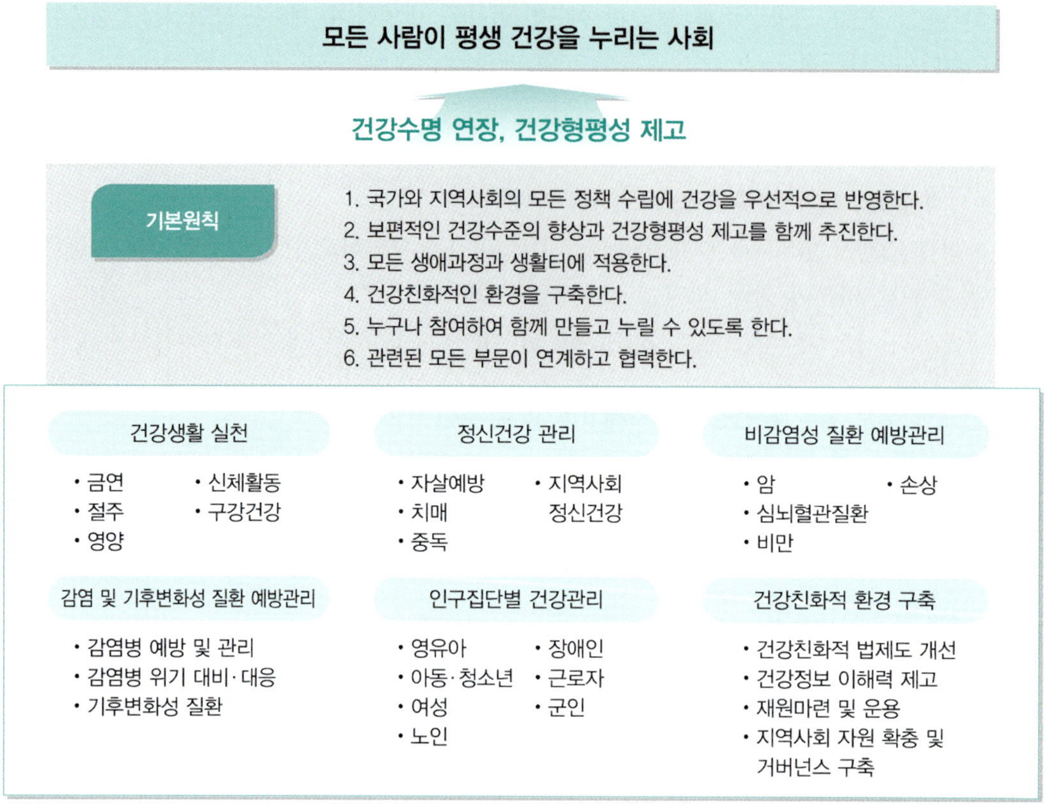


**그림 2-15** 제5차 국민건강증진종합계획(Health Plan 2030) 기본틀

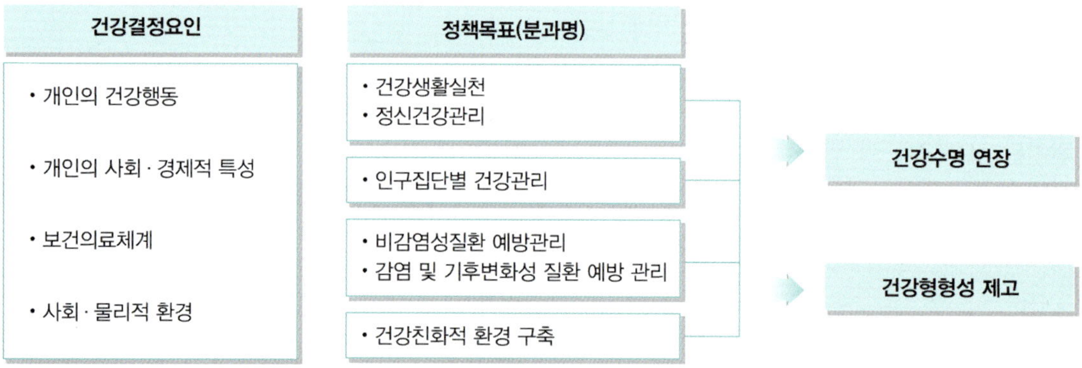


**그림 2-16** 건강결정요인에 따른 HP2030 정책목표

중심 영양, 신체활동, 건강생활실천 환경조성을 위해 금연, 절주, 영양, 신체활동 및 구강건강의 5개의 중점분야를 제시하고 있다.

#### 나. 2분과 : 정신건강관리

자살위험군, 치매, 정신질환 조기발견 및 개입 체계 강화와 정신건강서비스 인식개선 및 지역사회 지지체계 확립을 목표로 자살예방, 치매, 중독, 지역사회정신건강의 4개 중점분야를 제시하고 있다.

### 다. 3분과 : 비감염성질환 예방관리

비감염성질환에 대한 취약계층 대상 조기발견·예방사업 강화 및 위해요인 개선을 위한 환경조성과 비감염성 질환 전주기 연속적 관리를 위한 다부처, 다기관 협력을 위해 암, 심뇌혈관질환, 비만 및 손상의 4개 중점분야를 제시하고 있다.

### 라. 4분과 : 감염 및 기후변화성 질환 예방관리

기후변화 대응 위기와 이로 인한 다양한 신종 감염병질환의 출현으로 감염과 기후변화성 질환에 대한 중요성이 강조되고 있다. 구체적으로는 감염병 조기감지, 신속진단 등 감염병 대응 기술혁신, 운영인력과 체계구축, 감염병으로 인한 취약계층 보호 및 필수의료 공백으로 인한 초과사망 감소를 위해 감염병 예방 및 관리, 감염병 위기 대비·대응, 기후변화성 질환의 3개 중점분야를 제시하고 있다.

### 마. 5분과 : 인구집단별 건강관리

영유아, 청소년의 건강한 성장 지원을 통한 평생 건강토대 마련, 여성·노인·장애인 건강을 위한 환경구축, 건강을 지킬 수 있는 근로환경 개선과 군생활 보장을 목표로 하고 있으며, 이를 위해 영유아, 아동·청소년, 여성, 노인, 장애인, 근로자, 군인 등 7개의 인구집단별 건강관리 중점분야를 포함하고 있다.

### 라. 6분과 : 건강친화적 환경 구축

모든 정책에 건강(Health in All Policies, HiAP)을 고려하기 위한 중앙 및 지방정부 거버넌스와 법·제도 개선과 건강형평성 제고 전략으로서 건강정보 이해력과 혁신적 정보기술 활용을 위해 건강친과적 법제도 개선, 전강정보 이해력 제고, 혁신적 정보기술의 적용, 재원마련 및 운용, 지역사회 자원확충 및 거버넌스 구축 등 5개의 중점과제를 포함하고 있다.

### ⑤ 대표지표

제5차 국민건강증진종합계획의 28개 중점과제 중 24개 영역에서 64개의 대표지표를 선정하였으며, 대표지표에 대한 성, 소득, 지역격차를 모니터링할 수 있는 형평성 지표 49개를 [표 2-19]와 같이 선정하였다.

**표 2-19 제5차 국민건강증진종합계획(Health Plan 2030) 대표지표**

| 중점과제 | 대표지표 | | | 형평성지표 | | |
|---|---|---|---|---|---|---|
| | 지표명 | '18 | '30 | 지표명 | '18 | '30 |
| 금연 | 성인남성 현재흡연율(연령표준화) | 36.7% | 25.0% | 소득 1-5분위 성인남성 현재 흡연율 격차(연령표준화) | 9.1%p | 8.0%p |
| | 성인여성 현재흡연율(연령표준화) | 7.5% | 4.0% | 소득 1-5분위 성인여성 현재 흡연율 격차(연령표준화) | 7.5%p | 5.0%p |
| 절주 | 성인남성 고위험음주율(연령표준화) | 20.8% | 17.8% | 소득 1-5분위 성인남성 고위험음주율 격차(연령표준화) | 1.8%p | 0.7%p |
| | 성인여성 고위험음주율(연령표준화) | 8.4% | 7.3% | 소득 1-5분위 성인여성 고위험음주율 격차(연령표준화) | 2.3%p | 1.2%p |
| 영 양 | 식품 안정성 확보 가구분율 | 96.9% | 97.0% | 소득 1-5분위 식품안정성 확보 가구율 격차 | 11.4%p | 7.0%p |

**표 2-19 제5차 국민건강증진종합계획(Health Plan 2030) 대표지표** (계속)

| 중점 과제 | 대표지표 | | | 형평성지표 | | |
|---|---|---|---|---|---|---|
| | 지표명 | '18 | '30 | 지표명 | '18 | '30 |
| 신체활동 | 성인남성 유산소 신체활동 실천율(연령표준화) | 51.0% | 56.5% | 소득 1-5분위 성인남성 유산소 신체활동 실천율 격차(연령표준화) | 9.2%p | 7.0%p |
| | 성인여성 유산소 신체활동 실천율(연령표준화) | 44.0% | 49.3% | 소득 1-5분위 성인여성 유산소 신체활동 실천율 격차(연령표준화) | 5.9%p | 3.7%p |
| 구강건강 | 영구치(12세) 우식 경험률 | 56.4% | 45.0% | - | | |
| 자살예방 | 자살사망률(인구 10만 명당) | 26.6명 | 17.0명 | - | | |
| | 남성 자살사망률(인구 10만 명당) | 38.5명 | 27.5명 | 지역 상-하위 20%의 남성 자살사망률 격차(인구 10만 명당) | 19.1명 | 12.2명 |
| | 여성 자살사망률(인구 10만 명당) | 14.8명 | 12.8명 | 지역 상-하위 20%의 여성 자살사망률 격차(인구 10만 명당) | 8.9명 | 5.7명 |
| 치 매 | 치매안심센터의 치매환자 등록·관리율(전국 평균) | 51.5% ('19) | 82.0% | 지역 상-하위 20% 치매안심센터의 치매환자 등록·관리율 격차 | 52.2%p ('19) | 35.0%p |
| 중 독 | 알코올 사용장애 정신건강 서비스 이용률 | 12.1% ('16) | 25.0% | - | | |
| 지역사회 정신건강 | 정신건강 서비스이용률 | 22.2% ('16) | 35.0% | - | | |
| 암 | 성인남성(20~74세) 암 발생률(인구 10만 명당, 연령표준화) | 338.0명 ('17) | 313.9명 | 지역 상-하위 20%의 성인남성 암 발생률 격차(인구 10만 명당, 연령표준화) | 78.3명 ('17) | 62.6명 |
| | 성인여성(20~74세) 암 발생률(인구 10만 명당, 연령표준화) | 358.5명 ('17) | 330.0명 | 지역 상-하위 20%의 성인여성 암 발생률 격차(인구 10만 명당, 연령표준화) | 97.3명 ('17) | 70.4명 |
| 심뇌혈관 질환 | 성인남성 고혈압 유병률(연령표준화) | 33.2% | 32.2% | 소득 1-5분위 성인남성 고혈압 유병률 격차(연령표준화) | 5.4%p | 4.4%p |
| | 성인여성 고혈압 유병률(연령표준화) | 23.1% | 22.1% | 소득 1-5분위 성인여성 고혈압 유병률 격차(연령표준화) | 8.5%p | 7.5%p |
| | 성인남성 당뇨병 유병률(연령표준화) | 14.2% | 13.2% | 소득 1-5분위 성인남성 당뇨병 유병률 격차(연령표준화) | 4.4%p | 3.4%p |
| | 성인여성 당뇨병 유병률(연령표준화) | 9.1% | 8.1% | 소득 1-5분위 성인여성 당뇨병 유병률 격차(연령표준화) | 5.0%p | 4.0%p |
| | 급성 심근경색증 환자의 발병 후 3시간 미만 응급실 도착 비율 | 45.2% | 50.4% | 급성심근경색증 환자의 발병후 3시간 미만 응급실 도착비율의 최고-최저 시도간 격차 | 23.0%p | 17.5%p |
| 비 만 | 성인남성 비만 유병률(연령표준화) | 42.8% | ≤42.8% | 소득 1-5분위 성인남성 비만 유병률 격차(연령표준화) | 1.1%p | 0.0%p |
| | 성인여성 비만 유병률(연령표준화) | 25.5% | ≤25.5% | 소득 1-5분위 성인여성 비만 유병률 격차(연령표준화) | 15.6%p | 4.6%p |
| 손 상 | 손상사망률(인구 10만 명당) | 54.7명 | 38.0명 | - | | |
| 감염병 예방 및 관리 | 신고 결핵 신환자율(인구 10만 명당) | 51.5명 | 10.0명 | - | | |

**표 2-19 제5차 국민건강증진종합계획(Health Plan 2030) 대표지표** (계속)

| 중점 과제 | 대표지표 | | | 형평성지표 | | |
|---|---|---|---|---|---|---|
| | 지표명 | '18 | '30 | 지표명 | '18 | '30 |
| 감염병 위기 대비대응 | MMR 완전접종률 | 94.7% ('19) | ≥95.0% | - | | |
| 기후변화성 질환 | 기후보건영향평가 평가체계 구축 및 운영 | - | 구축 완료 | | | |
| 영유아 | 영아사망률(출생아 1천 명당) | 2.8명 | 2.3명 | 영아사망률 최고-최저 시도간 격차 (출생아 1천 명당) | 2.4명 | 1.2명 |
| 아동·청소년 | 고등학교 남학생 현재흡연율 | 14.1% | 13.2% | - | | |
| | 고등학교 여학생 현재흡연율 | 5.1% | 4.2% | - | | |
| 여 성 | 모성사망비(출생아 10만 명당) | 11.3명 | 7.0명 | - | | |
| 노 인 | 노인 남성의 주관적 건강인지율 | 28.7% | 34.7% | 소득 1-5분위 노인 남성의 주관적 건강인지율 격차 | 15.6%p | 13.2%p |
| | 노인 여성의 주관적 건강인지율 | 17.6% | 23.6% | 소득 1-5분위 노인 여성의 주관적 건강인지율 격차 | 5.9%p | 3.5%p |
| 장애인 | 성인 장애인 건강검진 수검률 | 64.9% ('17) | 69.9% | 성인남성 장애인 건강검진 수검률 | 66.6% ('17) | 71.6% |
| | | | | 성인여성 장애인 건강검진 수검률 | 62.5% ('17) | 67.5% |
| 근로자 | 연간 평균 노동시간 | 1,993시간 | 1,750시간 | - | | |
| 군인 | 군 장병 흡연율 | 40.7% ('19) | 33.0% | - | | |
| 건강정보 이해력 제고 | 성인남성 적절한 건강정보이해능력 수준 | - | 70.0% | 소득 1-5분위 성인남성 적절한 건강정보이해능력 수준 격차 | - | 6.0%p |
| | 성인여성 적절한 건강정보이해능력 수준 | - | 70.0% | 소득 1-5분위 성인여성 적절한 건강정보이해능력 수준 격차 | - | 10.0%p |

대상년도 : 2018년*~2030년 *HP2030 수립당시 기준년도
평가방법 : ① 달성, ② 개선, ③ 유지, ④ 악화, ⑤ 평가불가

〈 자료원 : 한국건강증진개발원(2022). 제5차 국민건강증진종합계획 대표지표, https://www.khealth.or.kr 〉

## 5) 지역사회 통합건강증진사업

지역사회 통합건강증진사업은 지자체가 지역사회 주민을 대상으로 실시하는 건강생활실천 및 만성질환 예방, 취약계층 건강관리를 목적으로 하는 사업을 통합하여 지역특성 및 주민 수요에 맞게 기획 및 추진하는 사업이다. 기존의 17개의 개별 사업을 13개의 개별 사업으로 축소하고 이를 지자체가 지역여건에 맞게 통합하여 추진할 수 있도록 하였다. 2013년부터 전국 지자체에서 지역사회 통합건강증진사업이 시행되고 있다 [그림 2-17, 2-18].

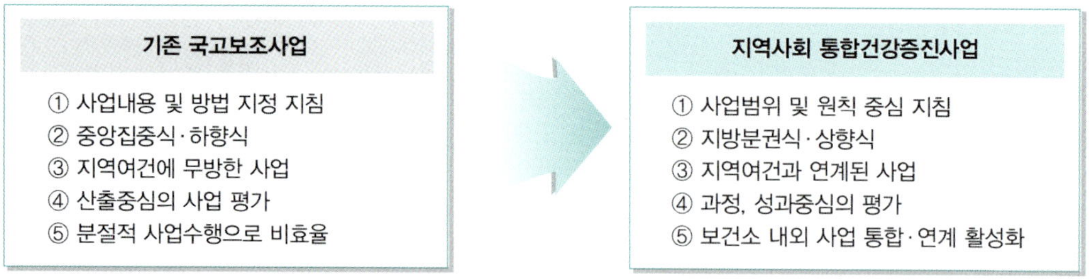


〈 자료원 : 보건복지부. 한국건강증진개발원(2022). 2022년 지역사회통합건강증진사업 안내 〉

**그림 2-17 지역사회 통합건강증진사업의 의미**

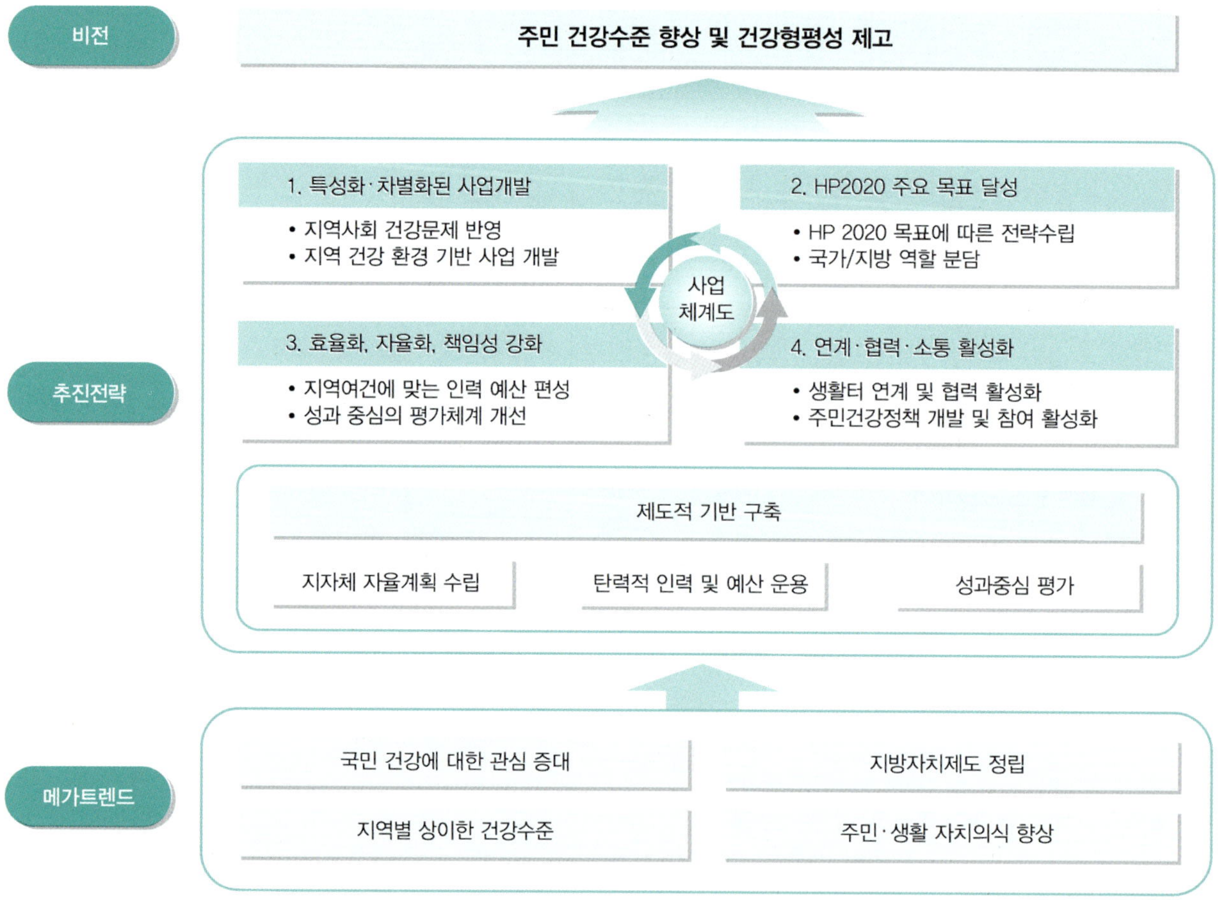


〈 자료원 : 보건복지부. 한국건강증진개발원(2022). 2022년 지역사회통합건강증진사업 안내 〉

**그림 2-18 지역사회 통합건강증진사업의 사업체계도**

### (1) 목적

지역사회 통합건강증진사업의 목적은 지역사회 주민의 건강수준 향상을 위한 사업을 지자체가 주도적으로 발굴하여 추진함으로써 지역주민의 건강증진사업의 체감도와 건강행태를 개선하는 것이다. 이를 위하여 지역별로 다양한 특성과 수요에 부합하는 차별적인 건강증진사업의 개발이 필요하며, 이를 통하여 중앙정부와 지방정부가 함께 노력하여 국민건강증진종합계획의 목표를 달성한다.

〈 자료원 : 보건복지부. 한국건강증진개발원(2022). 2022년 지역사회통합건강증진사업 안내 〉

**그림 2-19 지역사회 통합건강증진사업 추진체계**

### (2) 기본 방향

지역사회 통합건강증진사업의 기본 방향은 다음의 세 가지로 정리할 수 있다.

① 건강증진사업 통합 및 재편성을 통한 사업의 효율성 제고

- 보건소 지역보건의료계획 및 국민건강증진종합계획에 부합하도록 사업구조 재편성
- 사업목표가 달성될 수 있도록 사업을 건강영역별 또는 생애주기별로 통합 구성하여 다양한 전략 활용
- 지역사회 자원과 포괄적 연계·협력을 통한 대상자 중심의 통합서비스를 제공할 수 있도록 여건 조성

② 지자체의 자율성 확대

- 지자체가 재원의 용도 및 세부내역을 자율적으로 설계·집행할 수 있도록 개선
- 지역사회 건강문제 및 특성에 따라 우선순위 사업영역 선정 및 사업량 선택의 자율적 운영

③ 지자체의 책임성 제고

- 사업운영의 자율성을 부여하되 책임성을 담보하기 위해 지자체 스스로 관리·감독 역할 강화
- 사업기획, 운영, 평가과정에서 지자체의 자발적 성과관리가 이루어질 수 있도록 평가관리체계 운영

지역사회 통합건강증진사업은 보건소의 건강증진 국고보조사업을 통합하며 국가의 건강증진 목표에 부합하도록 사업구조를 재편성하는 것이다. 이를 통하여 기존의 단순 나열된 사업을 건강영역별, 생애주기별로 재구성하여 통합서비스를 제공할 수 있도록 여건을 조성한다. 또한 재원의 용도를 포괄적으로 정하여 지자체가

세부내역을 자율적으로 설계 및 집행할 수 있도록 개선하였으며, 지역별 건강문제, 지역 여건 등을 반영하여 우선순위에 따라 사업분야 및 사업량을 선택적으로 운영 가능하도록 하였다.

동시에 사업운영의 자율성을 부여하되 책임성을 담보하기 위하여 지자체가 건강증진사업의 평가체계를 개선하도록 하였고, 수동적 산출량 중심의 평가에서 지자체별로 자율적인 사업운영에 대한 성과 및 과정평가를 실시할 수 있도록 체계를 개선하였다[표 2-20].

### (3) 사업 분야

지역사회 통합건강증진사업은 각 시·군·구별로 부여한 지출한도를 기준으로 일정한 사업 범위 내에서 자율적으로 기획하고 설계하는 사업으로 이 가운데 사업 분야란 사업 기획의 대상이 되는 내용의 범위를 말한다.

지역사회 통합건강증진사업의 범위는 금연, 절주, 신체활동, 영양, 비만, 구강보건, 심뇌혈관질환 예방관리, 한의약건강증진, 아토피천식 예방관리, 여성 어린이 특화, 치매관리, 지역사회중심재활, 방문건강관리로 구성

**표 2-20 지역사회 통합건강증진사업 도입 전후 비교**

| 구 분 | 기존 국고보조사업(특정보조) | 지역사회 통합건강증진사업(포괄보조) |
|---|---|---|
| 목 적 | • 건강증진사업의 일환이나, 지엽적인 목적만 달성 가능<br>예 금연클리닉(금연 실천) | • 국가 건강증진 정책방향과 지자체 건강증진사업 목적 일치시킴<br>예 금연사업(흡연 예방 및 금연) |
| 구 성 | • 17개 사업 간 연계성 없이 운영<br>① 보건소 방문건강관리<br>② 지역사회중심재활<br>③ 보건소 건강생활실천통합서비스<br>④ 영양플러스사업<br>⑤ 보건소 금연클리닉<br>⑥ 모유수유클리닉 운영<br>⑦ 철분제, 엽산제 지원<br>⑧ 구강보건실(센터) 설치 운영<br>⑨ 어린이 구강건강관리<br>⑩ 노인 불소도포·스케일링<br>⑪ 수돗물불소농도조정 지자체 보조<br>⑫ 치매조기검진사업<br>⑬ 치매노인사례관리<br>⑭ 한의약건강증진Hub보건소<br>⑮ 한의약 지역보건사업<br>⑯ 아토피천식 예방관리<br>⑰ 심뇌혈관질환 예방관리·교육 | • 1개 사업으로 통합, 포괄적 운영<br>① 금연<br>② 절주<br>③ 신체활동<br>④ 영양<br>⑤ 비만<br>⑥ 구강보건<br>⑦ 심뇌혈관질환 예방관리<br>⑧ 한의약 건강증진<br>⑨ 아토피 천식 예방관리<br>⑩ 여성어린이 특화(모자보건)<br>⑪ 치매관리<br>⑫ 지역사회중심재활<br>⑬ 방문건강관리<br><br>• 사업 영역 제시(국민건강증진종합계획에 맞춤) → 지자체 선택<br>• 사업 간 경계가 없어 유기적으로 연계하여 사업 설계 가능 |
| 운영체계 | **(중앙)**<br>• 총괄·조정 기능 부재<br>• 사업부서에서 연계성 없이 개별 운영관리, 교육실시 | **(중앙)**<br>• 건강정책과 : 사업 총괄·조정<br>• 사업부서 : 사업전략 제시, 사업운영 및 교육지원 |
| | **(지자체)**<br>• 17개 사업 분절적, 획일적, 경직적으로 운영 | **(지자체)**<br>• 사업영역 중 선택하여 지자체 자율적으로 세부사업 설계 |
| 재원배분 | • 국고보조사업별 재원배분<br>• 사업신청에 따른 예산배분 | • 지자체 재정여건 등과 연동된 재원비중을 단계적으로 확대 |
| 평 가 | • 국고보조사업 산출결과 중심 평가 | • 개별사업 중심이 아닌 국민건강증진종합계획 목표에 맞춘 평가 도입 |

〈 자료원 : 보건복지부. 한국건강증진개발원(2015). 2015년 지역사회통합건강증진사업 안내 〉

되어 있다. 지자체는 반드시 사업 분야 내에서 사업을 구성하여야 하며, 각 사업 분야별로 국가가 권장하는 사업내용 및 방법을 사업유형으로 제시하여야 한다.

또한 지자체는 지역사회 통합건강증진사업 13개 사업 분야 이내에서 제시한 사업 유형 이외의 사업의 추진이 가능하며, 이 경우에는 반드시 체크리스트에 의거하여 타당한지를 사전 점검하고 이후에 추진해야만 한다.

지역사회 통합건강증진사업의 사업 운영방향과 시·군·구 사업범위에 따른 모형은 [그림 2-20, 2-21]과 같다.

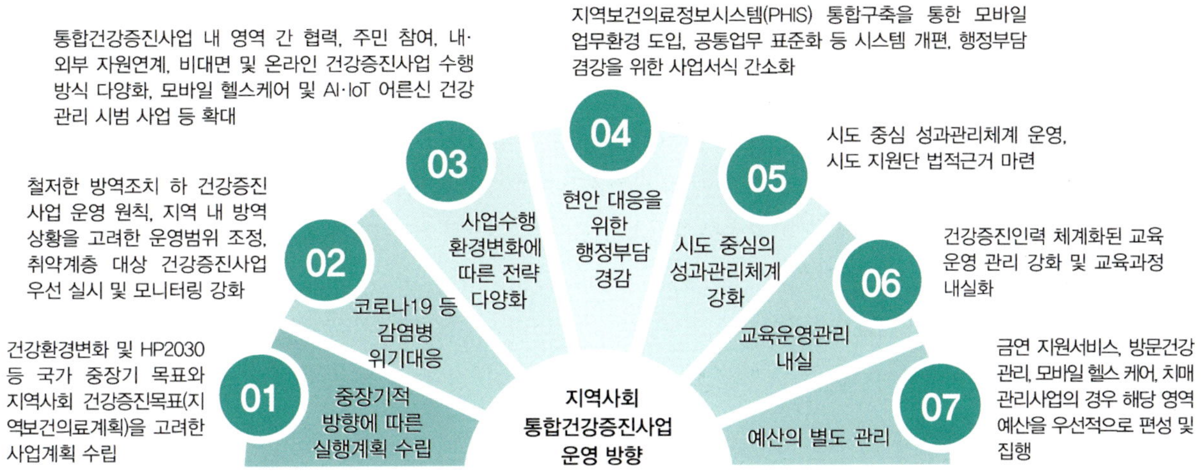


〈 자료원 : 보건복지부. 한국건강증진개발원(2022). 2022년 지역사회통합건강증진사업 안내 〉

**그림 2-20** 2022년 지역사회통합건강증진사업 운영 방향

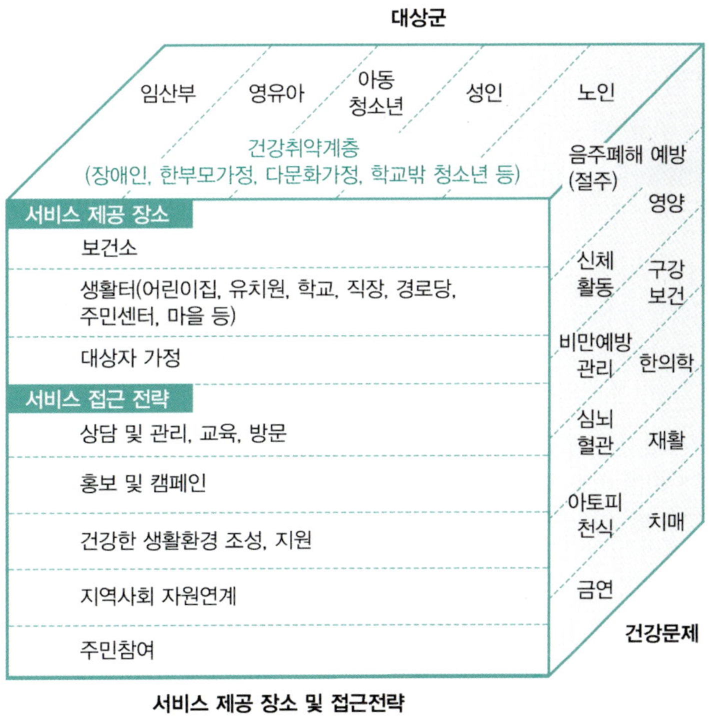


〈 자료원 : 보건복지부. 한국건강증진개발원(2022). 2022년 지역사회통합건강증진사업 안내 〉

**그림 2-21** 통합건강증진사업 모형

### ① 금연사업

#### 가. 목적

흡연을 예방하고 흡연자의 금연을 촉진하며, 비흡연자를 보호하기 위한 간접흡연 없는 환경(Smoke-free)을 조성함으로써 건강증진 및 건강수명 연장

#### 나. 추진방향

- 지역별 특성(인구구성, 산업구조, 지리 등)을 고려하여 「국민건강증진법」 및 지자체 조례에 따라 확대된 금연구역 제도를 지역사회 단위에서 정착시키고 관련 교육·홍보를 강화함으로써 지역사회 내 간접흡연을 방지하고 금연 환경 조성
- 지역별 특성(인구구성, 산업구조, 지리 등)을 고려하여 지역사회 내 공공기관, 직장, 중·고등·대학교 등 교육기관, 민간단체(의사, 약사, 간호사, 청소년, 학생보건 단체)와 협력·연계하여 지역사회에 필요한 금연 교육·상담·홍보 프로그램 실시

#### 다. 사업유형

- 흡연 예방
- 흡연자 금연촉진
- 간접흡연 없는 환경조성

### ② 절주사업

#### 가. 목적

건전음주문화 조성 및 위험음주의 조기발견·개입을 통하여 지역사회의 음주폐해 감소

#### 나. 추진방향

- 지역사회 절주 교육 및 홍보
- 지역사회 고위험 음주자 조기선별, 상담 및 의뢰

#### 다. 사업유형

- 교육 및 홍보
- 조기선별 및 상담

### ③ 신체활동사업

#### 가. 목적

신체활동 실천인구 증가 및 걷기·중등도 신체활동 실천율 증가

#### 나. 추진방향

- '한국인 신체활동 지침' 기반 중등도 신체활동 실천 권장
- 건강증진 및 만성질환 예방을 위한 일상생활의 활동성 제고

#### 다. 사업유형

- 생애주기별 교육 및 프로그램 제공 사업
- 만성질환 예방을 위한 개인별 서비스 사업
- 홍보 및 캠페인 사업
- 환경조성 사업
- 지역사회 지원 및 연계강화 사업

### ④ 영양사업

#### 가. 목적

건강수명 증가를 위한 최적의 영양관리 및 식생활습관 개선

#### 나. 추진방향

지자체 특성에 따른 '국민영양관리시행계획 사업'의 기획 및 원활한 수행

#### 다. 사업유형

- 대국민 홍보 환경조성
- 생애주기 영양관리 : 영영플러스 사업, 영유아·임산부 영양관리 사업, 보육시설·유치원 영양관리 사업 등

### ⑤ 비만사업

#### 가. 목적

- 급속한 증가일로에 있는 국내 비만인구의 증가 억제
- 균형 잡힌 식생활, 규칙적인 운동 등 비만예방을 위한 건강생활실천 향상

#### 나. 추진방향

- 비만예방을 위한 건강생활 실천율 향상을 유도
- 비만예방을 위한 홍보 및 캠페인 전개

#### 다. 사업유형

- 정보 제공 및 홍보·캠페인 사업
- 만성질환 예방 및 비만관리사업
- 생애주기별 주민교육 사업
- 취약계층 비만예방 프로그램

### ⑥ 구강보건사업

#### 가. 목적

예방중심의 평생치아건강관리체계 강화로 구민의 구강건강 수명 연장 및 구강건강 관련 삶의 질 향상 도모

#### 나. 추진방향

- 아동 구강건강을 위한 환경조성
- 구강건강 인식 강화를 위한 홍보

- 구강건강 형평성 확보를 위한 구강보건사업 추진

#### 다. 사업유형

- 구강건강증진
- 구강병 예방진료
- 구강건강증진 및 구강병 예방진료 사업

### ⑦ 심뇌혈관질환예방관리사업

#### 가. 목적

- 심뇌혈관질환의 심각성과 예방 가능성에 대한 국민의 인식 제고
- 고혈압, 당뇨병 질환 전 단계와 질환자의 적정 관리를 통해 건강지표 목표 달성

#### 나. 추진방향

- 질병관리본부에서 개발한 심뇌혈관질환 홍보자료를 활용하여 지역사회 매체를 활용한 다양한 홍보
- 내소자 또는 공단 자료를 연계 받은 고혈압, 당뇨병 경계군과 질환군을 보건소 건강증진사업 등과 연계

#### 다. 사업유형

- 심뇌혈관질환 홍보
- 만성질환 예방관리사업

### ⑧ 한의약건강증진사업

#### 가. 목적

인구 고령화에 따른 중풍, 치매 등 만성퇴행성질환의 예방 및 치료 등의 실시를 위하여 지역 주민에게 한의약진료서비스 및 한의약건강증진프로그램을 제공하여 국민의 건강증진과 삶의 질 향상에 기여

#### 나. 추진방향

- 지역별 특성에 따라 지역사회 내 관련기관·인력 등 한의약 자원과 협력·연계하여 대상자 군별 한의약건강증진프로그램 제공
- 2014년부터 '한방진료실 운영'은 지자체 자체예산 편성·운영

#### 다. 사업유형

한의약건강증진프로그램

### ⑨ 아토피·천식 예방관리사업

#### 가. 목적

지역사회 알레르기 질환 예방관리수준 향상

#### 나. 추진방향

- 아토피·천식 안심학교 운영 사업 중점 추진
- 아토피·천식 교육정보센터의 보건소 사업 지원 강화

### 다. 사업유형

- 아토피·천식 안심학교 운영
- 취약계층 아토피·천식환자 지원
- 아토피·천식 교육
- 아토피·천식 홍보

## ⑩ 여성어린이특화사업(모자보건사업)

### 가. 목적

임신·출산·육아 관련 건강서비스를 제공하여 여성과 어린이 건강증진

### 나. 추진방향

- 행정업무 간소화로 지역사회 임산부 및 영유아 건강관리 직접 서비스 제공 확대
- 여성과 아동 건강 업무 담당자 전문성 강화를 통한 서비스 질 향상

### 다. 사업유형

- 임산부 등록관리
- 산모 건강관리 : 철분제 지원, 엽산제 지원
- 가임기 여성 건강증진
- 다문화가정 여성·어린이 건강증진
- 영유아 건강증진

## ⑪ 치매관리사업

### 가. 목적

치매환자를 조기에 발견·관리함으로써 치매노인 및 그 가족들의 삶의 질 제고

### 나. 추진방향

- 치매 고위험군(경도인지장애 노인) 및 등록환자 관리강화
- 치매예방 및 검진 내실화

### 다. 사업유형

- 치매노인 사례관리사업
- 치매검진사업

## ⑫ 지역사회중심 재활사업

### 가. 목적

지역사회 장애인의 건강증진과 사회적 참여 확대

### 나. 추진방향

- 재가장애인의 건강증진
- 공공재활의료사업과의 연계
- 지역사회 통합건강증진사업 내 원활한 재활사업 추진
- WHO에서 제시한 Community-based rehabilitation(CBR) 가이드라인 활용

### 다. 사업유형

- 장애인 재활사업
- 장애인 사회참여사업
- 2차 장애발생 예방사업

## ⑬ 방문건강관리사업

### 가. 목적

- 빈곤, 고령, 질병, 장애 등 건강위험요인이 큰 취약계층의 건강격차 해소 및 건강형평성 제고
- 취약계층의 건강인식제고·자가건강관리능력 향상·건강상태 유지 및 개선

### 나. 추진방향

- 취약계층 건강관리서비스 제공 및 서비스 질 강화
- 건강검진결과 연계상담 제공
- 독거노인 건강관리 강화

### 다. 사업유형

- 저소득층 건강행태개선
- 만성질환 및 합병증 예방
- 임산부·신생아 및 영유아 관리
- 노인 허약예방
- 다문화가족 및 북한이탈주민 관리
- 장애인 재활관리

# 제3절 + 국제보건의 이해

Keywords
• 국제보건 • 국제보건기구 • 공적개발원조

## 1 국제보건의 개념

국제보건(international health)은 흔히 세계보건(global health)과 사용되기도 하나, 의미상 다소 차이가 존재한다. 우선 세계보건은 '다른 나라의 상황과 경험에 의해 국가 경계를 넘나드는 전 세계적인 차원의 보건관련 쟁점 해결을 위한 협력적 활동'(IOM, 1997)이다. 반면에 국제보건은 주로 저소득 국가나 중간소득 국가의 보건문제(말라리아, 결핵, 모자보건 등)에 관심을 갖고 공여국과 수원국 간의 협력을 통해 보건문제 해결을 지원하는 것이다. 여기서는 세계보건과 국제보건을 합하여 국제보건으로 사용하고자 한다. 그런 면에서 '국제보건이란 국제적 협력을 통해 질병을 예방하고 치료하며 각 국가 혹은 국가 간의 보건문제를 해결하는 것' 또는 '세계보건기구처럼 국제적 보건기구의 조직이나 관리와 관련된 모든 활동들'이다[표 2-21].

표 2-21 국제보건과 세계보건

| | 국제보건<br>(International Health) | 세계보건<br>(Global Health) |
|---|---|---|
| 지리적 범위 | 저소득 및 중간소득 국가의 보건쟁점에 초점 | 국가 간 경계를 넘나드는 보건문제에 초점 |
| 협력의 수준 | 주로 두 국가 간 협력 | 전 지구적(글로벌) 협력 |
| 개인과 집단 | 인구집단과 개인 모두 포함 | 인구집단과 개인 모두 포함 |
| 건강에 대한 접근 | 다른 나라 국민을 돕는 데 관심 | 모든 국가와 대상자들의 건강형평성이 주요 목표 |
| 분야의 범위 | 일부 분야, 다분야 접근에 대한 강조는 약함 | 보건과 의학을 넘는 다분야, 분야 간 협력 |

## 2 국제보건기구

### 1) 세계보건기구(World Health Organization; WHO)

보건영역에서의 국제협력은 1851년 파리에서 개최된 국제위생회의로부터 나타나기 시작하였다. 이는 국제교역이 증가하면서 위생, 검역을 위한 국가 간 협력의 필요성이 커진 데 따른 것이었고, 따라서 이들의 주된 관심은 서구 이외의 지역에서 생긴 전염성질환의 유입을 막는 것이었다.

1903년 파리에서 열린 제11회 국제위생회의에서는 콜레라, 페스트, 황열과 같은 심각한 전염성질환에 대한 그간의 과학적 발견들을 기반으로 실제적인 공중보건 담당기구를 설립하자는 논의가 등장하였다. 4년 뒤인 1907년 파리에서 12개국 대표가 모인 가운데 국제공중보건사무소(International Office of Public Health; IOPH)가 설립되었다.

1차 세계대전 이후 1920년 4월 런던에서 개최된 국제보건회의(International Health Conference)에서는 프랑스,

영국, 이탈리아, 일본, 미국과 적십자사연맹, IOPH의 대표들이 참석한 가운데 국제연맹 산하에 새로운 보건담당기구를 창설할 것을 국제연맹 위원회에 건의하였다. 하지만 이는 IOPH가 국제연맹 산하 보건기구에 통합되기를 거부하면서 제동이 걸렸다.

이후 2차 세계대전이 끝난 1945년 샌프란시스코 회의에서는 새로운 국제적 보건기구를 설립하는 논의를 시작하기로 결의하고, 1946년 국제연합(UN) 경제사회이사회의 첫 안건은 새로운 보건영역 국제기구의 업무영역과 설립목적을 논의할 국제회의를 소집하는 것이었다. 이후 발족한 임시위원회(Interim Committee)는 IOPH와 국제연맹 보건기구의 조직과 업무, 국제연합 구제부흥사업국(United Nations Relief and Rehabilitation Administration; UNRRA)이 임시로 관장해온 IOPH의 관련 업무를 새로 창설될 국제기구에 통합할 것을 건의하였고, 경제사회이사회가 이를 승인하고 61개국이 서명한 후, 1948년 4월 7일 세계보건기구(WHO)가 정식으로 발족하였다.

설립 이후부터 1970년대 초반까지 WHO는 주로 질병의 의학적 측면에 집중했고, 이에 따라 1960년대의 말라리아, 천연두 박멸사업, 1970년대의 백신사업, 1980년대의 에이즈(HIV / AIDS) 사업 등은 WHO가 국제적 대응을 주도하고 조직했던 대표적인 업적이다.

WHO의 목적은 세계 모든 사람들이 가능한 한 최고의 건강수준에 도달하는 것으로, 규약에 의거하여 국제보건에 대한 지도와 조정을 담당한다. 이에 따른 WHO 구체적인 역할은 다음과 같다.

**WHO의 역할**

- 보건시설을 강화하기 위한 요청 국가에 대한 지원
- 필요에 따른 기술적 및 행정상의 서비스 제공
- 보건 분야에 대한 정보 제공과 협의 및 원조
- 유행성, 풍토성 등의 질병을 근절하도록 지원
- 영양, 주거, 위생 등의 환경에 대한 위생상태 개선 장려
- 보건에 관련된 국제 협정 및 협약 건의
- 보건 분야의 연구 장려 및 지휘
- 보건 관련 정보에 입각한 여론 조성의 지원

세계보건기구의 본부는 스위스 제네바에 있고, 현재 동지중해지역, 동남아시아지역, 미주지역, 아프리카지역, 서태평양지역, 유럽지역 등의 6개 지역에 지역사무소가 설치되어 있다. 우리나라는 서태평양지역에 속하며, 북한은 동남아시아지역에 속한다. 서태평양 지역사무소는 필리핀의 마닐라에 있고, 지역회원국은 한국, 일본, 중국을 포함한 27개국이다.

### 2) 유엔아동기금(United Nations Children's Fund; UNICEF)

유엔아동기금은 제2차 세계대전이 끝난 직후, 전쟁의 피해로 고통 받는 어린이와 청소년을 구제하기 위한 긴급원조계획으로 1946년 국제연합(UN) 총회 결의를 통해 '유엔국제아동긴급구호기금(United Nations International Children's Emergency Fund)라는 명칭으로 발족하였으며, 1953년 국제연합 상설기관이 되어 유엔아동기금으로 명칭이 변경되었다. 주요 사업으로는 긴급 구호, 영양, 보건, 예방접종, 식수 및 환경 개선, 기초교육 등이 있다. 본부는 미국 뉴욕에 있으며 우리나라는 1950년부터 참가하여 1988년 36개 집행이사국에 속하게 되었다.

우리나라의 공식적인 활동은 한국전쟁 이후 어린이들에게 우유, 간유, 담요, 의류 등 구호물자를 대량 공급하면서부터이다. 그 후 40여 년 동안 우리나라에 대표사무소를 상주시켜 영양 개선, 예방접종, 의료요원 훈련, 교육사업 등을 펼치고 있다.

### 3) 기타 국제기구

그 밖에도 가족계획 및 인구사업을 위한 국제연합 인구활동기금(United Nations Fund for Population Activities; UNFPA), 인류의 영양기준 및 생활향상을 목적으로 설립된 국제연합 식량농업기구(Food and Agricultural Organization; FAO), 국제연합 에이즈 계획(United Nations Program on HIV / AIDS; UNAIDS), 국제연합 교육문화기구(United Nations Educational Scientific and Cultural Organization; UNESCO), 국제노동기구(International Labour Organization; ILO), 국제연합 환경계획(United Nations Environmental Program; UNEP), 국제연합 개발계획(United Nations Development Program; UNDP) 등이 있다[표 2-22].

**표 2-22 보건·복지분야의 주요 국제기구**

| 기구명 | 설립목적 | 활동내용 |
|---|---|---|
| 세계보건기구<br>(WHO) | • 세계 인류의 건강달성 | • 국제보건사업 지도, 조정, 권고, 연구 및 평가<br>• 보건의료발전 협력사업 공동 수행<br>• 감염병 예방, 건강증진, 취약계층 건강증진 |
| 유엔아동기금<br>(UNICEF) | • 아동의 보건 및 복지 향상 | • 아동의 보건·복지 향상을 위한 원조사업 전개<br>• 개발도상국 모자보건사업, 사회개발사업 원조 |
| 유엔인구활동기금<br>(UNFPA) | • 인구 및 가족계획 | • 인구 및 가족계획 분야에서 각국 정부 및 연구기관 등에서 활동자금 제공 |
| 국제노동기구<br>(ILO) | • 노동조건 개선과 사회정의 확립을 통한 세계평화 공헌 | • 노동자의 노동조건 개선 및 지위향상 |
| 국제가족연맹<br>(IPPF) | • 인구조절과 모자건강 및 가족의 생활수준 향상 | • 개발도상국을 주요 대상으로 가족계획, 모자보건, 성교육 사업에 관한 기술자문과 정보 제공<br>• 피임시술 기술연수 등을 위한 국제협력사업 실시 |
| 국제의약품구매기금<br>(UNITAID) | • 개발도상국의 공중보건 향상 | • 개발도상국에서 HIV/AIDS, 결핵, 말라리아 치료·진단·예방을 위한 고품질 제품에 대한 접근성 향상 |
| 유엔마약류 통제계획<br>(UNDCP) | • 세계 모든 나라의 마약류 문제 해결 | • 마약 문제에 대처하기 위해 지역적, 국가적, 국제적 협력관계 구축<br>• 마약류 생산, 수송과 관련된 범위에 대한 국제적 행동 강화<br>• 의학적이고 과학적인 목적을 위해 통제된 마약류의 적절한 공급 인증 |
| 유엔에이즈기구(UNAIDS) | • 에이즈 퇴치 | • 에이즈 확산방지, 지원내용, 후원안내 |
| 유엔개발계획(UNDP) | • 개발도상국의 경제·사회개발 지원 | • 개발도상국의 경제적·사회적 개발촉진을 위한 기술원조 |
| 경제협력개발기구<br>보건위원회<br>·개발원조위원회<br>(OECD/HC/DAC) | • 회원국의 경제성장 촉진<br>• 세계무역의 확대<br>• 개발도상국 원조 | • 급속한 인구고령화와 지속적 국민의료비 지출증가에 따라 회원국의 보건의료정책을 보다 종합적으로 검토 |
| 유엔경제사회이사회<br>(UNECOSOC) | • 빈곤, 자연재해 관리, 취약계층 보호 등 경제사회개발을 통해 조화로운 지구촌 건설 | • 유엔체제 및 유엔회원국에 대한 정책적 권고 사항 제시<br>• 경제, 사회, 문화, 교육, 보건에 관한 연구 및 보고 |
| 국제간호협의회<br>(ICN) | • 간호의 질적 수준 향상<br>• 간호사의 사회적 지위 향상 | • 회원국의 문제에 대한 연구 및 협조<br>• 간호사업의 국제적 통계 및 정보 관리<br>• 국제적인 정치, 경제, 의료 및 보건단체들과의 교류 |

### 4) 국내 기구

#### (1) 한국국제협력단(KOICA; Korea International Cooperation Agency)

1991년 4월 외교부 산하의 정부출연기관으로 설립된 한국국제협력단(KOICA)은 우리나라의 대외무상협력사업을 전담하는 대표적 기관이다. 개발도상국의 빈곤감소 및 삶의 질 향상, 여성·아동·장애인·청소년의 인권향상, 성평등 실현, 지속가능한 발전 및 인도주의를 실현하고, 협력대상국과의 경제 협력 및 우호협력관계 증진 및 국제사회의 평화와 번영에 기여함을 목적으로 한다. 대외무상원조사업을 시행하기 위해 보건의료, 교육, 공공행정, 농림수산, 정보통신, 산업에너지, 환경, 기후변화대응 등 7개 분야의 업무를 수행 중이다.

또한, 협력국별 개발협력 프로젝트사업, 해외봉사단 파견, 국내초청연수, 국제 NGO들의 개발도상국 개발협력활동 지원, 재난구호 및 복구 사업, 국제기구 협력사업등의 사업을 운영하고 있다.

#### (2) 한국국제보건의료재단(KOFIH; Korea Foundation for International Healthcare)

2006년 설립된 한국국제보건의료재단(KOFIH)은 보건복지부 산하의 공공기관으로 개발도상국, 북한, 재외동포, 국내 거주 외국인 노동자에 대한 보건의료지원사업을 통해 국제협력을 증진하고 인도주의 실현에 이바지함을 목표로 하고 있는 보건분야 개발협력 전문 기관이다. 주요 사업은 개발도상국 보건의료 개발협력사업, 북한 보건의료 협력사업, 국내거주 외국인 근로자 의료지원사업, 재외동포 보건의료 지원사업, 해외 재난 긴급구조 지원사업 및 의료기기와 약품 지원사업이 있다. 특히 한국인으로서는 최초로 세계보건기구 사무총장이었던 이종욱 박사(1945~2006년)의 업적을 기리고자 개발도상국 보건의료인력 역량강화를 위한 이종욱 펠로우십 프로그램, 세계보건기구와 공동으로 제정한 이종욱 공공보건기념상 운영, 개발도상국 대상 이종욱 의학전문도서관 설립 등의 이종욱 기념사업 등의 사업이 진행되고 있다.

## 3 국제개발협력과 공적개발원조사업

공적개발원조(Official Development Assistance; ODA)는 정부를 비롯한 공공기관이 개발도상국의 경제발전과 사회복지 증진을 목표로 제공하는 원조를 의미한다. 즉, 개발도상국 정부, 지역 또는 국제기구에 제공되는 자금이나 기술협력을 포함하는 개념으로 1961년 경제협력개발기구 개발원조위원회(OECD DAC; Organization for Economic Cooperation and Development, Development Assistance Committee)가 출범한 이후 통일되어 사용되고 있다.

국제개발협력(International Development Cooperation)은 ODA를 아우르는 보다 폭 넓은 개념으로 선진국－개발도상국 간, 개발도상국－개발도상국 간 또는 개발도상국 내 존재하는 개발 및 빈부의 격차를 줄이고, 개발도상국의 빈곤문제 해결을 통해 인간의 기본권을 지키고자 하는 국제사회의 노력과 행동을 의미한다. 개발도상국의 빈곤 문제는 해당 개발도상국만의 문제라기보다는 국제사회 전반의 정치, 경제, 사회, 분화, 역사적 요인 등에 의해 기인되므로 국제사회 전체가 참여하는 장기간의 걸친 노력이 요구된다. 과거에는 빈곤의 문제를 주로 경제성장을 통해 해결하고자 하는 경향이 있었으나, 최근에는 경제 뿐 아니라 사회 전반의 발전을 위한 다각적 노력의 필요성에 대한 공감대가 형성되고 있으며, 빈곤감소를 위한 방안으로 경제·사회 인프라 구축, 정치적 안정, 인적 역량강화 및 지속가능발전 등 여러 분야에서의 접근을 시도하고 있으며, 다양한 개발 재원을 활용하는 방안도 논의되고 있다. 이전까지는 원조(Aid)와 개발원조(Development Assistance), 국제원조(Foreign Aid), 해외원조(Overseas Aid) 등의 용어가 유사한 의미로 사용되어져 왔으나, 최근 개발도상국과의 포괄적 파트너십을 통한 협력이 강조되면서 국제개발협력이라는 용어가 주로 사용되고 있다.

ODA 수원국으로서 우리나라는 1945년 해방 이후 경제 재건에 이른 1995년까지 총 127억 달러의 원조를 받았다. 이는 현재 가치로 따지면 약 6백억 달러(70조 원 이상)의 가치를 지니고 있다. 원조의 내용은 한국전쟁 직후에는 긴급구호에 집중되었으며, 1950년대 후반에는 군사적 방어, 안정 및 재건에 초점을 맞추어 의식주를 해결할 수 있는 물자와 식량원조 등 소비재 지원이 주를 이루었고, 경공업 육성을 위한 중간재 지원도 일부 포함되었다. 이후 1960년대와 70년대에는 개발차관 중심의 경제성장과 유상원조를 통해 경부고속도로 건립, 포항제철 준공, 직업 훈련원 설립 등 경제성장 중심의 지원을 받았으며, 이러한 해외 원조를 기반으로 우리나라는 발전의 초석을 마련할 수 있었다.

1980년대 후반부터는 개발원조 유상협력을 시작으로 원조를 받던 나라에서 원조를 할 수 있는 나라로 변화를 꾀하기 시작하였다. 1987년 한국수출입은행을 통해 개발도상국에 대한 양허성 차관을 지원하고자 300억원을 출연, 대외경제협력기금(External Development and Cooperation Fund; EDCF)을 조성하여 개발원조 유상협력의 본격적인 계기를 마련하였으며, 1989년에는 UNESCO 한국청년해외봉사단원 파견사업이 시작되었다. 이후 1991년에는 한국국제협력단(Korea International Cooperation Agency; KOICA)의 설립으로 기술협력, 인적교류사업 등을 통합하여 관리하게 되었다. KOICA는 1995년 국제협력요원 파견사업, 국제협력연수센터 개원, 민간원조단체(NGO) 지원사업을 본격적으로 시작함에 따라 결국 우리나라는 1996년 OECD에 가입하게 되었으며, 2000년 경제협력개발기구 개발원조위원회(OECD DAC) 수원국 명단에서 제외 되었다.

2000년대에 이르러 원조의 규모가 확대되었으며, 2006년 국무총리실 산하 국제개발협력위원회가 설치되었고, 같은 해에 한국국제보건의료재단(Korea Foundation for International Healthcare; KOFIH)이 설립되었다. 2007년 혁신적 개발재원의 일환인 국제빈곤퇴치기여금을 도입하였고, 2010년 「국제개발협력기본법」을 제정·시행하였으며, 2010년 경제협력개발기구 개발원조위원회(OECD-DAC)의 24번째 회원국으로 가입하게 되며 원조 수원국에서 공여국으로 위치가 변화한 최초의 사례가 되었다.

## 4 국제보건과 국제사회의 목표

### 1) 새천년개발목표(Millennium Development Goals; MDGs)

2000년 9월, 191개국이 참가한 UN 새천년 정상회의에서 2015년 까지 새천년 인류가 달성해야 할 목표로 새천년개발목표(Millennium Development Goals; MDGs) MDGs가 채택되었다.

새천년개발목표(MDGs)는 '새천년에는 인간이 더욱 존엄성 있는 모습으로 살아가자'는 인권에 기반을 두고 빈곤퇴치, 보편적 초등교육 실현, 성평등, 아동과 모성사망 감소, 감염병 감소, 환경보전과 국제적 협력관계 구축 등 8가지 목표를 제시하였다[그림 2-22].

이 선언은 모든 UN회원국들과 전 세계 유수 개발 연구기관이 정량적 목표에 합의하면서 도출 된 최초의 범지구적 전략이라는 의미를 지니고 있다.

〈 자료원 : https://www.un.org/millenniumgoals/ 〉

그림 2-22 UN 새천년개발목표(MDGs)

2000년부터 2015년까지 새천년개발목표 달성을 위한 많은 국제개발협력 사업이 진행되었고, 그 결과 10억 명 이상의 인구가 절대빈곤을 탈출하였으며, 교육접근성과 식수 접근성의 향상, 아동·모성사망률 감소 등 일부 지표에서 긍정적인 변화를 이끌어 낼 수 있었다[표 2-23].

표 2-23 새천년개발목표(SDGs)의 주요 성과

| 절반의 성공 : 10억명이 절대빈곤 탈출, 교육접근성 향상, 식수접근성 향상, 질병감소 등 | | |
|---|---|---|
| 목 표 | 지 표 | 성 과 |
| 1. 절대빈곤 및 기아 종식 | 1일 1.25달러 미만 생활 인구비율<br>1990년대 47% → 2015년 14% | • 달성<br>• 90년 대비 15년까지 50% 이상 감소 |
| 2. 보편적 초등교육 달성 | 초등학교 입학률<br>1991년 79.8% → 2015년 91% | • 100% 달성은 실패<br>• 입학률에 비해 졸업률은 하락 |
| 3. 성평등과 여성역량 강화 | 초등학교 등록 성비(여/남)<br>1991년 0.87 → 2012년 0.97 | • 부분달성<br>• 초중고 교육 남녀 성비 불균형 해소 달성<br>• 국회 여성 의석 비율 20%로 실패 |
| 4. 아동사망률 감소 | 최빈국 5세 이하 아동사망률<br>1990년대 1,000명당 90명 → 2015년 43명 | • 달성미달 |
| 5. 모성보건 증진 | 산모 사망자수<br>1991년 430 → 2000년 370 → 2013년 230 | • 달성미달 |
| 6. HIV/에이즈, 말라리아, 기타 질병 퇴치 | 인구 100명당 HIV 발병률<br>1990년 0.1 → 2010년 0.06 | • 부분달성 |
| 7. 지속가능한 환경보전 | 1인당 $CO_2$ 배출량(톤)<br>1990년 1.66 → 2000년 2.03 → 2010년 3.16 | • 부분달성 |
| 8. 전 지구적 개발 파트너십 구축 | – | • 부분달성 |

〈 자료원 : http://unstats.un.org/unsd/mdg/Host.aspx?Content=Data/Trends.htm 〉

하지만, 새천년개발목표가 교육, 보건 등 좁은 의미의 사회개발 목표들에만 국한되어 빈곤의 근본적 원인인 환경, 평과, 불평등 등의 복합적인 과제가 충분히 논의되지 못했으며, 목표 달성의 책무 또한 개발도상국에 국한되었다는 점 등의 한계점이 제시되었고, 이러한 한계를 극복하기 위해 사회개발 뿐 아니라 식량안보, 경제개발, 평화와 안보, 환경지속성, 불평등 완화 등 국제사회가 해결해야 할 공동의 목표 수립의 필요성이 대두되었다.

## 2) 지속가능발전목표(SDGs)

유엔 총회의 70번째 회의가 진행된 2015년 9월, 유엔 회원국들은 2015년 이후의 개발의제를 채택하기 위한 특별정상회의에 모였다. 이 특별정상회의에서는 사람(People), 지구(Planet), 번영(Prosperity), 평화(Peace), 그리고 협력(Partnership)에 관한 전례 없는 규모의 야심찬 범지구적 행동을 촉구하는 선언문인 「우리가 사는 세계의 변혁 – 지속가능발전을 위한 2030 의제」를 채택하였다. 2030 의제에는 국제 수준에서의 협력적이고 변혁적인 행동을 촉구하기 위해 범지구적으로 적용할 수 있는 지속가능발전을 위한 통합적인 17개의 목표(Goals)를 포함하고 있으며, 이는 169개의 구체적인 세부목표(Targets)와 지표로 이루어져 있다. 이러한 목표들을 공식적으로 지속가능발전목표(Sustainable Development Goals; SDGs)라 부른다[그림 2-23, 2-24].

지속가능발전목표(SDGs)는 2000년부터 2015년까지 극한 빈곤을 퇴치하기 위한 국제적 행동을 이끌었던 8개의 목표인 새천년개발목표(Millennium Development Goals; MDGs)를 기반으로 수립되었다. 지속가능발전목표(SDGs)는 새천년개발목표(MDGs)의 주요 목표였던 빈곤퇴치를 하나의 범주로 다루면서 국제 개발과 지구상 인류의 존속을 위한 보다 포괄적인 시각을 반영하고 있으며, 유엔 회원국들의 국가 정책은 물론 국제적인 협력을 이끌어 내기 위한 핵심적 역할을 수행하고 있다.

UN의 지속가능발전목표의 17개 목표는 [표 2-24]와 같다.

〈 자료원 : https://sdgs.un.org/goals 〉

그림 2-23 UN 지속가능발전목표(Sustainable Development Goals; SDGs)

그림 2-24 지속가능발전목표의 5P

**표 2-24 지속가능발전목표(SDGs) 17개 목표 구성**

| 목표 | 내용 |
|---|---|
| Goal 1 | 모든 형태의 빈곤종결 |
| Goal 2 | 기아해소, 식량안보와 지속가능한 농업발전 |
| Goal 3 | 건강 보장과 모든 연령대 인구의 복지증진 |
| Goal 4 | 양질의 포괄적인 교육제공과 평생학습기회 제공 |
| Goal 5 | 성평등 달성과 모든 여성과 여아의 역량강화 |
| Goal 6 | 물과 위생의 보장 및 지속가능한 관리 |
| Goal 7 | 적정가격의 지속적인 에너지 제공 |
| Goal 8 | 지속가능한 경제성장 및 양질의 일자리와 고용보장 |
| Goal 9 | 사회기반시설 구축, 지속가능한 산업화 증진 |
| Goal 10 | 국가 내, 국가 간의 불평등 해소 |
| Goal 11 | 안전하고 복원력 있는 지속가능한 도시와 인간거주 |
| Goal 12 | 지속가능한 소비와 생산 패턴 보장 |
| Goal 13 | 기후변화에 대한 영향방지와 긴급조치 |
| Goal 14 | 해양, 바다, 해양자원의 지속가능한 보존노력 |
| Goal 15 | 육지생태계 보존과 삼림보전, 사막화방지, 생물다양성 유지 |
| Goal 16 | 평화적, 포괄적 사회증진, 모두가 접근가능한 사법제도와 포괄적 행정제도 확립 |
| Goal 17 | 이 목표들의 이행수단 강화와 기업 및 의회, 국가 간의 글로벌파트너십 활성화 |

〈 자료원 : UN지원SDGs한국협회 〉

건강문제는 보건분야 단독의 문제가 아닌 사회와 경제, 환경 등 전반에 걸쳐 상호영향을 미치고 있기 때문에 지속가능발전의 중심적 요인으로 작용하고 있다,

지속가능발전목표(SDGs)는 감염성질환, 비감염성질환, 손상 등 직접적인 건강문제 뿐 아니라 도시화와 오염, 기후변화와 같은 건강결정요인을 포함하고 있어 새천년개발목표(MDGs)에 비해 건강과 관련되어 보다 넓고 포괄적인 접근을 하고 있으며, 건강관련 목표인 Goal 3이 나머지 목표들과 직·간접적으로 뚜렷한 연계를 지니고 있어 지속가능발전목표의 주요방향성 중 하나인 통합적 접근을 지향하고 있다[그림 2-25]. 따라서 건강목표 성취를 위해서 정부의 전반적인 정책·전략·계획들이 보건분야에 어떠한 영향을 미칠 것인지에 대한 주의를 기울여야 할 필요성을 강조하고 있다.

〈 자료원 : https://www.who.int/docs/default-source/searo/hsd/hwf/01-monitoring-the-health-related-sdgs-background-paper.pdf?sfvrsn=3417607a_4 〉

그림 2-25 건강과 지속가능발전목표(Health in the SDG era)

## 5 국제보건사업과 간호사의 역할

세계화로 인해 국제적 교류가 활발해지고, SARS, H1N1, 에볼라, 메르스, 지카 바이러스, COVID-19 등 새로운 형태의 감염성질환이 범세계적으로 출현하면서 더 이상 한 국가의 보건의료문제는 그 나라에만 국한되는 것이 아닌 전 세계적으로 영향을 미칠 수 있음을 실감하고 있다. 이러한 이유로 개발도상국의 열악한 보건의료 문제는 전 세계가 협력적으로 상호 대응해야 하는 문제이며, 인도주의적 측면에서도 전 인류의 빈곤퇴치와 건강증진을 위한 긴밀한 국제사회의 공조가 요구된다.

급변하는 국제화 시대를 맞아 국제보건문제해결을 위한 국제사회의 공동 책임과 협력적 공조의 중요성이 증가함에 따라 지역사회간호사 역시 국제보건역량 배양을 위한 교육과 훈련을 통해 인류의 삶의 질을 향상시키기 위한 사고와 행동을 혁신하고, 개발도상국과 지속가능한 협력관계를 구축하여 지구촌의 공동발전에 기여할 수 있는 역량을 요구받고 있다.

지역사회간호사는 직접간호제공자이면서 지역사회의 변화를 촉진하고, 개발시키기 위한 지역사회 조직자 및 개발자이며, 정치적 활동가이기도 하다(김모임, 2002). 지역사회는 단순히 사람과 장소를 지칭하는 것이 아니라 사회경제적, 문화적 요소 등 계량화하거나 한정지을 수 없는 복잡한 양상을 내포한 개념이기 때문에 지역사회 간호사들의 이러한 폭넓은 역량은 지역사회를 개발하는 데 매우 중요한 요소가 된다. 이러한 지역사회 간호사의 역할은 지역사회가 주체가 되어 자발적이고, 자조적으로 움직이는 일차보건의료활동에서 더욱 강조되는 부분이다.

국제보건 영역에서 간호사에게 필요한 자질은 전 세계적인 질병부담, 인구이동이 건강에 미치는 영향, 건강의 사회적 결정인자, 보건의료의 세계화, 인권과 개발자원으로서의 보건을 이해하고, 보건의료자원이 취약한 환경에서 적절한 전략을 모색하고 간호를 수행할 수 있는 역량을 포함하고 있다(Wilson et. al., 2012). 여기에 우리나라 지역사회간호의 성공적인 사례와 과학적 근거를 반영하여 국제보건활동을 수행한다면, 개발도상국의 일차보건의료 활동 확대를 통한 건강격차 감소와 인류의 건강증진에 기여할 수 있을 것이다.

제 03 장

# 보건사업 기획과 지역사회 간호과정

COMMUNITY HEALTH NURSING

## 학·습·목·표

Community Health Nursing

### 제1절 보건사업 기획의 이해

1. 보건사업 기획의 정의를 설명한다.
2. 보건사업 기획의 특성을 설명한다.

### 제2절 보건사업 기획의 모형

1. 보건사업 기획의 모형을 설명한다.

### 제3절 보건사업 기획의 과정

1. 기획팀의 조직 및 전제조건 사정을 설명한다.
2. 이해관계자의 참여를 설명한다.
3. 현황분석을 설명한다.
4. 우선순위를 설정한다.
5. 목표를 설정한다.
6. 보건사업 계획을 수립한다.
7. 보건사업을 수행한다.
8. 보건사업을 평가한다.

### 제4절 지역사회 간호과정

1. 지역사회 간호사정을 실시한다.
2. 지역사회 간호진단을 내릴 수 있다.
3. 지역사회 간호계획을 수립한다.
4. 지역사회 간호수행을 실시한다.
5. 지역사회 간호평가를 실시한다.

### 제5절 보건정보 및 기술활용

1. 지역보건의료정보시스템을 설명한다.
2. 보건의료 정보화를 설명한다.
3. 지리정보시스템(GIS)을 설명한다.
4. 보건소 모바일 헬스케어 개요를 설명한다.

### 제6절 보건간호사업의 질 관리

1. 질 관리 개념을 설명한다.
2. 질 관리를 위한 전략을 설명한다.
3. 질 관리 수행절차를 설명한다.
4. 질 관리의 평가방법을 설명한다.

# 제1절 + 보건사업 기획의 이해

Keywords

- 보건기획의 정의
- 기획의 분류
- 보건기획의 특성
- 기획의 원칙

## 1 보건사업 기획의 개념

### 1) 보건사업 기획의 정의

21세기는 인류의 건강을 위협하는 환경 변화 및 새로운 질병 발생 등의 도전적 상황에 대비해야 한다. 따라서 지속되어져 온 문제뿐 아니라 새롭게 대두되는 공중보건의 위협요인을 포괄하는 보다 유연한 대처가 필요한 상황이다.

WHO에 따르면 보건기획(Health planning)은 국가가 국민의 보건의료 수요를 충족시키기 위해 자원을 활용하여 보건사업을 체계적으로 개발하는 것이다. 국가의 보건기획은 국민의 건강을 유지·증진하는 데 필요한 국가의 비전, 우선순위, 예산 및 실행과정을 규정하는 데 필수적인 역할을 한다. 대부분의 국가는 국민의 건강 증진을 위한 방향성 설정과 일관성을 갖기 위해 주기적으로 장·단기 전략 및 계획을 개발하고 있다.

### 2) 보건사업 기획의 주요 요소

보건기획의 개발은 복잡하고 역동적인 과정으로 국가의 정치적, 역사적, 사회경제적 상황에 따라 다양할 수 있다. 따라서 특정 모범 안을 제시할 수는 없으나 WHO(2006)는 다음의 주요 요소를 권장하고 있다.

- 이해관계자 참여유도(Engaging stakeholder)
- 상황분석과 우선순위설정(Situation analysis & priority setting)
- 구성원 참여(Bringing it all together)
- 비전과 운영방법(From vision to operation)
- 예산계획(Costing plans)
- 모니터링과 평가(Monitoring & evaluation)

### 3) 보건사업 기획의 필요성

건강에 대한 국민의 관심 증가에 따라 보건의료의 중요성이 강조되었고, 지역별 특성을 반영한 보건 문제 파악 및 해결 가능한 보건사업이 필요하게 되었다. 또한 보건의료전달체계에 따른 보건소와 보건의료기관의 역할 변화 등으로 지역보건의료계획 및 통합건강증진사업의 효율적인 추진을 위해 보건기획이 요구되고 있다.

#### (1) 조직의 목표달성

기획은 조직의 공동목표를 달성하기 위한 여러 업무 성과에 대한 평가도구로서 작용한다. 따라서 제한된 자원, 시간과 공간의 지휘 및 통제의 수단이 되어 업무를 명확하고 효율적으로 실행할 수 있게 함으로써 목표달성을 가능하게 한다.

#### (2) 환경변화에 대처

기획은 내·외적 환경변화 등 불확실한 미래와 변화에 대한 위험의 감소 및 적절한 대처의 기준이 된다.

#### (3) 가용자원의 효율적 사용

기획은 조직 구성원이 단합하여 가용자원을 최소의 비용으로 최대의 효과를 거둘 수 있도록 함으로써 예산절약 및 업무흐름을 통합적인 활동으로 개선시킨다.

#### (4) 업무수행 역량의 강화

기획은 업무수행 의욕과 의사전달을 촉진하고, 계속교육 등을 통해 구성원들의 업무수행 역량을 강화시킨다.

### 4) 보건사업 기획의 분류

기획은 다양하게 분류할 수 있으나, 일반적으로 기간별, 대상별, 지역별로 구분할 수 있다.

#### (1) 기간별 유형

- 단기기획 : 1년 내외 기간의 기획으로 연차계획이 해당된다. 현실성이 높으나 주어진 상황에 따라 수정·변경되기도 한다.
- 중기기획 : 5년 내외 기간(3~7년)의 기획으로, 설정된 목적과 목표를 달성하기 위한 자원의 종류 및 배정, 수단과 방법에 관심을 가진다.
- 장기기획 : 일반적으로 10년 이상 기간의 기획으로, 하부구조, 인력, 투자 등 시간이 오래 소요되는 과제를 대상으로 한다. 장기간에 걸친 예측에 관심을 가지므로 장래 추계 또는 예후기획이라는 용어로 사용되기도 한다.

#### (2) 대상별 유형

- 경제기획 : 경제개발, 물가안정, 소득분배 등 국민경제 수준을 목표에 접근시키기 위한 종합적·계속적인 기획이다.
- 행정기획 : 효율적인 조직 관리와 효과적인 목표달성을 위한 기획이다.
- 사회기획 : 사회계층의 불균형이나 불평등 해소 및 국민복지 증진을 위한 기획이다.
- 자연기획 : 토지, 공간, 시설, 자연자원 등을 대상으로 하는 도시기획이나 국토종합개발기획 등이다.

#### (3) 지역별 유형

- 지방기획 : 시·군·구 단위의 기획으로 시·군·구 지역보건의료계획 및 건강증진사업기획이 해당된다.
- 지역기획 : 시·도 단위의 광역지역을 대상으로 하는 기획으로 시·도 지역보건의료계획 및 건강증진사업기획이 해당된다.
- 국가기획 : 국가 단위의 보건기획으로 정책적 특성과 목표를 지니며, 국민건강증진종합계획(Health Plan 2030)이 해당된다.
- 국제기획 : 세계보건기구(WHO), 세계은행(World Bank) 등 국제기구에 의해 이루어지는 기획이 해당된다.

## 2 보건사업 기획의 특성

보건기획(planning)은 보건사업을 통해 달성할 목적을 명확히 설정하고, 최선의 수단으로 누가 무엇을 어떻게 할 것인지 구체적인 방안을 결정하는 미래의 활동에 대한 결정 과정이다. 계획(plan)은 기획(planning)을 통해 산출되는 결과로서 예산과 스케줄에 비중을 두고, 구체적으로 문서화된 업무 수행계획을 중요시한다. 즉, 기획(planning)은 바람직한 목표달성을 위해 최적의 전략을 개발하려는 의사결정 과정으로 업무의 목적과 목표달성을 위한 절차와 과정을 중요시하며, 계획(plan)은 기획과정의 결과로 나타난 최종 산물이다.

### 1) 보건사업 기획의 특성

- **목표지향적·미래지향적** : 기획은 미래에 대한 불확실성을 최소화하여 지역사회의 목표에 맞게 미래를 변화시키려는 수단이다.
- **행동지향적** : 기획가가 수립한 기획을 실행하여 계획을 성공적으로 이끌 수 있도록 권한과 자원을 부여한다.
- **연속적인 의사결정 과정** : 기획과정의 여러 단계는 위계적 체계로 연결되어 있어 상호영향을 미치므로 연속적인 의사결정이 이루어지도록 한다.
- **근거기반** : 과학적 연구 결과에 근거하여 필요한 서비스의 예측 및 사업을 기획함으로써 서비스의 효과성과 효율성을 높일 수 있게 한다.
- **접근성** : 서비스를 필요로 하는 대상자가 쉽고 편리하게 사업에 접근할 수 있도록 한다.
- **지속성** : 보건사업 서비스를 유지하기 위해 전 과정을 계속 모니터링하여 대상자와의 관계, 서비스 계획 및 진행에 대한 의사소통, 서비스 중단자에 대한 조사 및 사후관리를 증진하기 위한 노력이 필요하다.

### 2) 보건사업 기획의 원칙

- **목적부합의 원칙** : 조직의 목적에 맞게 명확하고 구체적으로 기술한다.
- **장래예측 원칙** : 선입견과 주관성을 배제하여 비현실적이거나 지나치게 이상적이지 않도록 정확한 정보와 분석에 근거한 예측을 통해 작성한다.
- **탄력성 원칙** : 변화하는 상황에 대처할 수 있도록 융통성 있게 수립함으로써 하부집행 부서에서 창의력을 발휘할 수 있도록 작성한다.
- **포괄성 원칙** : 포괄적인 영역에 대한 철저한 사전검사로 수행 시 인원, 설비, 물자, 예산 등의 제반요소에 차질이 생기지 않도록 작성한다.
- **균형성 원칙** : 기획과 관련된 다른 계획이나 업무 간 소요자원 및 제반 요소에 대한 상호균형과 조화를 고려하여 작성한다.
- **경제성 원칙** : 사용 가능한 자원은 최대한 활용하고 새로운 자원은 최소화함으로써 경제성을 고려하여 작성한다.
- **계층화 원칙** : 일반적·추상적인 기본기획에서부터 구체화 과정 중에 생성되는 여러 가지 기획이 모두 기본기획과 계층성을 갖도록 성실하게 작성한다.

## 제2절 + 보건사업 기획의 모형

Keywords
- MATCH
- PATCH
- MAPP
- 논리모형

지역사회보건사업 기획모형은 다양하며, 각각의 모형이 가지는 장·단점이 있으므로 어느 한 모형을 적합하다고 특정하기는 어렵다. 그러므로 보건사업이 수행되는 현장의 상황에 따라 적절한 모형을 선택하여 적용하도록 한다.

보건사업 기획모형 중 가장 많이 활용되는 PATCH, MAPP, MATCH, 논리모형을 살펴보기로 한다.

### 1 PATCH 모형

PATCH(Planned Approach to Community Health; 1980) 모형은 미국 질병통제예방센터(Centers for Disease Control; CDC)에서 지역보건요원의 보건사업 기획 지침서로 개발한 것이다. 지역사회 보건사업을 위해 지역 단위의 실무팀을 구성하여 자료수집과 활용, 건강문제의 우선순위 선정, 중재계획 개발 및 효과 평가 등을 수행하는데 사용할 수 있다. 그러므로 우선순위가 정해져 있지 않은 보건사업의 우선순위 선정 및 포괄적인 중재계획 개발에 유용하다[그림 3-1].

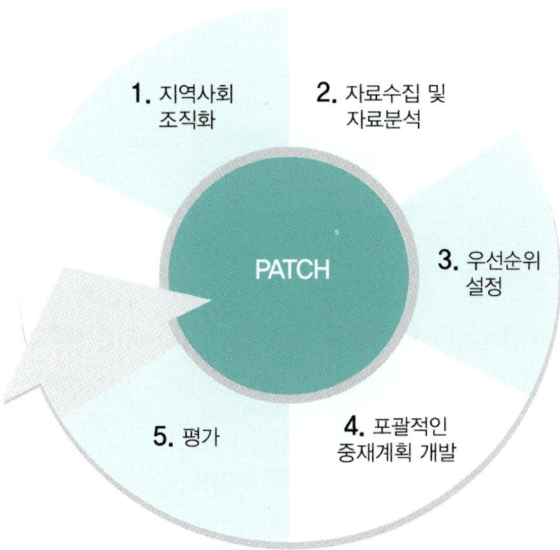


〈 자료원 : Centers for Disease Control and prevention(2003). Planed Approach to Community Health 〉

그림 3-1 PATCH의 단계

### 1) 1단계 : 지역사회 조직화

지역사회 추진위원회 결성 및 지역회의를 개최하고 실무팀을 구성한다. 지역사회의 지원을 이끌어내기 위해 지도자 및 지역사회 주민 전체를 대상으로 홍보활동을 한다.

### 2) 2단계 : 자료수집 및 분석

대상지역의 건강문제(사망률, 유병률, 지역사회 주민의 건강행위, 건강인식 등)에 관한 자료를 수집 및 분석한다. 분석된 자료는 지역사회 보건문제 결정을 위한 기초자료로 사용되며, 회의 시 발표를 통해 공유한다.

### 3) 3단계 : 건강문제 우선순위 설정

대상지역의 건강문제의 중요성, 변화가능성을 기준으로 우선순위가 높은 건강문제를 선정한다.

### 4) 4단계 : 포괄적인 중재계획 개발

이미 제공되었거나 제공되고 있는 서비스와의 중복을 피하기 위해 기존자원, 정책, 조치 등을 확인한다. 활용 가능한 자원을 파악하여 포괄적인 중재 계획을 개발하고, 활동 일정표 작성, 자원봉사자 모집 및 훈련계획, 캠페인 등의 홍보와 정책적 지지 등의 전략도 계획한다.

### 5) 5단계 : 평가

평가는 PATCH의 전 과정에서 이루어지며 필수적이다. 측정지표를 선정하고 평가를 위한 자료를 수집한다. 각 단계에서 이루어지는 과정이 지역사회에 미치는 영향을 평가하고, 중재활동 결과로 지역사회의 변화를 확인한다. 보건사업의 결과를 지역사회에 알리고 환류를 통해 지역사회주민의 참여를 조장하여 더 나은 보건사업 개발에 활용한다.

## 2 MAPP 모형

MAPP(Mobilizing for Action through Planning and Partnerships)은 미국의 지방보건공무원협회(National Association of County and City Health Officials; NACCHO)와 미국 질병통제예방센터(Center for Disease Control; CDC)가 공동 개발한 지역보건사업 기획지침이다.

MAPP모형은 지역사회 주민의 건강증진을 위해 지역사회의 특성을 고려한 전략적 접근이다. 6단계로 구성되어 있으며, 지역사회를 중심으로 구성된 지역보건체계가 해당 지역의 보건현황 파악 및 보건문제에 대응하는 역량개발에 초점을 맞추고 있어 실제 적용이 용이하다. 그리고 급격하게 변화하고 있는 환경 변화에 따른 전략적 기획 요소를 반영한다[그림 3-2].

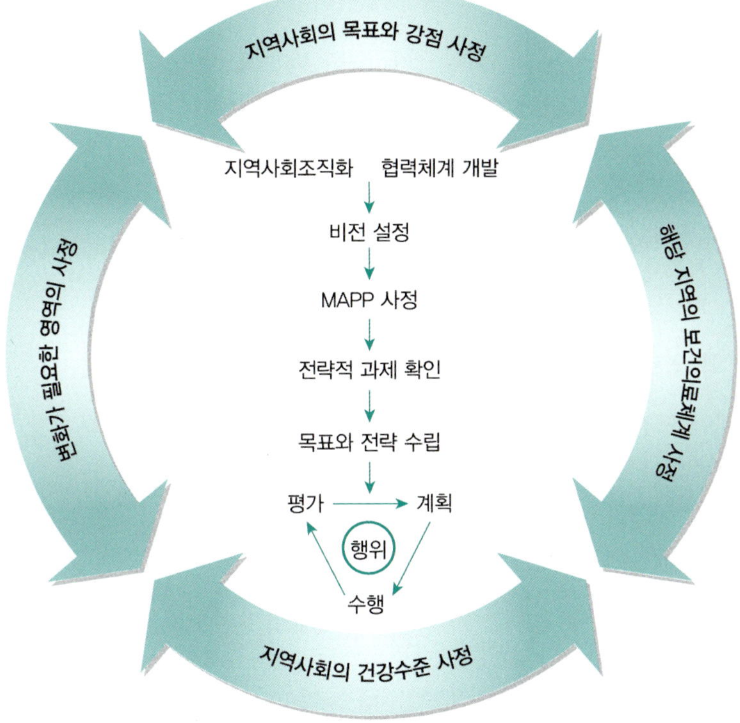


MAPP was developed by National Association of Country and City Health Official(NACCHO). US

〈 자료원 : 배상수(2015). 보건사업기획 제3판 〉

**그림 3-2 MAPP 모형**

## 1) 1단계 : 지역사회 조직화와 협력체계 개발

보건사업 기획의 첫 번째 단계로 협력적 관계 구축을 위해 기존 조직이나 단체를 발굴하거나 새로운 조직을 구성하는데 초점을 둔다. 즉, 지역사회 경험을 서로 이해하고 보건사업기획 과정에 참여할 수 있는 조직이나 단체를 파악하여 지역사회 주도형의 기획과정을 구성하는 것에서부터 시작하여 실현가능한 기획안을 개발하는 것에 목적을 두는 단계이다.

## 2) 2단계 : 비전 설정

지역사회가 공유할 수 있는 가치를 기술한다. 지역사회의 협력적·창의적 과정을 통해 도달할 수 있는 건강한 지역사회의 의미와 특성을 포함하여 5~10년 후 변화된 지역사회의 모습 등을 비전으로 설정한다.

## 3) 3단계 : 지역사회 보건체계의 MAPP 사정

지역사회 영역에 대하여 종합적, 포괄적, 심층적으로 사정하고 분석한다.

### (1) 지역사회 건강수준 사정

지역주민의 건강, 삶의 질과 관련된 인구학적 특성, 사회경제적 지표, 보건자원의 유용성, 건강위협 요인, 환경지표, 정신건강, 모성건강, 사망률, 유병률, 사고 등을 파악한다.

#### (2) 지역사회 주요관심사와 강점 사정

지역주민이 가장 중요하게 생각하는 것, 삶의 질에 대한 만족도, 건강증진을 위해 가지고 있는 자산, 문제해결 경험과 능력 등 지역주민이 느끼는 핵심주제와 강점을 확인한다.

#### (3) 지역사회 보건체계 사정

지역사회 주민의 건강에 기여할 수 있는 공공, 민간, 자발적 조직, 공식적·비공식적 단체 등 지역공중보건체계의 활동, 장점, 경험, 역량, 서비스 수준 등을 확인한다.

#### (4) 지역사회의 변화 역량의 사정

지역사회의 건강문제와 보건체계에 영향을 미칠 수 있는 법적, 기술적, 기타 문제와 이러한 문제로 인해 발생 가능한 건강위협의 종류나 기회 등을 확인한다.

### 4) 4단계 : 전략적 과제(issu) 확인

보건문제의 진단결과를 가지고 지역사회 전략적 보건과제의 우선순위 이슈를 선정한다.

### 5) 5단계 : 목표와 전략 수립

지역사회 보건과제의 우선순위로 선정된 과제(issu)에 대하여 구체적인 목표와 전략을 설정한다.

### 6) 6단계 : 순환적 활동

구체적인 목표와 전략에 따라 변화에 초점을 맞추어 계획, 수행 및 결과에 대하여 평가하고 회환(feedback)을 거쳐 차기 계획에 반영한다. 이러한 활동은 서로 연관되어 있으며, 지속적으로 순환한다.

## 3 MATCH 모형

MATCH(Multi-level Approach to Community Health; 1980)는 지역사회 보건에 대한 다단계 접근모형이다. 보건사업 전략을 생태학적인 여러 차원으로 나누어 다양한 접근방법을 적용하며, 개인·집단·지역사회 및 국가 수준으로 보건사업을 기획한다.

질병이나 사고에 대한 지역사회 보건사업 활동의 우선순위가 결정되어 있을 때 즉, 자료 수집을 통해 문제에 대한 위험요인과 예방법을 알고 있고 우선순위가 정해져 있으며, 보건사업의 핵심과제와 표적집단에 대한 접근법이 정해진 상황에서 활용한다. 그러므로 보건사업의 실제 수행을 강조한 모형이라고 할 수 있다[그림 3-3].

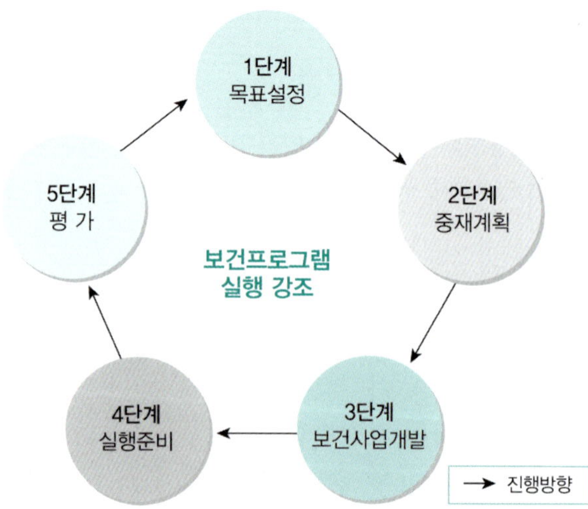


그림 3-3 MATCH 모형

### 1) 1단계 : 목표설정

건강문제의 상대적 중요도와 문제의 변화 가능성을 고려하여 우선순위가 높은 대상자와 문제(진단)를 선택한다. 이후 대상자의 특성, 자원유무, 접근성, 장애요인, 건강문제와 관련요인, 행위요인, 환경요인 등을 고려하여 목표를 설정한다.

### 2) 2단계 : 중재 계획

건강행위 요인, 환경요인과 중재대상을 고려하여 중재목표를 설정한다. 중재대상과 중재목표에 대한 요인을 파악한 후 중재활동과 방법 및 수단을 선택하여 중재를 계획한다. 중재활동의 대상 수준은 중재가 영향을 미치는 수준을 결정하는 것으로, 개인 수준, 개인 간 수준, 조직 수준, 지역사회 수준, 정부 수준으로 구분할 수 있다.

- **개인 수준** : 지식, 태도, 행위, 신념, 기술 등의 개인적인 특성
- **개인 간 수준** : 가족, 동료, 친구, 공식적 및 비공식적인 사회관계망 등
- **조직 수준** : 조직적 특성을 가진 기관, 운영을 위한 공식적·비공식적 규칙이나 규범 등
- **지역사회 수준** : 조직, 기관, 비공식적 네트워크
- **정부 수준** : 지역 및 국가 법률과 정책

### 3) 3단계 : 보건사업 개발

보건사업 개발을 위한 절차는 첫째, 보건사업의 단위나 구성요소를 선정한다. 둘째, 중재 대상의 특성(성별, 연령별)과 주제(금연, 운동 등), 목표, 중재차원, 생활터, 환경, 중재방법, 중재경로 등을 상세하게 기술한다. 셋째, 기존 보건사업을 선택하거나 새로운 보건사업을 개발한다. 넷째, 보건사업별 중재지침, 중재 자료 개발 및 중재활동 계획을 수립한다. 다섯째, 보건사업에 필요한 지역사회 각 기관의 자원과 비용 등을 구체적으로 기술하고 준비한다.

### 4) 4단계 : 실행 준비

보건사업의 수행을 위한 변화의 필요성을 느끼도록 홍보한다. 변화에의 요구, 준비 정도, 실행 요원의 선정, 훈련 및 관리·감독하고, 보건사업이 실행되는데 필요한 제반 사항을 준비한다.

### 5) 5단계 : 평가

보건사업의 수행 중 또는 수행 후 과정평가, 영향평가, 성과평가를 실시한다.

- 과정평가 : 중재 계획 및 과정에 대한 유용성, 실제 수행 정도와 질에 대한 평가
- 영향평가 : 사업의 단기 효과로 나타난 지식, 태도, 기술 및 환경 변화 등에 관한 평가
- 성과평가 : 보건사업의 장기적인 효과에 대한 평가로 지역사회 건강 수준, 유병률, 사망률 등에 관한 평가

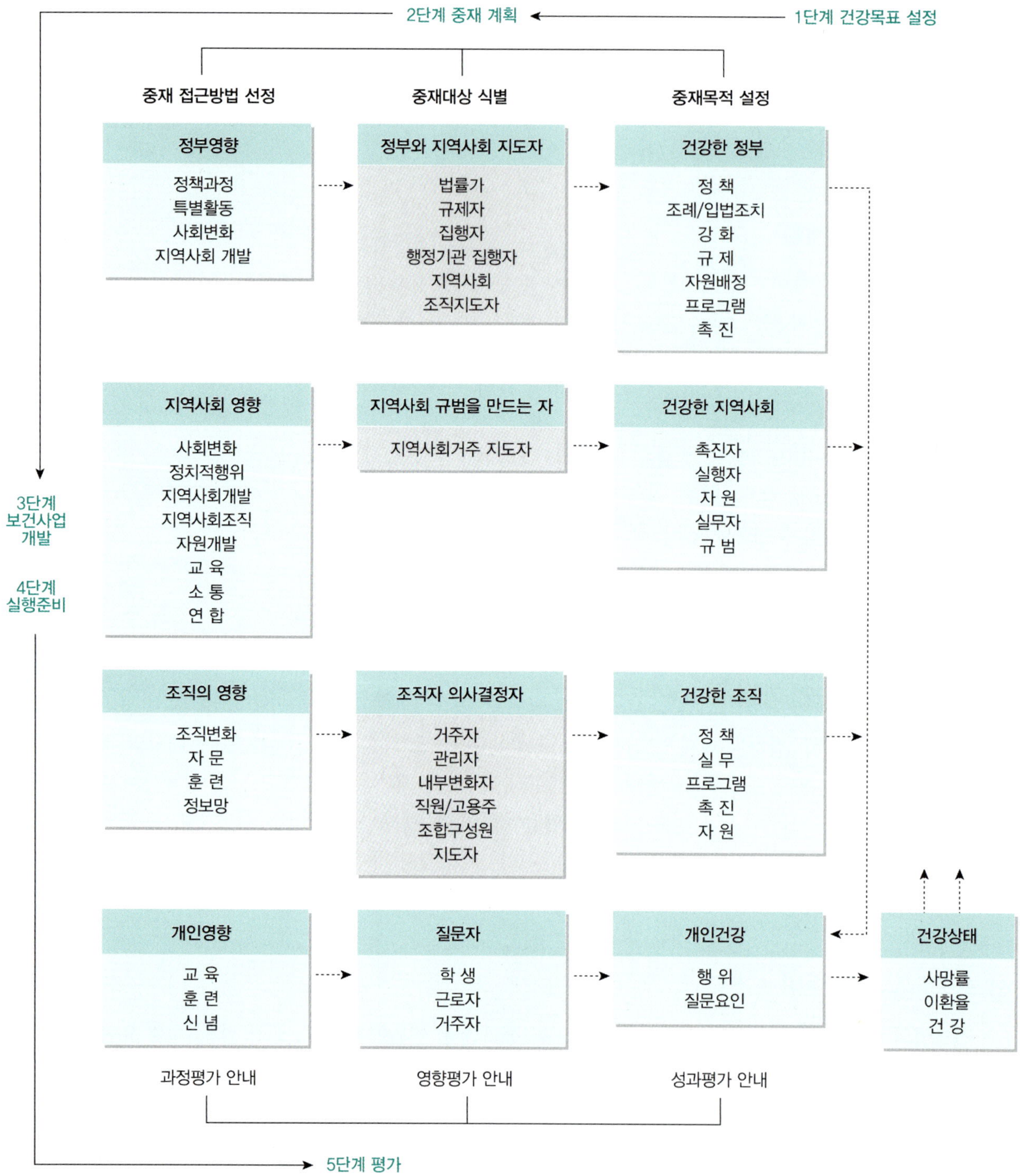


〈 자료원 : B. G. Simons-Morton et al.(1995). Reprinted by permission of Waveland Press, Inc. from B. G. Simons-Morton, W. H. Greene, and N. H. Gottlieb, Introduction to health education and promotion, 2nd ed. Long Grove, IL: Waveland Press, Inc., 1995, All rights reserved 〉

**그림 3-4** MATCH 모형 활용

## 4 논리모형

논리모형(logic model)은 지역사회 보건사업의 각 구성요소간의 관계를 투입-과정-산출-성과의 단계별로 논리적으로 도식화한 것이다. 즉, 보건사업에 필요한 자원을 적절하게 투입하면 계획된 활동과정을 거쳐 산출물을 생산하게 되고, 목표한 결과가 달성된다는 논리를 적용한 모형이다. 따라서 보건사업을 투입-과정-산출-성과 간의 관계를 논리적인 도식을 통해 체계적으로 평가한다[그림 3-5].

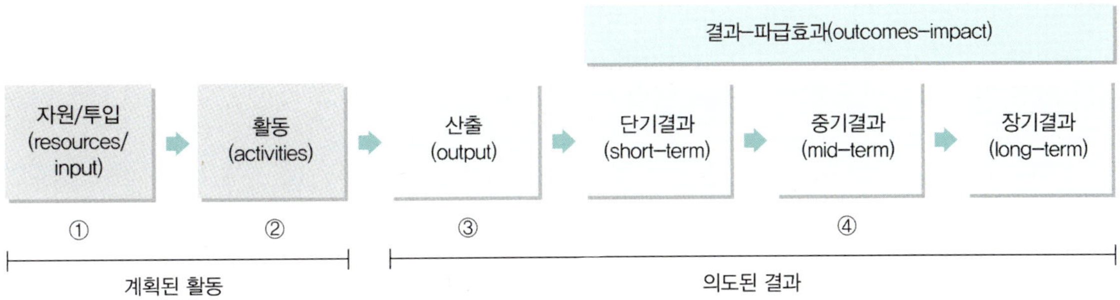


〈 자료원 : 배상수(2015). 보건사업기획 제3판 〉

**그림 3-5 논리모형**

### 1) 투입(Input)

보건사업 프로그램 운영에 필요한 자원 즉, 시설, 인력, 장비, 예산, 정보 등을 말한다. 투입요소를 기초로 구조평가를 할 수 있다.

### 2) 과정(Process)

보건사업의 목적 달성을 위해 사업을 수행하거나 서비스를 제공하는 활동단계이다. 인력, 훈련, 서비스 제공, 보건교육, 자금의 모금, 홍보, 협력 등이 해당하며, 과정에 대한 평가를 통해 장·단점을 파악하여 보완함으로써 원활한 사업수행이 가능하다.

### 3) 산출(Output)

보건사업 수행으로 기대되는 결과물을 측정가능한 수치로 객관화하여 제시하는 것이다. 즉, 투입된 자원을 통해 나타나는 활동의 실적인 서비스 이용자 수, 서비스 제공 시간, 보건교육 참여 인원수, 교육자료 배포 수, 상담 횟수 등이 해당된다.

### 4) 성과(Outcome)

보건사업 수행의 결과로 나타나는 지역사회 주민 개인이나 지역사회 전체의 지식, 태도, 행동변화 및 건강수준의 변화를 말하며, 단기, 중기, 장기성과로 파악한다.

- 단기성과 : 보건사업 종료 직후 대상자의 지식, 태도, 기술의 변화로 개인의 지식 및 태도 변화, 조직 및 기관의 참여도 변화 등이다.
- 중기성과 : 단기성과를 통해 나타나는 대상자의 행동변화로 생활습관의 변화, 정책변화 등이다.
- 장기성과 : 보건사업을 통해 궁극적으로 도달하고자 하는 목표로 질병, 사망, 건강수준, 삶의 질 등이 해당한다.

# 제3절 + 보건사업 기획의 과정

Keywords

- 기획팀의 조직
- 전제조건 사정
- 이해관계자의 참여
- 현황분석
- 우선순위설정
- 목표설정
- 사업계획
- 사업수행
- 사업평가
- SWOT 분석
- BPRS
- PEARL
- Bryant

보건사업의 기획과정은 전문가에 따라 조금씩 상이하여 모두가 동의하는 표준안은 없다. 따라서 여건에 따라 융통성 있게 변화시켜서 적용하는 것이 바람직하다.

일반적으로 보건사업의 기획과정은 보건사업 기획팀의 조직, 지역사회 현황분석, 주요 건강문제의 선정(우선순위 결정), 목적과 목표설정, 전략 및 세부사업 계획의 수립, 실행, 평가 단계로 진행된다. 보건사업의 기획과정은 연속적이고 상호영향을 주고받는 과정이므로 각 단계별로 서로 연관되어 있으며, 지속적인 상호작용이 일어난다[그림 3-6].

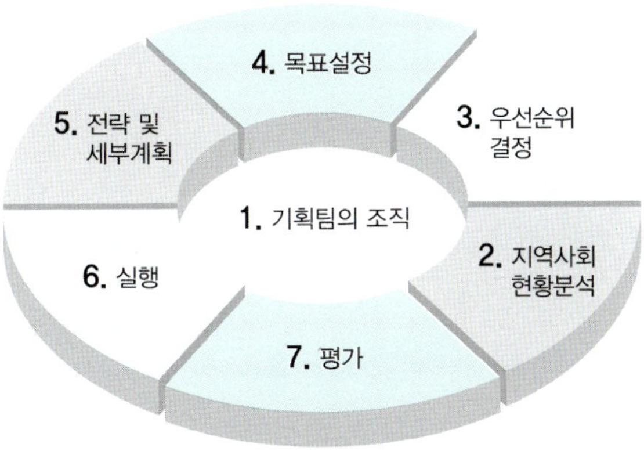


〈 자료원 : 배상수(2015). 보건사업기획 제3판 〉

그림 3-6 보건사업의 기획단계

## 1 보건사업 기획팀의 조직

보건사업 기획팀의 조직은 보건사업 기획을 위해 가장 선행되어야 할 첫 단계이다. 지역사회 이해관계자가 참여하는 기획팀을 조직하며, 기획을 위한 전제조건을 사정하거나 설정한다. 전제조건은 정부의 관심과 정책, 법적 뒷받침, 기획담당 기구, 행정 능력 등이 해당한다.

## 1) 이해관계자의 참여

이해관계자(stakeholder)는 보건사업에 포함되었거나 이해관계가 있는 사람 및 흥미를 가진 사람 또는 조직이다. 직접적인 이해관계자와 잠재적인 이해관계자로 구분되며, 직접적인 영향을 받지 않더라도 학문적, 철학적, 정치적인 이유로 사업에 대한 관심을 가진 사람도 포함될 수 있다. 최근 보건사업 기획과정에서 기획 및 평가의 활용성을 높이기 위해 이해관계자의 참여를 확대하고 있다.

### (1) 직접적인 이해관계자

- 사업을 기획, 실행, 평가하는 주체 및 파트너
- 사업에 의해 영향을 받는 대상자
- 프로그램에 관심이 있는 자 등

### (2) 잠재적인 이해관계자

- 프로그램 관리자와 직원
- 중앙 정부 및 지방자치단체
- 의회 및 의원, 사법기관
- 시·도 및 시·군·구 보건기관, 보건의료인과 단체
- 재원조달기관, 기업 및 기업 연합
- 교육기관 및 교육 단체
- 종교단체
- 프로그램 비평가
- 불평등하게 문제의 영향을 받은 인구집단 대표자 및 개인 등

## 2) 참여의 수준

이해관계자는 기획단계의 전 과정에 걸쳐 적극적으로 참여하는 것이 바람직하며, 참여의 정도에 따라 다음과 같이 구분할 수 있다.

- **주변집단** : 기획과정에 필요한 정보를 제공하는 이해관계자로, 보건사업의 이용자나 일반 주민 등이 해당된다.
- **지지집단** : 보건사업의 필요성 및 사업의 실행에 대한 사회적 지지집단으로, 여론 지도층이 포함된다.
- **참여집단** : 필요에 따라 보건사업기획 및 평가과정에 참여시키거나 자문을 구하는 대상으로, 지역보건의료관련 전문단체나 건강관련 시민단체 인사가 해당된다.
- **핵심집단** : 참여집단이나 지지집단 중 지역보건문제에 대한 관심이 크고 사업계획이나 평가단계에서의 신뢰성 확보와 실행 및 결과 확산을 위해 필요한 대상자로서, 반드시 포함되어야 한다.

## 2 현황분석

지역사회 현황분석(situational assessment)은 현재의 상황과 바람직한 상황과의 차이를 확인하여, 목표달성을 위해 해결해야 할 지역사회의 건강문제와 영향요인을 찾아내고, 지역사회 및 조직이 문제를 해결할 수 있는지를 분석하는 과정이다.

지역사회 현황분석은 지역사회의 건강수준 및 건강결정요인 평가, 지역사회의 관심과 장점, 지역 보건체계와 지역보건사업의 평가, 건강문제와 해결능력에 영향을 미치는 환경의 변화 등을 포함한다.

### 1) 자료수집

#### (1) 자료수집 내용

현황분석을 위한 자료수집 내용은 지역사회의 지역적 특성, 인구학적 특성, 환경적 특성, 건강 특성(사망수준, 질병이환수준, 인구재생산수준, 의료시설 활용수준, 건강행태 등)과 지역사회자원 등이다.

지역사회자원은 보건의료자원(보건의료시설, 보건의료전문인 등), 사회복지 및 공적서비스 등의 사회적 자원, 안전 및 편의시설 등의 물리적 자원 등이 해당한다.

#### (2) 자료수집 방법

현황분석을 위한 자료수집 방법은 보건사업에 활용되는 생정통계 등의 기존자료(2차 자료)를 활용하거나 공식적·비공식적인 정보원과의 면담, 지역 시찰 등을 통한 직접 관찰, 지역주민에 대한 설문조사, 지역사회모임이나 행사 등에 참여하여 관찰하는 참여관찰, 델파이 방법 등을 이용하여 자료를 직접 수집(1차 자료)할 수 있다.

#### (3) 자료유형

현황분석에 사용되는 자료는 자료원, 자료의 성격, 수집 주기에 따라 구분할 수 있다.

##### ① 자료원에 따른 분류

- 1차 자료 : 현황분석을 위해 직접적으로 새롭게 수집한 자료, 자료수집은 어렵지만 대표성은 높다(보건소 주민조사 등).
- 2차 자료 : 기존 자료나 연구자료, 관내 행정통계자료, 전국민대상 건강조사자료, 다른 지역 자료, 관련 문헌 등을 이용한 자료로, 자료수집이 쉽지만 대표성은 낮고 타당성은 높다(예 국민건강영양조사 등). 2차 자료의 장·단점은 [표 3-1]과 같다.

**표 3-1 2차 자료의 장·단점**

| 장 점 | 단 점 |
|---|---|
| 지역 전체 등 대규모 조사 단위의 자료가 많음 | 규모가 커서 분석이 어렵고 원하는 자료는 누락되기도 함 |
| 다목적으로 즉시 활용 가능하여 효율적임 | 자료가공의 유연성이 낮고 과정보다는 결과에 대한 정보가 많음 |
| 사망한 사람 자료도 포함 | 윤리적 문제로 자료접근이 어려울 수 있음 |
| 이미 기록되어져 있는 자료이므로 조사에 의한 바이어스가 적음 | 규모가 커서 분석이 어려우며, 자료의 질적 차이가 큼 |

보건사업 기획 및 평가에 주로 활용되는 2차 자료의 종류와 특성은 [표 3-2]와 같다.

표 3-2 보건사업 기획에 사용하는 2차 자료의 종류와 특성

| 내용 | 자료원 | 장 점 | 단 점 |
|---|---|---|---|
| 인구 자료 | 인구센서스 | • 각종 역학지표의 분모로 활용<br>• 향후 추계인구를 제시 | • 기초자치단체별 향후 추계인구는 제시되어 있지 않음 |
| | 인구동태자료 | • 정확성과 완전성이 높음<br>• 출생, 사망관련 정보가 일상적으로 수집됨<br>• 기초자치단체별 분석이 가능 | • 사망진단서 기재와 관련한 오류가 많음 |
| 사망 자료 | 사망신고자료 | • 정확성과 완전성이 높음<br>• 사망관련 정보가 일상적으로 수집됨<br>• 기초단치단체별 분석이 가능 | • 사망진단서 기재와 관련한 오류가 많음<br>• 사망자료는 지역의 건강문제를 민감하게 반영하지 못함 |
| 상병 자료 | 법정전염병 신고자료 | • 전염병의 발생을 신속하게 인지 | • 신고율이 매우 낮음 |
| | 건강보험 수진자료 | • 대표성이 높음<br>• 의료이용과 의료비 등에 관한 정보를 제공 | • 정확성에 큰 결함이 있음<br>• 획득하기가 힘듦 |
| 상병 자료 | 병원자료 | • 진단이 정확함<br>• 의료이용과 질에 관한 정보를 제공 | • 대표성이 낮음 |
| | 질병등록자료 | • 암 등의 발생률 산출이 가능 | • 일부 지역의 경우 자료를 구할 수 없음 |
| 건강 행태 | 국민건강 영양조사 | • 정확도가 높음<br>• 건강행태, 장애 등에 관한 정보를 제공<br>• 영양에 관한 구체적인 정보를 제공 | • 시·군·구별 조사대상자 수가 적어 대표성에 문제가 있음<br>• 3년 주기로 실시되어 시의적절성이 다소 낮음 |
| | 서울시 보건지표조사 | • 정확성, 대표성이 높음<br>• 구별 2,000명 이상의 주민을 대상으로 조사가 완료됨<br>• 건강행태, 장애 등에 대한 정보를 제공 | • 3년 주기로 실시되어 시의적절성이 다소 낮음 |

#### ② 자료 성격에 따른 분류

- **양적 조사자료** : 대표성을 갖는 표본을 대상으로 구조화된 설문도구를 이용하여 전화, 면담, 우편, 온라인 등의 방법으로 수집한 자료이다. 수집된 자료는 통계 분석을 통해 결과를 일반화한다.
- **질적 조사자료** : 적은 수의 대표성 없는 집단을 대상으로 구조화되지 않은 자료수집 방법을 통해 수집한 자료이다. 포커스 그룹 등을 활용하며, 문제의 제기나 양적연구의 결과를 심층분석할 때 사용한다.

#### ③ 수집주기에 따른 분류

- **부정기적 조사**(ad hoc survey) : 정기적 조사 이외의 조사로 조사기관의 필요에 의해 수시로 시행한다.
- **정기적 조사**(routine survey) : 조사기관이 조사 주기, 대상 범위, 대상 지역, 조사항목 및 수집방법 등을 결정 및 공지하여 실시하며, 주로 이차자료로 활용된다.

### (4) 지역사회 건강지표(Community Health Profile)

지역사회 건강수준 분석에 사용하는 지표를 지역사회 건강지표라고 한다. 일반적으로 인구 사회학적 특성, 사망 및 출생, 건강수준과 삶의 질, 상병 및 의료이용, 건강행태 등이 해당한다.

#### ① 인구 사회학적 특성

인구 분포, 인구 동태, 사회경제적 특성

#### ② 사망 및 출생

평균수명, 영아사망률, 원인별 특수사망률, 주요 사망원인, 모성사망률, 합계출산율 등 출산지표

#### ③ 건강수준과 삶의 질

주관적 건강상태, 상해/손상/장애측정지표, 다차원적 건강상태지표

#### ④ 상병 및 의료이용

질병별 유병률과 발생률, 질병비용과 의료이용량, 질병인지율, 약물치료율, 감염병 발생률, 암발생률

#### ⑤ 건강행태

흡연율, 음주율, 비만율, 운동실천율, 건강검진율, 국가암검진 수검률

## 2) 자료분석

지역사회현황 분석에 흔히 SWOT 분석을 활용한다. SWOT 분석은 Albert Humphrey가 1950년대에 기업의 문제점을 진단하고 해결하기 위한 장기기획의 방법으로 활용한 것이다. 전략적 기획에서 조직 내·외의 환경을 분석하기 위해 조직 내부 요인은 강점(Strengths)과 약점(Weaknesses)으로, 조직 외부 요인은 기회(Opportunities) 요인과 위협(Threats) 요인으로 파악한다.

### (1) SWOT 분석의 요인

#### ① 내부요인

- 강점(Strengths)
  - 조직 내부의 강점에 초점을 둔다.
  - 조직의 목표달성에 긍정적인 요인이다.
  - 예 조직의 역사 및 체계, 직원 간의 응집력, 직원들의 업무에 대한 열정, 인적·물적·자원의 확보, 서비스 전달 능력 등
- 약점(Weaknesses)
  - 조직 내부의 취약점에 초점을 둔다.
  - 조직의 업무를 방해하거나 제한하는 요인이다.
  - 예 직원의 고령화, 직원들의 업무에 대한 의욕 저하, 지역보건사업에 대한 비전문성, 인적·물적 자원의 부족, 승진 기회의 부족, 부서 간의 갈등 등

#### ② 외부요인

- 기회(Opportunities)
  - 조직의 목표달성에 도움이 되는 외적 요인이다.
  - 조직의 발전에 기여할 수 있는 긍정적인 외적 요인이다.

- 예 입지 조건, 지역사회에서의 인지도, 사회적 관심 증가, 정부의 관련 정책에 대한 지원, 자원봉사자 확보 등

• 위협(Threats)
- 조직의 목표달성에 방해가 될 수 있는 외적 요인이다
- 조직의 발전에 위협이 될 수 있는 외적 요인이다.
- 예 상부기관과의 갈등, 경쟁력 약화, 사회·경제적 분위기 저조, 지지기반의 약화 등

[그림 3-7]은 SWOT 분석을 지역사회보건기획에 실제 적용한 서울시의 사례이다.

| 강점(Strength) | 약점(Weakness) |
| --- | --- |
| • 다양한 보건의료수요에 신속히 대처하고 독립성을 갖기 위하여 복지건강본부 산하국 조직에서 독립조직인 '시민건강국'으로 조직개편<br>• 전국 지방자치단체 최초로 서울시 보건의료분야의 싱크탱크역할을 수행할 공공보건의료재단 설립(2017.7월)<br>• 보건의료변화에 선제적 대응력 및 보건의료정책 선도역량 보유<br>⇒ 활용 가능한 민간 보건의료자원(전문인력, 공공보건의료기관, 지역사회 연계자원 등) 풍부<br>⇒ 보건의료정책의 전문적인 수행 지원을 위한 조직 풍부(공공보건의료재단, 서울시 산하 12개 시립병원, 광역치매지원센터 광역정신건강복지센터, 자살예방센터, 8개 사업지원단 등)<br>• 다양한 정신보건관련 시설 보유 및 서비스 제공(144개소)<br>⇒ 정신건강복지센터 26, 자살예방센터 1, 심리지원센터 3, 중독관리통합지원센터 4, 정신요양시설 3, 정신재활시설 107개소<br>• 공공보건의료인력 역량 강화를 위한 교육체계 마련(서울시 공공의료아카데미/분야별 사업지원단의 전문인력 교육 등)<br>• 보건의료정책 결정과정에 시민의 의견 청취 등 시민참여 적극 실시(서울시민건강위원회 운영, 먹거리 추진 시민위원회 운영, 환자권리옴브즈만 시행, 시립병원 시민참여위원회 설치 운영)<br>• 지역 간 건강격차 해소를 위한 건강격차 모니터링 자료의 지속적 생산으로 사업근거 및 평가 근거 마련<br>• 취약지역 보건시설 확충(서울형 보건지소 설치 운영) 및 안심병원, 세이프약국, 시민건강포인트 사업 등 다양한 사업의 선도적 수행 | • 서울시 전체 예산 및 복지예산 대비 저조한 보건예산 및 미미한 증가 추세<br>• 보건의료업무 다양성과 복잡성에 따른 인력의 전문성이 요구되나, 순환보직으로 인한 업무 연속성 및 이해도, 전문성 부족<br>• 서울시 및 보건소 등에서 근무하는 공공보건의료인력은 지속적으로 증가추세이나 정원외 인력(무기계약직, 한시임기제, 기간제 등)의 증가폭이 커서 인력고용 불안정<br>• 보건-의료-복지서비스 상호 간 연계 미흡으로 취약계층에 대한 미약한 지원력<br>• 인구대비 공공의료기관 양적 부족, 낮은 접근성 및 신뢰도<br>• 양적으로 우세한 민간 자원의 분포와 공공 분야에서의 민간 자원의 낮은 활용도<br>• 치료 중심의 민간의료로 건강증진 및 만성질환 관리 미충족<br>• 진료권별 병상수급 및 의료의 질적 수준 격차<br>• 풍부한 민간의료자원에도 불구하고, 권역응급의료센터 및 권역 외상 센터의 부족 등 응급의료인프라 미흡<br>• 노인인구와 건강 취약계층 증가로 사회적 부담 지속 증가<br>⇒ 기초생활수급자, 1인가구 등 취약인구의 증가세 전국 최고<br>• 다양한 분야의 건강리더, 주민건강소모임 등을 발굴, 양성하고 있으나 지속적인 활동율이 낮고, 실제로 보건사업과 연계 약화, 사회적 경제 조직으로 성장이 미흡 |

| 기회(Opportunity) | 위협(Threat) |
| --- | --- |
| • 커뮤니티케어에 대한 관심이 증가하면서 지역사회 기반 건강관리에 대한 정책적 요구 증가 및 시민들의 관심 증가<br>• 보건의료서비스에 대한 시민들의 관심과 욕구 다양<br>• 메르스 등 신종감염병의 출현으로 공공의료서비스 확충에 대한 사회적 관심 증가<br>• 공공보건의료기관(보건소 및 시립병원)에 대한 만족도와 이용률 향상<br>• 건강하고 안전한 환경 조성에 대한 관심 증대<br>• 다양한 지역사회자원 연계협력 체계 관심 증가<br>• 의료복지사각지대 이슈화로 취약계층 대상 사업 활성화 분위기 조성<br>• 민간자원(기관 및 단체)의 사회참여(기부와 나눔 문화 등) 분위기 조성 | • 전국 대비 서울시의 높은 건강수준에도 불구하고 지역 간, 계층 간 건강격차 심화<br>• 전국 대비 가장 낮은 출산율 및 인구감소 추세<br>• 빈곤층의 지속적인 증가와 전국보다 높은 빈곤율<br>• 자살, 스트레스 등 정신건강 관련 문제 심각<br>• 해외유입 감염병 및 신종감염병 급속한 증가에 따른 불안감 증대<br>• 대기오염과 미세먼지, 도시소음, 식품위해환경과 같은 도시환경 문제 대두<br>• 사고 및 재난 발생으로 안전에 대한 위기의식 고조<br>• 스마트폰 중독, 전자파 노출, 환경호르몬 증가, 방사능 위협 등 건강 위해환경에 대한 우려 증가<br>• 비감염성 질환의 지속적인 증가와 그에 따른 사회경제적 비용 증가<br>• 외국인 증가에 따른 다문화가족 및 외국인 근로자 등의 건강문제 대두 |

〈 자료원 : 서울특별시 제7기 지역보건의료계획(2019~2022) 〉

그림 3-7 SWOT 분석 예시

### (2) SWOT 분석을 통한 사업전략

지역사회현황 분석을 근거로 보건사업의 성공적 수행과 관련 있는 조직의 강점과 약점, 외부 환경의 기회요인 및 위협요인을 기술한 후 전략의 방향을 설정한다. SWOT 분석을 통한 전략은 SO, ST, WO, WT의 4가지이다. 보건사업의 역량을 강화하고 사업을 효과적으로 성취할 수 있는 전략을 도출하도록 한다[그림 3-8].

| | | 외부요인 | |
|---|---|---|---|
| | | 기회(O) | 위협(T) |
| 내부요인 | 강점(S) | **SO(강점–기회)전략**<br>• 내부적 강점을 기회 활용에 적용하는 방안<br>• 적극적·공격적 전략<br>: 사업구조, 영역, 시장의 확대 등 | **ST(강점–위협)전략**<br>• 내부적 강점을 이용해 외부 위협에 대처하는 방안<br>• 다각화 전략<br>: 신사업 진출, 새로운 시장 개척, 신기술 개발, 신제품 출시, 새로운 고객 개발 등 |
| | 약점(W) | **WO(약점–기회)전략**<br>• 기회를 극대화하여 약점을 최소화하는 방안<br>• 국면전환 전략<br>: 구조조정, 강점 보완, 혁신 운동 등 | **WT(약점–위협)전략**<br>• 약점과 위협요인 모두를 최소화하기 위한 방안<br>• 방어적 전략<br>: 사업의 축소, 사업의 폐기 및 철회 등 |

〈 자료원 : 서울특별시 제7기 지역보건의료계획(2019~2022) 〉

**그림 3-8 SWOT 분석을 통한 전략 도출**

[그림 3-9]는 SWOT 분석을 통한 전략을 실제 적용한 서울시의 사례이다.

|  |  |
|---|---|
| SO전략 ▶ | • 인구 고령화 및 만성질환 증가로 인한 경제적 부담 가중에 따라 등장한 커뮤니티 케어를 위한 건강돌봄서비스, 찾동(찾아가는 동주민센터)어르신건강증진사업, 찾동건강증진사업 등 선도적 정책 추진<br>• 보건의료 전반에 지속적이고 실질적인 민간참여 확대 및 협치를 통해 시민의 체감이 가능한 정책 추진 및 건강증진<br>• 공공보건의료 종사자의 공공가치 인식 제고 및 전문성 확보로 공공보건의료의 역할 강화 |
| ST전략 ▶ | • 풍부한 보건의료자원을 통한 사전예방적 건강증진 및 건강환경 조성<br>• 예방 및 생애주기별(모자, 노인, 방문보건 등) 평생건강관리체계 구축<br>• 재난 및 사고 등 위기상황에 신속 대응체계 구축<br>• 사업에 참여하는 시민자원을 발굴·지원하여 자발적인 주민참여형 건강생태계 조성 |
| WO전략 ▶ | • 연계와 협력체계 구축을 통한 미충족 보건의료서비스 극복<br>(공공·민간기관, 응급의료서비스, 보건·의료·복지 통합서비스)<br>• 건강관리 및 통합적 건강증진서비스 제공을 위한 보건소 기능 재정비<br>• 공공보건의료분야의 시민참여 인프라 확대 및 역량 강화<br>• 건강취약계층에 대한 주민밀착형 서비스 제공 체계 마련<br>• 정신건강관리를 위한 정신보건 및 자살예방사업 강화 |
| WT전략 ▶ | • 보건의료자원의 진료권별 격차 해소와 적정수급 정책 실현<br>(시립병원의 기능 보강, 권역별 균형있는 보건의료자원의 분배 등)<br>• 늘어나는 위협적 보건문제에 대한 보건예산의 증대와 확보<br>• 공공보건의료사업에 대한 통계생산 및 연구활동 지원으로 사업근거 및 평가기준 마련<br>• 건강위해 환경 개선을 위한 다양한 연계체계 구축 |

〈 자료원 : 서울특별시 제7기 지역보건의료계획(2019~2022) 〉

**그림 3-9 SWOT 분석을 통한 사업 전략**

## 3 우선순위설정

지역사회보건문제의 우선순위 설정은 형평성 있는 보건의료비용 배분과 동시에 최소의 지출로 최대의 편익을 얻기 위함이다. 우선순위설정 시 객관적인 기준과 공정한 방법 및 절차에 따라야 하며, 우선순위설정 시 기존의 기준을 사용하기보다는 지역사회의 특성을 고려하여 기획팀원 간의 합의에 의해 결정하는 경우가 많다. 따라서 구성원 간의 합의 도출을 위한 의사결정 과정을 거치게 된다. 가장 흔하게 사용되는 우선순위 설정 기준은 BPRS, PEARL, PATCH, Bryant 등이다.

### 1) BPRS(기초우선순위평정법)

BPRS(Basic Priority Rating System)는 보건사업의 우선순위설정에서 널리 쓰이는 방법으로, 보건소의 통합 건강증진사업에서도 활용되고 있다.

BPRS는 John Hanlon과 George Pickett이 개발한 것으로, 지역 내 보건문제를 목록화하여 건강문제의 크기, 건강문제의 심각도, 사업의 추정효과에 대하여 공식에 따라 점수화한다. 세부기준은 [표 3-3]과 같다.

$$BPRS = (A + 2B) \times C$$

A : 문제의 크기, B : 문제의 심각도, C : 사업의 추정 효과

비중의 크기는 A<B<C라고 할 수 있다.

**표 3-3** BPRS(Basic Priority Rating System) 기준

| 건강문제 인구크기 | | 문제의 심각도 | | 사업의 효과 | |
|---|---|---|---|---|---|
| 25% 이상 | 9~10 | 매우 심각 | 9, 10 | 매우 효과적 | 9~10 |
| 10~24.9% | 7~8 | 심각함 | 6, 7, 8 | 상대적으로 효과적 | 7~8 |
| 1~9.9% | 5~6 | 다소 심각함 | 3, 4, 5 | 효과적 | 5~6 |
| 0.1~0.9% | 3~4 | 심각하지 않음 | 0, 1, 2 | 다소 효과적 | 3~4 |
| 0.01~0.09% | 1~2 | | | 상대적으로 비효과적 | 1~2 |
| 0.01% 미만 | 0 | | | 거의 전적으로 비효과적 | 0 |

문제의 크기를 파악하기 위해 만성질환은 유병률, 급성질환은 발생률의 크기를 이용하여 점수화한다. 문제의 심각도는 다음과 같은 4가지 세부항목을 고려한다.

- 긴급성 : 문제가 긴급한 정도, 주민 입장에서의 상대적 중시도
- 경중도 : 조기사망률, 잠재수명 손실 일수, 장애정도
- 경제적 손실 : 지역사회나 개인에 대한 경제적 손실
- 타인에의 영향 : 집단 혹은 가정에 대한 사회적 영향

사업의 추정 효과는 정확한 추정이 어려우므로 사업의 최대효과와 최소효과를 추정하여 점수를 부여하며, 우선순위 결정 시 결정적인 영향을 미친다.

BPRS 점수 계산은 건강문제별로 평가항목별 점수를 기재한 후 공식에 의해 계산하여 점수 크기에 따라 우선순위를 설정하는 것으로 [표 3-4]와 같다.

**표 3-4 BPRS 작업지 예시**

| 건강문제 | 요소 | | | BPRS (A+2B)×C | 순위 |
|---|---|---|---|---|---|
| | A(0–10) | B(0–10) | C(0–10) | | |
| | | | | | |
| | | | | | |
| | | | | | |

단, BPRS는 질병 간의 우선순위를 결정하기 위해 개발된 방법이므로 건강행태를 대상으로 적용하기에는 어려움이 있다는 것을 유념해야 한다. BPRS를 활용한 우선순위를 설정한 예는 [표 3-5]와 같다.

**표 3-5 BPRS를 활용한 우선순위설정의 예**

| 건강문제 | 건강문제의 크기(A) | | 건강문제의 심각도(B) | 사업의 효과(C) | BPRS (A+2B)×C | 순위 |
|---|---|---|---|---|---|---|
| | 문제 | | | | | |
| 고령화 문제 | 만성질환유병률 증가<br>노인의료비 증가 | 9 | 10 | 9 | 261 | 1순위 |
| 건강불평등 심화 | 소득별 건강격차<br>지역별 건강 빈곤격차 | 8 | 9 | 10 | 260 | 2순위 |
| 생명존중 부족 | 높은 자살률<br>생명안전환경 부족 | 8 | 9 | 8 | 208 | 3순위 |
| 건강관리 무관심 | 예방적 건강관리 미흡<br>건강관리 접근성 문제 | 9 | 8 | 8 | 20 | 4순위 |
| 저출산 문제 | 난임율 증가<br>육아부담 증가 | 8 | 8 | 8 | 192 | 5순위 |
| 환경 문제 | 환경관리 질환 증가<br>감염병 발생 증가 | 5 | 6 | 8 | 136 | 6순위 |

〈 자료원 : 서울특별시 성동구 제7기 지역보건의료계획(2019~2022) 〉

### (2) PEARL

PEARL(Propriety, Economic Feasibility, Acceptability, Resources, Legality)은 우선순위 결정기준의 보완을 위하여 BPRS의 계산 후 사업의 실현가능성 여부를 판단하는 기준으로 주로 사용된다. PEARL의 기준척도는 적절성, 경제성, 수용성, 자원 이용 가능성, 적법성의 5가지 항목이다.

PEARL : 0 또는 1 (P × E × A × R × L)

- P(Propriety, 적절성) : 해당기관의 업무범위에 해당되는가?
- E(Economic Feasibility, 경제적 타당성) : 문제를 해결하는 것이 경제적으로 의미가 있는가?
- A(Acceptability, 수용성) : 지역사회나 대상자들이 사업을 수용할 수 있는가?
- R(Resources, 자원의 이용 가능성) : 사업에 사용할 재원이나 자원이 있는가?
- L(Legality, 적법성) : 법적인 문제는 없는가?

점수는 척도의 각 항목별로 0점 또는 1점의 점수를 부여한 후 5가지 항목의 점수를 모두 곱하여 나온 점수로 사업의 시행여부를 결정한다. 따라서 5가지 항목 중 하나라도 0점을 받으면 사업을 할 수 없게 되며, [표 3-6]과 같다.

**표 3-6 PEARL 작업지 예시**

| 건강문제 | P<br>적절성 | E<br>경제성 | A<br>수용성 | R<br>자원 | L<br>적법성 | PEARL<br>(0 또는 1) |
|---|---|---|---|---|---|---|
| | | | | | | |
| | | | | | | |
| | | | | | | |
| | | | | | | |
| | | | | | | |

PEARL을 이용한 우선순위 실현가능성을 판단한 예는 [표 3-7]과 같다.

**표 3-7 PEARL을 이용한 우선순위 실현가능성**

| 건강문제 | 적절성 | 경제적<br>타당성 | 수용성 | 자원이용<br>가능성 | 적법성 | PEARL<br>(0또는1) |
|---|---|---|---|---|---|---|
| 고령화 문제 | 1 | 1 | 1 | 1 | 1 | 1 |
| 저출산 문제 | 1 | 1 | 1 | 1 | 1 | 1 |
| 생명존중 부족 | 1 | 1 | 1 | 1 | 1 | 1 |
| 건강불평등 심화 | 1 | 1 | 1 | 1 | 1 | 1 |
| 환경 문제 | 1 | 1 | 1 | 1 | 1 | 1 |
| 건강관리 무관심 | 1 | 1 | 1 | 1 | 1 | 1 |

〈 자료원 : 서울특별시 성동구 제7기 지역보건의료계획(2019~2022) 〉

### (3) PATCH

PATCH(Planned Approach To Community Health)는 미국 질병통제예방센터(CDC)에서 개발한 보건사업 지침으로 건강문제의 중요성과 변화가능성을 우선순위설정의 기준으로 사용하고 있다. 건강문제가 지역사회에 얼마나 심각한 영향을 주는지, 건강문제를 변화시키면 건강수준에 어느 정도의 효과가 나타나는지를 평가한다.

#### ① 중요성

건강문제의 중요성을 판단하기 위해서는 첫째, 건강문제가 얼마나 광범위한지를 평가하며, 주로 유병률이나 발생률을 이용한다. 유병률이나 발생률은 절대적 크기도 중요하지만 전국 평균이나 다른 지역과의 차이 등의 상대적 크기도 중요하다. 둘째, 해당 건강문제가 지역의 건강수준에 얼마나 심각한 영향을 미치는지를 평가하며, 질병의 사망률이나 장애발생률, 장애보정 생존연수(DALY-Disability Adjusted Life Years) 등의 질병부담 측정지표, 경제적 부담 등을 이용한다[표 3-8].

**표 3-8 PATCH의 중요성 평가기준**

| 사망/상병 | 건강형태(건강결정요인) |
|---|---|
| 광범위하게 유포된 문제인가?(예 유병률, 발생률) | 광범위하게 유포된 문제인가?(예 흡연율) |
| (유병률이) 전국평균이나 비교지역보다 높은가? | (흡연율이) 전국평균이나 비교지역보다 높은가? |
| 건강수준이나 삶의 질에 영향을 미치는가?(예 질병부담, 사망률) | 건강수준이나 삶의 질에 심각한 영향을 미치는가? |
| | 형태 및 건강문제와 밀접하게 관련되어 있는가?(예 귀속위험도) |

#### ② 변화가능성

변화가능성은 건강문제가 변화 가능한지를 평가하는 기준이다. 문헌 고찰이나 다른 지역사회 보건사업에서 성공적으로 건강문제를 해결한 경험이 있는지 확인함으로써 과학적 근거(evidence)에 기반한 건강문제의 변화가능성을 평가한다[표 3-9].

**표 3-9 PATCH의 변화가능성 평가기준**

| 사망/상병 | 건강행태(건강결정요인) |
|---|---|
| 다른 사업에서 사망/상병을 감소시킨 경험이 있는가? | 다른 사업에서 건강결정 요인을 성공적으로 감소시킨 경험이 있는가? |
| 사망/상병을 감소시킬 수 있는가? | 건강결정요인을 변화시킬 수 있다고 제시한 문헌이 있는가? |
| | 건강결정요인(행태)이 고착되지 않고 아직 형성 단계에 있는가? |

PATCH를 이용하여 건강문제의 우선순위를 설정하는 경우에는 다음의 과정을 따르는 것이 권장된다.

- 1단계 : 브레인스토밍 등의 방법을 사용하여 지역에 흔한 건강문제를 취합한다.
- 2단계 : 1단계에서 취합된 건강문제를 건강문제의 중요성과 변화가능성을 고려하여 정리한다.
- 3단계 : 중요하고 변화가능성이 높은 문제 중심으로 다시 한번 우선순위를 정한다.

### (4) Bryant

Bryant의 우선순위 결정기준은 보건문제의 크기, 보건문제의 심각도, 보건사업의 기술적 해결 가능성, 주민의 관심도 4가지로, PATCH에 주민의 관심도가 추가된 것이다. 각 건강문제별로 4가지의 우선순위 설정기준에 대하여 점수를 부여한 후 총점이 가장 높은 건강문제 순으로 우선순위를 매긴다[표 3-10].

**표 3-10 Bryant에 의한 우선순위 결정기준 예시**

| 보건문제 | 우선순위 결정기준 | | | | | |
|---|---|---|---|---|---|---|
| | 문제의 크기 | 문제의 심각도 | 해결가능성 | 관심도 | 총 점 | 우선순위 |
| 비만 | | | | | | |
| 체력 저하 | | | | | | |
| 충치 | | | | | | |
| 건강 지식 | | | | | | |

## 4 목표설정

목표 설정은 우선순위에 따라 결정된 보건문제의 해결을 위해 누가, 언제, 어디서, 무엇을, 어떻게 할 것인가를 구체성, 측정가능성, 실현가능성, 관련성, 목표달성 기한 등을 고려하여 기술하는 것이다.

### 1) 목적과 목표의 개념

목적과 목표의 설정을 위해서는 비전과 미션을 확인해야 한다. 비전은 미래에 도달하려는 조직의 궁극적 가치로서, 미래전략을 제시함으로써 조직의 목표를 정립하고 조직의 운영기준을 제공하여 구성원들의 역동적인 참여를 유도한다. 미션은 사업의 현재 방향을 제시하는 것으로 사명이라고도 하며, 조직의 철학, 가치관, 이미지, 서비스나 생산품, 핵심 기술, 마케팅, 자신감 등을 통해 조직이 존재하는 이유를 설명한다.

목적(goal)은 사업을 통해 궁극적으로 달성하고자 하는 것에 대한 일반적인 기술로서 포괄적이며 전체적인 방향을 가리킨다. 정신적이고 철학적이며 장기적인 것으로, 평가의 대상이 되지 않으며, 건강한 지역사회에 대한 조직의 비전에서 출발한다. 목표(objective)는 사업의 목적 달성을 위해 필요한 변화에 대한 구체적인 기술로서 측정가능한 수치로 표시하며 평가에 직접 활용된다.

목표는 속성에 따라 장기-단기, 상위-하위, 일반-특수, 궁극적-구체적으로 구분할 수 있다. 일반적으로 하위목표는 상위목표 달성을 위한 수단으로 표현하고, 상위목표는 사업을 통해 하위목표가 작용한 결과로 표현한다. 일반적인 목표와 대조되는 개념으로 특수목표 대신 구체적인 목표로 구분하기도 한다.

목적과 목표를 정리하면 [표 3-11]과 같다.

**표 3-11 목적과 목표**

| 목적(goal) | 목표(objective) |
|---|---|
| 일반적 | 구체적 |
| 장기적 | 단기적 |
| 거의 변경되지 않음 | 사업 진행에 따라 변경되기도 함 |
| 직접 관리나 평가의 대상이 아님 | 관리나 평가의 대상(목표 관리) |
| 보건사업의 궁극적 방향이나 바람직한 성취 | 보건사업의 바람직한 영향이나 효과에 대한 상세한 기술 |

## 2) 목표설정의 분류

### (1) 투입 – 산출 – 결과 모형에 따른 목표설정

투입 – 산출 – 결과 모형은 자원 및 정보를 특정한 제품 또는 산출(output)로 변환시키는 데 필요한 활동(activity)과 과업(task)을 체계화시켜 보여주는 모형으로 과정(process) 모형이라고도 한다.

- 투입(Input) : 사업에 투입하는 인력, 시간, 예산, 시설, 장비 등의 자원
- 산출(Output) : 사업의 결과 나타나는 활동, 이벤트, 서비스, 생산물 등 의도하는 사업의 양
- 결과(Outcome) : 사업의 결과로 나타나는 건강수준이나 건강결정요인의 변화

**표 3-12 당뇨병 보건교육 프로그램의 목표설정 예**

| 분류 | 목표 |
|---|---|
| 투입목표 | • 인력 : 전담인력 3명(간호직 공무원 1명, 무기계약직 1명, 공익요원 1명), 외부강사(영양사, 운동처방사, 약사 등)<br>• 시설 : 보건교육실, 조리실, 체력단련실, 수영장<br>• 장비 : 컴퓨터, 빔프로젝트 등<br>• 예산 : 10,000천원 |
| 산출목표 | • 보건교육 프로그램 주 1회 12주 실시<br>• 당뇨식이 영양교실 3회 실시<br>• 운동교실 4회 실시(걷기 2회, 아쿠아로빅 2회)<br>• 프로그램 회당 참여인원 24명(80%) 이상 |
| 결과목표 | • 당뇨병 관련 지식 향상(5점 이상)<br>• 운동실천율 20% 증가<br>• 당뇨 식이요법 실천율 30% 증가<br>• 투약순응도 20% 증가 |

### (2) 인과관계에 따른 목표설정

인과관계에 따른 목표설정은 지역사회 보건문제와 지역사회 보건사업의 결정요인 간의 인과관계를 근거로 설정한다. 건강에 직접적으로 영향을 미치는 요인을 건강결정요인(health determinant) 또는 위험요인(risk factor)이라고 하고, 건강결정요인에 직·간접으로 영향을 미치는 요인을 기여요인(contributing factor)이라고 한다.

> **【예 고혈압】**
> • 건강결정요인 : 가족력, 흡연
> • 기여요인
>   – 직접요인 : 고혈압에 대한 지식부족, 저렴한 담배가격
>   – 간접요인 : 흡연에 대한 허용적인 사회적 분위기

건강결정요인과 기여요인 간의 인과관계를 고려하여 과정목표, 영향목표, 결과목표로 분류한다.

① **과정목표**(Process objectives)

보건사업 활동의 양적 수준과 투입 및 산출의 적절성에 대한 목표이다. 흡연율을 10% 낮추기 위한 흡연자 대상의 금연교육 실시 횟수 등이 해당된다.

② **영향목표**(Impact objectives)

건강결정요인과 기여요인의 변화를 평가하는 것으로, 기여요인을 변화시키면 결정요인 변화로 연결되고, 결정요인 변화는 결과목표인 보건사업 수준의 변화로 귀결된다. 따라서 사업목표를 설정할 때 보건사업 수준의 변화뿐만 아니라 결정요인과 기여요인의 변화도 포함해야 한다. 금연교육을 통한 흡연자의 금연 시도율을 10% 높이는 것을 예로 들 수 있다.

③ **결과목표**(Outcome objectives)

건강수준의 변화를 살펴보는 것으로, 사망률, 유병률, 장애발생률 등이 해당한다.

> **【예 고혈압 환자 감소】**
> • 과정목표 : 65세 이하 성인 대상 금연 프로그램 실시 횟수를 1년 이내에 20% 증가시킨다.
> • 영향목표 : 65세 이하 성인 흡연자의 금연 실천율을 3년 이내에 10% 증가시킨다.
> • 결과목표 : 65세 이하 성인의 고혈압 유병률을 5년 이내에 5% 감소시킨다.

### (3) 목표달성에 필요한 시간에 따른 목표

① **단기목표**(Short-term objectives)

단기적인 결과 변화에 대한 목표로, 2~3개월에서부터 2년 이내에 달성될 수 있는 목표를 의미한다. 지식, 태도, 신념, 지지도의 변화 등이 해당된다.

② **중기목표**(Intermediate objectives)

단기목표와 장기목표의 중간 수준의 기간에 따른 목표로, 일반적으로 2~5년 이내에 달성가능한 목표를 의미한다. 서비스 이용, 건강행동의 변화 등에 해당된다.

③ **장기목표**(Long-term objectives)

달성에 5~10년이 소요되는 목표로서 보건사업의 최종목적을 달성하기 위해 필요한 변화를 측정한다. 사망, 상병, 건강상태 및 사회적 가치의 변화 등이 해당된다.

**표 3-13 목표설정의 분류**

| 투입-산출-결과모형 | 인과관계모형 | 소요시간에 따른 모형 |
|---|---|---|
| 투입(Input) 목표 | 과정(Process) 목표 | 단기 목표 |
| 산출(Output) 목표 | 영향(Impact) 목표<br>• 기여요인 변화<br>• 결정요인 변화 | 중기 목표 |
| 결과(Outcome) 목표 | 결과(Outcome) 목표<br>• 보건사업수준 변화 | 장기 목표 |

### 3) 목표의 기술

#### (1) 목표의 구성요소

- 보건사업 대상 : 누구에게(Whom or whose)
- 보건사업의 목표달성 기한 : 언제까지(Till when)
- 보건사업 대상 지역 : 어디서(Where)
- 변화가 요구되는 건강문제, 위협요인, 기여요인, 투입요소와 산출 등 : 무엇을(What)
- 목표 수준(target setting), 보건사업에 의한 변화와 양 : 얼마나(How much)

#### (2) 목표기술의 기준(SMART)

- 구체성(Specific) : 목표는 구체적이고 명확하게 기술한다.
- 측정가능성(Measurable) : 목표는 측정가능한 숫자로 기술한다.
- 실현가능성(Aggressive & Achievable) : 목표는 적극적으로 노력하여 달성할 수 있는 실현가능한 수준으로 기술한다.
- 관련성(Relevant) : 사업목적 및 건강문제 해결과 직접적인 관련성이 있어야 한다.
- 기한(Time limited) : 목표 달성의 기한이 명시되어야 한다.

## 5 전략 및 세부계획 수립

보건사업의 설정된 목적과 목표를 달성하기 위해 보건사업의 업무 활동을 누가, 언제, 어디서, 무엇을 가지고 할 것인가에 대한 전략과 세부계획에 관한 구체적인 활동을 계획한다.

### 1) 전략 수립

설정된 목표를 달성하기 위해서는 다양한 수단 및 방법이 필요하며, 적절한 자원과 방법을 사용하는 전략(strategy)이 필요하다.

보건사업의 성공을 위해서는 인간의 행동에 영향을 주는 다차원적 요인에 대한 이해와 각 수준별 전략을 사용하는 것이 바람직하다. 사회생태학적 모형에 따르면 개인의 건강상태는 개인, 가족 및 동료, 조직, 지역사회 및 국가적 환경과 서로 연결되어 있다. 그러므로 개인의 건강상태를 효과적으로 변화시키기 위한 보건사업 전략에는 개인 수준, 개인 간 수준, 지역사회 수준의 전략이 다양하게 포함되어야 한다.

**표 3-14 사회생태학적 모형에 따른 전략의 종류**

| 수 준 | | 요 인 | 전략의 종류 |
|---|---|---|---|
| 개인 수준 | | 개인의 생물학적 특성, 행위 및 경험 | 교육, 행태개선 훈련, 직접 서비스 제공, 유인 제공 |
| 개인 간 수준 | | 둘 이상의 사람 간의 상호작용 및 관계 | 기존 네트워크의 활용, 새로운 네트워크의 개발(멘토활용, 동료활용), 자조집단 형성), 비공식적·자생적 지도자의 활용 |
| 지역사회 수준 | 조직요인 | 사회적 관계가 일어나는 지역사회의 장 또는 기관 및 조직 | 조직개발 이론 및 조직관계 이론의 적용 |
| | 지역사회 요인 | | 이벤트, 홍보활동, 사회마케팅, 환경개선 및 지역사회 규범 개선, 지역사회 개발 등 |
| | 정책요인 | | 옹호, 정책개발 |

〈 자료원 : Glanz, K., Rimer, B.K., & Viswanath, K.(2008). Health Behavior and Health Education, CA: Jossey-bass Publishers. 〉

## 2) 세부계획 수립

보건사업의 세부계획 수립 시 고려해야 할 사항은 사업추진체계, 각 수행단계별 업무내용, 업무 담당자 지정 및 담당자별 업무분담 내역, 각종 지침이나 양식, 세부업무별 필요한 예산 및 인력, 시설 장비 등의 소요자원과 확보 방안, 사업진행일정, 평가계획과 평가결과의 활용 방안 등이 포함되어야 한다.

- 사업의 추진체계는 자체 운영 또는 위탁 운영 여부, 내·외부의 참여인력 및 역할에 대해 기술한다.
- 업무담당자 지정 및 담당자별 업무분담과 관련하여 지침서 및 서식 등을 작성하여 개인별로 부여된 책임과 권한을 명확히 한다.
- 사업계획에는 세부 업무별 필요한 예산과 인력, 시설, 장비 등 소요자원의 확보방안을 구체적으로 포함한다.
- 사업의 일정을 계획하여 준비·시작 시기 및 종료 시기, 사업수행의 책임자, 책임 팀 및 담당자를 결정하여 누가, 무엇을, 언제까지 할 것인가를 명확히 한다.
- 사업이 정해진 일정에 따라 진행되고 있는지를 파악하기 위해 모니터링 체제를 마련한다.
- 사업 기획단계에서 업무 방안마다 기대성과와 평가기준을 명확히 하여 사업의 평가가 가능하도록 하고, 평가결과의 활용방안도 마련한다.

### (1) 일정 계획

일정표는 실제 사업을 수행하는데 필요한 지침서로 사업진행의 순서에 문제가 없는지, 업무별 준비기간은 충분한지, 담당자의 업무처리가 특정 기간에 집중되어 있는지를 사전에 검토하고 일정대로 사업이 진행되는지를 평가하는 데 필요하다.

예상 소요시간은 업무담당자의 참여의식을 고취하여 정해진 시간 내에 업무를 완수하도록 하므로 담당자가 직접 산출하는 것이 바람직하다. 기획과정에서 일정표를 작성하면 어떤 업무를 언제 수행해야 할지를 분명하게 할 수 있으며 업무의 순서를 결정하는 데에도 도움이 된다.

일정표에 포함되어야 할 기본사항은 다음과 같다.

- 수행할 업무를 구체적으로 기술한다.
- 우선 수행할 업무를 결정한다.
- 업무수행 기간을 결정한다.
- 각각의 업무에 대한 시작 시점을 결정한다.
- 업무 종료 후 반복할지, 대체할지를 결정한다.
- 업무수행 시 사용할 주기(일, 주, 월)에 대하여 논의한다.
- 업무가 일정에 따라 제대로 진행되는지, 앞서 있는지, 뒤쳐져 있는지를 확인할 수 있는 방법을 결정한다.

### (2) 세부사업계획서

세부사업계획서는 전체적인 개요부터 작성한 후 구체적으로 작성하는 것이 바람직하다. 세부사항 작성 전에 사업팀원과 전체적인 개요를 공유하여 의견을 수렴한다. 팀원이 동의하면 필요한 작업, 각 작업의 실무 담당자, 시간과 비용 등의 세부 사항을 결정한다. 사업명과 책임자, 최종검토일 등을 기재하여 세부사업계획서를 완성한 후 기획팀 전체 회의에 상정하여 최종 검토받도록 한다.

세부사업계획서 작성 시 참여자 및 절차는 다음과 같다.

- 사업실행에 실제 참여할 인원(3~5명 정도)으로 세부사업계획 작성팀을 구성한다.
- 세부사업 개요를 작성하고 사업팀의 의견을 수렴한다.
- 개요를 발전시키고 실행단계에 포함될 작업과 자원에 대해 브레인스토밍을 실시한다.
- 작업의 순서를 정한다.
- 일주일 정도 후 작성한 초안을 재검토하고 수정한다.
- 수정된 안을 기획팀에 배부하여 검토받는다.
- 기획팀의 검토 결과를 반영하여 최종 사업계획서를 완성한다.

[표 3-15]는 보건사업기획 세부사업계획의 사례이다.

**표 3-15 치매안심마을 만들기 세부사업계획**

| 구분 | 내용 |
|---|---|
| 전 략 | 주민참여형 지역사회 건강관리체계 구축 |
| 추진과제 | 치매안심마을 만들기 |
| 사업기간 | 2019~2022년 |
| 필요성 | • 급속한 고령화에 따라 치매환자도 급증하게 됨으로써 치매환자로 인한 의료비 및 사회적·경제적 부담 증가<br>– 노인인구 '15년 12.8% → '18년 13.2%, 치매유병율 '15년 9.79% → '18년 10.2%,<br>경도인지장애율 '15년 27.88% → '18년 28%<br>– 치매로 인한 의료비 지출이 2016년 119,743억원에서 2018년 147,396억원으로 2년 동안 23.1%가 증가함<br>• 2017년 치매 국가책임제 도입<br>– 정부 국정과제로 치매 국가책임제로 선정 사회적 경비 경감 노력<br>• 치매 사업의 흐름 변화<br>– 치매환자의 탈시설화 정책으로 변화 → 이러한 정책 실현을 위해서는 치매 친화적 환경조성이 필요<br>– 커뮤니티케어를 활용하여 치매환자가 살고 있는 지역에서 생활할 수 있는 치매안심마을 시범 운영 |
| 사업목표 | '치매 걱정 없는 안심마을 성동' 실현을 위해 주민공동체를 적극 활용하여 치매예방 및 조기발견, 등록관리, 맞춤형사례관리, 가족지원 강화, 인지재활프로그램 등으로 치매통합서비스를 제공함으로써 치매환자 및 가족의 의료비 및 사회적·경제적 부담 경감 |
| 사업대상 | (아래 표 참조) |

| 구 분 | 사업대상 | 인구(명) | 사업대상 | 인구(명) |
|---|---|---|---|---|
| 일반집단 | 전체 인구 | 317,197 | 금호 2,3가동 인구 | 55,703 |
| 위험집단 | 65세 이상 인구 | 42,629 | 금호 2,3가동 65세 이상 노인 | 8,080 |
| 클라이언트 | 치매 추정 인구 | 4,340 | 금호 2,3가동 치매환자추정 수 | 820 |

**주요내용**

1. 지킴이와 함께 하는 치매관리사업
   1) 치매조기검진
      • 대상 : 관내 60세 이상 어르신
      • 내용 : 치매환자 조기발견 및 조기 개입을 위한 검진
        – 찾아가는 one-stop 검진
      • 선별검진 : 동주민센터, 경로당, 임대아파트, 복지관 등 순회 검진, 보건소 내소 어르신 검진, 타부서 행사 시 연계하여 검진
      • 정밀검진 : 선별검진 후 인지저하자 정밀검진 및 의사상담
      • 원인확진검사 : 정밀검진 및 의사 상담 후 치매로 등록된 대상자를 협약병원에 연계하여 원인확진검사 시행
   2) 치매등록관리
      • 대상 : 관내 60세 이상 어르신
      • 내용 : 상태별(정상군, 고위험군, 치매군)로 구분하여 맞춤형 치매관리서비스 제공
        – 정상군 관리 : 정기적인 선별검진 실시, 치매예방프로그램 연계
          ◦ 치매예방관련 정보 제공, 보건소 만성질환 관리프로그램 연계
        – 고위험군 관리 : 정기적인 정밀검진 및 의사상담 실시
          ◦ 치매예방 관련정보 제공, 보건소 만성질환 관리프로그램, 인지재활프로그램 연계
        – 치매군관리
          ◦ 방문간호 : 재가치매 어르신 가정방문간호(약물사정, 질병관리 등)
          ◦ 조호물품제공 : 조호물품이 필요한 재가환자에게 기저귀·양말·매트 등 지원
          ◦ 배회인식표제공 : 경찰서지문등록, 배회가능인식표제공, GPS(KT)신청 및 배부
          ◦ 가족모임 : 희망다이어리, 인정요법, 은빛나눔가족교실 등 치매환자가족 교육 및 지지
          ◦ 인지치료프로그램 : 작업·회상·미술·원예·음악·운동 등 비 약물치료 제공
   3) 맞춤형 사례관리 및 가족지원사업
      • 대상 : 등급 외 이상의 판정 대상자
      • 내용
        – 가족을 대상으로 가족프로그램 및 대상자 맞춤형 사례관리연계
        – 지역유관기관과 협업하여 대상자와 가족의 충족되지 못한 서비스(정신상담 등 관리)
        – 긴급동행서비스제공으로 독거어르신 맞춤형서비스 제공

**표 3-15 치매안심마을 만들기 세부사업계획** (계속)

**주요내용**

4) 치매어르신 돌봄기능강화(단기쉼터 및 기억키움학교운영)
  - 대상 : 노인장기요양보험제도 지원 대상에서 제외된 등급 외, 5등급 경증치매 어르신
  - 내용 : 무료 돌봄 및 인지치료프로그램 지원
    - 서비스 제공시간 : 4시간
    - 서비스 내용 : 돌봄서비스, 만성질환관리(혈압·당뇨·골다공증 등 검사), 인지치료(작업치료, 운동치료, 음악치료, 회상치료) 서비스 제공
    - 성동구치매협의회 구성(11개 데이케어센터) 인지건강프로그램 지원 및 관리

5) 치매예방지킴이 활용한 치매예방교육 및 인식개선 홍보
  - 대상 : 지역주민
  - 내용 : 캠페인, 홈페이지 및 SNS, 언론매체(신문, 방송 등), 리플렛 및 홍보자료 배부 등

2. 커뮤니티 케어를 통한 치매안심마을 조성
  - 목적 : 급속한 고령화, 치매환자 급증에 따라 사회적 지지체계를 구축하여 치매환자가 지역에서 안전하게 생활할 수 있는 치매 친화적 환경을 조성함으로써 시설 입소 및 치매 중증화 지연에 기여
  - 대상 : 지역주민, 치매환자와 가족, 기관 및 단체
  - 내용 : 지역주민의 치매에 대한 올바른 이해와 사회적 공감대 형성
    - 치매 기억친구 '치매안심지킴이' 양성 및 치매안심인증기관 선정
      - ◦ 대상 : 지역주민 및 지역내 상가/기관 종사자 등
      - ◦ 역할 : 치매환자가 시설이용 및 외부활동 시에 도우미 역할
    - 치매 인식 개선 사업 추진
      - ◦ 치매안심마을 조성을 위한 캠페인 전개
      - ◦ 치매에 대한 부정적 인식개선을 위한 교육 및 홍보물 배포
    - 치매 민관 네트워크 구축
      - ◦ 치매안심인프라 구성 : 의료기관, 복지기관, 공공기관, 민간단체로 구축
      - ◦ 지역사회보장협의체 노인분과 활용 : 돌봄서비스 연계 및 지원
    - 치매 안심지도 배포 : 치매 안심지킴이 및 인증기관이 표시된 안심지도를 치매 보호자가 활용
    - 치매환자를 위해 안심마을 공공시설에 인지건강디자인 도입

3. IoT 활용한 치매안심시스템 구축
  - 목적 : IoT를 활용한 치매환자 실종예방시스템 구축 및 치매 인지재활프로그램 전산화를 통해 치매로 인한 사회비용 절감에 기여
  - 대상 : 배회가능성이 있는 치매환자 및 치매 고위험군
  - 내용
    - IoT를 활용한 치매환자 실종예방시스템 구축
      - ◦ 종류 : 신발 형태의 위치추적기
      - ◦ 수량 : 100개
      - ◦ 기능 : 위치추적 어플을 통한 치매환자의 위치확인 및 보호자 연동, 경찰서 지원 등
      - ◦ 방법 : 보호자 핸드폰과 연동하여 치매환자 위치 확인
    - 치매 인지재활프로그램 전산화 구축
      - ◦ 종류 : 인지프로그램이 내장된 전산화 기기 15대
      - ◦ 기능 : 인지운동, 모바일 인지재활 및 검사 등

**연계·협력**

| 구 분 | 지역자원 | 연계내용 |
|---|---|---|
| 의료기관 | 서울의료원 | 원인확진검사 현재 |
| | 한양대학교병원, 미래신경과의원 | |
| 공공기관 | 성동구청, 동주민센터, 성동경찰서, 국민건강보험공단, SH성동권역 주거복지센터 | 치매검진, 교육, 인식개선홍보 |
| 민관기관 | 관내복지관, 데이케어센터, 장기요양기관, 고혈압, 당뇨병등록관리센터, 자원봉사센터, 지역사회돌봄통합지원센터, 여성인력개발센터 | 치매환자 등록 및 관리, 연계, 교육, 건강관리지원, 자원봉사 연계 |
| 민간자원 | 통반장, 금호기지계, 주민자치위원, 동지역 사회보장협의체 | 자원봉사 연계, 사례관리 지원<br>치매 안심마을 조성 |

**표 3-15 치매안심마을 만들기 세부사업계획** (계속)

**자원투입 계획**

• 인력

| 구 분 | | 인원(명) | 역 할 |
|---|---|---|---|
| 공공 | 성동구 보건소 | 2 | 치매관리 사업 및 예산 지원 |
| | 성동구 치매안심센터 | 18 | 주민공동체 지원, 치매통합관리서비스 제공 |
| 주민 | 치매전문자원봉사자 | 60 | 치매예방교육 및 인식개선 홍보, 치매인지프로그램 지원 |

• 예산 (단위 : 천원)

| 구 분 | 국 비 | 지방비 | | 기 타 [협치예산] | 합 계 |
|---|---|---|---|---|---|
| | | 시 비 | 국 비 | | |
| 2019년 | 608,478 | 329,695 | 333,285 | 150,000 | 1,421,458 |

**추진일정**

| 구 분 | 1월 | 2월 | 3월 | 4월 | 5월 | 6월 | 7월 | 8월 | 9월 | 10월 | 11월 | 12월 |
|---|---|---|---|---|---|---|---|---|---|---|---|---|
| 치매관리사업 | ■ | ■ | ■ | ■ | ■ | ■ | ■ | ■ | ■ | ■ | ■ | ■ |
| 치매조기검진 | ■ | ■ | ■ | ■ | ■ | ■ | ■ | ■ | ■ | ■ | ■ | ■ |
| 치매환자등록관리 | ■ | ■ | ■ | ■ | ■ | ■ | ■ | ■ | ■ | ■ | ■ | ■ |
| 사례관리 및 가족지원 | ■ | ■ | ■ | ■ | ■ | ■ | ■ | ■ | ■ | ■ | ■ | ■ |
| 단기쉼터 등 운영 | ■ | ■ | ■ | ■ | ■ | ■ | ■ | ■ | ■ | ■ | ■ | ■ |
| 치매예방 및 인식개선 | ■ | ■ | ■ | ■ | ■ | ■ | ■ | ■ | ■ | ■ | ■ | ■ |
| 치매안심마을조성 | ■ | ■ | ■ | ■ | ■ | ■ | ■ | ■ | ■ | ■ | ■ | ■ |
| 인지건강디자인 조성 | ■ | ■ | ■ | ■ | ■ | ■ | ■ | ■ | ■ | ■ | ■ | ■ |
| 치매인증기관 협약 | | | | | | ■ | | | | | ■ | |
| IoT활용한 치매안심시스템구축 | ■ | ■ | ■ | ■ | ■ | ■ | ■ | ■ | ■ | ■ | ■ | ■ |
| 실종예방시스템 구축 | | | | | ■ | ■ | ■ | ■ | ■ | ■ | ■ | ■ |
| 인지재활프로그램전산화구축 | | | | | ■ | ■ | ■ | ■ | ■ | ■ | ■ | ■ |

**자체평가 방안**

• 내부평가
- 평가시기 : 분기별
- 평가방법 : 운영위원회를 통한 사업 실적 및 추진과정 평가

• 외부평가
- 평가시기 : 당해연도 사업종료 후 평가
- 평 가 자 : 서울시/광역치매센터
- 평가지표 : 서울시 치매관리사업 평가지표

| 사업수행을 위한 체계구축 | | 사업실행 계획의 타당성, 인프라 구축정도 |
|---|---|---|
| 양적 평가 | 인식개선사업 | 교육 횟수 및 참여자 수, 캠페인 참여도 등 |
| | 치매안심마을조성 | 치매안심인증기관 수, 공론장 회수 |
| | 조기검진사업 | 선별 및 정밀검진자 수, 치매고위험 재검진자 정밀검진 수 |
| | 예방등록사업 | 치매환자 등록 및 관리(사례관리, 환자가족프로그램 등) 건 수 |
| | 자원강화사업 | 유관기관 협약 건수, 봉사자 등록인원 수 |
| 질적 평가 | 인식개선사업 | 홈페이지 게시물, 언론홍보 관리실적 |
| | 치매안심마을조성 | 예방등록관리를 통한 인지저하율 감소 |
| | 조기검진사업 | 선별 및 정밀 수행 충실성(치매등록자/선별검진자 비율) |
| | 예방등록사업 | 등록 기본정보 입력 충실도, 서비스 제공 충실도 |
| | 자원강화사업 | 자원봉사자 교육 및 활용도 |

• 평가활용계획
- 성동구치매관리사업의 사업성과 분석 결과 차기 년도 사업계획에 반영

**표 3-15 치매안심마을 만들기 세부사업계획** (계속)

| | 사업목표명 | | 목 표 | | | | 목표산출근거 |
|---|---|---|---|---|---|---|---|
| | | | '19 | '20 | '21 | '22 | |
| 성과지표 | 산출 | 치매 선별검진자수 | 6,500명 | 6,600명 | 6,700명 | 6,800명 | 서울특별시 치매센터 DB Ansys |
| | | 치매환자 등록자수 | 2,300명 | 2,500명 | 2,700명 | 2,900명 | |
| | | 치매환자 사례관리 | 40명 | 50명 | 60명 | 70명 | |
| | | 가족프로그램수 | 34회 | 34회 | 34회 | 34회 | |
| | | 치매안심인증기관수 | 30개소 | 40개소 | 50개소 | 60개소 | |
| | | 치매예방지킴이양성자수 | 280명 | 310명 | 340명 | 370명 | |
| | 결과 | 치매검진율 | 15% | 16% | 17% | 18% | |
| | | 치매환자등록율 | 50% | 52% | 54% | 56% | |

〈 자료원 : 서울특별시 성동구 제7기 지역보건의료계획(2019~2022) 〉

## 3) 평가계획

보건사업을 통하여 설정했던 목적의 달성 정도를 평가하기 위해서는 사업 시작 전 계획단계에서 평가계획을 수립하여야 한다. 평가계획은 평가의 구성요소인 평가자, 평가시기, 평가범주, 평가도구 및 평가기준 등에 대하여 구체적이고 명확하게 세우도록 한다.

### (1) 평가의 유형

#### ① 평가주체에 따른 구분

- **내부평가** : 실제 보건사업 수행 중인 실무자에 의해 이루어지는 평가이다. 사업 수행자가 평가하므로 기관의 특성, 보건사업의 성격을 반영할 수 있는 장점이 있으나, 객관적이고 공정한 평가에 대한 신뢰성의 문제가 제기될 수 있다.
- **외부평가** : 외부의 전문기관이나 전문가에 의해 이루어지는 평가이다. 전문적 지식을 바탕으로 객관적인 평가가 가능하다는 점이 장점이나, 시간과 비용이 많이 소요되고 기관의 특성이나 보건사업의 성격을 반영하기 어려운 점이 있다.

#### ② 평가시기에 따른 구분

- **진단평가** : 보건사업 시작 전에 이루어지는 사전평가이다. 보건사업에 대한 대상자의 이해도, 준비도, 흥미, 지식수준 등을 측정하거나 필요한 보건사업의 유형을 결정하기 위한 요구분석 및 선행연구 검토 등으로 실시된다.
- **형성평가** : 보건사업 수행 도중에 실시되는 평가이다. 보건사업이 계획대로 실시되고 있는지, 보건사업 수행에 따른 문제점은 없는지, 파악된 문제가 있다면 해결방안은 무엇인지 등을 평가한다.
- **총괄평가** : 보건사업 실시 후에 이루어지는 평가이다. 투입된 노력의 결과로 나타난 결과는 무엇인지, 목표는 달성하였는지, 보건사업 대상자는 어떠한 변화가 있었는지 등을 평가한다.

### ③ 사업진행과정에 따른 구분

- **구조평가** : 보건사업에 투입되는 자료의 적절성에 대한 평가로서, 주로 인력, 시설, 장비의 적절성을 평가한다.
- **과정평가** : 보건사업 수행 중에 실시되며, 보건사업의 계획과 실제 진행 정도를 비교함으로써 목표 달성이 가능하도록 사업의 내용을 조정한다. 또한 목표달성을 저해하는 요인을 조기 발견하여 촉진 요인을 강화하기 위해 실시한다. 보건사업의 진행 정도, 자원의 적절성과 사용의 효율성 등을 평가한다.
- **영향평가** : 보건사업의 단기적 결과에 대한 평가로서, 즉각적이고 관찰 가능한 사업의 효과인 지식, 태도, 기술 및 행위의 변화를 측정한다.
- **결과평가** : 보건사업의 궁극적인 목표 및 결과에 대한 평가로서, 보건사업 대상자의 생리학적 측정지표, 유병률, 사망률 등으로 측정한다. 영향평가보다 자원이나 시간이 오래 소요되는 특성이 있다.

[표 3-16]은 보건사업기획 평가계획의 사례이다.

**표 3-16 걷기운동 실천율 향상 평가계획**

| 구 분 | 사업명 | 사업량 | 배점 | 평가 기준 | 실적 | 점수 |
|---|---|---|---|---|---|---|
| 구조평가(20점) | 전담인력확보 | 5명 | 10 | • 1명 2점 • 2명 4점 • 3명 6점<br>• 4명 8점 • 5명 10점 | | |
| | 예산 확보 | 5,000만원 | 10 | • 1~20% 확보 2점 • 21~40% 4점 • 41~60% 6점<br>• 61~80% 8점 • 81~100% 10점 | | |
| 과정평가(40점) | 바른걷기 프로그램 운영 횟수 | 5회 | 5 | • 1회 1점 • 2회 2점 • 3회 3점<br>• 4회 4점 • 5회 5점 | | |
| | 바른걷기 프로그램 참여자 수 | 200명 | 10 | • 1~40명 2점 • 41~80명 4점 • 81~120명 6점<br>• 121~160명 8점 • 161~200명 10점 | | |
| | 바른걷기 프로그램 만족도 | 100% | 5 | • 1~20% 1점 • 21~40% 2점 • 41~60% 3점<br>• 61~80% 4점 • 81~100% 5점 | | |
| | 걷기운동 캠페인 횟수 | 5회 | 5 | • 1~2회 1점 • 3~4회 2점 • 5~6회 3점<br>• 7~8회 4점 • 9~10회 5점 | | |
| | 건강지도 제작 배부 | 3,000부 | 10 | • 1~600부 2점 • 601~1200부 4점 • 1201~1800부 6점<br>• 1801~2400부 8점 • 2401~3000부 10점 | | |
| | 동별 걷기동아리 수 | 10개 | 5 | • 1~2개 1점 • 3~4개 2점 • 5~6개 3점<br>• 7~8개 4점 • 9~10개 5점 | | |
| 영향평가(20점) | 바른걷기에 대한 지식수준 향상 | 5% | 10 | • 1% 2점 • 2% 4점 • 3% 6점<br>• 4% 8점 • 5% 10점 | | |
| | 걷기운동 실천율 증가 | 0.5% | 10 | • 0.1% 2점 • 0.2% 4점 • 0.3% 6점<br>• 0.4% 8점 • 0.5% 10점 | | |
| 결과평가(20점) | 비만 인구율 감소 | 0.5% | 10 | • 0.1% 2점 • 0.2% 4점 • 0.3% 6점<br>• 0.4% 8점 • 0.5% 10점 | | |
| | 대사증후군 유병률 감소 | 0.5% | 10 | • 0.1% 2점 • 0.2% 4점 • 0.3% 6점<br>• 0.4% 8점 • 0.5% 10점 | | |

## 6 보건사업 수행

보건사업의 수행은 사업수행을 위해 수립한 계획을 지침으로 한다. 그러므로 보건사업의 수행은 계획한 대로 활동이 이루어지고 이러한 활동의 누적을 통하여 보건사업이 수행되는 것이다.

보건사업의 수행은 계획에 의해 결정된 우선순위의 전략과 세부 사업계획을 통해 실시되며, 보건사업의 홍보, 정책적 지지와 재원마련, 지원조직의 개발, 시범사업, 보건사업 제공자의 능력 강화, 타 분야와의 협력 강화 등의 단계를 거친다.

보건사업의 수행을 위한 지역사회 접근방법은 지역사회에 현존하고 있는 조직과 행정, 인력, 시설을 이용하는 것이 효율적이다. 즉, 지역의 지도자, 학교를 포함한 공공기관, 주민집단이나 지역의 모임, 대중매체 등을 활용하는 것이다. 소집단, 지역의 지도자 활용, 학교 의료기관 주민센터 등의 행정기관 산업체 등을 활용하고, 특히 신문, TV, 라디오, 인터넷 등의 대중매체를 활용하면 지역사회 주민 전체에게 가장 신속하게 정보를 제공할 수 있다.

보건사업을 차질 없이 계획한 대로 수행하기 위한 수행단계에서 요구되는 활동은 업무의 조정(coordinating), 사업 진행에 대한 감시(monitoring) 및 감독(supervising)하는 것이다.

보건사업 수행 관련 구체적인 내용은 '제4절 지역사회 간호과정 수행단계'에서 설명하였다.

## 7 보건사업 평가

보건사업의 평가는 설정한 목표에 따른 성취 정도를 비교하는 것이다. 보건사업의 평가는 계획단계에서 수립했던 평가계획에 의해 체계적으로 이루어져야 하며, 사업의 효과 파악, 사업의 효율성 향상, 사업 구성요소의 인과관계 분석 및 사업의 수행을 개선하기 위한 향후 방향 설정을 목표로 한다.

보건사업 평가의 유형은 투입-산출 모형에 기반한 것으로서, 구조평가는 투입에 대한 평가를, 과정평가는 변환과정과 산출물에 대한 평가를, 결과평가는 건강수준 등 사업의 결과에 대하여 평가하는 것이다.

보건사업의 평가는 일반적으로 5가지의 평가 범주 즉, 투입된 노력에 대한 평가(투입), 사업진행과정에 대한 평가(과정/변환), 목표달성 정도에 대한 평가(산출), 사업효율성에 대한 평가(산출/투입), 사업적합성에 대한 평가로 이루어진다.

보건사업의 평가관련 구체적인 내용은 '제4절 지역사회 간호과정 평가단계'에서 설명하였다.

## 제4절 + 지역사회 간호과정

**Keywords**

- 지역사회 간호과정
- 지역사회 간호사정
- 현황분석
- 건강수준 지표
- 건강결정 요인
- 적정기능수준
- 지역사회 간호진단
- 간호진단 분류체계
- OMAHA체계
- 우선순위설정
- 지역사회 간호계획
- 목표설정
- 방법·수단 선택
- 수행계획
- 평가계획
- 지역사회 간호수행
- 수행
- 지역사회 간호평가
- 평가

지역사회 간호과정은 지역사회의 문제해결 과정에 초점을 둔 논리적 접근법으로, 보건사업기획 과정과 개념적으로 유사하다. 개인을 대상으로 하는 임상 간호과정과 기본적인 틀은 동일하지만 간호의 대상에 개인뿐만 아니라 가족, 집단, 지역사회를 포함한다.

지역사회 간호과정은 조직화되고 체계적인 순환적 과정으로, 지역사회주민에게 영향을 미치는 하부체계와 이들 간의 상호관련성, 건강문제 등을 규명함으로써 궁극적으로는 지역사회주민의 건강을 유지·증진하기 위한 것이다. 일반적으로 사정, 진단, 계획, 수행, 평가의 5단계를 적용한다[그림 3-10].

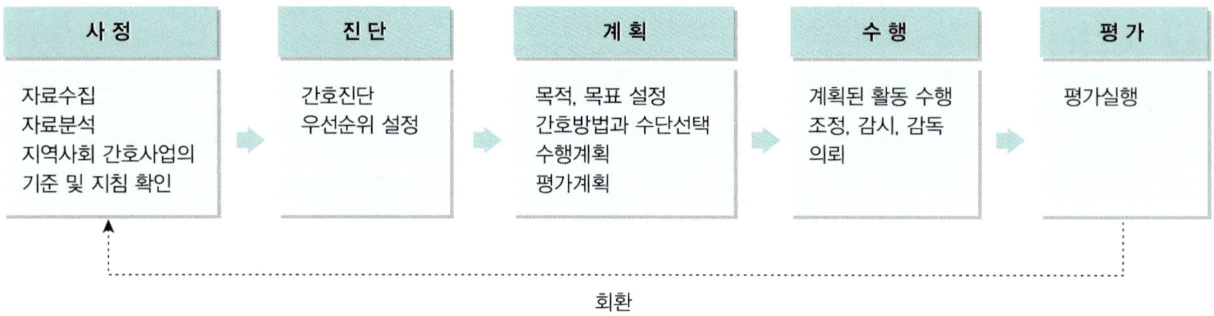


그림 3-10 지역사회 간호과정

## 1 지역사회 간호사정

지역사회 간호사정은 지역사회를 진단하기 위해 필요한 자료를 수집하고 분석하는 지역사회 간호과정의 첫 단계이다. 즉 지역사회를 대상으로 건강문제를 확인하고 간호를 계획하는 데 필요한 관련 자료들을 체계적으로 수집·분석하는 과정으로 다양한 자료수집 방법을 활용한다.

### 1) 사정유형

지역사회 간호사정 방법은 계획 또는 조사의 수단으로 정보교환의 도구가 되며, 공식적인 문제해결의 일부로서 서비스가 필요한 주체의 결정에 중요한 역할을 한다. 특히 지역사회 간호사정은 대상자에 대한 지원이나 프로그램의 개발, 지역사회 중심의 서비스를 준비하는 데에 안내 역할을 한다.

지역사회 간호사정 방법은 필요한 자료의 성격에 따라 포괄적 사정, 친밀화 사정, 문제 중심 사정, 하부구조 사정 등으로 구분할 수 있다.

#### (1) 포괄적(Comprehensive) 사정

지역사회 건강관련 정보를 모두 찾아내는 방법으로 기존의 연구 자료와 현재 지역사회에 있는 모든 자료를 검토한다. 인구의 크기, 밀도, 구성 등에 대한 자료를 수집하고 교육계, 보건계, 종교계, 경제계 등 다양한 조직의 주요 인사들과 면담하며, 지역사회 조직에 대한 것뿐만 아니라 조직을 통한 권력의 분배, 의사결정 과정 등의 구체적인 것까지 파악한다. 이러한 방법은 시간과 비용이 많이 들고 다른 연구와 부분적으로 겹치고 반복되는 경우가 많아 잘 사용하지 않는다.

#### (2) 친밀화(Familiarization) 사정

지역사회의 업무지식을 얻기 위하여 기존의 이용 가능한 자료를 연구하고, 일정량의 자료만 직접 수집하는 방법이다. 지역사회 시찰 및 건강기관, 사업장, 정부기관과의 신뢰관계 구축을 통한 필요한 문헌 확보, 대상자에게 연결할 지역사회 자원을 파악한다.

#### (3) 문제 중심(Problem-oriented) 사정

한 가지 문제를 중심으로 사정하는 것이다. 예를 들어 영유아기 사고발생이 문제라면 사고의 발생률, 발생원인 등을 조사하고, 사고발생 문제를 해결하기 위해 과거에 어떤 일을 했는지 관련기관의 방문 및 관련자와의 면담 등을 실시한다.

#### (4) 지역사회 하위체계(Subsystem) 사정

지역사회의 특정 부분 혹은 일면에 초점을 두고 사정하는 방법으로, 지역사회의 교육, 정치, 종교, 복지 등의 하위체계를 사정한다. 하위체계를 정태적 또는 평면적으로 이해하기보다는 역동성을 고려한다.

### 2) 사정영역 및 내용

지역사회에 대하여 충분하게 파악하기 위해서는 지역사회 전반에 대한 포괄적인 사정이 필요하다. 영역별 사정 내용은 다음과 같다.

#### (1) 지역사회 건강수준(Community health status)

일반적으로 건강문제 분석을 위해서는 지역의 인구사회학적 특성, 건강수준, 건강에 영향을 미치는 요인(건강결정요인), 건강문제에 의한 부담 및 삶의 질을 조사한다.

인구사회학적 특성은 지역사회의 인구수, 성별·연령별 인구수, 장래인구 추계, 교육 및 소득수준별 인구수와 지역별 인구수를 조사한다.

건강수준 지표로는 사망률, 유병률, 특정 질환 발생률 등이 있으며, 기능상태를 파악하기 위하여 일상생활능력(Activities of Daily Living; ADL), 도구적 일상생활능력(Instrumental Activities of Daily Living; IADL), 기능손실 일수 등을 조사한다.

건강결정요인은 특정한 인구 집단 또는 개인의 건강 수준을 높이거나 낮추는 요인으로, 국가마다 약간의 차이가 존재한다. 세계보건기구(1998)는 건강결정요인을 사회·경제적 환경, 물리적 환경, 개인적 특성과 행동이라고 하였으며, 이후 세분화하여 수입과 사회적 신분 및 교육, 물리적 환경, 고용과 작업 조건 및 사회적 지지망과 문화, 유전적 특성 및 개인의 행동과 대처 수기, 건강 서비스, 성(性)의 6가지로 분류하였다(WHO, 2002).

건강질병에 의한 부담은 흔히 질병부담이라고 하며 의료비가 대표적이다. 이 외에도 잠재적 수명손실연수(Years for potential life lost; YPLL), 장애보정 생존연수(Disability adjusted life year; DALY) 등을 사용하여 질병에 따른 사회경제적 부담을 통해 건강수준을 사정한다.

### (2) 지역사회의 관심과 장점(Community concern and strength)

질병에 대한 유병률이 크고, 계층 간·지역 간의 형평성에 문제가 있더라도 지역사회 주민이 심각하게 느끼지 않는다면 보건사업을 통한 문제 해결에 어려움이 있다. 따라서 객관적인 건강지표의 수집과 더불어 주민이나 사업대상자가 중요시하는 가치나 관심을 별도로 조사하는 과정이 필요하다.

지역사회의 관심과 장점을 사정하기 위해서는 다음과 같은 내용을 조사하게 된다.

- 지역사회 주민이나 사업대상자가 생각하는 지역에서의 주요한 건강문제는 무엇인가?
- 이 문제들의 원인은 무엇인가?
- 어떻게 하면 이 문제들을 지역에서 줄이거나 완전히 없앨 수 있는가?
- 건강문제 중 가장 중요하다고 생각하는 것은 무엇인가?
- 지역사회의 건강수준 향상을 위해 사용할 수 있는 자원은 어떤 것이 있는가?
- 지역사회가 건강문제나 다른 사회적 문제를 해결해 본 경험이 있는가?

### (3) 지역보건체계(Local public health system)

지역사회 간호과정의 목표인 지역사회의 적정기능수준을 유지하기 위해서는 지역사회 주민을 둘러싸고 있는 지역보건체계를 평가해야 한다. 지역사회 간호과정은 지역보건체계의 틀 안에서 이루어지는 과정으로, 지역사회의 보건서비스가 지역사회 자원의 양과 질에 직접적인 영향을 받는다.

지역보건체계의 사정을 위해서는 크게 두 가지 사항을 조사한다. 첫째, 지역사회에 필수적인 보건서비스가 제공되고 있는지의 여부, 둘째, 지역보건체계의 활동과 능력, 자원 등이 적절한지의 여부이다. 지역보건체계는 보건소만을 의미하는 것이 아니라, 공중의 건강에 기여하는 지역사회에 존재하는 모든 공공, 민간 및 자원봉사 조직 등을 의미한다.

### (4) 건강문제와 해결능력에 영향을 미치는 환경의 변화(Forces of change)

지역사회 현황분석에는 지역사회의 건강수준과 관심 및 지역보건체계 뿐만 아니라 건강문제와 건강문제의 해결능력에 영향을 미치는 환경 변화에 대한 사정이 포함된다. 건강문제는 시간과 환경의 변화에 따라 지속적으로 변화된다. 따라서 현재의 지역사회가 장래의 환경변화에 대처 가능한지를 살펴보아야 한다.

가장 일반적으로 사용되는 조사방법은 SWOT 분석(Strength, Weakness, Opportunities, Threats Analysis)으로 조직 내부의 구성요인과 조직 외부의 환경적 요인을 분석하여 전략적 방향을 도출해내는 기법이다.

## 3) 자료수집 방법

현황분석을 위한 자료수집 방법은 기존의 조사나 연구 자료를 활용하거나 직접 자료를 수집하는 것이다. 간접법으로 얻을 수 있는 대규모 조사자료는 집단의 문제에 대한 포괄적인 윤곽을 파악할 수 있다는 장점이 있으나, 개별적인 지역사회 간호사업을 위한 정보를 얻기 힘들다는 단점이 있다.

지역사회 현황분석에서 가장 일반적으로 사용되는 자료수집 방법은 다음과 같다.

### (1) 간접법

기존의 자료를 활용하는 것을 간접법이라고 한다. 인구센서스 자료, 생정통계, 공공기관의 보고서나 평가자료, 병원의 통계자료, 연구 논문 자료 등을 다양한 방법(신문, 잡지, 인터넷, TV, 라디오 등)으로 수집할 수 있다. 출생, 사망, 인구의 규모, 구조, 분포 등에 대한 인구자료와 법정감염병 등의 신고질병, 암 등의 등록질병, 의료기관의 통계를 통한 입원 및 통원 환자에 대한 상병자료 등을 얻을 수 있다.

집단을 대상으로 하는 지역사회 간호에서는 기존의 자료가 매우 유용하나 자료의 신뢰성, 정확성, 표준화 등을 검토하는 것이 중요하다. 지역사회간호사가 활용할 수 있는 국가 단위의 자료로는 국민건강영양조사, 지역사회건강조사, 노인생활실태조사 등이 있다.

### (2) 직접법

간접적으로 자료를 확보할 수 없거나, 기존 자료의 타당성의 문제가 있는 경우에는 직접법으로 자료를 수집한다.

#### ① 설문지를 이용한 지역조사(Survey)

설문지를 활용하여 조사대상자를 직접 면담하여 자료를 얻는 방법으로, 원하는 자료를 구체적이고 직접적으로 수집할 수 있는 장점이 있으나, 시간과 비용이 많이 든다는 단점이 있다. 설문조사 방법은 면담, 전화, 자기기입식 등이 있다.

#### ② 정보원 면담(Informant interview)

지역사회 내의 공식적·비공식적 지도자와 면담하여 자료를 수집하는 것으로, 지역사회의 가치, 규범, 신념, 권력구조, 문제해결 과정 등에 대한 정보를 수집에 적절하다. 동장, 구청장, 면장 등 행정기관의 장이나, 부녀회장, 청년회장, 노인회장 등 지역사회 단체장, 종교계의 지도자 등을 만나서 지역사회 건강문제에 대한 의견을 주고받을 수 있다. 이 경우 구조화된 설문지를 이용하면 효율적이다.

#### ③ 초점집단 면담(Focus group interview)

공통의 문제 또는 관심사를 가지고 있는 6～12명을 대상으로 심층적인 질적 면접조사를 실시하는 것이다. 비교적 짧은 시간에 광범위한 정보를 얻을 수 있고 필요한 경우 심층적인 토의가 가능하다.

#### ④ 참여관찰(Participant observation)

지역사회간호사가 지역사회주민들과 함께 생활하거나 활동하면서 지역주민들에게 영향을 미치는 의식이나 행사 등에 직접적으로 참여하여 관찰하는 방법으로 주민들의 자발적인 참여 정도, 주민들 간의 상호관계 등을 파악할 수 있다. 주로 폐쇄적인 지역사회에 대한 자료수집 시 적절한 방법이나 윤리적인 문제가 발생할 가능성이 있다.

#### ⑤ 차창 밖 조사(Windshield survey) / 지역시찰

빨리 걷거나 자전거 또는 자동차를 이용하여 신속하게 지역사회의 환경, 생활상 등을 관찰하는 방법이다. 지역사회 전반의 다양한 측면을 신속하고 경제적으로 파악할 수 있다는 장점이 있으나, 상세하게 알기는 어렵다. 주로 거리에 있는 사람, 가옥, 상가, 교통수단 등을 관찰한다[표 3-17].

표 3-17 차창 밖 조사의 항목과 내용

| 항목 | 조사내용 |
|---|---|
| 주거 | 공사 진행 여부, 주거형태(아파트, 단독), 마당 등 |
| 환경 | 녹지 수준, 지형, 안전 위협 요소, 소음, 악취, 대기, 수질 상태, 오염원 |
| 이동수단 | 형태(자가용, 버스, 도보 등), 도로 상태, 가까이에 있는 고속도로, 이용 가능한 공공 교통수단 및 이용 요금, 특별히 필요한 경우 이용할 수 있는 교통수단과 이용 가능성 |
| 쇼핑/공공장소 | 상점의 형태, 주민들이 이용하는 쇼핑 장소 및 이동수단, 타 지역과의 가격 비교, 주로 사람들이 모여 있는 장소와 시간, 모이는 대상 등 |
| 거리 | 낮 동안 거리에 주로 어떤 사람들이 다니는가, 집 없는 사람들, 동물들, 오래된 지역인가 신흥지역인가 |
| 인종 | 흔히 보이는 인종 |
| 문화 | 먹는 장소, 언어, 사설 학원, 종교적 건물, 형태 등 |
| 안전시설 | 이용 가능한 안전시설(소방서, 경찰서 등), 위치 |
| 건강 | 의료시설, 의료서비스 수준 및 형태, 비용, 가까운 응급시설 및 서비스, 사회복지시설, 여가시설 |
| 의사소통 | 이용가능한 TV 및 라디오 방송국, 신문 종류, 지역신문 |
| 교육 | 학교시설, 도서관, 학원 |

## 4) 자료분석

다양한 방법을 통해 수집된 자료는 정리 및 분석해야 한다. 일반적으로 자료분석은 분류, 요약, 확인, 결론의 4단계로 이루어진다.

### (1) 분류단계(Categorize)

수집된 모든 자료를 범주화하여 공통점이 있는 항목끼리 묶는 것이다. 일반적으로 지역사회의 특성, 인구특성, 건강상태, 환경특성, 지역사회 자원으로 분류한다.

일반적으로 간호학 영역에서 중요한 정보는 건강과 직접 관련이 있는 인구, 환경, 보건의료자원 및 인력에 관한 자료이고 나머지 지역특성에 대한 정보 등은 건강에 대한 간접 자료로 활용된다.

### (2) 요약단계(Summarize)

분류된 자료는 지역사회의 특성을 파악하기 쉽도록 항목 간의 관련성을 고려하여 비율, 평균값 등을 계산하거나 표나 그림, 그래프 등의 방법을 사용하여 요약한다.

### (3) 확인 · 비교 단계(Compare)

요약된 자료에 대하여 자료 간의 불일치나 차이, 누락 여부 등을 확인하여 부족하거나 더 필요한 자료가 없는지를 파악한다. 과거의 자료나 다른 지역이나 전국수준의 자료와 비교하여 포괄적이고 총체적인 지역사회의 건강수준을 파악한다.

### (4) 결론단계(Infer)

전 단계의 분석과정을 통하여 수집된 자료의 의미를 찾는 단계로서, 지역사회 간호사의 전문적인 견해를 포함하여 구체적인 지역사회의 건강문제에 대한 결론을 내린다.

지역사회의 현재 상황을 과거자료와 비교하여 문제에 대한 경향을 알아보고, 국가 전체의 자료나 타 지역의 자료와 비교하여 대상 지역만의 문제인지 국가적인 문제인지 확인한다. 지역사회의 건강문제에 대하여 요약하여 종합 결론을 내리고 문제를 기술한다[표 3-18].

**표 3-18 지역사회 자료분석의 예**

<table>
<tr><th>구 분</th><th>자료요약</th><th>결론</th><th>필요한 자료</th></tr>
<tr><td>1. 인구특성</td><td>• 연령구성<br>– 15세 미만 : 20.8%<br>– 15~64세 : 70.6%<br>– 65세 이상 : 9.6%<br>• 성별 구성<br>– 남자 : 58%<br>• 출생률 : 10.9<br>• 사망률 : 8.3<br>• 영유아사망률 : 7.7<br>• 모성사망률 : 0.011</td><td>• 노인인구의 비율이 높음<br>• 남자인구가 많음<br>• 낮은 출생률<br>• 높은 사망률</td><td>• 최근 국내 생정통계자료<br>– 인구통계(통계청) : 사망, 출생, 인구구성<br>– 질병별 유병률 통계 : 국민건강영양조사, 국민건강보험통계, 복지부 통계연감<br>• 최근 5년간 인구 및 질병 통계자료<br>• 연령별 특수 출산율 자료</td></tr>
<tr><td>2. 건강수준</td><td>• 만성질환<br>– 고혈압 유병률 : 35.0%<br>– 치아우식증 : 20.1%<br>– 관절염 : 13.1%</td><td>• 높은 고혈압 유병률<br>• 높은 치아우식증</td><td rowspan="3">• 고혈압 관련 건강행태<br>• 치아우식증 관련 건강행태<br>• 관절염 관련 건강행태<br>• 최근 국내 국민건강행태자료 : 국민건강영양조사<br>• 음주에 대한 지식 및 행태<br>• 흡연에 대한 지식 및 행태<br>• 보건소에 대한 인식도와 만족도<br>• 구청의 활동 : 놀이기구 안전 점검 및 노면상태 정리<br>• 안전에 대한 의식조사</td></tr>
<tr><td>3. 건강행태</td><td>• 음주율 : 75.5<br>• 흡연율 : 70.4<br>• 보건의료사업 이용률 : 대다수가 약국, 병원을 이용하며, 보건소 이용자는 거의 없음</td><td>• 높은 음주율<br>• 높은 흡연율<br>• 낮은 보건소 이용률</td></tr>
<tr><td>4. 환경특성</td><td>• 놀이터의 안전하지 못한 놀이기구<br>• 고르지 못한 노면 상태<br>• 어른의 돌봄 없이 놀이터에 어린이 방치</td><td>• 사고 가능성<br>(특히 어린이와 노인)</td></tr>
</table>

### 5) 법적 기준 및 지침 확인

지역사회간호사의 기본적인 기능과 역할은 어느 지역에서나 같으나 지역사회 기관의 목적에 따라 역할 및 기능은 달라질 수 있다. 지역사회간호사는 「지역보건법」을 비롯한 관련법과 시행령, 시행규칙, 업무규정과 기준 및 업무분장표 등을 분석하여 자신의 역할, 기능, 범위와 깊이를 정한다.

지역사회간호사의 법적 기준과 지침을 구체적으로 확인하기 위해서는 다음을 고려해야 한다.

① 간호사업과 관련된 전체 보건사업의 목표와 수준
② 관련 법규, 규정, 기준 및 업무지침
③ 관련사업의 예산범위와 사업기간
④ 해당사업과 관련된 부서와 타 전문직 활동 범위 등

## 2 지역사회 간호진단

지역사회 간호진단은 수집된 자료를 분류하고 요약하는 자료분석 과정을 통해 확인된 지역사회의 여러 가지 건강문제 중에서 지역사회 간호사업으로 해결해야 할 문제를 선정하는 단계이다.

북미간호진단협회(North American Nursing Dianosis Association; NANDA, 1990)는 간호진단을 실재적 또는 잠재적 건강문제와 삶의 과정에 대한 개인, 가족, 지역사회의 반응을 임상적으로 판단하는 것으로 정의하였으며, 간호사가 간호중재를 선택하는 근거를 제공하는 것이라고 하였다.

지역사회 간호문제는 지역사회가 가지고 있는 건강과 관련된 문제로서, 지역사회 간호사업을 통하여 변화 가능한 문제를 의미한다. 지역사회 간호사는 여러 가지 간호진단을 도출할 수 있으나 동시에 해결할 수 없으므로 우선순위를 설정하여 간호문제를 해결한다.

### 1) 지역사회 간호진단의 특성

지역사회 간호진단은 지역사회 건강문제로 기술되므로 지역사회 건강문제에 대한 진술이며 건강요구이다. 지역사회 간호사는 지역사회 구성원인 개인의 건강문제와 지역사회 건강문제의 차이를 이해하고, 지역사회 건강문제를 파악하기 위해 다각적인 시선을 갖추도록 한다.

지역사회 간호진단을 내릴 때는 건강결핍 이외에도 건강위협이나 미래위기 유무를 확인하도록 한다. 건강결핍은 현재의 건강문제로서 건강유지에 실패한 경우이다. 예를 들면 고혈압 등의 질환이나 성장발육의 부진 상태 등을 말한다. 건강위협은 현재의 건강문제는 아니지만 잠재적 위험요소이다. 예를 들어 예방접종을 하지 않아 감염병에 걸릴 가능성이 있거나, 어린이가 불안전한 놀이기구를 사용하는 경우 및 어린이를 돌보지 않아 사고가 일어날 위험이 있는 경우 등이다. 미래위기는 현재 건강문제가 있는 것은 아니지만 건강에 대한 특별한 요구가 필요한 시기이다. 예를 들어 임신이나 실직, 사춘기 등이 해당한다.

#### (1) 지역사회 간호진단의 구성요소

간호진단은 간호사가 해결할 수 있는 실제적, 잠재적 건강문제에 대한 대상자의 반응을 의미하는 것으로 다음의 세 가지로 이루어진다.

① 문제, 반응, 상태의 기술
② 문제의 원인적 요인에 대한 규명
③ 문제의 특징을 나타내는 구체적 사실

**G 광역시의 예**

- 대상 : G 광역시 중학생 인구집단
- 문제(problem) : 높은 흡연율
- 원인적 요인(related to)
  - 흡연예방교육의 부족
  - 과도한 학습 스트레스
  - 청소년건강증진프로그램 부족
- 구체적 사실 또는 근거자료(manifested by)
  - 16%의 높은 중학생 흡연율
  - 연 1회 청소년스트레스관리프로그램 운영
  - 35%의 중학교에서 흡연예방교육 실시

#### (2) 지역사회 간호진단의 활용

간호진단의 구성요소 중 문제는 사업목표 선정 시에 활용하며, 관련요인은 사업내용, 근거자료는 사업평가 지표로 활용한다[그림 3-11].

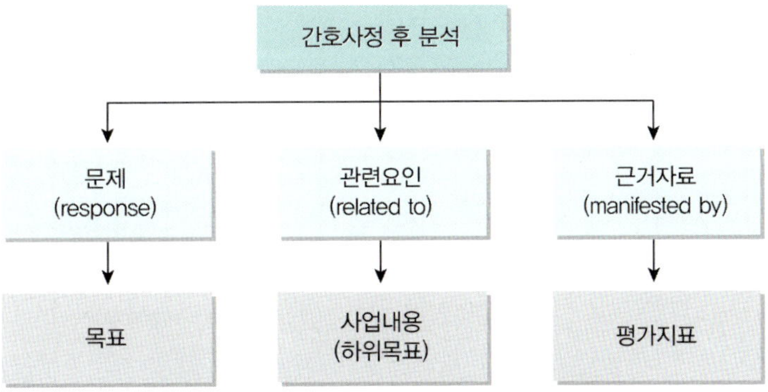


그림 3-11 지역사회 간호진단의 구성요소 활용

### 2) 간호진단 분류체계

지역사회 간호진단 시 활용되는 대표적인 간호진단 분류체계는 다음과 같다.

#### (1) 오마하체계(OMAHA System)

미국 네브라스카 주(州)의 오마하 방문간호사협회(Visiting Nurses Association)는 1975년부터 1993년에 걸쳐서 간호대상자의 문제를 문제 중심 접근방법을 적용하여 기록하고 분류하여 정보관리에 효과적인 접근방법을 제시하고자 OMAHA System을 개발하였다. 간호과정에 기초를 두고 지역사회 보건간호 실무영역에 적용하고자 개발하였으므로 공중보건, 학교보건, 가정간호 등의 다양한 지역사회 간호 실무에 이용될 수 있다. 현재 200여 개국에서 사용하고 있는 오마하체계는 지역사회간호 실무영역에서 가장 효율적으로 적용가능하다. 또한 포괄적이고 간단하며 융통성이 있어 다양한 환경에서 다학제 간의 다양한 분과의 실무자들과 간호사에게 유용하다.

오마하체계는 개인 가족, 지역사회의 모든 연령대, 의료진단, 사회경제적 상태, 교육, 정신적 신념, 인종과 문화적 가치의 대상자들에게 적합한 용어를 사용하고 있다. 오마하체계의 모형은 순환, 동적, 역학, 문제해결 과정의 상호작용, 실무자와 대상자 간의 관계, 비판적 사고의 개념, 임상에서 의사결정, 질 향상 그리고 초보에서 전문가까지의 단계를 포함하고 있다.

오마하체계는 문제분류체계, 중재체계 및 성과에 대한 문제등급척도의 세 가지 주요 부분으로 분류된다. 문제분류체계는 4개의 영역(domain), 42개의 문제(problem), 75개의 수정인자 및 증상과 징후로 구성되었다 [표 3-19].

오마하체계는 사정과 진단, 중재, 결과 평가의 간호과정을 모두 다루고 있다는 특징을 가지고 있으므로, 지역사회 간호과정에서 유용하게 사용되고 있다. 본서의 부록에는 오마하체계의 구조, 간호진단분류 및 2개의 사례가 제시되어 있다. 〈부록 2 참고〉

**표 3-19 OMAHA체계의 구성**

| 문제분류체계 | | | | | | 중재체계 | 성과에 대한 문제등급척도 |
|---|---|---|---|---|---|---|---|
| 영역 4개 (domain) | 문제 42개 (problem) | 수정인자 (modifier) | | 증상/징후 (symptom/sign) | | | |
| Ⅰ. 환경<br>Ⅱ. 심리사회<br>Ⅲ. 생리<br>Ⅳ. 건강관련 행위<br>• 관련된 의학적 판단 : ______ | 4종<br>12종<br>18종<br>8종 | Ⅰ. 대상자<br>□ 개인<br>□ 가족<br>□ 지역사회 | Ⅱ. 심각도<br>□ 실제적<br>□ 잠재적<br>□ 건강증진 | 증상<br>□____<br>□____<br>□____<br>□ 기타 | 증후<br>□____<br>□____<br>□____<br>□ 기타 | 1. 범주(categories)<br>1) 교육, 안내, 상담<br>2) 치료 및 처치<br>3) 사례관리<br>4) 감시<br>2. 목표(target) : 간호중재와 활동내용(알파벳 순으로 된 75개 목록)<br>3. 대상자에 대한 구체적인 정보(client-specific information) | □ 지식<br>(　　) → (　　)<br>□ 행위<br>(　　) → (　　)<br>□ 상태<br>(　　) → (　　) |
| • 간호과정의 시작단계인 자료수집, 사정, 문제인식 및 간호진단에 해당 | | | | 377개로 구성되어 있으며, 각 증상/징후마다 '기타'란 용어로 확장가능한 유연한 코드구조를 가지고 있음 | | • 간호과정의 계획과 중재에 해당 | • 서비스 전 과정을 통하여 대상자의 변화정도를 추적하기 위해 사용<br>• 지식, 행위, 상태에 대한 척도를 진술, 5점 Likert 척도로 점수가 높을수록 양호한 상태<br>• 시작 시 대상자의 상황(지식, 행위, 상태 등)을 사정하고 진단평가하는 단계에 해당<br>• 종료 시 대상자의 변화된 지식, 행위, 상태의 등급을 사정하여 간호 효과(대상자의 변화정도)에 대한 정확한 결론을 내릴 수 있는 성과평가 단계에 해당 |

〈 자료원 : Martin, S.K.(2005). The Omaha system, 2nd ed. St. Louis: Mosby 〉

### ① 오마하체계의 구성

#### 가. 문제분류체계

문제분류체계는 간호과정의 시작 단계인 자료수집과 사정, 문제인식 및 간호진단에 해당된다. 따라서 대상자 사정과 문제 진단 시 활용된다. 4개의 영역, 42개의 문제의 정의, 75개의 수정인자 그리고 증상과 징후로 구성되어 있으며, 관련된 의학적 진단을 적는다.

- 문제의 수정인자는 건강증진 문제인지, 잠재적 문제 또는 실제적 문제인지 선택하고 그 내용을 적는다.
- 문제수정 대상자는 개인, 가족, 지역사회를 선택하고 그 내용을 적는다.
- 증상은 대상자, 가족 및 친지 등에 의해 보고되는 주관적인 증거이다.
- 징후는 지역사회간호사나 건강관리 실무자에 의해 관찰되는 객관적인 증거이다.
- 관련된 의학적 진단은 규제나 보상을 위해 코드번호를 적는다.

#### 나. 중재체계

중재체계는 간호과정의 계획과 중재에 해당된다[표 3-20, 3-21]. 대상자의 간호계획이나 활동을 기록하기 위해 사용되며, 지역사회 간호사가 제공하는 간호활동목록으로 사용된다. 중재체계의 구성은 간호계획과 중재 가이드의 범주, 대상자의 구체적 정보 진술로 구성된다. 대상자에 대한 정보 진술은 가장 빈번하게 사용된 실무패턴으로 진술되어 있다. 사용자는 가이드라인을 따르고 범주, 대상, 다른 방법의 정보 진술을 결합할 수 있다.

#### 다. 성과에 대한 문제등급척도

시작 당시 대상자의 상황에 대한 진단평가 단계와 종료 시의 간호중재 효과에 대한 정확한 성과를 확인할 수 있는 성과평가 단계에 해당한다. 따라서 대상자의 변화 정도를 추적하기 위한 결과측정 평가도구이다. 간호중재 전 대상자의 지식, 행위, 상태를 사정하고, 간호 수행 후 변화된 대상자의 지식, 행위, 상태 등을 기록한다. 대상자의 지식, 행위, 상태에 대하여 부정적인 것에서부터 긍정적인 것까지 5점 Likert 척도로 진술한다[표 3-22]. 오마하체계에 의한 간호문제 사례는 [표 3-23]과 같다.

**표 3-20 Omaha체계 중재체계의 첫째 수준 : 범주(Categories)**

| 범 주 | 내 용 |
|---|---|
| (1) 교육, 안내, 상담<br>(Teaching, Guidance, Counselling) | 정보와 물질자원을 제공하고, 자기간호와 대처에 필요한 행동과 책임을 다하도록 격려하고, 의사결정과 문제해결을 돕기 위해 개인, 가족, 지역사회를 지지하는 것이다. |
| (2) 치료 및 처치<br>(Treatment and procedures) | 상처간호, 검사물 수집, 저항 운동, 약물처방 등과 같은 기술적 활동들은 개인, 가족, 지역사회의 증상과 징후를 예방하고, 감소시키거나 완화하기 위하여 계획된다. |
| (3) 사례관리(Care Management) | 조정, 옹호, 의뢰와 같은 활동들은 서비스 전달을 촉진하고, 건강 서비스와 대인 서비스 제공자들과의 의사소통을 향상시키고, 대상자의 자기주장 능력을 증진시키며, 적합한 차원의 사용을 위해 개인, 가족, 지역사회의 상태를 확인하기 위함이다. |
| (4) 감시(Surveillance) | 발견, 측정, 비판적 분석과 감독과 같은 활동들은 주어진 상황이나 현상과 관련된 개인, 가족, 지역사회의 상태를 확인하기 위함이다. |

〈 자료원 : Martin, S.K.(2005). The Omaha system, 2nd ed. St. Louis: Mosby 〉

**표 3-21 Omaha체계 중재체계의 둘째 수준 : 목표(Targets)**

| | | | |
|---|---|---|---|
| 1. 해부/생리 | 21. 말기환자 간호 | 41. 투약 처방 | 61. 증상/징후–정신적/감정적 |
| 2. 분노관리 | 22. 환경 | 42. 투약 준비 | 62. 증상/징후–신체적 |
| 3. 행동수정 | 23. 운동 | 43. 운동성/이동 | 63. 피부간호 |
| 4. 방광간호 | 24. 가족계획 | 44. 간호 | 64. 사회사업/상담간호 |
| 5. 유대/결속 | 25. 수유절차 | 45. 영양사의 돌봄 | 65. 검사물 수집 |
| 6. 배변간호 | 26. 재정 | 46. 작업치료관리 | 66. 말하기와 언어병리 간호 |
| 7. 심장간호 | 27. 걸음걸이 훈련 | 47. 인공항문루 간호 | 67. 영적간호 |
| 8. 돌봄/양육기술 | 28. 유전 | 48. 기타 지역사회 자원들 | 68. 자극/양육 |
| 9. 석고붕대간호 | 29. 성장/발달간호 | 49. 전문직 보조원/보조 간호 | 69. 스트레스 관리 |
| 10. 의사소통 | 30. 가정 | 50. 개인위생 | 70. 물질 남용 중단 |
| 11. 지역사회 노동자방문 서비스 | 31. 가사도움/집안청소 | 51. 물리치료 간호 | 71. 공급 |
| 12. 간호의 연속성 | 32. 감염예방 | 52. 체위 | 72. 지지그룹 |
| 13. 대처 기술 | 33. 상호작용 | 53. 레크리에이션치료 간호 | 73. 지지체계 |
| 14. 주간보호/일시적 위탁 | 34. 통역/번역서비스 | 54. 이완/호흡기술 | 74. 수송 |
| 15. 식이 관리 | 35. 병리검사결과 | 55. 호흡기 간호 | 75. 안녕 |
| 16. 훈련 | 36. 법체계 | 56. 호흡기치료 간호 | 76. 기타 |
| 17. 드레싱 교환/상처간호 | 37. 의료/치과간호 | 57. 휴식/수면 | |
| 18. 내구성 의료장비 | 38. 투약 행위/부작용 | 58. 안전 | |
| 19. 교육 | 39. 투약 관리 | 59. 검진절차 | |
| 20. 고용 | 40. 투약 조정/지시 | 60. 질병/상처간호 | |

〈 자료원 : Martin, S.K.(2005). The Omaha system, 2nd ed. St. Louis: Mosby 〉

**표 3-22 성과에 대한 Omaha체계 문제등급 척도**

| 등급(Rating) | 지식(knowledge) | 행위(behavier) | 상태(states) |
|---|---|---|---|
| 1 | 지식이 없음 | 부적절한 행위 | 극도로 심한 증상/징후 |
| 2 | 최소한의 지식 | 대체로 부적절한 행위 | 심한 증상/징후 |
| 3 | 기본 지식 | 적절하나 일관성 없는 행위 | 중등도의 증상/징후 |
| 4 | 적절한 지식 | 대체로 적절한 행위 | 최소한의 증상/징후 |
| 5 | 우수한 지식 | 일관성 있게 적절한 행위 | 증상/징후가 없음 |

〈 자료원 : Martin, S.K.(2005). The Omaha system, 2nd ed. St. Louis: Mosby 〉

**표 3-23 지역사회 간호진단과 Omaha체계에 의한 간호문제**

| 지역사회 간호진단 | | Omaha체계 | | |
|---|---|---|---|---|
| 문 제 | 원인/관련 요인 | 영 역 | 수정인자 : 문제 | 증상/징후 |
| 건강 결핍 : 높은 고혈압 유병률 | • 고혈압 지식 결핍<br>• 높은 음주, 흡연율 | 생 리 | 실제 결핍 : 순환 | • 비정상적인 혈압 |
| 건강 위협 : 사고의 가능성 | • 불안전한 놀이 기구사용<br>• 돌봄의 부족 | 환 경 | 잠재 결핍 : 이웃/직장의 안전 | • 물리적 위험<br>• 불안전한 놀이지역<br>• 기타 : 돌봄 부족 |
| 건강 위협 : 높은 음주, 흡연율 | • 음주 흡연 지식 결핍<br>• 부적절한 음주 흡연 문화 | 건강관련행위 | 실제 결핍 : 약물 오용 | • 흡연, 술 남용 |
| 낮은 보건소 이용률 | • 보건소 사업의 불만족<br>• 보건소 이용절차 무지<br>• 교통수단의 미비 | 심리사회 | 실제 결핍 : 지역사회자원과의 의사소통 | • 서비스에 불만족<br>• 서비스 절차 인지 부족<br>• 기타 : 부적절한 교통수단 |

주) Omaha체계에서 첫 번 수정인자인 대상자는 모두 지역사회이다.

〈 자료원 : Martin, S.K.(2005). The Omaha system, 2nd ed. St. Louis: Mosby 〉

#### ② 오마하체계의 4영역(domain)

**가. 환경 영역(Environment domain)**

대상자, 가정, 이웃 및 광범위한 지역사회의 물질적 자원과 물리적 환경들로 대상자의 건강과 건강행위 및 생활습관에 영향을 미치는 중요한 요소들을 말한다. 수입, 위생, 주거, 이웃과 직장의 안전의 4가지 문제영역으로 분류된다.

**나. 심리사회 영역(Psychosocial domain)**

행위양식, 정서, 의사소통, 관계 및 발달들로 개인, 가족 및 지역사회 간의 관계를 나타내는 요소들을 말한다. 지역사회자원과 의사소통, 사회적 접촉, 역할 변화, 대인관계, 영성, 슬픔, 정신건강, 성욕, 돌봄과 양육, 방임(태만, 방치), 학대, 성장과 발달의 12가지 문제영역으로 분류된다.

**다. 생리적 영역(Physiological domain)**

생명을 유지하는 기능들과 과정들로 개인의 신체건강을 나타내는 요소들을 말한다. 청각, 시각, 말과 언어, 구강건강, 인지, 통증, 의식, 피부, 신경·근·골격기능, 호흡, 순환, 소화와 수분, 배변기능, 배뇨기능, 생식기능, 임신, 산후, 전염성과 감염성 상태의 18가지 문제영역으로 분류된다.

**라. 건강관련 행위영역(Health related behaviors domain)**

건강을 유지·증진하고, 위험요인을 감소하고, 회복에 도움이 되는 행위요소들을 말한다. 영양, 수면과 휴식 양상, 신체적 활동, 개인위생, 약물사용, 가족계획, 건강관리 감시, 투약처방의 8가지 문제영역으로 분류된다.

### (2) 가정간호분류체계

가정간호분류체계(Home Health Care Classification; HHCC)는 1988년부터 1991년까지 4년간 Georgetown University School of Nursing의 교수 Virginia K. Saba가 전국의 646개의 가정간호기관에서 퇴원한 8,961명의 메디케어 환자들의 자료를 반영하여 개발한 것이다.

가정간호분류체계는 가정간호서비스를 코딩하고 범주화한 것으로 지역사회 간호와 가정간호에 주로 이용된다. 분류체계의 수준은 영역, 구성요소, 상위간호진단, 하위간호진단으로 구성되어 있다.

#### ① 수준 1 : 영역(domain)

건강행위, 정신 양상, 신체적 양상, 기능적 양상의 4가지로 구성된다.

#### ② 수준 2 : 구성요소(care component)

20개의 간호구성요소로 이루어져 있다.

#### ③ 수준 3 : 상위간호진단(major nursing diagnostic categories)

50개의 간호진단으로 구성된다.

#### ④ 수준 4 : 하위간호진단(subcategories nursing diagnostic categories)

95개의 간호진단으로 구성된다.

### (3) NANDA 간호진단 분류체계

북미간호진단협회(NANDA)는 1982년에 분류체계 Ⅰ(Nursing Taxonomy Ⅰ)을 제시하였고, 2년마다 회의를 개최하고 있으며, 2000년에 분류체계 Ⅱ(Nursing Taxonomy Ⅱ)를 완성하였다.

분류체계 Ⅰ(Nursing Taxonomy Ⅰ)는 가장 추상적인 개념의 제1단계부터 가장 구체적인 개념의 제5단계까지로 나누어져 있다. 제1단계는 9가지 인간의 반응양상(patterns of unitary man)으로, 교환(exchanging), 의사소통(communication), 관계형성(relating), 가치(valuing), 선택(choosing), 기동(moving), 지각(perceiving), 지식(knowing), 감정(feeling)이다. 제2단계부터 제5단계는 148개의 진단 분류를 포함하였다.

분류체계 Ⅱ(Nursing Taxonomy Ⅱ)는 Gordon의 기능적 건강양상 틀에 기초하였다. 최상위의 13개 영역(domain)은 건강증진(health promotion), 영양(nutrition), 배설과 교환(elimination and exchange), 활동/휴식(activity/rest), 자기인식(self-perception), 자각(selfperception), 역할관계(role relationship), 성(sexuality), 적응/스트레스 저항성(coping/stress tolerance), 삶의 원리(life principles), 안전/보호(safety/protection), 편안감(comfort), 성장/발달(growth/development)이다. 47개의 하부 진단분류와 총 246개의 간호진단으로 구성되어 있다(2018~2020, NANDA 승인).

NANDA의 간호진단 분류체계에서 지역사회 간호현상에 대한 진술은 '비효율적인 지역사회 대응', '지역사회 향상 가능성', '치료요법의 비효율적 이용 : 지역사회' 등이 있다. 가족의 건강상태에 대한 진술로는 '효율적 모유수유', '모유수유 중단', '비효율적 모유수유', '부모역할 갈등', '부모/영아/아동 애착장애 위험성', '비효율적 치료법 관리: 가족', '비효율적 가족 대응' 등이 있다.

### (4) 국제간호실무 분류체계(ICNP)

국제간호실무 분류체계(International Classification for Nursing Practice; ICNP)는 1989년 국제간호협회(International Council of Nurses; ICN)에서 개발하였다. ICNP는 간호현상(nursing phenomena), 간호중재(nursing actions), 간호결과(nursing outcomes)로 구성되어 있다.

간호현상(Nursing Phenomena)은 환자 및 환자의 주변 상태에 대한 간호사의 진단에 해당한다. 간호현상 분류는 7개의 다축 구조(multi-axis)로 구성되어 있다.

① 간호 실무의 초점(focus of nursing practice) : 간호의 전문적이고 묘사된 관심영역으로 '통증, 자존감, 빈곤' 등이다.
② 판단(judgment) : 간호현상에 대한 임상적 의견으로 '향상된, 부적절한, 개선된' 등을 말한다.
③ 빈도(frequency) 또는 시간(time) : 간호현상이 발생되는 횟수를 말하며 '종종, 가끔, 간헐적인, 급성, 만성' 등이다.
④ 장소(location) : '심장부위, 왼쪽 머리, 부분적 또는 전체적' 등을 말한다.
⑤ 방법 및 수단(means)
⑥ 활동(action type) : '설명하다, 교육하다' 등이다.
⑦ 대상자(human being) 또는 실체(Bearer) : '개인, 가족, 지역사회' 등이다.

ICNP의 간호진단 구성을 위해서는 다음과 같은 원칙이 지켜져야 한다.

① 간호실무의 초점 축으로부터 나온 용어를 반드시 포함할 것
② 판단축으로부터 나온 용어를 포함할 것
③ 그 밖의 축에 속하는 용어들은 진단을 정확히 하기 위해 선택적으로 사용할 것
④ 하나의 진단을 구성할 때 각각의 축은 한 번씩만 사용할 것

아래 예시와 같이 간호중재는 축을 조합해 구성할 수 있다.

**"○○중학교 학생들에게 흡연예방법을 교육한다."**

| ○○중학교 | 학생들에게 | 흡연예방법을 | 교육한다. |
|---|---|---|---|
| 장소 | 대상자 | 방법 | 활동 |

### (5) 우리나라의 지역사회 간호진단

윤순녕 등(2002)은 한국의 가족현상 분류체계를 8개의 현상과 주요 특성으로 제시하여 한국의 사회문화적 맥락을 배경으로 한 가족간호의 틀을 제시하였다.

① 부부역할 장애
- 부부간의 대화가 결여되어 있다.
- 부부싸움이 잦다.

② 의사소통 장애
- 가장이 폐쇄적인 의사소통 양상을 보인다.
- 가족들이 모여 대화할 수 있는 기회가 드물다.
- 세대 간 사고방식의 차이가 있다.
- 가족 내 의사결정이 비민주적이다.

③ 부적절한 가족 대처
- 가족구성원의 스트레스가 과다하다.
- 주부의 역할편중이 과다하다.
- 가족구성원 간의 역할분배가 부적절하다.
- 주부의 희생의식이 지나치다.
- 자기역할에 대한 인식이 부족하다.

④ 가족의 친밀감 부족
- 가족구성원 간의 이해가 부족하다.
- 세대 간 사고방식의 차이가 있다.

⑤ 부적절한 생활양식
- 운동이 부적절하다.
- 가족구성원 중 흡연자가 있다.
- 가족구성원이 과다한 음주를 한다.

- 여가활동이 부족하다.
- 정기적 검진을 하지 않는다.
- 건강관리에 대한 지식이 부족하다.

⑥ 비효율적 재정관리
- 수입이 일정하지 않다.
- 수입원이 감소된 상태이다.

⑦ 부적절한 질병관리
- 가족구성원의 질병인식이 부족하다.
- 가족구성원 간의 돌봐주는 것이 부족하다.
- 가족구성원의 질병지식이 부족하다.

⑧ 부적절한 주거관리
- 집안이 정리정돈이 안 되어 있다.
- 공간관리가 부적절하다.
- 가족 수에 비하여 공간이 부족하다.

### 3) 우선순위설정

지역사회 간호사는 지역사회 간호사정을 통해 도출된 여러 개의 건강문제에 대하여 자원이용 가능성 등 여러 측면을 고려하여 우선순위를 설정한다. 지역사회 간호사업의 기준 및 지침을 확인하여 해결할 수 있는 건강문제를 설정하여 해결하고, 해결할 수 없는 건강문제는 적절한 기관에 의뢰하거나 다른 보건전문가와 협력하여 해결하도록 한다.

Stanhope와 Lancaster(2004)가 제시한 우선순위설정 기준은 다음과 같다.

① 지역사회 건강문제에 대한 지역사회 주민들의 인식 정도
② 건강문제를 해결하려는 지역사회의 동기수준
③ 건강문제 해결에 영향을 미치는 간호사의 능력
④ 건강문제 해결에 필요한 적절한 전문가의 유용성
⑤ 건강문제 해결이 안 될 때 후속적으로 생긴 결과의 심각성
⑥ 건강문제 해결에 소요되는 시간

Hanlon(1990)은 다음과 같이 지역사회 건강요구에 초점을 둔 우선순위설정 방법을 제시하였다.

① 문제의 크기 : 다수의 사람에게 영향을 미치는 문제
② 질병의 심각성 : 사망률과 유병률이 높은 문제
③ 질병과정을 다룰 수 있고 예방할 수 있는 과학적 지식과 기술의 존재
④ 자원의 동원가능성(비용, 인력 등)
⑤ 제안된 사업에 대한 대상지역 주민의 수용력

### (1) 우선순위설정 시 유의사항

지역사회 간호사업에서 간호문제의 우선순위의 설정과정이 실질적인 성과를 거두기 위해서는 다음의 사항을 고려해야 한다.

#### ① 비교 대상 건강문제의 선정

주요 건강문제를 선정하기 위해 질병에 의한 사망률, 유병률을 비교하거나 건강위험 요인을 비교한다. 고혈압과 흡연 등 건강수준과 건강결정요인을 같이 비교하는 것은 주관적 판단이 개입되므로 객관적 판단이 어렵다.

#### ② 우선순위 판단기준

기존의 전문가들이 정해 놓은 기준을 사용하는 것보다 기획팀의 합의에 의한 지역 현실에 맞는 자체 판단기준을 정하여 결정하는 것이 바람직하다. 사업의 효과 측정은 건강문제의 성격을 고려하여 치료적 효과, 예방적 효과, 사회적 효과로 분리한다.

#### ③ 평가기준별 점수 부여

유병률이나 사망률 등 절대적 수치에 의해 점수를 부여하기 어려운 경우에는 비교대상 건강문제를 크기에 따라 나열하고, 상대적 순위를 이용하여 점수를 부여한다. 또한 건강문제의 상대적인 중요성도 평가해야 하므로 기준 지역과의 차이나 과거와의 비교를 통해서 점수를 부여하기도 한다.

#### ④ 의사결정의 공정성과 전문성

의사결정의 공정성을 위해서는 이해당사자의 폭넓은 참여가 필요하다. 따라서 전문가가 결정해야 할 영역과 일반인이 결정해야 할 영역이 다름을 명심하여 전문가는 계량적 판단을 요하는 의사결정에 참여시키고, 일반인들은 지역사회의 건강문제에 대한 관심사 조사에 주로 참여시킨다.

#### ⑤ 투입가능한 자원을 고려한 사업대상 건강문제의 제한

협력 및 활용이 가능한 기관, 지역의 전문조직, 자원봉사, 지역사회의 건강문제 해결을 위한 지지 정도 등을 고려하여 최종적으로 건강문제를 선정한다.

우선순위 설정 기준은 '제3절 보건사업 기획의 과정'에서의 우선순위 설정에서 상세하게 설명하였다.

## 3 지역사회 간호계획

간호계획은 간호진단에서 확인된 여러 가지 문제의 해결을 위해 전략을 개발하는 단계이다. 간호계획 단계에는 목표설정, 방법과 수단의 선택, 수행계획 및 평가계획 등으로 구성된다.

목표설정은 관련성, 실현가능성, 관찰가능성, 측정가능성 등을 고려하여 누가, 언제, 무엇을, 어디서, 어느 범위까지 달성할 것인가를 기술한다. 방법과 수단의 선택은 기술적·경제적·사회적·법률적 타당성을 고려하여 가장 효과적이며 효율적인 것을 선택한다. 수행계획은 간호업무 활동을 누가, 언제, 어디서, 무엇을 가지고 할 것인가를 정하는 것이다. 평가계획은 간호계획의 마지막 과정으로, 간호사업 수행 이후 처음에 설정한 목적에 어느 정도 도달했는지를 파악하기 위하여 누가, 언제, 어디서, 무엇을 가지고 어떤 범위로 평가할 것인지를 정하는 것이다.

### 1) 목표설정

지역사회의 보건문제와 관련요인을 해결하기 위해 목표의 특성에 따라 궁극적 목표, 사업적 목표 및 구체적 목표로 구분한다.

궁극적 목표는 사업에 책임이 있는 사람들이 가치체계에 따라서 기대되는 조건을 말한다. 일반적인 목표(사업목표)는 사업을 수행하기 위한 노력의 결과로 이루어지는 의도로 특정한 상태 또는 조건을 진술하는 것으로 '문제 해결' 위주로 제시한다. 구체적인 목표는 사업목표를 설명하기 위한 종속적이고 세부적인 목표를 말하며, '관련요인 해결' 위주로 기술한다. 사업기간에 따라 장기 – 단기로 구분하는데, 문제가 단순하고 세부적인 것은 단기간으로, 문제가 복합적이고 광범위할 경우 문제를 해결하는 데 장기간이 소요되어 장기간으로 기술한다. 목표설정 관련 구체적인 설명은 '제3절 보건사업 기획의 과정'에서 다루었다.

### 2) 방법 및 수단의 선택

지역사회 간호활동은 직접간호 제공, 보건교육 및 관리이며, 클리닉 활동, 방문활동, 의뢰 활동, 개인 상담 및 지역사회 조직 활동 등의 수단을 통하여 수행된다.

간호방법 및 수단의 선택 절차는 다음과 같다.

① 목표달성을 위한 각종 방법 및 수단을 찾는다.
② 문제해결을 위하여 요구되는 자원과 이용가능한 자원을 조정한다.
③ 최선의 방법 및 수단을 선정한다.
④ 구체적인 활동을 기술한다.

간호방법 및 수단을 선택한 후에는 기술적, 경제적, 사회적 및 법률적 타당성을 고려하여야 한다.

기술적 타당성은 간호방법이 기술적으로 가능하고 효과가 있는지를 살펴보는 것이며, 경제적 타당성은 경제적으로 수행 가능하고 효과적인 측면에서 경제적인지를 알아보는 것이다. 사회적 타당성은 사업대상자의 수용도를 확인하는 것이며, 법적 타당성은 목표달성행위가 법률이나 제도에 부합되는 것인지를 알아보는 것이다.

### 3) 수행계획

수행계획이란 간호활동을 누가, 언제, 어디서, 무엇을, 어떻게, 얼마만큼 할 것인가를 결정하는 것이다. 사업에 따라 활동전략, 사업목적, 사업목표, 사업기간, 사업대상, 추진방법, 세부일정, 사업내용, 필요한 인력, 협력자원, 홍보방법 등을 제시한다. 수행계획이 상세할수록 실현가능성이 높아지므로 예산계획, 자원활용 계획, 지역주민의 참여 방안 등을 포함하여 세부적으로 작성한다.

수행계획을 세우기 전에 고려할 사항은 다음과 같다.

- 장애 요인을 해결할 수 있고, 목적 달성이 용이한 가장 적절한 방법인가?
- 대상자의 요구와 동원 가능한 자원의 균형이 맞는가?
- 간호방법과 수단 중에서 문제해결에 가장 적절한 것을 선택한 것인가?
- 선택한 간호방법의 세부적인 활동을 규명한 것인가?

### (1) 수행계획의 구성요소

#### ① 누가(인력)

간호활동을 어떤 지식과 기술을 갖춘 인력 몇 명이 할 것인가를 계획하는 것으로 업무분담을 말한다.

#### ② 언제(기간)

간호활동 단계에 따른 시작 시점과 종료 시점을 결정하여 시간표를 작성하는 것이다.

- **연간계획** : 월별·분기별로 균등하게 업무를 구분한다. 사업 및 지역의 특성에 따라 농번기, 지역 행사 등을 고려하는 것이 좋다.
- **월간계획** : 해당 월의 업무를 구체적으로 매주 나누어 계획한다. 도표로 작성하여 잘 보이는 곳에 비치한다.
- **주간계획** : 주 단위의 업무를 구체적으로 매일 무엇을 할 것인가를 계획한다.

#### ③ 어디서(장소)

간호활동을 수행할 장소에 대해서 기술하는 것으로, 보건소, 마을회관 등으로 명확하게 기술한다.

#### ④ 무엇(도구)

간호활동에 필요한 도구와 예산을 계획하는 것이다. 이용가능한 도구의 목록과 청구해야 하는 도구를 파악한다. 또한 가용 예산을 파악하고 예산명세서를 작성한다.

#### ⑤ 어떻게(방법)

간호활동에 필요한 방법을 선택하는 것이다. 홍보활동, 방문활동, 클리닉 활동, 교육 및 상담활동, 연계 및 의뢰활동 등을 명확하게 기술한다.

#### ⑥ 얼마만큼(범위)

간호활동을 수행할 범위를 정하는 것이다.

| 예 | ○○시 | 65세 이상의 주민의 | 운동실천율을 | 2023년 1월부터 12월까지 | 15%에서 20%로 | 향상시킨다. |
|---|---|---|---|---|---|---|
| | 어디 | 누가 | 무엇 | 언제 | 얼마만큼 | 어떻게 |

## 4) 평가계획

간호활동을 통하여 처음 설정했던 목적이 어느 정도 달성되었는가를 평가하려면 사업을 시작하기 전에 평가계획을 수립하여야 한다. 평가계획은 시행한 간호사업의 목표달성 여부에 대한 평가를 어떻게 할 것인가를 구체적이고 명확하게 문서화하는 것이다.

### (1) 평가계획의 구성요소

평가계획에는 누가, 언제, 무엇을 가지고, 어떤 범위로 할 것인가를 포함한다.

#### ① 평가자

'누가 평가를 할 것인가?'에 관한 것으로, 평가를 시행할 사람을 정하는 것이다.

#### ② 평가시기

'언제 평가를 할 것인가?'에 관한 것으로 평가시기를 정하는 것이다. 일반적인 평가시기는 사업이 완전히 끝났을 때와 사업이 진행되는 도중에 수시로 하는 경우가 있다.

#### ③ 평가도구

'무엇을 가지고 평가를 할 것인가?'에 관한 것으로 평가를 위한 도구를 의미한다. 평가를 위한 도구는 타당성과 신뢰성을 가지고 있어야 한다. 타당성은 평가하고자 하는 내용을 올바르게 평가하고 있는 것을 의미하며, 신뢰성은 반복 측정 시에 얼마나 동일한 결과를 측정하는지를 의미한다.

#### ④ 평가범주

'어떤 범위로 평가할 것인가?'에 관한 것으로 평가의 범위를 설정하는 것이다. 평가의 범위는 사업 성취도, 투입된 노력, 사업 진행 정도, 사업 적합성 및 사업 효율성 등이다.

- **사업 성취도** : 목표가 제한된 기간 동안에 어느 정도 달성되었는지를 파악하는 것으로, 측정가능한 용어나 숫자로 제시한다.
- **투입된 노력** : 인적·물적 투입량을 산출하는 것으로, 예산뿐만 아니라 가정방문 횟수나 보건교육 횟수 등의 구체적인 간호활동을 포함한다.
- **사업 진행 정도** : 수행 계획에 근거하여 활동이 내용 및 일정에 맞추어 수행되었는지를 파악하는 것으로, 만일 잘 수행되지 않았다면 원인을 분석하여 계획을 변경하거나 원인을 제거한다.
- **사업 적합성** : 인적·물적 자원의 충족여부를 파악하는 것으로, 사업의 실적을 산출하고 지역사회 요구량과의 비율을 계산하여 파악할 수 있다.
- **사업효율성** : 투입량에 대한 산출량을 파악하는 것으로, 인적·물적 자원을 비용으로 환산하여 단위 목표량에 대한 투입의 비용이 어느 정도인가를 산출한다.

# 4 지역사회 간호수행

간호수행은 수립된 목적과 목표를 달성하기 위한 활동으로 간호계획에 따라 이루어진다.

## 1) 간호수행 활동

### (1) 직접간호

일차의료 수준의 간호활동으로 건강사정, 통상적 증상 및 징후의 관리, 응급처치, 상병의 악화 방치를 위한 활동, 예방접종, 급·만성질환의 관리 등을 위해 직접적인 간호활동을 수행하는 것이다. 지역사회간호사는 지역사회 간호대상자를 사정하여 간호진단을 내리고 간호계획을 수립하여 적절한 간호를 수행해야 한다.

### (2) 보건교육

지역사회간호사가 수행하는 중요하고 필수적인 활동으로 가장 효율적이고 장기적인 효과를 나타낸다. 대상자의 요구에 따라 개별교육과 집단교육, 상담, 건강증진프로그램의 개발 및 운영 등 다양한 활동을 통하여 수행한다.

### (3) 보건관리

수행단계에서 지역사회간호사에게 요구되는 활동은 지역사회간호사가 해야 할 업무와 보건요원 및 지역사회 주민들의 활동을 조정(coordinating)하고, 사업의 진행을 감시(monitoring)하며 활동을 감독(supervising)하는 일이다.

#### ① 조정(coordinating)

조정활동은 업무에 중복이나 결핍이 오지 않도록 일을 분담하는 것이다. 지역사회간호사는 수립한 목표달성을 위해 수행할 업무를 세분화하고 업무의 관련성에 따라 요원 간 조정활동을 해야 한다. 즉 분담된 업무를 수행할 때 중복이나 결핍이 오지 않도록 요원 간의 관계를 명확하게 하고 업무를 분담해야 하며, 의사소통을 통해 결정사항에 대하여 조정한다.

- 일정의 조정
  - 계획한 목표와 각 목표에 필요한 활동을 검토하여 시간을 조정한다.
  - 진행과정을 검토하여 필요 시 속도를 늦추거나 시작과 종료 기간을 조정한다.
- 인력의 기능과 역할 조정
  - 업무 분담이 직원의 기술 수준이나 능력에 적합한지 검토하여 조정하고, 필요한 경우 집담회나 보수교육 등을 실시한다.
  - 업무의 중복이나 누락이 없는지 점검하여 업무 분담을 조정한다.
  - 인력 간 업무상의 갈등 여부를 관찰하여 직무의 범위와 책임의 한계를 분명히 한다.
  - 직원의 행동, 업무수행 정도를 검토하여 사기를 북돋우는 방안을 모색한다.

- 자원조정
  - 장소, 장비, 도구, 물품, 약품 등 물리적 자원의 공급과 소비, 예산 집행 상황을 검토하여 재조정한다.
- 원활한 정보교환체계의 구성
  - 전자 메일, 게시판, 회의, 기록과 보고서 등을 통하여 수행에 필요한 정확한 정보가 적절한 시기에 전달되도록 한다.

#### ② 감시(monitoring)

감시활동은 목적 달성을 위해 계획한 대로 사업이 진행되고 있는지를 확인하여 업무 수준을 유지하는 것이다. 즉 업무활동의 질적수준을 유지하기 위하여 업무의 수행수준, 수행절차, 수행결과를 규명하고 결과의 결여 원인을 밝히는 것이다. 지역사회간호사는 감시활동을 위해 지속적인 관찰, 기록의 감사, 물품의 점검, 요원과 지역사회와의 토의 등을 실시한다.

#### ③ 감독(supervising)

감독활동은 직원들에게 관심을 가지고 활동을 지지하며 용기를 북돋아주고 필요한 경우 학습의 기회를 마련하는 것이다. 지역사회간호사의 감독활동은 목표 진행 정도의 평가, 주어진 업무수행 수준의 관찰, 사업 진행 시 발생한 문제와 개선점 토의 및 필요한 경우 조언 실시 등을 통하여 이루어진다.

지역사회간호사는 감독 계획을 만들어 정기적으로 지역사회를 방문하며, 감독계획을 세울 때는 지역사회의 여건과 의견을 참조해야 한다. 즉, 지역사회의 상태, 지역사회 간호사업의 수준, 교통 여건, 자원 동원가능성을 고려하여 결정한다.

지역사회간호사가 수행하는 감독활동은 다음과 같다.

- 목표달성을 위한 활동이 원활하게 진행되었는지 기록한 자료를 확인한다.
- 주어진 업무활동 수행을 관찰한다.
- 지역주민의 요구가 사업에 부합하는지 확인하고, 사업수행에 대한 이해와 요구를 파악한다.
- 지역사회간호사가 발견한 문제점과 개선사항에 대하여 토의한다.
- 다음 방문 일정을 확인한다.

## 2) 사업수행을 위한 지역사회 접근방법

지역의 접근방법으로는 지역사회에 현존하고 있는 조직과 행정, 인력, 시설을 이용하는 것이 효율적이다. 즉 지역의 지도자, 학교를 포함한 공공기관, 주민집단이나 지역의 모임, 대중매체 등을 활용하는 것이 매우 효과적이다.

### (1) 주민집단

지역사회 내의 공식적·비공식적 집단을 활용하는 것은 간호수행 시 유용하다. 반상회, 부녀회, 조기축구회, 산악회, 전문가단체 등은 지역주민 개인과 지역사회 전체를 연결해주는 매개 역할을 하므로 영향력을 행사할 수 있다. 따라서 지역사회간호사는 지역사회 내의 소집단을 파악할 필요가 있으며, 필요한 경우 새로운 집단을 구성할 수도 있다.

#### (2) 지역사회 지도자

지역사회 지도자는 지역주민의 의식이나 행위 변화에 영향력을 행사한다. 그러므로 반장, 동장, 부녀회장, 종교계 지도자, 상인회장, 지역의 단체 내 기관장 등에게 사업의 필요성을 인식시키고 협조를 구하도록 한다.

#### (3) 공공기관

사업에 따라 학교, 의료기관, 동사무소, 시청 등의 행정기관이나 산업체 등을 활용하는 것도 효율적이다. 절주사업 수행 시 산업장을 방문하여 사업의 필요성을 인식시키고 협조를 얻는다면 효율적일 것이다.

#### (4) 대중매체

신문, TV와 라디오, 인터넷 등의 대중매체는 가장 신속하게 어느 집단에게나 정보를 줄 수 있는 유용한 방법이다. 따라서 지역사회간호사는 필요한 경우 대중매체를 활용하도록 한다.

### 3) 사업수행에 영향을 미치는 요소

지역사회간호사가 수행단계에서 지역사회를 대상으로 간호중재를 할 때 여러 가지 요소들이 영향을 미칠 수 있다. 따라서 사전에 영향을 주는 요소를 인지하여 사업을 진행한다.

#### (1) 필요한 지식과 기술의 선정

필요한 지식 및 기술 선정의 정보는 계획단계에서 전문적인 수행을 위해 가장 적절한 인력이나 담당을 선정하는 데 도움을 준다. 지역사회 특성에 맞추어 수행되는 간호중재에 참여하는 간호사는 다른 중재자가 지니지 못한 지식과 기술을 갖추어야 한다. 예를 들어 당뇨식이가 필요한 대상자를 돕기 위해서는 한정된 예산으로 충분한 영양을 갖춘 식단을 개발하는 기술이 필요하다.

#### (2) 수행을 위한 책임규정

지역사회 간호를 수행하기 위해 여러 인력의 활동 영역과 책임의 한계를 명확히 하며, 필요한 여러 책임을 규정하는 것이 필요하다. 전문적인 역할을 수행하는 책임 있는 사람은 필요한 행위를 수행하는 데 권위를 갖는다. 간호계획의 수행에 대한 책임은 지역사회 간호사에게 있다. 대상자를 도와줄 수 있는 다른 기관으로 의뢰하거나 다른 사람에게 임무를 위임할 때도 책임이 수반된다.

##### ① 의뢰

다른 기관으로의 의뢰는 계획을 수행할 수 있는 또 다른 방안이다. 지역사회간호사는 의뢰에 영향을 주는 어떤 상황적인 제한이나 대상자의 서비스 적격성 또는 대상자의 의뢰 수용성 등을 고려해야 한다. 또한 대상자에게 필요한 정보 및 의뢰기관을 제공하고 의뢰의 효율성을 추구하는 것이 필요하다.

##### ② 위임

효과적으로 업무를 위임하기 위해 지역사회간호사는 정확하게 필요한 것이 무엇인지 확인해야 하고, 성취될 결과에 우선순위를 정한다. 그 후에 적절한 위임에 필요한 업무들을 진행한다. 위임의 적합성에 대한 결정은 법률적 측면, 직무기술(job description), 문화의 다양성, 위임을 받는 자의 능력 및 취약점 등을 고려하여야 한다.

#### (3) 장애요인 확인 및 수정

수행에 적합한 중재방안을 선정하였더라도 간호문제를 해결하는 과정에서 장애요인이 확인될 수 있다. 그러므로 계획단계에서 예상치 못했거나 수행과정에서 발생한 장애가 있는 경우 재조사할 필요가 있다. 예를 들어 간호계획 단계에서 대상자 운송을 위한 적절한 교통수단을 선정하였으나 사고로 수리가 필요한 상황이라면 다른 교통수단을 확보하는 등의 수정조치가 필요하다.

#### (4) 적절한 환경제공

간호계획의 수행을 위해서는 적절한 환경의 제공 정도가 영향을 미친다. 적절한 환경은 대상자의 안위 및 안전, 수행에 필요한 시간 · 인원 · 도구 등을 포함한 자원과 관련이 있다. 병상에 누워있는 환자를 목욕시키는 경우, 목욕 시간은 대상자의 상태와 치료 일정을 고려하여 조정하고, 적절한 체온을 유지하여 안위를 제공하기 위한 환경이 제공되어야 한다.

#### (5) 계획된 활동수행

간호활동의 수행은 계획에 따라 책임있게 수행되어야 한다. 지역사회간호사는 지역사회가 업무와 관련된 목표를 선택하고 달성하도록 돕는 간호중재자, 교육자, 촉진자, 옹호자, 분석자, 조언가 등의 전문가로서 활동할 수 있다.

## 5 지역사회 간호평가

평가는 설정한 목표의 성취 정도를 양이나 가치로 측정하는 것으로, 의사결정을 지원하기 위해 체계적으로 정보를 수집·분석·보고하는 과정이다. 평가의 의사결정 지원은 향후 간호사업의 개선을 위한 계획수립 근거로 활용한다는 것이다. 체계적이라는 것은 일회적·단편적이 아니라 지속적·순환적임을 의미한다. 지역사회간호사는 간호사업을 계획할 때 수행한 사업에 대한 평가결과를 활용하여 의사결정을 하도록 한다.

지역사회 간호평가는 설정한 지역사회 건강수준 변화의 목표를 달성하기 위해 각각의 활동이 어떻게 기여하였는지를 체계적으로 분석하는 과정이다.

### 1) 평가의 목적

평가의 일반적인 목적은 다음과 같다.

- 사업목적 달성 여부를 파악한다.
- 사업의 효과성을 판정한다.
- 사업의 개선방안을 찾는다.
- 사업의 책임을 명확히 한다.
- 건강, 건강결정요인, 보건사업에 대한 새로운 정보를 파악한다.

## 2) 평가의 내용

평가내용은 목적에 따라 상이하나 일반적으로 다음의 영역을 평가한다.

### (1) 사업의 산출물(What)

간호사업을 통하여 무엇을 수행하였는지를 평가한다. 간호활동이 결과에 영향을 주므로 계획대로 진행되었는지 산출물(output)을 통해 평가한다.

### (2) 사업의 결과(So what)

간호사업의 결과 평가는 목표를 달성하였는지를 평가하는 것이다. 지식이나 행위 변화 등의 영향(impact) 목표와 건강수준의 향상 등의 결과(outcome) 목표의 달성 정도를 평가한다.

### (3) 사업의 실용성(Why)

사업의 목표를 달성했을 경우 강점 및 이유를 확인하고, 실패했을 경우 원인을 분석하여 의사결정을 지원한다.

### (4) 사업의 미래(Now What) 및 평가의 활용(Then What)

평가내용을 근거로 향후 사업을 어떻게 개선할 것인지, 다른 지역이나 집단을 대상으로 확장할 것인지를 알아보는 것으로, 평가결과의 활용성을 높이기 위한 것이다.

## 2) 평가의 유형

### (1) 투입 – 산출 모형에 따른 평가(사업과정에 따른 평가)

#### ① 구조평가(structure evaluation)

사업에 투입되는 자원의 적절성을 평가하는 것으로, 인력과 시설 및 장비의 적절성에 대하여 평가한다. 구조평가에서 확인할 내용은 다음과 같다.

- 사업 인력의 수와 전문기술의 보유 여부
- 시설/장비의 적절성
- 사업 정보의 정확성

#### ② 과정평가(process evaluation)

사업수행 중에 실시하는 것으로 사업의 진행 과정을 평가한다. 사업계획과 진행 정도를 비교하여 사업내용을 조정하고, 목표달성을 저해하는 요인을 시정하며, 목표달성을 촉진하는 요인을 강화하기 위함이다. 과정평가를 통하여 평가하게 되는 내용은 다음과 같다.

- 목표 대비 사업의 진행 정도
- 사업 자원의 적절성과 사업의 효율성

- 사업 이용자의 특성
- 사업 전략 및 활동의 적합성과 제공된 서비스의 질

#### ③ 결과평가(outcome evaluation)

사업종료 시 효과를 측정함으로써 사업의 지속 및 확대 여부를 판단하기 위하여 실시한다. 결과평가는 다음과 같은 내용으로 실시한다.

- 사업의 목적과 목표를 달성하였는가?
- 사업에서 의도하지 않은 결과는 없는가?
- 사업이 사회적 형평성의 달성에 기여하였는가?
- 조직과 지역사회의 문제해결 역량이 강화되었는가?
- 사업의 전략은 얼마나 효과적인가?
- 사업의 가능한 대안은 무엇이며, 다른 대안과 비교할 때 사업이 얼마나 효과적인가?

### (2) 체계모형에 따른 평가

#### ① 투입된 자원에 대한 평가(투입)

사업에 투입된 노력의 정도를 측정하는 것이다. 지역사회 간호사업에 제공된 시간, 가정방문이나 지역사회 방문 횟수 등이 포함된다.

#### ② 사업진행에 대한 평가(과정/변환)

계획된 일정에 따라 사업이 수행되었는지를 파악하는 것이다. 계획대로 수행되지 못한 경우 원인을 분석하여 계획을 변경하거나 원인을 제거한다.

#### ③ 목표달성 정도에 대한 평가(산출)

설정된 목표의 달성 여부 및 구체적인 성취수준을 평가한다. 목표를 성취하지 못한 경우 이유를 파악하여 문제여부를 확인하고, 목표성취에 기여한 사항은 차기 계획수립에 반영한다.

#### ④ 사업효율성에 대한 평가(산출/투입)

사업수행에 투입된 인적·물적 자원 등을 비용으로 환산하여, 목표량 대비 투입비용이 어느 정도인지 산출한다. 산출된 단위 목표량에 대한 비용은 다른 목표량에 대한 비용 또는 계획된 비용 등과 비교하여 많고 적음을 평가한다. 최소의 비용으로 최대의 효과를 얻는 것이 가장 바람직하다.

#### ⑤ 사업적합성에 대한 평가

지역사회의 요구 충족 정도를 평가하는 것이다. 사업의 목표나 사업 자체가 지역사회의 요구에 적합한지, 투입된 노력에 대하여 결과가 합당한지 등을 전반적으로 평가한다. 예를 들어, 당뇨관리사업에 참여하는 주민이 지역사회 전체 사업대상자의 몇 %인가를 산출하는 것이다. 사업적합성에 대한 평가 결과로 인적·물적 자원의 충족 여부가 평가된다.

## 3) 평가절차

평가는 계획단계에서 수립했던 평가계획에 따라 체계적으로 이루어져야 하며, 구체적인 절차는 다음과 같다.

| 1단계 | 2단계 | 3단계 | 4단계 | 5단계 |
|---|---|---|---|---|
| 평가대상 및 기준의 설정 | 평가자료 수집 | 설정된 목표와 현재 상태 비교 | 목표달성 정도에 따른 가치판단 | 재계획 수립 |

그림 3-12 지역사회 간호평가의 절차

### (1) 평가대상 및 기준 설정

무엇을 평가할 것인지 평가내용과 측정기준을 결정하는 것이다. 고혈압 유병률 감소에 대한 목표달성 정도를 평가한다면 고혈압 환자 수의 증감 상태를 확인해야 한다.

### (2) 평가자료 수집

평가계획에 따라 사용가능한 자료를 확인하고 자료수집을 위한 도구를 선택하여 자료를 수집하는 것이다. 평가자료 수집에는 보건기관 등의 기존 자료를 활용하는 방법과 평가를 위한 새로운 자료를 수집하는 방법이 있다.

### (3) 설정된 목표와 현재 상태 비교

설정된 목표와 현재 이루어진 상태를 비교하는 것이다. 계획단계에서 설정한 목표에 어느 정도 도달하였는지 비교한다.

### (4) 목표달성 정도에 따른 가치 판단

목표수준의 성취 정도에 따라 성취한 성공요인을 파악하고 부족한 부분에 대한 실패원인과 대책을 분석한다.

### (5) 재계획 수립

향후 사업의 미래 진행방향을 결정한다. 평가결과에 따라 사업의 종료나 중단, 지속 여부를 결정하여 재계획 등의 후속사업의 진행방향을 결정한다.

### 4) 평가결과의 활용

지역사회 간호평가 결과가 평가에 머무르지 않고 실제 활용되기 위해서는 주요 이해 당사자를 평가에 포함하고 짜임새 있는 보고서 작성을 통해 성과를 이해하기 쉽도록 명료하게 제시하도록 한다. 평가결과의 활용 방안은 다음과 같다.

#### (1) 사업의 내용 개선

사업의 지속적인 개선을 위해서는 개선의 필요성 및 효과적인 전략을 확인하는 것이 필요하다. 평가결과를 개선방향에 반영하기 위해서는 참여자 간 및 다른 단위나 시설과의 성과 비교, 전년도 평가결과와의 비교, 설정한 목표와 실제 성과와의 비교, 유사한 타 사업 결과와의 비교 등 다각적인 검토가 필요하다.

#### (2) 사업 제공인력의 교육 및 지원

평가결과가 사업제공 인력의 교육이나 기술지원이 부족하여 긍정적이지 못한 경우 이를 보완하여야 한다.

#### (3) 사업에 관한 정책결정에 활용

평가결과를 통해 사업의 지속여부, 수정 및 중단 등의 의사결정을 한다.

#### (4) 의사결정자 및 지역사회주민의 관심 집중

평가결과는 사업과 관련된 각종 위원회, 의사결정자, 지역주민의 관심을 집중시킬 수 있다.

# 제5절 + 보건정보 및 기술활용

Keywords
- 지역보건의료정보시스템
- 보건의료정보화
- 보건소 모바일 헬스케어
- 원격건강 모니터링
- 지리정보시스템(GIS)

## 1 지역보건의료정보시스템

### 1) 지역보건의료정보시스템 개요(Public Healthcare Information System; PHIS)

지역보건의료정보시스템은 전국 보건기관을 연계하여 보건행정서비스의 편리를 도모하고 양질의 의료서비스를 안전하게 제공하기 위하여, 보건소/지소, 보건의료원, 보건진료소의 업무를 통합 운영하도록 구축한 공공보건기관 통합정보시스템이다. 정보화를 통해 보건기관의 업무를 효율화하고 국민 모두에게 언제, 어디서나 질 높은 의료 및 보건서비스를 편리하게 제공하도록 지원함으로써 국민 건강증진에 기여한다. 지역보건의료정보시스템 콜센터는 1566-3232(단축번호 5번)이다.

#### (1) 목적

보건기관에서 지역보건의료정보시스템(보건소통합정보시스템, 보건진료소통합정보시스템)을 통해 수행되는 대민행정업무 및 보건사업, 진료, 진료지원업무 등에 대한 편익성 및 효율성을 제고하고 지역보건의료정보시스템의 기능 및 이용 방법, 개인정보보호방안 등을 상세히 안내하여 효율적 업무처리 절차를 제시한다.

##### ① 진료 및 진료지원 업무의 정보화

전국 3,500여 개 보건기관의 전자의무기록(EMR) 적용과 진료 관련 업무(검사, 청구 등)를 정보화하여 보건기관 간 진료정보 공유를 통해 업무의 효율성을 향상하고 국민건강 증진에 기여한다.

##### ② 수요자 맞춤형 보건행정 및 사업 제공

보건기관에서 시행하고 있는 22개 분야 보건사업 및 행정업무를 자동화하여, 지역사회 통합건강증진사업, 만성질환관리, 감염병관리, 건강검진사업 등 수요자 중심의 예방적 건강관리를 위해 체계적인 정보관리를 제공한다.

##### ③ 실적 통계 등 현황통계 업무의 자동화

근거중심의 정책수립을 위해 데이터웨어하우스(Data Warehouse; DW)의 구축을 통한 각종 실적, 통계 보고자료 등 현황통계자료를 자동화하여 보건기관에 제공한다.

##### ④ 보다 편리한 대민 포털 보건의료서비스 제공

다양한 보건정책 정보를 비롯한 진료예약, 진료내역 조회, 제증명 발급 등 민원 서비스를 공공보건포털(http://www.g-health.kr)에서 제공한다.

| 기반단계 (~'05) | 1단계 ('06.8 ~'07.8) | 2단계 ('07.9 ~'08.11) | 3단계 ('08.11 ~'10.6) | 운영단계 ('10.6 ~현재) |
|---|---|---|---|---|
| 사업기반 준비 | S/W 개발 | 시범운영 및 이행확산 | 재해복구시스템 구축 및 정보지식화 | 안정적 운영 및 보안강화 |
| • 지역보건의료분야 정보화전략계획(ISP) 수립<br>• 보건진료소 표준정보 시스템 개발 및 적용<br>• 보건의료정보표준 개발 | • 보건기관 업무 (행정/사업/진료) 정보화<br>• 보건기관 간, 보건 기관 내 연계 및 관련 기관 간 연계 체계 구축<br>• 대민서비스 포탈 및 내부업무 포탈 구축 | • 시범운영 및 전국 확산<br>• 신규 정보시스템 고도화<br>• 신기술 등 추가도입, 개발 (DW, KMs, CRM 등) | • 재해복구 및 장애대응 시스템 구축<br>• 정보지식화(Data Mining) 기반 마련<br>• 실적 및 통계시스템 고도화 | • 전국 확산 및 장비 보강<br>• 통합건강증진시스템 구축<br>• UI 플랫폼 전환 (보건소, 의료원)<br>• 시스템 안정화 및 보안강화<br>• 망분리 및 장비보강<br>• 차세대 BPR/ISP 추진 |
| 7억 원 | 67억 원 | 204억 원 | 64억 원 | 170억 원 |

〈 자료원 : 보건복지부. 사회보장정보원(2017). 2017 지역보건의료정보시스템 활용안내 〉

**그림 3-13 지역보건의료정보시스템구축 경과**

### (2) PHIS 전면 재구축

지역보건의료정보시스템은 수명연장과 만성질환자 증가, 양질의 보건의료요구, 소비자 중심의 보건기관 간 연계요구 등의 보건의료환경 변화에 능동적으로 대응하기 위하여 평생건강관리체계를 마련함으로써 지속가능한 보건의료체계를 구축한 것이다.

참여정부는 공약사항인 '공공보건의료 확충계획'을 확정(2005.12.)하고 적극 추진하여 공공보건의료기관의 효율화 및 유관기관 기능연계 강화를 위하여 공공보건의료기관의 정보화를 주요과제로 추진한 것이다.

**지역보건의료정보시스템의 추진경과**

- '공공보건의료 확충계획'을 확정('05.12월)
- 농어촌 보건진료소 표준정보시스템 개발 추진('05.1월)
- 공공보건 분야 정보화전략계획(ISP) 수립('05.9월)
- 지역보건의료정보시스템 소프트웨어 개발('07~'08년)
- 지역보건의료정보시스템 재해복구시스템 구축('09년)
- 지역보건의료정보시스템 구축·운영을 '사회보장정보원'에 위탁('10.1월)
- 지역보건의료정보시스템 전국 보건기관 확산 완료('11.12월)
- 국내 특허등록 및 ISO90015 국제인증 획득('12.10월)
- 통합건강증진정보시스템 구축사업 추진('13.1월)
- 지역보건의료정보시스템 UI(사용자화면) 전면개편('14.12월)

PHIS 전면 재구축은 2006년 도입한 시스템 노후화로 운영 중단 등 반복되는 장애로 기술 지원이 종료되어 비롯된 것이다. 그동안 '제증명 발급' 등 한정적으로 이용되었고, 보건소 방문 상담 및 신청구조로 국민이 불편하고 복지서비스 연계에 한계가 있었으며, 인구 고령화와 만성질환자 증가에 따라 대응할 수 있는 시스템 개편 및 인프라 재구성이 요구되었다. 2021년에는 사업별 별도 운영 중인 통합건강증진사업의 공통 서비스 프로세스를 표준화하고, 사업간 정보공유를 통한 맞춤형 건강관리지원체계 구축, 보건소 내·외부 정보를 수집·분석하여 개인화 화면(원스크린)을 제공할 수 있도록 통합시스템 개발을 추진하였다. 2022년까지 PHIS 전면 재구축 추진 중이며, 기존 보건사업 유형, 기관별 분절된 정보관리 체계를 서비스 대상자 중심으로 통합

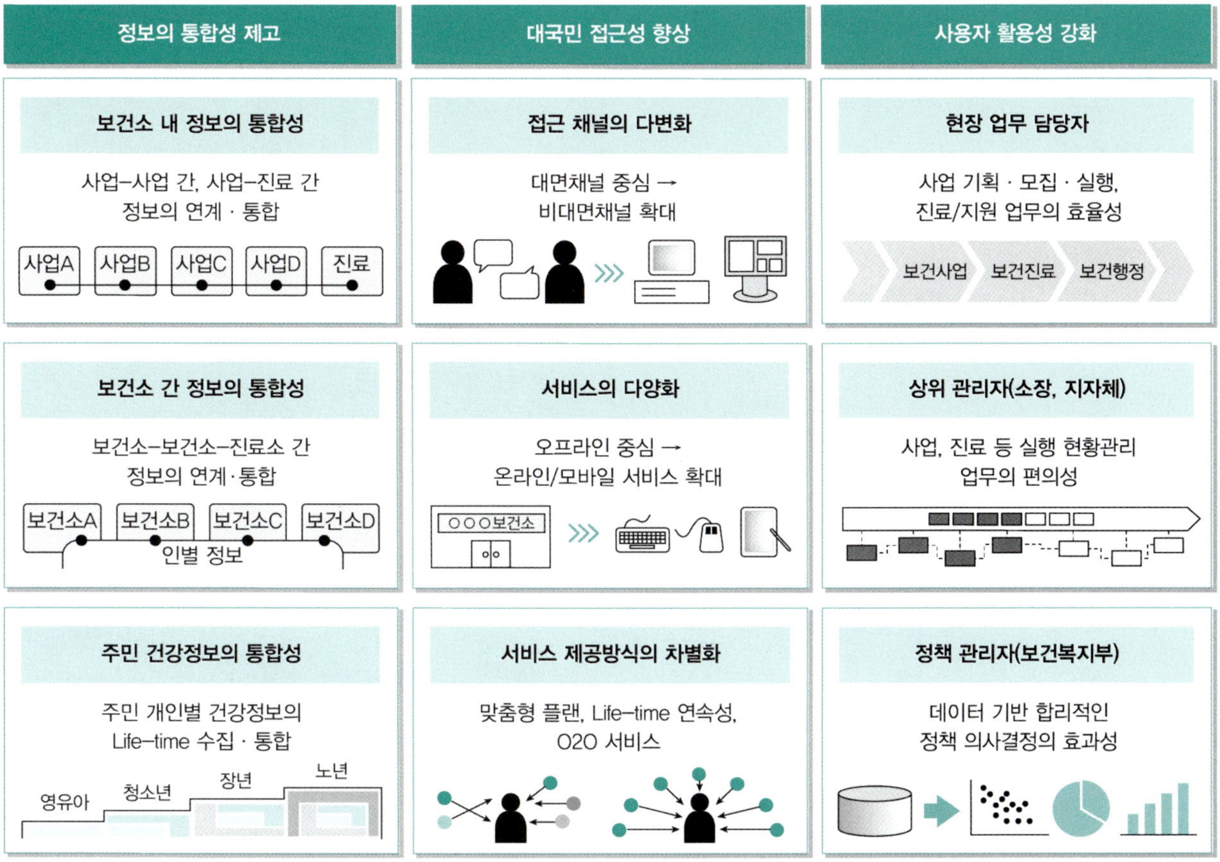


〈 자료원 : 보건복지부. 한국건강증진개발원(2019). 2020년 지역사회통합건강증진사업 안내 〉

**그림 3-14** PHIS 전면 재구축 추진 방향

하여 건강관리서비스 효과성을 높이고 타시스템간 연계를 통한 보건소 업무 효율화에 많은 도움을 줄 것으로 기대하고 있다.

PHIS 전면 재구축의 추진 방향은 [그림 3-14]와 같다.

### (3) 국가건강검진 결과 정보활용 확대 방안

공공 보건의료기관은 국가건강검진 결과를 보건의료사업과 연계하여 지역주민의 건강관리를 체계적으로 관리한다. 이를 위해 국가건강검진 결과 외 다양한 보건의료정보, 사회보장정보를 연계·분석하여 보건 사업별 담당자에게 정보 제공 및 서비스 지원을 독려한다.

① 국가건강검진 결과 상담 활성화를 위해 시스템을 개선한다. 건강검진 결과의 기존 75개 항목에 정신건강검사, 인지기능장애 등 7개 항목을 추가하고 면접상담, 전화상담, 문자 안내, 우편 안내 등을 활용한다.
② 진료업무 활용 확대를 위해 시스템을 개선한다.
③ 보건진료소에서 국가건강검진 결과 정보조회 기능을 추가한다.
④ 보건사업에 활용을 확대한다. 심뇌혈관질환사업 대상자 선정 시 검진결과조회 및 대상자 일괄등록이 시스템적으로 가능하도록 한다.

⑤ 취약계층을 집중관리하기 위해 장애인 자격 등 정보와 검진 결과 정보를 융합하여 지역사회중심 재활과 방문건강관리에 활용한다.

### (4) 구성

지역보건의료정보시스템의 구성도는 [그림 3-15]와 같다.

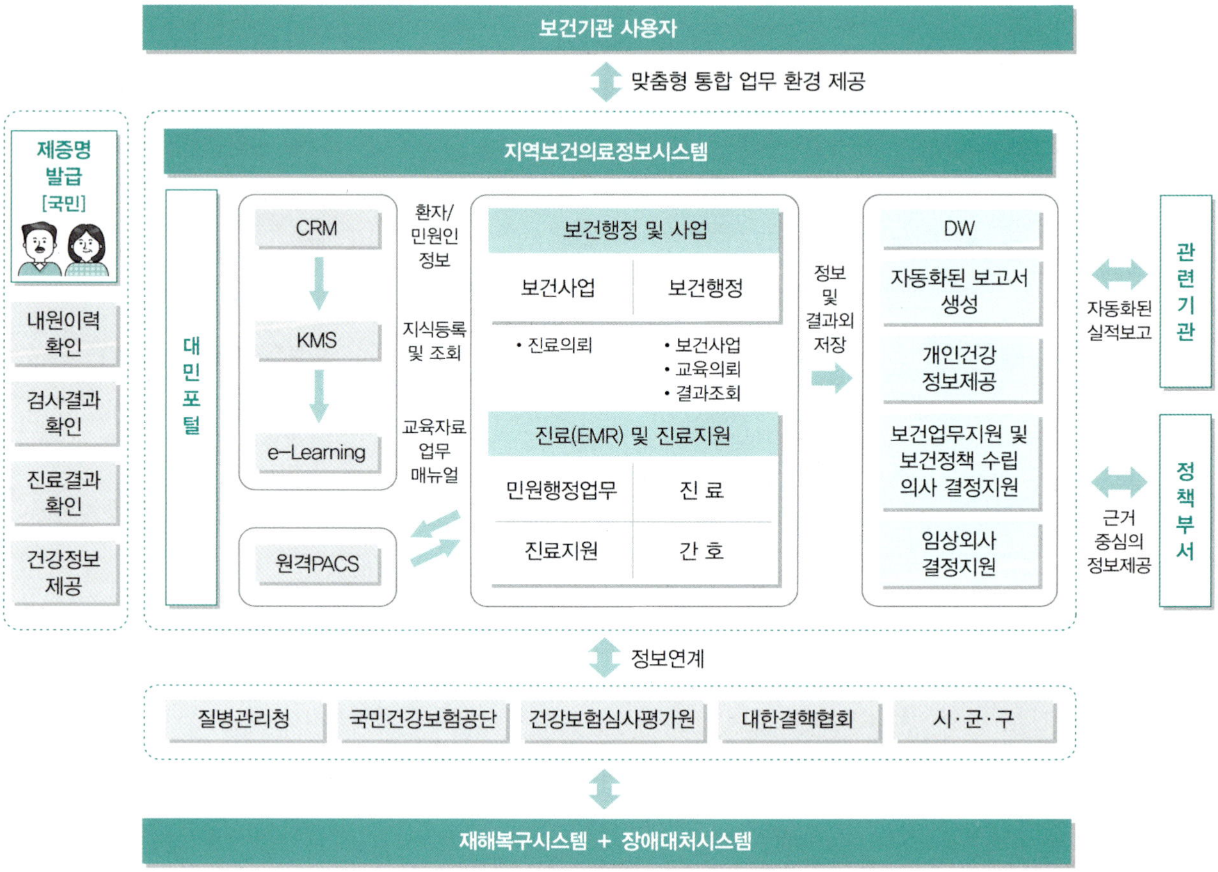


〈 자료원 : 사회보장정보원(2022). 지역보건의료 정보시스템 〉

**그림 3-15 지역보건의료정보시스템 구성도**

### (5) 기능

시스템의 주요기능은 보건행정 / 사업, 진료 / 진료지원, 실적통계 자동화, 포털시스템 등으로 구성되며 세부내용은 [그림 3-16]과 같다.

① 지역보건통합정보시스템은 EMR(Electronic Medical Record; 전자의무기록) 및 CRM(Customer Relationship Management; 고객관계관리), KMS(Knowledge Management System; 지식관리시스템), 원격 PACS(picture archiving communication system; 영상정보관리시스템) 등 선진화되고 안전한 양질의 보건의료서비스를 제공한다.

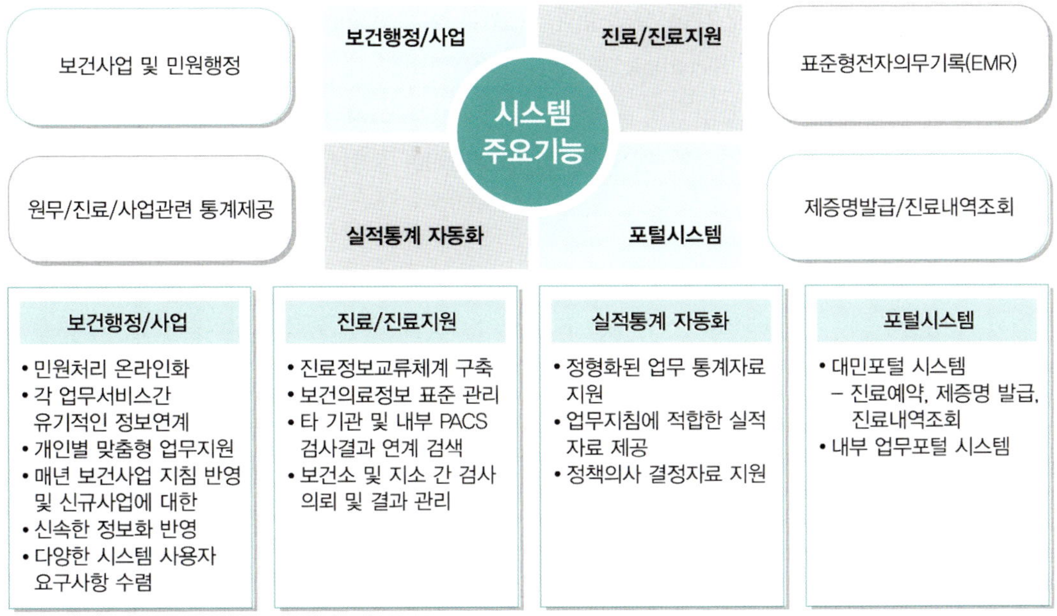


〈 자료원 : 보건복지부. 사회보장정보원(2017). 2017 지역보건의료정보시스템 활용안내 〉

**그림 3-16 지역보건의료정보시스템 주요기능**

② 진료(EMR) 및 진료지원으로 업무의 효율화를 기한다.
- 보건기관의 특성 및 업무절차 등을 고려한 전자의무기록(EMR) 적용한다.
- 진료관련 일련의 업무(검사, 청구 등)의 전산화를 통한 업무 효율성 확보한다.
- 보건기관 간의 진료정보 공유, 의약품의 안전한 처방 및 투약 지원을 위한 DUR(Drug Utilization Review; 의약품처방조제지원시스템)을 연계한다.

③ 보건행정 및 보건사업 분야를 정보화하여 중복업무 등 비효율적 업무를 개선한다.

④ 공공보건포털 서비스를 제공한다.
- 인터넷으로 국민이 보건의료서비스에 보다 가까워질 수 있는 환경을 제공함으로써 편익을 증진한다.
- 전 국민을 대상으로 보건업무 및 보건사업, 건강정보 등 다양한 정보를 실시간으로 제공한다.
- 온라인을 통한 제증명 발급, 진료결과확인 등의 서비스로 국민의 정보 및 자료 획득에 대한 편리성을 제공한다.

⑤ 현황통계(DW)를 제공한다.
- 지역보건의료정보시스템 입력된 데이터를 기반으로 데이터웨어하우스(Data Warehouse; DW)를 구축한다.
- 보건복지부와 시·도의 요구에 따른 현황통계자료를 자동화하여 보건기관에 제공한다.

### (6) 기대효과

① 체계적으로 통합된 지역보건의료정보시스템 구축으로
- 보건의료서비스 개선을 통한 지역주민의 건강관리능력 향상한다.
- 유관기관과의 연계 강화 및 국가 보건정책을 선진화한다.
- 보건기관의 업무효율성을 향상한다.

② 공공보건정책 DW를 구축하여 각종 보건정책 및 사업의 과학적인 계획·수행·평가를 지원한다.

③ 공공보건의료정보화(e-Health; Electronic Health)를 촉진하여

- 보건의료서비스 향상 및 보건산업의 육성을 위해 기반을 조성한다.
- 국가보건의료정보표준의 안정적인 정착 및 국가 e-Health 사업을 선도한다.

## 2) 보건소 통합정보시스템

보건사업과 행정업무 및 진료(EMR) 간 연계를 고려하여, 보건기관의 행정업무 및 보건사업의 표준정보시스템 개발한다. 또한 보건(지)소 및 보건의료원의 진료업무 및 진료기록 작성에 대한 정보화를 통해 사용자 편의성 및 업무 효율화를 극대화하고 업무 간 원활한 연계성을 확보하며, 보건진료정보의 표준을 구현한다.

지역민의 건강관리 및 보건기관 업무효율 향상을 위한 보건행정 및 사업내용은 [그림 3-17]과 같다.

**지역민의 건강관리 및 보건기관 업무효율 향상**

**보건행정**

- **공중보건의사관리**: 신규등록관리, 근무지배치관리, 전역관리
- **보건기관 설치운영현황**: 일반현황, 인력현황, 예산, 시설, 운영현황 통계

**보건사업**

- **건강생활실천**: 영양, 절주, 신체활동, 건강검진 결과상담
- **모자보건사업**: 난임부부 시술비지원, 선천성대사이상 검사, 난청조기진단, 미숙아 및 선천성이상아 의료비 지원, 여성어린이특화사업
- **전염병관리**: 사전예방 및 신고 관리, 유소견자관리, 결핵, 한센병, 성매매감염병관리, 방역예방접종관리
- **구강보건**: 치아홈메우기, 노인의치보철사업, 구강교육
- **노인보건**: 치매관리(치매센터운영), 노인 안검진 및 개안수술
- **건강검진관리**: 검진기관관리, 건강검진관리, 청구관리 등
- **정신건강**: 정신보건센터 운영, 자살예방사업 및 자살예방센터 운영
- **심뇌혈관질환예방**: 심뇌혈관질환예방관리, 심뇌혈관교육홍보
- **통합건강증진사업**: 사업계획 입력, 사업실적, 인력 및 예산 등 현황 관리
- **한의약건강증진**: 한의약건강증진 프로그램 운영, 한방진료실 운영
- **지역사회중심재활**: 장애인재활사업, 2차장애발생예방사업
- **방문건강관리**: 건강생활행태개선, 만성질환 및 합병증 예방관리, 건강검진 결과상담
- **사업공통**: 개인별통합서비스, 타부서의뢰, 보건-복지서비스 연계·의뢰

〈 자료원 : 보건복지부. 사회보장정보원(2017). 2017 지역보건의료정보시스템 활용안내 〉

그림 3-17 보건행정 및 사업내용

## 3) 보건진료소 통합정보시스템

### (1) 개요

농어촌 의료취약지역 및 도서, 오·벽지에서 운영 중인 전국 보건진료소를 대상으로 정보화를 통한 의료행위 및 해당업무를 원활히 수행토록 구축된 통합정보시스템이다.

보건진료소는 통합정보시스템을 통해

- 보건사업·행정업무의 정보화 및 유관기관 전자적 정보교류 체계를 마련한다.
- 진료업무의 전자의무기록(EMR) 시스템 구축을 통한 의료서비스를 제공한다.
- 보건진료소 현황·통계 보고 일원화 및 근거중심의 정책자료를 제공한다.

이 장에서는 보건진료소 통합정보시스템의 추진현황, 보건진료소 시스템 구성도, 주요서비스 내용, 보건진료소 주요업무 상세기능을 제시한다.

#### (2) 추진현황

##### ① 추진근거

「농·어촌 보건의료를 위한 특별조치법」 제2조, 제19조 및 동법 시행령 제14조

##### ② 추진경과

- 지역보건의료분야 정보화전략계획(ISP) 수립('04.12～'05.9.)
- 웹 기반 보건진료소 통합정보시스템 개발('05.12～'06.4)
- 전국 보건진료소 통합정보시스템 확산 및 이행('06.6～'06.8)
- 사용자 지원 체계 구축 및 전산장비 보강('06.12)
- 정보시스템 운영·관리 체계 구축 및 운영('07.1～현재)
- 사회보장정보원 위탁운영('10.1～)

#### (3) 보건진료소 시스템 구성도

보건진료소 시스템 구성은 [그림 3-18]과 같다.

#### (4) 주요서비스 내용

보건진료소의 주요서비스 내용은 기초 및 공통, 지역사회진단, 일차진료, 상담 및 교육, 방문건강관리, 모자보건, 특화사업, 만성질환, 예방접종, 감염병관리, 결핵관리, 행정관리, 약품관리 등으로 [표 3-24]와 같다.

### 4) 포털서비스

#### (1) 포털서비스 개요

인터넷(대민)포털시스템과 인트라넷(내부)포털시스템으로 구성하고, 대민 보건의료서비스 향상 및 건강지원체계 강화를 위해서 인터넷 포털 서비스를 구축한다.

또한 보건소 및 보건지소, 보건의료원, 보건진료소 등에서 근무하는 사용자를 위한 통합업무환경 구축 및 협업체계를 수립한다.

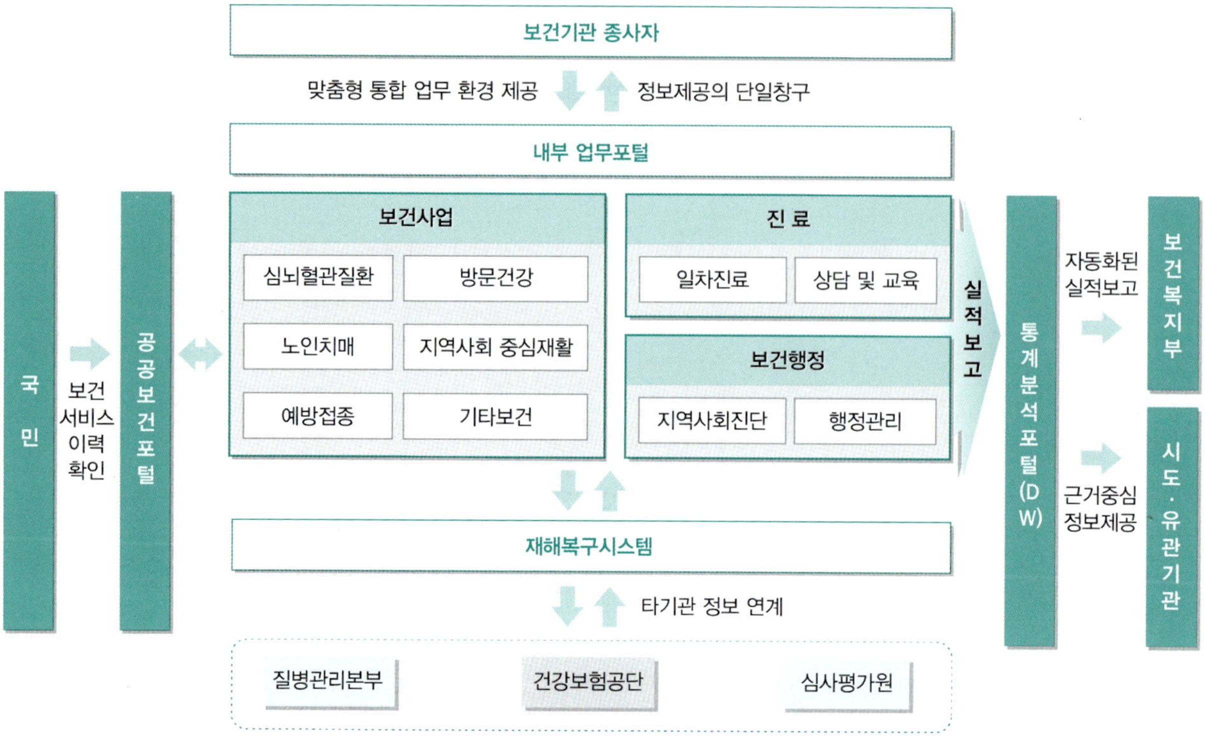


〈 자료원 : 보건복지부. 사회보장정보원(2017). 2017 지역보건의료정보시스템 활용안내 〉

**그림 3-18 보건진료소 시스템 구성도**

**표 3-24 보건진료소 주요서비스 내용**

| 업무구분 | 내 용 |
|---|---|
| 기초 및 공통 | 보건진료소 해당 기관의 요양기관기호, 명칭, 연락처 등에 해당하는 기관기초정보 등록·관리하고 일일근무일지, 기간별 운영현황을 보건소에 현황 보고하는 기능을 제공 |
| 지역사회진단 | 보건진료소 관할 지역의 민원인의 가구정보, 주민특성, 생활환경, 보험정보 등의 정보를 등록·관리하는 기능을 제공 |
| 일차진료 | 일차진료는 보건진료원이 근무지역으로 지정받은 의료취약지역 안에서 실시하는 대통령령이 정하는 경미한 의료행위를 원활히 수행할 수 있도록 환자의 진료, 검사, 처방내역 정보를 등록·관리하는 기능을 제공 |
| 상담 및 교육 | 해당 수진자에 대해 상담을 실시하고 상담을 진행하면서 필요한 기초 검사(혈압/혈당 등) 후 그에 적합한 건강증진교육 내역을 등록·관리하는 기능을 제공 |
| 방문건강관리 | 빈곤, 질병, 장애, 고령 등 건강위험요인 큰 취약계층을 대상으로 가정방문을 통해 제공한 건강관리서비스 기초조사 및 내역을 등록·관리하는 기능을 제공 |
| 모자보건 | 관할 지역의 임산부 및 영유아에 대해 필요한 정보 및 서비스 내역을 등록·관리하는 기능을 제공 |
| 특화사업 | 정신장애/치매/암환자 등에 필요한 정보 및 서비스 내역을 등록·관리하는 기능을 제공 |
| 만성질환 | 고혈압/당뇨병/안보건 등에 필요한 정보 및 서비스 내역을 등록·관리하는 기능을 제공 |
| 예방접종 | 예방접종내역 등록 관리하고 질병관리본부 시스템과 연계를 통한 수진자의 예방접종내역 전송 및 실시간 조회 기능을 제공 |
| 감염병관리 | 감염병환자에 필요한 정보 및 서비스 내역을 등록·관리하는 기능을 제공 |
| 결핵관리 | 결핵환자에 필요한 정보 및 서비스 내역을 등록·관리하는 기능을 제공 |
| 행정관리 | 건강보험심사평가원 진료비 청구 및 기관운영관련 비용(예산/현금출납부 등)에 대한 정보 등록·관리하는 기능을 제공 |
| 약품관리 | 약품/소모품/기자재에 대한 정보를 손쉽게 관리할 수 있도록 기능을 제공 |

〈 자료원 : 보건복지부. 사회보장정보원(2015). 2015 지역보건의료정보시스템 활용안내 〉

### (2) 업무포털서비스

업무포털서비스는 전국 보건기관을 대상으로 보건의료분야 정보, 협업지원, 지역보건의료정보시스템 공지 및 업무프로그램 링크 등을 서비스하는 업무지원 웹 사이트이다. 전국 보건기관 업무담당자는 국가정보통신망을 통해서 활용 가능하다. 업무포털서비스는 보건의료 관련 유관기관, 보건기관 간, 내부업무간의 포괄적이고 자동화된 연계로 보건기관 업무개선이 가능하다. 또한 보건기관이 보유하고 있는 정보 및 지식을 실시간 자동획득하여 국가보건정책 운영·수립 시 시의성 확보 및 체계화가 가능하다.

### (3) 공공보건포털(g-Health; www.g-health.kr)

#### ① 개요

공공보건포털은 수요자 중심의 보건 의료서비스 제공과 지역보건의료정보시스템의 활용도를 높이고, 다양한 보건정책정보의 제공 및 진료예약서비스, 진료내역 조회, 제증명 발급 등을 통해 편리하게 보건의료 서비스를 이용할 수 있는 대민포털이다.

#### ② 운영경과

- 보건소정보화사업(보건소통합정보시스템) 1단계 구축('07.8월)
- 공공보건포털 대국민 서비스 시작('08.3월)
- 공공보건포털 온라인 민원서비스 시작('09.3월)
- 공공보건포털(웹접근성 강화 및 기능개선) 개편('11.7월)
- 온라인 제증명 발급 양식 변경('12.8월)
- 공공보건포털 메뉴 재설계 및 콘텐츠 강화('15.2월)

## 5) 개인정보 보호지침

### (1) 개요

#### ① 목적

개인정보 보호지침은 보건복지부 및 보건기관 등에서 지역보건의료정보시스템(이하 '정보시스템')을 구축·운영 또는 이용함에 있어 개인정보를 보호하는 데 필요한 사항을 규정하여 보건기관 이용자 등의 권리를 보호하고자 한다.

> ※ 보건기관은 「지역보건법」에 따라 설치된 보건소, 보건지소, 보건의료원 및 「농어촌 등 보건의료를 위한 특별조치법」에 따라 설치된 보건진료소를 의미한다.

#### ② 용어

**가. 개인정보**

생존하는 개인에 관한 정보로서 당해 정보에 포함되어 있는 성명·주민등록번호 및 화상 등의 사항에 의하여 당해 개인을 식별할 수 있는 정보(당해 정보만으로는 특정 개인을 식별할 수 없더라도 다른 정보와 용이하게 결합하여 식별할 수 있는 것을 포함)를 말한다.

#### 나. 개인정보 처리

개인정보를 수집, 생성, 기록, 저장, 보유, 가공, 편집, 검색, 출력, 정정(訂正), 복구, 이용, 제공, 공개, 파기(破棄), 그밖에 이와 유사한 행위를 말한다.

#### 다. 민감정보

사상·신념, 노동조합·정당의 가입·탈퇴, 정치적 견해, 건강, 성생활에 관한 정보, 유전자검사 등의 결과로 얻어진 유전정보, 범죄경력 자료에 해당하는 정보, 그밖에 정보주체의 사생활을 현저히 침해할 우려가 있는 개인정보를 말한다.

#### 라. 고유식별정보

법령에 따라 개인을 고유하게 구별하기 위해 부여된 식별정보로서 주민등록번호, 외국인등록번호, 운전면허번호, 여권번호를 말한다.

#### 마. 서비스대상자정보

지역보건의료서비스를 이용하는 자(그 가족에 대한 정보가 있는 경우 이를 포함)에 대한 인적사항, 소득 및 재산, 건강상태, 지역보건의료 서비스의 이용이력 등에 대한 모든 정보를 말한다.

#### ③ 적용대상

동 지침은 정보시스템을 직접 또는 연계하여 활용하는 보건복지부, 지방자치단체(보건소, 보건지소, 보건의료원, 보건진료소 포함) 및 시스템을 개발·운영하는 개발원을 적용대상으로 한다.

### (2) 개인정보 보호체계

정보시스템을 통한 개인정보의 수집·이용·제공·파기 등을 규정하기 위해 「지역보건법」 개정 추진 중이며, 지역보건법 개정 전까지는 「개인정보보호법」을 준용하여 업무를 처리한다.

#### ① 개인정보 수집 시 고지의무

보건기관은 개인정보를 수집·이용하고자 하는 경우 정보주체에게 다음의 사항을 알리고 동의를 받아야 한다.

- 개인정보 수집·이용 목적 및 범위
- 이용항목
- 보유기관 및 파기방법
- 동의를 거부할 권리가 있다는 사실 및 동의 거부에 따른 불이익이 있는 경우 그 불이익의 내용

#### ② 정보의 파기

지방자치단체장은 서비스대상자가 아닌 사람의 정보는 5년을 초과하여 보유할 수 없으며, 정보의 보유 기간이 경과되면 지체 없이 이를 파기한다.

#### ③ 정보의 유출 및 누설 금지

지역보건의료서비스 제공 업무에 종사하였거나 종사하고 있는 자 또는 정보시스템을 구축·운영하였거나 운영하고 있는 자는 업무 수행 과정에서 취득한 개인정보를 다른 사람에게 유출하거나 누설하여서는 아니 된다.

개인정보를 불법적으로 유출하거나 누설하는 경우 「개인정보보호법」에 따라 5년 이하의 징역 또는 5천만 원 이하의 벌금에 처한다.

### (3) 처리단계별 준수사항

#### ① 개인정보의 수집 및 보유

- 개인정보의 수집 시에는 명확한 목적으로 필요한 최소한의 범위 안에서 적법하고 정당하게 수집한다.
- 개인의 사상·신념, 정치적 견해, 유전정보 등 정보주체의 사생활을 현저히 침해할 우려가 있는 개인정보는 수집 불가하다.
- 개인정보 수집 시에는 개인정보 수집·이용 목적 및 범위, 이용항목, 보유기관 및 파기방법, 동의를 거부할 권리가 있다는 사실 및 동의 거부에 따른 불이익이 있는 경우 그 불이익의 내용에 대하여 정보주체에게 알리고 동의를 받아야 한다.

#### ② 개인정보의 이용 및 제공

- 개인정보는 보유목적 외의 목적으로 이용하거나 제공이 불가하다.
- 보유 목적에 따라 정보를 이용 또는 제공하는 경우에도 업무 수행에 필요한 최소한의 범위 내에서 이용·제공토록 관리한다.
- 수집정보를 이용하거나 제공받고자 하는 기관은 이용목적 및 이용하고자 하는 정보의 범위 등을 명시하여 개인정보보호 총괄 책임관에게 문서로 요청한다.
- 개인정보보호 총괄 책임관은 수령자에 대해 사용목적·사용방법 및 기타 사항에 대해 제한하거나 처리정보의 안전성 확보를 위해 필요한 조치를 강구토록 요청하여야 한다.
- 외부매체(USB, CD 등)를 이용하여 제공시에는 문서파일 암호화 등 안전대책을 강구하여야 한다.

#### ③ 개인정보 파기

- 각 시·군·구의 개인정보보호 책임자는 개인정보파일의 보유목적 달성, 보유기간 경과 등으로 보유가 불필요하게 된 경우 지체 없이 파기한다.
- 개인정보보호 책임자는 업무가 종료되어 개인정보파일 전체를 파기할 경우 그 사실을 1개월 이내에 관보 또는 인터넷 홈페이지 등에 공고한다.
- 보건소시스템 내 개인정보 파일의 보유기간, 관리정보는 [표 3-25]에 따른다.

#### ④ 개인정보 유출통지

- 보건기관은 개인정보 외부 유출사실을 알았을 경우 개인정보총괄책임관에게 즉시 보고한다.
- 유출된 개인정보의 항목, 시점과 그 경위, 유출로 인한 정보주체의 피해 최소화 방안, 개인정보처리자의 대응조치 및 피해구제절차, 피해신고 접수부서 및 연락처 등을 지체 없이 해당 정보주체에게 안내한다.
  - 정보주체에 관한 개인정보가 1만 명 이상 유출된 경우 서면 등의 방법과 함께 인터넷 홈페이지 등에 7일 이상 게재
  - 또한, 정보주체에 대한 통지 및 해당 개인정보 유출 피해에 대한 조치결과를 행정자치부 장관 또는 전문기관(한국정보화진흥원 또는 한국인터넷진흥원)에 신고

**표 3-25 보건기관 개인정보파일 보유기간 및 관리정보**

| 파일명 | 관련근거 | 보유목적 | 보유기간 | 관리정보 |
|---|---|---|---|---|
| 예방접종대상자 | 「감염병의 예방 및 관리에 관한 법률」 제28조 | 감염병 예방차원에서 국민의 건강보호를 위해 수집 | 영구 | 피접종자 인적사항(성명, 주민등록번호, 주소, 전화번호 등), 보호자의 인적사항, 예방접종내역(접종명, 접종차수, 접종일, 접종백신, 접종방법 및 부위 등) |
| 민원인관리 | 「의료법」 제22조 및 「지역보건법」 시행령 제23조2 | 진료의 예약, 진단, 진단결과 통보, 보건사업대상자관리 | 10년 | 성명, 주민등록번호, 주소, 질병정보 등 |
| 공중보건의사명단 | 「농어촌 등 보건의료를 위한 특별조치법 시행령」 제17조 | 공중보건의사 배치 및 관리 | 준영구 | 성명, 주민번호, 출신학교 등 |
| 건강검진인력 | 「건강검진기본법 시행규칙」 제5조 | 건강검진기관 지정 | 준영구 | 성명, 주민등록번호 |
| 건강검진사후관리 | 「건강검진기본법」 제18조, 제19조 | 건강검진 결과상담 | 2년 | 성명, 주민등록번호, 전화번호 등 |
| 건강보험자격정보 | 「의료법」 제22조 | 진료의 진단을 위한 건강보험자격정보 확인 | 10년 | 성명, 주민등록번호 |

〈 자료원 : 보건복지부. 사회보장정보원(2017). 2017 지역보건의료정보시스템 활용안내 〉

## 2 보건의료 정보화

최근 저출산·고령사회의 급속한 진전과 더불어 국민생활 향상 및 의학기술의 발전에 따라 보건의료서비스에 대한 소비자 인식이 기존의 공급자 중심, 치료 중심위주의 서비스에서 예방 및 건강증진에 중점을 둔 수요자 중심의 능동적 서비스로 변화하고 있다. 또한 인구고령화에 따른 의료비 문제, 의료서비스의 접근성과 질에 관한 문제 등이 논의되면서 공공의료체계의 확충, 원격의료 활성화, 의료서비스 산업화 등이 주요 정부 정책 이슈로 부각되고 있다. 이에 따라 정부는 예방, 건강 맞춤형 보건의료서비스 제공을 통해 국민의 건강수준과 삶의 질 향상을 목표로 보건의료 정보화를 추진하고 있다.

### 1) USN기반 원격건강모니터링시스템

USN(Ubiquitous Sensor Network)기반 원격건강모니터링시스템 구축사업은 2007년 정보통신부에서 추진하였던 복지정보통신인프라 구축 시범사업에 이은 사업으로 2009년에는 충남 서산시에 원격건강모니터링시스템을 구축하였다.

서산시는 언제, 어디서나 개인별 특성에 맞는 건강상담과 진료, 운동처방 등을 실시간으로 제공받을 수 있도록 u-주민건강관리센터에서 가정 내 자가측정, 원격건강모니터링, 방문간호, 촉탁진료 등의 신개념 보건의료서비스를 제공하는 시스템을 구축하였다.

이 시스템은 건강증진서비스(Health Life-u Service)와 생활개선서비스(Human Life-u Service), 집중관리서비스(Happy Life-u Service) 등 3개의 서비스로 구분된다. 건강증진서비스는 건강한 일반 주민을 위한 서비스로 체력 평가 및 측정정보관리, 건강증진상담관리 등으로 구성된다. 생활개선서비스는 잠재적 위험요소를 가진 주민을 위한 서비스로 자가 생체정보측정기 관리, 측정생체정보 처리·저장 등으로 구성되어 있다. 그리고 집중관리서비스는 집중치료가 필요한 사람을 위한 서비스로 원격건강모니터링서비스 연동, 상황판단 및 알림기능 등으로 구성된다.

원격건강모니터링시스템 구축사업 추진 결과, 기존 의료기관 진료 시 의료기관 왕복시간 2시간, 진료시간 30분 등 총 2시간 30분이 소요되었으나, 원격진료 시에는 30분이 소요된 것으로 나타났다. 또한 방문간호 행정업무에 있어서도 수기로 작성·관리 시 3시간 소요되던 것이 30분으로 단축된 것으로 나타났다. 뿐만 아니라 의료취약지역 주민에게 원격의료 및 건강관리서비스 상시 제공으로 의료 불평등 해소 및 의료서비스 질 향상의 효과가 있었다.

이와 같은 원격건강모니터링시스템은 u-Healthcare 서비스의 안전성, 유효성 및 경제성 등에 대한 시험·검증을 통해 관련 법·제도 정비를 위한 기반을 다져나가고 있다.

## 2) 원격건강도우미서비스

국민건강보험공단은 고혈압, 당뇨 등 만성질환자 관리를 위한 근거중심의 맞춤형 서비스 제공을 위해 u-Healthcare 기반의 종합건강관리체계(원격건강도우미서비스)를 도입하여 검진결과 사후관리가 필요한 가입자에게 IPTV 상담, 원격화상상담 등을 통해 가입자의 생활습관 개선과 의료이용 행태변화를 유도하고자 하였다. 원격건강도우미서비스에 대한 개념도는 [그림 3-19]와 같다.

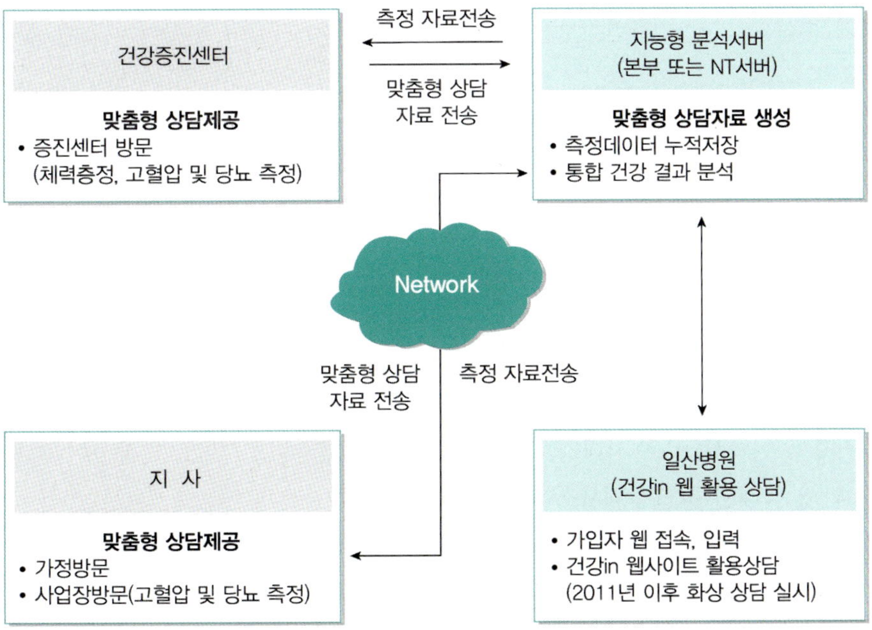


그림 3-19 원격건강도우미서비스 개념도

## 3) 질병관리청 질병보건통합관리시스템

질병관리청은 일관성 없이 산재되어 있는 건강 및 질병정보를 주기별로 정리하여 국민이 질병을 예측하고 대비할 수 있는 기반과 일원화된 내부업무시스템 마련을 위해 통합관리시스템을 구축하였다.

질병관리청 질병보건통합관리시스템은 신속한 감시, 통제, 연구 및 행정처리를 통한 질병위기대응체계 지원을 목표로 정보화전략계획(ISP) 1, 2, 3단계를 거쳐 2007년부터 시스템 구축을 하여 현재 효율적으로 운영하고 있다.

### 4) 예방접종등록관리 정보시스템

질병관리청은 2000년도에 실시한 '전 국민 예방접종기록등록 데이터베이스 구축사업'의 후속사업으로 2002년부터 2009년까지 2기로 나누어 예방접종등록사업 기반을 구축하였다. 그리고 이후 신 정보기술(IT)과 관련정책을 능동적으로 수용하고 필수예방접종 비용 국가지원사업의 안정적인 서비스 체계 마련을 위해 지속사업을 추진하고 있다.

### 5) 응급환자진료정보망

응급환자진료정보망 구축사업은 지역응급의료기관 간 진료정보망을 구축하여 응급환자 정보를 실시간 수집하는 정보망을 구축하는 사업으로 2003년 응급환자진료정보화 표준사업에서부터 시작하였다.

이 정보망은 심정지, 뇌질환, 심장질환, 중증외상 등의 등록체계를 구축하여 응급환자 진료 시 권역·지역응급의료기관의 OCS / EMR 시스템에 실시간으로 자료가 생성되어 중앙응급의료센터로 자료가 전송되도록 되어 있다.

응급환자진료정보망에는 최근 참여기관이 점차 증가하고 입력충실도가 높아져 많은 성과를 거두었으나, 응급의료관련 정보망이 분산되어 있어 관련정보를 추출하고 전달하는 과정이 원활하지 않은 문제점이 나타나고 있다.

## 3 지리정보시스템(GIS)

### 1) GIS의 개요

GIS(Geographic Information System)란 지리정보시스템의 약자로 지도 및 지리적 정보를 컴퓨터를 이용하여 작성 및 관리하고 여기서 얻은 지리정보를 기초로 데이터를 수집·분석, 가공하여 지형과 관련된 모든 분야에 적용하기 위해 설계된 종합정보시스템을 말한다.

GIS가 본격적으로 도입된 시기는 1960년대 캐나다의 CGIS(Canadian GIS)이다. CGIS는 자원관리를 위한 GIS가 개발되어 각국에 보급되었다. 당시의 활용은 정부기관에 한정되었으며 공공기관에 의해 GIS 발전이 시작되었다. 1970년대 이르러 컴퓨터 기술과 그래픽 처리 기술의 발달로 GIS의 저변확대가 이루어졌다. 이후 GIS 전문회사가 출현하였으며, 여러 기관의 시범적인 개발계획이 수행되었다. 또한 이를 통합 GIS 필요성이 대두되었다. 1980년대는 GIS의 급성장 시기로 개발도상국의 GIS 도입과 구축 움직임이 활발히 진행되었다. 1990년대 이후부터는 PC에 의한 GIS의 보급이 가능하게 되었으며, 멀티미디어 기술의 발달과 다양한 형태의 정보 제공에 따라 GIS 효율성이 크게 향상되고, 정보산업의 기여도도 증가하였다.

우리나라의 초창기 GIS 사업은 대학중심으로 토지, 환경, 수질, 교통 등의 의사결정을 원활하게 수행하고 정량화된 결과물을 얻기 위한 수단으로 도입되었다. 1995년부터 NGIS 사업을 추진하여 전국을 중심으로 1/1000, 1/5000, 1/25000 등의 수치지도 제작을 시작하였으며, 국립지리원, 국토연구원, 건설기술연구원, 전산원, 정보통신부, 건설교통부, 과학기술부 등 기관을 중심으로 국가차원의 연구기술지원사업이 적극적으로 진행되었다.

인터넷의 발전과 더불어 GIS 기술은 미래 정보화 사회를 이루기 위한 하나의 중요한 수단으로 부각되고 있다.

### 2) GIS의 활용범위

GIS는 활용분야가 매우 넓고 다양하기 때문에 향후 유용가치가 매우 클 것으로 예상된다. 현재 활용되고 있는 GIS의 유형과 활용범위를 살펴보면 다음과 같다.

- **지역정보시스템**(Regional Information System; GIS) : 건설공사계획수립을 위한 지질, 지형자료의 구축, 각종 토지이용계획의 수립 및 관리에 활용
- **도시정보시스템**(Urban Information System; UIS) : 도시현황파악, 도시계획, 도시정비, 도시시반 시설관리, 도시행정, 도시방재 등의 분야에 활용
- **토지정보시스템**(Land Information System; LIS) : 다목적 국토정보, 토지이용계획수립, 지형분석 및 경관정보추출, 토지부동산관리, 지적정보구축에 활용
- **교통정보시스템**(Transportation Information System; TIS) : 육상, 해상, 항공교통관리, 교통계획 및 교통영향평가에 활용
- **환경정보시스템**(Environmental Information System; EIS) : 대기, 수질, 폐기물 관련정보 관리에 활용
- **자원정보시스템**(Resource Information System; RIS) : 농수산자원, 삼림자원, 수자원, 에너지자원을 관리하는 데 활용

## 4 보건소 모바일 헬스케어

### 1) 보건소 모바일 헬스케어 개요

보건소 모바일 헬스케어는 보건소에서 모바일 앱(APP)과 디바이스를 활용하여, 보건소의 관리자 웹사이트와 서비스 대상자의 스마트 폰을 연동하여 맞춤형 건강관리 서비스를 제공하는 것이다.

OECD는 만성질환으로 인해 세계인구 60%가 사망하는 것으로 추정하고 있으며, 우리나라도 국민건강보험공단 자료에 의하면 성인 54.3%가 만성질환을 가지고 있다. 2025년에는 고혈압 또는 당뇨병 환자수가 30세 이상인구의 절반 이상인 2천만 명 정도 급증이 예측되고 있다. 잠재적 건강위험요인이 높은 청장년층의 건강관리는 소홀한 상태로 30세 이상 성인의 4명 중 1명이 고혈압 전 단계이거나 당뇨병 전 단계로 나타났으며, 30~50대가 전 연령 중에서 흡연량, 나트륨 섭취량이 가장 높고, 올바른 신체활동을 실천하는 비율은 10명 중 1.5명에 불과하다.

만성질환은 흡연, 운동부족, 나쁜 식습관 등에 따른 생활습관병으로 '사전예방'이 효과적인데, 보건소의 대면중심의 서비스 제공은 경제활동이나 거리적 접근성 문제로 대상자들이 서비스 이용이 어렵게 되어, 만성질환 위험군은 운동·영양 등 생활습관 개선 및 건강관리지원 서비스를 필요로 하게 되었다.

따라서 지역보건의료현장은 스마트폰 보편화와 웨어러블 활동량계 기기 보급이 빠르게 확대됨에 따라 모바일을 활용한 건강관리를 시도하게 되었다.

### (1) 사업 추진체계

건강검진을 통해 만성질환 위험군의 대상자를 선정하여 운동, 식이, 생활 습관 건강관리이행을 도와주고, 혈압, 혈당, 활동량, 체성분을 모니터링하고 상담함으로써, 건강상태를 개선하고 건강이상자는 의료기관에 연계해준다[그림 3-20].

사업 추진체계는 보건복지부가 총괄하고 시·도청이 보건소 선정 및 관리·감독하며 보건소가 서비스를 제공한다. 한국건강증진개발원은 프로그램 개발 및 기술을 지원하고, 한국보건복지인력개발원이 보건소 교육을 실시하며 한국사회보장정보원이 PHIS와 연계한다[그림 3-21].

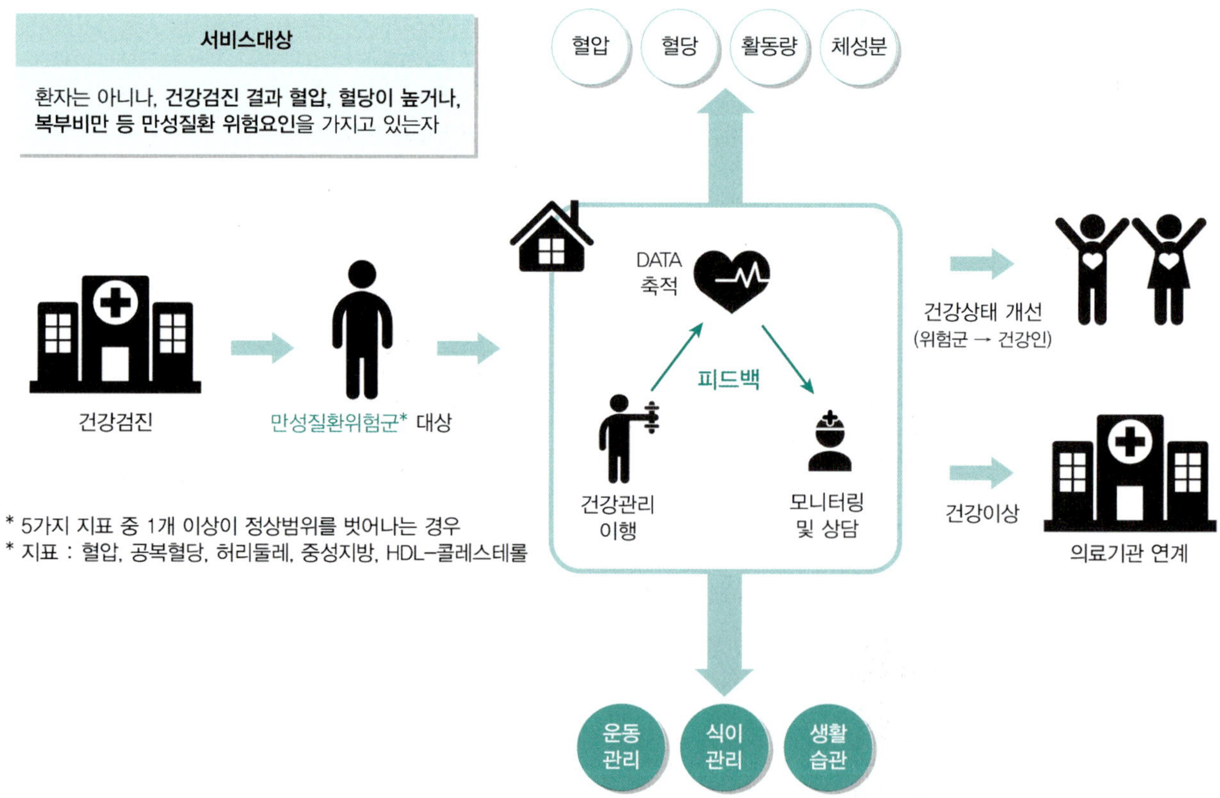


〈 자료원 : 보건복지부. 한국건강증진개발원(2022). 2022년 지역사회통합건강증진사업 안내 〉

**그림 3-20 보건소 모바일 헬스케어 사업체계**

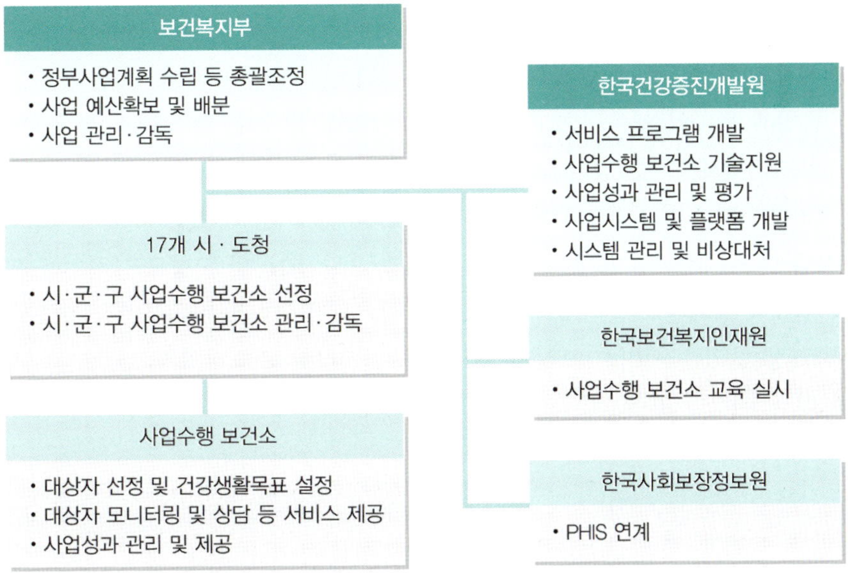


〈 자료원 : 한국건강증진개발원(2022). 2022년 보건소 모바일 헬스케어 사업 안내 〉

**그림 3-21 보건소 모바일 헬스케어 추진체계**

### (2) 추진경과 및 기대효과

보건소 모바일 헬스케어 추진 경과는 2016년 5월에 시범사업 설명회를 실시하고, 6월부터 10개 보건소를 선정하여 10월부터 2017년 3월까지 1차 시범사업을 수행했다. 2017년 3월에 35개 보건소를 선정하여 2차 시범사업서비스를 실시하였고, 160개 보건소, 2022년에는 180개 보건소로 확대 운영 중이다. 추진경과는 [그림 3-22]와 같다.

기대효과로 첫째는 건강수준향상과 생활습관개선 등의 효과를 도출하고 ICT를 활용한 건강관리에 대한 긍정적 인식을 확산하며, 둘째로 보건소의 예방적 건강관리 기능을 강화하고, 건강검진 결과에 따라 연계하여 스마트하고 적극적인 예방 관리를 부각한다.

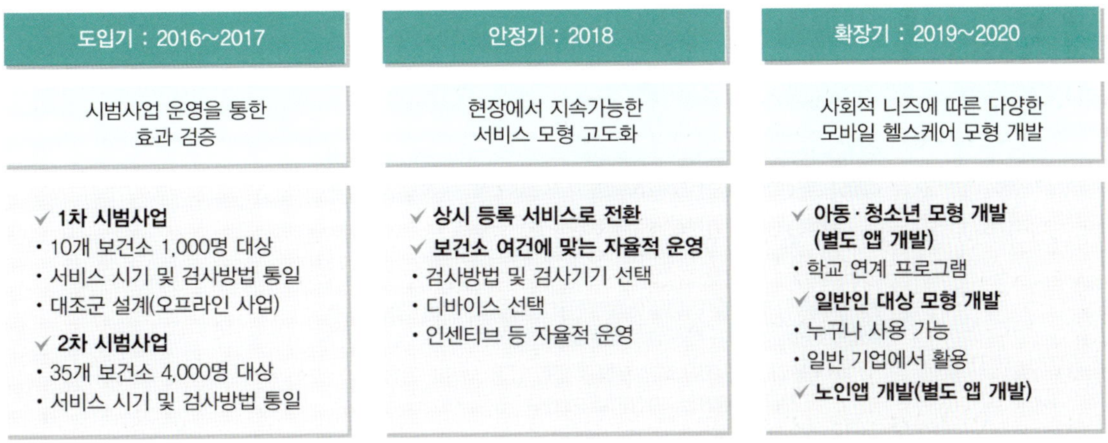


〈 자료원 : 보건복지부. 한국건강증진개발원(2022). 2021년 보건소 모바일 헬스케어사업 결과보고서 〉

**그림 3-22 보건소 모바일 헬스케어 추진경과**

### (3) 추진계획

기본방향은 국민체감도 확산으로 전국 확대의 기반을 마련하는 것이다. 이를 위해 이용자의 편의성과 건강관리 효과성 향상을 위해 모바일 앱을 고도화 시키고, 보건소의 대도시, 중소도시, 농어촌 등의 유형에 따라 적용가능한 서비스 모델 제시를 검토한다. 사업참여는 2017년 시범사업 35개 보건소 4,080명, 2018년 70개 보건소 8,712명, 2020년 139개 보건소, 18,008명에서 2022년 현재 180개소로 확대 운영중이다. 보건소 모바일 헬스케어 시범사업 이후 대내·외 요구에 따라 변화해 왔으나, 기존의 모형으로 사업을 확장하는데 한계가 발생하여 예방적 관점에서 설계된 기존의 보건소 모바일 헬스케어 모형을 탈피하여 건강증진 관점에서 누구나 사용이 가능하도록 확장성 있는 서비스 모형과 새로운 추진전략이 필요하였다[그림 3-23]. 보건소 선정방법은 각시·도별 수요에 따라 배정한 후에, 각 시·도에서 관내 시·군·구의 지역 특성을 감안하여 선발한다.

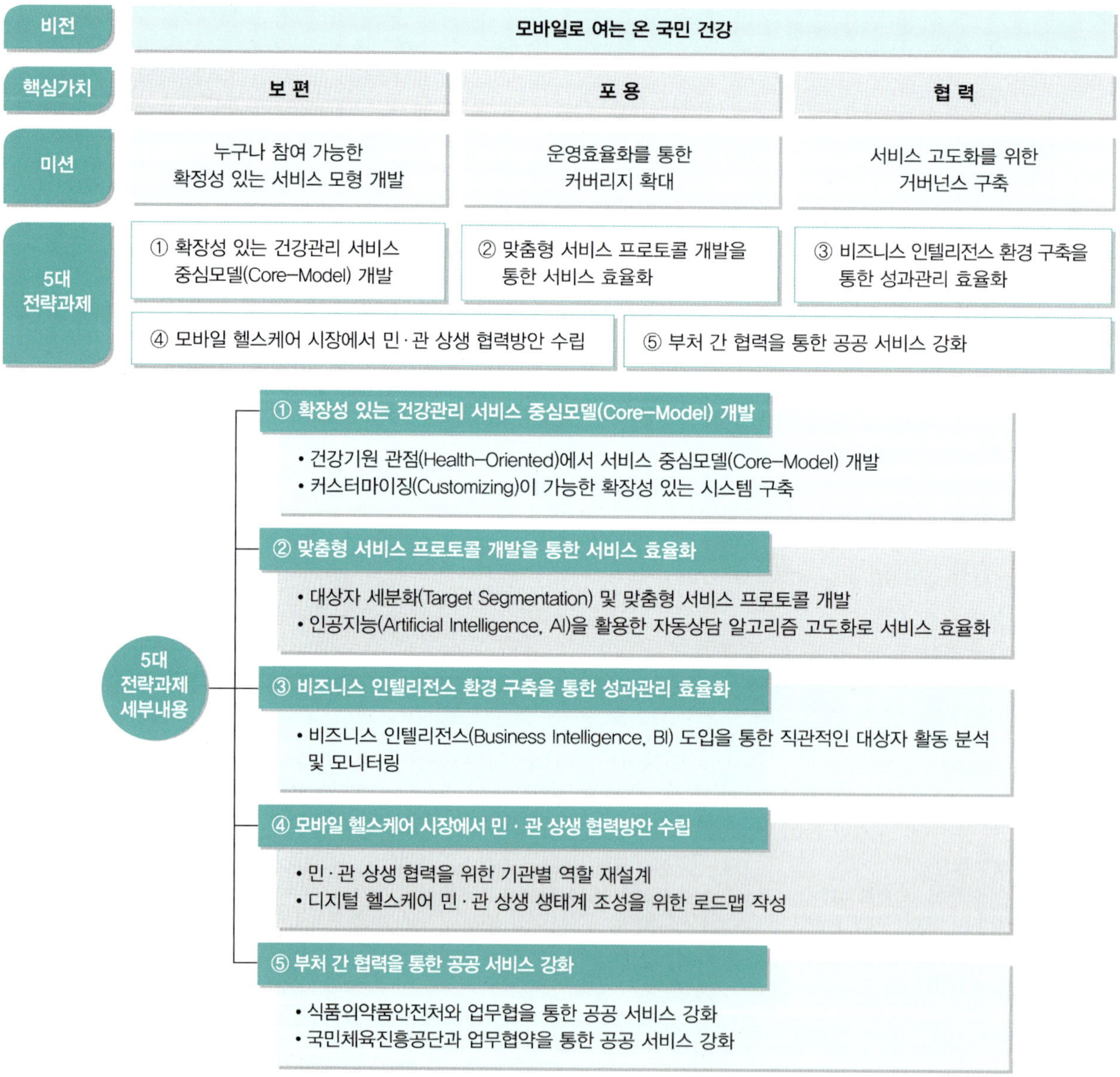


〈 자료원 : 보건복지부. 한국건강증진개발원(2022). 2021년 보건소 모바일 헬스케어사업 결과보고서 〉

**그림 3-23 보건소 모바일 헬스케어 新혁신 전략**

### 2) 보건소 모바일 헬스케어 서비스 프로세스

모바일 헬스케어 서비스는 건강보험 공단의 건강검진 결과에 따라 보건소를 방문하여 검사 및 상담한 후 모바일 앱 등을 활용하여 건강생활을 실천한 3, 6개월 후에 다시 보건소를 방문하여 검사 및 상담을 실시한다 [그림 3-24].

〈 자료원 : 보건복지부. 한국건강증진개발원(2022). 2022년 지역사회통합건강증진사업 안내 〉

**그림 3-24 보건소 모바일 헬스케어 서비스내용 및 프로세스**

### 3) 모바일 헬스케어 연동디바이스

모바일 헬스케어 플랫폼은 Bluetooth 4.0 기반으로 총 4종의 디바이스와 연동한다[그림 3-25]. 보건소 모바일 헬스케어 서비스는 스마트밴드를 기본으로 하고 체성분계, 혈압계, 혈당계 등을 선택한다.

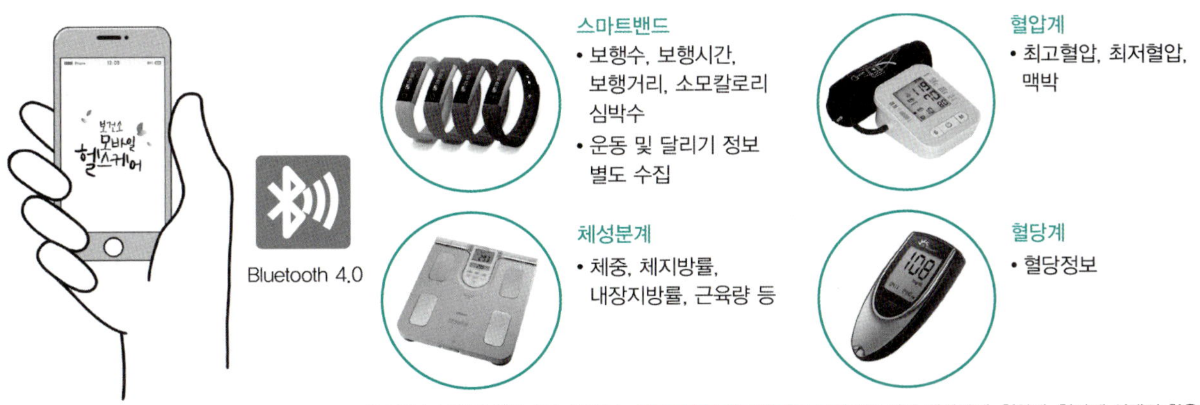


* 보건소 모바일 헬스케어 서비스는 활동량계(스마트밴드)를 기본으로 하고 체성분계, 혈압계, 혈당계 선택적 활용

〈 자료원 : 보건복지부. 한국건강증진개발원(2019). 2020년 지역사회통합건강증진사업 안내 〉

**그림 3-25 보건소 모바일 헬스케어 서비스 연동디바이스**

스마트밴드(활동량계)는 보행수, 보행시간, 보행거리, 소모칼로리, 심박수와 운동 및 달리기 정보도 별도 수집한다.

혈압계는 최고혈압, 최저혈압, 맥박을 측정하고, 체성분계는 체중, 체지방율, 내장지방율, 근육량 등을 측정하며, 혈당계는 혈당정보를 제공한다. 앞으로 홈페이지를 개방하여 다양한 스마트밴드 연동계획을 세우고 있으며, 스마트폰으로 활동량만 측정하는 기능도 구현할 예정이다.

## 4) 보건소 모바일 헬스케어 서비스사업 특징

### (1) 대상자 선정 기준

대상자는 만 19세 이상 성인으로 국가건강검진을 받은 중에서 건강위험요인이 1개 이상인 성인을 대상으로 한다. 건강위험 요인은 5가지로 혈압, 공복혈당, 허리둘레, 중성지방, HDL 콜레스테롤 등이다. 희망자가 많은 경우 건강위험요인 개수가 많은 사람을 우선 선정한다. 만성질환으로 진행된 경우 지역의료기관에 연계하고, 대상자에서 제외한다. 대상자 선정을 위한 위험 요인과 판정 수치는 [그림 3-26]과 같다.

• 만 19세 이상 성인 중 건강위험요인이 1개 이상인 자(단, 질환자는 제외)

※보건소에 내소하여 시행한 건강검진 결과에 따라 대상자를 판정함

| 위험요인 | | 판정수치 |
|---|---|---|
| ① 혈압 | 수축기 / 이완기 | 130mmHg/85mmHg 이상 |
| ② 공복혈당 | | 100mmg/dL 이상 |
| ③ 허리둘레 | 남 | 90cm 이상 |
| | 여 | 85cm 이상 |
| ④ 중성지방 | | 150mg/dL 이상 |
| ⑤ HDL–콜레스테롤 | 남 | 40mg/dL 미만 |
| | 여 | 50mg/dL 미만 |

그림 3-26 대상자 선정을 위한 위험 요인과 판정 수치

### (2) 서비스 제공 구성인력

보건소 모바일 헬스케어 서비스를 제공하는 구성인력은 5인 1팀으로 구성하는데 의사, 간호사, 영양사, 운동전문가, 코디네이터 등으로 구성한다. 팀 구성원들의 주요역할은 [표 3-26]과 같다.

표 3-26 보건소 모바일 헬스케어 서비스 제공 구성 인력과 역할

| 구 분 | 주요 역할 | | |
|---|---|---|---|
| 의사 | • 대상자 참여여부 결정 | • 만성질환자 또는 만성질환으로 진행된 경우 지역의료기관과의 진료 연계 | |
| 코디네이터 | • 서비스 총괄 관리·조정 역할<br>• 이용자 관리 | • 사업수행 실적 관리<br>• 보건소 내 문제점 및 현황 취합, 전달 | • 필요시 보건소 내·외 서비스 연계 |
| 간호사 | • 금연, 절주 등 건강상담 | • 이상치 상시 모니터링 | • 건강한 습관 개선 관련 안내 |
| 영양사 | • 개인별 식습관 진단 및 관리 목표 설정 | • 온라인 영양 상담, 교육, 맞춤정보 제공 | |
| 운동전문가 | • 개인별 신체활동 목표설정 및 활동 현황 분석 상담 | • 온라인 신체활동 상담·교육, 맞춤정보 제공 | • 활동량계 모니터링 |

〈 자료원 : 보건복지부. 한국건강증진개발원(2022). 2021년 보건소 모바일 헬스케어사업 결과보고서 〉

### (3) 서비스 개요 및 제공 절차

대상자는 건강보험공단 검진 결과에 따라 보건소에서 검사 및 전문가별 면담을 하고, 스마트기기와 모바일 앱을 활용하여 건강생활을 3, 6개월 동안 실천한 후에, 보건소를 방문하여 검사와 면담을 거친 후 최종 검진 결과에 따라 보건소별 사후 관리 프로그램을 실시한다[그림 3-27].

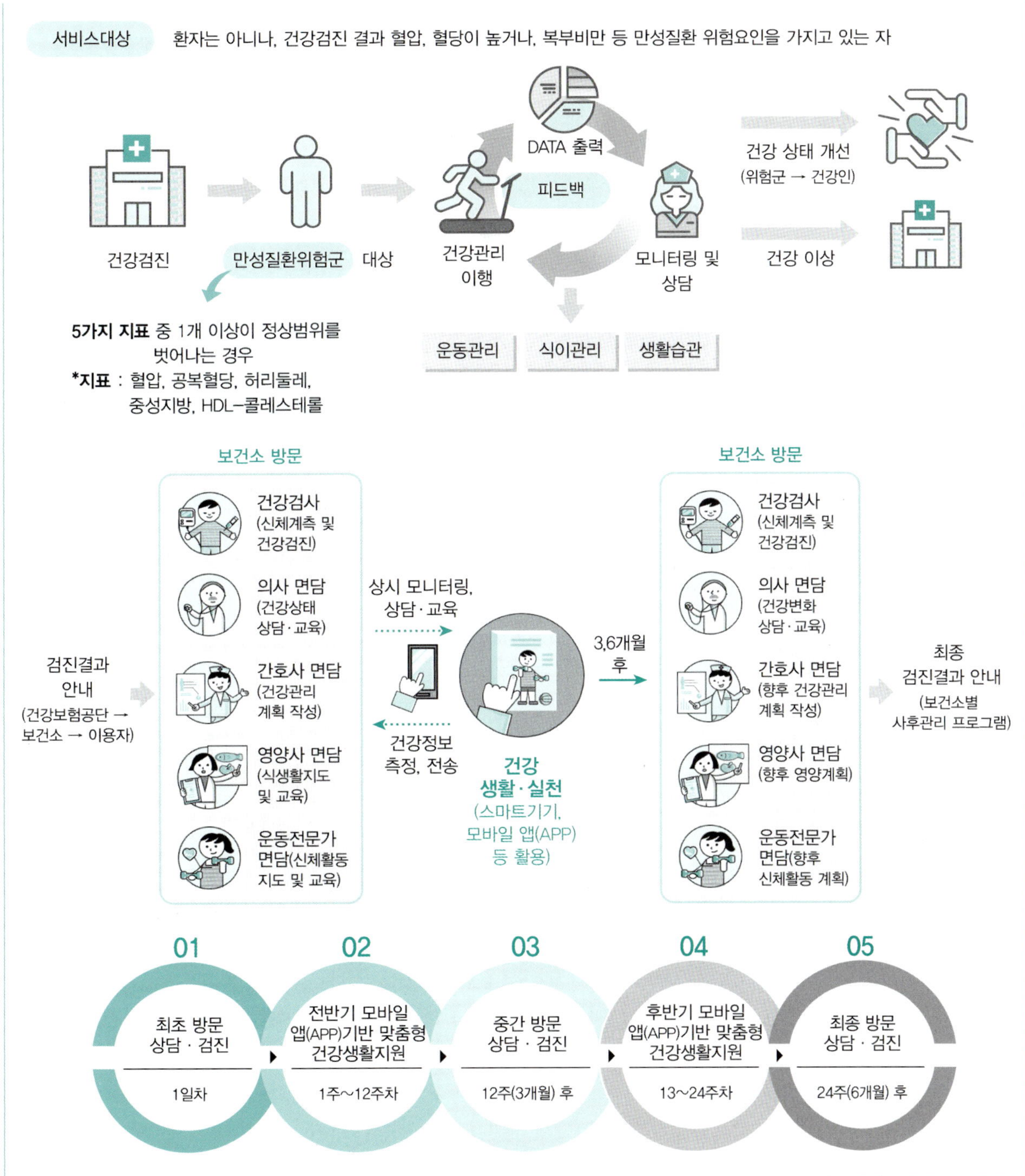


〈 자료원 : 보건소 모바일 헬스케어 모바일 가이드(2022). https://www.khealth.or.kr 〉

그림 3-27 보건소 모바일 헬스케어 서비스 제공 절차

### (4) 서비스 추진현황

보건소 모바일 헬스케어 추진현황은 [그림 3-28]과 같다.

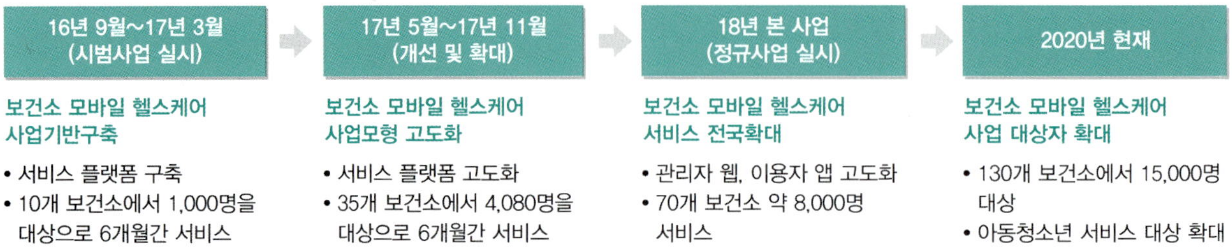


〈 자료원 : 보건소 모바일 헬스케어 모바일 가이드(2022). https://www.khealth.or.kr 〉

그림 3-28 보건소 모바일 헬스케어 서비스 추진현황

### (5) 서비스 내용

보건소 모바일 헬스케어 서비스 내용은 [그림 3-29]와 같다.

〈 자료원 : 보건소 모바일 헬스케어 모바일 가이드(2022). https://www.khealth.or.kr 〉

그림 3-29 보건소 모바일 헬스케어 서비스 내용

## 5) 모바일 헬스케어 사례

### S시 모바일 헬스케어 사례

**▸ 사업개요**

- 추진기간 : 2022. 1.~12.(12개월간)
- 사 업 량 : 350명
- 사 업 비 : 107백만원(국 51, 도 10, 시 46)
- 사업내용 : 모바일 APP과 스마트기기를 통한 24주 건강관리서비스 제공

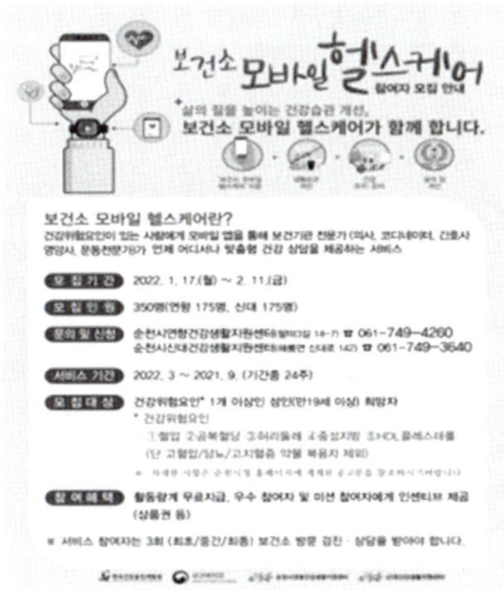

홍보 전단지

**▸ 사업전략**

- 가용한 홍보매체 수단을 적극 활용하여 **시민대상 전방위적 온·오프라인 참여자 모집 홍보**
  - 온라인(5종) : 시청 공식밴드·카카오톡, 워크온, 언론보도, 페이스북 등
  - 오프라인(7종) : 시내버스외부, 육교현수막, 게시대, 버스정보시스템, 차량래핑광고 등
  - 유관기관(부서) 연계를 통한 참여자 모집 홍보 : S시청 홍보실, 교통과, 건축과, 보건소 등
  - S시청 공식밴드·카카오톡 : 21,596명 / 홍보실 협조
  - S시보건소 워크온 : 4,751명 / 보건소 협조
  - 신대건강생활지원센터 네이버 밴드 : 825명
  - 언론보도 : 19개 언론사 / 홍보실 협조
  - 버스정보시스템 : 버스정류장 295개소 / 교통과 협조
  - 시내버스 정부광고 : 2대 / 차량 옆면 래핑
  - 육교형 현수막 : 1개소 / 건축과 협조
  - 홍보 전단지 배부 : 시민 192,434명 / 동 행정복지센터 협조
  - 공문 홍보 : 전 직원 / 시 직원을 통한 시민 홍보
  - 공용차량 래핑 홍보 : 차량 1대 / 차량 옆면 모바일 헬스케어 이미지 부착

- **"모바일 헬스케어 사업 서비스 지속참여율"** 향상을 위해 다양한 참여자 동기유발시책 추진
  - 모바일 헬스케어 사업 신청 접수(456명) : 1~2월
  - 모바일 헬스케어 사업 최초 방문검진 상담(400명) : 4~5월
  - 모바일 헬스케어 사업 대상자 최종선정(350명) : '22. 5. 13.
  - 모바일 헬스케어 사업 중간·최종 방문검진 상담(350명) : 각각 8월·10월 중
  - 매월 건강랭킹(상위 20%, 전월대비 상승률 상위 20%) 및 미션 우수자·완료자 대상 인센티브(지역상품권) 제공

  ※미션내용 : 모바일 앱 프로필 사진설정, 일주일 기간 매일 만보걷기, 일주일내 3일 아침밥 먹기 인증사진, S시사랑미션(S시 주요 랜드마크 방문 인증사진), 모바일 헬스케어 참여 후기 작성, 1일 만+만(이만보) 걷기, 플로깅

▸ **추진성과**

- 목표값 외 정성평가항목 「건강위험요인 1개 이상 감소율」도 73.4% 달성

| 성과지표 | 전국 | 전남 | s시 |
|---|---|---|---|
| 서비스지속참여율 | 66.3 | 80.3 | 100 |
| 건강위험요인 1개 이상 개선율 | 56.8 | 54.6 | 57.4 |

〈 자료원 : 보건소 모바일 헬스케어 홈페이지 지표(2022.10.27.기준) 〉

공용차량 래핑 홍보

시내버스 정부광고

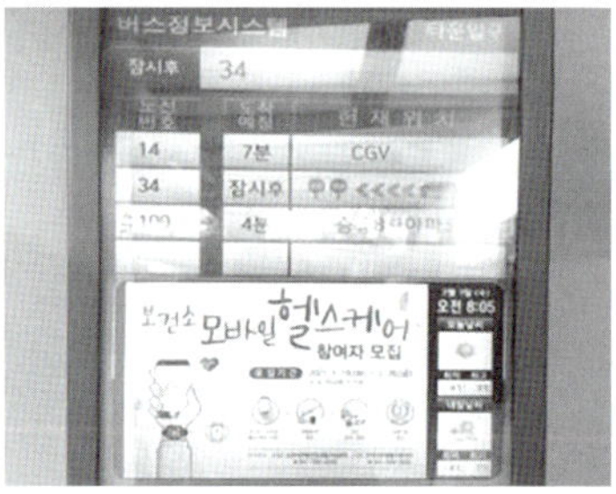


버스정보시스템 홍보

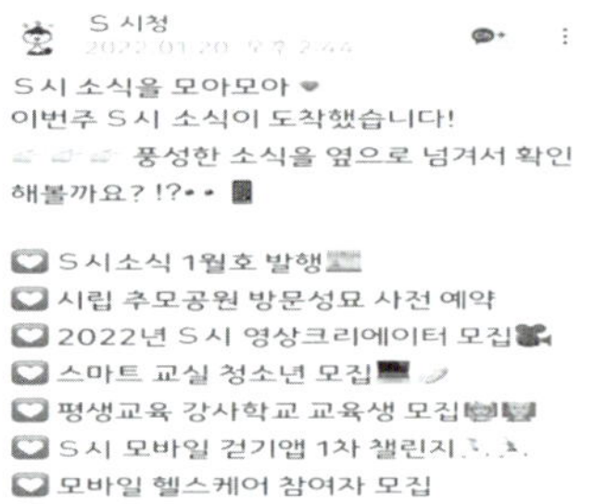


온라인 홍보

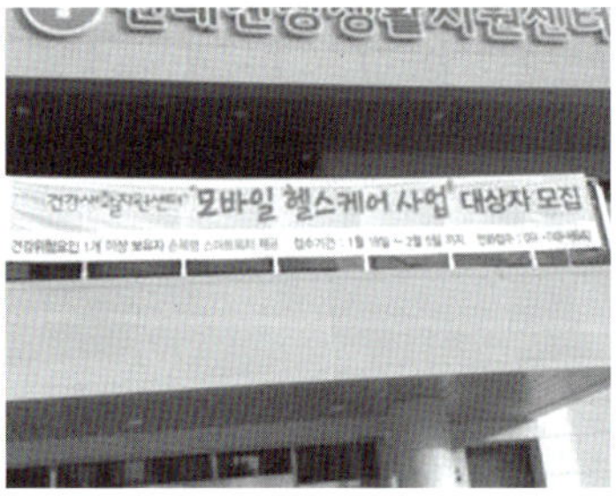


현수막 게시

플로킹 행사 운영

플로킹 활동(걷기)

플로킹 활동(쓰레기 줍기)

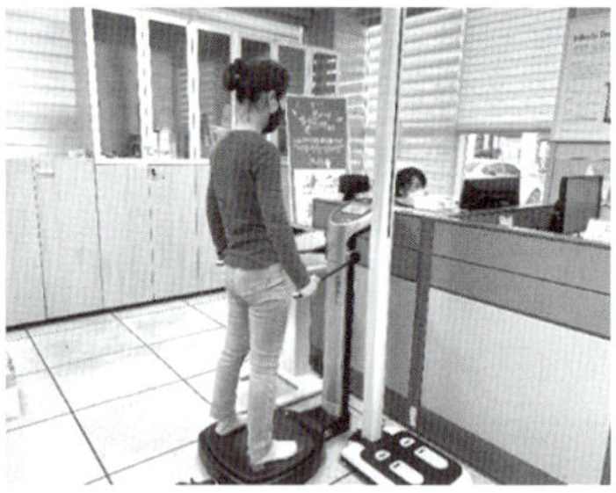

최종 방문검진

# 제6절 + 보건간호사업의 질 관리

Keywords
- 질 관리 이해
- 질 관리 전략
- 질 관리 수행절차

## 1 질 관리의 이해

질 관리(quality management)란 비용 절감을 위해 과정과 시스템을 향상시키는 개념 틀이며 관리 철학이다. 특히 보건의료 서비스에 있어서 질(quality)이란 서비스 내용이 우수하거나 일정한 기준에 도달하는 것이라고 할 수 있다.

보건의료의 질은 정부, 보건의료제공자, 병원행정가, 보험자, 환자와 대상자 등의 입장에 따라 다양하게 정의된다. 예를 들어 보건의료의 질에 대한 기준으로 환자와 대상자는 의사의 진단과 치료능력을, 병원행정가는 최소의 비용으로 최대의 서비스를 제공할 수 있는 능력을 평가한다. 따라서 보건의료의 질 개념은 구성요소를 어떻게 설정하느냐에 따라 달라질 수 있다.

가장 고전적인 개념으로는 B.A. Mayerg(1969)가 제시한 접근성(accessibility), 포괄성(comprehensiveness), 지속성(continuity), 효율성(efficiency)이 있다. H. Vouri(1982)도 효과(effectiveness), 효율성, 적합성(adequacy), 기술적 수준(technical quality)을 제시한 바 있으며, 세계보건기구에서는 적합성, 효율성, 기술적 수준 등의 3가지 요소로 구분하였다. 지금까지 제시된 구성요소들 중 비교적 보편적인 요소들을 정리하면 다음과 같다.

### 구성요소

- **효과** : 서비스를 통하여 목적한 기대나 편익이 달성된 정도 또는 건강수준 향상에 기여하는 의료행위를 수행하여 성취한 건강수준의 긍정적인 변화 정도
- **효율성** : 서비스 제공에 있어서 최소의 자원으로 최대 효과를 얻은 정도
- **기술 수준** : 서비스의 과학적 타당성과 적절성의 정도
- **접근성** : 보건의료서비스를 이용하는 데 시간이나 거리 등의 영향을 받는 정도
- **가용성** : 공간적, 시간적으로 필요한 서비스를 제공할 수 있는 여건정도
- **이용자 만족도** : 보건의료서비스에 대한 이용자의 기대 수준이 충족된 정도
- **지속성** : 보건의료서비스의 시간적, 지리적, 서비스 종류 간의 연결 정도와 상관성
- **적합성** : 서비스가 대상 인구집단의 요구에 일치한 정도

이처럼 최근에 와서 질 관리가 중요하게 대두된 이유는 여러 가지가 있으며 이를 정리하면 다음과 같다.

- 보건의료서비스에 대한 국민, 건강보험공단, 보건의료기관의 요구 증가
- 보건의료서비스에 대한 국민의 권리의식 증가
- 보건의료기관의 급증에 따른 경쟁력 우위 선점 노력
- 보건의료서비스에 대한 평가 주체의 다원화

## 2 질 관리를 위한 전략

### 1) QA / QI

질 관리는 QA(Quality Assurance)와 QI(Quality Improvement)를 의미한다. 질 관리란 보건의료서비스의 질을 평가(quality assessment)하고, 그 문제점을 개선하여 질을 향상(quality improvement)시키는 관리기법으로, 우수한 표준에 맞게 보건의료서비스의 질이 제공되도록 보장하는 것을 말한다.

보건의료서비스의 질 관리 요소 3가지는 표준 설정, 표준에 따라 제공한 보건의료서비스의 질 평가, 표준과 맞지 않을 경우 개선 조치 등이다.

따라서 질 관리는 대상자가 최고의 결과에 도달하도록, 보건의료서비스 제공자의 업무성과와 책임을 중요시하는 도구이다.

### 2) TQM / CQI

TQM(Total Quality Management)은 산업체의 질 관리 개념을 보건의료분야에서 적용한 것이다. TQM은 대상자의 기대를 충족하기 위한 지속적인 질 향상 관리(CQI) 과정이다. CQI (Continuous Quality Improvement)는 TQA의 하나의 기법인데 두 용어는 동의어로 사용되고 있다.

TQM 과정은 PDCA(Plan, Do, Check, Act)의 순환적 관리기법에 의해 진행된다. 계획(Plan) 단계는 질을 어떻게 개선할 것인지 계획을 수립하고, 이에 따른 자료수집을 계획한다. 실행(Do) 단계에서는 계획된 질 향상 활동을 수행하고, 자료를 수집한다. 평가(Check) 단계에서는 질 관리 향상 활동에 대한 결과치와 예측치 간의 비교분석을 하여 효과를 분석한다. 마지막으로 조정(Act) 단계에서는 질 향상 활동의 개선 방안을 모색한다.

미국에서는 PDCA를 보완한 FOCUS-PDCA Cycle이 흔하게 사용되고 있는 접근방법이다 [그림 3-30].

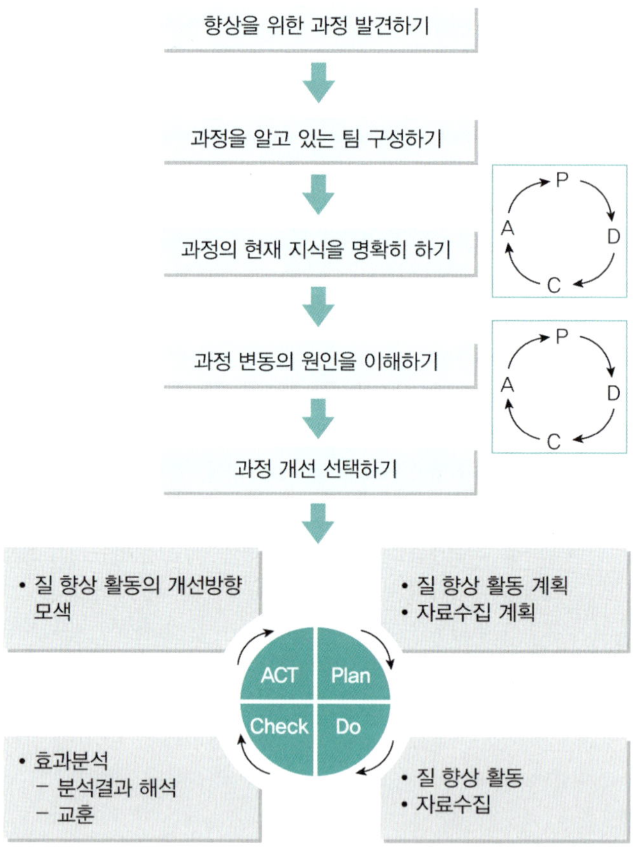


그림 3-30 FOCUS-PDCA Cycle

## 3 질 관리 수행절차

질 향상 활동을 위한 사업과정을 FOCUS-PDCA Cycle을 토대로 살펴보면 다음과 같다.

### 1) 발견(Find)

구성원들이 브레인스토밍 기법 등을 활용하여 자신들의 경험을 토대로, 가장 문제가 많은 과정을 선정하여 우선적으로 향상시킬 대상 과정을 설정한다.

### 2) 조직(Organize)

해당 작업과정과 관련된 작업팀을 구성한다.

### 3) 명확화(Clarify)

구성된 작업팀이 과정도(process map)을 작성하여 해당 작업과정을 파악하고 분석한다.

### 4) 이해(Understand)

작업과정 분석을 통하여 주된 문제의 원인이 무엇인지를 파악한다.

### 5) 선택(Select)

파악된 작업과정과 관련된 문제들 중 우선적으로 설정될 가치가 있다고 판단되는 과제를 최종적으로 설정하고 개선방안을 수립한다.

### 6) 계획(Plan)

위에서 설정된 사업대상 과정의 문제점과 원인에 대한 가설을 검증할 수 있도록 자료수집과 분석과정을 거쳐 가설을 확정한 후 구체적인 해결방안을 수립한다.

### 7) 실행(Do)

개선방안 수립 전의 질적 수준을 평가한 후 개선방안을 적용한다.

### 8) 평가(Check)

개선방안 적용 후 질적 수준을 실시 전의 수준과 비교·분석하여 개선방안의 효과를 검증하고 문제가 있을 경우 보완하여 계획단계에서부터 다시 반복한다.

### 9) 유지(Act)

평가단계에서 확인한 결과를 토대로 그에 맞는 조치를 취한다. 만약 변화가 일어나지 않으면 다른 주기(Cycle)를 이용하여 실시하고, 원하는 결과가 도출되었다면 확대 적용한다.

## 4 질 관리의 평가방법

질 관리의 평가방법에는 논리적 추적에 의한 평가, 투입－산출 모형에 따른 평가, 성과관리에 의한 평가, 경제학적 평가 등이 있다. 여기서는 투입－산출 모형에 따른 평가와 성과관리에 의한 평가방법에 대해서 살펴보기로 한다.

### 1) 투입－산출 모형에 따른 평가

#### (1) 구조적 평가

사업에 투입해야 할 자원의 적절성 여부를 평가한다.

#### (2) 과정적 평가

사업계획과 현재의 사업진행 정도를 비교하여 목표가 달성될 수 있도록 사업내용을 조정하기 위한 평가이다.

#### (3) 결과적 평가

사업 종료 시점에서 사업효과를 추정하는 것으로 향후 사업의 지속여부 또는 사업 확대 여부를 판단하기 위한 평가이다.

### 2) 성과관리에 의한 평가

이는 일정 기간 내에 어느 정도의 목표를 달성했는지에 관한 평가이다. 성과 평가와 프로그램 평가로 분류한다. 보건의료사업의 경우 프로그램 평가를 통해 성과 평가를 하게 되며, 자원을 이용하여 어느 정도의 목표를 달성했는지에 관해서는 효과성과 효율성, 두 가지 요소를 모두 포함한다.

제 04 장

# 지역사회 간호활동 및 자원활용

COMMUNITY HEALTH NURSING

## 학·습·목·표



### 제1절 지역사회 간호활동

1. 방문활동에 대하여 설명한다.
2. 건강관리실에 대하여 설명한다.
3. 자원활용을 계획한다.
4. 상담의 원리를 이해하고 설명한다.
5. 매체의 종류별 장·단점을 비교한다.
6. 지역사회조직에 대하여 설명한다.
7. 지역주민 참여를 설명한다.

### 제2절 사례관리

1. 사례관리에 대해 설명한다.
2. 사례관리 흐름 및 절차를 설명한다.
3. 우리나라의 지역사회중심 공적 사례관리를 제시한다.

### 제3절 방문보건사업

1. 방문보건의 개념을 설명한다.
2. 방문건강관리사업을 설명한다.
3. 가정간호사업을 설명한다.
4. 노인장기요양보험의 방문간호사업을 설명한다.
5. 지역사회 통합돌봄(커뮤니티케어)에 대하여 설명한다.

## 제1절 + 지역사회 간호활동

Keywords

- 방문활동
- 가정방문
- 건강관리실(클리닉)
- 지역사회자원
- 상담
- 매체
- 지역사회조직

지역사회 간호목표인 적정기능수준 향상을 위한 간호활동으로는 방문활동, 건강관리실 활동, 자원활용 및 의뢰, 상담, 매체활용, 지역사회조직 및 활용 등이 있다. 지역사회 간호사는 간호문제 해결을 위해 실현가능한 수단을 선택하고 이용가능한 자원의 파악 및 비용 효율적인 방법의 선택, 대상자의 수용성 등을 고려하여 최선의 활동을 수행한다.

### 1 방문활동

방문활동은 가장 오래전부터 활용되던 지역사회간호제공 수단으로서, 간호 대상자를 찾아가 여러 가지 형태의 서비스를 제공하는(out-reach service) 지역사회 중심의 적극적인 간호활동이다. 지역사회 간호사는 간호수행을 위하여 가정을 포함한 학교, 산업장, 공공기관 등의 조직과 모성 및 영유아집단, 노인집단과 같은 유사한 요구를 가진 인구집단을 방문한다. 즉 지역사회 간호대상 모두가 방문활동의 대상이 된다. 방문활동은 지역사회간호 대상자의 건강상태, 위생상태, 경제상태, 교육 정도, 생활양식 등을 정확히 파악하여 대상자의 눈높이에 맞는 간호를 포괄적으로 제공할 수 있다는 장점이 있다.

#### 1) 방문활동의 목적

지역사회 간호사가 대상자의 생활공간을 방문하여 실제 거주하는 환경에서 건강문제를 가진 대상자 발견 및 문제 확인, 질병예방 및 관리, 건강증진 등의 활동을 하기 위함이다. 또한 적합한 보건의료서비스를 직접 제공하거나 타 분야의 보건의료전문가와 협력하여 대상자 스스로 문제를 해결할 수 있는 능력을 향상시키기 위하여 실시한다.

방문활동의 목적을 정리하면 다음과 같다.

- 대상자와의 원만한 인간관계 형성을 통하여 가족을 포함한 포괄적인 건강관리를 도모하기 위함이다.
- 대상자가 거주하고 있는 실제 환경에서 가족 및 지역사회 간호에 관련된 자료를 수집하여 자료의 신뢰도를 높이고 정확한 진단을 내리기 위함이다.
- 가족이 가진 장점과 제한점을 확인할 수 있는 기회를 가지기 위함이다.
- 가족 스스로 자신의 문제해결 능력을 증진시키기 위함이다.

## 2) 방문활동의 원리 및 원칙

### (1) 방문활동의 원리

방문활동은 간호 사업을 위한 계획에 의해 이루어진다. 지역사회 간호사의 방문활동의 원리는 다음과 같다.

- 방문활동은 정확한 업무계획 하에 시행한다.
- 개인·가족·지역사회를 충분히 이해하고 접근한다.
- 개인·가족·지역사회의 환경을 파악하고 객관적으로 분석한다.
- 대상자의 감정, 요구 등에 민감성을 가지고 융통성 있게 처리한다.
- 간호사가 수행하는 간호기술은 과학적인 근거 하에 전문적이고 숙련되어야 한다.
- 양적 간호뿐 아니라 질적인 측면의 간호를 모두 제공한다.
- 방문횟수는 방문 가능한 간호 인력의 수, 예산, 가용시간 등을 고려하여 실시한다.
- 지역사회 자원을 적절히 활용하며 다른 업무분야와 연계 및 협력한다.
- 개인·가족·지역사회와 함께 계획하고 평가한다.
- 상담과 교육은 과학적이어야 하며 방문 중에 알게 된 가족의 비밀을 보장하고 개인정보를 보호한다.
- 감염성질환을 고려하여 방문 일정을 수립하고 시행한다.
- 방문활동의 우선순위는 일반적으로 만성질환보다 급성질환이, 비감염성질환보다 감염성질환이, 개인보다 집단이 우선순위가 높다.
- 하루에 여러 대상자를 방문해야 하는 경우에는 비감염성 대상자와 면역력이 낮은 대상자를 먼저 방문하여 간호사가 감염성질환의 매개체가 되지 않도록 한다.

### (2) 방문활동의 원칙

성공적인 가정방문을 위해서는 정확한 계획과 지역사회간호사의 인내, 대상자와의 신뢰관계(rapport) 형성을 위한 효과적인 의사소통 기술이 요구된다. 또한 가정방문의 목적을 충분히 이해하고 있어야 하며 서비스 제공에 필요한 도구나 자원을 적절히 활용할 수 있어야 한다. 가정방문의 원칙은 다음과 같다.

- 방문 목적에 따른 계획을 세우고 방문을 실시한다.
- 사전 약속 후에 방문한다.
- 가족의 다양성 및 변화성을 인식하고 접근한다.
- 신뢰관계(rapport) 형성을 가장 우선 시 한다.
- 가구원 한 사람에게만 의존하지 않고 가족 전체를 대상으로 자료를 수집한다.
- 친척, 이웃, 의료기관, 통·반장 등 지역자원 및 기존 자료를 활용하여 자료를 수집한다.
- 대부분의 가족 사정 자료들은 질적인 자료가 요구되므로 가족 사정도구를 사용하는 경우에도 심층면접이 가능하도록 영역별로 시간을 충분히 할애한다.
- 가족의 문제뿐만 아니라 강점에 대해서도 사정한다.
- 1회 면담 시간은 30분을 넘지 않도록 하고, 한 번의 면담으로 무리하게 자료를 얻으려 하지 말고 지속적인 면담을 통해 보강시켜 나가도록 한다. 가족에게 부담을 주고 정보도 정확하지 않을 수 있기 때문이다.
- 수집된 자료 중 의미 있는 자료를 선택하여 범주화한다.
- 가족이 간호과정에 참여할 수 있도록 대상자와 함께 진단을 내리고 중재 방법을 결정한다.

## 3) 방문활동 단계

방문활동 단계는 크게 방문 전 활동, 방문 중 활동, 방문 후 활동으로 이루어진다. 각 단계별로 수행할 사항은 다음과 같다.

### (1) 방문 전 활동

- 가족건강기록부, 상담일지 등 대상자와 가족에 대한 전반적인 정보를 수집하여 방문 대상을 이해한다.
- 가정방문 날짜와 시간은 대상자와 협의 하에 결정하고 방문 전에 재확인한다.
- 필요한 물품, 기구·약품, 서류 등의 방문가방을 준비한다.
- 방문 장소 및 방문 목적, 출발시간, 돌아올 예정시간을 기록하고 다른 요원에게 알린다.

### (2) 방문 중 활동

- 대상자에게 이름과 소속, 방문목적을 소개하고, 방문가방은 사용하기 편하고 안전한 장소에 둔다.
- 대상자와의 신뢰관계 형성을 위하여 도움을 주고자 한다는 것과 관심을 표현함으로써 우호적인 분위기 조성을 통한 상호관계를 수립한다.
- 관찰 및 적절한 질문과 대답으로 대상자의 요구를 파악한다. 신체적 건강문제뿐만 아니라 환경적·경제적·교육적 측면의 문제를 포괄적으로 확인한다.
- 대상자가 자신을 표현하고 평가하며 스스로 결정할 수 있도록 격려하고, 자신의 문제를 수용하도록 도와준다.
- 간호대상과 함께 공동의 활동계획을 작성하고, 향후 간호대상자가 수행해야 할 계획을 수립하도록 한다.
- 제공되는 간호에 대하여 대상자와 가족이 이해하기 쉽도록 충분히 설명하고, 정확하고 능숙한 간호기술을 제공한다.
- 동원 가능한 자원을 최대한 활용하여 필요한 간호를 제공한다.
- 대상자 스스로 자신의 문제를 해결할 수 있도록 도와준다.
- 방문활동에 대한 대상자의 만족도를 확인하고, 다음 방문 날짜와 시간을 협의하여 결정한다.

### (3) 방문 후 활동

- 방문을 통하여 확인된 대상자의 특징, 건강문제 및 향후 계획 등 해야 할 일을 처리하고 모니터링한다.
- 자원연계나 의뢰가 필요한 대상자는 해당기관에 연락하고, 추후관리가 필요한 경우에는 추후관리 카드를 작성한다.
- 방문활동에 대한 평가를 실시한다. 방문 목적의 달성정도와 진행과정 및 적합성을 평가하며, 필요한 경우 자문을 요청한다.
- 기록과 보고한다. 대상자의 문제, 수행한 간호활동, 대상자의 태도 및 특이점, 합의사항, 향후 고려할 점 등을 기록한다. 필요한 경우 업무관련 다른 요원과 상의하고, 상급자에게 보고한다.

## 4) 방문가방

지역사회간호사가 대상자를 방문할 때 즉각적이고 필수적인 간호 제공을 위하여 방문가방을 소지할 필요가 있다. 방문가방의 사용은 간호 수행에 필요한 물품의 청결 및 감염을 방지하기 위함이다. 구비해야 할 물품은 방문목적이나 대상자에 따라 다를 수 있으나 일반적으로 기본적인 약품과 처치기구 및 검사 도구를 준비한다.

### (1) 방문가방의 준비물품

- 간호용품 및 약품 : 주사기, 소변검사기구, 외용약, 응급처치를 위한 물품
- 드레싱용품 : 멸균 소독용품, 드레싱 포, 소독캔, 소독 겸자, 가위, 반창고, 욕창용 파스, 붕대, 소독거즈, 면봉 등
- 대상자 건강사정용품 : 혈압계, 청진기, 체온계, 혈당계, 채혈침, 알코올 솜, 줄자 등
- 기타 : 고무포, 일회용 수건, 소독용 비누, 폐기물 통, 가족건강기록부를 포함한 기록서식, 필기도구 등

### (2) 방문가방 사용 원칙

- 물품을 사용하기 전에 반드시 손을 씻는다.
- 가방은 항상 깨끗하게 유지하도록 하고, 사용하지 않을 때는 닫아둔다.
- 사용한 물품은 보충하여 항상 사용할 수 있도록 준비해 둔다.
- 개인 소지품은 넣지 않도록 한다.

## 5) 방문활동의 장·단점

### (1) 장점

- 교통수단을 이용할 수 없거나 거동이 불편한 대상자에게 간호서비스를 제공할 수 있다.
- 건강관리실보다 긴장감이 적어 대상자가 편안하게 간호서비스를 받을 수 있다.
- 대상자에 대한 전체적인 판단이 가능하며, 상황에 맞는 적절한 교육과 상담을 제공할 수 있다.
- 대상자와 함께 계획을 세우는 것이 용이하다.
- 대상자와의 우호적인 신뢰관계 형성에 유리하다.
- 가족에 대한 포괄적인 건강관리 및 가족단위 보건교육이 가능하다.

### (2) 단점

- 비용과 시간이 많이 소요된다.
- 대상자가 간호사 이외에 다른 보건의료전문가의 서비스를 받는 데 한계가 있을 수 있다.
- 대상자가 같은 문제를 가진 다른 사람들과 정보를 나눌 수 있는 기회가 적다.
- 교육이나 상담 중 전화나 다른 가족 등으로 인하여 산만하거나 혼란스러운 상황이 발생할 수 있다.
- 대상자가 간호사의 방문에 대해 부담감을 느낄 수 있다.

### 6) 방문활동 시 안전을 위한 주의사항

방문활동을 실시하는 지역사회 간호사는 자신의 안전을 위하여 다음의 주의사항을 숙지하도록 한다.

- 정신질환이나 약물 중독과 같은 문제가 있는 대상자는 혼자서 방문하지 말고 가능한 동료나 지역주민과 동행하도록 한다.
- 대상자나 가족이 무리한 요구를 하는 경우에는 일단 대상자의 집에서 나온다.
- 대상자가 가축을 기르는 경우 위험 여부를 확인 후 출입한다.
- 응급상황에 대비하여 방문가정의 출구를 미리 확인해두고, 연락 가능한 전화번호를 기억해둔다.

## 2 건강관리실 활동

지역사회 간호사는 건강관리실 활동을 통하여 개인·가족·집단 및 지역사회 등을 대상으로 지역사회 간호사업을 실시한다. 따라서 건강관리실 활동은 지역사회의 특성을 반영하여 많은 지역사회 대상자의 이용을 극대화할 수 있도록 운영해야 한다.

### 1) 건강관리실의 유형

#### (1) **고정 건강관리실**(immobile clinic)

건강관리를 위하여 상시 운영하는 시설로서 보건소의 건강증진실, 모자보건실, 예방접종실, 결핵관리실, 진료실, 지역사회정신보건센터, 산업장의 건강관리실, 학교의 보건실 등이 이에 해당된다.

#### (2) **이동 건강관리실**(mobile clinic)

지역을 이동하며 건강을 관리하는 시설이나 장소를 말하며, 섬 지역을 순회하며 이동 진료하는 병원선, 적십자사의 헌혈차, 마을 회관, 경로당 등 특정지역의 진료나 건강상담, 보건교육을 위한 임시시설, 건강진단 및 질병치료를 위해 운영되는 이동검진버스 등이 해당된다.

### 2) 건강관리실의 설치 장소

건강관리실은 지역사회 주민들에게 잘 알려진 곳으로서 생활 중심지에 위치하여 교통이 편리하고 지리적으로나 시간적으로 접근성이 좋은 곳에 설치하는 것이 바람직하다. 또한 화장실, 상하수도 시설 및 냉·난방 시설과 환기 장치가 잘 갖추어져 있어야 한다.

건강관리실 내 각 실의 위치는 대상자의 특성을 고려하여 배치하도록 한다. 예를 들어 결핵관리실은 조용하고 통풍이 잘되는 곳으로, 감염가능성을 고려하여 모자보건실과 예방접종실과 떨어진 곳으로 배치하며, 영·유아실은 치료실, 교육실, 놀이실 등의 다목적 기능이 가능하도록 설치하고, 산전관리실은 임산부가 이동하기 편리한 1층에 배치하는 것이 좋다.

## 3) 건강관리실의 운영

### (1) 기구 및 물품관리

건강관리실에 비치할 기구 및 물품은 사용량과 운영 특성 등을 고려하여 구입하고, 필요시 사용할 수 있도록 물품대장을 만들어 정기적으로 확인한다. 새로운 물품의 구입이나 폐기 시 물품대장과 일치하도록 하고, 기록과 보고를 위한 공인된 서식을 준비한다. 또한 건강관리실에 필요한 물품과 기구의 관리방법에 대하여 관련 요원들과 함께 토의하고 사용방법을 익힌다.

건강관리실의 물품관리 절차는 필요한 물품의 주문, 보관, 불출, 물품 관리 및 유지 단계가 있다.

- 물품주문 : 이전 사용량을 참고로 현재 사용량을 예측하여 필요량에 따라 목록을 작성하여 청구양식에 의해 주문한다.
- 물품보관 : 중앙창고에 하며 물품대장을 만들어 수량을 확인한다.
- 물품출고 : 각 건강관리실에서 필요한 만큼 출고하고 새로운 물품을 구입하거나 폐기할 경우에는 물품대장과 일치되도록 한다.
- 물품 관리 및 유지 : 각 건강관리실 사용자에게 사용법과 관리방법을 주지시키고, 점검 계획표와 점검표를 만든다.

### (2) 대상자 관리

건강관리실은 대상자가 이용하는 데 불편함이 없도록 이용 절차를 명확히 한다.

먼저 접수를 하고 대상자의 건강상태에 따라 검사실, 물리치료실, 운동처방실 등의 안내 및 필요한 조치를 취한다. 또한 상담 및 지도, 다음 방문날짜 약속 등의 절차를 거쳐 제공된 모든 간호 내용과 건강교육의 내용을 정확히 기록하여 보고하도록 한다. 필요에 따라 의사에게 의뢰하도록 한다.

지역주민들이 건강관리실을 내소하였을 때 보건교육이 함께 이루어질 수 있도록 소책자, 전단지, 리플릿 등의 교육 자료를 비치하여 활용도를 높이고 교육 자료 내용을 지속적으로 보완하도록 한다.

### (3) 추후관리

건강관리실의 지속적인 관리를 위하여 추후관리 방법을 계획한다.

대상자의 내소 예정일 며칠 전에 전화나 엽서 등으로 사전연락을 취하여 알려주는 것이 좋으며, 약속한 날짜에 내소하지 않은 대상자의 경우에는 부담감이나 압박감을 주지 않도록 즉각적인 전화보다는 약 일주일 정도 기다린 후에 연락하도록 한다. 그러나 중요한 치료나 검사 등을 목적으로 건강관리실을 방문해야 할 대상자의 경우에는 즉시 연락을 취하는 것이 바람직하다.

## 4) 건강관리실 활동의 장·단점

### (1) 장점

- 간호사의 시간과 비용을 절약할 수 있다.
- 다양한 물품 및 기구를 활용할 수 있다.
- 다른 전문가의 도움을 받거나 의뢰가 용이하다.

- 교육 및 간호 수행에 불필요한 외부 요소를 차단할 수 있어 건강관리에 집중할 수 있다.
- 동일한 건강문제를 가진 다른 대상자와의 상호작용을 통해 대상자 간 경험이나 정보를 공유할 수 있다.
- 대상자 스스로 건강관리실을 방문함으로써 자신의 건강문제를 해결할 수 있는 능력이 길러진다.

#### (2) 단점

- 거동이 불편한 대상자의 경우에는 내소가 어렵다.
- 대상자의 상황이나 환경을 직접적으로 파악하기가 어려워 실제 상황에 맞는 간호제공이 어렵다.
- 대상자의 긴장 등으로 가정에서보다는 심리적 안정에 방해를 받아 편안한 대화가 어려울 수 있다.
- 개별 상담실 설치가 되지 않은 경우 상담이나 보건교육 시 비밀보장이 어렵다.

## 3 자원활용

지역사회 자원의 활용은 성공적인 간호수행을 위한 주요활동이므로 기존의 가용자원을 우선 파악하고, 새로운 자원개발을 위해 노력한다.

지역사회간호사가 대상자의 건강문제 확인 후 직접 해결할 수 없는 경우에는 적절한 지역사회자원을 활용한다. 지역사회간호사는 이용가능한 자원을 확인·분류하여 적시에 필요한 대상자에게 연결할 수 있도록 한다. 지역사회와 가깝고 이용하기 편리한 순서로 우선 이용하는 것이 바람직하다.

### 1) 자원의 종류

#### (1) 가족 및 지역사회의 자원

가족이나 지역사회의 간호문제를 해결하고자 할 때 가장 좋은 자원은 가족 및 지역사회가 가지고 있는 자원이다. 이러한 자원은 쉽게 이용이 가능하고 스스로 자신의 문제를 해결하는 데에 크게 도움을 준다.

가족 및 지역사회 자원으로는 인적 자원, 건물 및 시설, 도구, 기구 및 자료와 같은 물리적 자원, 지역사회 내 종교단체, 자원봉사단체, 전문직업인단체, 각종 자조모임 등의 사회적 자원, 그리고 경제적 자원 등이 있다.

##### ① 인적 자원

인적 자원은 가족의 건강관리 및 문제를 해결에 도움이 될 수 있는 가족 구성원과 자원봉사자, 가사도우미 등이며, 이들을 교육함으로써 가족 간호인(care giver)으로 활용한다.

##### ② 물리적 자원

물리적 자원은 주민의 건강관리 및 문제해결을 위한 적절한 시설, 도구, 자료 등이며, 가정 및 지역사회에 있는 기존의 자원을 재조정 및 재구성하여 활용하도록 한다.

##### ③ 사회적 자원

사회적 자원은 지역사회 내 종교단체, 전문직업인단체, 자원봉사센터, 자활후견기관, 각종 자조모임 등을 의미한다. 가족 및 지역사회의 건강지식과 기술 수준 정도, 건강정보 및 기술 습득 방법 및 경로, 활용 방법 및 활용능력 등을 파악하여 이들의 지식과 기술을 변화시키는 데 활용한다.

#### ④ 경제적 자원

경제적 자원은 대상자, 가족 및 지역사회의 일반적인 재정능력을 포함하여 사회복지공동모금회를 비롯한 사회사업단체나 독지가 등이 해당한다.

지역사회 간호사는 가족 및 지역사회의 건강관리 지불능력을 분석하여 대상자 건강문제의 종류, 지역사회 기존시설 이용가능 여부, 총수입 등에 따라 기존자원의 연결 및 새로운 재원의 활용을 고려할 수 있다. 그러나 가능한 가족과 지역사회가 스스로 해결할 수 있도록 유도한다.

### (2) 지역사회 간호사의 자원

지역사회 간호사는 가족 및 지역사회의 간호문제해결에 매우 중요한 자원이 되며, 다음과 같은 기술을 활용할 수 있다.

#### ① 건강평가기술

건강평가기술은 지역사회 간호사가 건강사정, 관찰, 면접 및 각종 자료 등의 수집한 정보를 관련 전문가와 협조하여 분석·평가하는 것으로, 이를 통하여 가족 및 지역사회의 건강문제와 간호요구를 파악할 수 있다.

#### ② 간호기술

간호기술은 신생아 간호, 응급처치, 예방접종 등 가족 및 지역사회의 간호요구를 충족시키는 전문적이며 숙련된 기술이다.

#### ③ 보건교육기술

보건교육기술이란 건강관련 각종 교육 기술, 즉 상담 및 면접, 집단교육을 통한 시범 및 지도 등이며, 이를 통하여 대상자의 지식, 기술, 태도, 습관 등을 바람직한 방향으로 변화시킴으로써 개인·가족·지역사회의 건강 유지·증진, 질병 예방을 도모하여 적정기능수준 향상에 기여할 수 있다.

### (3) 가족 및 지역사회 이외의 자원

가족 및 지역사회 이외의 자원으로는 타 지역사회에 있는 공공기관 및 민간기관, 종합병원 및 개인병원, 영리단체 및 비영리단체 등이 있다. 지역사회 간호사는 업무수행의 편리성을 기하기 위해 자원 목록을 작성하여 필요시에 활용하도록 한다.

## 2) 자원의 활용

지역사회 간호사는 효율적인 지역사회 간호사업의 수행을 위하여 여러 종류의 자원을 수집·분류 및 정리하여 필요한 경우 적절하게 이용할 수 있어야 한다.

#### (1) 자원활용을 위한 준비

- 이용 가능한 보건자원에 대한 목록을 작성한다.
- 각 기관의 사업목적, 적용 가능한 사업 및 제한점을 파악한다.
- 간편하고 편리한 자원활용 방법을 결정한다.

#### (2) 자원 목록 작성 내용

- 자원의 명칭, 주소, 연락처
- 자원(개인이나 기관)이 제공하는 사업의 목적 및 업무 : 개인 및 공공기관의 목적 및 업무, 사회사업기관의 사업목적 및 업무, 조직도 등
- 접촉방법 : 접촉대상(사회사업가, 간호사, 의사 등), 접촉 가능 시간, 접촉하기 위한 양식(전화, 편지, 서식 등)
- 자원을 이용할 수 있는 대상범위 및 조건 : 거주 지역, 연령, 경제상태 등
- 연계 및 의뢰 방법 : 연계 및 의뢰양식, 기관 이용가능 시간(요일 및 시간 등), 연계 및 의뢰 절차 등
- 연계 및 의뢰 대상 개인 및 기관과의 보고방법 : 보고의 종류, 보고 횟수, 보고양식 등

### 3) 자원연계 및 의뢰

지역사회 간호사가 대상자의 건강문제를 직접 해결할 수 없는 경우에는 효율적인 지역사회자원 활용방법의 일환으로 다른 기관이나 전문가에게 연계 또는 의뢰할 수 있다. 일반적으로 자원연계와 의뢰를 혼용하고 있으나 다른 개념이므로 구별하여 사용하는 것이 바람직하다.

#### (1) 자원연계(resource linkage)

연계란 '어떤 일이나 사람과 관련하여 관계를 맺는 것'으로 대상자에게 적절한 서비스 제공을 위하여 기관 간의 협력적인 관계를 형성·유지하는 과정이다. 지역사회 간호사 혼자 힘으로 대상자의 문제를 해결할 수 없을 때 자원을 보유한 다른 기관에 협력을 요청하여 공동으로 계획을 수립하고 각각의 서비스를 제공하는 것이다. 즉 개별기관의 정체성은 유지하면서 팀접근(team approach)을 시도해나가는 것이다. 그러므로 지역사회 간호사는 대상자가 연계한 기관의 자원을 잘 이용하고 있는지 지속적으로 점검할 필요가 있다.

#### (2) 자원의뢰(resource referral)

의뢰는 '남에게 부탁하는 것'로, 특정 문제해결을 위해 다른 기관에 대상자에 대한 책임을 이양하는 것이다. 즉 지역사회 간호사가 대상자의 건강문제해결을 위한 모든 관리와 책임을 다른 기관에 넘겨주는 것이다. 그러므로 연계와는 달리 대상자에 관한 서류, 기록 등 모든 정보도 함께 이관해야 하며, 의뢰한 후에는 대상자에 대한 간호 수행을 종결한다.

#### (3) 연계 및 의뢰 시 주의사항

- 연계 및 의뢰 전에 대상자와 충분히 의논하고, 최종 결정은 대상자 스스로 할 수 있도록 한다.
- 연계 및 의뢰 시에는 사전에 대상 기관과 담당자에게 알리도록 한다.
- 대상자에게 연계 및 의뢰하는 기관에 대해 설명하고 필요한 정보를 제공한다.

- 연계 및 의뢰는 개인을 대상으로 하며 직전에 대상자의 상태를 다시 확인한다.
- 연계 및 의뢰 양식에 필요한 정보를 기재한 후 대상자나 가족에게 전달하여 직접 해당기관에 가도록 한다.

### 4) 자원활용의 효과

지역사회 자원활용의 효과는 지역사회 주민과 지역사회 간호사 측면에서 유용하다.

#### (1) 지역주민 측면

지역주민은 지역사회 자원활용을 통해 자원봉사의 개념을 터득하고 사업과 관련된 다양한 정보를 습득함으로써 만족감을 얻을 수 있으며, 이를 통하여 지역사회의 활력 증진에 기여할 수 있다.

#### (2) 지역사회 간호사 측면

지역사회 간호사는 자원을 활용함으로써 인력, 시간, 비용을 절약할 수 있으며, 지역주민의 참여로 인한 이해가 증진되어 예기치 못한 변화에도 쉽게 대응할 수 있는 장점이 있다. 또한 다른 지역주민의 참여의식을 고취시킬 수 있는 계기가 되기도 한다.

## 4 상담

상담은 건강에 관한 지식 습득과 태도 변화, 건강행위를 할 수 있는 환경 조성 및 당면한 건강문제 해결에 필요한 능력 개발을 지원하고 용기를 북돋아 주는 의사소통 전체를 의미한다. 그러므로 상담의 궁극적 목적은 대상자로 하여금 자신의 문제를 인식하여 스스로 문제해결 방안을 찾도록 돕는 것이다.

상담의 기본 방법은 경청, 개방형 질문, 바꾸어 말하기, 요약, 반영, 명료화, 직면, 해석 등이 있다.

지역사회 간호사는 상담을 통하여 다음의 결과를 끌어낼 수 있다.

**상담을 통해 얻을 수 있는 효과**

- 간호사와 대상자 간 전문적인 지원관계를 확립한다.
- 개인이나 가족, 지역사회가 건강한 방향으로 나아갈 수 있도록 동기를 부여한다.
- 건강한 활동 및 관리방법에 대하여 설명하고 지도한다.
- 대상자가 잠재능력을 발휘하도록 도움으로써 스스로 문제해결을 위한 실마리를 찾고 적절한 해결방안을 찾을 수 있도록 한다.
- 건강관리를 위하여 간호를 포함한 예측과 안내를 제공한다.

### 1) 상담의 원리

#### (1) 무비판의 원리

지역사회 간호사는 대상자의 잘못이나 문제에 대하여 객관적으로 평가하고 심판적인 태도를 취하지 않도록 한다.

#### (2) 자기결정의 원리

지역사회 간호사는 대상자 스스로가 자신의 문제를 해결할 수 있도록 도와야 한다.

#### (3) 비밀보장의 원리

지역사회 간호사는 상담을 통해 알게 된 대상자의 비밀을 어떠한 경우에도 지키도록 한다.

#### (4) 개별성의 원리

지역사회 간호사는 대상자에 대한 편견이나 선입관을 배제하고 개성과 개인차를 인정한다.

#### (5) 의도적 감정표현의 원리

지역사회 간호사는 대상자가 긍정적·부정적인 감정표현을 자유롭게 할 수 있도록 수용적인 태도를 취하고 온정적인 분위기를 조성하도록 한다.

#### (6) 수용의 원리

지역사회 간호사는 대상자를 있는 그대로 이해하고 존중한다.

### 2) 상담의 과정

상담과정은 대상과 목적에 따라 다양한 단계로 나타날 수 있으나, 상담자 관점에서는 다음의 7단계가 일반적이다.

- 1단계 : 문제의 제시 및 상담의 필요성 인식
- 2단계 : 상담 시작, 신뢰관계 형성
- 3단계 : 목표설정과 구조화
- 4단계 : 문제해결을 위한 노력
- 5단계 : 자각과 합리적 사고의 촉진
- 6단계 : 실천행동의 계획
- 7단계 : 실천결과의 평가와 종결

### 3) 상담의 기법

- 대상자에게 깊은 관심과 주의를 기울이고 정중하고 친절한 태도로 대한다. 시선, 자세, 몸짓, 표정을 통해서 관심을 표현할 수 있다.
- 개방적인 질문을 하여 대상자 스스로 자신의 생각을 표현하도록 유도한다.
- 지역사회 간호사는 경청을 통하여 대상자의 이야기에 귀를 기울이고 있음을 표현한다.
- 지역사회 간호사는 대상자의 말이나 행동에 적절하게 반응하도록 한다.
- 대상자가 건강문제를 적절히 처리할 수 있도록 구체적으로 가르친다.

**상담의 전략**

- **지도**(leading) : 지도 또는 지시하는 방식으로 반응한다.
- **질문**(question) : 개방식 질문을 통하여 반응한다.
- **직면**(confronting) : 대상자의 잘못된 사고나 행위에 대해서는 무비판적으로 직접 반응한다.
- **정보 제공**(informing) : 대상자에게 도움이 되는 여러 가지 정보를 제공한다.
- **해석**(interpretation) : 대상자의 행동이나 다른 사건들이 의미하는 것을 설명한다.
- **지지**(supporting)**와 격려**(encouraging) : 대상자가 갈등하거나 괴로워할 때 버틸 힘을 주고 칭찬해 준다.

### 4) 상담 시 주의사항

- 대상자가 신뢰할 수 있도록 말과 행동이 일치하는 신중한 태도를 가진다.
- 대상자에 대한 긍정적 태도를 가진다.
- 말과 행동을 일치하여 대상자가 신뢰하도록 한다.
- 현재의 문제만으로 공감대를 형성하도록 한다.
- 대상자가 자유롭게 의사표현을 할 수 있도록 편안한 분위기를 조성한다.
- 대상자가 스스로 말할 수 있을 때까지 여유를 가지고 기다린다.
- 대상자가 부정적으로 반응하더라도 충분히 감정을 표현할 수 있도록 하고 이를 받아들인다.
- 대상자에 대한 지시, 명령, 훈계, 설득 등은 피한다.

### 5) 상담의 장·단점

#### (1) 장점

- 한 사람을 대상으로 하므로 집단보다 교육효과가 크다.
- 비교적 간단한 시설 및 장소에서 실시할 수 있으므로 집단교육에 비해 행정적인 노력이 적게 든다.
- 특별한 계획 없이도 짧은 시간을 할애하여 간단히 문제해결을 도와줄 수 있으므로 지역사회 간호사업 현장 어디에서나 적용할 수 있는 효과적인 방법이다.

#### (2) 단점

- 개인을 대상으로 하므로 집단교육에 비하여 비효율적이다.

## 5 매체 활용

매체란 일시에 많은 사람을 대상으로 전달할 수 있는 홍보 및 계몽 자료와 기자재를 의미하며, 효과적인 의사전달을 위한 보조수단으로 사용한다.

지역사회 간호사가 대상자와 접촉하는 방법으로는 직접 접촉과 간접 접촉이 있으며, 매체 활용은 간접 접촉 방법에 해당한다.

## 1) 인쇄매체

인쇄매체는 책, 팸플릿, 리플릿, 소책자, 전단, 우편물 등으로 다양하며, 서신, 유인물, 벽보 / 포스터가 대표적이다. 인쇄매체에는 전달하고자 하는 내용을 간략하게 요약하여 대상자에게 전할 수 있고, 쉽게 이용할 수 있어서 가장 흔히 사용되고 있다.

### (1) 서신

오래전부터 많이 사용되어온 우편을 이용한 편지나 엽서 등이며, 날짜나 장소에 대한 정보를 전달하는 데 용이하고 경비를 절약할 수 있는 장점이 있다. 그러나 수신인에게 전달되었는지 확인할 수 없고, 효과가 제한적이라는 단점이 있다.

### (2) 유인물

유인물은 지역사회 주민을 대상으로 보건교육을 실시할 때 이해를 돕기 위한 보조 자료로 흔히 사용된다. 전달하고자 하는 내용을 조직적이고 체계적으로 담을 수 있고, 주민이 보관하면서 수시로 볼 수 있으므로 오래 기억할 수 있는 장점이 있다. 그러나 글을 읽지 못하는 주민에게는 적용이 불가능한 것이 단점이다.

### (3) 벽보/포스터

벽보나 포스터는 주민의 왕래가 빈번한 곳에 보건교육에 관한 자료를 게시하여 홍보할 수 있으며, 비교적 장시간 동안 많은 사람에게 정보를 전달할 수 있는 이점이 있다. 그러나 대상자의 흥미와 관심을 끌기 어렵고, 학습효과를 확인할 수 없으며, 시간이 지나면 교육 효과가 낮아지는 단점이 있다.

## 2) 전자매체

전자매체는 최근 광범위하게 이용되는 방법으로 효과적으로 대중에게 정보를 줄 수 있다는 장점이 있다.

### (1) 전화

전화는 가장 광범위하게 이용되는 매체로 즉각적, 쌍방향 의사소통이 가능하여 시간과 비용 면에서 경제적이다. 또한 서신보다 개인적이고 덜 사무적이어서 대상자가 가지는 부담감이 적다. 그러나 청각이나 언어장애가 있는 경우에는 사용할 수 없고, 대상자의 가정 상황이나 비언어적인 의사소통을 파악하는 데는 제한점이 있다. 최근에는 스마트 폰의 활성화로 SMS(Short Message Service) 또는 MMS(Multimedia Messaging System)의 사용도 많아지고 있다.

### (2) 방송

방송은 감염성질환 등의 긴급한 건강문제가 발생하여 지역 주민의 건강관리에 필요한 내용을 긴급히 알려야 할 경우 효과적인 방법이다. 많은 대상자에게 빠른 시간에 전달할 수 있는 장점이 있으나, 태도나 행동변화를 위한 설득력은 약하므로 변화의 유도 속도가 느리다.

### (3) 인터넷

인터넷은 최근에 많이 사용되고 있는 매체로서 홈페이지나 이메일을 통한 정보전달 및 의사소통을 가능하도록 한다. 보건교육이나 홍보내용을 신속하게 전달할 수 있고 정보의 저장 및 관리가 용이하나, 개인정보 노출의 위험이 있고 컴퓨터 사용이 불가능한 대상자에게는 적합하지 않다.

### (4) SNS(Social Network Service)

최근 특히 젊은 층에서 사용이 많은 매체로 신속하게 많은 사람들에게 정보를 전달할 수 있으며, 컴퓨터 활용 기술이 없어도 사용이 가능하고 시·공간적 제한을 받지 않는다는 장점이 있다. 그러나 잘못된 정보의 파급 효과가 크고 정보에 대한 판단의 부재 및 정보보호의 문제 등의 제한점이 있다.

# 6 지역사회조직 활용

지역사회조직 활용은 지역사회 문제를 발견하고 해결하기 위하여 지역주민을 대상으로 협동, 협력의 실천 과정을 통해 주민 참여와 역량을 강화하고 지역사회 발전을 목적으로 한다.
기존 조직을 활용하거나 새로운 조직을 개발하여 활용할 수 있다.

## 1) 기존 조직의 활용

지역사회조직을 활용하는 방법으로 기존 조직을 활용하는 경우에는 새로운 조직 형성에 소요되는 시간과 비용, 노력을 절감할 수 있다는 장점이 있으므로 지역사회 간호사는 기존 조직을 최대한 유익한 방향으로 활용하도록 한다. 그러나 수행할 업무의 내용에 따라서는 활용이 불가능할 수도 있다.
기존 지역사회조직은 크게 공조직과 사조직으로 나눌 수 있다.

### (1) 공조직

공조직은 조직의 목표를 달성하기 위해 조직 내 구성원들의 역할관계를 인위적으로 체계화한 것으로, 구성원의 직무에 대한 권한·책임·보고 의무를 명백히 규정하고 있다. 통·반 반상회 학교조직, 공공기관 등이 이에 해당된다.

### (2) 사조직

사조직은 조직 내 구성원들의 개인적이고 사회적인 필요성에 의해 생긴 자생적 조직이다. 공식적으로 문서화되거나 인지되지는 않지만 지역사회 간호업무의 성격에 따라 적절히 활용할 수 있다. 사조직에는 부녀회, 조기축구회, 동호회, 교회, 시민단체 및 각종 직능단체 등이 있다.

## 2) 새로운 조직의 개발

지역사회조직의 개발은 지역사회 간호사업 수행을 위하여 지역사회 주민들이 자발적이고 적극적으로 참여할 수 있도록 지역사회의 각종 조직을 개편·구성하는 것을 의미한다. 지역사회간호사는 의사결정자가 아닌 촉진자의 역할을 담당하며, 지역주민의 의사결정을 지지하고 격려한다. 새로운 지역사회 조직의 개발을 위해서는 다음 사항을 고려해야 한다.

**새로운 조직 개발 시 고려사항**

- 지역사회가 준비되었을 때 시작한다.
- 목적 달성을 위한 능력과 자질이 있는 사람들로 단체를 구성한다.
- 민주적인 원칙에 따라 주민이 자발적으로 참여하도록 한다.
- 지역사회조직의 정책은 실질적이고 형식을 갖추어야 하며 합법적이어야 한다.
- 지역사회에 대한 충분한 이해와 신뢰를 바탕으로 지역사회 주민들의 적극적인 참여를 유도할 수 있어야 한다.

### (1) 지역 발전적 접근법

지역 발전적 접근법은 지역사회 주민의 적극적인 참여와 추진력을 바탕으로 사회·경제적인 추세에 따라 창조적으로 계획되는 과정이다. 따라서 민주적인 절차에 의한 지역주민의 협동이 필요하며, 자립과 자조를 기초로 지역사회 고유의 지도력을 향상시키는 동시에 최대한 지역 자체의 교육적인 대상을 이용하도록 한다. 최근에는 이러한 접근법에 기반한 지역사회 참여형 연구(Community-Based Participatory Research; CBPR)가 활발히 진행되고 있다.

### (2) 사회적 계획의 접근법

사회적 계획의 접근법은 교정이 필요한 지역사회 활동이나 제도의 변화를 목적으로 한다. 지역사회 간호사는 지역사회 지도자의 참여를 유도하여 간호사업의 내용과 필요성 및 방법을 주민에게 전달하고, 지역주민의 요구를 지역사회 간호사에게 전달할 수 있도록 간호사업 전달을 위한 매개자로서의 역할을 수행한다.

## 3) 지역사회조직화 단계

- 지역사회 간호 사업을 원활하게 운영하기 위하여 보건위원회 등의 조직을 구성하여 지역사회 간호사업의 합법성을 확보한다.
- 지역사회와 지역주민의 요구 사정을 위하여 자료를 수집하고 분석한다.
- 선정된 문제에 대한 정의 및 문제와 관련된 주요 인물들의 인식과 반응을 파악하여 문제를 이슈화한다.
- 지역사회의 실증적인 자료 및 보건문제와 정치적 여건을 고려하여 목표를 설정한다.
- 목표달성을 위한 방법을 선택하고 계획한다.
- 준비된 계획안이 실행될 수 있도록 관련기관의 설득과 홍보활동을 전개하여 승인을 받는다.
- 사업의 결과를 나타낼 수 있는 양적 평가와 질적 평가 자료를 제시한다.

# 7 지역주민 참여

지역주민 참여는 최근 복지요구의 증가, 활발해진 시민운동, 자원봉사활동 등에 힘입어 지역사회 전반에 걸쳐 중요하게 대두되고 있다.

지역주민은 지역사회의 중요한 자원이자 지역사회 간호의 대상이다. 지역주민 참여는 지역주민이 지역사회 간호활동에 참여하는 것이므로 적극적인 참여를 이끌어낼 수 있다면 성공적인 간호활동의 원동력이 될 수 있다.

주민참여의 필요성은 다음과 같다.

- 지역주민이 지역사회 보건사업에 적극적으로 참여할 때 사업의 효과성이 향상된다.
- 주민참여를 통해 정부의 정책이나 관련기관의 사업내용을 직접 전달할 수 있으므로 보건사업에 대한 지역주민의 이해를 높일 수 있다.
- 주민참여는 지역사회간호사, 보건사업관련 공무원 등에게 해당 지역사회에 필요한 요구를 직접 전달하는 것을 가능하게 한다.
- 지역사회의 공동체 의식을 강화하여 지역사회개발 활동에의 참여 의지를 높인다.
- 지역사회 보건사업 진행 중 예상치 못한 상황이 발생하는 경우 지역주민이 이해를 구할 수 있다.

## 1) 지역주민 참여의 형태

지역주민의 참여는 개별참여와 집단참여가 있다. 개별참여는 보건사업에 대한 개인적 관심으로 참여하는 것이고, 집단참여는 목적을 가지고 구성된 자생적 또는 비자생적 집단이 목표달성을 위해 조직을 통해 참여하는 것이다.

주민참여는 기여, 조직, 역량강화의 형태로 나타난다.

## 2) 지역주민 참여의 유형

### (1) 참여의 수준에 따른 분류

- 서비스 및 시설 이용
- 계획된 사업에 협조
- 사업의 계획 및 운영에 참여

### (2) 참여의 동기에 따른 분류

- 강요된 참여 : 지역주민의 의사보다는 행정적 필요에 의한 강제 동원
- 유도된 참여 : 가장 흔한 형태로, 보상제도 등을 활용한 참여 유도
- 자발적 참여 : 이상적인 형태의 참여로, 지역주민이 주도권을 가지고 스스로 참여

### (3) 참여의 결과에 따른 분류

보건사업의 계획 및 조정, 시행과정에서 지역주민의 의사 반영정도에 따라 실질적 참여와 형식적 참여로 구분한다.

## 3) 지역주민 참여의 단계

### (1) 주민의 주도 정도에 따른 단계

지역보건의료체계 내의 보건의료인과 지역주민 간의 관계에서 지역주민이 보건사업 과정에서 가지는 주도성의 정도에 따라 5단계로 구분한다[표 4-1].

### (2) 참여유형에 따른 단계

Arnstein은 지역주민의 참여가 어느 정도인지에 따라 주민참여의 단계를 구분하였다. 주민의 참여수준에 따라 3단계로 구분하고 각 단계마다 세부단계를 포함하여 8단계의 모형을 제시하였다. 의사결정에 대한 지역주민의 권한 정도에 따라 단계가 결정되며, 사회의 민주화 정도와 관련이 있다. 마지막 단계인 주민권력에 이르기 위해서는 정책의 계획과 조정과정에 지역주민의 의견 반영을 위한 제도적 장치가 필요하다. 주민참여의 통로가 많을수록 다양한 의견을 반영할 수 있으므로 주민참여의 수준은 향상된다[표 4-2].

### (3) 기능에 따른 단계

지역주민의 참여 기능에 따라 주민참여를 4단계로 구분하였다[표 4-3].

표 4-1 주민 주도 정도에 따른 주민참여의 단계

| 단 계 | 내 용 |
|---|---|
| 동원 | • 주민의 자발적 참여정도가 매우 낮은 강요된 참여의 형태<br>• 주민에 대한 권한이양 정도가 가장 낮아 형식적 참여에 머무름<br>• 전통적인 감영병관리사업에서의 주민참여 형태 |
| 협조 | • 주민참여를 유도하나 참여의 강제성이 협력보다는 강한 참여의 형태<br>• 보건사업의 계획과 조정과정을 제공자 측이 독점하는 형태 |
| 협력 | • 설득에 의한 주민참여가 강조되는 참여의 형태<br>• 협조보다 강제성이 약화됨<br>• 보건사업의 계획과 조정과정에서 지역주민의 의사를 반영 |
| 개입 | • 지역주민이 의사결정과정에 개입하려는 참여의 형태<br>• 지역주민 측에서 보건사업 과정의 공개를 주장 |
| 주도 | • 지역주민 스스로 자주적 관리를 강조하는 참여의 형태<br>• 지역주민의 주도적인 접근이 최고조에 달함<br>• 지역주민이 보건사업의 계획과 조정, 평가의 개입을 요구 |

표 4-2 참여유형에 따른 주민참여의 단계

| 참여 성격 | 참여 단계 | 내 용 |
|---|---|---|
| 비참여 단계<br>(degree of non participation) | 1 | • 조작(manipulate) : 지역주민의 정책적 지지를 이끌어내기 위한 의사결정자의 책략이 이루어지는 단계<br>• 예 지역주민에 대한 교육, 설득, 계몽 |
| | 2 | • 임상치료(therapy) : 참여자를 치료의 수용자로 제한하는 단계<br>• 동의하지 않을 경우 교육이나 정보를 제공하지 않음 |

**표 4-2 참여유형에 따른 주민참여의 단계** (계속)

| 참여 성격 | 참여 단계 | 내 용 |
|---|---|---|
| 형식적·명목적 참여 단계 (degree of tokenism) | 3 | • 정보제공(information) : 일방적인 정보제공의 단계<br>• 예 자료제공, 질문에 대한 응답 |
| | 4 | • 상담(consultation) : 주민의 의견, 아이디어를 수렴하는 단계<br>• 통제권은 의사결정자에게 있음<br>• 예 조사, 대중조사, 집회, 공청회 |
| | 5 | • 회유(placation) : 자문, 정책결정 또는 계획수립 과정에서 주민참여를 허용하는 단계<br>• 집행이나 가능성에 대한 판단 권한은 여전히 의사결정자에게 있음<br>• 예 위원회를 통한 의견제시, 의견수렴 |
| 주민권력 단계 (degree of citizen power) | 6 | • 협동(partnership) : 지역주민과 의사결정자 간 협상을 통해 권력을 공유하면서 정책을 결정하는 단계<br>• 예 합동위원회를 통한 주민의견의 적극적인 반영 |
| | 7 | • 권한위임(delegate power) : 일정한 정책대안이나 프로그램 결정권을 지역주민에게 이양하는 단계 |
| | 8 | • 주민통제(citizen control) : 지역주민이 기획, 정책입안, 프로그램 관리 등의 모든 업무를 관장하는 참여의 최고단계 |

**표 4-3 기능에 따른 주민참여의 단계**

| 단 계 | 내 용 |
|---|---|
| 정보제공 단계 | • 참여의식을 자극하고 고취하는 기초단계<br>• 정책입안자나 사업주도자에 의한 지식제공 및 홍보(정보의 참여) |
| 대민단계 | • 지역주민에 대한 시혜사업과 주민참여가 겸하여 일어나는 단계<br>• 보건사업 수혜자인 지역주민의 노동력 제공으로 사업을 성취하고 정부는 대가를 지불하는 형태<br>• 지역사회개발사업, 지역주민의 의식 고취 |
| 관여단계 | • 사업이나 정책 시행의 계획부터 수행에 이르기까지 주민이 함께 참여하는 단계<br>• 실질적인 최종 결정권은 행정부가 가지고 있는 형식적 참여 형태<br>• 지역주민의 의사타진, 태도조사, 공청회 |
| 책임 및 권한 위임단계 | • 지역주민이 정책, 입안, 수행 및 평가에 이르기까지의 모든 권한을 가진 단계<br>• 지역주민 스스로가 지역사회를 관리하는 형태<br>• 지역주민이 사업 담당자를 감독하고 결과에 대한 책임도 공유<br>• 지역주민과 행정부는 협상관계이거나 주민위원회가 사업을 감독함 |

## 4) 지역주민 참여 활성화

### (1) 정보의 공개 및 홍보활동

지역주민의 참여를 촉진하기 위해 다양한 형태의 주민참여 통로를 활성화하는 것으로, 전시회, 포스터, 벽보, 방송, 마을신문, 바자회 등이 해당한다.

### (2) 정확한 여론 수집 및 환류

지역주민의 의식과 생각을 주의 깊게 듣는 것으로, 설문조사, 면담, 공청회 등을 통하여 여론을 수집한다. 기분이나 비형식적인 대화에도 주의를 기울이고, 지역주민의 의견을 수렴하고 환류할 수 있는 정보체계를 갖추는 것이 필요하다.

#### (3) 지역주민의 조직 및 자생적 조직 활용

위원회 등의 조직을 새롭게 조직하거나 기존의 조직을 활성화한다. 부녀회, 친목회, 봉사회, 공공조직 및 민간조직 등이 각 조직의 성격에 따라 효율적으로 활동하도록 돕는다.

#### (4) 주민의식과 자질 고취

지역주민 스스로 지역사회의 문제 및 해결방안을 인식하도록 기회를 제공하고, 주민참여는 해결책을 스스로 찾고 실천하는 것임을 교육한다.

#### (5) 위원회 활성화

위원회는 실질적인 지역주민의 대표기구이므로, 특정 지역이나 연령층, 직업군에 편중되지 않도록 구성하여 대표성을 가지도록 한다. 정기적인 회의 개최, 교육 및 훈련을 통해 구성원이 위원회의 목적을 잘 이해하도록 한다.

#### (6) 사회지도층의 적극적 참여 유도

지역사회의 지도층에 해당하는 지식인, 지역 유지, 공식 지도자와 지역주민이 협력관계를 유지할 수 있도록 적극적인 참여를 유도한다.

#### (7) 타 지역사회와의 경쟁관계 유발

지역주민의 소속감을 활용하여 타 지역사회와 선의의 경쟁심을 유발함으로써 지역주민의 참여를 확대한다.

#### (8) 지역사회간호사의 역량개발

지역사회간호사의 의사소통 기술, 리더십, 지역사회 조직에 대한 지식, 기술, 태도 등을 갖추도록 하여 지역주민의 참여를 활성화하기 위한 역량을 강화한다.

### 5) 지역주민 참여의 문제점 및 장애요인

#### (1) 문제점

지역주민의 전문성 부족, 능률성 저하, 시간과 비용의 소모, 지엽적 견해, 책임회피 및 책임소재의 불분명, 주민참여에 대한 회피 등이 지역주민 참여의 문제점에 해당한다.

#### (2) 장애요인

지역사회의 다양성, 집단의 대표성 부족, 관료주의, 보건행정가 및 보건의료인의 동기화와 태도의 부족, 제도적 장치의 미흡, 주민참여의 역량 부족 등이 지역주민 참여의 장애요인에 해당한다.

## 제2절 + 사례관리

Keywords

- 사례관리
- 사례관리 모형
- 건강보험공단 사례관리
- 지역사회중심 공적 사례관리
- 의료급여 사례관리
- 방문건강관리 사례관리
- 치매 사례관리
- 통합 사례관리
- 공공부문 사례관리 연계 협력

## 1 사례관리의 이해

사례관리는 최근 간호, 의료, 사회복지 등 여러 전문영역에서 복합적인 서비스를 효과적으로 전달하기 위한 주요 실천전략으로 활용되고 있다.

사례관리의 역사는 정확하게 알려지지는 않았으나 다양한 도움이 필요한 대상자들을 위한 최상의 중재방법으로 100여 년 전부터 수행되고 있으며, 다양한 용어로 표현되고 정의된다.

사례관리를 대상자의 요구에 대한 서비스를 조정하고 통합하여 스스로 해결할 수 있는 지원적인 서비스의 관점으로 본다면, 1860년대 미국에서 실시된 가난하고 병든 사람을 위한 건강관리와 복지서비스를 위한 서비스 조정 및 이민자를 위한 프로그램 제공으로 자조할 수 있도록 지원한 것이 시조라고 할 수 있다. 간호영역에서의 사례관리는 1930년대에 방문간호사가 지역사회 기반의 사례관리 접근방식으로 환자를 돌보았던 것을 시작으로 볼 수 있다.

사례관리라는 용어는 1950년대 북아메리카에서 지역사회 정신질환자를 대상으로 보건의료를 제공하면서 사용되었으며, 1986년 미국사회복지사협회(The National Association of Social Work)가 발행하는 사회사업사전에 처음으로 공식 등재되었다.

사례관리는 이후 미국, 영국, 캐나다 등에서 국민의 삶의 질 향상과 의료비 통제를 동시에 해결하기 위한 방안으로 도입되었으며, 우리나라도 1995년 「정신보건법」 제정으로 정신질환자에 대한 사례관리를 도입하여 실시하고 있다.

최근 사례관리가 주요 간호중재로 인정되어 간호중재분류체계(Nursing Intervention Classification; NIC)에 포함되었으며, 간호사의 역할 확대에 따른 새로운 영역으로 자리매김하고 있다. 따라서 지역사회 간호사는 지역사회 간호 수행을 위한 중재방법의 하나로서 사례관리를 발전시켜 나가야 할 것이다.

### 1) 사례관리의 정의

사례관리는 다양한 실천분야에서 활용되고 있으므로 여러 가지 용어로 사용되고 있으며, 학자에 따라 다양하게 정의되고 있다.

현재 우리나라에서는 사례관리를 Case Management와 Care Management로 혼용하고 있으나, Case Management는 사회복지서비스 영역을 포함하는 포괄적 개념이고, Care Management는 건강관리영역에서 주로 사용하는 개념이다.

사례관리는 개인을 대상으로 서비스를 계획, 조정, 관리, 검토하는 과정으로, 개인의 요구 충족을 위한 연계, 관리 또는 조정 서비스의 모든 방법을 의미한다. 또한 서비스가 계획되고 검토되는 일련의 절차이자 과정이며, 자원연계를 통한 서비스망 구축 및 통합 서비스 전달을 위한 전달체계와 연계시킴으로써 적절한 서비스를 받을 수 있도록 하는 것으로 정의되기도 한다.

그러므로 보건의료 전달방법인 동시에 전인적 건강관리 방법으로서, 노인이나 장애인 등 주로 만성적인 질환을 가진 대상자에게 효과적인 서비스를 제공하기 위한 전략으로 흔히 사용되고 있다.

미국사례관리협회(Case Management Society of America; CMSA, 2002)는 사례관리를 질과 비용-효과 증진을 위하여 의사소통과 사용가능한 자원을 동원함으로써 개인의 건강요구 충족을 위한 서비스를 제공하고자 사정, 계획, 촉진, 옹호하는 협력적 과정이라고 하였으며, 미국간호협회는(ANA, 1988) 대상자로 하여금 적정기간 내에 기대되는 결과에 도달할 수 있도록 고안된 보건의료전달체계로 정의하고 있다.

## 2) 사례관리의 필요성 및 도입 배경

최근 급격한 사회환경의 변화로 지역사회의 복합적인 요구를 가진 인구가 증가함에 따라 재가노인복지, 정신보건, 장애인재활, 아동복지서비스 등의 다양한 영역에서 대상자의 복합적인 요구를 충족시키기 위한 서비스가 필요하게 되었다. 사회서비스 조직, 주택, 고용, 정신보건, 사회서비스, 건강보호 등에 대한 서비스 조정 및 관리, 통제를 위한 방안으로 사례관리를 실시하고 있다.

사례관리의 구체적인 도입 배경은 다음과 같다.

### (1) 탈시설화의 영향

탈시설화는 사례관리의 필요성이 강조된 가장 중요한 배경이다. 시설에 입소해 있던 대상자에 대한 탈시설화 정책으로 지역사회 내에서 요구를 충족할 수 있는 지역사회 기반의 프로그램이나 가족과 함께하도록 지원하는 체계적이고 포괄적인 서비스 구축이 필요하게 되었다.

### (2) 서비스 전달의 지방분권화

지방분권화는 사례관리를 가속화시킨 요인이다. 각 지방의 여러 기관과 서비스 간 조정 장치가 충분하지 않은 상태에서 지방분권화에 따른 서비스 전달에 대한 운영과 책임이 지방정부로 이양됨에 따라 서비스 조직화 및 통합의 부정적 영향을 완화하기 위한 사례관리자의 전문적인 역할이 요구되었다.

### (3) 복잡하고 다양한 문제와 요구를 가진 대상자의 증가

정신지체, 정신질환, 신체장애, 심한 의료적 문제, 심리적 문제 등 여러 유형의 복합적 요구를 가진 인구가 증가함에 따라 요구 충족을 위한 다양한 영역의 서비스 간의 연결망을 구축하고 제공하는 예방적 기능수행이 필요하게 되었다.

### (4) 서비스 단편성의 문제

다양한 영역에 걸쳐 분산되어 있는 기존 서비스의 단편성을 조정·통합하여 체계적으로 조직하는 역할이 요구되었다.

#### (5) 사회적 지원체계와 관계망의 중요성에 대한 인식의 증가

대인 서비스를 제공하는 전문가 사이에서 사회적 지원체계 조직 및 사회적 지지망을 확장하여 대상자의 요구와 문제를 해결함으로써 삶의 질을 향상시킬 수 있다는 인식이 지속적으로 증가하였다.

#### (6) 비용 효과성에 대한 인식의 증가

제한된 자원으로 서비스 전달효과는 최대화하고, 서비스 전달 비용은 억제하려는 비용효과성에 대한 요구가 증가하였다.

#### (7) 가족을 기반으로 하는 중재방법의 필요성 증가

최근 강점 관점의 실천전략이 강조되면서 대상자의 가족에 대한 관심도 증가하였다. 대상자의 개인적 배경과 요구 외에 가족의 기능, 역할 및 자원 등에 관한 사정을 통해 가족 기반의 문제와 요구해결 능력의 향상이 필요하게 되었다.

### 3) 사례관리의 목적

사례관리의 목적은 크게 서비스의 질 향상과 비용통제이다.

미국사례관리협회(Case Management Society of America; CMSA)에서는 사례관리의 목적을 양질의 의료를 추구하고 입원기간을 단축함으로써 자원 이용량을 감소시키고 서비스의 연속성과 비용을 조절하는 것이라고 하였다. 즉, 사례관리는 지속적인 양질의 의료제공과 의료의 분절화 방지, 삶의 질 향상 및 자원의 효율적 활용, 비용절감을 위한 것이다.

### 4) 사례관리의 원칙 및 특징

#### (1) 사례관리의 원칙

사례관리는 서비스 전달 측면과 실천적 측면에서 다양한 목적을 달성하기 위한 접근방법으로 다음과 같은 원칙을 가진다.

##### ① 포괄성(comprehensiveness)

특정 시점에서 대상자가 가지고 있는 요구와 문제를 해결하기 위해 포괄적으로 제공되어야 한다.

##### ② 연속성(continuity)

시간의 경과에 따라 변화하는 대상자의 요구를 충족시킬 수 있도록 사후관리, 지지적 체계, 재평가 등의 서비스를 지속적으로 제공함으로써 연속성을 보장한다.

##### ③ 통합성(integration)

대상자의 다양한 요구에 대하여 하나의 통합된 방법으로 서비스가 중복되지 않도록 조직적으로 제공하고, 대상자 개인의 목표뿐 아니라 서비스 제공체계의 목표를 위해서도 노력한다.

#### ④ 개별성(individualization)

대상자의 요구는 개인의 특성이나 주어진 환경에 따라 다양하므로 개별적인 접근이 이루어져야 한다.

#### ⑤ 책임성(responsibility)

사례관리 전반에 걸쳐 책임성을 가지고 대상자의 요구변화에 적절히 대처할 수 있도록 자원을 동원하고 변경할 수 있어야 한다.

### (2) 사례관리의 특징

사례관리는 다양한 실무영역에서 활용가능하나 어떠한 실천현장이든 다음의 특성을 갖추어야 한다(Powell & Tahan, 2008).

① 대상자의 안전과 돌봄의 질, 연속성에 대한 관리와 측정에 초점을 둔 성과 중심의 의료전달체계
② 대상자의 상태와 요구되는 처치에 대한 비용 효과적이고 적합한 자원의 할당과 이용
③ 사정, 중재 및 대상자와 가족의 요구에 적합한 서비스 연계 등을 포함하는 종합계획의 수립
④ 보건의료 전달체계의 조정과 통합
⑤ 실무영역을 초월한 다학제간 보건의료전문가의 협력
⑥ 목표하는 성과의 충족을 위한 옹호
⑦ 면허를 소지한 전문가를 사례관리자로 활용
⑧ 기관의 규정 준수
⑨ 보건의료제공자와 대상자 및 가족 간 주요정보 공유 및 원활한 의사소통
⑩ 대상자 및 사례관리자의 만족

## 5) 사례관리 대상자

사례관리 대상자는 다양한 요구를 가지고 있으므로 한 가지 이상의 자원을 필요로 하나 자원의 종류나 이용 방법 등을 잘 알지 못하는 경우가 대부분이다. 다음의 경우 사례관리 대상자 선정을 검토할 필요가 있다.

- 복수 또는 복잡한 신체적·정신적 손상을 가진 대상자
- 복수의 서비스가 필요하거나 받는 대상자
- 시설입소가 검토되는 대상자
- 충분한 서비스를 받지 못하는 대상자
- 부적절한 서비스를 받는 대상자
- 돌볼 가족구성원이 없거나 충분하지 못한 대상자
- 가족구성원만이 돌보고 있는 대상자
- 행정서비스 이외에 이웃이나 자원봉사자와 등의 비공식적 지원이 필요한 대상자
- 행동이나 태도 면에서 다른 사람이 인내할 수 있는 수준 이상인 대상자
- 입·퇴원을 반복하거나 스스로의 건강관리를 할 수 없는 대상자
- 자신의 문제나 요구에 대해 판단력이 부족한 대상자

- 금전관리가 불가능하거나 행정서비스 신청에 도움이 필요한 대상자
- 개인적으로 대변인이 필요한 대상자

이와 같이 사례관리는 대상자의 특성 상 노인, 심신장애자 등 장기간의 서비스 제공이 필요한 경우에 특히 적합하다고 할 수 있다. 그러나 실제 사례관리 대상으로 선정되는 경우는 복합적인 건강문제를 가진 고위험·고비용 발생자로서 응급실이나 입원 목적으로 병원을 자주 방문하는 대상자, 스스로의 관리가 어렵고 자가간호요구가 충족되지 않는 대상자이다. 즉 만성적인 건강문제와 합병증을 야기하고 많은 자원이 소요되는 질환을 가진 자, 동일 질환이라도 유해한 결과가 발생할 위험성이 높고 보건의료서비스를 과다하게 이용하는 경우이다.

## 6) 사례관리자의 역할 및 기능

### (1) 사례관리자의 역할

현대사회는 과거와는 달리 각종 자원이 다원적으로 공급되므로 개인이나 가족이 아닌 전문 사례관리자를 필요로 하게 되었다. 사례관리자는 대상자의 문제에 따라 개인 또는 팀을 이루어 활동하며, 문제해결을 위해 자원과 대상자의 요구를 조정한다.

미국이나 캐나다에서는 주로 방문간호사 또는 사회복지사, 물리치료사, 작업치료사가 사례관리자의 역할을 수행하며, 방문간호사는 대상자의 건강관점에서, 사회복지사는 생활지원의 관점에서 사례관리를 실시한다.

사례관리자는 다음의 자질이 요구된다.

- 대상자의 문제나 요구를 파악하고 사례관리계획을 세울 수 있는 능력
- 지역 내 현재 또는 잠재적인 자원에 대한 이해능력
- 대상자 및 기타 기관이나 단체와의 의사소통 능력

### (2) 사례관리자의 기능

사례관리자는 원활한 사례관리 수행을 위해 지역사회 자원에 대한 목록 작성 및 다른 서비스 기관과의 협력관계를 구축하고, 정기적인 연락과 모임을 한다.

사례관리자의 기능은 다음과 같다.

- **옹호 및 교육** : 대상자의 입장에서 지지하고 필요한 서비스와 교육 실시
- **임상간호 조정 및 촉진** : 대상자의 건강을 위한 다양한 간호 측면의 조정과 촉진
- **지속적인 관리** : 필요한 간호의 적절한 수준 유지
- **재정 관리** : 서비스를 위한 예산 및 자원 관리
- **결과 관리** : 대상자가 원하는 목적 성취를 위한 중재와 관찰
- **정신사회적 관리** : 개인, 가족, 환경을 포함한 정신사회적 요구 사정 및 관리
- **연구 개발** : 간호 실행의 변화를 위한 연구 개발

### 7) 사례관리 모형

사례관리자는 대상자의 직접적인 문제해결뿐 아니라 필요한 서비스 제공을 위해 다양한 실천 모형을 활용한다. 여러 모형 중 보건의료체계에서 일반적인 Lyon(1993)에 의한 분류는 다음과 같다.

#### (1) 병원 중심 사례관리 모형

뉴잉글랜드 모형, 퇴원 설계자 및 중재자 모형, 노인전문간호사 모형이 대표적이다.

뉴잉글랜드 모형은 대상자 중심 모형으로, 사례관리자로서의 간호사는 병원 내에서 임상경로를 통해 임상간호와 재정적 성과에 대한 역할을 수행한다. 즉 대상자의 진행과정을 결정하고 소비한 자원을 모니터하기 위해 임상경로를 사용한다. 이는 의료이용에 대한 검토 및 관리의료적인 기능을 의미하며, 퇴원 후 전화나 직접 방문을 할 수도 있다.

퇴원 설계자 및 중재자 모형은 간호사가 대상자의 퇴원 계획자와 의료이용 매니저의 역할을 동시에 수행하는 것으로, 다학제간 의료이용 검토팀이 개입한다. 프로그램 구성요소에 대한 질 관리를 위해 과정평가를 실시하며, 지역사회 서비스 연계 결과가 포함된다.

노인전문간호사 모형은 노인전문간호사가 사례관리자의 역할을 수행한다. 입원한 노인을 대상으로 퇴원계획 프로토콜을 적용하며, 포괄적인 대상자 사정(건강상태, 지남력 수준, 건강상태에 대한 지식 및 지각 정도, 동기 수준 및 인구사회학적 자료)이 포함된다. 일반적으로 퇴원 후 최소 2주 간 전화 및 방문을 실시한다.

#### (2) 병원과 지역사회 연속형 모형

애리조나 모형이 대표적이며, 퇴원 후 지역사회에서 지속적·장기적으로 사례관리가 이루어진다. 간호사, 행정가, 교육자, 연구자, 임상전문가 등이 사례관리자의 역할을 수행하며, 대상자의 요구사정 결과에 따라 입원 및 퇴원 후에 적절한 지역사회 서비스 연계에 대한 책임을 담당한다.

사례관리자로서 간호사는 몇 개월에서 몇 년에 걸쳐 만성질환자를 관리하며, 재원일수 감소에 따른 비용절감 효과가 있다.

#### (3) 지역사회 중심 사례관리 모형

대상자가 퇴원한 후 지역사회에서 독립적으로 사례관리를 수행한다. 고위험 및 고비용 노인을 대상으로 퇴원 후 일정기간 동안 사례관리 서비스와 재가서비스를 제공한다.

## 2 사례관리 흐름 및 절차

사례관리 과정은 사례관리의 필수적인 활동으로 사례관리 대상자나 기관의 성격, 사례관리자의 역할 및 목표에 따라 다양하게 나타날 수 있다.

Steinberg와 Carter(1983)는 사례관리 과정을 사례발견, 사전심사, 접수를 포함한 가입, 사정, 목표설정 및 서비스 기획과 능력조성, 보호계획의 수행, 재사정, 종결 및 관계유지로 기술하였다. Rothman(1991)은 기관에의 접근(의뢰 및 대외추적), 사정 및 목표설정, 개입계획 또는 자원 확인, 대상자 연결, 모니터링 및 재사정,

결과 평가의 6단계로 제시하였고, 시간의 연속선상에서 순환적인 과정으로 이루어진다고 하였다. 장인협(1995)은 선행연구를 토대로 인테이크(intake), 사정, 계획수립, 실행, 점검 및 재평가, 평가 및 종결로 제시하였다.

이상에 근거한 사례관리 과정은 접수(intake), 사정, 목표설정 및 사례관리 계획의 수립, 수행, 모니터링 및 추후관리, 재사정 및 종결의 6단계로 정리할 수 있으며, 지역사회 간호과정과 유사하다. 어떤 분야의 사례관리든 6단계의 과정을 포함하여야 하며, 특정단계에 중점을 둘 수 있다.

- 제1단계 : 접수(intake)

  사례를 발견하여 스크리닝을 통해서 대상자를 판단하고 사정을 위한 자료를 수집하는 과정이다. 사례관리의 첫 단계이며, 사례발견, 스크리닝, 인테이크로 구성된다.

  사례발견은 다양한 방법을 활용하여 사례관리가 필요한 대상자를 발굴하는 것이다. 기관을 방문하는 대상자나 공공기관에서 의뢰받은 대상자 및 대외추적이나 주변으로부터 의뢰된 잠재적 대상자를 확보한다.

  스크리닝은 발견되거나 의뢰된 대상자들이 사례관리 서비스를 받을 자격이 있는지, 서비스 이용에 적합한 특성을 가지고 있는지, 적극적으로 참여할 의지가 있는지 등을 파악하는 것으로, 기관 프로그램에 대한 문지기로서 작용한다.

  인테이크에서는 대상자가 사례관리 대상으로 적합하다고 판단되는 경우 사정이 가능한 수준의 정보를 수집해야 한다. 대상자의 장애나 요구가 무엇인지를 개괄적으로 파악하고, 재정 능력도 평가한다. 개인 및 가족, 사회 환경 등의 객관적 사실과 함께 대상자가 경험하고 있는 문제뿐만 아니라 인식하지 못하는 문제에 대해서도 알아본다.

- 제2단계 : 사정

  중재 방식을 선택하기 위한 대상자의 문제와 상황을 검토하는 절차로서, 대상자의 문제뿐 아니라 강점에 대한 파악도 동시에 이루어져야 한다. 이 과정을 통하여 서비스 수준과 성격이 결정되고, 서비스 전달의 양과 질에 대한 청사진이 마련된다. 대상자와 가족에 의해 제시된 문제 외에도 신체적·인지적·사회적·정서적 요구는 물론 재정적·환경적 요구도 파악한다. 또한 공식적·비공식적 서비스 제공자로부터 대상자에게 제공될 수 있는 도움에 대한 면밀한 검토도 함께 실시한다.

- 제3단계 : 목표설정 및 계획의 수립

  사례관리의 목표를 설정하고 각 대상자에게 적합한 개별화된 계획을 수립한다. 대상자의 여러 문제 및 문제해결을 위한 구체적인 방법을 찾고, 각 문제별 지원의 종류나 공급주체, 필요한 시기, 적절한 횟수, 우선순위를 결정한다.

- 제4단계 : 수행

  계획을 실행하는 단계로서 양질의 서비스나 자원을 확보하여 직접적·간접적으로 서비스를 제공한다.

  직접적인 서비스 제공은 대상자의 서비스 접근과 활용기술 및 능력을 향상하기 위한 것으로, 대상자에 대한 교육, 대상자의 결정 및 행동에 대한 격려와 지지, 위기 상황에 적절히 개입하는 것, 대상자의 동기 부여 등이 대표적이다. 간접적인 서비스 제공은 대상자를 대신하여 체계의 변화를 유도하는 것으로, 필요한 자원 체계와의 연계 또는 서비스 중개, 대상자를 대신하여 대상자의 요구를 옹호하는 것 등이 해당한다.

- 제5단계 : 모니터링 및 추후관리

  기존의 계획이 제대로 수행되는지를 점검하기 위해 서비스의 전달과 실행을 추적하는 과정이다. 실제 서비스가 전달되는 과정 중 기존의 계획이 대상자에게 만족스러운지 또는 대상자의 새로운 요구로 인해 변화가 필요한지를 지속적으로 점검한다. 즉, 각종 서비스나 지원이 원활하게 제공되고 있는지 여부와 대상자의 일상생활수행능력이나 상황의 변화에 따른 요구의 변화를 감시하고 계속적으로 확인하는 것이다.

- 제6단계 : 재사정 및 종결

  제공된 서비스와 계획의 일치, 서비스 구성요소, 그리고 사례관리자에 의해 동원·조정된 서비스가 가치 있는 것이었는지를 판단하는 과정이다. 필요하다면 제3단계인 목표의 설정과 사례관리 계획으로 돌아가 사례관리 과정의 순환을 반복한다.

## 3 우리나라의 지역사회중심 공적 사례관리

우리나라는 1995년 정신질환자를 대상으로 사례관리를 제공하기 시작한 이후로 2002년 건강보험공단과 2003년 보건복지부가 의료급여제도에 사례관리를 도입함으로써 건강보험 가입자와 의료급여 수급자를 대상으로 실시 중에 있다. 또한 방문간호사업과 최근 중요하게 대두되고 있는 치매관리사업에도 사례관리를 포함하고 있다.

지역사회간호 실무에서의 만성질환 중심의 고위험군 사례관리, 고혈압환자 사례관리, 허약노인 사례관리에 대한 실제 적용한 사례는 <부록 5>를 참고하기 바란다.

### 1) 국민건강보험공단의 사례관리사업

#### (1) 도입배경 및 필요성

국민건강보험공단의 사례관리는 건강보험 재정 안정화 대책의 하나로서, 합리적인 의료이용 유도를 통한 비용절약적인 방안으로 도입되었다.

2002년 7월 사례관리 시범사업의 실시를 위해 국민건강보험공단 전국 15개 지사에 2명씩의 간호사를 배치하였고, 이후에는 전문인력의 추가 채용 없이 일반직을 교육하여 사례관리 인력인 건강관리사로 양성한 후 투입하였다. 사례관리 도입 당시의 관리대상 질환은 질환관리(disease manabement)에 초점을 맞추어 고혈압, 당뇨, 울혈성 심부전, 뇌졸중, 천식을 선정하여 관리하였다. 이후 사례관리기법을 적용한 합리적 의료이용지원, 건강지원서비스사업 등을 실시하다가, 최근 건강보험가입자의 과다이용 관리의 필요성이 대두되어 2021년부터 과다이용자 사례관리시범사업을 수행 중에 있다[표 4-4, 그림 4-1].

#### (2) 사례관리의 목적

건강보험 과다의료이용자의 의료이용 행태 개선을 위한 맞춤형 건강상담, 통합적인 건강관리를 위한 공단 서비스 및 지역자원 연계로 자가건강관리능력 및 건강수준을 향상하기 위함이다.

**표 4-4 과다이용자 군분류**

| 군분류 | 대 상 | 방 법 |
|---|---|---|
| 안내문 발송군 | ① 만 40~64세 중 전체 의료이용 상위 3% 구간 최저일(70일)~364일 이용자<br>② 만 65~79세 중 150일~364일 이용자 | 분기별 안내문 발송 및 in-bound 상담 |
| 상담 강화군 | 만 65~79세 중 150~364일 & 물리치료 50회 이상 이용자 | 분기별 안내문 발송 및 out-bound 상담<br>(5~6주 간격, 2회) |
| 유선집중 상담군 | 2021년 연간 외래내원일수 500일 이상 이용자 | 안내문 발송 및 out-bound 상담 |
| 방문상담 관리군 | 2021년 연간 외래내원일수 365~499일 의료이용자<br>: 사례관리기법 적용 | ① 안내문 발송<br>② 유선상담(1차)<br>③ 방문상담(2차)<br>④ 유선상담(3차, 모니터링) |
| 유선집중 관리군 | 500일 이상 | 유선상담(집중상담군양식 사용) |

〈 자료원 : 건강보험공단(2022). 과다의료이용자 사례관리 시범운영 매뉴얼 〉

| 단 계 | 내 용 | 방 법 |
|---|---|---|
| 대상자 발췌 및 선정 | • 사례관리 시범운영 대상자 발췌<br>• 우선순위 고려하여 사업 참여 안내문 발송 | • 전산시스템 이용<br>• 우편물 발송 |
| ▼ | | |
| 유선상담 (1차) | • 대상자 확인 및 등록<br>• 사업안내 및 참여 독려<br>• 우선순위 대상자 선정<br>• 건강상태 파악<br>• 방문일정 협의 | • 유선상담<br>• 대상자 전산등록<br>• 진료내역(질병, 투약, 입원, 외래이용 등) 분석 |
| ▼ | | |
| 방문상담 (2차) | • 대상자 확인 및 요구도 사정<br>• 서비스 안내 및 동의서 징구<br>• 건강관리 상담<br>• 서비스 연계 및 제공계획 수립<br>– 공단 직접서비스 제공 및 연계<br>: 다제약물관리사업, 건강지원서비스 등<br>– 사업부서 연계: 금연치료지원사업 등<br>– 통합돌봄본부 연계<br>: 지자체 및 지역사회자원<br>– 장기요양 서비스 | • [서식] 통합건강관리 기초조사서<br>[서식] 동의서(서면)<br>• 상담 및 교육<br>• 연계활동(자원 및 부서 연계) |
| ▼ | | |
| 유선상담 (3차) | • 건강상태 파악<br>• 연계 서비스 모니터링<br>• 만족도 조사 | • 유선상담<br>• 필요시 연계활동(자원 및 부서 연계) |
| ▼ | | |
| 결과 보고 | • 사업수행 및 통합서비스 연계 결과 | • 보고서 작성 |

〈 자료원 : 국민건강보험공단(2022). 과다의료이용자 사례관리 시범운영 매뉴얼 〉

**그림 4-1 사례관리 업무수행 흐름도**

## 2) 의료급여 사례관리사업

### (1) 정의

의료급여 수급권자의 삶의 질 향상과 적정 의료이용을 목적으로 수급권자의 요구를 사정하고 건강 상담 및 필요한 정보를 제공하는 일련의 과정이다.

### (2) 도입배경 및 필요성

의료급여 수급권자는 의료급여를 받을 수 있는 자격을 가진 자이며, 대부분이 최저생계비 이하의 빈곤층이고, 가족의 지지체계가 부족하며, 교육 수준이 낮고, 건강보험가입자에 비해 65세 이상의 노령인구가 많으며 희귀난치성 질환이나 만성질환 등의 질병에 이환된 계층이 많다. 따라서 자가건강관리가 어렵고, 의료이용에 대한 의사결정 능력이 부족하여 과다한 의료이용이나 약물과다복용, 의료쇼핑 등의 문제로 인해 의료급여 재정의 급증 및 건강 악화를 초래하기도 한다.

의료급여 사례관리는 급증하는 진료비 부담과 의료급여 수급권자의 적정의료이용의 유도를 통한 의료급여 재정의 효율화를 위하여 2003년에 도입하여 실시하고 있다.

의료급여 관리사는 의료급여 사례관리를 수행하는 인력으로 대부분이 간호사이며, 자격조건은 간호사 면허 소지자로서 종합병원급 의료기관 2년 이상 또는 병원급 의료기관 3년 이상, 의원급 의료기관 4년 이상의 임상 경력이 있는 자이다. 지자체별 의료급여 수급권자 수에 따라 보건복지부가 정하는 기준에 근거하며, 시·도 및 시·군·구에 배치되어 있다.

의료급여 사례관리는 지역 및 수급권자 특성을 고려하여 지역유형을 선정하고 지역유형에 따라 연간 사례관리 목표 대상자 수를 결정하게 된다. 지역유형에 따른 의료급여 사례관리 구분은 [표 4-5]와 같고, 2020년 발표된 관리사 1인당 사례관리 대상자 수는 [표 4-6]과 같다.

**표 4-5 지역유형**

| 구 분 | 내 용 |
|---|---|
| 외래관리지역 | 상대적으로 장기입원자보다 외래내원자 수가 많아 외래 관리가 필요한 지역 |
| 입원관리지역 | 상대적으로 장기입원자 수가 많아 입원 관리가 필요한 지역 |
| 혼합지역 | 입원과 외래 관리가 필요한 지역 |

〈 자료원 : 보건복지부(2022). 의료급여사업 안내 〉

**표 4-6 의료급여 관리사 1인당 연간 사례관리 대상자 수**

| 구분 | (A)<br>장기입원자 | (B)<br>다빈도외래이용자 | (C)<br>연중관리대상자 | 신규수급자 | 총 계 |
|---|---|---|---|---|---|
| 외래관리지역 | 5~15명 | 75~90명 | 5~10명 | 전수관리(200명) | 300명 |
| 입원관리지역 | 30~40명 | 50~65명 | 5~10명 | 전수관리(200명) | 300명 |
| 혼합지역 | 15~20명 | 65~80명 | 5~10명 | 전수관리(200명) | 300명 |

주 1) (A)+(B)+(C)=총합 100명
2) 신규수급권자 200명 이하 지자체의 경우 해당인원만 관리

〈 자료원 : 보건복지부(2022). 의료급여사업 안내 〉

### (3) 목적

의료급여 수급권자의 자가건강관리능력 향상, 합리적 의료이용 유도, 지지체계 구축을 통한 건강 삶의 질 향상과 의료급여 재정 안정화에 기여하는 것이다.

### (4) 대상자 선정 및 중재방법

의료급여 사례관리는 수급권자 특성에 따라 4가지 유형으로 나누어 관리한다. 사례관리는 주로 서신, 전화, 방문, 교육(집합교육, 소집단 교육, 개별 교육)으로 이루어지며, 각 유형별로 구체적인 대상자 선정기준은 다음과 같다.

#### ① 신규수급자

의료급여수급권 최초 취득자 및 재 취득자에게 1개월 동안 서신과 교육 위주로 실시한다.

#### ② 다빈도 외래이용자

질병 대비 다빈도 외래 의료이용자(연간 총 급여일수 700일 이상)로 동일상병에 대해 여러 의료기관 방문, 약물 중복처방 등 비합리적 의료이용이 확인되는 대상자에게 3개월 동안 방문 2회 이상, 전화 4회 이상, 서신을 통해 수행한다.

#### ③ 장기입원자

장기입원자(동일상병으로 1회당 31일 이상 입원한 자), 입원관리 대상자(1일 이상 반복 입·퇴원한 입원자, 숙식 목적으로 입원한 자 등)에게 6개월 동안 방문 2회 이상, 전화 6회 이상, 서신을 통해 수행한다.

#### ④ 연중관리대상자

다빈도 외래이용자 또는 장기입원자 등 중에서 단기간의 사례관리 수행보다는 지속적인 상담, 모니터링 등이 필요한 대상자(사례관리 대상자 통보명단 중 상위 30% 이내인 자 우선 관리)에게 연중 다빈도 외래이용자 이상의 관리를 수행한다.

### (5) 사례관리 수행절차

의료급여 사례관리는 외래다빈도 이용자 위주의 사례관리가 주축이 되어왔으나, 최근에는 장기입원 사례관리가 강화되고 있다.

다빈도 외래이용자 사례관리 절차는 5단계로 대상자 선정, 요구사정, 목표설정 및 계획수립, 수행, 평가 및 종결로 이루어지며, 수행절차는 [그림 4-2]와 같다.

| 단계 | 내용 |
|---|---|
| 대상자 선정 | • 질환, 의료이용 행태, 사례관리 이력 등을 확인하여 비합리적 의료이용이 의심되는 대상자 선정<br>– 다빈도 외래이용자(EBDW시스템), 일회용 점안제·물리치료 이용자(문서), 동일성분의약품 중복투약자(EBDW시스템) 등 통보명단 활용<br>※ 대상자 기초정보 확인(행복e음 원스크린), 진료내역조회(EBDW시스템)<br>– 보장기관 자체 발굴자 |
| ▼ 요구 사정 | •「요구사정 측정기준표」,「요구 성과지표」를 활용하여 대상자 요구사정(사전평가)<br>• 요구 사정한 항목을 문제 영역에 따라 요구진단 |
| ▼ 목표 설정 및 계획 수립 | • 요구 진단에 맞춰 목표 설정<br>• 연간 목표관리 인원 수, 관리기준 등을 고려하여 수행 가능한 활동 위주로 구체적인 관리계획 수립 |
| ▼ 수행 | • 대상자의 전반적인 건강관리, 합리적 의료이용 등 정보제공 및 모니터링 실시<br>– 다빈도 외래이용자로 선정한 사유, 제도 및 사례관리사업 등 안내<br>– 올바른 약물 복용법, 질환관리 및 생활습관 관리 등 건강상담<br>– 적정 의료이용 유도 및 참여 독려<br>– 필요시 자원연계<br>※[서식] 자원연계 의뢰서, 공공·민간 서비스 연계를 위한 개인정보 제3자 제공 동의서 |
| ▼ 평가 및 종결 | • 아래 내용에 해당한 경우<br>– 대상자의 사망, 전출, 수급 중지 등으로 인해 사례관리가 어려운 경우<br>– 의료급여관리사의 질병·부상, 출산·육아, 퇴직 등 사유가 발생한 경우<br>– 적극적인 수행에도 의료이용 행태 변화 가능성이 없다고 판단한 경우<br>→ 중도 종결<br><br>「요구 성과지표」 활용하여 변화 상태 확인(사후평가)<br>• 사례관리 기관과 목표관리 횟수를 모두 채우지 못하였지만 종결기준*에 부합한 경우<br>*종결기준 :「대상자 요구 성과지표 및 종결기준」 참조<br>→ 조기 종결<br>• 목표관리 횟수가 끝나고 사례관리 기간(3개월)이 도래한 경우<br>→ 일반 종결 |

〈 자료원 : 보건복지부(2022). 의료급여사업 안내 〉

**그림 4-2 다빈도 외래이용자 사례관리 수행절차**

## 3) 방문건강관리사업의 사례관리

### (1) 도입배경 및 필요성

보건소에서 실시하고 있는 방문건강관리사업의 사례관리는 2007년 'New Health Plan 2010'에 의거 맞춤형 방문건강관리사업에서의 취약계층 만성질환관리의 일환으로 도입되었다. 구체적인 도입 필요성은 보건의료 취약계층을 위한 이용형평성 제고, 고령사회 도래 및 만성질환자 증가에 대한 대응, 건강생활실천 유도 등으로 적극적인 만성질환 예방과 국민의료비의 절감이다.

도입 당시인 2007년의 만성질환자 사례관리 대상 질환은 고혈압, 당뇨, 뇌졸중, 관절염, 암, 치매였다. 이 중 고혈압, 당뇨병의 경우에는 2개의 사례를 보건복지부가 개발하여 배포한 8주의 집중사례관리업무 지침을 참조하여 서비스 제공 후 단계별 각 기록을 보고서로 제출하도록 하였고 이를 방문간호사의 역할 및 평가에 포함시켰다.

2008년에는 취약계층 만성질환자와 보호자 건강관리 차원으로 고혈압과 당뇨병에 대한 표적사례관리를 실시하였고, 만성질환관리를 위한 통합적 서비스를 위해 자가관리 능력 및 가족역량 강화, 만성질환 적정관리, 만성질환관리를 위한 여건 조성 등을 목표로 하였다.

이후 2009년부터는 허약노인에 대한 사례관리를 추가하였고, 현재는 건강취약계층(건강위험군, 질환군) 및 65세 이상 독거노인 가구, 75세 이상 노인부부 가구 중심으로 전체적인 방문건강관리서비스 틀 안에서 사례관리 기법을 적용하고 있다. 그러나 도입당시에 사용하였던 사례관리라는 용어는 공식적으로 사용하지 않는다.

#### (2) 목적

지역주민의 건강인식제고, 자가건강관리능력 향상, 건강상태 유지 및 개선을 목적으로 한다.

#### (3) 대상자 선정

대상자는 신체계측 및 건강면접조사 결과를 토대로 군별 세부기준에 의해 집중관리군, 정기관리군, 자기역량지원군으로 분류하여 관리하고 있다. 〈세부 사항은 제3절의 '방문건강관리사업' 참고〉

### 4) 치매환자 맞춤형사례관리사업

#### (1) 도입배경 및 필요성

최근 급격한 고령화와 함께 치매 유병률도 해마다 증가하고 있다. 치매는 대표적 만성진행성 질환으로 환자뿐 아니라 가족의 부양 부담을 가중시키는 것으로 알려져 있으나, 조기 발견과 꾸준한 관리로 진행을 늦출 수 있다.

이에 보건복지부는 치매와의 전쟁을 선포하고, 국가치매관리종합대책 수립 및 2012년 「치매관리법」을 제정하기에 이르렀다. 현재는 효과적인 치매관리를 위해 치매국가책임제를 시행하고 있으며, 치매안심센터를 개설하여 치매환자 맞춤형사례관리사업을 실시하고 있다.

#### (2) 목적

치매환자의 돌봄 사각지대를 해소하고, 신체, 심리, 사회, 환경적 요구와 관련된 문제에 집중개입 함으로써 삶의 질을 향상하기 위함이다.

#### (3) 대상자 및 선정기준

돌봄 사각지대에 있는 치매환자 중 다음의 기준에 따라 응급, 집중, 일반관리 대상자로 구분하여 관리한다 [표 4-7].

**표 4-7 치매환자 맞춤형 사례관리 대상자 군분류 및 선정기준**

| 구분 | 응급 | 집중 | 일반 |
|---|---|---|---|
| 대상 | • 응급상황에 처하여 단시일 내 개입이 필요한 자<br>[응급상황 예시]<br>– 심한 망상/환각, 배회, 이식증 등으로 자해/타해의 위험이 큰 자<br>– 학대로 인해 자해/타해 위험이 큰 자<br>– 신체기능 저하로 허약성 수준이 매우 높은 자<br>– 의식주 해결이 시급한 자 | • 초기평가 결과, 최소 3개 영역에서 문제가 있는 자 중 치매사례관리위원회 심의를 거친 자<br>• 그 외 인구학적·상황적 특성으로 집중관리가 필요하여 치매사례관리위원회 심의를 거친 자 | • 인구학적·상황적 특성에 속한 자 중 정기적 개입이 필요한 자 |
| 개입 횟수 | 월 2회 이상 권고 | 월 1회 이상 권고 | 2개월 1회 이상 권고<br>(필요시 전화 상담) |

〈 자료원 : 보건복지부(2022). 치매정책사업안내 〉

**표 4-8 인구학적·상황적 특성**

| 인구학적 특성 | 상황적 특성 |
|---|---|
| • 독거 치매환자<br>• 부부 치매환자<br>• 만 75세 이상 노부부<br>(치매환자 포함) | • 치매로 인해 복합적인 문제가 동반된 자<br>• 돌봄의 사각지대에 있는 자<br>• 긴급복지지원이 필요하다고 판단된 자<br>• 기초생활 수급자<br>• 초기 치매환자 집중관리서비스 대상자*<br>*다음의 대상자 중 사례관리가 필요하다 판단된 자<br>– 경제적 사각지대에 놓여 경제적 지원이 필요한 자<br>– 시/군/구청 사회복지과, 복지관, 주민자치 센터, 통장, 부녀회, 지역사회 대표 등을 통해 사례관리가 필요하다고 판단되어 의뢰된 자<br>– 기타 지역사회보장협의체를 통해 의뢰된 자<br>– 지역 내 장기요양기관에서 퇴소하여 가정으로 복귀하는 자 중 사례관리가 필요하다고 판단되어 의뢰된 자<br>– 노인장기요양 서비스만으로 해결되지 않는 요구를 가진 대상자 |

〈 자료원 : 보건복지부(2022). 치매정책사업안내 〉

### (4) 사례관리 수행절차

치매환자 맞춤형사례관리의 수행절차는 [그림 4-3, 표 4-9]와 같다.

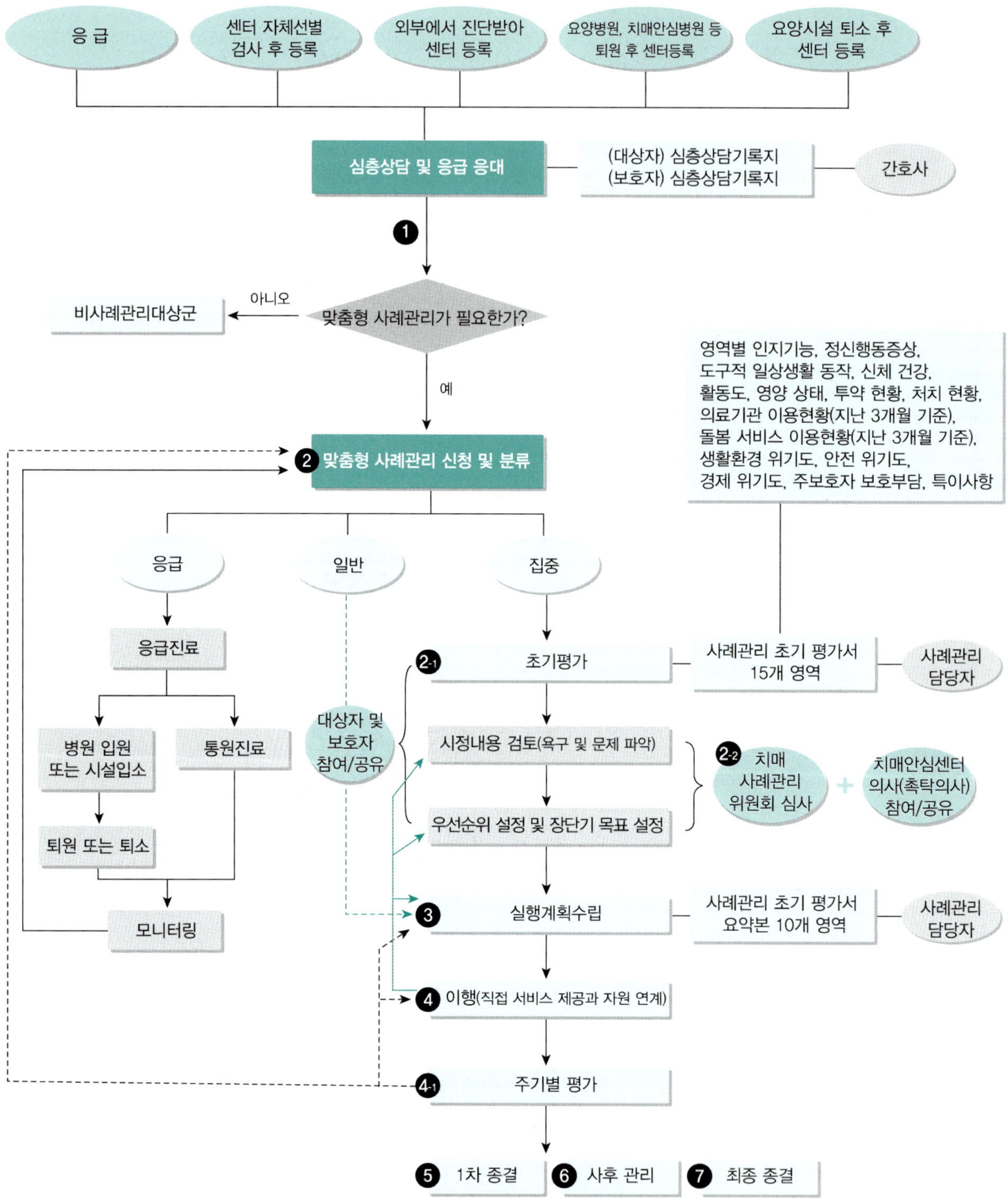


〈 자료원 : 보건복지부(2022). 치매정책사업안내 〉

그림 4-3 **치매환자 맞춤형사례관리 수행절차**

**표 4-9 치매환자 맞춤형사례관리 수행 단계별 세부내용**

| 단계 | 내용 | 구분 | 응급 | 집중 | 일반 |
|---|---|---|---|---|---|
| 1 단계 | 사전 단계 | 시기 | • 사례관리 의뢰 및 발굴 시 | | |
| | | 내용 | • 심층상담 시 인구학적·상황적 특성, 요구 및 문제를 파악하여 맞춤형사례관리 필요 여부 판단 | | |
| 2 단계 | 사례 관리 접수 | 시기 | • 맞춤형사례관리 필요성 판단 시 | | |
| | | 내용 | • 신청서 작성 및 신청<br>• 관리군(응급/집중/일반) 1차 분류 | | |
| | | | 사례관리담당자 지정 | – | 사례관리담당자 지정 |
| 2-1 단계 | 초기 평가 | 시기 | – | 신청 후 2주 이내 | – |
| | | 내용 | | 필수 영역 및 필요 영역에서 평가영역에 따라 대상자의 요구 및 문제 사정 | |
| 2-2 단계 | 치매 사례 관리 위원회심사 | 시기 | – | **신청 후 3주 이내** | – |
| | | 내용 | – | **맞춤형사례관리 대상자 선정심사 및 담당자 지정**<br>※ 탈락한 대상자는 필요시 일반사례관리 대상자로 관리 | – |
| 3 단계 | 실행 계획 수립 | 시기 | **신청 후 1주 이내** | **선정 후 2주 이내** | **신청 후 2주 이내** |
| | | 내용 | • 실행 목표 설정하고 구체적인 계획을 수립<br>※ 지역사회 자원연계 계획 수립 시 참고[1-10] 알고리즘 활용 | | |
| 4 단계 | 사례 관리 서비스제공 | 시기 | 실행계획 수립 이후 1차 종결 이전까지 | | |
| | | 내용 | 계획표에 따라 맞춤형 서비스 제공(센터 내 직접서비스, 센터 외 서비스 연계) 및 진행현황 기록 | | |
| 4-1 단계 | 주기별 평가 | 시기 | – | 선정 후 3/6/9개월 시점 | 신청 후 6개월 시점 |
| | | 내용 | – | • 실행방안 시행여부 및 실행목표별 달성도 점검<br>※ **평가 결과에 따라 계획 수정** 필요한 경우 계획 조정 | |
| 5 단계 | 1차 종결 | 시기 | **목표 달성 시** | 목표 달성 시 또는 선정 이후 12개월 시점 | 목표 달성 시 또는 사례관리 신청 이후 12개월 시점 |
| | | 내용 | 평가 결과에 따라 사례관리를 종결하여 사후관리로 진행할 것인지 또는 관리군을 변경할 것인지를 결정 | 평가 결과에 따라 사례관리를 종결하여 사후관리로 진행할 것인지 또는 사례관리 연장(관리군 변경 포함)할 것인지를 결정<br>※ 연장(관리군 변경 포함) 필요시 치매사례관리위원회 심사 | |
| 6 단계 | 사후 관리 | 시기 | **1차 종결 이후 1~4년 간** | | |
| | | 내용 | • 1차 종결시점 이후 안정화 여부 점검, **재개입 필요성 판단, 문제 재발 확인**<br>• **사후관리 계획에 따라 1~4년간 전화 혹은 방문으로 사후관리 시행**<br>※ 추적평가 결과, 재개입이 필요하다고 판단될 경우 사례관리 재신청을 안내 | | |
| 7 단계 | 최종 종결 | 시기 | • 선정 시점으로부터 5년 이내<br>※ 단, 지속 개입이 반드시 필요하다고 판단될 경우 치매사례관리위원회 심의를 통해 기간연장 가능 | | |
| | | 내용 | • 맞춤형사례관리를 위한 대상자와 담당자간의 모든 협력활동 종결 | | |

〈 자료원 : 보건복지부(2022). 치매정책사업안내 〉

## 5) 통합사례관리

### (1) 개념

지역 내 공공·민간자원에 대한 체계적인 관리·지원체계를 토대로 복합적이고 다양한 요구를 가진 대상자에게 복지·보건·고용·주거·교육·신용·법률 등 필요한 서비스를 통합적으로 연계·제공하고, 이를 지속적으로 상담·모니터링 해나가는 사업이다.

### (2) 목표

지역주민의 다양한 요구에 맞춤형 서비스를 연계·제공함으로써 지역주민의 삶을 안정적으로 지원·지지하고, 복지제도의 효과성·효율성 향상하기 위함이다.

### (3) 사례관리 운영

#### ① 사례관리 대상

읍·면·동에서 요청한 가구에 대하여 대상자의 요구 및 위기도 조사 실시 후 사례회의를 거쳐 사례관리 가구와 서비스 연계 가구로 구분하여 적용한다.

- 사례관리 가구 : 1개월 이상의 중장기적 개입이 필요한 가구로서 다양한 서비스가 집중적으로 제공될 수 있도록 사례회의 등 일반적인 절차를 적용하는 가구
- 서비스 연계 가구 : 요구가 단편적이어서 1개월 미만의 단기적 개입 또는 단순서비스 연계를 통해 문제 해결이 가능한 가구로서 사례회의의 일반적인 절차를 축소하는 가구

※ 단, 개입기간과 관계없이 서비스 제공의 성격이 복합적인 경우 '사례관리 가구'로, 단순서비스 연계의 성격인 경우 '서비스 연계 가구'로 분류 가능, 개입기간이 1개월 이상이더라도 단순서비스 연계를 통한 개입일 경우 서비스 연계 가구로 처리

예 1개월 이상의 단순서비스(도시락배달서비스)지원 가구 등

#### ② 통합사례관리 전담인력

- 복지담당공무원 : 경력 있는 사회복지직 공무원을 통합사례관리 담당으로 배치한다.
  ※ 최소 5년 이상 근무경력 사회복지직 7~8급 공무원
- 통합사례관리사 : 통합사례관리 업무 전담·전문인력으로서, 최소 1인 이상 시·군·구 배치한다.

#### ③ 사례관리 절차

통합사례관리 절차는 총 10단계로 구성되어 있으며 [그림 4-4]와 같다.

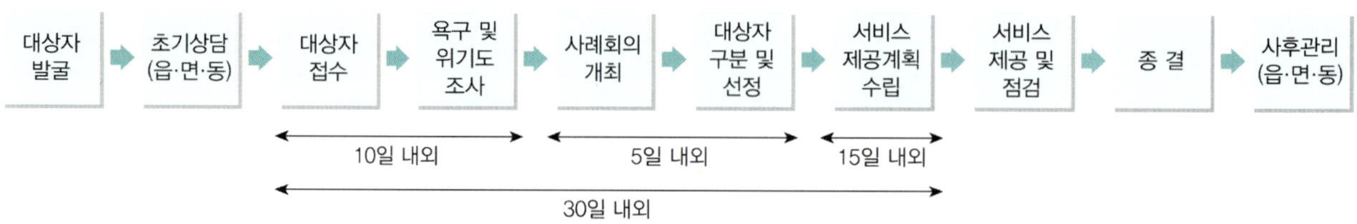


〈 자료원 : 보건복지부(2022). 희망복지지원단 업무 안내 〉

**그림 4-4 통합사례관리 절차**

### 6) 공공부문 사례관리 연계·협력

보건복지부는 지역 내 공공 영역에서 수행되는 다양한 사례관리 사업의 연계·협력 체계 구축을 통해 사례관리 서비스 제공 및 이용의 효율성과 효과성을 증진하고, 지역주민이 체감할 수 있는 보건복지 서비스를 제공함으로써 사각지대가 발생하지 않도록 하고자 공공부분 연계 체계를 [그림 4-5]와 같이 마련하였다.

공공부문 사례관리 사업은 읍·면·동 찾아가는 보건복지전담팀과 시·군·구 희망복지지원단에서 이루어지는 '노인맞춤돌봄서비스', '드림스타트(취약계층 아동통합서비스)', '아동보호서비스', '방문건강관리서비스(장애인은 지역사회중심 재활사업)', '의료급여사례관리', '자활사례관리', '중독사례관리(중독관리통합지원)', '정신건강사례관리', '통합사례관리'로 총 9개 사업으로 구성되어 있다.

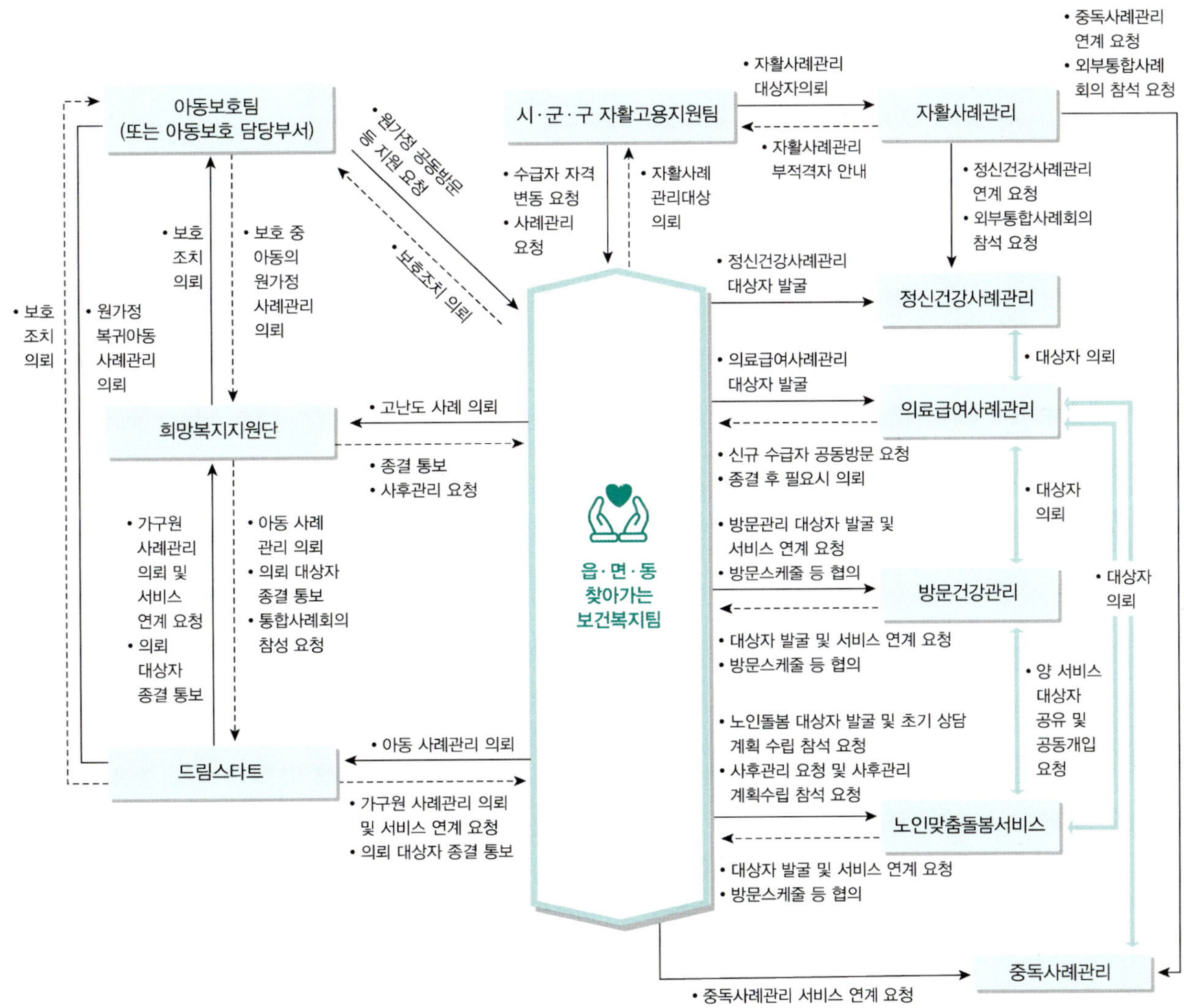


〈 자료원 : 보건복지부(2021). 공공부문 사례관리 연계·협력 업무안내 〉

**그림 4-5 공공부문 사례관리 연계·협력 체계**

# 제3절 + 방문보건사업

Keywords

- 방문보건
- 가정간호
- 지역사회 통합돌봄(커뮤니티케어)
- 방문건강관리사업
- 노인장기요양보험의 방문간호

## 1 방문보건의 개념

지역사회에서 행해지는 보건사업으로 보건기관의 전문인력이 가정 또는 시설을 방문하여 가족 및 가구원의 건강문제를 발견하고 개인의 건강수준에 적합한 건강관리서비스를 직접 제공하거나 의뢰·연계함으로써 가족과 지역주민의 자기건강관리능력을 개선하고 건강수준을 향상시키는 것이다.

방문보건의 목적은 자가건강관리능력 및 삶의 질 향상에 기여하여 건강한 지역사회를 조성하는 데 있으며, 우리나라에서는 대상자의 자가건강관리능력을 향상시킴으로써 만성질환으로 인한 합병증 예방 및 건강증진을 통한 삶의 질 향상을 위해 실시하고 있다.

지역사회 중심의 방문보건은 가족단위 접근, 팀별 접근으로 질병의 조기발견 및 예방, 관리중심으로 행해진다. 방문보건은 방문을 통해 직접서비스를 제공함으로써 지역사회 만성질환을 관리하고 주민의 보건의료이용 편의성을 향상시킬 수 있으며, 전 연령을 대상으로 할 수 있다는 장점이 있다. 따라서 생애주기별 특성에 따라 대상자의 요구에 적합한 건강관리서비스를 제공한다.

## 2 방문건강관리사업

### 1) 방문건강관리사업의 정의

방문건강관리사업이란 보건소에 내소하여 건강관리서비스를 받기 어려운 지역주민을 대상으로 직접 가정 등을 방문하여 제공하는 건강관리서비스로써, 지역주민의 자가건강관리능력 향상 및 허약 예방 등을 통한 건강수준 향상에 그 목적을 두고 있다.

우리나라의 방문건강관리사업의 추진경과는 [표 4-10]과 같고, 1990년부터 일부 지방자치단체에서 보건소를 통해 부분적으로 실시되다가 1995년 「지역보건법」에 법적근거가 마련되었다. 이후 2001년 방문보건사업 표준지침의 개발 및 보급으로 전국 보건소 정규인력을 통해 전면 실시되었고, 2007년부터 2011년까지는 기존의 재가암환자관리사업과 지역사회중심 재활사업을 통합하여 맞춤형방문건강관리사업으로 운영되었다. 이후 2012년 방문건강관리사업으로 다시 변경되어 운영되다가 2013년부터는 중앙정부에 의한 획일적인 국가 주도형 사업방식에서 탈피하여 지역특성 및 주민 수요에 맞는 건강증진사업을 지자체가 기획·수행하도록 하기 위하여 지역사회 통합건강증진사업으로 운영 중에 있다.

**표 4-10 방문건강관리사업의 추진경과**

| | |
|---|---|
| 1990 | 일부 지방자치단체에서 보건소를 통하여 방문보건사업을 부분적으로 실시 |
| 1995. 12 | 「지역보건법」에 보건소 방문보건사업 법적근거 마련<br>• 제9조(보건소의 업무) 제12호 가정·사회복지시설 등을 방문하여 행하는 보건의료사업 |
| 1999~2000 | 공공근로사업의 일환으로 노인·저소득층 등 의료사각지대에 있는 계층을 대상으로 한시적으로 사업실시 |
| 2001 | 방문보건사업 표준지침 개발·보급, 전국 보건소 정규인력을 통해 방문보건사업 전면 실시 |
| 2003~2004 | 대도시 방문보건사업 시범 실시 |
| 2005 | 지방자치단체 이관 |
| 2006. 8 | 보건소 방문보건사업 활성화 방안 수립<br>• 인력충원, 교육강화, 업무메뉴얼 보완 등 추진 |
| 2006. 9 | 「보건복지분야 사회서비스 확충 전략」 보고시 포함 |
| 2007. 4 | 「맞춤형 방문건강관리사업」 전문인력 2,000명 충원 및 사업 실시 |
| 2008. 10 | 맞춤형 방문건강관리사업에 재가암환자관리사업, 지역사회중심재활사업 통합운영 |
| 2009. 1 | 방문건강관리서비스 제공인력 2,700명으로 확대 |
| 2010. 1 | 집중관리 서비스 확대 실시 |
| 2011. 1 | 방문건강관리서비스 제공인력 2,750명으로 확대 |
| 2012. 1 | 북한이탈주민 건강관리사업 전국 확대 실시 |
| 2013. 1 | 지역사회 통합건강증진사업으로 운영 |
| 2017. 7 | 국정과제 17. 사회서비스 공공인프라 구축과 일자리 확충 포함 추진 |
| 2018. 1 | 지역사회 통합건강증진사업으로부터 별도 예산 분리(사례관리 전달체계 개선) |
| 2020. 11~ | AI·IoT기반 어르신 건강관리 시범사업 실시(24개 보건소) |

〈 자료원 : 보건복지부(2022). 지역사회 통합건강증진사업 안내(방문건강관리) 〉

방문건강관리사업의 법적 근거는 다음과 같다.

**지역보건법 제11조(보건소의 기능 및 업무)**

① 보건소는 해당 지방자치단체의 관할 구역에서 다음 각 호의 기능 및 업무를 수행한다.

5. 지역주민의 건강증진 및 질병예방·관리를 위한 다음 각 목의 지역보건의료서비스의 제공

 라. 여성·노인·장애인 등 보건의료 취약계층의 건강유지·증진

 사. 가정 및 사회복지시설 등을 방문하여 행하는 보건의료 및 건강관리사업

## 2) 방문건강관리사업의 목적과 목표

### (1) 방문건강관리사업의 목적

지역주민의 자가건강관리능력 향상 및 허약 예방 등을 통한 건강수준 향상

### (2) 방문건강관리사업의 목표

- 금연, 절주, 식생활, 신체활동 등 건강행태개선
- 고혈압, 당뇨 등 만성질환 관리율 향상 및 합병증 예방
- 노인의 허약(노쇠) 속도 지연

## 3) 방문건강관리 사업대상

방문건강관리 사업대상은 건강관리서비스 이용 및 접근이 어려우면서, 건강관리가 필요한 지역사회 주민으로 다음에 해당하는 자를 대상으로 한다.

### (1) 방문건강관리 서비스가 필요한 대상

- 흡연, 잦은 음주, 불규칙적인 식생활, 신체활동 부족 등 건강행태개선이 필요한 자
- 고혈압, 당뇨, 비만 등 만성질환 위험군 또는 질환군
- 노인 중 허약(노쇠) 예방 및 관리가 필요한 자

### (2) 우선순위 고려 대상

- 연령 기준 : 만 65세 이상 노인
- 경제적 기준 : 기초생활보장수급자, 차상위 계층 등
- 사회적 특성 : 독거노인, 다문화 가족, 한부모가족, 조손가족, 북한이탈주민 등
- 건강 특성 : 관리되지 않는 만성질환자 및 만성질환 위험군, 장애인, 재가암환자 등

### (3) 제외기준

- 이미 질병 및 기능상태가 악화된 노인 장기요양등급 판정 등급자(1~5등급)는 제외 (단, 인지지원 등급자는 포함)

※ 다만, 지역사회 통합돌봄 선도사업 지역에 한해 이용일시를 달리하는 경우 노인장기요양등급자에 대해 서비스 제공이 가능함

## 4) 방문건강관리서비스 제공과정

방문건강관리서비스 제공과정은 [그림 4-6]과 같다.

| 단계 | 내용 |
|---|---|
| 대상자 POOL 확보 | • 보건소 내·외 자원 연계를 통한 대상자 POOL 확보<br>– (내) 진료, 금연클리닉 등 건강증진사업, 의료비지원사업, 철분제·엽산제 지원 등 보건소 사업 대상 및 건강검진 결과연계 대상<br>– (외) 지자체 사회복지서비스 관련 부서 및 읍면동 주민센터 등에서 의뢰받은 대상, 방문 현장 등에서 신규 확인된 대상 등<br>※찾아가는 보건복지서비스 수행을 위하여 읍면동에 간호직 공무원이 배치된 지역에서는 읍·면·동 간호직 공무원이 신규 대상자 등록 및 사전 건강상태 스크리닝 수행, 지속적·정기적 건강관리 서비스가 필요하다고 판단되는 경우 보건소로 대상 이관<br>– 세부내용은 2022년 읍·면·동 찾아가는 보건복지서비스 매뉴얼 참조<br>• 전화확인을 통해 대상자와 방문일정 확정 |
| ▼ | |
| 사전 건강상태 스크리닝 및 군분류 | • 대상자 등록<br>– 방문건강관리 대상자로의 등록·관리에 동의한 경우<br>• 사전 건강상태 스크리닝<br>– 방문 전문인력은 신체계측 및 설문조사 등을 통해 대상자의 건강위험요인 및 건강문제 파악<br>• 군분류<br>– 집중관리군, 정기관리군, 자기역량지원군으로 분류 |
| ▼ | |
| 건강관리 서비스 운영 | • 군별 맞춤 건강관리 계획수립 및 서비스 추진<br>• 보건소 내·외 자원연계를 통한 대상자 중심의 서비스 지원<br>※방문 전문인력의 상황판단과 팀 구성에 따라 건강관리서비스 조정 가능 |
| ▼ | |
| 지속 및 퇴록 결정 | • 대상군별 서비스 추진 후 재평가 실시<br>• 대상자 재평가 결과에 따라 서비스 군 지속 또는 재배치, 퇴록 등 결정 |

〈 자료원 : 보건복지부(2022). 지역사회 통합건강증진사업 안내(방문건강관리) 〉

**그림 4-6 건강관리서비스 제공과정**

## 5) 방문건강관리서비스 세부사업 내용

방문건강관리사업은 크게 건강상태 스크리닝, 건강관리 서비스, 보건소 내·외 자원연계로 구분된다.

### (1) 건강상태 스크리닝

#### ① 목적 및 역할

- 신체계측 및 건강면접조사 등을 통한 대상자의 건강행태 및 건강위험 요인 파악
- 대상자 맞춤 건강관리서비스를 위한 계획수립 기준마련(대상자 군분류)
- 대상자별 건강관리서비스 효과성 평가 및 개선사항 도출

#### ② 건강상태 스크리닝 구성 및 내용

- 건강상태 스크리닝을 위해 건강면접조사표와 건강기초조사표 활용
- 생애주기별 건강면접조사 및 대상 특성별 건강기초조사 수행

### ③ 대상자 군분류 기준

신체계측 및 건강면접조사 결과를 토대로 아래의 기준에 따라 집중관리군, 정기관리군, 자기역량지원군으로 분류한다[표 4-11].

**표 4-11 방문건강관리 대상자 군분류 및 군별 세부기준**

<table>
<tr><th colspan="2">구분</th><th>내용</th></tr>
<tr><td rowspan="3">집중관리군</td><td>대상자 특성</td><td>건강위험요인 및 건강문제가 있고 증상조절이 안 되는 경우</td></tr>
<tr><td>관리횟수</td><td>3개월 이내 8회 이상 건강관리 서비스 실시</td></tr>
<tr><td>판정기준</td><td>[고혈압 기준]<br>수축기압 140㎜Hg 이상 또는 이완기압 90㎜Hg 이상<br>수축기압 140㎜Hg 이상 또는 이완기압 90㎜Hg 이상이고,<br>흡연·고위험 음주·비만·신체활동 미실천 중 2개 이상의 건강행태 개선이 필요<br>[당뇨 기준]<br>당화혈색소 7.0% 이상 또는 공복혈당 126㎎/㎗ 이상 또는 식후혈당 200㎎/㎗ 이상<br>당화혈색소 7.0% 이상 또는 공복혈당 126㎎/㎗ 이상 또는 식후혈당 200㎎/㎗ 이상이고,<br>흡연·고위험 음주·비만·신체활동 미실천 중 2개 이상의 건강행태 개선 필요<br>[기타 질환]<br>관절염, 뇌졸중, 암 등록자로<br>흡연·고위험 음주·비만·신체활동 미실천 중 2개 이상의 건강 행태 개선 필요<br>[대상 특성별 관리사항]<br>임부 또는 분만 8주 이내 산부, 출생 4주 이내 신생아, 영유아, 다문화가족<br>만 65세 이상 노인 중 허약판정점수가 4~12점인 자<br>북한 이탈주민으로 감염성질환이 1개 이상 이거나,<br>흡연·고위험 음주·비만·신체활동 미실천 중 2개 이상의 건강행태 개선 필요<br>※ 암 대상자로 암 치료 종료 후 5년이 경과되지 아니한 경우</td></tr>
<tr><td rowspan="3">정기관리군</td><td>대상자 특성</td><td>건강위험요인 및 건강문제가 있고 증상이 있으나 조절이 되는 경우</td></tr>
<tr><td>관리횟수</td><td>3개월마다 1회 이상 건강관리 서비스 실시</td></tr>
<tr><td>판정기준</td><td>[고혈압 기준]<br>수축기압이 120~139㎜Hg 또는 이완기압이 80~89㎜Hg<br>수축기압이 120~139㎜Hg 또는 이완기압이 80~89㎜Hg이고,<br>흡연·고위험 음주·비만·신체활동 미실천 중 1개 이상의 건강행태 개선이 필요<br>[당뇨 기준]<br>공복혈당이 100~125㎎/㎗ 또는 식후혈당이 140~199㎎/㎗<br>공복혈당이 100~125㎎/㎗ 또는 식후혈당이 140~199㎎/㎗이고<br>흡연·고위험 음주·비만·신체활동 미실천 중 1개 이상의 건강행태 개선이 필요<br>[기타 질환]<br>관절염, 뇌졸중, 암 등록자로<br>흡연·고위험 음주·비만·신체활동 미실천 중 1개의 건강행태 개선이 필요<br>[대상 특성별 관리사항]<br>북한이탈주민으로 흡연·고위험 음주·비만·신체활동 미실천 중 1개 이상의 건강행태 개선이 필요<br>※ 암 대상자로 암 치료 종료 후 5년이 경과되지 아니한 경우</td></tr>
</table>

**표 4-11 방문건강관리 대상자 군분류 및 군별 세부기준** (계속)

| 구분 | | 내용 |
|---|---|---|
| 자기역량 지원군 | 대상자 특성 | 건강위험요인 및 건강문제가 있으나 증상이 없는 경우 |
| | 관리횟수 | 6개월마다 1회 이상 건강관리서비스 |
| | 판정기준 | **[고혈압 기준]**<br>수축기압이 120㎜Hg 미만이고, 이완기압이 80㎜Hg 미만<br>수축기압이 120㎜Hg 미만이고, 이완기압이 80㎜Hg 미만이고,<br>흡연·고위험 음주·비만·신체활동 미실천 중 1개 이상의 건강행태 개선이 필요<br>**[당뇨 기준]**<br>당화혈색소가 7.0% 미만 또는<br>공복혈당 100㎎/㎗ 미만 또는 식후혈당 140㎎/㎗ 미만<br>당화혈색소가 7.0% 미만 또는<br>공복혈당 100㎎/㎗ 미만 또는 식후혈당 140㎎/㎗ 미만이고,<br>흡연·고위험 음주·비만·신체활동 미실천 중 1개 이상의 건강행태 개선이 필요<br>**[기타 질환]**<br>질환은 없으나, 흡연·고위험 음주·비만·신체활동 미실천 중 1개 이상의 건강행태 개선이 필요<br>※ 기타 집중관리군과 정기관리군에 해당되지 않는 경우 |

〈 자료원 : 보건복지부(2022). 지역사회 통합건강증진사업 안내(방문건강관리) 〉

### ③ 대상자 군별 서비스 내용

#### 가. 집중관리군

- 방문횟수 : 3개월 이내 8회 이상 건강관리서비스 실시
- 내용
  - 건강위험요인 및 대상자 요구도에 따라 건강관리 계획수립 후 집중관리 실시
  - 건강위험요인의 적극적 개선을 위하여 보건소 다분야 보건·의료전문가 참여를 통한 전문적 건강관리 서비스(교육, 상담, 정보제공, 보건소 내외 자원연계) 제공 필요

  ※ 보건·의료전문가 : 보건소 내 의사, 약사, 간호사, 영양사, 운동전문가, 물리/작업치료사, 치과위생사 등
- 지속 및 퇴록
  - 대상자 재평가 결과에 따라 서비스 군 지속 또는 재배치 필요
  - 대상자 재평가 결과, 기준에 따라 서비스가 완료*된 경우
    - * 정상완료 : 8회 서비스(8회 대면 또는 7회 대면과 1회 내소 또는 전화상담)가 끝난 경우
    - * 중간종료 : 6회 이상 대면시점에 건강상태가 자기역량지원군 수준으로 개선된 경우

      ※ 자기역량지원군 수준 : 수축기압 120mmHg미만이고, 이완기압 80mmHg 미만이거나 공복혈당 100mg/dℓ 미만이거나 식후혈당 140mg/dℓ 미만인 경우
    - * 중도퇴록 : 4회 이상 대면시점에 사망, 전출, 노인장기요양보험 대상으로 이관, 중증질환으로 입원, 장기입원 등으로 방문건강관리가 어려운 경우
  - 미 방문 기간이 총 2년을 초과한 경우, 전출 또는 사망한 경우 퇴록처리

  ※ 퇴록 기준 : 사망, 전출, 노인장기요양보험 대상자로 이관, 장기 입원 및 시설 입소, 건강상태 호전, 거부 및 자격 변경 등

### 나. 정기관리군

- 방문횟수 : 3개월마다 1회 이상 건강관리서비스 실시
- 내용
  - 건강위험요인 및 대상자 요구도에 따라 건강관리 계획수립 후 관리 실시
  - 3개월 마다 대상별 맞춤 건강교육 및 상담, 정보제공
  - 보건소 내·외 연계 실시(보건소 다분야 보건·의료전문가 참여 적극 권장)
- 지속 및 퇴록
  - 대상자 재평가 결과에 따라 서비스 군 지속 또는 재배치 필요
  - 대상자 재평가 결과 건강위험요인 및 건강문제가 해소되었거나 미방문 기간이 총 2년을 초과한 경우, 전출 또는 사망한 경우 퇴록처리

  ※ 퇴록 기준 : 사망, 전출, 노인장기요양보험 대상자로 이관, 장기 입원 및 시설 입소, 건강상태 호전, 거부 및 자격 변경 등

### 다. 자기역량지원군

- 방문횟수 : 6개월마다 1회 이상 건강관리서비스 실시
- 내용
  - 건강위험요인 및 대상자 요구도에 따라 건강관리 계획수립 후 관리 실시
  - 연 1회 이상 대상별 맞춤 건강정보 제공
  - 보건소 내·외 연계를 통한 건강정보제공 서비스 지원
- 지속 및 퇴록
  - 대상자 재평가 결과에 따라 서비스 군 지속 또는 재배치 필요
  - 대상자 재평가 결과 건강위험요인 및 건강문제가 해소되었거나 미방문 기간이 총 2년을 초과한 경우, 전출 또는 사망한 경우 퇴록처리

  ※ 퇴록 기준 : 사망, 전출, 노인장기요양보험 대상자로 이관, 장기 입원 및 시설 입소, 건강상태 호전, 거부 및 자격 변경 등

## (2) 건강관리 서비스

### ① 목적 및 역할

- 금연, 절주, 식생활, 신체활동 등 자가건강관리 능력향상
- 고혈압, 당뇨 등 만성질환 관리율 향상
- 노인의 허약(노쇠) 속도 지연

### ② 건강관리 서비스 내용

### 가. 기본 건강관리

- 목적 : 계절 및 자연재난, 일상 속 안전에 대한 사전 교육과 상담을 통한 일상 속 자가건강관리 역량 강화
- 대상 : 모든 대상자

• 내용
  – 미세먼지 및 황사, 폭염, 한파 등 계절별 주요 건강관리사항 교육
  – 개인별 생활습관 상담, 건강생활실천을 위한 동기 부여 및 교육
  – 대상자 가족의 참여 및 지지를 위한 가족대상 교육
  – 독거, 은둔 등으로 지역사회와 단절되거나 학대, 방임, 가정폭력으로 인한 취약대상 발굴
  ※ 독거노인, 외딴집에 살고 있는 대상자는 별도 비상연락망을 확보한 후 수시로 확인필요

### 나. 만성질환 예방 및 관리

• 목적 : 고혈압, 당뇨, 비만 등 주요 만성질환으로 이환예방 및 증상관리, 합병증 예방을 위하여 건강행태 개선 및 만성질환 관리 역량 제고

• 대상
  – 일반검진 및 생애전환기검진 결과 건강문제(질환의심, 유질환자)가 있는 대상자
  – 건강위험요인 및 건강문제가 있는 등록관리 대상자
  – 보건소 내 진료실, 만성질환관리팀 등 타부서로부터 의뢰된 만성질환자
  – 지역사회 기관으로부터 의뢰된 만성질환자

• 내용
  – 건강위험요인 및 건강문제 현황 파악
  – 건강검진 결과확인 및 참여 안내, 결과상담
  – 만성질환자의 생활습관 상담, 건강생활실천 동기부여 및 합병증 예방 교육
  – 복용 약물에 대한 점검 및 상담
  – 대상자 가족의 참여 및 지지를 위한 가족대상 교육
  – 재가암환자의 경우 암 증상조절 및 건강생활 실천을 위한 정보제공 및 지역연계

### 다. 생애주기별 및 특성별 관리

A. 노인 대상 허약예방 및 관리

• 목적 : 노인의 신체적·인지적·정서적·사회적 기능향상 및 유지율 증가를 통해, 건강한 노후 생활을 도모하고 장기요양상태를 사전 예방

• 대상 : 만 65세 이상 어르신
  ※ 허약노인 판정기준 4～12점인 경우 포함(노인대상 허약조사표 활용)

• 내용
  – 장기요양등급 외 판정자에 대해 허약노인판정 실시 및 정기적 모니터링
  – 신체활동, 영양, 구강관리, 요실금, 우울 예방, 인지 강화, 낙상 예방 등 허약노인 중재 교육 및 상담
    ◦ 저작, 연하, 발음, 타액 분비 등의 구강기능 향상을 위한 입 체조, 의치의 보관 및 구강건강 실천법
    ◦ 일상생활 속에서 실천 가능한 치매 예방법
    ◦ 취미, 종교 활동 등 사회적 참여지지 및 실행방안 안내
    ◦ 가정 내·외의 안전 환경조성을 위한 교육
  – 대상자 가족의 참여 및 지지를 위한 가족대상 교육

B. 임산부·신생아 및 영유아의 건강관리

- 목적 : 임산부와 신생아의 잠재적인 건강문제를 조기 발견하여 체계적으로 관리
- 대상
  - 모자보건팀 등에 산모·신생아 도우미 지원 사업신청자
  - 방문건강관리를 필요로 하는 산모와 영유아
  - 임부 또는 분만 8주 이내 산욕기에 있는 산부
  - 출생 4주 이내 신생아 및 영유아
- 내용
  - 고위험 임부 및 정상 임부의 건강문제 스크리닝
  - 산욕기 평가에 따른 산후 건강관리법 상담
  - 모유수유 등 육아관련 건강정보제공 및 상담
  - 발달단계에 따른 건강문제 스크리닝 및 영유아 건강검진, 예방접종 안내
  - 부모·자녀 간 상호작용 강화를 위한 정보제공 및 상담
  - 대상자 가족의 참여 및 지지를 위한 가족대상 교육

C. 다문화가족 및 북한이탈주민 건강관리

- 목적 : 건강위험요인 및 건강문제를 가진 건강취약계층인 다문화가족 및 북한이탈주민 관리
- 대상 : 다문화 가족, 북한이탈주민
- 내용
  - 다문화 가족
    - 다문화가족 지지체계 확인 및 가족 내 의사소통 장애요인 파악
    - 다문화가족의 건강문제 문제해결 능력강화를 위한 교육 및 상담
  - 북한이탈주민
    - 건강검진 및 예방접종 현황파악, 이용안내
    - 감염병 예방, 여성건강 및 정신건강 등 개선을 위한 교육 및 상담
    - 북한이탈주민정착지원사무소(하나원) 연계 건강상담 및 교육
  - 공통사항
    - 대상자 가족의 참여 및 지지를 위한 가족대상 교육

D. 장애인 재활관리

- 목적 : 장애 조기발견, 2차 장애예방 및 재활치료 등 지속적 관리로 장애의 최소화 및 일상생활 자립능력 증진
- 대상 : 기초 재활서비스가 필요한 재가 장애인
- 내용
  - 기능증진을 위한 일상생활수행능력(ADL), 관절구축 예방 신체활동 교육
  - 기본 건강관리 : 위생, 영양, 피부관리(체위변경), 구강위생관리 등
  - 연하장애·호흡장애 관리, 배변·배뇨관리 교육 및 훈련, 저작능력 향상을 위한 신체활동 교육
  - 장애심화 위험요인을 가진 만성질환자를 위한 자가건강관리 교육

- 2차 장애예방을 위한 낙상 및 안전관리 교육
- 대상자 가족의 참여 및 지지를 위한 가족대상 교육

### ③ 건강관리 서비스 방법(전략)

#### 가. 직접방문

- 보건소 내 간호사, 영양사, 물리/작업치료사, 치과위생사 등 전문 인력이 가정 등을 방문하여 개인, 2~4인의 소그룹 집단을 대상으로 건강문제 스크리닝, 건강관리서비스 제공, 보건소 내·외 자원연계 등 실시
  ※ 요주의 대상 방문 시에는 안전을 위해 2인 이상 필수방문 필요
- 가정, 읍·면·동, 지역아동센터, 노인복지관, 경로당 등을 직접 방문
- 건강관리 서비스 질 향상 및 전문성 제고를 위한 다분야 전문가 팀구성 권장
- 대상별 담당간호사 등 전문인력 배정으로 지속성·안정성 확보 필요
- 대상 맞춤의 건강관리 콘텐츠 및 정보제공 필요
- 휴대 가능한 건강측정 장비 및 모니터링 도구 활용, 건강수준 측정 필요
  ※ 혈압계, 혈당계, 줄자, 설문지 등

#### 나. 전화방문(유선 모니터링)

- 코로나19 등 감염병 확산, 재난 및 기후악화 등 상황 시 유선을 통한 대상자 건강상태 파악 및 그에 따른 건강정보 제공
  ※ 코로나19 소강 시점까지 만 65세 이상 노인, 취약계층을 중심으로 유선 모니터링 필요

#### 다. ICT(정보통신기술) 활용 비대면 건강관리

- 건강관리 서비스의 접근성이 떨어지는 방문대상자(어르신)를 중심으로 AI·IoT기기를 활용하여 건강정보 자동수집 및 상시 모니터링 체계 구축, 비대면 건강컨설팅 수행

#### 라. 그 외 방문건강관리 서비스

상황에 따라 아래와 같은 방법으로 서비스를 제공할 수 있다.

- **문자발송** : 건강정보 제공
- **SNS 등 온라인 창구활용** : 건강관리 정보 제공 및 보건소-주민 간 소통창구로의 활용
- **우편** : 만성질환 예방, 계절별 건강관리, 코로나19예방 등 교육 홍보 자료 배부
- **물품제공** : 폭염 및 한파 대비 생활용품, 감염예방 방역물품, 신체활동, 영양, 구강 관리 등 관련 건강꾸러미 구성 및 가정 앞 비대면 제공
- **영상교육** : 실시간 스트리밍을 통한 집단 교육 서비스 실시 및 대상자 건강교육 정보 관련 동영상 제작 배포

### (3) 보건소 내·외 자원연계

#### ① 목적

방문건강관리서비스 대상자에게 필요한 보건소 내 및 지역사회 내(보건소 외) 자원연계를 통하여 효과적, 효율적(중복방지) 건강관리 실현

#### ② 보건소 내 연계 서비스

진료, 금연클리닉 등 건강증진사업, 의료비 지원사업, 철분제·엽산제 지원 등 보건소 사업 대상 및 건강검진 결과연계 대상, 지역정신보건센터, 치매안심센터 등

#### ③ 보건소 외 연계 서비스

- 읍·면·동 찾아가는 보건복지 서비스, 시군구 희망복지지원단 통합사례관리, 의료급여 사례관리사업, 노인장기요양보험(장기요양등급 외 판정자), 지역사회 통합돌봄 선도사업, 광역정신보건센터, 중독관리 통합지원센터, 보건의료 전문기관, 무료 수술 및 의료비 지원 등
  - 지역사회 협의체를 구성하거나 관련 회의 개최 시 참여하여, 보건·복지 등 관련 서비스가 통합적으로 제공될 수 있도록 연계 및 협력 강화 필요

    ※ 시·군·구의 희망복지지원단 통합사례관리회의(솔루션 회의, 권역형 읍·면·동 통합사례관리회의) 및 읍·면·동의 찾아가는 보건복지 서비스 관련 회의 등

# 3 가정간호사업

## 1) 가정간호의 개념

가정간호란 가정간호사회에 의하면 가정전문간호사가 가정에서 질병이나 상해가 있는 대상자에게 병원과 긴밀한 관계를 유지하면서 가정에서도 병원에서와 같은 양질의 치료와 간호를 받도록 함으로써 질병과 장해로부터 회복을 도모하고 장기 입원이나 불필요한 입원으로 인한 국민의료비를 절감할 수 있는 제도이다.

가정간호는 각 나라마다 다양하게 활용되고 있는 간호서비스로서 다음과 같이 크게 3가지로 구분할 수 있다.

- **가정관리(home care)제도** : 보건의료서비스는 물론 가정에서 생활하는 데 필요한 서비스로서 의식주에 관련된 내용까지 포함한 넓은 의미의 통합적인 서비스이다.
- **가정건강관리(home health care)제도** : 다양한 보건의료 전문 인력들이 서로 팀을 이루어 수행하는 포괄적인 보건의료서비스이다.
- **가정간호(home health nursing)제도** : 우리나라의 경우와 같이 병원 입원관리의 연장으로 조기 퇴원하여 가정에 있는 환자를 대상으로 가정전문간호사에 의해 검체채취, 치료적 간호, 교육 및 상담 등을 제공하는 서비스이다.

### 2) 가정간호사업의 도입배경

- 최근 만성퇴행성질환 증가와 인구의 노령화 및 각종 사고와 재해로 인하여 거동불편 인구는 증가하고 있으나 산업화 및 핵가족화 등으로 가족들의 수발능력은 감소함에 따라 국민들의 가정간호 요구가 급증하였다.
- 의료이용의 편의를 도모하고 의료비 부담을 절감할 수 있는 수요자 중심 보건의료제도 도입의 필요성이 대두되었다.
- 장기입원이나 불필요한 입원으로 인한 의료자원 낭비를 감소하고 자원활용의 효율성을 제고하기 위한 효율적인 입원대체 서비스 도입 요구가 절실한 상황이다.

### 3) 가정간호사업의 목적

가정간호는 대상자의 건강과 기능의 수준을 최적의 상태로 돌리는 것으로 대상자와 가족의 돌봄 능력을 최대화하고 대상자의 건강회복을 도모하며 질병으로 인한 장애를 최소화하기 위함이다. 3가지 측면에서 구체적으로 살펴보면 다음과 같다.

#### (1) 수요자 측면

가정간호를 통하여 치료의 지속성 유지 및 심리적 안정감 등을 도모하여 삶의 질 향상과 국민의료이용편의 제고 및 가계 부담을 절감하기 위함이다.

#### (2) 공급자 측면

조기퇴원을 통한 재원기간단축으로 병상회전율을 제고하고 병원의 인적·물적 자원을 효율적으로 활용하기 위함이다.

#### (3) 정부 측면

국민편의를 도모하고 국민의료비를 절감하며 보건의료자원을 효율적으로 활용하기 위함이다.

### 4) 가정간호사업의 대상자

가정간호는 의사나 한의사가 의료기관 외의 장소에서 계속적인 치료와 관리가 필요하다고 판단하여 가정전문간호사에게 치료나 관리를 의뢰한 자에 대하여만 실시하여야 한다(의료법 시행규칙, 제24조). 구체적인 대상자는 다음과 같다.

- 수술 후 조기 퇴원환자
- 만성질환자(고혈압, 당뇨, 암 등)
- 만성 호흡기질환자
- 산모 및 신생아
- 뇌혈관질환자
- 기타 의사가 필요하다고 인정하는 환자

## 5) 가정간호서비스의 내용

가정전문간호사의 주요 업무는 다음과 같다.

### (1) 기본간호

기본간호업무는 간호사정 및 간호진단 외에 온·냉요법, 체위변경 등으로 의사 처방 없이 가정전문간호사의 독자적인 판단 하에 시행한다.

### (2) 치료적 간호

치료적 간호업무는 비위관 교환, 유치도뇨관 교환, 기관지관 교환 및 관리, 산소요법, 욕창치료, 단순 상처치료, 염증성 처치, 봉합사 제거, 방광 세척 등 건강보험진료수가 항목에 포함되는 서비스로 의사의 처방이 필요하다.

### (3) 검사관련 업무

가정간호서비스를 제공하는 동안 환자의 상태변화를 파악하는데 필요하다고 의사가 처방한 검사 중 가정에서 실시할 수 있는 검사를 실시한다.

### (4) 투약 및 주사

가정간호서비스를 제공하는 동안 의사의 처방에 의하여 투약 및 주사를 실시한다.

### (5) 교육·훈련

가정에서 환자 및 가족의 건강관리에 필요한 식이요법, 운동요법, 처치법, 기구 및 장비사용법 등에 대하여 교육을 실시한다.

### (6) 상담

환자의 상태 변화 시 대처 방법, 질병의 진행 과정 및 예후, 주보호자와 가족문제, 환경 관리, 말기환자의 완화간호 이용 등에 대한 상담

### (7) 의뢰

가정간호서비스가 종결된 후에도 계속적인 건강관리가 요구된다고 판단되는 환자는 희망에 따라 공공보건기관 등으로 의뢰한다.

## 6) 가정전문간호사

가정전문간호사는 최근 10년 이내에 3년 이상 해당 분야의 실무경력이 있는 간호사로서, [표 4-12]와 같이 보건복지부령으로 정하는 대학원의 가정전문간호사 과정을 이수한 후 가정전문간호사 자격시험에 합격한 자이다.

**표 4-12 가정전문간호사 교육과정**

| 구 분 | 과목명 | 학 점 |
|---|---|---|
| 공통과목 | 간호이론 | 2 |
| | 간호연구 | 2 |
| | 전문간호사의 역할 및 정책 (법과 윤리 포함) | 2 |
| | 상급건강사정 | 3(이론 2, 실습 1) |
| | 약리학 | 2 |
| | 병태생리학 | 2 |
| 전공이론과목 | 전문분야별 전공이론과목 | 10학점 이상 |
| 전공실습과목 | 전문분야별 전공실습과목 | 10학점 이상 |
| 합 계 | | 33학점 이상 |

〈 자료원 : 가정간호사회(2022). http://www.hcna.or.kr/main/main.php 〉

## 7) 가정간호 비용

가정간호수가는 가정간호 기본 방문료, 교통비 및 요양급여행위별 상대가치 점수에 의한 비용으로 구성되며, 건강보험 급여항목에 적용되는 처치나 검사, 투약 서비스를 받은 환자를 대상으로 개별행위료를 추가로 부과하고 있다.

가정간호 수가는 가정간호가 입원대체 서비스 기능을 할 수 있도록 입원진료비 급여기준과 동일하게 적용시킨 것으로서, 기본 진료료인 입원에 해당하는 기본 방문료와 해당 환자에게만 적용하는 개별행위료는 입원진료비와 동일하게 건강보험 급여항목으로 포함하여 대상자가 20%를 부담하도록 하였다. 교통비 항목은 비급여로서 전액 대상자 본인이 부담하도록 하고 있다. 기존에는 기본 방문료에 요양기관별 종별 가산율이 적용되지 않았고, 산정기준도 1일 1회, 연간 96회로 제한되었으나 2014년 개정수가에서는 종별 가산율 적용과 횟수 제한 폐지, 소아 및 노인에 대한 가산조항을 신설하였다. 개정된 수가는 [표 4-13]과 같다.

**표 4-13 가정간호 기본 방문료 예시(재료비 및 행위료 미포함)** (2022.1.1, 상급종합병원 기준)

| 본인부담비율 | 기본 방문료 | 간호사 2인 방문(최초 1회) | 사회복지시설(요양원) |
|---|---|---|---|
| 100% | 75,340 | 113,020 | 37,670 |
| 20%(건강보험) | 15,070 | 22,600 | 7,530 |
| 10%(희귀, 중증·난치질환) | 7,530 | 11,300 | 3,770 |
| 5%(암환자) | 3,770 | 5,650 | 1,880 |

〈 자료원 : 가정간호사회(2022). http://www.hcna.or.kr/main/main.php 〉

## 4 노인장기요양에서의 방문간호사업

### 1) 노인장기요양 방문간호 개념

노인장기요양에서의 방문간호는 재가급여에 해당하며, 장기요양요원인 간호사 등이 의사, 한의사 또는 치과의사의 방문간호지시서에 따라 수급자의 가정 등을 방문하여 간호, 진료의 보조, 요양에 관한 상담 또는 구강위생 등을 제공하는 장기요양급여이다(노인장기요양보험법 제23조).

「노인장기요양보험법」에 제시된 방문간호의 특성은 다음과 같다.

- 노인성 질병을 갖고 있거나, 혼자서 일상생활을 수행하기 어려운 노인과 장애인 중 요양 1~5등급에 해당되면 방문간호를 이용할 수 있다.
- 시설급여, 재가급여, 특별현금급여 등을 선택하여 이용할 수 있으며, 급여의 항목 및 방문간호 서비스 제공기관의 선택이 가능하여 수급자의 자기선택권이 보장되는 방식이다.
- 장기요양 급여제공의 원칙은 재가급여를 우선적으로 제공하도록 하였으며, 의료서비스와 연계하여 제공하는 방문간호에 역점을 둔다.
- 방문간호는 간호사, 조무사, 치과위생사 등 다양한 인력에 의하여 제공된다.
- 의료기관이 아닌 재가장기요양기관 방문간호사업소는 관리책임자인 간호사 1인과 방문간호사(방문조무사) 1명으로 개소할 수 있으므로 간호사에 의한 지역사회중심 방문간호사업의 창업이 가능하다.

### 2) 노인장기요양보험의 방문간호 목적

노인장기요양 수급자의 만성질환 회복과 완화, 지역주민의 만성질환과 예방과 관리를 목적으로 하며, 노인인구의 의료 접근성 제고 및 지속적이고 포괄적인 건강관리라는 보장성 측면과 최소한의 비용으로 노인에 대한 의료혜택 불균형의 시정과 의료자원 배분의 효율성을 높인다는 측면도 포함된다.

### 3) 노인장기요양의 방문간호 대상 및 내용

#### (1) 방문간호 대상자

「노인장기요양보험법」에 의한 방문간호 대상자는 6개월 이상 동안 혼자서 일상생활을 수행하기 어려운 65세 이상 노인 또는 치매 뇌혈관성 질환 등 노인성 질병이 있는 65세 미만인 자이며, 등급판정위원회에서 요양등급 1~5등급(치매특별등급)으로 인정받은 자이다. 장기요양등급판정은 심신의 기능상태에 따라 일상생활에서 도움(장기요양)이 필요한 정도를 지표화한 장기요양인정점수를 기준으로 실시하며, 요양등급 판정기준은 다음과 같다[그림 4-7, 표 4-14].

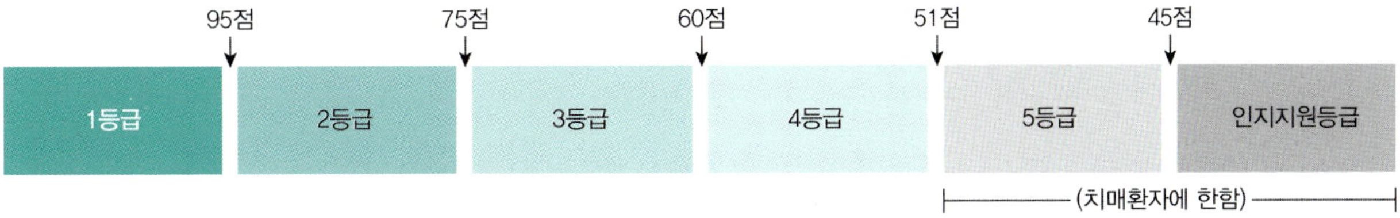


〈 자료원 : 국민건강보험공단(2022). 노인장기요양보험. http://www.longtermcare.or.kr 〉

**그림 4-7 장기요양인정점수 구간별 장기요양인정등급**

**표 4-14 장기요양등급별 기능상태 및 인정점수**

| 장기요양등급 | 심신의 기능상태 | 장기요양인정점수 |
|---|---|---|
| 1등급 | 심신의 기능상태 장애로 일상생활에서 전적으로 다른 사람의 도움이 필요한 자 | 95점 이상 |
| 2등급 | 심신의 기능상태 장애로 일상생활에서 상당 부분 다른 사람의 도움이 필요한 자 | 75점 이상 95점 미만 |
| 3등급 | 심신의 기능상태 장애로 일상생활에서 부분적으로 다른 사람의 도움이 필요한 자 | 60점 이상 75점 미만 |
| 4등급 | 심신의 기능상태 장애로 일상생활에서 일정 부분 다른 사람의 도움이 필요한 자 | 51점 이상 60점 미만 |
| 5등급 | 치매환자(「노인장기요양보험법 시행령」 제2조에 따른 노인성 질병으로 한정) | 45점 이상 51점 미만 |
| 인지지원등급 | 치매환자(「노인장기요양보험법 시행령」 제2조에 따른 노인성 질병으로 한정) | 45점 미만 |

〈 자료원 : 국민건강보험공단(2022). 노인장기요양보험. http://www.longtermcare.or.kr 〉

#### (2) 방문간호 내용

방문간호서비스는 방문간호지시서를 발급한 의사의 지시에 따라 제공하는 서비스와 의사의 지시 없이 간호사 독자적 판단에 의해 제공하는 서비스로 구분된다. 노인장기요양 방문간호사는 노인간호전문가, 교육자, 의뢰자, 행정가, 관리책임자의 역할을 담당하고 있으며, 간호사의 독자적 판단에 의해 이루어지는 서비스로는 기본간호, 교육 및 훈련, 상담, 의뢰 등이다. 노인장기요양에서의 방문간호 제공과정은 [그림 4-8]과 같다.

### 4) 노인장기요양 방문간호 이용절차

방문간호는 요양인정자(1～5등급)에게 발급된 의사, 한의사 또는 치과의사의 방문간호지시서에 의해 서비스를 제공하여야 한다.

방문간호서비스의 이용절차는 대상자가 건강보험공단에 장기요양인정 신청을 하여 장기요양 등급판정위원회로부터 장기요양 인정 및 장기요양 1～5등급 판정을 받은 후 장기요양인정서, 표준장기요양 이용계획서를 송부 받아 장기요양기관과 이용계약을 체결함으로써 받을 수 있다. 다시 말해서, 대상자가 장기요양 서비스를 신청하면 건강보험공단 직원이 심신상태 등 필요한 급여종류 및 내용 등을 조사한 결과와 의사소견서 등을 첨부하여 장기요양등급판정위원회에 회부한다. 장기요양등급판정위원회는 장기요양인정 신청일로부터 30일 이내에 장기요양 인정 및 장기요양등급을 판정하여 통보하고 대상자는 장기요양인정서와 표준장기요양계획서를 송부받아 방문간호기관과의 서비스 이용에 관한 계약을 체결하여 방문간호 서비스를 이용한다. 장기요양 인정 및 이용절차는 [그림 4-9]와 같다.

| 단계 | 내용 |
|---|---|
| 이용 상담 및 계약 | • 이용 상담 : 계약기간, 방문간호 급여의 내용, 시설·인력 등에 대한 설명<br>• 계약 |
| ▼ 사 정 | • 수급자의 일상생활 수행능력, 병력, 생활환경 등 욕구 파악<br>• 수급자와 가족의 욕구 파악 |
| ▼ 급여제공계획 수립 | • 수급자, 보호자와 합의한 목표 수립<br>• 수급자의 문제해결을 위한 급여제공계획 수립 |
| ▼ 급여제공 | • 수립된 계획에 의하여 실시, 급여제공에 대한 기록 |
| ▼ 모니터링 및 재평가 | • 초기 사정 및 급여계획에 대한 평가<br>• 문제 발생 시 치료계획 재수립 |
| ▼ 이용 종료 및 적정서비스 연계 | • 사망<br>• 자진 이용 종료<br>• 적정서비스 연계(의료기관 가정간호 등) |
| ▼ 사후관리 | |

〈 자료원 : 국민건강보험공단(2019). 노인장기요양 방문간호 급여제공 매뉴얼 〉

**그림 4-8 노인장기요양 방문간호 제공과정**

〈 자료원 : 국민건강보험공단(2022). 노인장기요양보험, http://www.longtermcare.or.kr 〉

**그림 4-9 노인장기요양 인정 및 이용절차**

## 5) 노인장기요양 방문간호 인력

방문간호의 인력기준은 관리책임자 1명, 간호사 또는 간호조무사 1명 이상, 그리고 치과위생사 1명 이상을 두어야 한다. 의료기관이 방문간호를 하는 경우 관리책임자는 의사, 한의사 또는 치과의사 중에서 상근하는 자로 하고, 의료기관이 아닌 재가장기요양기관이 방문한다.

직접서비스 제공인력은 간호업무경력이 2년 이상인 간호사와 최근 10년 이내에 간호보조 업무경력이 3년 이상인 간호조무사로서 방문간호 간호조무사 교육(700시간)을 이수한 자를 1명 이상 배치하여야 한다. 치과위생사는 구강위생 업무에 한정된 역할만 담당할 수 있다.

방문간호와 방문요양 또는 방문목욕을 병설 운영하는 경우에는 방문간호의 직접서비스 인력인 간호사가 요양보호사 자격을 가지고 있는 경우 겸직할 수 있다.

### 6) 방문건강관리사업과 가정간호 및 노인장기요양 방문간호사업의 차이

현재 우리나라에서 가정을 방문하여 제공하는 간호서비스에는 보건소의 방문건강관리사업과 의료기관의 가정간호사업, 노인장기요양에서의 방문간호가 있다.

각 사업에서의 방문간호 업무의 특성과의 차이점은 [표 4-15]와 같다.

**표 4-15 방문건강관리사업, 가정간호, 노인장기요양 방문간호의 차이**

| 구 분 | 방문건강관리 | 장기요양보험 방문간호 | 의료기관 가정간호 |
|---|---|---|---|
| 법적근거 | 지역보건법 | 노인장기요양보험법 | 의료법 |
| 운영주체 | 보건기관 | 장기요양 방문간호기관 | 의료기관 |
| 대상자 | 독거노인, 노인부부, 장애인 등 의료취약계층<br>건강위험군, 질환군, 차상위계층 | 65세 이상 또는 65세 미만 노인성 질환을 가진 자 중 1~5등급으로 판정받은 자 | 퇴원 후 가정에서 계속적인 치료·관리사 필요한 자(수술 후 조기 퇴원한 자, 만성질환자, 산모, 신생아 등) |
| 이용절차 | 관할 보건소에서 대상자 등록 후 관리 | • 의사 : 방문 간호지시서 발급<br>• 대상자 : 방문간호기관과 서비스 계약 | 진료담당 의사가 환자와 협의 후 가정간호 의뢰 |
| 제공인력 | 간호사, 의사, 사회복지사 등 다직종 참여 | • 2년 이상 임상경력을 가진 간호사<br>• 3년 이상 경력과 700시간 교육을 이수한 간호조무사 | 가정전문간호사 |
| 서비스 내용 | 건강문제 및 건강위험요인 파악, 건강관리서비스 제공, 보건소 내·외 자원연계 | 기본간호, 교육훈련, 상담, 의뢰 등 | 기본간호, 치료적 간호, 검사 관련 업무, 상담, 의뢰 등 |
| 비용부담 | 무료 | • 본인부담 15% : 건강보험가입자<br>• 경감자 7.5% : 차상위계층<br>• 무료 : 의료급여수급자 | • 본인부담 20%<br>• 의료급여 1종 무료 |

## 5 지역사회 통합돌봄(커뮤니티케어)

### 1) 개념

지역사회 통합돌봄(커뮤니티케어)은 돌봄이 필요한 주민(노인, 장애인, 정신장애인 등)이 살던 곳(자기 집이나 그룹 홈 등)에서 개개인의 요구에 맞는 서비스를 누리고, 지역사회와 함께 어울려 살아갈 수 있도록 주거, 보건의료, 요양, 돌봄, 일상생활의 지원이 통합적으로 확보되는 지역주도형 사회서비스 정책이다.

### 2) 비전과 과제

#### (1) 비전과 목표

- 비전 : 어르신이 살던 곳에서 건강한 노후를 보낼 수 있는 포용국가
- 목표 : 2025년까지 지역사회 통합돌봄(커뮤니티케어) 제공기반 구축[그림 4-10]

〈 자료원 : 보건복지부(2020). 지역사회 통합돌봄 자체추진 가이드 북 〉

그림 4-10 통합돌봄(커뮤니티케어)의 비전 및 로드맵

### (2) 4대 핵심과제

#### ① 주거지원 인프라 확충

사는 곳에서 건강관리 및 각종 돌봄서비스를 편하게 누릴 수 있는 돌봄안심 주거 인프라를 구축한다.

#### ② 방문건강 및 방문보건의료 실시

집으로 찾아가는 방문건강관리서비스 및 방문형 보건의료(진료·간호·약료 등)를 확충하여 평소 살던 곳에서 건강하게 지낼 수 있도록 지원한다.

#### ③ 재가 장기요양 및 돌봄서비스 획기적 확충

다양한 재가 서비스(식사, 이동, 돌봄, 안부 확인 등)를 통합 제공하기 위한 장기요양서비스 확대, 종합재가센터 설치, 재가의료급여 신설 등을 추진한다.

#### ④ 돌봄 대상자 중심의 민·관 서비스 연계 및 통합 제공

분절적 서비스(보건, 복지, 주거 등) 칸막이 해소, 민간-공공협력으로 대상자 중심의 서비스 연계, 다직종 간 서비스 연계를 위한 통합 플랫폼 구축한다.

#### ⑤ 병원과 시설이 아닌 지역사회 중심 통합돌봄으로의 패러다임 전환 기조를 법률과 각종 제도에 반영 추진

다양한 돌봄사업·제도의 대상자, 절차, 기준을 일관되게 아우르는 법률을 마련한다.

### 3) 통합돌봄 주요 서비스

- **주거** : 케어안심주택, 자립체험주택, 주택개조, 거주시설 전환 등
- **보건의료** : 방문건강관리, 방문의료, 방문약료, 만성질환관리 등
- **복지·돌봄** : 재가장기요양, 재가돌봄서비스, 스마트 홈 등

### 4) 통합돌봄 모형

노인이 살던 곳에서 가능한 오래 건강하게 살 수 있도록 지원한다[그림 4-11].

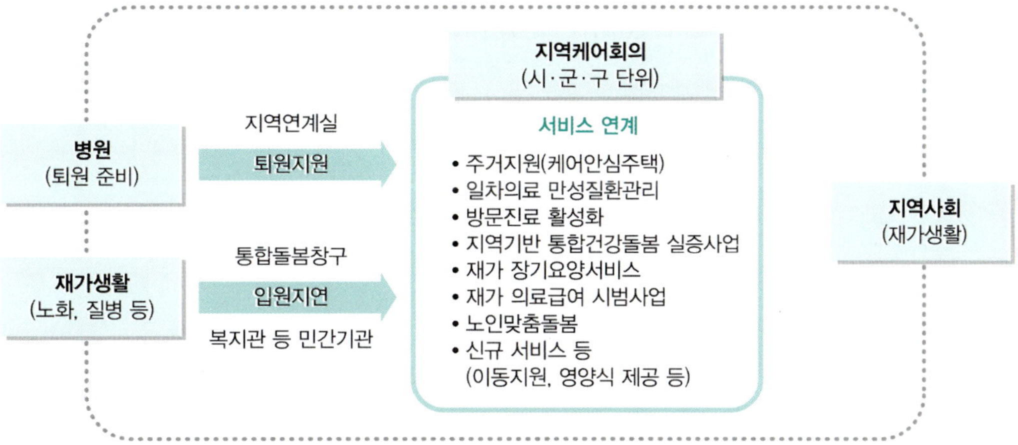


〈 자료원 : 보건복지부(2020). 지역사회 통합돌봄 자체추진 가이드 북 〉

**그림 4-11 노인 통합돌봄(커뮤니티케어) 모형**

제 05 장

# 건강증진사업 운영

COMMUNITY HEALTH NURSING

# 학·습·목·표



### 제1절 건강증진 개념의 이해

1. 건강증진의 개념을 설명한다.
2. 건강행위이론과 건강증진모형을 설명한다.

### 제2절 건강증진프로그램의 개발

1. 건강증진에 대해 설명한다.
2. 건강증진에 생활터·생애주기별 접근을 설명한다.
3. 건강증진프로그램(금연·절주·신체활동·영양)의 사례를 제시한다.

### 제3절 보건교육의 이해

1. 보건교육의 개념을 설명한다.
2. 보건교육자의 역할을 설명한다.
3. 보건교육 대상 및 범위를 설명한다.
4. 예방수준별 보건교육 내용을 설명한다.
5. 학습이론(행동·인지·인본·구성주의)을 설명한다.

### 제4절 보건교육 프로그램의 개발

1. 보건교육 프로그램을 개발한다.
2. 보건교육 요구를 조사 및 분석한다.
3. 학습목표를 진술한다.
4. 학습내용 선정과 구성에 대해 설명한다.
5. 교육 방법 및 매체선정의 유의사항을 설명한다.
6. 교육수행 계획 및 평가계획에 대해 설명한다.
7. 보건교육계획서를 작성한다.

### 제5절 보건교육의 수행

1. 보건교육 수행단계를 설명한다.
2. 교수-학습방법 선정 원리를 설명한다.
3. 보건교육의 교수-학습방법의 종류를 설명한다.
4. 보건교육 매체의 선정 원리를 설명한다.
5. 보건교육 매체의 종류를 설명한다.
6. 대상자별 보건교육을 실시한다.

### 제6절 보건교육의 평가

1. 보건교육평가의 목적과 기능을 설명한다.
2. 보건교육평가의 단계를 설명한다.
3. 보건교육평가의 분류 및 방법을 설명한다.

## 제1절 + 건강증진 개념의 이해

Keywords

- 건강증진
- 건강증진모형
- 건강 행위 이론(개인, 개인 간, 집단 및 지역사회)
- 생애주기
- 건강증진사업의 필요성
- 건강증진프로그램의 접근전략

## 1 건강증진의 개념

### 1) 건강증진의 정의

건강증진(Health Promotion)이란 건강(Health)과 증진(Promotion)의 두 용어가 함축하고 있는 내용에 따르면 '건강을 더 좋은 상태로 향상시킨다.'는 의미가 되겠다. 건강에 대한 정의는 시대에 따라 다양한 변화를 거쳐 왔고 20세기에 와서 등장한 건강증진 또한 여러 학자들과 보건관련 단체 등에서 다음과 같이 정의하였다.

#### 학자와 단체별 건강증진의 정의

- Green(1984) : "건강증진은 건강에 도움이 되는 보건교육과 조직적, 경제적, 환경적 차원의 지지이다."
- WHO(1985) : 건강증진을 특정 질환의 예방이나 위험군의 발견뿐만 아니라 "개인이나 지역사회로 하여금 건강결정요인들에 대한 통제력을 증진시켜 스스로 건강을 향상할 수 있도록 하는 과정이다."라고 정의하여 건강에 영향을 주는 관련요인에 대한 인식과 책임과 통제력의 중요성을 강조하고 있다.
- WHO(1998) : "건강증진은 개인의 기술과 능력을 향상시키며 사회적, 환경적 상태를 개선하는 활동을 포괄적으로 포함하는 사회적, 정치적 과정이다."
- **오타와 헌장**(Ottawa Charter, 1986) : 건강이란 삶의 목적이 아닌 일상생활을 위한 자원으로 "건강증진은 사람들이 자신의 건강에 대한 통제력을 증진시키고 개선하게 하는 과정이다."라고 정의하고 이를 위한 우선적인 활동요소의 고려에 대해 강조하였다.
- Pender(1987) : "건강증진은 안녕수준을 증진하고 개인·가족·지역사회의 잠재력을 실현하기 위한 방향으로 지시된 활동이다."
- O'Donnell(1989) : "건강증진은 최적의 건강상태를 지향하기 위하여 사람들로 하여금 생활양식을 변화시키도록 하는 데 도움을 주는 과학과 기술이다."
- **우리나라 건강증진법**(1995) : "건강증진은 건강에 대한 지식보급과 실천할 수 있는 여건 마련을 통해 건강에 대한 가치와 책임의식을 함양하는 것이다."
- **미국간호협회**(American Nurses Association; ANA) : 건강증진이란 "개인이나 집단이 잠재적이거나 실질적인 건강문제에 적응할 수 있도록 돕고, 건강에 영향을 미치는 지지적인 환경을 제공하고, 건강증진을 위한 간호활동과 관련이 있다."
- Rootman et al.(2001) : 건강증진에 대한 전문가와 기관의 정의를 종합하여 건강증진의 주요한 특징을 다음과 같이 정의하였다. 이것은 최근의 건강증진 개념을 잘 반영하고 있다.
  - 역량 강화 : 개인과 지역사회로 하여금 그들의 건강에 영향을 미치는 개인적, 사회경제적, 환경적 요인 전반을 강화할 수 있는 힘을 갖도록 한다.
  - 참여 : 건강증진프로그램 과정의 전 단계에 지역사회 관련자 모두를 스스로 참여할 수 있도록 한다.
  - 협력 : 다학제적인 관련 분야와 기관 간에 서로 협력하도록 한다.
  - 다양한 전략 이용 : 정책 개발, 조직적 변화, 지역사회 개발, 법률 제정, 옹호, 교육, 커뮤니케이션을 포함하여 다양한 접근을 시도한다.

이와 같이 다양한 건강증진의 정의를 종합해보면 건강증진이란 '높은 수준의 건강과 안녕을 달성하기 위한 활동과 과정으로써 건강을 더 좋은 상태로 향상시키기 위해서 개인·가족·집단 및 지역사회의 건강잠재력을 활성화시키는 것'이라 할 수 있다.

건강증진 개념에서 보는 인간은 건강을 회복하고 질병을 예방하며 건강을 유지·증진할 수 있는, 건강을 더 좋은 상태로 향상시킬 수 있는 잠재력을 가진 존재이다. 건강증진 활동으로 개인·가족·집단·지역사회의 잠재력을 실현하기 위해 건강증진사업의 주체로서 대상자 스스로 건강문제 해결능력 향상을 위한 역량강화와 적극적인 참여가 중요하고, 건강을 유지·증진하도록 보건교육적·예방의학적·사회제도적·환경보호적 수단을 강구하는 것이 필수적이다.

따라서 건강증진은 질병예방수준 이상의 것으로 단순히 질병의 치료나 예방에서 그치는 것이 아니라 건강행위의 실천을 통해서 개인의 건강잠재력이 충분히 발휘될 수 있도록 개발해야 한다. 오늘날 건강에 대한 개념은 단순히 질병에 걸리지 않는 건강보호와 질병예방 수준을 넘어 건강증진 활동을 강조하는 것으로 확대되었다.

건강보호와 질병예방 및 건강증진 개념의 중요한 차이점은 개인과 인구집단의 행위에 내제된 동기가 적극적인가 아니면 소극적인가에 있다(Parse, 1990).

건강증진과 건강보호 및 질병예방 개념과 그 차이점을 설명하면 다음과 같다.

- **건강보호·질병예방의 개념** : 질병에 대한 방어적 개념으로 질병에 걸리지 않도록 하거나 질병의 진행 과정을 더디게 하거나 변화하게 하거나 제거함으로써 신체적 저항력과 행위 및 환경을 변화시키는 소극적인 행위이다.
- **건강증진의 개념** : 건강에 대한 긍정적인 개념으로 건강을 더욱 건강하게 함으로써 인간과 환경 간의 상호작용 과정에서 삶의 질을 향상시키기 위해 취하는 적극적인 행위이다.

## 2) 건강증진개념 대두 배경 및 국외발전과정

건강증진의 개념(Paradigm of Health Promotion)은 1921년 '공중보건의 정의'를 내린 Winslow가 건강증진을 언급한 것을 시작으로 1974년 '건강에 대한 새로운 조망'을 보고한 캐나다의 '라론드 보고서(Lalonde's Report)'에서 본격적으로 대두하였다. Marc Lalonde는 생의학적 모형에 기초한 의학적 치료와 구분되는 '건강의 장(health field)'이라는 개념을 발표하였다. 이 보고서는 다음과 같은 내용을 제시하였다는 점에서 의의가 있다.

- 건강, 질병, 사망을 결정하는 건강결정요인을 유전을 포함한 생리적요인, 물리·환경요인, 생활양식, 의료전달체계로 구분하고 이 가운데 생활양식이 전체의 50% 이상을 차지한다고 주장
- 건강한 개인, 지역사회 및 환경의 건강증진을 위해 건강행위를 바꾸어야 하는 책임을 강조
- 공공보건이 고위험에 노출된 지역사회 주민들에게 관심을 갖고 집중할 수 있는 계기를 제공
- 건강에 전반적인 영향을 주는 운동이나 영양 등에 대한 관리의 필요성을 인식하게 하는 데 공헌

그리고 1979년 미국의 'Healthy People'에서 공식적으로 건강증진의 개념이 표현되었다. '미국 공중위생국 보고서(Surgeon General's Report)'에서도 우리 자신의 부주의한 습관뿐 아니라 오염된 환경과 유해한 사회적 환경에 의해 우리 스스로를 살해하고 있다는 주장을 전개함으로써 '라론드 보고서(Lalonde's Report)'와 같은

입장을 취하였다. 이 두 보고서의 중요한 의의는 개인이 개인의 행위를 변화시키고 자신의 건강수준을 향상시키기 위해 취할 수 있는 필수적인 역할이 무엇인가에 대한 관심을 불러일으켰으며, 건강을 바라보는 시각을 질병예방과 치료개념에서 건강증진 개념으로 변화하는 계기가 되었다는 것이다.

시대적으로 보면 1796년 예방접종백신을 발명(Edward Jenner)한 후 19～20세기 초반까지를 '예방의학의 시대'라고 한다면 20세기 후반 생활양상, 질병양상, 사망양상 변화와 삶의 질 향상에 대한 관심과 정책 활동이 증가된 오늘날을 '건강증진의 시대'라고 할 수 있다.

미국을 중심으로 하는 초기의 건강증진프로그램들은 주로 개인의 건강행위 수준에 초점을 두는 경향이 있었다. 이는 개인의 대응능력이나 개인의 요구가 있다 하더라도 환경으로부터 받게 되는 도전에 대해 대처할 수 있는 개인의 능력에 대해서는 고려하지 않았다는 것을 의미한다. 즉 개인의 대처능력이 환경적 요인으로 인해 건강행위 실천에 장애가 있다는 점을 간과하였던 것이다.

20세기 후반부터 시대별로 건강증진에 대한 활동을 살펴보면 1950～1960년대에는 개인의 건강행위 변화의 필요성이 강조되는 전환기로 가족계획, 성병과 사고예방, 예방접종, 자궁암 검진, 체중관리, 음주와 흡연제한 등에 관심을 두었다. 그래서 개인의 가족계획과 질병 예방적 접근이 강조되었고 가족계획과 질병예방을 위한 보건교육에 노력을 집중하였다.

1970년대에는 이전의 접근이 건강에 결정적인 영향을 미치는 경제적·사회적·환경적 요인을 무시한 것과 나쁜 건강상태를 개인의 잘못으로 비난한다는 점에서 비판을 받게 되었다. 1980년대에는 보건교육을 포함하면서도 정치적이며 사회적인 운동의 필요성을 강조하는 광의의 건강증진개념이 대두되었다. 1980～1990년대의 이러한 움직임의 주도적인 역할은 WHO가 담당하였다.

WHO의 주요활동을 연대별로 살펴보면 다음과 같다.

### (1) 알마타 회의

WHO는 1977년에 2000년대까지는 세계의 모든 인류가 건강하자는 뜻을 담은 'Health for All by the Year 2000'을 목표로 설정하였다. 1978년 구소련의 알마타(Alma Ata)에서 개최한 회의에서 그 목표를 실현하는 접근방법으로 '일차보건의료'를 제안하였다. 또한 국가의 책임하에 국민의 기본권으로 건강수준을 확보하고 보건의료체계 내에서 실천해야 할 일차보건의료의 주요 건강서비스 내용을 제시하였다. 일차보건의료는 인간생존을 위한 기본적인 보건의료서비스를 말하는 것으로, WHO에서는 인류가 가지고 있는 건강문제의 80% 이상이 일차보건의료를 통해 해결할 수 있는 문제이며, 이를 해결할 수만 있다면 우리가 추구하는 목표도달은 쉬울 것이라고 보았다.

그리고 이 회의에서 건강은 인간의 기본권으로 건강향상은 오늘날 전 세계가 당면한 사회개발의 목표임을 재확인하고, 국가 간, 한 국가 내에서 '보건의료 불균형상태에 대한 우려'를 표명하였다. 이 회의는 1979년 미국보건복지부의 'Healthy People 2000'으로 이어졌으며 2002년 우리나라의 '국민건강증진 2010'으로 이어졌다.

### (2) 제1차 오타와 국제회의

WHO는 1986년 캐나다 오타와에서 개최한 제1차 국제건강증진회의에서 '건강이란 삶의 목적이 아닌 일상생활을 위한 자원이다. 건강증진은 사람들이 자신의 건강에 대한 통제력을 증대시키고 건강을 향상시키는 능력을 갖도록 하는 과정이다.'라고 하며 오타와 헌장(Ottawa Charter)을 선포하고 건강증진을 달성하기 위한 원칙으로 3대 강령과 5가지 활동전략을 제시하였다.

### ① 건강증진의 3대 원칙

**가. 옹호(Advocacy)**

건강목표를 달성하도록 스스로 관심과 요구를 갖도록 하며, 요구를 충족시키기 위해 보건정책을 수립하고 지원하는 것이다.

**나. 역량강화(Empowerment)**

개인·가족·지역사회 스스로가 건강에 대한 권리와 책임을 갖고 건강증진을 위한 능력을 함양하는 것이다.

**다. 연합(Alliance)**

사회, 경제, 정치 및 건강에 영향력을 갖고 있는 다양한 분야의 협조와 노력을 하는 것이다.

### ② 건강증진의 5대 전략

**가. 건강한 공공정책의 수립(Build Healthy Public Policy)**

정책입안자들에게 정책결정결과가 건강에 미치는 영향을 인식하게 함으로써 국민건강에 대한 책임감을 수용하게 하는 것이다. 공공정책을 수립하는 활동으로 다음과 같이 제시하였다.

- 건강증진과 긍정적으로 관련된 입법조치
- 재정지원
- 조세혜택
- 조직변화
- 안전하고 건전한 상품과 서비스 개발
- 보다 건강한 공공서비스
- 보다 쾌적하고 청결한 생활환경 보장 등

**나. 지지적 환경 조성(Create Supportive Environments)**

건강증진을 지지하는 자연적·물리적 환경 조성을 위해 전 세계의 자연자원을 보존하는 것은 전 지구인의 책임이란 것이 강조되어야 하며, 이를 위해 세계적인, 국가적인, 지역사회를 위한 보편적인 원칙을 수립하기 위해 상호 협조해야 한다는 것이다. 지지적 환경 조성을 위해서 다음과 같이 활동을 제시하였다.

- 건강증진을 위한 자연보호
- 자원보존
- 지지적 환경 조성
- 안전하고 동기유발을 증진하며 만족과 즐거움을 줄 수 있는 직장환경과 생활환경 조성

**다. 지역사회활동 강화(Strengthen Community Action)**

지역사회 주민들이 더 나은 건강을 누리기 위하여, 일상의 삶에서 건강의 우선순위를 세우고, 건강문제를 해결하기 위한 개인적, 집단적 의사결정에 적극적으로 참여하며, 효과적으로 지역사회를 조직화하고, 건강 관련 활동을 더욱 활성화하는 것이다.

지역사회활동 강화를 위한 활동으로 다음과 같이 제시하였다.

- 건강증진을 위한 우선순위와 활동범위 선정
- 전략적 계획과 실천방법 모색
- 구체적이고, 효과적인 지역사회 활동 수행

**라. 개인의 기술개발(Develop Personal Skills)**

건강을 위한 정보와 교육을 제공하고, 건강한 일상생활에 필요한 여러 가지 기술을 강화함으로써, 사람들은 자신의 건강과 주변 환경을 보다 잘 관리할 수 있고, 건강에 이로운 선택을 할 수 있는 역량을 넓혀가게 되는 것이다. 개인의 기술개발을 위한 활동으로 다음과 같이 제시하였다.

- 건강증진을 위한 개개인의 건강과 환경에 대한 통제능력 향상을 통해 건강에 유익한 선택을 할 수 있는 능력을 개발한다.
- 생애주기에 따른 건강증진활동을 전 생애의 각 단계별로 준비할 수 있게 한다.
- 만성질환이나 상해, 위기에 대처할 수 있는 능력을 개발한다.
- 위와 같은 개인의 기술개발을 위한 활동은 학교, 직장, 지역사회, 교육기관, 전문직단체, 사업체, 각종 시민단체와 비정부기관에서 자발적으로 이루어져야 한다.

**마. 보건의료서비스의 방향 재설정(Reorient Health Services)**

보건의료서비스의 방향 재설정을 위한 보건의료부문의 역할은 치료와 임상서비스에 대한 책임을 넘어 건강증진의 방향으로 전환되어야 한다는 것이다. 그리고 건강증진의 책임은 개인, 지역사회, 보건전문인, 보건의료기관, 정부 등이 공동으로 가지며 건강추구에 함께 기여하는 보건의료체계를 만들어가야 한다고 제시하였다.

보건의료서비스의 방향을 재설정하기 위해서 다음과 같이 활동을 제시하였다.

- 보건의료사업은 대상자의 요구에 민감하게 대처하고 존중해야 한다.
- 보건서비스 이용자의 건강요구에 알맞은 서비스를 개발해야 한다.
- 보건서비스 전문인력의 훈련과정에 건강증진에 대한 교육을 포함시켜야 한다.
- 건강과 다른 분야와의 대화 통로를 여는 것이 필요하다.

### (3) 제2차 애들레이드 국제회의

호주 애들레이드(Adelaide, 1988)에서 개최한 제2차 국제건강증진회의에서는 제1차 국제건강증진회의에서 제시한 5대 전략 중에 하나인 ‘건강한 공공정책의 수립(Build Healthy Public Policy)’에 대해 집중 토의하였다. 경제·사회정책과 건강정책의 연계, 정부와 민간 그리고 지역사회 여러 집단의 연합을 통한 건강한 공공정책 수립을 건강증진의 수단으로 강조하였다.

#### ① 건강한 공공정책 수립 활동

건강한 공공정책 수립 활동으로 다음과 같이 제시하였다.

- 자원투자
- 접근성 보장

### ② 공공정책 수립의 우선순위

공공정책 수립의 우선순위를 다음과 같이 4대 주제로 제시하였다.

- 여성건강증진
- 식품과 영양
- 흡연과 음주
- 지지적 환경 조성

### (4) 제3차 선즈볼 국제회의

스웨덴 선즈볼(Sundsvall, 1991)에서 개최한 제3차 국제건강증진회의에서는 제1차 회의에서 제시한 5대 전략 중의 하나인 '지지적 환경 조성(Create Supportive Environments)'에 대해 집중 토의하였다. 건강과 물리적 환경 간의 필수적인 관계를 집중 조명하고 중점적으로 교육, 식품과 영양, 가정과 이웃, 업무, 운송, 사회적지지와 돌봄의 6개 분야를 제시하였다. 그리고 지지적 환경을 조성하기 위한 활동을 다음과 같이 제시하였다.

- 정책개발
- 입법, 제도, 조직 방향의 재설정
- 옹호, 인식의 제고
- 능력부여
- 자원동원
- 지역사회 역량강화
- 지속 가능한 개발
- 주민이 참여하는 지역사회 실천의 중요성 강조

이 제3차 국제회의에서 제시한 '지속 가능한 개발'과 '지역사회 실천의 중요성을 강조'한 것은 1992년 리우데자네이로(Rio de Janeiro)의 '아젠다 21(Agenda 21)'로 계승되었다. 리우환경선언을 '환경보존을 위한 총론적인 헌장'이라고 한다면 이 '아젠다 21'은 '지구보존을 위한 규범과 각론으로 환경보존 실현을 위한 행동계획'이라고 할 수 있다.

### (5) 제4차 자카르타 국제회의

인도네시아의 수도 자카르타(Jakarta, 1997)에서 개최한 제4차 국제건강증진회의는 개발도상국에서 처음 개최한 대회로서 의미가 있다. 이 회의에서는 건강증진사업에 민간부문의 참여를 논의하였다. '건강증진은 가치 있는 투자다'라고 전제하고 건강증진을 보건사업의 중심으로 보았다. 오타헌장의 5가지 기본전략을 유지하면서 21세기 건강증진을 위한 활동의 5가지 우선순위를 제시하였다. 이 5가지 우선순위는 다음과 같다.

- 건강을 위한 사회적 책임 강화
- 보건부문 투자 확대
- 건강을 위한 협력관계 구축과 강화
- 지역사회 능력 증대와 개인 역량 강화
- 건강증진을 위한 인프라 구축

### (6) 제5차 멕시코시티 국제회의

멕시코의 수도 멕시코시티(Mexico city, 2000)에서 개최한 제5차 국제건강증진회의에서는 제4차 회의에서 제시한 기본전략 외에 취약한 환경에 거주하는 사람들의 건강문제 해소에 대해 집중토의 하였다. 건강의 불균형을 유발하는 요인으로 자원에 접근성, 사회적·구조적 불균형, 성의 불평등 등을 언급하고 건강의 불균형을 유발하는 요인을 해소하기 위한 건강증진 전략으로 건강결정에 중점을 둔 전략을 유지하면서 개인의 권한 및 능력향상을 강조하고, 건강불균형의 결정 요인에 역점을 두었다.

건강증진 활동으로 제4차 회의에서 논의된 건강증진을 위한 5가지 우선순위에 의료체계와 서비스의 재정비를 추가하여 제시하였다.

### (7) 제6차 방콕 국제회의

태국의 수도 방콕(Bangkok, 2005)에서 개최한 제6차 국제건강증진회의에서는 급변하는 세계화 속에서 새로이 직면하게 되는 건강결정요인과 건강과제를 파악하고, 효과적으로 대처하기 위한 새로운 건강증진전략 5가지를 제시하였다. 그리고 전 세계의 모든 국가와 관련분야, 비정부기관, 민간부문, 시민사회의 적극적인 참여와 오타와헌장의 적극적인 실행을 촉구하였다.

이는 제1차 대회에서 채택한 오타와헌장의 3대 원칙인 옹호(Advocacy), 역량강화(Empowerment), 연합(Alliance)을 보다 실천 중심으로 구체화해서 옹호하다·제창하다(Advocate), 함양하다(Build Capacity), 협력하다·연대를 구축하다(Build Alliances)를 제시한 것이다.

제6차 방콕 국제회의에서 채택한 5가지 건강증진 활동전략은 다음과 같다.

- 건강의 중요성과 형평성 제창(Advocate)
- 건강을 위한 투자(Invest)
- 건강증진을 위한 역량함량(Build Capacity)
- 규제 및 법규 제정(Regulate and Legislate)
- 건강을 위한 파트너십과 연대 구축(Partnership and Build Alliances)

### (8) 제7차 나이로비 국제회의

케냐의 수도 나이로비(Nairobi, 2009)에서 개최한 제7차 국제건강증진회의에서는 그동안의 제1~6차에 걸친 국제회의를 통해서 건강증진은 보건체계의 필수적인 요소로서 통합적이고, 비용이 효과적인 전략이 된다는 사실을 알게 되었다. 따라서 건강증진에 대한 관심이 점점 증대하고 있다고 보았다. 최근에 나타나고 있는 세계경제위기는 보건의료사업 실행을 어렵게 만들고, 지구온난화와 기후 변화는 인간생활에 해를 끼친다고 지적하였다.

그리고 국내 또는 국가 간에 일차보건의료의 재개와 함께 건강증진이 필수적이고, 효과적인 접근이 된다고 하여, 건강증진활동을 위한 5가지 전략을 다음과 같이 제시하였다.

- 지역사회 역량강화(Community Empowerment)
- 건강문해력과 건강행위(Health Literacy and Health Behavior)
- 건강체계의 보강(Strengthening Health System)
- 파트너십과 각 부문간 조치행동(Partnerships and Intersectoral Action)
- 건강증진을 위한 역량 함양(Building Capacity for Health Promotion)

### (9) 제8차 헬싱키 국제회의

핀란드의 수도 헬싱키(Helsinki, 2013)에서 개최한 제8차 국제건강증진회의에서는 '모든 정책에서의 건강(Health in All Policy)'이라는 주제로 그동안의 제1~9차에 걸친 국제회의를 통해서 달성된 건강증진의 목표와 성과를 되돌아보고 향후 '건강체계(Health Systems)의 지속가능성과 지속가능한 개발' 의제에 대해 토의하였다.

'모든 정책에서의 건강'의 접근방식에 대한 경험을 검토하고 모든 수준의 개발도상국가에서 구체적인 행동지침을 확립하여 헬싱키 성명을 발표하였다. 헬싱키 성명에서는 알마타 선언의 '모든 사람의 건강(Health for All)'이 정부의 주요 목적이자 지속 가능한 개발의 초석이라고 전제하고 '헬싱키 성명'을 다음과 같이 제시하였다.

- 정부가 건강과 건강형평성을 정치적 우선순위에 두고 책임감 있게 추진하기를 촉구한다.
- 조직의 역량을 키우고 투명한 책무와 감사·추적 기전을 가지기를 촉구한다.
- 이해 상충으로 인해 정책이 왜곡, 변형되지 않도록 보호하는 기전을 가지기를 촉구한다.
- 정부의 모든 영역에서 '모든 정책에서의 건강'이 가능하도록 작업 구조, 과정, 자원을 확보하기를 촉구한다.
- '모든 정책에서의 건강'의 시행과 모니터링을 시민과 지역사회와 함께 추진하기를 촉구한다.
- 보건부서가 정부의 다른 부문들을 연계하여 참여하게 할 수 있는 역량을 강화하기를 촉구한다.

### (10) 제9차 상하이 국제회의

제1차 오타와 대회가 개최된지 30년이 되는 2016년 개최된 제9차 상하이 국제회의에서는 '지속가능한 개발목표의 건강증진 : 건강을 위한 모든 것과 모두를 위한 건강(Health Promotion in the Sustainable Development Golals : Health for All and All for health)'을 주제로 토의하여 지속가능한 개발 목표의 중심에 건강증진이 있다. 건강증진은 건강도시에 있다는 것에 합의하였다.

따라서 상하이 선언은 훌륭한 거버넌스 형성, 건강도시 형성, 건강문해력 및 사회동원을 통해 건강증진을 촉진하고 건강요인 결정을 다루는 경로를 제공하였다.

UN 2030 의제인 지속가능한 개발 목표는 건강에 대한 투자를 확고히 하고, 건강보험의 보편적 적용을 보장하며, 모든 연령층의 건강상 불평등을 해소하는 것이다. 건강은 국민의 권리이고, 일상 삶을 영위하는 데 필수적인 자원이며, 모든 국가에서 사회적 목표와 정책개발의 최우선이 되어야 한다는 것이다.

제9차 상하이 국제회의에서는 건강이란 일종의 정치적 선택이며 건강에 유해한 이익들은 저지할 것이며, 역량강화, 특히 여성과 소녀들의 역량을 강화하고 장애물들을 제거하고, 서로 다른 다양한 부분들과 통치방식, 정치 지도자, 민간부문 지도자, 그리고 시민사회 지도자 등에게 동참해 줄 것을 호소하였다.

또한 '건강증진과 관련된 모든 사람들의 행동과 조치를 요구하고, 건강증진은 모두의 공동 책임이다.'라고 한 상하이 선언문을 가지고, 이 대회 참석자들은 강화된 정치적 공약과 건강증진에 재정적 투자를 통하여 지속가능한 개발 목표의 시행을 가속화 할 것을 서약하였다.

지속가능한 개발을 위해 UN 2030의제 내에서 건강증진에 관한 '상하이 건강증진 선언문'을 다음과 같이 제시하였다.

- 건강과 웰빙이 UN 2030 개발 의제와 지속 가능한 개발 목표 성취에 필수사항임을 인정한다.
- 지속가능한 목표 달성을 통해 건강을 증진한다.

- 건강을 위한 정책을 형성한다.
- 건강을 위해서 국가의 통치방식은 결정적이다.
- 지역사회는 건강을 위한 중요한 장이다
- 건강정보이해(건강문해력; health literacy) 역량을 강화하고 형평성 있게 한다.
- 조치/행동을 촉구한다.

#### (11) 임시총회

WHO는 코로나19로 인해 10차 건강증진대회를 개최하지 못하고 2020년 11월 11일 임시총회를 화상회의로 개최하였다. 이날 우환폐렴을 COVID-19로 공식 명칭을 선포하면서 질병명을 지리적 위치나 동물, 기호, 특정 집단을 지칭하는 것을 배제하자고 선언하였다.

또 다시 2021년 5월 24일 임시총회를 화상회의로 개최하였다. "코로나19 감염병의 세계적 대유행(현 팬데믹)의 종결, 그리고 예방 : 함께 만드는 더욱 건강하고 안전하며 공평한 세계"를 주제로 각국의 코로나19 대응, 세계적인 공중보건 위기 시 WHO의 역할 등 70여 개 안건이 논의되었다.

이번 총회에서는 특히 WHO가 다시금 신뢰를 얻기 위한 개혁 방안 등이 논의되고, 테워드로스 아드하놈 거브러여수스 WHO 사무총장은 개막 연설에서 9월까지 모든 국가에서 인구의 최소 10%가 코로나19 백신을 접종할 수 있도록 하자고 촉구했다. 제조사와 각국에 백신 우선 구매권 및 기부를 당부했다.

앙겔라 메르켈 독일 총리와 에마뉘엘 마크롱 프랑스 대통령은 WHO에 대한 재정 지원을 확대하고, 팬데믹을 막기 위한 국제 조약 체결을 추진해야 한다고 입을 모았다. 마크롱 프랑스 대통령은 "WHO가 팬데믹이 촉발될 수 있는 감염병이 발생했을 때 신속하게 해당국을 방문하고, 데이터에 접근할 수 있도록 해야 한다"고 강조했다.

### 3) 우리나라 건강증진 발전과정

우리나라 건강증진사업은 1995년 「국민건강증진법」 재정 발표 이후 국민의 건강수준을 평가하기 위해 1998년부터 매년 국민건강영양조사를 실시하고 있다. 1998년부터 2001년까지 건강증진 거점 보건소를 중심으로 건강증진 시범사업을 실시하였다. 2002년 제1차 국민건강증진종합계획(Health plan 2010)을 발표·수행하고 목표를 조기에 달성하여 2005년 제2차 국민건강증진종합계획(New Health plan 2010)을 발표·수행하였다.

그리고 2010년에 발표한 제3차 국민건강증진종합계획(Health plan 2020)을 마무리하고 제4차 국민건강증진종합계획(Health plan 2020)은 제3차를 중간 수정형태로 수립하여 진행하였다. 현재 제5차 국민건강증진종합계획(Health plan 2030)이 [그림 5-1]과 같이 진행 중에 있다. 국민건강증진종합계획 추진경과는 [그림 5-2]와 같다. 또한 2013년부터 시작한 지역사회통합건강증진 사업을 지역적 특성과 주민의 수요에 맞게 지역 보건소를 중심으로 기획하여 지속적으로 수행하고 있다. 〈자세한 내용은 p.134 제2장의 '국민건강증진종합계획', p.141 '지역사회 통합건강증진사업' 참고〉

**제5차 국민건강증진종합계획(Health Plan 2030) 기본틀**

국민건강증진종합계획은 「국민건강증진법」 제4조에 근거하고 있다.

국민건강증진종합계획 기본 구조

|  |  | | |
|---|---|---|---|
| 비전 | 모든 사람이 평생 건강을 누리는 사회 | | |
| 목표 | 건강수명 연장, 건강 형평성 제고 | | |
| 사업분야 | 건강생활실천 | 정신건강 관리 | 비감염성 질환 예방관리 |
| | •금연 •신체 활동<br>•절주 •구강건강<br>•영양 | •자살예방 •지역사회 정신건강<br>•치매<br>•중독 | •암 •비만<br>•심뇌혈관질환 •손상 |
| | 감염 및 기후변화성 질환 예방 관리 | 인구집단별 건강관리 | 건강친화적 환경 구축 |
| | •감염병 예방 및 관리<br>•감염병 위기 대비·대응<br>•기후변화성 질환 | •영유아 •장애인<br>•아동·청소년 •근로자<br>•여성 •군인<br>•노인 | •건강친화적 법제도 개선<br>•건강정보 이해력 제고<br>•혁신적 정보기술의 적용<br>•재원마련 및 운용<br>•지역사회 자원 확충 및 거버넌스 구축 |
| | 건강수명 연장, 건강 형평성 제고 | | |

**총괄목표**

- **건강수명 연장** : 2030년까지 건강수명 73.3세 달성
- **건강 형평성 제고** : 건강수명의 소득 간, 지역 간 형평성 확보

**성과지표**

28개 중점과제별 성과지표는 총 400개(중복지표 제외)
성과지표 중 성, 소득, 지역별 분리되어 있거나, 그 격차를 모니터링할 수 있는 형평성 지표는 176개
(성별) 92개, (소득) 16개, (지역) 19개, (성별·소득) 37개, (성별·지역) 12개

**대표지표**

24개 중점과제별 대표지표는 64개 선정
대표지표에 대한 성, 소득, 지역 격차를 모니터링할 수 있는 형평성 지표 49개 선정
(성별 25개, 소득 1개, 지역 3개, 성별·소득 16개, 성별·지역 4개)

〈 자료원 : 한국건강증진개발원(2020.4.2). https://khealth.or.kr/kps 〉

**그림 5-1 국민건강증진종합계획 2030**

| 1995 | 1997 | 2002 | 2005 | 2011 | 2016 | 2021 |
|---|---|---|---|---|---|---|
| 국민건강증진법 제정 | 국민건강증진기금 조성 | 1차계획 국민건강증진종합계획 (HP2010, 2002~2005) 수립 | 2차계획 국민건강증진종합계획 (HP2010, 2006~2010) 수립 | 3차계획 국민건강증진종합계획 (HP2020, 2011~2015) 수립 | 4차계획 국민건강증진종합계획 (HP2020, 2016~2020) 수립 | 5차계획 국민건강증진종합계획 (HP2030, 2021~2030) 수립 |

| 구분 | 시기 | 주체 | 구성내용 | | | | 비전 |
|---|---|---|---|---|---|---|---|
| HP2010 | 1차계획 (2002~2005) | 보건복지부 | 6개 분야 | 39개 사업 | 40개 목표 | | 75세의 건강장수 실현이 가능한 사회 |
| | 2차계획 (2006~2010) | 보건복지부 한국보건사회연구원 | 4개 분야 | 24개 과제 | 108개 사업 | 244개 성과지표 | 온 국민이 함께 하는 건강세상 |
| HP2020 | 3차계획 (2011~2015) | 보건복지부 한국건강증진개발원 | 6개 분야 | 32개 사업 | 140개 목표 | 450개 성과지표 | 온 국민이 함께 만들고 누리는 건강세상 |
| | 4차계획 (2016~2020) | | 6개 분야 | 27개 사업 | 140개 목표 | 369개 성과지표 | |
| HP2030 | 5차계획 (2021~2030) | | 6개 분야 | 28개 사업 | 83개 목표 | 400개 성과지표 | 모든 사람이 평생 건강을 누리는 사회 |

〈 자료원 : 한국건강증진개발원(2020.4.2). https://khealth.or.kr/kps 〉

**그림 5-2 국민건강증진종합계획 추진경과**

## 2 건강행위이론과 건강증진모형

건강증진모형은 건강행위를 설명하는 이론으로 건강행위 결정에 영향을 미치는 요인과 건강행위가 이루어지는 과정을 설명하고, 건강증진을 위해 변화시켜야 할 행위를 규명하고, 그 방법을 확인하는 데 도움이 된다.

건강행위이론은 사람들이 건강행위를 수행하는 데 있어 특정 건강행위를 수행하기로 결정하는 데 영향을 미치는 요인 등의 행위결정과정을 알 수 있고, 건강을 위해 변화시켜야 할 건강행위와 그 방법을 규명하는 데 도움이 된다. 건강행위이론에는 매우 다양한 이론이 있으며 건강행위이론은 건강증진모형을 포함한다.

이 장에서는 실무현장에서 보편적으로 사용되고 있는 이론을 중심으로 개인수준의 건강행위이론과 개인 간 수준의 건강행위이론 그리고 집단과 지역사회 수준의 건강행위이론으로 분류하여 살펴보기로 한다.

### 1) 개인 수준의 건강행위이론

#### (1) 합리적 행위이론

합리적 행위이론(Theory of Reasoned Action; TRA)은 Fishbein(1975) 건강행위가 한 개인의 의지에 의해 수행될 수 있는지를 설명하기 위해 개발되었다. 이 이론에서 인간은 환경에 대처하기 위해 정보를 활용하는 합리적인 존재이고, 어떤 행위를 수행하려는 의도가 있다면 그 의도가 그 행위의 직접적인 결정요인이 된다고 가정을 한다.

이 이론에 따르면 인간의 행위에는 바람직한 결과가 기대되고, 이러한 행위의 결과에 대해 개인이 긍정적인 가치를 부여할 때 행위가 수행된다고 한다. 즉 특정행위를 하면 기분이 좋고, 그 행위 결과에 만족하고, 그 행위를 하도록 사회적 압력이 있다고 주관적으로 인식할 때 행위수행이 일어난다는 것이다.

합리적 행위이론의 모형은 [그림 5-3]과 같고 주요 개념 설명은 다음과 같다.

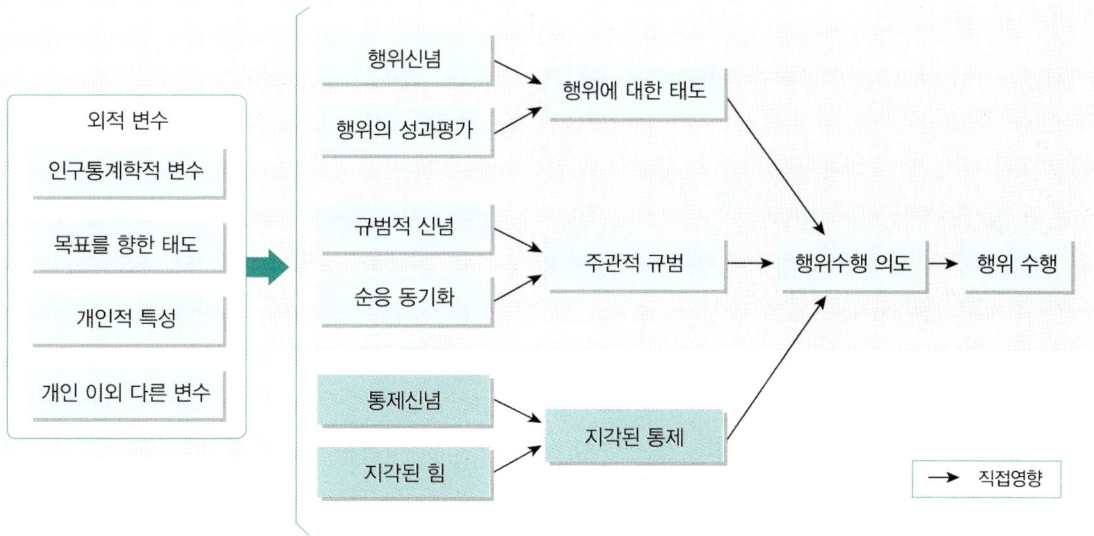


※ 은 합리적인 행위 이론을 보여줌. 전체 그림은 계획된 행위의 이론을 보여줌

〈 자료원 : Karen Glanz, Barbara K. Rimer, & K. Viswanath.(2015). Health Behavior: Theory, Research, and Practice, 5th Edition, Jossey-Bass 〉

그림 5-3 합리적 행위이론과 계획된 행위이론의 모형

#### ① 행위

행위는 인간이 의도를 가지고 하는 행동을 말한다. 따라서 행위는 행위자의 의도에 의해 결정되므로 행위를 예측하기 위해서는 행위자의 의도를 파악해야 한다.

#### ② 행위의도

행위의 의도는 특정 행위를 수행할 때 어떤 뜻을 가지고, 얼마나 자발적으로 하려는지 얼마나 많은 노력을 기울이는지에 대한 뜻하는 바이다. 개인의 행위의도는 행위의 직접적인 결정인자로 행위의도를 파악함으로써 행위에 대한 예측이 가능해진다. 예를 들면 매일 아침 운동을 하는 이유가 살을 빼려고, 멋진 신체를 가지려고, 호감이 가는 사람을 만나려고, 건강을 증진하려고 등등 행위를 하는 의도가 다양하다. 이러한 행위의도가 강렬할수록 행위를 수행할 가능성이 높아진다.

#### ③ 행위에 대한 태도

행위에 대한 태도는 그 행위를 수행함으로써 초래하게 될 수 있는 결과의 가치와 그 결과가 발생할 가능성에 따라 결정된다. 예를 들면 흡연자가 담배를 피우면 기분이 좋을 것이라고 기대하는 것 또는 청소년이 흡연을 하면 마치 어른이 된 것 같은 기분이 드는 것과 같은 감정들이 흡연에 대한 우호적 태도를 갖게 한다.

#### ④ 주관적 사회규범

주관적 사회규범은 자신의 주위에 있는 사람들 중에서 자신이 중요하다고 생각하는 사람들이 그 행위와 관련되어 어떠한 기대를 하는지에 대한 주관적인 판단이다. 행위는 자신이 중요하다고 생각하는 사람들의 기대에 부응하고자 하는 사회적 역할수행에 대한 동기의 크기에 따라 결정된다. 예를 들면 매일 운동하는 자신의 모습, 흡연, 음주 등에 대해 여자친구, 존경하는 분 등이 어떻게 생각하고 있을까 등 주관적으로 사회규범을 받아들이고 있는 지각하는 정도에 따라 행위를 수행하는 정도가 결정된다.

### (2) 계획된 행위이론

계획된 행위이론(Theory of Planned Behavior; TPB)은 합리적 행위이론에서 발전된 이론이다(Ajzen, 1975). 합리적 행위이론은 행위는 잘 예측하지만 너무 단순하다는 평가를 받고 있는 것에 추가적으로 고려해야 할 요인이 필요하다고 판단하게 됨에 따라 계획적 행위이론으로 발전하게 되었다. 그래서 이 이론은 합리적 행위이론에 지각된 행위통제 개념을 추가하였다. 인간의 다양한 사회행동을 이해하며 예측하고 설명하는 데 관심을 두고 인간의 행위를 바람직한 행위로 변화시키려는 것에 목적을 두고 개발하게 되었다.

여기서 지각된 행위통제 개념은 자기효능감과 유사한 개념으로 볼 수 있다. 행위에 대한 태도와 주관적 규범, 지각된 행위통제가 행위의도에 영향을 미치는 정도는 행위의 성격이나 대상의 특성에 따라 다양한 형태로 나타나는데 어느 것이 더 중요하다고 말하기는 어렵다.

계획된 행위이론의 모형은 [그림 5-3]과 같고 주요 개념 설명은 다음과 같다.

#### ① 행위의도

행위의도의 결정요인은 행위에 대한 태도와 주관적으로 지각된 사회규범, 지각된 행위통제의 영향을 받는다.

#### ② 행위에 대한 태도

행위에 대한 태도는 특정 행위에 대해 개인이 내리는 긍정적 또는 부정적 평가의 정도를 말한다. 행위에 대한 태도는 행위에 대한 신념과 결과평가에 따라 결정되고 행위의도에 영향을 미친다고 가정을 한다. 여기서 행위에 대한 신념은 행위가 특정결과를 가져올 것이라는 기대 또는 이득에 대한 신념을 말하고, 결과평가는 결과와 관련된 가치를 말한다.

#### ③ 주관적 사회규범

주관적 사회규범은 특정 행위를 선택하도록 만드는 사회적 규범에 대해 개인이 지각하는 정도를 말한다. 주관적 사회규범에 대한 신념과 순응동기는 행위의 의도에 영향을 미친다고 가정을 한다. 여기서 사회규범에 대한 신념이란 자신 주위의 의미 있는 사람들이 행위실천에 대해 지지할지 반대할지에 대한 믿음이며 사회적 압력을 개인이 지각하는 정도를 말한다. 그리고 순응동기는 자신주위의 의미 있는 사람들의 기대에 순응하고자 하는 개인적인 동기를 말한다.

#### ④ 지각된 행위통제

지각된 행위통제는 행위수행이 '쉽다(용이성)' 또는 '어렵다(난이성)'를 지각하는 정도를 말한다. 행위통제에 대한 신념과 지각된 영향력에 따라 결정되고 행위의도에 직접적인 영향을 미치고 행위에 간접적인 영향을 미친다고 가정을 한다. 여기서 행위통제신념은 행위수행의 용이성 및 수행에 필요한 자원과 기회, 장애물의 존재 유무를 말한다. 그리고 지각된 영향력은 과거경험 또는 행위수행 의지를 말한다.

계획된 행위이론은 사람들의 건강행위를 결정하는 요소를 찾아내고 측정할 수 있는 분석틀을 제공하고 있다. 따라서 신체활동, 흡연, 음주, 약물사용, 질병예방, 식생활 등의 다양한 건강행위를 설명하는 데 활용되고 있다. 이 이론은 개인의 태도와 주관적 규범, 인지적 행위통제를 결정하는 요인을 확인하고, 건강행위변화를 위한 중재전략을 수립하는 데 활용할 수 있다.

### (3) 합리적-계획된 통합 행위이론

Ajzen & Fishbein(1980; Ajzen, 1991)의 합리적 행위이론과 계획된 행위이론을 통합하여 만들어진 이론이다. 이 두 모형의 개념 간의 인과관계를 더욱 구체적으로 가정을 하여 명확한 측정과 계산이 가능하도록 합리적-계획된 통합 행위이론(Theory of Reasoned Action & Planned Behavior)을 통합된 행위 모형(Integrated Behaviorl Model; IBM)으로 제시하였다(Karen Glanz, Barbara K. Rimer, & K. Viswanath, 2015). 이들은 이 모형에 추가된 인구학적 특성, 환경적 특성, 개인적 차이 등의 요인은 독립적으로 행위에 영향을 미치는 변수가 아니고 전반적인 모형구축을 통해 행위가 이루어지는 것으로 가정을 한다.

행위변화를 촉진하기 위해서 합리적 행위이론(TRA)과 계획된 행위이론(TPB) 및 기타 영향력 있는 이론의 구성을 포함하는 통합된 행위 모형(IBM)을 사용하는 것이 좋다(Karen Glanz, Barbara K. Rimer, & K. Viswanath, 2015). 통합된 행위 모형은 행위수행의 가장 중요한 결정 요인은 행위를 수행하려는 의도이다. 동기부여가 없으면 행위를 수행할 가능성이 낮다.

외적변수, 행위에 대한 태도, 주관적으로 지각된 규범, 개인적 영향의 지각된 통제 네 가지 구성 요소가 행동에 직접적인 영향을 미친다(Jaccard, Dodge, & Dittus, 2002). 이 중 행위에 대한 태도, 주관적으로 지각된 규범, 개인적 영향의 지각된 통제 세 가지는 행위의도가 행위수행을 유발할 수 있는지 여부를 결정하는 데 중요하다.

그리고 첫째, 행위의도가 강한 사람이라도 행위를 수행하려면 지식과 기술이 필하다. 둘째, 행위수행을 어렵거나 불가능하게 만드는 환경적 제약이 없거나 적어야 한다(Triandis, 1980). 셋째, 행위는 그 사람에게 두드러진 특징이 있어야 한다(Becker, 1974). 마지막으로 행위를 수행한 경험이 습관을 형성할 수 있으므로, 이 때는 이러한 개인의 행위수행을 결정할 때 의도가 덜 중요해진다(Triandis, 1980).

이 이론의 모형은 현재 다양한 보건사업 프로그램 개발에 활용되고 있다. 합리적-계획된 통합행위 이론 모형은 [그림 5-4]와 같고 주요 개념 설명은 다음과 같다.

### ① 외적변수

외적변수는 인구학적 특성과 개인적인 특성 등이 있다. 이 외적변수는 목표지향적인 행위에 대한 태도와 주관적인 규범에 대한 준거기준 및 지각된 통제에 영향을 미친다. 그리고 이 외적변수는 행위수행 의도에 영향을 주고 그 행위수행 의도는 행위수행에 영향을 미친다고 가정을 한다.

### ② 행위에 대한 태도

행위에 대한 태도는 개인이 특정 행위를 수행하는 것에 대한 긍정적 또는 부정적인 평가정도를 말한다. 이 행위에 대한 태도는 행위에 대한 신념과 행위결과평가에 영향을 받고 행위수행 의도에 영향을 미친다. 그리고 이 행위수행 의도는 행위수행에 영향을 미친다고 가정을 한다. 여기서 행위신념과 행위결과평가는 다음과 같다.

#### 가. 행위신념

행위를 수행한 후에 기대되는 결과에 대한 신념을 의미한다. 행위신념은 행위에 대한 태도에 영향을 주고 이 행위에 대한 태도는 행위수행 의도에 영향을 주며 그 행위수행 의도는 행위수행에 영향을 미친다고 가정을 한다.

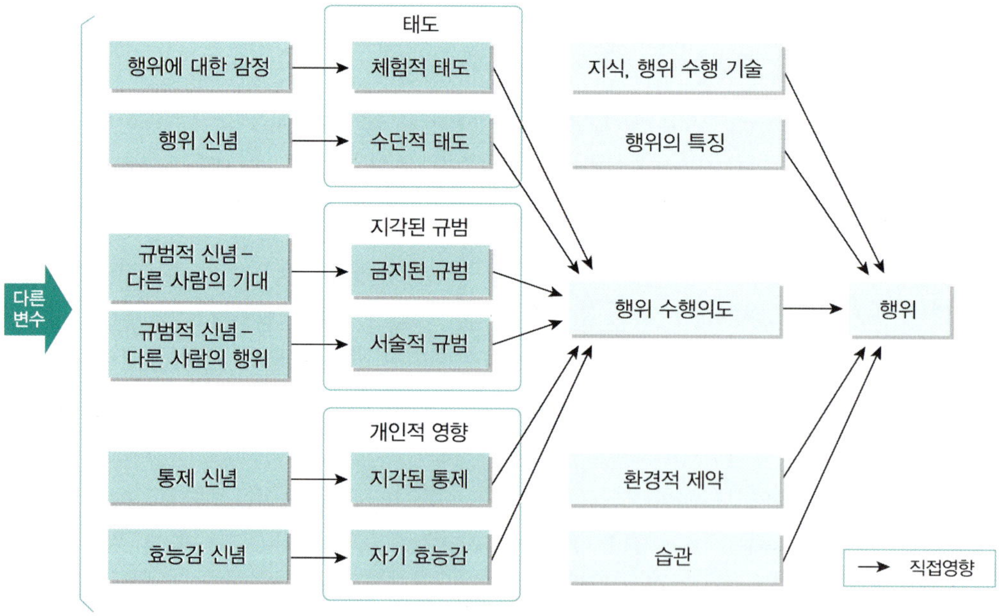


〈 자료원 : Karen Glanz, Barbara K. Rimer, & K. Viswanath(2015). Health Behavior: Theory, Research, and Practice, 5th Edition, Jossey-Bass 〉

그림 5-4 합리적-계획된 통합 행위이론

#### 나. 행위결과평가

자신이 수행한 행위에 대해 스스로 내리는 평가를 말한다. 자신의 행위수행결과가 긍정적인 결과를 가져올 것이라고 평가한다면 그 행위에 대해 긍정적인 태도를 갖게 되고, 반대로 부정적인 결과를 가져올 것이라고 평가한다면 부정적인 태도를 취하게 된다고 가정을 한다. 이 행위결과평가는 행위에 대한 태도에 영향을 주고, 이 행위에 대한 태도는 행위수행 의도에 영향을 주며, 이 행위수행 의도는 행위수행에 영향을 미친다고 가정을 한다.

### ③ 주관적 규범

주관적 규범은 개인이 주관적으로 가지고 있는 사회규범에 대한 지각을 말한다. 개인의 주관적인 규범은 이 주관적인 규범에 대한 신념과 순응동기화에 영향을 받고, 행위수행의도에 영향을 주고, 이 행위수행의도는 행위수행에 영향을 미친다고 가정을 한다. 여기서 규범적 신념과 순응동기화는 다음과 같다.

#### 가. 규범적 신념

자신 주위의 의미 있는 타인들이 자신의 행위를 지지할 것인지 비난할 것인지에 대한 개인의 믿음을 말한다. 규범적 신념은 주관적 규범에 영향을 주고, 이 주관적 규범은 행위수행 의도에 영향을 주며, 이 행위수행 의도는 행위수행에 영향을 미친다고 가정을 한다.

#### 나. 순응동기화

자신 주위의 의미 있는 타인들이 자신의 행위에 대해 어떻게 기대하는지에 대한 판단과 그 기대에 순응하고자 하는 동기를 말한다. 순응동기화는 주관적 규범에 영향을 주고, 이 주관적 규범은 행위수행의도에 영향을 주며, 이 행위수행의도는 행위수행에 영향을 미친다고 가정을 한다.

### ④ 지각된 통제

지각된 통제는 자신이 특정 행위를 수행하는 데 있어 '어렵게 또는 쉽게 할 수 있을 것이다.'라고 지각하는 것을 말한다. 이것은 개인의 특정 행위수행에 대한 과거경험과 기회, 자원, 장애물, 방해요인 등의 유무를 예측하는 정도에 영향을 받고 있다. 그리고 이것은 통제신념과 지각된 힘에 영향을 받고 있다. 이러한 지각된 통제는 행위수행의도에 영향을 주고, 이 행위수행의도는 행위수행에 영향을 미친다고 가정을 한다. 여기서 통제신념과 지각된 힘은 다음과 같다.

#### 가. 통제신념

개인의 특정 행위수행에 대한 과거 경험과 기회, 자원, 장애물, 방해요인 등의 유무를 예측하는 정도에 대해 통제하는 신념을 말한다. 통제신념은 지각된 통제에 영향을 주고, 이 지각된 통제는 행위수행의도에 영향을 주며, 이 행위수행 의도는 행위수행에 영향을 미친다고 가정을 한다.

#### 나. 지각된 힘

개인의 특정 행위수행에 대한 기회, 자원, 장애물, 방해요인 등의 유무를 예측하는 정도에 대해 지각하는 정도를 말한다. 지각된 힘은 지각된 통제에 영향을 주고, 이 지각된 통제는 행위수행의도에 영향을 준다고 가정을 한다.

### ⑤ 행위수행의도

행위수행의도는 개인이 건강행위를 수행하거나 수행하지 않거나 하는 의향을 말한다. 행위수행의도는 외적변수와 행위에 대한 태도와 주관적 규범 및 지각된 통제에 영향을 받고, 행위수행에 영향을 미친다고 가정을 한다.

### ⑥ 행위수행

행위수행은 개인이 자신의 건강을 위해 바람직한 건강행위를 수행하는 것을 말한다. 행위수행은 행위수행의도의 영향을 받고, 이 행위수행의도는 외적변수와 행위에 대한 태도와 주관적 규범 및 지각된 통제에 영향을 받는다고 가정을 한다. 따라서 '행위수행의도가 있으면 건강행위를 수행하고, 행위수행의도가 없으면 건강행위를 수행하지 않는다.'라고 가정을 한다.

그러므로 이 이론은 사람들이 건강에 유익한 행위를 수행하도록 행위수행을 변화시키기 위해서 행위수행의도를 변화시키고, 행위수행의도를 변화시키기 위해서 외적변수와 행위에 대한 태도와 주관적 규범 및 지각된 통제를 변화시키고자 하는 것이다. Ajzen & Fishbein(1980; Ajzen, 1991)은 이러한 일련의 변화를 보건교육을 통해서 가능하다고 보았다.

## (4) 건강신념모형

건강신념모형(Health Belief Model; HBM, Rosenstock, Becker, 1950)은 건강과 관련된 행위 연구에 널리 사용되는 이론이다. 1950년대 초 미국에서 공중보건사업에 지역사회 주민들의 참여가 저조한 이유를 설명할 목적으로 개발되었다. 무료나 실비만을 받고 제공된 결핵예방을 위한 이동 X-ray 촬영, 자궁경부암 검사, 예방접종 등 질병을 조기발견하기 위한 검사를 어떤 사람은 하고 어떤 사람은 하지 않는지 그 이유를 탐구하기 위해 시도되었다. 그 이후 질병증상에 대한 반응, 질병진단에 대한 반응, 의사의 처방을 얼마나 잘 지키는지, 식이요법을 준수하는지 등의 개인차를 설명하는 데에도 활용되고 있다.

건강신념모형은 사람들이 건강을 위한 행위를 하는 것은 그 행위가 자신을 건강하게 만들 것이라는 믿음이 있기 때문이라고 보았다. 따라서 개인이 건강행위를 결정하는 것은 개인의 주관적인 인지에 달려있다고 가정을 한다. 이 이론에서 개인의 주관적인 인지는 건강문제를 얼마나 민감하게 인지하고 있는가, 얼마나 심각하게 느끼고 있는가, 치료나 예방을 통해 얻을 수 있는 혜택이 어느 정도인가, 그 행위를 방해하는 장애요인을 어느 정도 인지하고 있는가, 그리고 그 행위를 실천할 수 있는 자기확신정도는 어느 정도인가 등이라고 보고 있다. 그 후로 이 모형은 건강행위에 대한 설명력을 높이기 위한 방향으로 모형의 구성 요소들의 수정이 이루어졌다.

건강신념모형은 Lewin의 장이론에 근거하고 있다. Lewin은 인간의 삶에는 긍정적 가치공간과 부정적 가치공간 그리고 중립적 가치공간이 있다고 가정을 하였다. 질병은 부정적 가치공간에 속하며 개인은 질병을 피하려는 행위를 한다고 가정을 하고, 행위는 개인이 특정 결과에 부여하는 가치이며, 특정 행위 뒤에는 결과가 나타날 것이라는 기대를 하고 있다고 가정을 하였다. Lewin의 이론에서 보면 건강신념모형은 가치－기대이론이라고 볼 수 있다. 건강행위에 대한 가치－기대의 개념은 질병을 피하려는 욕망과 질병 치유에 대한 가치와 특정 건강행위가 질병을 예방하거나 치유할 것이라는 기대감(신념) 그리고 인지한 질병에 대한 민감성과 심각성 및 질병 위험을 감소시킬 수 있는 가능성을 판단하는 데 적용할 수 있다.

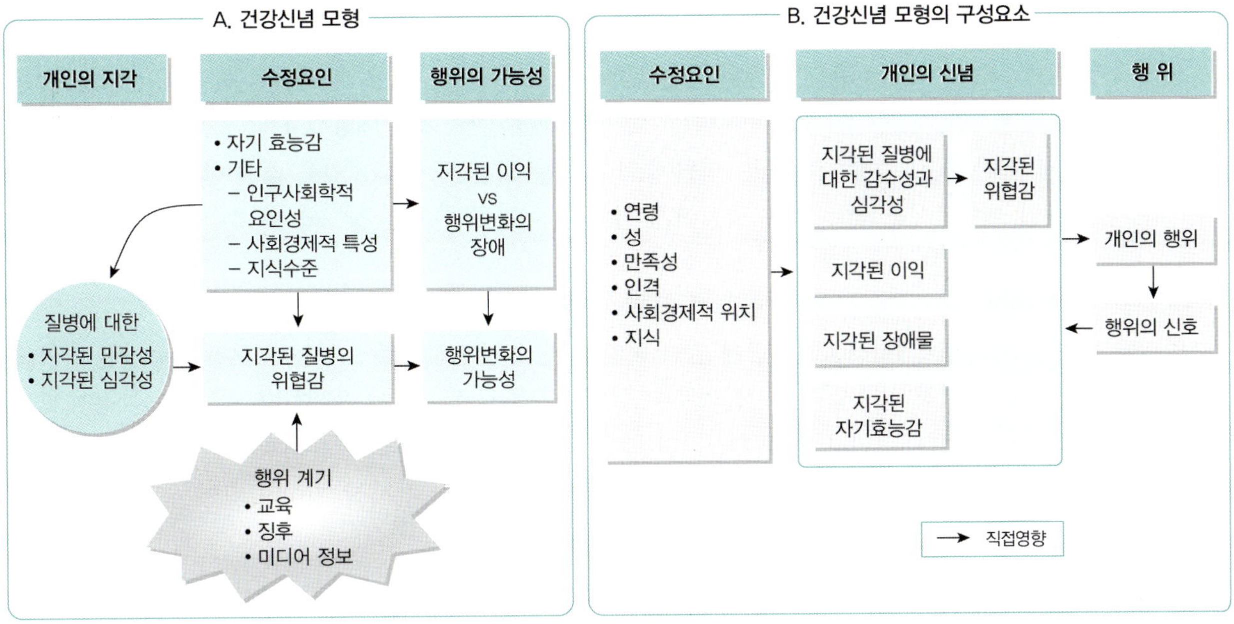


〈 자료원 : Karen Glanz, Barbara K. Rimer, & K. Viswanath(2015). Health Behavior: Theory, Research, and Practice, 5th Edition, Jossey-Bass 〉

**그림 5-5 건강신념모형**

건강신념모형은 [그림 5-5]와 같고 주요 개념 설명은 다음과 같다.

### ① 인지된 민감성

인지된 민감성(Perceived Susceptibility)은 질병에 걸릴 가능성이 높다고 개인적으로 느끼는 정도를 말한다. 예를 들면 자신이 독감에 걸릴 가능성이 높다고 느끼는 것은 인지된 민감성이 높은 것이다.

### ② 인지된 심각성

인지된 심각성(Perceived Severity)은 질병이 얼마나 심각한지에 대한 개인적인 생각으로 객관적인 심각성보다 주관적인 심각성에 의한 믿음의 정도를 나타낸다. 질병에 걸리면 합병증이나 장애로 인한 신체적 고통이나 불구, 죽음 등이 발생할 것이라고 심각하게 인지하는 것을 말한다. 예를 들면 실제로 코로나-19에 걸려 사망할 확률(치명률, 2022.6.21)이 연령대별로 0.01～2.69% 정도로 다양하더라도 많은 사람들이 자신이 코로나-19에 걸리면 죽을 수도 있다고 믿는다면 인지된 심각성이 실제 %보다 훨씬 더 높다는 것이다.

### ③ 인지된 이익

인지된 이익(Perceived Benefits)은 건강행위를 수행했을 때 얻을 수 있는 이익이 무엇인지를 인지하는 것이다. 건강을 위한 특정행위가 질병에 대한 위험이나 심각성을 감소시킬 수 있는 효과가 있다고 인지한다면 특정행위를 수행할 가능성이 높아지고, 그 행위가 지속될 가능성이 높아진다. 예를 들면 사람들이 '마스크를 쓰고, 손을 잘 씻으면 코로나-19에 걸리지 않을 것이다'라고 인지하고 있으면 코로나-19를 예방하기 위해 마스크를 쓰고, 손 씻는 행위를 수행할 가능성이 더 높아질 것이다.

#### ④ 인지된 장애

인지된 장애(Perceived Barrier)는 건강행위를 수행하는 데 드는 시간, 비용, 심리적인 불편감, 부작용, 고통, 습관변화 등의 잠재적인 것을 장애라고 인지하는 것이다. 예를 들면 독감 예방주사를 맞으면 독감에 걸리지 않을 것이라고 믿지만, 독감 예방주사 비용, 병원에 가야 하는 시간, 주사를 맞았을 때의 아픔, 부작용에 대한 두려움 등이 독감 예방주사를 맞는 것을 망설이게 한다면, 이것이 인지된 장애라 할 수 있다.

#### ⑤ 인지된 위협감

인지된 위협감(Perceived Threat)은 질병에 걸릴 위험에 대해 개인적으로 느끼는 위험정도를 말한다. 이것은 인지적 민감성과 인지적 심각성의 영향을 받는다. 예를 들면 요즘 독감이 유행한다는데 자신은 몸이 약해 독감에 걸릴 가능성이 높다. 그리고 독감에 걸리면 매우 심하게 아프다는데 이를 어찌하나 하고 독감에 대한 위협감을 인지하는 정도가 높으면 독감 예방주사를 맞을 가능성이 더 높아질 것이다.

#### ⑥ 행위의 계기

행위의 계기(Cues to Action)는 행위를 수행하게 하는 데 계기가 되는 자극으로 내적요인과 외적요인이 있다. 내적요인으로는 인지된 민감성과 심각성 및 인지된 이익 등이 있다. 외적요인으로는 대중매체의 홍보, 의사의 권유, 충고, 가족이나 친구 등 주변 사람들의 질병 경험 등이 있다. 이러한 다양한 요인은 인지된 위협감과 인지된 이익에 영향을 미친다. 이 인지된 위협감과 인지된 이익은 건강행위의 수행 가능성에 영향을 미친다. 예를 들면 독감 유행에 대한 매스미디어의 광고와 홍보가 있으면 독감에 대한 위협감과 예방주사를 맞아서 얻는 이익에 대한 인지정도를 증가시켜 독감 예방주사를 맞을 가능성이 높아지는 것이다.

#### ⑦ 자기효능감

자기효능감(Self-efficacy)은 1998년에 건강신념모형의 한 가지 요소로 추가되었다. 자기효능감은 자신이 행위를 할 수 있는 능력에 대한 확신이다. 이것은 생활습관과 같이 장기간의 변화를 요구하는 행위를 설명하는 데 중요한 요인이 된다. 자신이 건강을 위해 특정행위를 수행할 수 있다고 확신하면 특정행위를 수행할 가능성이 높아지고 지속되지만, 자신이 특정행위를 수행할 수 없다고 생각하면 특정행위를 수행하지 않을 것이다.

#### ⑧ 기타

그 외 건강행위의 조절 요인으로 인구사회학적 요인(연령, 성, 민족, 성격 등), 사회경제적 특성(소득 수준, 문화 등), 지식수준(교육정도, 개인차 등) 등이 있다.

건강신념모형은 예방적 건강행위를 예측하거나 설명하는 것에 많이 활용되고 있다. 즉 사람이 어떤 행위를 하고, 어떤 행위를 안 하는지를 결정하는 것은 개인의 인지 수준에 따라 결정된다고 보고 있기 때문에 이 인지 수준을 높이는 교육이 필요하다는 것이다. 따라서 건강신념모형은 보건교육에서 적용할 수 있는 여지가 많다고 할 수 있다. 예를 들면 구강검진, 비만예방, 금연, 절주 등의 건강행위 변화를 위한 보건교육에서 질병에 대한 심각성이나 민감성, 위협감 등을 인지하게 하고 장애요인들에 대한 감소와 이익, 행위의 계기와 자기효능감을 증진시키는 방향으로 보건교육 내용을 구성하는 데 활용할 수 있다.

### (5) Pender의 건강증진모형

건강증진모형(Health Promotion Model; HPM)은 건강신념모형과 사회학습이론을 바탕으로 인간의 건강행위를 설명하기 위해 Pender(1982)에 의해 처음으로 소개되었다. 이후 두 번의 수정을 거쳐 1996년에 수정된 건강증진모형이 제시되었다.

건강증진모형은 기본적으로 건강에 대한 자기 책임, 즉 개인의 능동적 역할을 강조한다. 이 이론은 개인의 특성과 경험, 행위와 관련된 인지와 감정, 행위의 결과라는 세 영역으로 구분하여 설명하고 있다. 수정된 건강증진모형은 [그림 5-6]과 같고 주요 개념 설명은 다음과 같다.

#### ① 개인의 특성과 경험

사람들이 가지고 있는 개인의 특성과 과거에 겪은 경험이 개인의 건강행위에 영향을 미친다고 가정을 한다. 개인의 특성은 건강행위에 직접적으로 영향을 미치지만 교육을 통해 변화시킬 수는 없다. 그리고 과거의 경험을 통해 인지된 이익과 장애, 자기효능감은 습관적 행위와 감정을 통해 건강행위에 영향을 준다.

##### 가. 개인의 특성

생물학적, 심리적, 사회문화적 요인으로 구분할 수 있다.

- 생물학적 요인 : 성별, 연령, 체중, 키 등이다.
- 심리적 요인 : 자아존중감, 개인의 역량, 지각된 건강상태 등이다.
- 사회문화적 요인 : 교육수준, 사회경제적 수준, 인종, 민족, 문화 등이다.

##### 나. 과거의 경험

건강과 관련하여 과거에 어떤 경험을 어떻게 얼마나 하였는지에 따라 건강행위에 영향을 미치는 습관적 행위와 감정을 말한다. 이러한 습관과 감정은 반복될수록 강화되는 특성이 있다.

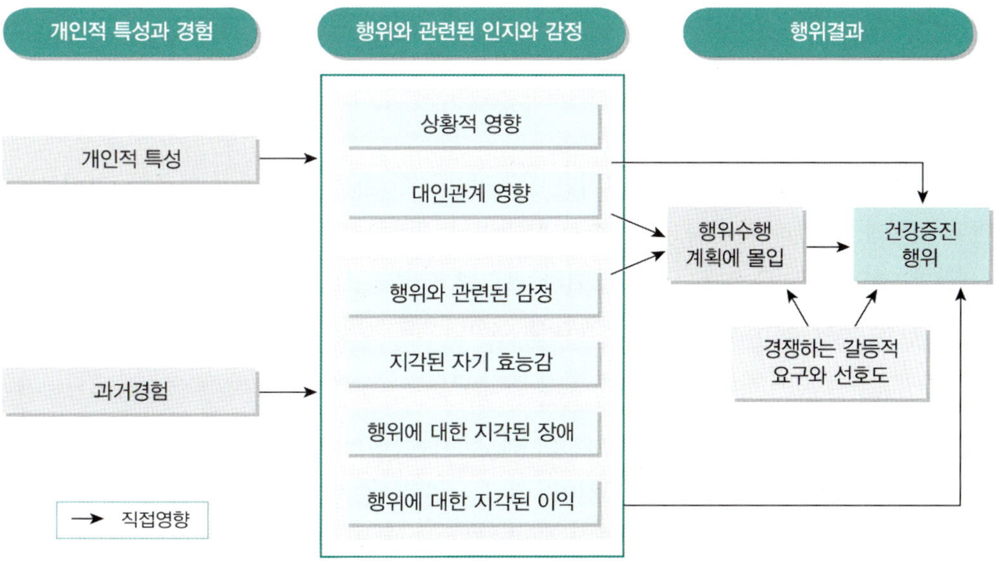


〈 자료원 : Glanz, K. et al.(2008). Health Behavior and Health Education. Jossey-Bass 〉

그림 5-6 Pender의 수정된 건강증진모형

### ② 행위와 관련된 인지와 감정

행위와 관련된 인지와 감정은 보건교육을 통해 변화 가능한 요인으로 건강증진을 위한 보건교육의 핵심으로 간호중재의 대상이 된다. 행위와 관련된 인지와 감정에는 행위에 대한 지각된 이익, 행위에 대한 지각된 장애, 지각된 자기효능감, 행위와 관련된 감정, 대인관계의 영향, 상황적 영향의 5가지가 있다. 이 5가지에 대한 개념은 다음과 같다.

#### 가. 행위에 대한 지각된 이익

특정 행위를 하면 얻을 수 있다고 기대하는 긍정적 결과에 대한 이익을 말한다. 이는 이익이나 긍정적 결과에 대한 신념이 높을수록 건강행위 수행에 시간과 자원을 투입하게 된다는 것이다. 이 이익에는 내적인 것과 외적인 것이 있다. 내적인 이익은 기분이 좋아지는 것, 피로감이 줄어드는 것 등을 들 수 있고, 외적인 이익은 물질적 보상이나 사회적 상호작용 증가 등을 들 수 있다.

외적인 이익보다 내적인 이익이 건강행위를 지속하도록 동기화하는 데 더 효과적일 수 있다고 한다. 행위에 대한 지각된 이익은 건강증진 행위에 직접영향을 주거나 행위수행계획에 몰입하는 것을 통해 건강증진 행위에 간접적으로 영향을 미친다고 가정을 한다.

#### 나. 행위에 대한 지각된 장애

특정 행위를 하는 데 장애가 되는 요소로 불편함, 높은 가격, 시간 소요가 많음 등이 여기에 해당된다. 이 지각된 장애는 행위를 수행하는 데 실제로 장애가 되는 것도 있지만 상상에 의한 장애도 있다. 행위에 대한 지각된 장애는 건강증진 행위에 직접 영향을 주거나 행위수행계획에 몰입하는 것을 통해 건강증진 행위에 간접적으로 영향을 미친다고 가정을 한다.

#### 다. 지각된 자기효능감

행위수행을 확실하게 성취할 수 있는 개인의 능력에 대한 주관적인 판단을 말한다. 자기효능감이 긍정적일수록 건강행위 수행이라는 목표를 성취하기 위한 활동에 적극적으로 참여할 가능성이 높아진다. 자기효능감은 행위수행과 관련된 감정의 영향을 받는다. 지각된 자기효능감은 건강증진 행위에 직접영향을 주거나 행위수행계획에 몰입하는 것을 통해 건강증진 행위에 간접적으로 영향을 미친다고 가정을 한다.

#### 라. 행위와 관련된 감정

어떤 행위를 하기 전·중·후에 느끼는 주관적인 감정이다. 이것은 행위에 따라 다르다. 그리고 이것은 행위자체에 관련된 감정과, 개인과 관련된 감정, 환경과 관련된 감정으로 구분할 수 있다. 긍정적인 감정을 느끼면 건강행위를 반복하게 될 가능성이 높다. 행위와 관련된 감정은 건강증진 행위에 직접영향을 주거나 행위수행계획에 몰입하는 것을 통해서 건강증진 행위에 간접적으로 영향을 미친다고 가정을 한다.

#### 마. 대인관계의 영향

다른 사람들과의 관계에서 다른 사람들이 자신의 태도, 신념, 행위에 대해서 어떻게 인지하고 있느냐에 따라서 자신의 행위수행이 영향을 받는 것을 말한다. 개인은 가족, 또래집단, 의미 있는 타인, 보건의료 제공자의 규범이나 지지, 대리학습 등을 통해서 자신의 행위수행이 영향을 받는다. 대인관계 영향은 건강증진 행위에 직접영향을 주거나 행위수행계획에 몰입하는 것을 통해서 건강증진 행위에 간접적으로 영향을 미친다고 가정을 한다.

#### 바. 상황적 영향

개인이 처한 상황을 어떻게 인지하고 지각하느냐에 따라 행위수행이 영향을 받게 된다. 개인의 상황은 직접 또는 간접적으로 행위수행을 촉진하거나 방해한다. 그 상황이 안전하고 편안하며, 적합하고 흥미로운 상황이라고 인지를 하면 건강행위를 촉진하게 된다. 상황적 영향은 건강증진 행위에 직접영향을 주거나 행위수행계획에 몰입하는 것을 통해서 건강증진 행위에 간접적으로 영향을 미친다고 가정을 한다.

### ③ 행위의 결과

긍정적인 행위결과를 얻기 위해 행위수행 계획에 몰입하게 하고, 행위수행 과정에서의 경쟁하는 갈등적 요구와 선호를 중재하여 건강증진행위를 촉진할 수 있도록 한다. 여기서 행위수행 계획에 몰입과 경쟁하는 갈등적 요구와 선호는 다음과 같다.

#### 가. 경쟁하는 갈등적 요구와 선호

계획된 행위를 수행하는 데 방해가 되는 행위를 말한다. 갈등적 요구는 외부의 요구에 따라 예상치 못한 일을 해야 되거나 좋지 못한 결과가 예상되지만 부득이하게 자신의 건강에 방해가 되는 행위를 선택하게 되는 경우를 말한다. 이것은 개인이 조절하기 어렵다. 예를 들면 성장하는 어린이가 있는 가정에서 부모의 비만을 예방하기 위해 가정에서 저칼로리 식이를 섭취하는 경우 어린이는 성장을 위해 풍부한 영양식이가 필요하고 부모의 비만예방을 위해서는 저칼로리 식이가 필요하기 때문에 갈등이 요구된다.

반면에 갈등적 선호는 개인의 조절에 대한 반대속성을 가진 행위를 선택하는 것이다. 이것은 상대적으로 조절이 가능하다. 예를 들면 비만인 사람이 맛이 좋다는 이유로 저지방 식품보다 고지방식품을 선호하고 선택하는 경우를 말한다. 이것은 보건교육을 통해 변화시킬 수 있다는 것이다. 따라서 경쟁하는 갈등적 요구와 선호도는 독립적으로 건강증진행위에 직접적인 영향을 미친다고 가정을 한다.

#### 나. 행위수행 계획에 몰입

행위수행의 시간과 장소, 대상 인원 수 등의 주어진 상황에서 행위를 수행하거나 강화할 수 있도록 명확한 전략을 선택하고 확인하고 계획하는 과정에 몰입하는 것을 말한다. 행위수행 계획에 몰입은 건강증진 행위에 직접영향을 미친다고 가정을 한다.

#### 다. 건강증진행위

건강증진모형의 최종 목적이다. 이것은 개인이 건강상태에 도달할 수 있도록 하는 행위이다. 긍정적으로 건강행위 수행을 할 수 있도록 돕고, 지속적으로 건강행위를 수행하여 건강한 습관을 형성하고 실천함으로써 궁극적인 삶의 질을 향상하는 것을 말한다.

Pender의 수정된 건강증진 이론의 가장 중요한 특징은 건강증진행위에 인지와 감정 요인이 미치는 영향이 크다는 것을 강조한다는 점이다. 특히 이러한 인지와 감정 요인은 고정된 것이 아니라 중재에 의해 변화가 가능하다고 파악함으로써 인지와 감정을 변화시켜 건강증진 행위를 촉진할 수 있다는 데 초점이 있다. 그러나 이 이론의 단점은 지나치게 많은 변수들을 고려함으로써 실제적인 적용이 어렵고, 이론으로서의 간편성이 부족하다는 것이다.

### (6) 범이론적 모형

범이론적 모형(Transtheoretical Model; TTM)은 행위변화단계별이론(Stage of Change Theory)이라고도 한다. 이 모형은 Prochacka & DiClemente(1983)가 개발한 것으로, 기존의 다양한 주요 중재이론으로부터 변화의 원리와 과정들을 통합하여 변화단계를 설명하기 때문에 범이론적 모형이라고 한다.

이 이론은 Freud, Skinner, Rogers 등의 정신치료와 행동변화 이론들을 비교분석하여 인간의 행위변화에는 여러 단계가 있다는 것을 발견한 것에서 비롯되었다고 한다. 전문가 치료를 받는 흡연자를 대상으로 변화과정을 확인한 실증적 연구에서 행위변화가 여러 단계를 거치는 것을 확인하고, 이러한 실증연구결과에 의거하여 건강 및 정신보건 영역으로 확대되었다. 이 이론에서 행위의 변화는 5단계에 걸쳐 점진적으로 일어난다고 설명하고 있다.

이 모형에서 개인의 행위변화는 행위변화를 하는 과정에서 여러 단계들을 거치는 지속적인 과정이라고 보았다. 이 행위변화과정에서 개인은 여러 가지 동기나 변화를 위한 준비단계에 있으며, 그 동기나 준비단계의 수준은 개인마다 다르다는 것이다. 사람들은 행위변화과정에서 그 이전 단계로 되돌아갈 가능성이 있다는 것을 가정하기 때문에 각 단계에서 계획된 중재가 필요하다고 보고 있다. 변화과정은 중재프로그램의 지침이 되는 것으로 변화단계의 명시적 또는 비명시적 활동을 말한다. 이는 인지적, 정서적, 행위적인 과정을 적용한다. 의사결정균형과 자기효능감은 서로 영향을 주고받으며, 변화과정은 의사결정균형과 자기효능감에 영향을 주기 때문에 간접적으로 변화단계에 영향을 미친다고 가정을 한다. 그리고 변화과정은 변화단계에 직접적으로 영향을 미친다고 가정을 한다. 범이론적 모형은 [그림 5-7]과 같고 주요 개념 설명은 다음과 같다.

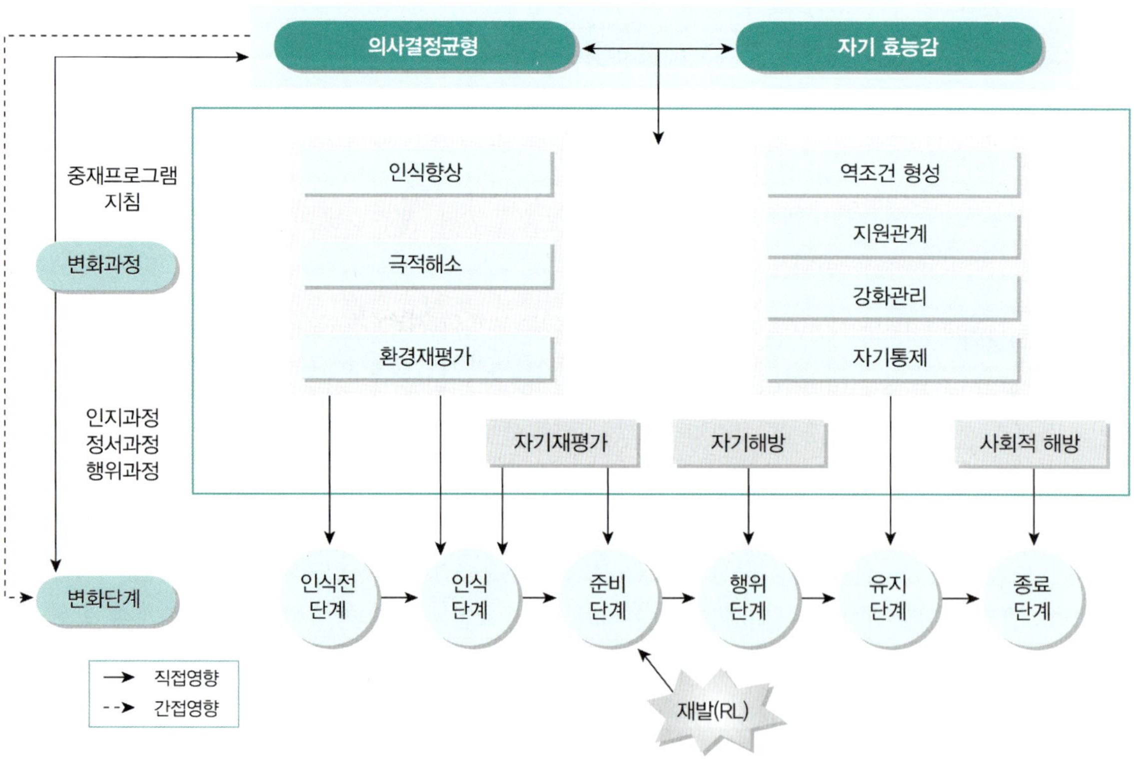


〈 자료원 : Glanz, K. et al.(2008). Health Behavior and Health Education. Jossey-Bass 〉

그림 5-7 범이론적 모형

### ① 변화과정(Process of Change)

#### 가. 인지변화

A. 인식향상(Consciousness)

자신의 문제를 알고 인식하여 그 문제를 해결하기 위해 행위를 변화시키는 데 도움이 되는 새로운 정보나 아이디어 또는 조언 등을 찾고 습득하는 것을 말한다.

B. 극적해소(Dramatic Relief)

자신의 불건강한 행위 때문에 느끼고 있는 불안, 공포, 근심 등의 감정을 극적으로 사라지게 하는 것으로 전환 또는 완화를 말한다. 극적해소 방법으로는 역할극, 심리극, 고백, 애도, 캠페인 등에 참여하는 것을 일반적으로 활용하고 있다.

C. 환경재평가(Environmental Reevaluation)

자신의 주변 환경이 건강행위수행에 부정적인 영향을 주는지 긍정적인 영향을 주는지를 새롭게 평가하여 인식하는 것을 말한다. 환경재평가 방법으로는 감정이입훈련, 가족개입, 다큐멘터리 제작 등을 일반적으로 활용하고 있다.

D. 자기재평가(Self-reevaluation)

자신의 인지와 감정을 새롭게 평가하는 것을 말한다. 자기재평가 방법으로는 건강한 롤 모델 찾기, 가치 명료화하기, 심상요법 등을 일반적으로 활용하고 있다.

#### 나. 행위변화

A. 자극통제(Stimulus Control)

건강행위를 유발하는 자극은 늘리고 불건강행위를 유발하는 자극은 제거하는 것을 말한다. 자극통제 방법으로는 자조집단의 도움, 환경재조정, 회피 등을 일반적으로 활용하고 있다.

B. 지원관계 형성(Helping Relationships)

불건강한 행위를 건강한 행위로 변화하기 위해 주변사람이나 사회적인 지지를 받고 활용하는 것을 말한다. 지원관계 형성 방법으로는 멘티-멘토 형성, 동료집단 형성, 치료적 협력관계나 상담관계에서 긍정적인 관계 형성 등을 일반적으로 활용하고 있다.

C. 역조건 형성(Counterconditioning)

불건강한 행위와 인식을 기회로 건강한 행위와 인식으로 바꾸는 것을 말한다. 역조건 형성 방법으로는 대체물, 주장, 긍정적인 자기 진술, 긴장완화, 둔감법 등을 일반적으로 활용하고 있다.

D. 강화관리(Reinforcement Management)

자신이 건강행위를 긍정적으로 변화하면 자신에게 스스로 긍정적인 보상을 하고 부정적인 변화를 하면 반대로 부정적인 보상을 하는 것을 말한다. 강화관리 방법으로는 계약, 인정 등을 통해 물질적, 비물질적 강화를 일반적으로 활용하고 있다.

E. 자기해방(Self-liberation)

스스로 행위변화를 실천하기 위해서 확고한 신념을 갖기 위한 의지표명을 하는 것을 말한다. 자기해방 방법으로는 계획한 일을 다른 사람들에게 말하기, 새해결심이나 기념일 등의 날에 금연을 계획하고 사람들에게 공개하기 등을 일반적으로 활용하고 있다.

#### 다. 사회적 해방(Social Liberation)

사회적으로 건강행위를 증진할 수 있는 방향으로 변화하고 건강행위에 대한 인식이 증진되는 것을 말한다. 사회적 해방 방법으로는 건강정책 변화, 법률재정, 캠페인 등으로 금연구역설정, 학교폭력예방, 콘돔사용 장려, 다문화가족 건강증진 등의 옹호와 역량강화 등을 일반적으로 활용하고 있다.

#### 라. 의사결정의 균형

의사결정의 균형(Decisional Balance)은 건강행위 변화를 수행하면서 올 수 있는 긍정적인 측면과 부정적인 측면을 비교하여 자신의 의사를 균형 있게 결정할 수 있는 것을 말한다. 행위변화의 긍정적인 측면에서는 건강에 이익이 되거나 다른 사람들로부터 사회적으로 인정을 받거나 하는 요소이고, 부정적인 측면은 시간과 비용이 들거나 다른 사람들과 자신이 다르다거나 불편한 것 등이다. 긍정적인 측면은 행위변화를 촉진하게 되고 부정적이 측면은 행위변화를 방해하게 된다.

#### 마. 자기효능감

자기효능감(Self-efficacy)은 자신이 건강행위를 잘 수행할 수 있을 것이라는 주관적인 판단이나 신념으로 건강에 유해한 행위나 상황에 잘 대처할 수 있을 것이라는 자신감을 말한다. 이것은 반듀라(Bandura, 1982)의 자기효능감 이론에서 도입된 개념이다.

### ② 변화의 단계(Stage of Change)

#### 가. 제1단계 : 인식전단계

인식전단계(Precontemplation Stage)는 6개월 이내에 행위를 변화할 의지가 없는 단계로 무관심단계라고도 한다. 정보가 부족하거나 자신의 문제를 인지하지 못하거나 과소평가하고 있어서 그 문제에 대해 이야기하거나 생각하는 것을 회피하려고 한다. 아직 건강 유지·증진에 관심이 없어서 대상자에게 접근이 어려운 단계이다. 예를 들면 TV방송 등에서 금연에 관한 장면이 나오면 채널을 돌린다든지 '담배가 없으면 무슨 낙으로 살아', '금연, 말도 꺼내지 마세요' 등 금연에 대해 생각하는 것도 이야기하는 것도 싫다고 표현하는 단계이다. 이 단계의 보건교육은 금연에 대한 인식개선 또는 인식향상을 위한 담배 성분의 유해성과 흡연의 심각성 및 위험성을 교육한다.

#### 나. 제2단계 : 인식단계

인식단계(Contemplation Stage)는 문제를 인식하고는 있으나 당장 실행에 옮기지는 않은 단계지만 6개월 이내에 금연할 것을 생각하는 단계로 관심단계라고도 한다. 이 단계는 문제의 장·단점과 해결책의 장·단점을 고려하여 6개월 이내에 행위변화를 실행할 의도를 가지고 있으나 구체적 계획은 아직 없다.

언젠가는 행위변화를 해야 한다는 생각만 하고 막상 실천은 지연되는 특성이 있으며, 행위변화의 장·단점을 인식하고는 있지만 변화에 따른 불편감, 유익성, 비용 등을 두고 손익을 저울질 하면서 갈등하다가 행위의 계기가 있을 때까지 오랫동안 지체할 수도 있는 단계이다. 예를 들면 '언젠가는 담배를 끊어야겠지', '담배가 건강에 해롭다면서' 등 담배가 건강에 해롭다는 것을 알지만 구체적으로 금연 계획은 하지 않은 단계이다. 이 단계의 보건교육은 흡연의 심각성 및 위험성을 교육한다.

### 다. 제3단계 : 준비단계

준비단계(Preparation Stage)는 향후 1개월 이내에 금연행위를 수행할 의도가 있는 단계이다. 구체적인 행동을 실행할 계획이 있다. 즉 금연 시작일을 정하거나, 금연계획을 세우거나, 이미 과거에 건강교육에 참여하였거나, 의사나 간호사의 상담을 받았거나, 도움이 되는 책을 사는 등의 행위를 시도한 경험이 있고 자기변화를 위한 노력으로 행위변화의 계획을 세우기도 한다. 예를 들면 연말에 신년계획으로 '내년 1월 1일부터 내가 금연을 한다.'는 등의 금연을 시작할 계획을 세우는 단계이다. 이 단계의 보건교육은 흡연의 심각성 및 위험성 교육과 함께 금연일을 정하여 공포하는 방법을 공유하도록 한다.

### 라. 제4단계 : 행위단계

행위단계(Action Stage)는 행위변화를 시작해서 6개월 이내로 행위변화가 실행되는 단계이다. 하지만 행위변화가 안정되어 있지 않고 언제든지 되돌아가려는 성향을 보이기도 한다. 만약 이때 실패하게 되면 준비단계부터 다시 시작한다. 예를 들면 금연을 시작해서 6개월 이내로 술자리에 가면 담배를 피우게 되므로 담배를 피우지 않기 위해 술자리를 피한다든지, 식사 후에 바로 산책을 간다거나, 흡연 생각이 날 때면 박수를 치는 등 생각의 전환을 위해 노력을 하는 단계이다. 이 단계의 보건교육은 금단증상을 극복하는 방법을 교육하고 서로의 금단증상 극복방법을 함께 공유하도록 한다.

### 마. 제5단계 : 유지단계

유지단계(Maintenance Stage)는 행위단계에서 시작한 행위변화를 최소한 6개월 이상 지속하여 생활의 일부분으로 정착하는 단계이다. 행위변화가 점점 습관화되고, 행위변화 이전으로 되돌아가려는 성향은 줄어들지만 여전히 주의해야 한다. 재발은 행위변화에서 일반적으로 거쳐 가는 위기의 상황이다. 유지단계는 최소 6개월 이상 5년에서 7년 이상 지속되는 경우를 말한다. 유지단계의 대상자 약 43%에서 1년 동안 금연생활을 하다가 다시 흡연행위를 하는 경우가 있는 것으로 알려져 있다(미국, Department of Health & Human Service, 1990). 예를 들면 금연을 수년간 지속하다가 어느 날 실연을 당하거나 자녀가 성적이 떨어지는 등의 스트레스를 받게 되면 다시 흡연을 시작하기도 하는 단계이다.

### 바. 제6단계 : 종결단계

종결단계(Termination Stage)는 변화된 행위를 어떤 유혹이 있어도 전혀 과거로 되돌아가지 않고 생활습관으로 자리를 잡은 단계이다. 이때는 완전한 자기효능감의 상태이다. 예를 들면 금연을 하게 된지 5~10년이 지났고 금연 홍보를 열심히 한다든지 다른 사람의 금연을 돕게 되는 단계이다. 보건프로그램에서는 이 단계를 강조하지 않는다.

범이론적 모형은 금연, 절주, 건강한 식생활 개선, 비만예방 등의 건강행위 변화를 위한 보건교육에서 적용이 가능하다. 특히 금연 클리닉과 같은 보건사업에서 많이 활용되고 있고, 개인의 상태와 변화단계에 따른 맞춤형 교육이 이루어질 수 있다는 장점을 가지고 있다. 이 모형을 적용할 경우에는 개인의 변화단계를 정확하게 파악하고 그에 맞는 중재전략을 세워서 보건교육자가 지속적으로 개입해야 효과를 거둘 수 있다.

## 2) 개인 간 수준의 건강행위이론

### (1) 사회인지이론

사회인지이론(Social Cognitive Theory)은 Bandura(1962, 1977, 1978)에 의해 제시된 이론으로 사회학습이론(Social Learning Theory, Bandura, 1962)으로부터 발전하였다. 이 이론에 따르면 인간의 행위는 개인의 인지적 요인과 행위적 요인 그리고 환경적 요인이 서로 역동적인 상호작용에 의해서 이루어진다고 한다. 인지적 요인에는 행위의 결과에 대한 기대와 가치의 개인적 인지와 자기효능감으로 구성되고, 행위적 요인에는 행위수행능력과 자기통제로 구성되며, 환경적 요인에는 환경과 상황과 관찰학습 및 강화로 구성된다.

즉 인간이 건강과 관련된 행위를 하게 되는 저변에는 사회심리적 요소들이 역동적인 상호작용을 하여 행위변화를 촉진 시킨다. 한 개인의 행위변화는 내부적인 힘 또는 외부적인 자극만으로 이루어지는 것이 아니라 개인적인 인지요인과 행위요인 및 환경적 요인이 서로 상호작용하여 영향을 주고받아서 이루어진다고 한다.

그리고 인간의 특성이나 인지를 포함한 개인적 요소가 환경적요소와 상호작용을 통해 개인의 행위가 결정된다고 강조한다. 따라서 사람들이 특정 행위를 습득하고 유지하는 방법을 설명하는 학습이론으로 보건교육 프로그램 개발에 유용하게 사용하고 있다. 사회인지이론의 모형은 [그림 5-8]과 같고 주요 개념 설명은 다음과 같다.

#### ① 상호결정이론

상호결정이론(Reciprocal Determinism)은 개인과 행위 및 환경이 끊임없이 상호작용한다는 기본적인 전제를 하고 있다. 이때 개인은 행위를 할 수 있는 능력을 가지고 있고 자신의 행위를 통제할 수 있는 잠재력도 있다. 행위가 이루어지는 환경은 사회적 물리적 상황을 제시하며 행위 수행을 장려하거나 억제하기도 한다.

행위는 개인의 현재 상태나 환경을 반영한 것으로 개인과 환경에 영향을 줄 수 있다. 행위는 단순히 환경영향의 결과나 개인적 요인의 결과가 아니고 환경은 개인적 요인이나 행위의 결과가 아니다. 개인과 환경 및 행위는 지속적인 상호작용의 과정에 있다.

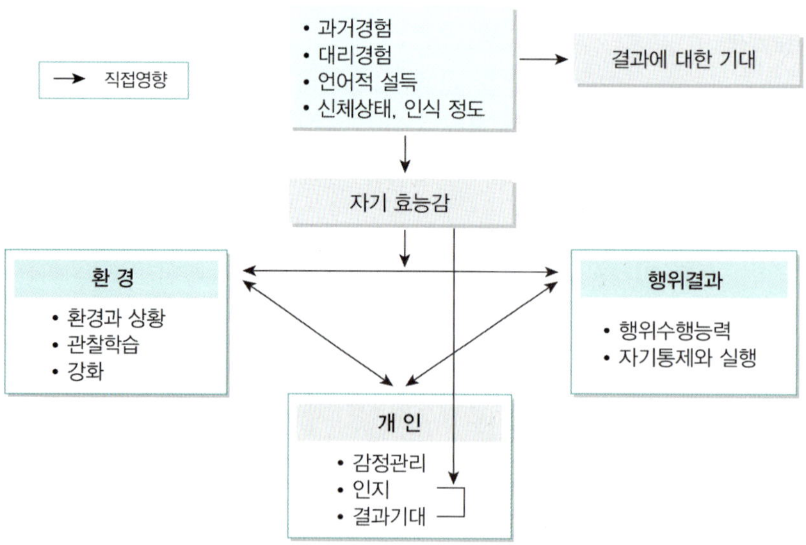


〈 자료원 : Glanz, K. et al.(2008). Health Behavior and Health Education. Jossey-Bass 〉

**그림 5-8 사회인지이론**

### ② 인지적 요인

행위에 영향을 미치는 인지활동은 자기효능감과 결과에 대한 기대이다. 자기효능감이 높을수록, 결과에 대한 기대감이 긍정적일수록, 특정 행위를 수행할 가능성이 높아진다. 자기효능감과 결과에 대한 기대는 다음과 같다.

#### 가. 자기효능감(Self-efficacy)

특정 상황에서 특정 행위를 얼마나 잘 수행할 수 있는가에 대한 주관적인 판단이다. 자기효능감에 영향을 주는 요인에는 성공적으로 수행을 해보았던 과거 수행 경험, 자신과 비슷한 능력을 가진 타인이 수행하는 행위를 관찰한 대리경험, 자신에게 의미 있는 타인으로부터의 격려나 비판 등의 언어적 설득 그리고 자신의 생리적인 신체 상태나 그에 대한 인식 정도가 있다. 이는 자기효능감에 직접적인 영향을 주어 자신감을 강화하거나 감소시킨다.

#### 나. 결과에 대한 기대(Expectation by Result)

특정 행위가 특정 결과를 가져올 것이라는 개인의 예측을 말한다. 결과에 대한 기대는 과거 경험, 타인의 행동을 관찰하는 대리경험, 사회나 다른 사람으로부터 언어적 설득, 행위에 대한 사회적인 인식에 영향을 받는다고 한다. 예를 들면 청소년의 경우 흡연의 결과에 대해 어른스러움의 상징이라는 기대를 하면 흡연을 할 가능성이 높아지고 반대로 폐암을 유발할 가능성이 높다고 생각한다면 흡연을 하지 않을 가능성이 높아질 것이다.

#### 다. 개인적 인지와 자기감정관리

자기감정관리(Self-Emotional Control)는 자신의 감정을 스스로 관리하는 것으로 Bandura는 지나치게 감정에 대해 인지하는 것은 학습과 실행을 방해한다고 하였다. 특정 자극은 방어적 행위를 취하게 되고 방어적 행위는 적대감, 공포, 걱정 등의 감정이 상승되는 것을 감소시킨다고 한다.

### ③ 행위적 요인

#### 가. 행위수행능력

행위수행능력(Behavioral Capacity)은 행위를 학습할 수 있는 역량으로 행위를 수행할 때 그 행위가 무엇인지에 대해 지식과 기술을 습득하고 있어야 하고 학습과 수행을 구별하여 학습 후에 수행이 이루어진다고 가정을 한다. 하나의 행위는 학습이 가능하지만 학습이 되지 않은 또 다른 행위는 수행할 수가 없다고 가정을 한다.

#### 나. 자기통제와 실행

자기통제와 실행(Self-control & Performance)에서 자기통제는 목표달성을 위해 자신의 행위를 통제하는 것이고 실행은 목표달성을 하기 위해서 수행하는 행위를 말한다. 인간은 각 개인마다 내재된 행위의 수행기준과 도덕률이 있어 자기통제를 한다는 것이다. 자기통제는 자기 행위와 행위에 영향을 미치는 요인을 스스로 관찰하고 개인적인 여러 가지 기준을 비교하여 스스로 판단하고 자기 반응에 따라 스스로 보상을 하는 것으로 실행기준을 정하고 자기통제증진을 위해 구체적인 행위에 초점을 두어야 한다. 자기통제에는 자기관찰, 자기판단(평가), 자기반응이 있다.

- 자기관찰(Self-observation) : 인간은 태어나면서부터 자신의 주위 환경에서 일어나는 사건에 관심을 갖는 경향이 있다. 공식적이거나 비공식적으로 학습경험을 통하여 더 많이 알게 되면 될수록 이전에 중요하게

생각하지 않았던 자신의 행위의 많은 부분에 대해 좀 더 관심을 기울이게 된다. 자신을 객관적으로 볼 수 있는 능력은 개인차가 있어 다양하다.

- **자기판단**(Self-judgement) : 자신의 행동을 관찰하면서 자신의 행위가 효과적이었는지, 윤리적 또는 사회적으로 좋은 일인지, 나쁜 일인지를 판단하게 된다는 것이다. 이것은 일련의 내면화된 기준에 의해 이루어지게 된다. 그 기준이란 자신이 속한 사회에서 의미 있는 타인의 칭찬이나, 경멸, 비난, 무관심 등의 반응을 말한다. 자기판단을 통해 자신의 행위를 평가한다.
- **자기반응**(Self-reaction) : 자신의 행동을 관찰한 후 보상이나 처벌을 하는 과정으로 은밀하게 내재적으로 할 수도 있고 외부행위로 나타나는 수도 있다. 은밀하게 내재적으로 하는 경우는 자신에 대한 존중감을 증가시키거나 감소시키는 형식을 취할 수 있고 장기적인 효과를 내는 특색이 있다.

#### ④ 환경적 요인

##### 가. 환경과 상황

환경과 상황(Environment and Situation)은 개인의 행위에 영향을 미치는 사회적·물리적 환경과 처해진 상황으로 가족, 친구, 동료, 의미 있는 타인 등의 사회적인 환경과 상황 그리고 문화, 기후, 장소의 크기, 시간, 등의 물리적 환경과 상황이 있다. 환경과 상황은 인간의 특정 행위를 이해하는 생태학적인 틀을 제공한다.

##### 나. 관찰학습

관찰학습(Observational Learning)은 다른 사람의 행위를 보고 학습되고 강화를 받는 것으로 대리보상, 대리경험이라고 한다. 이때 동물은 시행착오를 경험하면서 특정행동이 가능해질 때까지 시행착오를 거쳐 학습을 하게 되지만 인간은 동물과는 다르다. 인간은 본성적으로 기억을 도울 수 있는 상징(Symbol)을 사용하는 능력을 가지고 있어서 새롭거나 복잡한 행동을 동물보다 훨씬 효과적으로 학습할 수가 있다.

그 이유에 대해서 Bandura는 동물은 기억과정에서 오직 상상(Imagery)에만 의존하지만, 인간은 상상과 언어적 묘사를 모두 사용하기 때문이라고 가정하였다. 관찰학습의 단계는 주의집중과정, 기억과정, 운동재생과정, 습득과정을 거친다. 그러므로 인간은 태어나서부터 자연스럽게 관찰학습이 되어 부모나 타인들의 행위를 관찰한 것과 비슷한 행위를 하게 되는 것이다.

##### 다. 강화

사회인지이론에서 강화(Reinforcement)는 행위결정의 중심적인 역할을 하고 있다. 현재 행위의 결과가 나중에 수행하는 행위의 가능성과 빈도에 영향을 미친다고 한다. 사회인지이론에서는 강화의 세 가지 측면을 강조한다.

- **인지된 결과가 더 중요하다** : 실제 행위보다는 개인의 행위결과에 대한 해석, 즉 인지를 어떻게 하느냐가 더 중요하다.
- **타인의 경험을 관찰한 후 강화를 받는다** : 예를 들면 직접 경험하지는 않았지만 텔레비전의 광고나 잡지 등에서 매력적인 연예인이 특정 행위를 하는 것을 관찰한 후 실제상황에서 그와 같은 상황이 주어지면 광고와 동일한 행위를 하게 되는 것이다.
- **자기강화를 받는다** : 환경과는 독립적으로 개인이 스스로 자기통제 하에 행위를 하는 것으로 개인차가 크다.

사회인지이론의 장점은 지식이나 태도보다 행위변화에 초점을 두고 환경의 영향에 가치를 두고 있다는 점이다. 이 이론을 실제 보건교육 프로그램으로 적용이 가능한 방법에는 모델링(Modeling), 기술훈련(Skill Training), 자기감시(Self-monitoring), 자기통제(Self-control), 서명(Signature), 계약(Contracting) 등이 있다.

### (2) 사회관계망과 사회적지지 모형

사회관계망과 사회적지지(Social Network and Social Support)는 이론이라기보다는 사회적 관계와 건강이 서로 관련성이 있으므로 개인과 환경 사이의 기본적인 과정을 설명하기 위해 사회심리적 이론을 활용하여 모형이 개발되었다. 사회관계망과 사회적지지 모형(social network & social support model)은 [그림 5-9]와 같고 주요 개념 설명은 다음과 같다.

#### ① 사회관계망

사회관계망(Social Network)은 인간관계의 관계망을 말한다. 사회관계망의 구조는 쌍방관계 또는 전체 관계망의 특성을 나타내는데 그 특성은 관계 내에서 자원과 지지 교환의 상호성, 정서적 친근감, 관계의 복잡성, 인구학적 동질성, 핵심인물과의 인접성 등 다양하다. 사회관계망은 개인의 건강행위에 직접적으로 영향을 주고 개인의 신체적, 정서적, 사회적 건강과 상호영향을 미친다.

사회적관계망(Social Network)은 기존의 확대가족이나 집단의 개념으로 설명할 수 없는 사회적 관계를 설명하기 위해 그 개념을 Barnes(1954)가 소개하였다. 사회적관계망은 관계밀도가 높은 구성원이 더 친밀하고, 서로 수단적인 지지를 교환하고, 관계망의 규범에 순응하게 하는 사회적 영향을 더 많이 미친다는 것이다. 즉 상호연결이 더 많고 지리적으로 인접성이 높은 관계망이 친밀도가 높고 지지제공을 더 많이 한다는 것이다.

#### ② 사회적지지

사회적지지(Social Support)는 타인에게 필요한 도움을 주고자 의도를 가지고 의식적으로 지지를 제공하는 것을 말한다. House(1981)는 정서적지지(애정, 공감, 신뢰, 관심 등), 수단적지지(원조, 서비스제공 등), 정보적지지(제언, 조언 등 문제해결 정보제공), 평가적지지(확인, 긍정적 회환(feedback), 자가평가 정보제공 등)의 4가지 영역으로 구분하였다. 사회적지지는 타인의 생각과 행위에 영향을 주게 되므로 진정한 관심과 신뢰와 함께 타인의 자기결정권을 존중하는 지지가 제공되어야 할 것이다. 그러므로 사회적지지는 개인의 건강행위에 직접적인 영향을 주고 개인의 신체적, 정서적, 사회적 건강과 상호영향을 미친다.

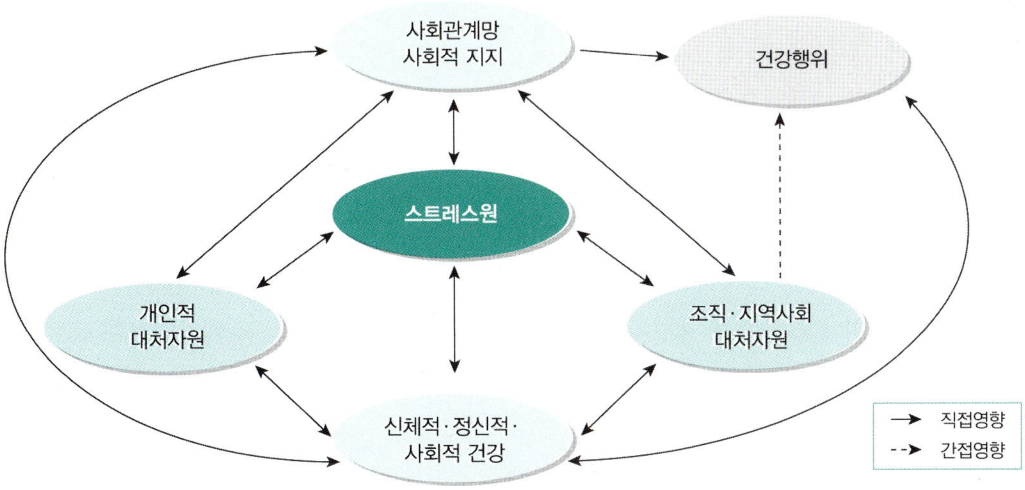


〈 자료원 : Glanz, K. et al.(2008). Health Behavior and Health Education. Jossey-Bass 〉

**그림 5-9 사회관계망과 사회적지지 모형**

Cassel(1976)이 소개한 사회적지지(Social Support)는 핵심적인 사회심리적 보호요인으로 작용한다. 사회적지지는 스트레스가 건강에 유해한 영향을 주는 것에 대한 개인의 취약성을 감소시키며, 다양한 건강결과의 발생과 빈도에 영향을 줄 수 있다고 가정을 한다.

#### ③ 스트레스

스트레스(Stress)는 인간의 신체에 가해지는 비특이적 반응이다. Selye(1956)의 스트레스 개념에 근거해서 보면, 인간은 누구나 스트레스를 받고, 인간의 모든 활동에는 스트레스가 존재한다고 한다. Lazarus & Folkman(1984)에 의하면 스트레스는 긍정적 또는 부정적 스트레스로 분류한다.

긍정적 스트레스는 건강, 건강행위 증가, 유쾌한 경험을 제공하며, 부정적 스트레스는 불건강, 건강행위 감소, 유쾌하지 못하고 심하면 병리적 현상을 나타낸다고 한다. 스트레스는 사회관계망과 사회적지지와 상호영향을 주고 개인의 신체적, 정서적, 사회적 건강과 상호영향을 미친다.

#### ④ 개인의 대처자원

개인의 대처자원(Cope Resources of person)은 개인의 문제해결 능력, 새로운 관계와 정보에 대한 접근성, 통제에 대한 인식정도 등을 말한다. 개인의 대처자원은 스트레스에 직접적으로 영향을 주어 대처할 수 있게 하고 개인의 신체적, 정서적, 사회적 건강과 직접적으로 상호영향을 미친다.

#### ⑤ 조직과 지역사회의 대처자원

조직과 지역사회의 대처자원(Coping Resources of community & group)은 조직과 지역사회 차원의 역량강화와 경쟁력증진을 말한다. 조직과 지역사회의 대처자원은 개인에게 있어 사회적 환경이 되어주고 직접적으로 개인의 스트레스에 영향을 주며 개인의 건강행위에 간접적인 영향을 준다. 또한 개인의 신체적, 정서적, 사회적 건강과 상호영향을 미친다.

#### ⑥ 신체적, 정신적, 사회적 건강

개인의 신체적, 정신적, 사회적 건강상태로 사회관계망, 사회적지지, 스트레스, 개인의 대처자원 및 건강행위에 상호영향을 미친다.

#### ⑦ 건강행위

건강행위(Health Behavior)는 건강증진, 예방, 건강위협, 질병유발 등의 행위로 개인의 건강관련 행위를 말한다. 건강행위는 개인의 신체적, 정서적, 사회적 건강과 상호영향을 미친다.

### (3) 스트레스와 대처모형

스트레스와 대처모형(Stress & Coping Model)은 개인이 스트레스 상황에 대처하는 과정을 이론적으로 설명한 모형이다. 개인의 스트레스는 개인과 환경 간의 교류로 구성되고 그 교류는 스트레스원의 자극에 대한 개인적인 평가와 심리적, 사회적, 문화적으로 활용가능한 자원에 의해서 중재되는 것을 말한다.

개인이 스트레스원에 접하게 되면 주요판단(1차적인 판단)으로 잠재적 위협을 판단하고 그 다음에 부차적 판단(2차적인 판단)으로 자신의 상황을 변화시킬 수 있는 능력여부와 부정적인 정서반응을 다룰 수 있는 능력여부를 판단하고 난 후에 문제를 관리하고 정서를 조절하는 등의 대처를 통해서 결과를 얻게 된다. 즉 개인은 조정요인을 동원하여 스트레스원을 조정하는 과정을 거쳐 결과에 이르는 개인과 환경 간의 교류과정이라고

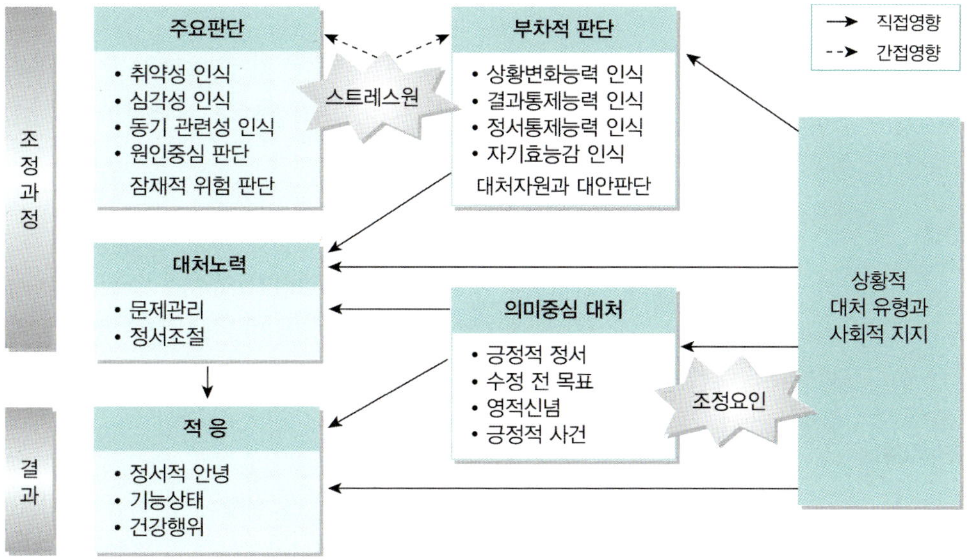


〈 자료원 : Glanz, K. et al.(2008). Health Behavior and Health Education. Jossey-Bass 〉

**그림 5-10 스트레스와 대처모형**

가정을 한다. 스트레스와 대처모형은 [그림 5-10]과 같고 주요 개념 설명은 다음과 같다.

### ① 주요판단

주요판단(Primary Appraisal, 초기판단, 1차판단)은 개인이 위협적인 상황의 심각성이나 스트레스원을 판단하는 것을 말한다. 주요판단에서 위협에 대한 취약성과 심각성을 인식한다. 주요판단은 스트레스원에 대처하기 위한 노력에 영향을 준다. 주요판단에서 상황이 긍정적이거나 유익하거나 위험과 무관하다고 인식되면 부정적인 위협은 일어나지 않게 된다.

### ② 부차적판단

부차적판단(Secondary Appraisal, 대안판단, 2차판단)은 개인이 가지고 있는 스트레스에 대한 대처자원과 대안을 판단하는 것을 말한다. 즉 스트레스 상황에서 대처할 방법을 찾는 것이다. 부차적판단은 스트레스 상황을 변화시킬 수 있는 능력여부를 인식하는 것으로 결과에 대한 통제력과 정서에 대한 통제력 및 자기효능감에 대한 인식을 말한다.

### ③ 상황적 대처유형과 사회적지지

상황적 대처유형(Dispositional Coping Style)은 스트레스원에 의해 발생된 상황에 대한 정서적, 기능적인 반응으로 일반화된 개인의 행동방식을 말한다. 사회적지지는 타인에게 필요한 도움을 주고자 의도를 가지고 의식적으로 지지를 제공하는 것을 말한다. 상황적 대처유형과 사회적지지는 부차적판단과 대처노력, 의미중심대처 및 적응에 직접적인 영향을 미친다.

### ④ 대처노력

대처노력(Coping Effort)은 문제관리와 정서조절의 두 가지 개념이 있다. 대처는 결과인 적응에 직접적으로 영향을 미친다.

#### 가. 문제관리

문제중심대처(Problem-Based Coping)로 스트레스 상황을 변화시키는 것에 초점을 두고 문제관리 방안을 강구하는 것이다. 스트레스원이 가변적인 경우에는 문제중심대처가 적합하다. 문제관리 방안에는 적극적인 대처와 문제해결 및 정보추구 등이 있다.

#### 나. 정서조절

정서중심대처(Emotion-Based Coping)로 스트레스 상황에 대한 개인적인 생각과 느낌을 변화시키는 것에 초점을 두고 정서관리 방안을 강구하는 것이다. 스트레스원이 고정적인 경우에는 정서중심대처가 적합하다. 정서관리 방안에는 사회적지지, 감정해소, 회피, 부정 등이 있다.

#### ⑤ 의미중심대처

의미중심대처(Meaning-Based Coping)는 대처노력과정에서 스트레스 상황에 의미를 부여하는 긍정적인 정서를 유발하는 대처과정을 말한다. 이 긍정적인 정서는 문제중심대처와 정서중심대처에 대해 다시 규정할 수 있도록 하여 대처과정을 지속될 수 있도록 한다. 의미중심대처에는 영적신념이나 긍정적인 사건 등이 있다. 의미중심대처는 대처노력과 적응에 직접적인 영향을 미친다.

#### ⑥ 적응

적응(Adaptation)은 개인의 대처노력에 의해 스트레스원에 적응하게 되는 것을 말한다. 적응의 유형에는 정서적 안녕과 기능적 상태 및 건강행위 세 가지가 있다. 적응은 대처전략에 따라 단기적이거나 장기적인 형태로 나타나며 또한 긍정적이거나 부정적인 형태로 적응하게 된다. 이때 스트레스원과 문제는 시간이 경과됨에 따라 변화하기 때문에 적응은 개인에게 스트레스원이 주어진 후에 조정과정을 거쳐서 적응의 결과가 나타나게 된다.

## 3) 집단 및 지역사회 수준의 건강행위이론

### (1) Tannahill의 건강증진모형

Tannahill(1985)의 건강증진모형은 보건교육과 예방 및 건강보호의 3가지 차원으로 건강증진이 구성된다고 보았다. 이 세 가지 분야는 독립적으로 혹은 중복하여 작용을 하게 되므로 이들을 모두 7가지 영역으로 구분하여 건강증진을 설명하였다.

Tannahill의 건강증진모형은 [그림 5-11]과 같고 주요 개념 설명은 다음과 같다.

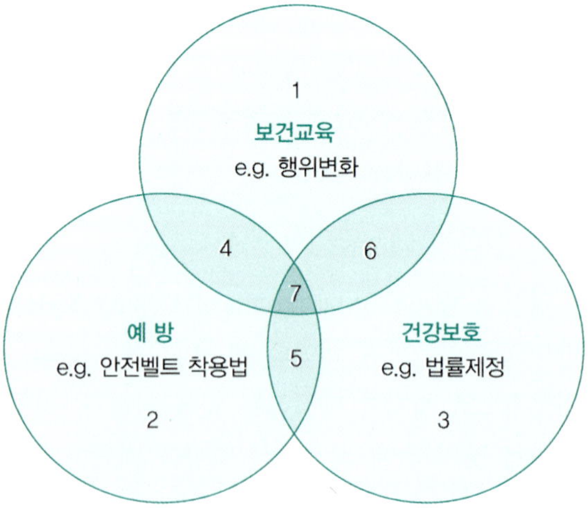


〈 자료원 : Tannahill A.(1985). What is health promotion? Health Education Journal 44(4):167-8 〉

그림 5-11 Tannahill의 건강증진모형

#### ① 보건교육 차원

건강증진을 위해 보건교육 차원은 긍정적인 보건교육을 제공하여 건강을 증진시키기 위해 건강행위에 영향을 주고 건강한 환경을 조성하고 스스로 건강행위를 실천할 수 있도록 역량을 증진하는 것이다.

### ② 예방 차원

건강증진을 위해 예방 차원은 보건의학적 예방서비스 제공과 안전법규 행위실천 등으로 불건강과 질병을 예방하는 것을 말한다. 안전법규 실천과 1차, 2차, 3차 예방이 있고, 예방접종, 건강검진 및 질병 조기발견, 질병 감시체계 활용 등이 있다. 예를 들면 안전벨트 착용, 헬멧 착용 등의 각종 안전법규 실천과 독감예방 접종, 건강검진을 통해 질병 조기발견, 자궁암건진, 금연 니코틴패치 사용 등이 있다.

### ③ 건강보호 차원

건강증진을 위해 건강보호 차원은 긍정적인 건강보호 차원으로 건강을 위한 정책 개발과 법률적, 재정적, 사회적, 지원을 통해 건강과 건강행위실행에 유익한 환경을 조성하는 것이다. 예를 들면 금연법규제정, 금연구역설정, 식품안전을 위한 법규제정, HACCP제도 등 식품안전정책 개발, 운전자 안전벨트 착용, 산업 유해물질 표기, 관리 법규제정, 정책개발 등이다.

### ④ 예방적 보건교육 차원

건강증진을 위해 예방적 보건교육 차원은 불건강과 질병예방을 위한 보건교육을 통해 다양한 건강정보를 제공하는 것이다.

### ⑤ 예방적 건강보호 차원

건강증진을 위해 예방적 건강보호 차원은 불건강과 질병예방을 위해 국가적, 사회적으로 해충구제를 위한 방역 및 수돗물에 불소를 첨가하는 등의 예방행위를 제공하는 것이다.

### ⑥ 건강보호를 위한 보건교육 차원

건강증진을 위해 건강보호를 위한 보건교육 차원은 직접적으로 불건강과 질병에 영향을 주는 요인에 대해서 건강보호를 하기 위한 보건교육 제공으로, 예를 들면 담배광고 금지를 위한 로비활동 등의 정보를 제공하는 것이다.

### ⑦ 예방적인 건강보호를 위한 보건교육 차원

건강증진을 위해 예방적인 건강보호를 위한 보건교육 차원은 간접적으로 불건강과 질병에 영향을 주는 요인을 예방하기 위해 건강보호적 차원에서 보건교육 제공하는 것으로, 예를 들면 안전벨트 의무착용 입법화를 위한 로비활동 및 필요성 등의 정보를 보건교육을 통해 제공하는 것이다.

Tannahill의 건강증진 정의는 오타와헌장의 건강증진 전략과 같으며, 이 모형을 통해 얻을 수 있는 것은 다음과 같다.

- 보건교육과 예방개념이 잘 수립되도록 한다.
- 손쉽게 건강한 행위를 선택을 하도록 한다.
- 건강증진의 비임상적 차원의 인식에 도움이 된다.
- 건강증진에 어떤 임상적 중재가 적당한지 찾게 한다.
- 정책개발, 법규제정 등 규칙을 강화하도록 한다.
- 정책과 전략 및 건강증진활동을 통해 긍정적인 건강과 질병예방에 대한 방안을 지속적으로 육성을 한다.

### (2) PRECEDE-PROCEED 모형

Green의 PRECEDE-PROCEED 모형은 생태학적 관점의 인구 기반 계획 프레임 워크로써 보건교육의 사정, 진단, 계획, 수행, 평가 과정을 모두 포함하는 보건교육 전 과정의 연속적인 단계를 제시하고 있다. 이 모형은 포괄적인 보건교육이 가능한 모형으로 보건프로그램 기획에서 가장 널리 알려지고 활용되고 있다.

건강증진 실천의 초석이 된 PRECEDE-PROCEED 모형은 30년 이상 건강행위 변화 프로그램을 설계하고 시행 및 평가하는 과정을 안내하는 로드맵 역할을 한다(Green et al., 1980; Green & Kreuter, 2005). 건강 행위 변화 프로그램의 계획 및 평가에 이론과 개념을 체계적으로 적용하기 위한 구조를 제공하는 것이다(Gielen et al., 2008).

PRECEDE-PROCEED(Predisposing, Reinforcing and Enabling Constructs in Educational Diagnosis and Evaluation-Policy, Regulatory and Organizational Constructs in Educational and Environmental Development Planning Model) 모형은 PRECEDE 모형과 PROCEED 모형의 두 단계로 나눌 수 있다.

PROCEDE 모형은 1970년 Green & Kreuter에 의해 개발된 것으로 교육적 진단과 평가에서 인식(성향요인), 강화(강화요인), 가능성(촉진요인)을 구성 개념으로 모형을 제시한 것으로 사정과 진단단계이다.

PROCEED 모형은 1991년에 Green & Kreuter가 교육과 환경개발 측면에서 정책과 규제 및 조직적 구성을 개념으로 정책, 규제, 조직, 환경을 새로운 요소로 추가하여 제시한 것으로 수행계획과 평가계획단계이다.

PRECEDE-PROCEED 모형은 PROCEDE 모형과 PROCEED 모형을 합한 것으로 PRECEDE 단계는 보건교육에서 사정을 통해 우선순위를 결정하기 위한 사정, 진단단계이고, PROCEED 단계는 건강증진 정책 수립과 규제 및 조직을 통해 보건교육과 그 환경을 개발하여 보건교육 실행과 평가를 위한 건강증진계획 개발단계라고 할 수 있다.

PRECEDE-PROCEED 모형은 1999년 개발 당시 9단계이던 것을[부록 그림 2] 2005년 역학적, 행위적, 환경적 사정단계를 하나의 단계로 합하고 중재설정 단계를 추가한 8단계로 수정하였다[부록 그림 3]. 2009년 다시 행위적, 환경적, 역학적, 사회적 성과를 바람직한 성과 확인이라는 하나의 단계로 합친 7단계로 수정하였다가 [부록 그림 4], 다시 2015년 Karen Glanz, Barbara K. Rimer, & K. Viswanath에 의해 [그림 5-12]와 같이 중재설정을 지지적 중재로 수정하고 사회적 진단단계와 역학적, 행위적, 환경적 진단단계를 분리하여 8단계로 수정하였다.

PRECEDE-PROCEED 모형은 실천을 위한 기획모형으로 각 단계별로 구분되어 있고 중재 대상의 요구를 단계를 통해 사정할 수 있으며 우선순위에 따라 상황에 적합한 보건프로그램을 개발하고 지지적 중재를 설정하여 실행하도록 안내하는 사정, 진단단계와 보건프로그램의 수행과 목적 달성정도를 평가할 수 있는 계획단계로 구성되어 있다. 즉 교육과 생태학적 접근을 통한 건강증진사업 기획을 위해 사정·계획·수행·평가 과정을 포괄하고 있다.

특히 건강과 건강행위에 영향을 미치는 변수들의 다양함과 이 다양한 변수들이 복합적으로 상호작용하는 것을 분명하게 보여줌으로써 건강행위 변화의 책임을 개인에게서 찾으려는 다른 모형과 구별된다. 그리고 사회적 상황이 개인의 건강행위에 영향을 미치는 것을 고려할 수 있도록 공공정책과 법규와 제도 및 조직의 변화 등을 강조하고 있다. 또한 투입보다 결과를 중요시하며, 효과적이고 효율적으로 자원의 활용이 가능하고, 보건교육의 궁극적 목적인 삶의 질을 강조하고 있다.

PRECEDE－PROCEED 모형의 1～3단계는 문제의 논리 모델(이론)을 개발하는 데 도움이 된다. 여러 생태학적 수준에서 건강 강도의 원인에 대한 분석을 안내하고, 계획자가 건강 관련 행위와 환경의 결정 요인에 초점을 맞추도록 도와준다(Gómez, Seoane, Varela-Centelles, Diz, & Takkouche, 2009; Peacock, Pogrel, & Schmidt, 2008). 생태학적, 심리적, 행동적 특성과 환경을 가진 개인들 사이의 상호 관계에 초점을 둔 사회생태학적 모델은 문제의 논리 모델에 환경을 포함시키는 것의 중요성에 대한 관점을 주도한다(Bronfenbrenner, 1979; Kok, Gottlieb, Commers & & Smerecnik, 2008).

**시작**

**1. 사정단계**

보건교육 프로그램을 시작할 때 '무엇을 성취할 것인가?', '성취하기 위해서 무엇을 바꾸어야 하는가?', '무엇을 훈련해야 하는가?', '무엇을 조정해야 하는가?'의 교육목적, 문제진단, 교육내용, 수행계획 등을 설정하기 위해 지역사회 현황, 즉 사회적, 역학적, 행위적, 환경적 사정을 위한 지역사회의 삶의 질, 건강상태, 생활양식, 환경을 사정한다. 그리고 교육적, 기술적, 생태학적으로 필요한 것을 확인하기 위해 대상자의 교육적 성향요인, 촉진요인, 강화요인을 사정하고 지역사회의 정책적, 행정적, 재정적 요구를 확인하기 위해 지역사회의 정책, 규제, 조직, 서비스 또는 프로그램 구성 요소를 확인한다.

**2. 기획단계**

삶의 질, 건강상태, 생활양식, 환경을 바람직한 상태로 변화하기 위해 교육적, 기술적, 생태학적인 방법으로 대상자의 성향요인, 강화요인, 촉진요인을 활용하여 보건교육을 계획한다.

1) 프로그램 설정 단계 : 보건교육에 필요한 정책, 규제, 조직, 서비스 또는 프로그램을 설정한다.

2) 평가기획단계

(1) 실행 : 하기로 계획된 프로그램은 무엇인가? 실제 전달한 것은 무엇인가? 계획한 것과 실제 발생한 것의 차이점은 무엇인가?

(2) 과정평가 : 프로그램의 구성 요소 사이의 관계는 무엇이 있나? 왜 계획한 것과 실제로 발생한 것 사이에는 차이가 있는가?

(3) 영향평가 : 목적과 의도하지 않은 프로그램은 무엇인가? 긍정적 및 부정적 영향은 무엇인가? 정책, 규제 및 교육적 요인(성향요인, 촉진요인, 강화요인) 환경 등이 목표(건강증진 행위변화)에 미치는 영향 평가한다.

(4) 성과평가 : 프로그램은 목표를 달성했는가? 프로그램 실행 후 성과를 평가한다.

**3. 실행단계**

기획단계에서 계획한 보건교육 정책, 규제, 조직, 서비스 또는 프로그램을 수행한다.

**4. 평가단계**

평가계획단계에서 계획한 내용을 평가한다. 그래서 지역사회의 건강상태, 생활양식, 환경이 변화하여 결과적으로 삶의 질이 변화한 것을 확인한다.

**종료**

목적한 성과에 도달하여 결과적으로 삶의 질이 향상되었다면 프로그램을 종료한다.

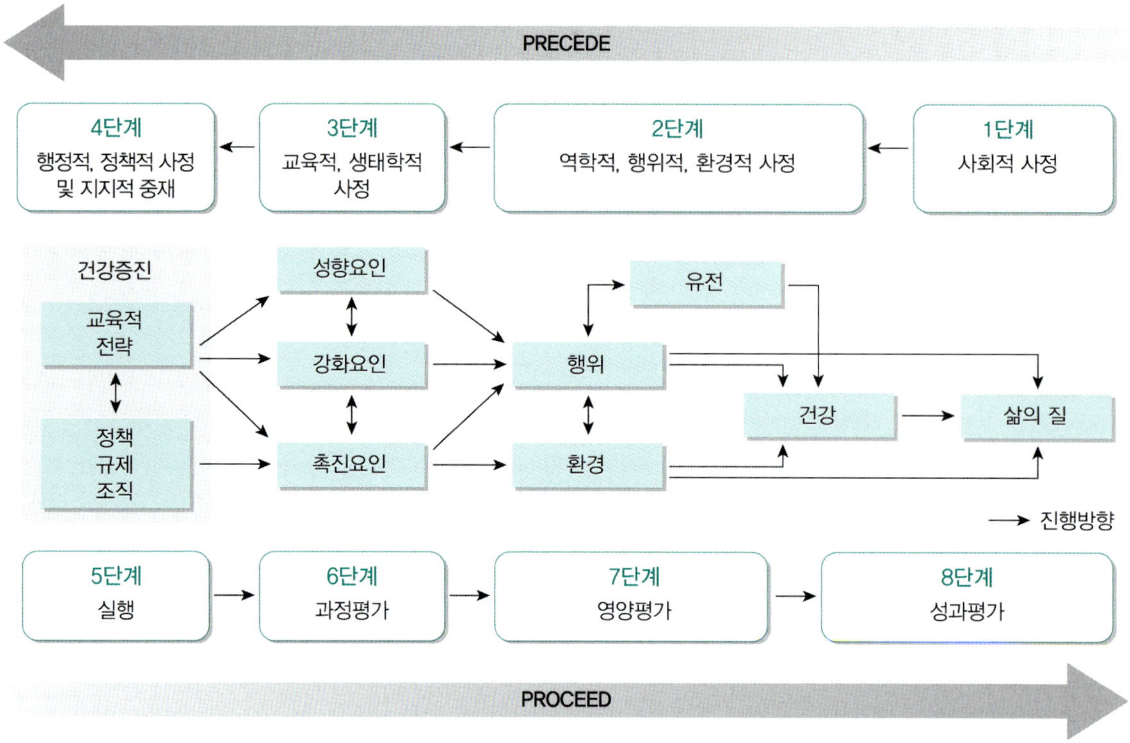


〈 자료원 : Karen Glanz, Barbara K. Rimer, & K. Viswanath(2015). Health Behavior: Theory, Research, and Practice, 5th Edition, Jossey-Bass. 〉

**그림 5-12 PRECEDE－PROCEED Planning Model 8단계**

PRECEDE－PROCEED 모형은 [그림 5-12]와 같고 주요 개념 설명은 다음과 같다.

#### ① 1단계 : 사회적 사정(바람직한 성과확인)

이 단계는 1999년 개발 당시 9단계 모형에서 1단계 사회적 사정단계, 2단계 역학적 사정단계 및 3단계 행위와 환경적 사정단계를 2005년도에 하나의 단계로 통합하였다가 2015년 다시 1단계의 사회적 사정단계, 2단계의 역학적, 행위적, 환경적 사정단계로 분류하였다. 사회적 사정단계는 대상자들의 요구나 삶의 질을 확인하기 위한 것으로 건강증진사업의 목적인 대상자들의 삶의 질 향상 정도를 측정하는 과정이다. 즉 대상자들의 요구나 삶의 질을 사정하기 위해 계획된 다양한 정보수집 활동을 하는 단계이다. 이 단계에서 지역사회 주요문제를 파악할 수 있다.

정보수집을 위한 사정방법으로 면담, 지역사회 포럼, 포커스 그룹 활용, 설문조사, 삶의 만족도조사, 지역사회 활동 참여 등을 통해 지역주민의 스트레스나 건강 문제 등을 직접자료를 활용하여 사정하거나, 사회적 지표(실업률, 주택밀도, 대기오염, 수질오염 등의 각종 지표 등), 연구기록 등의 간접자료를 활용하여 사정한 자료를 토대로 삶의 질에 대한 사회적 진단을 도출할 수 있다. 이 단계는 프로그램 수행 전 사정(진단평가)을 하여 계획단계에서 목표를 설정하고 프로그램을 수행한 후 평가단계(8단계)에서 바람직한 성과를 확인하기 위해 다시 삶의 질 향상 정도를 평가한다.

#### ② 2단계 : 역학적, 행위적, 환경적 사정

사회적 사정 단계인 1단계에서 사정한 삶의 질에 영향을 미치는 요인들을 구체적으로 역학적인 요인, 행위적인 요인, 환경적인 요인의 영역별로 분류하여 중재목표를 명확하게 규명하고 우선순위를 정하는 단계로 제한된 자원을 사용할 가치가 가장 큰 건강문제와 원인을 분석·도출하는 단계이다.

건강문제를 알 수 있는 지표(사망률, 만성질환 유병률, 암 유병률, 질병 발생률, 이환율, 장애율 등의 역학적 자료)와 건강에 긍정적인 영향을 주는 지표(운동 실천율, 혈압 인지율, 평균여명 등의 역학적 자료)를 활용하여 건강문제의 상대적 중요성(대상 인구집단의 분포, 크기, 심각성)과 문제점을 찾아낸 다음 이를 토대로 건강에 대한 역학적 진단을 도출할 수 있다.

또한 역학적 사정단계에서 발견된 문제들의 원인이 되는 건강행위와 생활양식, 환경요인들을 사정하여 건강행위 실천 수준에 관한 행위적 진단과 환경적 진단을 도출할 수 있다. 이 단계에서 파악된 요인들 중 보건교육을 통해 변화가 가능한 문제를 우선순위로 정하여 보건교육 내용으로 선정하고 보건교육 계획에 활용한다.

이 단계는 프로그램 수행 전 계획단계에서 역학적, 행위적, 환경적 목표를 설정하고 수행 후 평가단계에서 성과를 확인하기 위해 7단계에서 역학적, 행위적, 환경적 목표 달성 정도를 평가한다.

#### ③ 3단계 : 교육적, 생태학적 사정

이 단계에서는 보건교육 내용을 구성하기 위해 건강행위를 유발시키고 건강행위 결정에 영향을 주는 요인들로 교육적, 생태학적으로 요구되는 것들을 사정하여 교육적, 생태학적 진단을 도출할 수 있다. 건강행위를 유발시키고 건강행위 결정에 영향을 주는 요인에는 성향요인, 강화요인, 촉진요인의 3가지가 있다. 이들 세 가지 요인은 건강행위수행에 직접적으로 영향을 미친다고 가정을 한다. 성향요인, 강화요인, 촉진요인은 다음과 같다.

##### 가. 성향요인

성향요인(Predisposing)은 개인의 인지와 정서에 영향을 주는 지식, 태도, 신념, 가치, 자기효능을 말한다. 건강과 관련된 행위를 하기 전에 행위수행에 대한 합리적인 근거를 제공하거나 동기부여 기능을 한다. 성향요인에 의해 건강문제에 대한 지식, 태도, 신념 등이 내재된다. 인종, 성, 연령, 경제상태, 가족상황 등의 인구학적 요소는 성향요인에 속하지는 않지만 중재전략 계획 시 고려해야 할 요소이다. 이 단계는 프로그램 수행 전 계획단계에서 교육적, 생태학적 목표를 설정하고 6단계에서 과정평가를 한다.

##### 나. 강화요인

강화요인(Reinforcing)은 사회적·신체적 유익성과 대리, 보상, 사회적지지, 또래 친구의 영향, 충고와 보건의료 제공자에 의한 긍정적·부정적 반응을 말한다. 이러한 보상, 칭찬, 처벌 등을 활용해서 건강관련 행위를 계속 유지하게 하거나 중단시키거나 강화하는 기능을 한다.

##### 다. 촉진요인

촉진요인(Enabling)은 보건의료 및 지역사회자원의 이용가능성, 접근성, 시간적 여유, 개인의 기술과 자원 등을 말하고 행위수행동기가 실현가능 하도록 돕는 기능을 한다. 이 촉진요인은 행위수행에 직접적인 영향을 주므로 중재전략을 기획하기 위해서 사정한다. 촉진요인은 건강증진프로그램의 지역사회조직과 중재훈련의 표적이 된다.

#### ④ 4단계 : 행정적, 정책적 사정 및 지지적중재

이 단계는 보건교육 프로그램 수행과 관련된 정책과 행정에 대한 사정과 분석을 하는 단계이다. 분석을 통해 보건교육 프로그램을 촉진하거나 방해하는 정책과 행정적 요인을 사정·분석하고, 이전 단계에서 규명된

목표 달성을 위한 전략을 세우고 보건교육 프로그램의 중재 계획을 수립한다. 이 단계는 프로그램 수행 전 행정적, 정책적 사정 및 지지적중재를 계획하고 5단계에서 실행한다.

**가. 행정적, 정책적 사정**

보건교육 프로그램을 실행하기 위한 행정적, 정책적 자원을 검토한다. 행정적인 면의 정책과 자원 환경 및 조직의 상황을 사정하고 정책적인 면의 목적과 목표가 보건교육 프로그램의 목적과 목표와 일치하는지를 사정한다. 특히 지원 가능한 예산, 자원, 장애요인, 정책과의 관련성, 정책의 개선점 등을 사정하고 사정한 자료를 토대로 행정적, 정책적 진단을 도출할 수 있다.

**나. 지지적중재**

1, 2, 3단계에서 사정하고 진단한 것을 고려하여 우선순위를 정하고 보건교육 프로그램을 구성한다. 개인·집단·지역사회, 정부 수준에 따라 보건교육 프로그램의 목표와 중재활동을 연계한다. PRECEDE 과정에서 사정을 통해 파악된 건강문제와 건강결정요인과의 관계를 설명하는 프로그램이론을 설정하고 활용하여 계획한다. 시행착오를 줄이기 위해 기존에 사용한 프로그램을 조사하여 정보를 얻거나 자원을 공유한다. 그리고 계획한 보건프로그램에 대해 전문가, 실무현장지도자 및 실무자의 의견을 반영한다.

#### ⑤ 5단계 : 실행

계획단계에서 실행을 계획하고, 실행단계에서 계획된 보건교육 프로그램을 수행한다. 보건교육 계획단계에서 보건교육 프로그램 수행에 필요한 예산, 조직, 인력, 행정적인 문제, 자원배분 상태, 모니터링 및 평가 등에 대한 계획을 하고 이 계획을 기초로 보건교육 실행과 평가가 이루어진다. 실행단계의 질문은 다음과 같다.

- 하기로 계획된 프로그램은 무엇인가요? 범위는?
- 실제 전달한 것은 무엇인가요?
- 프로그램 구성 요소가 대상 모집단에 적합한가요?
- 계획한 것과 실제 발생한 것의 차이점은 무엇인가요?

#### ⑥ 6단계 : 과정평가

기획단계에서 과정평가를 계획하고, 실행단계에서는 보건교육 프로그램의 실행이 계획에 따라 잘 진행되고 있는지를 프로그램 실행과정에서 평가를 하는 단계이다. 이 단계는 프로그램 진행과정의 첫 번째 평가로, 실행 중 문제점을 찾아 수정이 가능하다. 과정평가 단계의 질문은 다음과 같다.

- 프로그램이 의도한 대로 제공되었나요?
- 프로그램이 의도한 대로 되지 않았다면 왜 계획한 것과 실제로 발생한 것 사이에는 차이가 있었나요?

#### ⑦ 7단계 : 영향평가

기획단계에서 영향평가를 계획하고, 실행 후 보건교육 프로그램을 통해 성향요인, 강화요인, 촉진요인 및 환경요인이 목표 활동(건강행위, 생활양식, 환경)에 미치는 단기적인 효과에 대해서 평가한다. 영향평가 단계의 질문은 다음과 같다.

- 목적과 의도하지 않은 프로그램은 무엇인가요?
- 긍정적 및 부정적 영향은 무엇인가요?
- 정책, 규제 및 교육적 요인(성향요인, 촉진요인, 강화요인) 환경 등이 목표(건강증진 행위변화)에 미치는 영향은 무엇인가요?

### ⑧ 8단계 : 성과(결과)평가

기획단계에서 성과(결과)평가를 계획하고, 실행 후 성과평가를 실시한다. 진단의 초기 단계에서 사정된 건강수준과 삶의 질이 보건교육 프로그램을 통해 얼마만큼 변화되었는지를 평가하는 것으로 보건교육 프로그램의 장기적인 효과에 대한 성과를 평가한다.

건강증진사업에서 성과는 자원의 투입과 사업과정 및 사업결과에 따라 대상자의 변화에 관심이 있다. 따라서 1, 2단계에서 사정한 행위, 환경, 역학적, 사회적 지표들이 진단단계와 비교해서 보다 나은 상태로 개선된 성과를 평가한다. 결과적으로 대상자의 생활양식, 환경, 건강상태 및 궁극적으로 그들의 삶의 질이 바람직한 방향으로의 변화되었는지를 확인한다. 성과평가 단계의 질문은 다음과 같다.

- 프로그램은 목표를 달성했나요? 프로그램 실행 후 목표를 달성한 성과는 얼마만큼인가요?
- 프로그램이 지역사회의 건강상태 또는 삶의 질 요소에 영향을 미쳤나요?
- 프로그램이 행동(생활양식), 환경 조건 변화에 영향을 미쳤나요?
- 결과적으로 삶의 질이 변화하였나요? 얼마만큼 변화하였나요?

청소년의 정신건강 인식에 PRECEDE-PROCEED 적용의 예가 [그림 5-13]에 제시되어 있다.

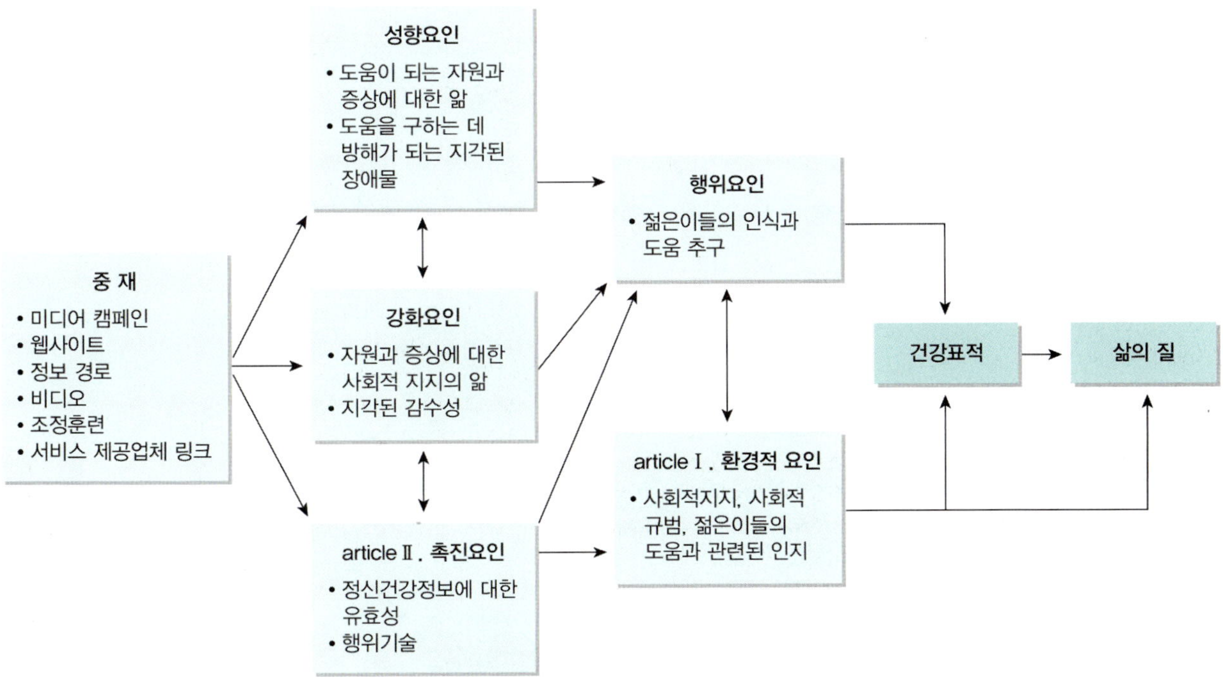


〈 자료원 : Karen Glanz, Barbara K. Rimer, & K. Viswanath(2015). Health Behavior: Theory, Research, and Practice, 5th Edition, Jossey-Bass. Adapted from Wright et al., 2006 〉

그림 5-13 청소년의 정신건강 인식에 PRECEDE-PROCEED 적용

### (3) 사회마케팅 모형

사회마케팅 모형(Social Marketing Model)은 개인과 사회의 안녕 상태를 향상시키기 위해 표적집단의 자발적인 행위에 영향을 미치기 위한 프로그램이다. 이 모형은 상업적으로 시장을 확보하거나 판매대상을 확보하는 방법을 보건교육 프로그램에 적용한 것이다. 사회마케팅이 기업의 이익을 위해 소비자의 인식이나 태도변화에 초점을 두고 있는 것처럼 보건교육 프로그램에서는 개인과 사회의 이익을 위해 사회적 가치, 이념 및 건강행위 변화를 대상자들이 수용하도록 하는 것에 초점을 두고 있다. 보건교육을 통해 수용된 내용이 대상자의 인식을 바꾸고 태도가 변화되고 이어서 행위변화를 하게 한다는 것이다.

사회마케팅 모형은 주로 정부기관이나 공공단체가 사회공익을 위해 보건프로그램을 개발하는 것에 주로 사용되고 있다. 예를 들면 TV 공익프로그램에서 광고하고 있는 공익광고는 '운전할 때는 안전띠를 착용합시다.', '자연보호를 합시다.', '금연을 합시다.' '마약퇴치', 'AIDS예방', '가정폭력예방', '아동학대예방', '음주운전예방' 등이 있다.

사회마케팅 모형은 [그림 5-14]와 같고 주요 개념 설명은 다음과 같다.

#### ① 사회마케팅의 핵심요소

**가. 대상자 지향성**

기존의 보건프로그램이 대상자의 요구를 고려하지 않고 전문가 등에 의해 상의하달식 방법으로 수행되는 것과 다르게 대상자의 요구에 초점을 두고 프로그램을 계획하고 수행하는 하의상달식 방법을 활용한다.

**나. 집단분석과 분화전략**

전체집단을 분석하여 그 특성에 따라 표적집단으로 분류하여 특성화하는 전략이다. 집단분석과 분화 전략의 변수로는 현재 참여정도, 미래 참여가능성, 집단의 의사소통망, 기대행위와 관련된 동기 등이 있고 이 변수에 영향을 받는다.

**다. 의사소통의 경로 분석**

표적집단의 대상자가 의사소통을 하기 위해 주로 활용하는 경로를 분석한다. 이는 주요 의사소통 경로를 통해 전달하려는 내용이나 서비스를 효과적으로 제공하기 위한 것으로 대상자의 접촉빈도, 참고빈도, 반응시간대, 상황, 장소 등을 분석한다.

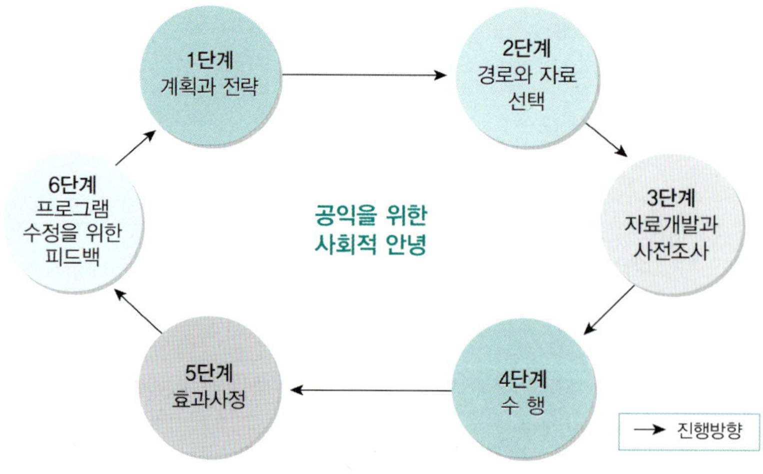


그림 5-14 사회마케팅 모형

### 라. 사전조사

보건교육 프로그램을 시행하기 전에 표적집단의 대표자를 선정하여 조사한다. 이것을 형성연구라고도 한다. 이는 보건교육 프로그램에서 사용될 새로운 용어를 정확하고 알기 쉽게 사용하고, 프로그램에 대한 전달내용을 어떻게 구성할 것인지, 의미, 관련성, 포괄성, 동기의 특징과 영향을 결정하기 위해 조사한다.

### 마. 마케팅 전략

대상자에게 전달하려는 내용과 서비스를 최대한으로 전달되고 활용할 수 있도록 유도한다. 프로그램 계획과 수행 시 제품(Product), 가격(Price), 장소(Place), 판매촉진(Promotion) 4P에, 근래에는 과정(Process), 사람(People), 물리적 증거(Physical evidence)를 추가한 마케팅의 7p 특성을 적용하여 중재전략을 수립하기 위해 혼합된 마케팅전략을 사용한다.

### 바. 과정추적 체계

마케팅 매니저가 프로그램 수행과정에서 감시하고 조정하는 통합적이고 통제적인 과정을 적용한다.

### 사. 자발적 교환

프로그램 제공자와 대상자 사이에 서비스내용에 대해 스스로 교환이 이루어진다. 스스로 교환이 이루어지기 위해서는 프로그램을 개발할 때부터 자발적인 교환에 대해 명확한 이해가 필요하고 반드시 대상자와 제공자 모두에게 이익이 되어야 한다. 즉 대상자가 요구하는 자원과 제공자가 제공하는 자원이 자발적으로 교환되어야 한다.

### 아. 관리과정

프로그램 수행을 위한 문제분석에서부터 계획, 수행, 평가, 회환(feedback)까지의 전 과정을 관리한다. 즉 보건문제 분석은 잘 되었는가? 계획은? 목표설정은? 수행은? 계획대로 진행되고 있는가? 프로그램 적용 시기가 적절한가? 표적집단은 적합한가? 내용이 행위목표에 적합한가? 등이다.

## ② 사회마케팅 과정

### 가. 1단계 : 계획과 전략

대상자를 중심으로 계획과 전략을 수립한다. 보건문제를 해결하기 위한 대상자요구 분석과 대상자요구도에 따른 분화전략을 활용하여 계획수립을 한다. 계획과 전략 단계에서 대상자의 건강증진 행위실천에 참여정도, 참여가능성, 집단 내 의사소통정도, 기대되는 행위와 동기 등이 변수로 작용한다.

### 나. 2단계 : 의사소통 경로와 자료 선택

분화된 표적집단의 대상자가 주로 사용하는 의사소통 경로와 자료를 수집하고 분석하여 선택한다. 수집 자료는 대상자가 자주 참석하거나 만날 수 있는 장소, 반응을 잘 할 수 있는 상황, 반응 시간대, 접촉빈도, 참고빈도 등이다.

### 다. 3단계 : 자료개발과 사전조사

프로그램에서 사용되는 용어나 의미를 정확하고 쉽게 설명할 수 있는 자료를 개발하고, 프로그램 관련성, 포괄성, 참여 동기, 대상자의 특징과 영향력 등의 프로그램 구성에 필요한 자료수집을 위해 표적집단의 대표자를 선정하여 사전조사를 실시한다.

### 라. 4단계 : 수행

표적집단의 대상자가 프로그램 내용과 서비스를 최대한 많이 접하고 이용할 수 있도록 유도하고 가격, 장소, 판매촉진의 특성을 적용하기 위한 다양한 마케팅 전략을 활용한다. 그리고 프로그램 전 과정을 통해 마케팅 관리자가 감시하고 조정하도록 통합적이고 통제적인 기능을 수행한다.

### 마. 5단계 : 효과 사정

프로그램 제공자와 이용 대상자 사이에 서비스내용이 자발적으로 교환되는지를 사정하고, 교환결과 제공자와 이용 대상자 모두에게 이익을 주었는지 프로그램의 효과를 사정한다.

### 바. 6단계 : 프로그램 수정을 위한 회환(feedback)

처음 1단계부터 마지막 5단계까지의 전 과정에 관리과정을 적용하여 프로그램을 평가하고 회환(feedback)을 한다. 즉 보건문제 분석은 잘 되었는가? 계획은? 목표설정은? 수행은? 계획대로 진행되고 있는가? 프로그램 적용 시기가 적절한가? 표적집단은 적합한가? 내용이 행위목표에 적합한가? 등을 확인하고 차후 프로그램 적용에 적절하게 수정·보완하여 활용한다.

## (4) 디그난과 카알 모형

Dignan & Carr(1922)의 디그난과 카알 모형은 보건교육 프로그램을 개인·집단·지역사회에 초점을 두고 구분하고, 행위적, 교육적 측면과 집단과정으로 분류하여 대상자를 분석한다. 그리고 기획과정을 7단계로 분류하여 수행한다. 따라서 이 모형은 하나의 기획과정이라고 할 수 있다.

디그난과 카알 모형은 [그림 5-15]와 같고 주요 개념 설명은 다음과 같다.

### ① 1단계 : 지역사회 분석

지역사회의 다양한 자료를 수집하고 사정한 자료를 분석한다.

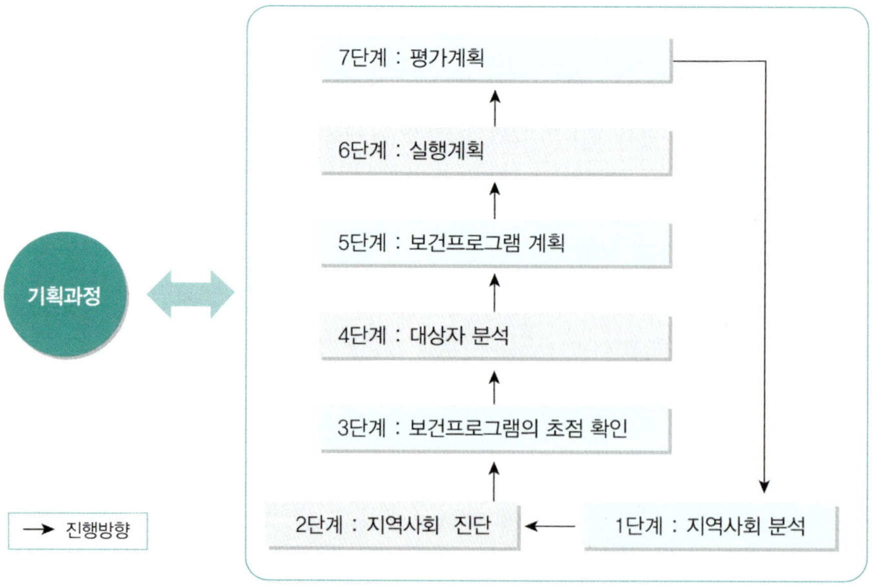


그림 5-15 디그난과 카알 모형

#### ② 2단계 : 지역사회 진단

수집하여 비교 분석한 자료를 토대로 문제를 도출하고 지역사회 보건문제와 요구를 진단한다. 이 진단은 지역사회 전문가와 대상자가 함께 인식하고 확인한다.

#### ③ 3단계 : 보건프로그램의 초점 확인

진단된 보건요구와 대상자에 따라 개인·집단·지역사회로 분류한다. 그리고 대상자의 특성에 따라 보건요구 충족과 문제해결이 가능한 것에 초점을 확인한다.

#### ④ 4단계 : 대상자 분석

분류한 개인·조직·지역사회의 단위로 보건교육 프로그램 대상자를 분석한다. 지역사회의 보건문제를 개선하기 위해 대상자의 건강문제와 관련된 행위, 환경적 요인, 신체적·정서적 요인, 변화시켜야 할 행위 수준 등을 분석한다.

#### ⑤ 5단계 : 보건프로그램 기획

보건교육 프로그램의 목표를 설정하고, 활용 가능한 자원, 장애요인, 수행방법 등을 확인하고, 전략을 수립하는 실현가능한 보건교육 프로그램을 기획한다.

#### ⑥ 6단계 : 실행계획

보건교육 프로그램의 실행을 위한 인력과 자원의 투입시기, 방법, 전략, 사용 시기, 활동시간 등의 계획을 수립한다.

#### ⑦ 7단계 : 평가계획

보건교육 프로그램 수행의 과정, 영향, 결과 평가를 위한 기준과 범위, 평가자, 평가시기, 평가방법 등을 규정하고 평가계획을 수립한다.

#### ⑧ 1단계 지역사회 분석

다시 1단계 지역사회 분석에서부터 7단계 평가계획까지 순환하고 다시 1단계부터 회환(feedback)한다. 그리고 필요시 매 단계마다 수시로 기획과정을 거친다.

### (5) 혁신확산 모형

혁신확산 모형(Diffusion of innovations Model)은 농촌의 농업기술이 농부들에게 보급되는 것에 대해 연구한 농촌사회학에서 파생되었다. 보건사업에 적용은 가족계획, 새로운 의학적 검사와 기술사용, 신약 사용, 금연사업 등에 활용되었다.

혁신확산 모형은 개인·집단·지역사회의 모든 수준에서 적용이 가능하다. 대상자의 건강을 유지·증진하기 위해서 특정 행위나 생활방식을 변화시킬 수 있다. 학교, 조직, 산업체, 국가 차원에서 계획한 특정 프로그램을 확산시키기 위해서는 정책과 법규 재정, 교육, 특정 인력의 기능과 역할변화, 각종 대중매체의 활용이 중요한 역할을 한다. 예를 들면 미국이나 호주에서 금연운동 확산전략을 성공적으로 수행하기 위해 다양한 대중매체, 사회적 압력, 금연프로그램 운영, 흡연을 규제하는 정책과 법률제정 등의 방법으로 흡연율을 성공적으로 감소시켰다.

혁신확산 모형은 [그림 5-16]과 같고 주요 개념 설명은 다음과 같다.

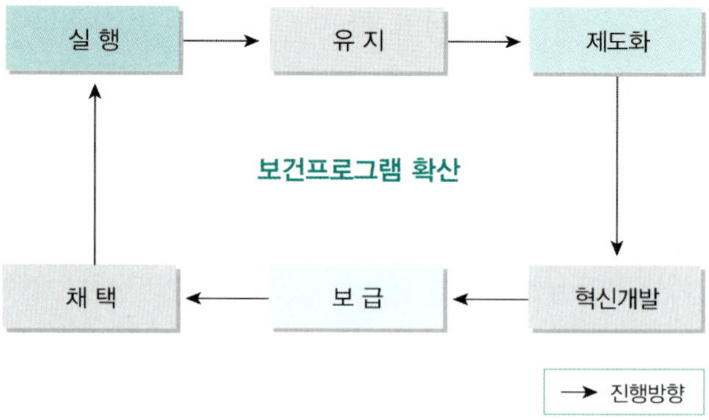


그림 5-16 혁신확산 모형

### ① 혁신과 확산

혁신은 개인·조직·지역사회에서 새롭게 인식되는 실천 또는 목적이나 아이디어, 전략, 프로그램 등을 말하고 확산은 지역사회 체계의 구성원들에게 새로운 혁신내용 등을 보급하고 확대하기 위해 특정 경로를 통해 소통하는 과정을 말한다(Rogers, 1983).

### ② 확산이론

확산이론에 따르면 모든 대상자들에게 행위변화는 빠르게 나타나지 않는다. 목적하는 행위변화가 나타날 때까지는 대상자가 변화의 필요성을 인지하여 관심을 가지고 재보고 시도해보고 하는 과정을 거쳐 행위변화를 할 것인지 아닌지를 채택하게 되는 심리적 과정을 거치게 되므로 상당한 시간이 소요된다.

### ③ 행위변화의 채택과정

행위변화의 채택과정은 대상자의 특성에 따라 다르다. 개인의 가치나 경험 등과 일치할 때 또는 행위변화가 간단하고 변화를 즉시 확인할 수 있을 때, 기존의 것보다 상대적으로 새로운 변화가 우수하다고 인식할 때 행위변화의 확산이 더 빠르게 나타난다.

대상자의 특성에 따라 행위변화의 채택과정은 혁신자, 초기 채택자, 다수 초기 채택자, 다수 후기 채택자, 가장 느린 채택자 5가지로 구분할 수 있다. 그리고 Rogers의 설명에 따르면 이들은 다음과 같은 특성을 가지고 있다고 한다.

#### 가. 혁신자

혁신자는 변화에 긍정적이고, 모험적이며, 변화수용에 따른 위험을 감수하고, 설정목표가 높은 편이며, 학력과 소득수준이 높은 편이고, 대중매체활용 등 외부정보와 밀접한 관련을 맺으며 생활하는 성향이 있는 사람이다.

#### 나. 초기 채택자

초기 채택자는 사회에서 선도자 역할을 하고 소속집단 내에서 존경을 받는 성향이 있는 사람이다.

#### 다. 다수 초기 채택자

다수 초기 채택자는 신중한 성향이 있는 사람들이다.

#### 라. 다수 후기 채택자

다수 후기 채택자는 새로운 변화에 의심이 많으며 다수의 다른 사람들의 변화를 확인한 후 수용하는 성향이 있는 사람들이다.

#### 마. 가장 느린 채택자

가장 느린 채택자는 전통을 고수하거나 변화의 수용을 거부하는 성향이 있는 사람들이다.

### ④ 혁신확산 단계

**가. 혁신개발**(Innovation development)

혁신개발은 새롭게 인식되는 실천 또는 목적이나 아이디어, 전략, 프로그램 등을 초기 단계에서부터 발달과 생산과정에서 발생하는 모든 결정과정과 활동을 말한다. 혁신 설계, 대상자 선정, 구체화, 실행에 옮기는 과정에 사회마케팅 이론의 개념이 도움이 된다.

**나. 보급**(Dissemination)

보급은 이용자 체계에서 자원체계로 지식을 전달하는 적극적인 접근 방법이다. 대상자에게 혁신을 확산시키기 위한 가장 효율적인 의사소통경로와 전달체계에 대한 파악을 하여 좀 더 적극적으로 전달한다.

**다. 채택**(Adoption)

채택은 혁신, 설득, 태도변화, 결정, 실행, 확인 등의 단계를 거쳐 이루어지는데 프로그램에 대한 대상자의 이해와 관련이 있다. 채택자의 욕구, 가치, 태도, 혁신에 대한 반응 등은 채택 과정에서 채택률을 높이는 요인으로 작용한다. 또한 잠재적인 채택자의 채택욕구 상승과 지지요인, 채택 방해요인, 혁신 활용에 대한 지식, 혁신 작동 원리에 대한 지식 등도 채택에 영향을 주어 혁신확산 절차에 영향을 미친다.

**라. 실행**(Implementation)

실행은 프로그램을 실무에 적용하는 것을 말한다. 프로그램 제공자는 채택자의 자기효능감과 기술을 증진시키고 혁신 시도를 권장한다. 그리고 채택자 훈련, 발생하는 문제해결, 질문에 적극적인 응답을 하는 등 프로그램이 원활하게 실행되도록 촉진자 역할을 한다.

**마. 유지와 지속가능성**(Maintenance & Sustainability)

유지와 지속가능성은 프로그램이 계속될 수 있도록 유지하고 지속적으로 실행하는 것을 말한다. 프로그램 제공자는 프로그램의 방해요인과 중단 요인을 발견하고, 이것을 해결하고, 대상자를 격려하는 활동을 하여 프로그램이 유지되고 지속될 수 있도록 한다.

**바. 제도화**(Institutionalization)

제도화는 혁신 프로그램이 대상자에게 수용되어 계속 유지되고 지속되어 제도적으로 정착되는 것을 말한다.

### ⑤ 혁신확산 속도와 정도를 결정하는 주요 특성

- 상대적인 이점이 있어야 한다 : 이 프로그램이 기존의 프로그램보다 나은 이익이 있는가?
- 적합성이 있어야 한다 : 이 프로그램의 목표가 대상자에게 적합한가?
- 복잡성이 없어야 한다 : 이 프로그램이 사용하기가 쉬운가?
- 시험가동가능성이 있고 문제가 없어야 한다 : 이 프로그램이 채택되기 전에 시험적으로 시도해 볼 수 있는가?
- 관찰가능성이 있어야 한다 : 이 프로그램의 수행결과를 관찰하고 측정할 수 있는가?
- 사회적 관계의 영향력이 긍정적이어야 한다 : 이 프로그램이 사회적으로 어떠한 영향을 미치는가?
- 가역성이 있어야 한다 : 이 프로그램을 수행하다가 기존의 프로그램으로 되돌리거나 중단해도 문제가 없는가?
- 전달성이 명확해야 한다 : 이 프로그램이 쉽고 명확하게 전달이 될 수 있는가?

- **시간성이 효율적이어야 한다** : 이 프로그램을 수행하여 행위를 변화하는 데 많은 시간을 소요하지 않고도 채택이 가능한가?
- **위험정도와 불확실성정도가 없어야 한다** : 이 프로그램을 수행하는 데 위험하거나 결과에 대한 불확실한 것이 없는가?
- **책임성이 분명해야 한다** : 이 프로그램이 일반적인 노력으로 효과적인 이용이 가능한가? 누군가 책임을 져야 하는가?
- **수정 가능성이 있어야 한다** : 이 프로그램이 시간이 경과하면서 발전되고 변화하는 것에 따라 수정할 수 있는가?

이상과 같이 기술한 개인수준의 건강행위이론, 개인 간 수준의 건강행위이론 및 집단과 지역사회수준의 건강행위이론을 [표 5-1]과 같이 요약하였다.

**표 5-1 대상자에 따른 건강행위이론 분류**

| 분 류 | 이론명 | 변 수 | | | 결 과 |
|---|---|---|---|---|---|
| 개인 수준의 행위이론 | 합리적 행위이론 | • 행위결과의 가치<br>• 행위에 대한 주위사람의 기대 | • 행위에 대한 태도<br>• 주관적 사회규범 | • 행위수행의도 | • 행위수행 |
| | 계획된 행위이론 | • 행위에 대한 태도<br>• 주관적 사회규범 지각<br>• 지각된 행위 통제 | | • 행위의도 파악으로 행위수행 예측가능 | |
| | 합리적-계획된 통합 행위이론 | • 행위신념, 행위의 결과평가<br>• 규범적 신념, 순응 동기화<br>• 통제신념, 지각된 힘 | • 행위에 대한 태도<br>• 주관적 규범<br>• 지각된 통제<br>• 외적변수, 인구학/개인적 특성 | • 행위수행의도 | • 행위수행 |
| | | | | • 행위의도 파악으로 행위수행 예측가능 | |
| | 건강신념모형 | • 개인의 지각<br>– 지각된 민감성/심각성 | • 수정요인<br>– 자기효능감/인구사회학적 요인/사회경제적 특성/지식수준<br>– 지각된 질병 위협감<br>– 행위의 계기(교육, 징후, 미디어정보) | | • 행위수행 가능성<br>– 지각된 이익 vs 행위변화의 장애<br>– 행위변화가능성 |
| | Pender's 수정된 건강증진모형 | • 개인적 특성과 경험<br>– 개인적 특성<br>– 과거경험 | • 행위와 관련된 인지와 감정<br>– 상황적 영향/대인관계영향/행위와 관련된 감정<br>– 지각된 자기효능감/행위에 대한 지각된 장애/행위에 대한 지각된 이익 | • 행위수행계획에 몰입 | • 건강증진 행위수행 |
| | | | | • 경쟁하는 갈등적 요구와 선호도 | |
| | 범이론적 모형 | 변화과정 :<br>• 의사결정균형 : 인식향상/극적해소/환경재평가<br>• 자기효능감 : 역조건형성/지원관계/강화관리/자기통제 | | 변화단계 :<br>• 인식 전, 인식, 준비, 행위, 유지, 종결 단계 | |
| | | • 인지/정서/행위 과정 | | • 자기재평가 | • 자기해방<br>• 사회적 해방 |

**표 5-1 대상자에 따른 건강행위이론 분류** (계속)

<table>
<tr><th>분 류</th><th>이론명</th><th colspan="4">변 수</th><th>결 과</th></tr>
<tr><td rowspan="5">개인 간 수준의 행위이론</td><td rowspan="2">사회인지이론</td><td>환경 :<br>• 환경과 상황<br>• 관찰학습<br>• 강화</td><td>개인 :<br>• 감정관리<br>• 가치에 대한 인지<br>• 결과기대</td><td>행위결과 :<br>• 행위수행능력<br>• 자기통제와 실행</td><td>• 과거경험<br>• 대리경험<br>• 언어적 설득<br>• 신체상태와 인식 정도</td><td>• 행위수행</td></tr>
<tr><td colspan="3">• 자기효능감</td><td colspan="2">• 결과에 대한 기대</td></tr>
<tr><td>사회관계망과 지지 모형</td><td colspan="4">스트레스 원에 대한 :<br>• 개인적 대처자원<br>• 조직·지역사회 대처자원<br>• 신체적·정신적·사회적 건강<br>• 사회적관계망, 사회적지지</td><td>• 건강행위수행</td></tr>
<tr><td rowspan="2">스트레스와 대처 모형</td><td colspan="3">조정과정 :<br>• 초기판단 – 원인중심 판단 : 취약성, 심각성, 동기관련성 인식 : 잠재적 위험 판단<br>• 부차적 판단 – 상황변화 능력, 결과통제, 정서 조절 인식 : 대처자원과 대안 판단</td><td rowspan="2">• 상황적 대처유형과 사회적지지</td><td rowspan="2">적응 :<br>• 정서적 안녕<br>• 기능상태<br>• 건강행위수행</td></tr>
<tr><td colspan="3">• 대처노력 : 문제관리, 정서조절<br>• 의미중심대처 : 긍정적 정서, 목표, 영적신념, 긍정적 사건</td></tr>
<tr><td rowspan="5">지역사회 수준의 행위이론</td><td>Tannahill의 건강증진모형</td><td colspan="4">보건교육과 예방 및 건강보호의 3가지 차원으로 건강증진을 7가지 영역으로 구성<br>• 보건교육 차원<br>• 예방 차원<br>• 건강보호 차원<br>• 예방적 보건교육 차원<br>• 예방적 건강보호 차원<br>• 건강보호를 위한 보건교육차원<br>• 예방적인 건강보호를 위한 보건교육 차원</td><td>• 정책개발, 법률적, 재정적, 사회적 지원을 통해 건강에 유익한 환경조성</td></tr>
<tr><td>PRECEDE –PROCEED 모형</td><td colspan="4">• 진단단계 : 지역사회의 삶의 질, 건강상태, 생활양식, 환경 사정, 교육적, 기술적, 생태학적, 정책적, 행정적, 재정적 요구확인, 성향, 촉진, 강화요인, 정책, 규제, 조직, 서비스 또는 프로그램 구성 요소 사정 및 문제 진단<br>• 계획단계 : 프로그램 설정/과정평가/영향평가/결과평가 계획<br>• 프로그램 수행단계<br>• 평가단계 : 바람직한 성과 확인(행위, 환경, 역학, 사회적 변화 확인)</td><td>• 삶의 질 향상</td></tr>
<tr><td>사회마케팅 모형</td><td colspan="5">• 집단의 자발적 행위에 영향. 사회적 안녕, 공익, 가치, 이념, 건강행위를 대상자들이 수용하도록 : 계획과 전략, 경로와 자료선택, 자료개발과 사전조사, 수행, 효과사정, 프로그램 수정을 위한 회환(feedback)</td></tr>
<tr><td>디그난과 카알 모형</td><td colspan="5">• 개인·집단·지역사회 모두 적용가능. 기획과정 : 지역사회진단, 분석, 보건프로그램 초점확인, (행위적, 교육적 측면과 개인 집단과정으로 분류하여) 대상자분석, 보건프로그램 기획, 실행계획, 평가계획</td></tr>
<tr><td>혁신확산</td><td colspan="5">• 개인·집단·지역사회 모두 적용가능. 보건프로그램 확산 : 혁신개발, 보급, 채택, 실행, 유지, 제도화</td></tr>
</table>

# 제2절 + 건강증진프로그램의 개발

Keywords

- 건강증진 과정
- 생활터
- 건강증진프로그램
- 금연
- 절주
- 신체활동
- 영양

## 1 건강증진의 대상

건강에는 다양한 개인적, 사회적, 환경적 차원의 요인들이 복합적으로 영향을 미친다. 따라서 건강증진의 대상도 개인의 건강습관뿐만 아니라 조직의 규칙, 규범이나 문화, 그리고 지역사회의 물리적, 사회적 환경이나 정책과 제도 등이 포함된다.

건강에 영향을 미치는 각 차원 및 제반 요인 사이에는 상호작용과 상호의존성이 있다. 이와 같이 개인과 개인을 둘러싸고 있는 환경의 상호작용을 중시하는 시각을 건강에 대한 정의와 건강증진프로그램 개발에서는 건강증진 대상에 대한 사회생태학적 관점(Social Ecological Perspective)이라고 한다[표 5-2]. 2008년 Sallis 등은 대상자의 건강증진 행태에 영향을 미치는 사회생태학적 관점의 3가지 가정을 다음과 같이 제시하였다.

첫째, 개인·가족·집단·지역사회 내의 다양한 요인이 복합적으로 영향을 미친다. 건강증진행태에 영향을 미치는 요인은 개인적 수준, 개인 간 수준, 지역사회 수준으로 분류된다. 각 수준별로 유방암 검진(mammogram)을 받지 않는 여성은 개인적 수준에서는 암을 발견하는 것이 두려워 검진을 받지 않을 수 있다. 개인 간 수준에서 보면 의사가 이 여성에게 암 검진을 권유하는 것을 등한시 했거나, 암 검진이 필요 없다고 친구가 말했을 수도 있다. 조직차원에서 보면 방사선 전문의가 부족하여 암 검진예약을 하기 어려웠을 수도 있다. 또 정책적 차원에서 보면 정책적인 지원이 없어 건강보험이나 국가로부터 암 조기검진 혜택을 받지 못하기 때문에 비용을 부담하기 어려웠을 수도 있다. 이 여성이 암 조기검진을 받지 않은 것은 이와 같은 여러 가지 요인으로부터 기인한 것이다.

둘째, 건강증진 행태에 영향을 미치는 요인들 간에 서로 영향을 미친다. 개인의 건강증진행태는 사회적 환경으로부터 영향을 받는 동시에 사회 환경에 영향을 미치기도 한다. 예를 들면, 고지혈증을 지니고 있으나

**표 5-2 건강증진의 대상에 대한 사회생태학적 관점**

| 개 념 | | 정 의 |
|---|---|---|
| 개인 수준(Intrapersonal Levels) | | 지식, 태도, 신념 등 행위에 영향을 주는 개인적 특성 |
| 개인 간 수준(Interpersonal Levels) | | 개인 간의 관계나 사회적 정체성, 지지, 역할을 규정해주는 가족, 친구, 동료 등의 일차적 집단 |
| 지역사회 수준(Community Level) | 조직(Institutional) | 조직 내 행위를 규제하거나 조장하는 규칙, 규범, 시책 등 |
| | 지역사회(Community) | 개인·집단·조직 간의 공식적, 비공식적 관계망, 법규, 규칙, 규범 등 |
| | 공공정책(Public Policy) | 건강증진, 질병예방, 조기발견, 관리 등 건강관련 행위실천을 규제하거나 지지하는 정부의 정책, 법률, 법규, 조례 등 |

직장 내 식당에서 처방받은 대로 식사를 할 수 있도록 음식을 제공하지 않아 어려움을 겪고 있는 직장인의 경우를 살펴보자. 의사의 처방에 순응하기 위해서 이 직장인은 식당관리자에게 메뉴를 변경해 줄 것을 요구하는 등 식사 환경을 변화시키기 위해 노력하거나 다른 곳에서 식사를 할 수 있다. 만약 이 직장인을 포함한 상당수의 동료들이 다른 곳에서 식사하기로 결정한다면 직장 내 식당 운영자는 수익을 유지하기 위해 식단을 비용이 덜 드는 방식으로 변경할 수밖에 없을 것이다. 따라서 식당 환경이 직장인으로 하여금 식사 습관을 식당 메뉴에 따를 것을 강요하지만, 직장인의 식사 습관이 마침내는 식당의 변화를 초래할 수도 있는 것이다.

셋째, 개인·가족·집단·지역사회의 복합적인 개입이 건강증진행태 변화를 촉진한다. 사회생태학적 관점에 따르면 한 가지 수준만을 대상으로 한 건강증진행태 변화를 위한 개입은 강력하거나 효과가 지속적이지 못하다. 각 수준별로 설명을 하자면, 개인적 수준만을 대상으로 한 접근은 단기적인 효력밖에 보여주지 못한다. 개인의 믿음과 행위기술을 변화시키기 위한 교육적 접근은 정책과 환경이 지원할 때 더욱 효과적이다. 환경변화만으로는 건강증진행위를 바꾸는 데 부족할 수 있다. 따라서 의사소통, 교육 및 동기강화 캠페인이 동시에 제공될 때 건강증진 행위변화와 건강증진을 위한 환경변화의 효과가 강화된다.

## 2 건강증진사업과 프로그램의 필요성

우리나라 건강증진사업의 필요성은 오늘날 과학과 경제발전에 따른 의료 및 소득수준의 향상으로 국민의 평균수명이 연장되어 노인 인구의 급속한 증가와 낮은 건강수명, 인구의 노령화와 생활환경 변화에 따른 질병양상의 변화로 만성질환과 난치병의 증가 그리고 사화변화와 생활양식과 식생활 및 환경의 변화, 환경오염 등에 대한 대처 요구증가, 국민의 건강에 대한 관심증가와 국민의료비상승 등에 대한 치료중심의 의료제도의 보완이 요구되고 있다. '라론드 보고서(Lalonde's Report)' 등의 다양한 연구를 통해 건강결정요인으로 생활습관의 개선과 다양한 분야의 협조가 요구되고 있다. 따라서 국민의료비절감과 건강수명 연장을 위해 건강을 더욱 건강하게 하는 지속적인 건강유지·증진을 하기 위한 건강증진사업이 필요하게 되었다.

## 3 건강증진사업과 프로그램 접근전략

건강증진사업 및 건강증진프로그램 접근전략은 개인, 개인 간, 집단 및 지역사회를 대상으로 접근이 가능하다. 개인적인 접근보다 집단 및 지역사회를 대상으로 접근하는 것이 더욱 효과적이다. 집단 및 지역사회 대상 접근전략에는 생활터 접근, 생애주기별 접근, 대상자 특성 군집별 접근 등이 있다. 건강증진사업이란 우리나라 「건강증진법」 제2조(정의)에 "국민건강증진사업"이라 함은 보건교육, 질병예방, 영양개선, 신체활동장려, 건강관리 및 건강생활의 실천 등을 통하여 국민의 건강을 증진시키는 사업을 말한다. 대상자에게 접근방법으로 보건교육이 중요한 요소이며 다학제적인 보건의료전문가들의 협력을 통해 대상자가 직접 건강증진프로그램에 참여하여 더욱 적극적으로 건강증진의 변화를 받아들일 수 있도록 전략적으로 접근한다.

## 1) 생활터 접근

'생활의 터(Setting)'는 사람이 일상 생활하는 장소로서 물리적 경계가 있으며 특정 역할을 하는 구성원들이 조직을 형성하고 있는 지역사회의 물리적 환경적 단위이다. 대표적인 생활 터에는 지역사회, 학교, 산업장, 의료기관, 각종 시설 등이 있다. 건강증진사업과 프로그램 접근 전략에서 생활터별 접근은 대상자를 국한하는 한계점이 있지만 인구사회학적, 사회심리학적 특성이 있어 체계적이고 효과적인 접근이 가능하다.

'생활의 터(Setting)'에 기반을 둔 건강증진은 세계보건기구를 비롯한 많은 전문가들이 권장하는 건강증진의 실행 전략이다. WHO는 오타와헌장(1986)에서 건강은 일하고, 배우고, 즐기고, 사랑하는 일상생활 공간에서 만들어진다. 건강증진의 개발전략은 방콕헌장(2005)에서 각 생활터별 접근을 강조하고 있다. 우리나라에서도 건강증진사업이 활성화된 초기부터 생활터에 대한 관심이 높았다. 보건복지부는 건강증진사업과 관련된 지침을 통해 생활터를 중시할 것을 요구하고 있으며, 많은 전문가들도 생활터에 기반을 둔 건강증진사업이 사업의 효과를 높일 것이라고 주장한다.

### (1) 생활터의 정의

건강증진 관점에서 생활터란 '사람들이 일상 활동을 수행하는 장소나 사회적 맥락(context)으로서 환경 요인, 조직 요인, 그리고 개인적 요인들이 상호작용하면서 건강과 안녕에 영향을 미치는 곳'이다(Nutbeam, 1998). 일반적으로 생활터는 물리적 경계를 가지고, 특정한 역할을 지닌 구성원들이 있으며, 조직 구조를 지니고 있다.

Green et al.(1999)은 생활터의 다양성과 현존하고 있는 사회적 관계와 경계의 투과성 등에 주목할 것을 요청하면서 생활터는 문화적으로 규정되고 개인의 상호관계와 활동에 의해 조정된다고 주장하였다. 생활터는 기존의 구조, 정책, 특성, 제도적 가치, 그리고 행태에 대한 공식적, 비공식적 지지를 지니고 있는 지속적인 상호작용의 무대이다.

### (2) 생활터의 종류

Poland(2007)는 생활터를 공식적 또는 비공식적 여부와 지리적 단위인지 여부를 이용하여 구분하였다. 이 구분을 기준으로 WHO가 제시한 건강증진에서 활용되는 생활터를 분류하면 [표 5-3]과 같고 생활터 별 건강증진사업 개입 모형은 [표 5-4]와 같다.

**표 5-3 건강증진에서 활용하는 생활터 분류**

| 유 형 | 생활터의 예 |
|---|---|
| 공식적 생활터<br>(Formal Settings) | • 조직(Organizational Environment)<br>• 학교, 직장, 병원(의료기관), 산업체 등 |
| 비공식적 생활터<br>(Informal Settings) | • 가정, 거리, 식당, 시장, 동네 등 |
| 지리적 단위 생활터<br>(Geographic Areas Settings) | • 사회적 연대를 지닌 지리적 단위(Geographic areas with social ties)<br>• 지역사회(마을), 시·도·군·구, 국가, 권역(동북아시아권, EU권, 남아메리카권, 서울경기권, 호남권, 영동권, 영서권) 등 |

**표 5-4 생활터별 건강증진사업 개입 모형**

| 구분 | 지역사회 | 학교 | 산업장 | 의료기관 |
|---|---|---|---|---|
| 개인 | 지역주민의 건강행태 | 학생의 건강행태 | 근로자의 건강행태 | 환자의 건강행태 |
| 조직 | 지역주민의 건강에 이로운 행태를 촉진시키기 위한 정책, 프로그램, 실천, 지역사회 시설 및 제도 | 학생의 건강에 이로운 행태를 촉진시키기 위한 학교방침, 프로그램 실천 및 시설 | 근로자의 건강에 이로운 행태를 촉진시키기 위한 작업방침, 프로그램 실천 및 시설 | 환자의 건강에 이로운 행태를 촉진시키기 위한 기관방침, 프로그램 실천 및 시설 |
| 중앙정부 | 지역주민의 건강에 이로운 행태를 촉진시키기 위해 지역사회에 영향을 주는 법률, 규칙, 서비스 및 지원 | 학생의 건강에 이로운 행태를 촉진시키기 위해 학교에 영향을 주는 법률, 규칙, 서비스 및 지원 | 근로자의 건강에 이로운 행태를 촉진시키기 위해 작업장에 영향을 주는 법률, 규칙, 서비스 및 지원 | 환자의 건강에 이로운 행태를 촉진시키기 위해 기관에 영향을 주는 법률, 규칙, 서비스 및 지원 |

〈 자료원 : L.W. Geen, M.W. Kreuter(1999). Health Promotion Planning: An Educational and Ecological Approach, 3rd ed. 〉

### (3) 생활터 접근의 특징

생활터에 기반을 둔 건강증진은 다음과 같은 특징을 지니고 있다.

첫째, 잠재력을 중시한다. 개인적 차원의 건강문제나 위험요인 관리를 위한 전문가의 능력보다는 '생활터가 가지고 있는 잠재력을 중시'한다. Kickbush(1996)는 생활터 접근은 "질병의 의학적 모형으로부터 관심을 일상생활이 이루어지는 사회적, 제도적 생활터에 내재되어 있는 건강잠재력으로 전환시켰다."고 설명하였다. 즉 생활터에 기반을 둔 건강증진은 개인, 질병, 건강위험요인을 강조하는 의학적 사고에서 벗어나 체계나 조직이 가지고 있는 건강문제 해결을 위한 능력을 강조한다. 따라서 생활터에 기반을 둔 건강증진활동에서는 조직의 역량강화가 중시된다.

둘째, 개인과 조직의 통합성을 강조한다. '모든 활동이 상호지지적이고, 통합되어서 시너지 효과를 나타낼 것을 강조'한다. 따라서 개인적 차원의 활동과 조직적 차원의 활동 사이의 통합성을 강조한다. 건강에 영향을 미치는 다양한 요인들은 서로 영향을 주고받는다. 흡연은 개인의 기호이지만 조직이나 사회환경, 정책에 의해 영향을 받는다. 생활터 활동은 개인적 차원의 변화를 위한 미시적 전략과 조직이나 사회환경의 변화를 위한 거시적 전략이 병행될 때 목적을 달성할 수 있다. 개인의 지식이나 기술 개발을 위한 활동 이외에 건강한 공공정책의 개발, 환경의 개선, 생활터를 통한 파트너십의 형성과 참여의 활성화, 조직 / 지역사회 차원의 역량개발, 권력구조의 변화 등을 위한 노력이 통합적으로 추진될 것을 생활터 접근에서 요구한다.

셋째, 적극적인 참여와 협력을 강조한다. 생활터는 '모든 측면과 일상 활동에 건강증진의 개념과 활동을 반영'하여야 한다. 즉 건강과 건강증진 활동이 생활터를 구성하는 모든 사람의 관심의 대상이 되어야 하고, 규범이 되어야 한다. 건강증진 활동이 일시적인 프로젝트가 아니라 생활터의 문화로 뿌리내려야 한다. 이를 위해서는 생활터 구성원들의 적극적인 참여와 부문 간 협력이 있어야만 한다.

넷째, 생활터 사이의 상호연관성을 중시한다. 각종 생활터는 학교와 직장의 관계처럼 동등한 차원에서, 또는 학교와 지역사회의 관계처럼 더 큰 생활터를 구성하는 구성요소의 하나로서 상호 영향을 주고받는다. 생활터 접근은 '생활터 사이의 상호 연관성을 중시'한다.

다섯째, 건강증진을 위한 변화촉진자의 역할을 중시한다. 건강증진 활동가는 과거 전통적으로 수행해오던 의학적 접근 방식의 전문가를 탈피하여 새로운 기술을 개발하고, 새로운 역할을 담당하며, 새로운 파트너들과 협력함으로써 '변화의 촉진자(Change Agent, Facilitator)'가 되어야 한다. 건강증진 활동가들은 리더십, 조직 구성 및 관리역량, 프로젝트 관리 능력 등을 갖춤으로써 조직개발, 부문 간 협력, 건강증진을 위한 하부구조의 구축 등에 전념하여야 한다.

#### (4) 생활터 기반 접근을 위한 과제

생활터에 기반을 둔 건강증진사업을 활성화하기 위해서는 다음과 같은 과제를 해결하는 것이 필요하다(Whitelaw 등, 2001). 이는 생활터 기반의 건강증진사업을 위한 지역사회 간호사가 반드시 인식하고 있어야 하는 것이기도 하다.

- 생활터 접근에 대한 이론적 인식의 강화
- 주요 이해관계자들의 참여 증대
- 다른 분야와의 경계 허물기
- 생활터 변화를 위한 큰 그림 그리기
- 조기에 가시적인 성과를 얻기
- 생활터에 속하지 않는 경계인들에 대한 배려
- 생활터 접근방식의 편익 입증과 민간조직에 대한 동기 부여
- 과학적 근거의 확보

### 2) 생애주기별 접근

생애주기는 인간이 시간의 흐름에 따라 변화해가는 일련의 과정을 단계별로 분류한 것으로 태아기, 영유아기, 학령전기, 청소년기, 성인기, 노년기의 일정 순서대로 진행되고 있다. 이는 모든 사람의 일생 가운데 반복되고 또한 다음 세대로 전승되며 각 단계마다 신체적, 정신적, 사회적으로 발달과업이 있다.

건강증진사업과 프로그램 접근 전략에서 생애주기별 접근은 발달단계별 과업과 특징에 따라 위험요인 및 건강증진활동에 있어 대상자를 국한하는 한계점이 있지만 인구사회학적, 발달단계적, 사회심리학적 특성이 있어 체계적이고 효과적인 접근이 가능하다.

제5차 국민건강증진종합계획 2030에서 제시한 인구집단별 주요 추진 목표는 [표 5-5]와 같고 생애주기에 따른 인구집단별 건강관리에 대한 종합적 접근의 중요도가 높은 사업을 살펴보면 다음과 같다.

- 영유아 : 모든 아동의 안전한 출생, 정상적 성장·발달을 위해 고위험 산모신생아 의료체계 개선, 영유아 사망·장애 예방검진 확대
- 아동 및 청소년 : 발달단계별 맞춤형 건강증진 교육제공, 학교 주변 금연거리 지정, 고카페인식품 판매 제한 등 건강유해요인 개선을 통한 건강한 교육환경 조성, 아동·청소년 검진체계 강화
- 여성 : 취약 여성의 건강보호를 위해 방문건강관리사업 확대, 임신고민 여성의 의료·심리 지원, 결혼이민자·청소년산모 지원 강화
- 노인 : 건강한 노년지원을 위해 방문건강관리사업 정보통신기술 활용 고도화, 일차의료기관에서 노인성 질환관리 및 방문진료 활성화
- 장애인 : 장애친화 건강검진기관 확대, 필수 의료서비스 접근성 강화, 장애인 건강통계 및 지식정보 산출, 장애인 친화 산부인과 지정

**표 5-5 제5차 국민건강증진종합계획 2030 인구집단별 주요 추진 목표**

| 인구집단별 주요 추진목표 | • 영유아, 청소년의 건강한 성장 지원으로 평생건강 토대 마련<br>• 여성, 노인, 장애인 건강을 위한 환경 구축<br>• 건강을 지킬 수 있는 근로환경 개선과 군 생활 보장 | |
|---|---|---|
| 지표명 | 2018년 목표 | 2030년 목표 |
| 영아사망률(출생아 천명당) | 2.8명 | 2.3명 |
| 고등학교 남학생 현재 흡연율 | 14.1% | 13.2% |
| 고등학교 여학생 현재 흡연율 | 5.1% | 4.2% |
| 모성사망비(출생아 10만명당) | 11.3명 | 7.0명 |
| 노인 남성의 주관적 건강인지율 | 28.7% | 34.7% |
| 노인 여성의 주관적 건강인지율 | 17.6% | 23.6% |
| 성인 장애인 건강검진 수검률 | 64.9%('17) | 69.9% |
| 연평균 노동시간 | 1,993시간 | 1,750시간 |
| 군장병 흡연율 | 40.7%('19) | 33.0% |

〈 자료원 : 보건복지부(2021). 제5차 국민건강증진종합계획. 2030 〉

- 근로자 : 근로자 건강을 위협하는 산재·장시간 근로 방지를 위해 제도개선 및 근로감독 강화, 과로사 고위험 지원사업 추진
- 군인 : 부대별 특성을 고려한 차별화된 건강서비스 제공, 군 내 감염병 대응 강화

## 4 건강증진프로그램 개발과정

건강증진프로그램 개발과정은 요구조사 및 분석(사정), 계획, 수행, 평가 회환(feedback)의 과정을 거친다. 건강증진프로그램 개발과정은 건강증진을 위해 개인과 집단 및 지역사회를 대상으로 건강에 유익한 행위를 일상생활에서 습관화할 수 있도록 하기 위하여 건강증진에 필요한 학습경험을 제공하는 보건교육 프로그램 개발과정과 동일하다. 〈자세한 내용은 p.413 '제4절 보건교육 프로그램의 개발' 참고〉

## 5 건강증진프로그램

### 1) 금연 프로그램

흡연은 만성폐쇄성 폐질환, 동맥경화증, 뇌졸중, 폐암, 후두암 등 여러 만성질환의 위험요인으로 알려져 있다. 전 세계적으로 매년 400만 명이 흡연으로 사망하여, 현재의 흡연 추세가 지속된다면 2030년에는 매년 1,000만 명에 이를 것으로 전망된다(World Bank, 2003).

금연은 니코틴 중독증상 등으로 인하여 실제로 그 성공률은 매우 저조하지만 건강증진을 위한 공공정책으

로 채택된 금연정책의 효과는 괄목할 만하다. 특히 흡연 기간이 길수록, 흡연양이 많으면 많을수록 니코틴 중독증상은 더욱 심하고 그로 인한 건강문제의 발생에 더 심각한 영향을 미칠 수 있다.

### (1) 흡연과 건강

#### ① 담배의 유해성분

담배에는 총 4,700여 가지의 유해성분이 들어있다고 한다. 그 중 일반적으로 알고 있는 담배의 3대 유해물질은 니코틴, 타르, 일산화탄소 등이 있다. 그 외 우레탄, 시안화수소, 아세톤, 발암물질, 방부제, 비소 등 많은 유해성분이 들어있다[그림 5-17]. 의존성 물질인 니코틴은 심혈관계를 손상시킬 수 있으며 타르는 암을 유발할 수 있다. 또한 일산화탄소는 혈액의 산소 운반을 저해한다. 대표적인 담배의 3대 유해물질인 니코틴(nicotine)과 타르(tar) 및 일산화탄소(carbon monoxide)에 대한 설명은 다음과 같다.

#### 가. 니코틴

니코틴은 매우 강력한 독극물로서, 폐를 통해 흡입된 후 뇌에 도달하는 데 단지 7초가 소요된다. 이는 헤로인을 혈관으로 주사했을 때 뇌에 도달하는 것보다 2배 빠른 속도이다. 흡연자가 담배연기를 한 모금 마실 때 0.1～0.2mg, 한 개비당 2mg의 니코틴이 인체에 흡수된다. 니코틴은 매우 유독하여 일시에 60mg이 혈액에 흡수되면 대부분의 사람은 사망한다. 그러므로 성인의 치사량은 체중 1kg당 니코틴 1mg이다.

니코틴은 중추신경 흥분제로서 각성 기능이 있으며, 그 외에 심박동수와 혈압 및 호흡수를 증가시키고, 부신피질을 자극하여 아드레날린을 분비하게 한다. 또한 니코틴은 혈관을 수축시켜 심장에 부담을 주고 혈청 지질의 변화(LDL 증가, HDL 감소), 혈소판 응집력 증가 그리고 혈관 벽에 손상을 일으켜 동맥경화를 촉진함으로써 심혈관계에 심각한 손상을 준다.

#### 나. 타르

담배를 피우면 필터가 검게 되거나, 흡연으로 손가락이 노랗게 착색되는 것은 타르 성분 때문인데, 이는 200종 이상의 화합물로 구성되어 있으며 대부분이 독극물로서 암을 유발할 수 있다. 담배가 800℃로 연소될

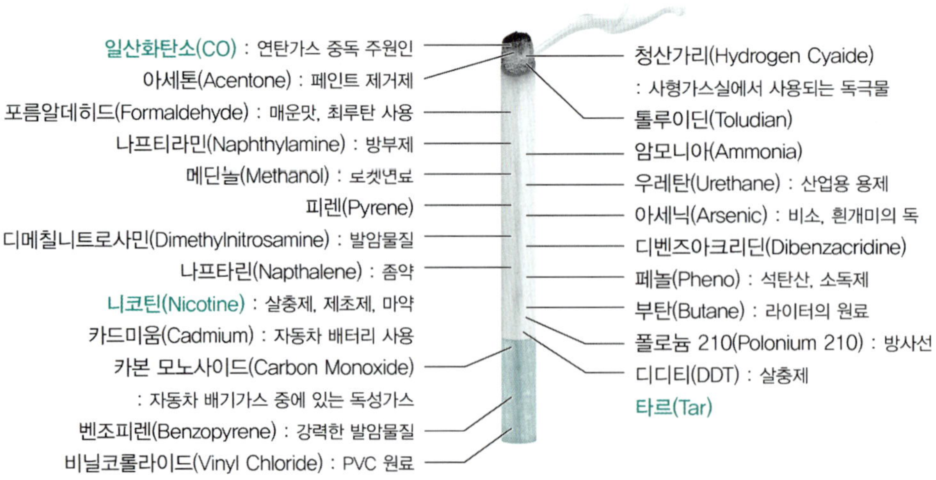


〈 자료원 : 금연클리닉 〉

그림 5-17 담배의 유해성분

때 작은 입자로 변하여 기관지와 폐로 들어가며, 이 가운데 크기가 10μm 이상의 것은 가래로서 밖으로 나오나, 1μm 이하의 것은 60% 이상이 폐 속으로 들어가 배출되지 않는다. 타르는 호흡기 점막의 섬모상피세포와 폐포에 손상을 입히고 그 결과로 폐에 비정상 세포가 나타난다.

#### 다. 일산화탄소

일산화탄소는 무색, 무취의 가스로서 혈액의 산소운반능력을 방해한다. 일산화탄소의 환경 기준은 24시간 생활공간에서 10ppm 이하, 8시간 생활공간에서 20ppm 이하로 규정되어 있으며, 담배 연기 속에는 최고 45,000ppm의 일산화탄소가 함유되어 있으므로 흡연으로 인해 만성 일산화탄소 중독이 된다. 담배연기 중 2~6%가 일산화탄소 가스로서 헤모글로빈과의 친화력이 산소의 210배 정도로 헤모글로빈이 산소와 결합하는 것을 방해한다.

흡연자의 혈액 내에 일산화탄소가 고농도로 존재하게 되면 인체의 주요기관에 산소공급이 부족하여 호흡이 빨라지고 뇌기능이 저하되며, 신체자극에 대한 반응과 판단력이 둔화된다. 또한 심혈관계 기능도 손상된다. 특히 태아의 경우 산소부족을 겪게 되어 태아발육이 저하된다.

#### ② 흡연과 건강문제

흡연은 질병 예방이나 건강증진과 관련된 대표적인 건강문제이다. 1950년대 흡연에 대한 연구가 시작된 이래로 질병과 사망의 원인으로서 가장 예방 가능한 위험요인으로 인식되고 있다.

일반적으로 필터 없는 담배의 흡연 시, 사망률의 상대위험도는 1.7이다. 이는 비흡연자보다 흡연자의 사망률이 70% 높다는 것이다. 필터 있는 담배의 경우도 상대위험도는 1.5이다. 흡연은 폐암의 중요한 발병원인으로, 하루에 한 갑 이상을 피우는 경우 폐암으로 인한 사망률은 비흡연자와 비교하면 10배가 높다. 이를 기대여명(Years of Life Expectancy)으로 바꾸어 표현하면 평균 기대여명의 차이는 7년이다.

특히 흡연은 태아에게 심각한 영향을 미친다. 흡연을 한 임산부의 태아는 그렇지 않은 태아보다 평균 체중이 150~200mg이 작다. 뿐만 아니라 전치태반, 출혈, 태반 조기박리의 발생 빈도가 훨씬 빈번하다. 부모가 흡연하는 가정에서 자란 아이들은 훨씬 쉽게 담배를 배우게 된다. 이들은 기관지염, 부비동염과 인플루엔자에 쉽게 감염된다.

흡연은 심근경색증과 그로 인한 사망의 위험을 증가시킨다. 흡연자들은 일산화탄소 농도가 높기 때문에 혈액순환과 장애가 있는 심장을 지닌 상태에서 지나친 운동은 일반적인 일상생활보다 더 큰 위험을 야기할 수 있다.

### (2) 금연 프로그램의 단계

흡연의 역학적 특성을 기초로 하여 금연의 확산과정을 분석해 볼 때 금연은 다음과 같이 세 단계를 거쳐 이루어진다고 설명된다. 따라서 금연 프로그램도 각 단계에 적합한 도움을 줄 수 있는 내용과 접근방법을 이용한다.

#### ① 동기부여 단계(인식 전 단계와 인식단계)

아직 흡연 습관에는 변화가 없지만 빨리 혹은 천천히 자신의 습관과 갈등을 겪으며 자신의 마음을 준비하는 단계이다. 범이론적 모형과 비교하면 인식전단계(Precontemplation Stage)와 인식단계(Contemplation Stage)가 여기에 해당된다고 하겠다.

동기부여 단계의 내용은 다음과 같다.

- 대상자에게 담배를 끊도록 권고하라.
- 금연이 대상자의 상태를 현재보다 더 좋게 만든다는 것을 강조하라.
- 금연 행위에 경쟁심을 유발하도록 대상자의 '유아기적 마음'에 호소하라.
- 역설적으로, 흡연의 긍정적인 면을 인식하라.

### ② 행동화 단계(준비단계와 행위단계)

흡연자는 흡연 습관에 변화를 시도한다. 그리고 니코틴의 유혹에 저항해야 한다. 범이론적 모형과 비교하면 준비단계(Preparation Stage)와 행위단계(Action Stage)가 여기에 해당된다고 하겠다.

행동화 단계는 다양한 양상으로 나타나는데, 간호사는 개별 대상자에게 가장 적합한 방법을 선택하여 그 과정을 수행하도록 해야 한다. 간단하고 개별적인 방법일수록 효과가 증대된다. 그 예로 행동처방이 있는데, 행동처방은 다음과 같은 것들을 포함한다.

- **목표 날짜잡기** : 흡연 습관의 변화를 시작할 날, 완전히 금연하게 되는 날 등을 구체적으로 정한다.
- **기록하기** : 담배 피우는 시간과 장소 및 유인 동기 등을 기록한다.
- **우선순위 정하기** : 흡연 욕구를 유발하는 상황의 우선순위를 정한다.
- **목표설정** : 목표 날짜와 더불어 하루 흡연 목표량, 흡연 시간, 장소 등을 정한다.
- **유혹의 조절** : 담배를 피우게 되는 상황을 피하는 방법을 개발한다.
- **충동 다스리기** : 흡연 욕구가 있을 경우 대처 방법을 개발한다.
- **긴장완화 훈련** : 자신만의 긴장완화법을 개발한다.
- **보상** : 금연 목표 달성시의 보상과 그렇지 못한 경우의 벌칙을 정한다.
- **재발 방지** : 재흡연을 방지하기 위한 대책을 세운다.

### ③ 금연유지 단계(유지단계와 종료단계)

금연을 유지하기 위해서 담뱃불을 붙이고 싶은 느낌과 유혹하는 상황에 대항하여 스스로 조절하는 시기이다. 이 조절이 실패하면 동기부여 단계와 행동화단계로 다시 돌아가게 된다. 따라서 준비단계(Preparation Stage)에서부터 다시 시작한다. 범이론적 모형과 비교하면 유지단계(Maintenance Stage)와 종료단계(Termination Stage)가 여기에 해당된다고 하겠다.

금연유지 단계의 목표는 다음과 같다.

- **재발 방지 지속** : 행동화 단계의 방법들의 지속 수행
- **재발 처치** : 재흡연 동기 탐색, 흡연 상황 파악 등
- **인지적 처치** : 흡연과 금연에 대한 인식 변화 노력
- **습관화** : 금연 상태의 습관화 형성·유지

### (3) 우리나라의 금연사업

지역사회 통합건강증진사업의 세부사업인 금연사업의 목적은 흡연을 예방하고 흡연자의 금연을 촉진하며, 비흡연자를 보호하기 위한 간접흡연 없는 환경(Smoke-free)을 조성함으로써 건강증진 및 건강수명을 연장하는 것이다.

금연사업의 사업유형은 크게 흡연 예방, 흡연자 금연촉진, 간접흡연 없는 환경 조성으로 분류할 수 있다.

#### ① 흡연 예방

**가. 사업목적 및 대상**

흡연을 시작하게 될 가능성이 높고, 매일 흡연자가 될 가능성이 큰 초·중·고등학생, 취업청소년, 대학생, 군인 등에 대해 집단별 특성을 반영한 교육·상담·홍보 활동을 전개하는 것이다.

**나. 사업내용**

지역별 특성(인구구성, 산업구조, 지리 등)을 고려하여 지역사회 내 공공기관, 직장, 중·고등·대학교 등 교육기관, 민간단체(의사, 간호사, 약사, 청소년, 학생보건 단체)와 협력·연계하여 지역사회에 필요한 금연교육·상담·홍보 프로그램을 실시한다. 또한 금연지도자 교육, 청소년 금연교실 등을 운영한다.

#### ② 흡연자 금연촉진

**가. 사업목적**

흡연자에게 금연 시도 및 실천을 위한 교육·상담·약물처방 등을 통해 실천가능한 지식과 행동지침, 정서적 지지 등을 제공하는 것이다.

**나. 사업대상**

지역사회 내 흡연자를 대상으로 한다.

**다. 사업내용**

- 지역사회 내 흡연자를 등록하여 교육·상담(행동요법) 및 약물요법(니코틴 패치 등)을 제공하되, 6개월간 추후관리를 실시한다.
- 보건소를 중심으로 운영하되, 지역 여건에 따라 사업장, 대학교 등과 연계한 금연클리닉을 운영한다.
- 금연상담전화(1544 - 9030) 연계 및 홍보한다.

#### ③ 간접흡연 없는 환경(Smoke-free) 조성

**가. 사업목적**

「국민건강증진법」 및 지자체 조례에 따라 확대된 금연구역 제도를 지역사회 단위에서 정착시키고 관련 교육·홍보를 강화함으로써 지역사회 내 간접흡연을 방지하고 금연 환경을 조성하기 위함이다.

**나. 사업대상**

금연구역으로 지정된 시설·기관 및 그 소유자·점유자·관리자와 금연구역으로 지정된 시설·기관을 이용하는 이용자

### 다. 사업내용

- 지역사회 내 간접흡연 방지가 필요한 시설·기관에 대한 지자체 조례 제·개정을 통한 금연구역 지정한다.
- 「국민건강증진법」 및 지자체 조례에 따라 확대된 금연구역 제도에 대한 지역사회 주민 전체를 대상으로 교육·홍보 강화한다.
- 금연구역으로 지정된 시설·기관 대상 법령(조례 포함) 이행 지도 및 점검한다.
- 지정된 금연구역 내 흡연행위 단속 및 계도한다.

## 2) 절주 프로그램

술은 인류역사 이래 오랫동안 수많은 사람들이 즐겨온 음료로서 우리의 일상생활과 밀접한 관계를 가지고 있다. 우리나라는 특히 음주에 대해 매우 관대한 문화적 영양으로 인해 음주로 인한 사회적인 문제가 심각하다고 할 수 있다. 음주로 인한 사회경제적 비용은 20조 990억 원으로 GDP 대비 2.9% 수준이며, 이 중 과도한 음주로 인한 생산성 저하가 38.83%, 조기사망으로 인한 미래소득 손실액이 26.92%, 주류소비 지출분이 22.24%, 직접 의료비가 5.34%, 질병 및 상해로 인한 병가 시의 생산성 손실이 2.29%, 교통비 및 간병비, 숙취해소 비용이 1.87%, 행정처리비용 1.54%, 재산피해 0.97% 순이다.

우리나라의 음주로 인한 사회경제적 비용은 일본(GNP 대비 1.9%), 캐나다(GDP 대비 1.09%), 프랑스(GDP 대비 1.42%), 스코틀랜드(GDP 대비 1.19%) 등과 비교해 볼 때도 그 폐해정도가 심각하며, 전문가의 적극적인 개입이 요구된다고 한다(이선미 등, 2004). 음주로 인한 질병비용은 정신 및 행동장애, 간암 및 간질환, 뇌혈관질환, 고혈압 순의로 비용이 많이 든다고 한다(정영호 등, 2006). 술은 적당히 마시면 약이 되지만 지나치면 독이라는 말처럼 적당한 음주는 심혈관계 질환 위험을 감소시키고 스트레스를 완화하지만 지나친 음주는 건강에 해를 주고 사회경제적으로 부정적인 영향을 미친다.

### (1) 음주와 건강

#### ① 알코올의 작용

일반적으로 술이란 에틸알코올(ethyl alcohol)로 에탄올($C_2H_5OH$)이라고도 한다. 술이 인체에 미치는 영향은 술을 마신 양, 술을 마신 기간, 개인적 특성, 술의 종류 등에 따라 다르다. 인체에서 알코올 흡수과정은 다음과 같다.

- 음주 시 알코올이 식도를 거쳐 위장에 도달한다.
- 알코올의 흡수가 위장에서 시작된다. 섭취한 알코올의 20%가 위장의 정맥혈류에서 직접 흡수된다. 위장의 음식물은 위장 내 나머지 알코올이 소장으로 이동하는 것을 지연시킨다.
- 소장으로 이동한 나머지 80%의 알코올은 소장의 정맥 혈액으로 흡수된다. 이때 알코올의 흡수도는 소장의 알코올 농도에 비례한다. 일단 소장의 정맥 혈류로 흡수된 알코올은 간으로 운반되어 산화된다.
- 간에 도달한 알코올은 산화과정을 거친다. 간은 시간당 1/4～1/3oz의 알코올을 산화할 수 있다. 산화능력을 초과하는 알코올은 순환 혈액에 머무르며 혈중 알코올 농도가 증가한다. 간이 알코올을 산화함에 따라 혈중 알코올 농도가 점진적으로 감소한다.
- 뇌에 도달하는 혈중 알코올 농도가 증가함에 따라 중추신경계에 알코올의 영향이 나타난다. 혈중 알코올 농도가 0.5%인 경우 중추신경계의 기능이 거의 억제되어 사망할 수도 있다.

혈중 알코올 농도에 따른 신체 변화를 보면 술은 소량 마실 경우 편안한 감정을 느끼게 되나 일정량을 초과하면 감정과 행위가 격앙되고 판단력과 반사 능력이 떨어진다. 따라서 술을 마신 상태에서 차를 운전하거나 기계를 조작하는 일은 술을 마신 사람뿐만 아니라 다른 사람에게까지 심각한 피해를 줄 수 있다.

### ② 음주와 건강문제

알코올은 중추신경계의 기능 억제제로 작용한다. 혈중 알코올 농도가 점점 높아질수록 점진적으로 중추신경계의 신경세포 기능이 저하된다. 초기에는 집중력과 판단력이 저하되고 몸의 움직임이 조절되지 않는다. 후기에는 기분이 들뜨고 기억이 상실되어 전신 마취 상태로 수면에 빠지며 심한 경우 혼수나 사망에 이르기도 한다. 과음 시 사망의 두 가지 주원인은 호흡정지와 구토물에 의한 질식이다.

음주는 급성 지방간을 유발할 수 있고 지속적인 음주는 알코올성 간염을 일으킨다. 이로 인하여 간경변이 발생할 수 있다. 또한 음주는 위장질환과 췌장염의 원인이 되기도 한다. 음주는 혈압을 상승시키고 심장발작의 위험도를 증가시킨다. 혈중 지질농도가 증가하여 동맥경화증을 초래하기도 한다. 알코올 중독 시 부정맥과 심비대, 심장 수축력 장애 등의 변화가 오며, 알코올은 협심증과 심부전에 사용하는 약물들의 작용을 방해할 수 있다.

알코올 섭취는 암의 발생 위험을 10배까지 증가시키며, 구강암, 설암, 인두암, 후두암, 식도암, 위암, 간암, 폐암, 췌장암, 대장암 및 직장암 등이 알코올에 의해 초래될 수 있다. 또한 흡연에 의한 암 발생을 촉진하기도 한다. 특히 여성의 경우 유방암이 발생할 수 있고, 하루에 한 번 이상 음주하는 경우나 유방암의 가족력이 있거나 비대한 경우에 유방암의 위험도가 높아진다. 임신 중 산모의 음주는 태아알코올 영향(fetal alcohol effects)으로 저체중아 출산 및 태아에게 정신지체 및 기타 중추신경계 문제, 성장장애와 안면기형, 성장 후의 장애 등의 영향을 미칠 수 있다.

### ③ 음주와 사회문제

음주는 개개인의 건강문제를 초월하여 사회 전반에 걸쳐 다양한 문제를 야기한다. 이러한 문제는 대인관계, 직장의 안정 및 경제적 기반 등과 결부되며 결국 이로 인해 삶의 질을 저하시킨다. 사고사의 4대 원인인 교통사고, 낙사, 익사, 화재사는 모두 음주와 관련이 깊다. 모든 대형 교통사고의 절반 이상이 음주에 기인한다. 대부분의 폭력도 음주와 관련되어 있으며, 자살자의 20～36%가 알코올 남용의 전적을 가졌거나 자살 직전 과음상태였다.

특히 음주의 폐해는 성인보다 청소년에게 더 큰 것으로 알려져 있다. 청소년은 세포를 비롯한 모든 조직이 아직 성숙하지 못했을 뿐만 아니라 계속적으로 성장하고 있는 단계이므로 술의 영향이 더 크다.

### ④ 알코올 중독

알코올 중독은 만성적이고 진행적이며 잠재적으로 음주에 대한 통제력을 잃어가는 치명적인 질환으로 유전적 요인과 사회심리적 요인 및 환경적 요인에 의해 영향을 받는다. 알코올 중독은 여러 단계를 거치면서 그 정도가 심화된다. 이 질환에서 가장 중요한 요소는 통제력으로서 음주를 시작하는 시기와 중단해야 할 시점을 스스로 조절하지 못함으로써 음주를 계속 한다는 것이다. 알코올 부작용이 심화되면서 부정(denial)을 특징으로 하는 왜곡된 사고방식에 빠진다. 따라서 부정은 알코올 중독자의 특징이다.

### (2) 절주 프로그램의 개발

우리나라는 음주문화가 보편적으로 허용되어 왔다. 이로 인하여 음주로 인한 개인의 건강문제뿐만 아니라 음주 교통사고나 폭력 등 사회적 문제로 대두되어 절주 프로그램이 잘 발달되어 있다.

#### ① 절주 프로그램

절주를 위한 시도는 개인뿐 아니라 가정, 직장 및 지역사회 전반에 이르는 광범위한 영역에서 이루어지고 있다. 절주 프로그램은 절주 교육 및 홍보, 알코올 광고에 대한 제한규정 마련 및 모니터링, 음주제한 연령에 대한 법률제정과 시행, 건전한 음주문화를 위한 운동으로 전개되고 있으며, 이러한 서비스는 공공보건기관, 민간의료기관, 정부 관련 단체 및 협회, 비정부 관련 단체 및 협회, 학교 등을 통하여 제공되고 있다.

**가. 음주실태 및 음주문제 탐색**

절주 프로그램 개발을 위한 첫 단계로 대상자의 음주실태와 음주로 인한 영향을 파악한다. 그리고 음주 형태 및 음주에 영향을 주는 요인들을 파악하여 대상자에게 필요한 프로그램 내용을 알아보아야 한다. 음주문제에 대한 인식이 어느 정도인지, 직장인의 경우 기존의 프로그램에 대한 생각과 프로그램의 영향을 미치는 관리자들이 희망하는 프로그램 내용 등을 탐색한다.

**나. 절주 프로그램 개발의 요소별 접근전략**

절주 프로그램 개발의 기본요소는 개인, 집단 또는 단체의 음주문제 또는 음주와 관련된 위험요인에 따라 다른 접근 전략과 대책이 필요하다. 지역사회 중심의 접근 전략들은 상위 행정체계의 법 제도적·행정적 영향을 받게 되고 지역사회의 공공 및 민간기관의 협력 하에 예방과 조기 발견에 중점을 둔 사업을 하도록 해야 한다.

**다. 절주 프로그램 내용**

음주문제 프로그램에는 직장인의 음주문화, 스트레스 관리기법, 술 거절 방법, 알코올 남용 및 중독의 의미, 술이 인체에 미치는 영향, 효과적인 인간관계 기법, 음주가 가족에 미치는 영향과 가족 간 문제해결 방법에 대한 내용이 포함되도록 해야 한다.

**라. 음주문제 수준에 따른 절주 프로그램 개발**

효과적인 프로그램을 개발하기 위해서는 비음주자, 적정 음주자, 알코올 남용자, 알코올 의존자 등 음주문제 수준에 따라 프로그램에서 강조하는 목표를 달리하여 프로그램 내용을 구성한다.

- 비음주자에 대해서는 건강증진을 위하여 습관을 변화해야 하는 필요성을 강조하고 술을 접하는 상황에서 대처 능력을 증진하고 건강에 필요한 새로운 습관을 형성하도록 한다.
- 적정 음주자에 대한 절주 프로그램의 목표는 비음주자와 마찬가지로 건강증진을 위한 습관변화 및 새로운 습관 형성이며, 특히 상황 대처 능력과 음주문제를 예방하기 위한 요인에 대한 교육이 필요하다.
- 알코올 남용자에 대해서는 문제인식 단계부터 대상자에게 유선 개입이 필요한 영역을 선정하고 절주하는 것이 해결가능한 문제로 인식할 수 있도록 해야 한다. 또한 그동안의 음주습관과 심리적인 문제, 대인관계 문제를 해결하고, 상황 대처에 따른 문제해결 능력을 함양한다.

- 알코올 의존자에 대해서도 문제인식 단계부터 대상자에게 우선적으로 개입이 필요한 문제영역을 선정하고 해결가능한 문제로 인식할 수 있도록 목표를 설정한다. 음주습관, 음주로 인한 심리적 문제와 대인관계 문제를 해결하고 음주를 부추기는 상황을 대처할 수 있는 능력을 기르도록 목표를 설정하고 새로운 습관을 형성하고 이 새로운 행위를 지속적으로 유지할 수 있도록 해야 한다.

#### 마. 변화단계별 중재전략 수립

절주 프로그램을 개발할 때에는 횡이론적·변화단계별로 의사결정, 자기효능감, 변화과정 중재, 변화과정 전략 등 개념 틀에 따라 중재전략을 수립한다.

#### ② 조직 및 환경적 중재방법

우리나라의 절주정책은 「국민건강증진법」과 「정신보건법」을 비롯한 주류관리를 위한 「주세법」, 청소년의 음주 접근성을 제한하는 「청소년 기본법」과 음주예방교육의 근거가 되는 「학교보건법」, 근로자를 위한 '사업장 건강증진운동 시행령' 등의 법적 지원이 근거로 작용하고 있다.

각 나라에서 실시하고 있는 음주통제 정책의 예는 다음과 같다.

- 술에 대한 광고를 제한 또는 규제한다.
- 술에 대한 세금을 인상한다.
- 술과 관련된 모든 광고에 경고문을 삽입한다.
- 술의 판매일자나 시간을 제한하는 등 술의 소매 판매를 규제한다.
- 술의 알코올 농도를 규제한다.
- 술을 구입할 수 있는 연령을 제한한다.
- 과음상태에 있는 음주자에게 술을 판매하지 않는다.
- 음주운전의 혈중 알코올 허용 한도를 낮춘다.
- 공공장소에서의 음주행위를 금지한다.

### (3) 우리나라의 절주사업

지역사회 통합건강증진사업의 세부사업인 절주사업의 목적은 건전음주문화 조성 및 위험음주의 조기발견과 개입을 통하여 지역사회의 음주 폐해를 감소시키는 것이다. 금연사업의 사업유형은 크게 교육 및 홍보, 조기선별 및 상담으로 분류할 수 있다.

절주 교육 및 홍보사업은 보건소가 사업의 주체로 알코올상담센터, 민간단체 및 학교 등과 협력하여 지역사회 주민인 청소년, 임산부, 직장인, 노인 등을 대상으로 시행한다. 또한 '음주폐해 예방의 달(11월)' 월간 캠페인을 운영한다.

조기선별 및 상담사업은 지역사회 고위험음주자 조기선별, 상담 및 의뢰사업으로 보건소가 사업의 주체로 지역병원, 건강보험공단, 알코올상담센터 등과 협력하여 지역사회의 고위험음주자를 대상으로 시행하고 있다.

## 3) 신체활동프로그램

장기간의 규칙적인 운동은 건강증진과 질병예방에 도움을 주는 것으로 알려져 있다. 규칙적인 운동은 심폐기능과 대사과정이 향상되고 근골격계의 상태가 호전되며 심리적으로 좋은 영향을 준다. 질병예방을 위하여 운동, 금연, 식습관, 절주 등 많은 행위 변화가 필요하지만 그 중에서 운동은 유지하기가 어려운 습관 중 하나이다.

### (1) 신체활동과 건강

운동과 관련되어 사용되는 용어에는 신체활동(Physical Activity), 운동(Exercise), 트레이닝(Training) 등이 있다. 신체활동이란 근골격계의 움직임을 통하여 에너지가 소비되도록 하는 것을 말하며, 개인이나 집단이 여유시간에 선택하는 신체활동을 여가활동(Leisure Activity)이라고 한다. 운동은 체계적이고 반복적으로 신체움직임을 하도록 계획하여 신체구성의 한 가지 이상을 향상키는 것으로, 적어도 8주 이상 신체 단련을 위하여 반복적으로 하는 것을 말한다.

따라서 에너지 소비만을 목적으로 걷기, 조깅 등 가벼운 활동을 주로 신체활동이라고 한다면, 에너지 소비뿐만 아니라 근육강화, 유연성 증가, 심폐지구력 강화 등의 효과를 달성하기 위한 지속적이고 규칙적인 활동을 운동이라고 할 수 있다.

하지만 최근의 보건사업에서는 일반적으로 사람들이 정기적인 운동은 실천하기 어려운 면이 많아 사업으로서 활성화되기 힘들기 때문에, 일상생활 속에서도 가능한 신체활동을 강조하고 있는 추세이다. 이에 우리나라 보건사업에서는 '운동'이라는 용어 대신에 '신체활동'이라는 용어를 강조하여 사용하고 있다. 따라서 여기서도 신체활동을 넓은 범위의 운동이라고 전제하고 사용하고자 한다.

#### ① 신체활동의 종류

신체활동의 종류는 크게 유산소 신체활동과 무산소 신체활동으로 구분할 수 있다. 신체활동을 시작하면 무산소와 유산소 대사과정이 일어나서 에너지를 공급한다. 어떤 대사과정이 일어날지는 신체활동의 지속 시간, 강도 또는 신체활동에 쓰이는 근육 세포의 유형에 따라 결정된다.

유산소 신체활동은 산소를 근육으로 전달해 주는 기능, 즉 심장, 혈관, 혈액 등의 순환기능과 폐, 기관지 등의 호흡기능을 향상시키는 데 도움을 준다. 무산소 신체활동은 역도, 단거리 달리기 등이며 근육의 크기와 힘을 향상시키는 효과가 있으나 심폐기능에는 별 다른 도움을 주지 못하고 오히려 혈관 저항과 혈압을 상승시켜 심장에 부담을 준다.

선수가 아닌 일반인들의 신체활동 목표는 심혈관, 폐 기능 향상을 통한 건강증진에 있으므로 유산소 신체활동을 택하는 것이 좋다. 즉 몸 전체를 움직이는 걷기, 달리기, 자전거, 줄넘기 및 수용 등이다.

#### ② 신체활동의 효과

신체활동은 질병예방과 건강증진에 긍정적인 효과가 있다. 규칙적인 유산소 신체활동이 인체에 미치는 효과는 광범위한 생리적인 효과가 증명되었으며 또한 다양한 심리적인 효과도 증명이 되고 있다. 규칙적인 신체활동은 심혈관계 질환, 고혈압, 당뇨, 비만, 골다공증 등에 효과가 있다.

신체활동을 꾸준히 하면 최대 산소 섭취량이 15~30% 정도 증가할 수 있는데 증가 정도는 신체활동 전 신체상태, 신체활동 양, 나이, 유전적 요인 등에 따라 결정된다. 사춘기에 신체활동을 시작하면 30~35%까지 향상되며, 20대에는 25%까지 좋아질 수 있다.

물론 나이가 들수록 유산소 신체활동 능력 향상 정도가 작아지지만 70대에서는 약 10%의 향상을 기대할 수 있으므로 신체활동하기에 늦은 시기란 없다.

### (2) 신체활동프로그램의 개발

#### ① 신체사정 및 위험요인 평가

신체사정 목적은 대상자가 훈련에 적합한가와 프로그램에 영향을 미칠 수 있는 모든 위험요인을 알아내기 위함이다. 심혈관질환의 위험요인이 없이 정상적인 활동을 하는 40세 이하의 건강한 대상자는 체계적인 병력 및 이학적 검사로서 평가한다. 처음 신체사정을 하는 대상자에게는 휴식시의 심전도와 기본적인 임상검사(CBC, 공복 시 혈당, 콜레스테롤, 요검사 등)를 시행한다.

40세 이상의 무증상 대상자와 주요 심혈관 위험요인을 가진 모든 대상자는 철저한 병력청취와 이학적 검사, 임상검사, 휴식 시 심전도로 선별검사(Screen Test)를 하고난 후 신체활동검사가 필요하다. 흡연경력이나 초기 폐쇄성 폐질환이 있는 대상자에게는 일상적 흉부 X선 검사와 폐활량측정을 시행한다.

#### ② 신체활동 능력 및 검사

신체활동 능력은 일상생활과 레크리에이션 활동을 통해서 짐작할 수 있다. 대부분의 훈련받지 않은 정상 성인은, 6～8METs의 적당한 일을 2～4분 동안 과다한 피로감 없이 실행할 수 있다. 중등도 심혈관 질환을 가진 대상자는 4～6METs 이상의 강도에서 증상을 나타낸다.

신체활동검사는 병원 또는 의학센터에서 일상적으로 실행되고, 외래 클리닉에서도 자주 이용된다. 운동처방을 위해서는 신체활동검사에서 다음을 포함한다.

- 기능적 작업능력 : 트레드밀이나 자전거를 이용하여 측정한 최대작업부하로부터 계산된다.
- 혈액학적 반응 : 신체활동 강도에 따른 혈압 및 심박수의 그래픽 양상을 나타낸다.
- 심전도 반응 : 신체활동 시와 회복 시에 각각 1～2분씩 기록한다.
- 증상 및 이학적 소견 : 흉통, 호흡곤란, 파행, 어지러움, 심이완 시 및 기타 심잡음, 폐음 등을 기록한다.

#### ③ 신체활동프로그램의 기준

신체활동 훈련을 시작할 대상자는 연령과 임상적 상태를 고려하여 다음과 같이 분류한다.

- 40세 이하의 건강인과 심혈관계 위험요인을 적게 가진 대상자와 신체활동검사에서 정상결과가 나온 60세 이하 대상자에게는 일반적 훈련 지침서대로 스스로 연습하는 프로그램을 적용한다.
- 주요 심혈관 위험요인 및 비정상인 신체활동검사 결과를 가진 대상자와 60세 이상의 정상인에게는 프로그램의 첫 2～4달 동안은 관찰이 필요하다. 만약 훈련에 대한 방응이 만족스러웠다면 이후는 관찰 없이 스스로 신체활동을 지속한다.
- 이미 심혈관 질환을 가진 대상자와 심근경색증 또는 심혈관 우회술 시행 후 안정된 대상자는 심혈관 재활에 있어서 3단계의 감독을 받아야 한다. 1단계는 심근경색 또는 우회술 시행 후의 입원기간을 말하며, 한정된 활동만 허락된다. 2단계는 감독 하의 신체활동 재활을 진행시키는 기간을 말하며, 1～2단계는 이상적으로는 입원하며 또는 클리닉에서 이루어진다. 3단계는 감독 하의 프로그램으로 6～12개월 정도 소요된다.

#### ④ 신체활동 중재방법

개인 대상의 행위적 중재방법은 사회인지이론을 바탕으로 하여 자기효능감을 증진시켜서 특정 행위를 수행할 수 있도록 개인의 자신감을 향상키는 것이다. 많은 연구에서 자기효능감을 증진시키면 신체활동을 수행하는 정도가 높아진다는 것이 보고되었다. 자기효능감 이외에도 목표 수립, 계획 세우기, 자기 모니터링하기 등도 좋은 전략으로 제시되고 있다.

최근에는 주로 의자에 앉아서 하는 생활의 증가로 대부분의 사람들이 신체활동 부족의 상태에 있기 때문에 행위적 접근에 드는 시간과 노력에 비해 좀 더 효과적인 환경적 중재 접근법이 필요하게 되었다. 환경적 접근법은 행위적 접근법보다 더 많은 측면을 고려해야 한다. 집단 중재는 사회지지, 동료그룹, 관찰학습 등을 좀 더 고려하는 것이 좋다.

「국민건강증진법」에 따르면 생애주기별로 모든 국민이 신체활동에 참여하도록 하여 실천율이 점점 증가하는 것을 목표로 하고 있기 때문에 대단위 집단 신체활동 중재 전략이 필요하다. 이러한 거시적 접근법으로는 직장, 일차보건 영역, 지역사회 영역에서 신체활동 실천의 접근을 할 수 있도록 하여야 한다. 즉 가정에서, 직장에서, 의료기관을 중심으로 또는 지역사회를 중심으로 모든 영역에서 신체활동을 할 수 있는 환경을 조성하고 조직과 정책을 마련해야 할 것이다.

### (3) 우리나라의 신체활동사업

지역사회 통합건강증진사업의 세부사업인 신체활동사업의 목적은 신체활동 실천인구의 증가 및 걷기와 중등도 신체활동 실천율을 증가시키는 것이다.

신체활동사업의 사업유형은 크게 생애주기별 교육 및 프로그램 제공 사업, 만성질환예방을 위한 개인별 서비스 사업, 홍보 및 캠페인 사업, 환경조성 사업, 지역사회 지원 및 연계강화 사업으로 분류할 수 있다.

#### ① 생애주기별 교육 및 프로그램 제공 사업

**가. 사업목적**

신체활동의 중요성에 대한 인식 고취 및 신체활동 정보제공을 통한 신체활동 실천을 촉구하는 것과 생애주기·건강문제별 신체활동프로그램을 제공하는 것이다.

**나. 사업대상**

지역주민 전체를 대상으로 한다.

**다. 사업내용**

주민 건강교육 사업, 기타 생애주기별·인구집단별 신체활동프로그램 운영, 관련 시설 및 기관과 협력·연계 수행의 권장이다.

#### ② 만성질환예방을 위한 개인별 서비스 사업

**가. 사업목적**

적정 신체활동 실천을 통한 만성질환 발생의 사전 방지이다.

### 나. 사업대상

- 일반검진 및 생애전환기검진 결과 건강문제가 있는 대상자
- 건강문제 및 건강위험요인이 있는 등록관리 대상자
- 보건소 내 진료실, 만성질환관리팀 등 타부서로부터 의뢰된 만성질환자
- 지역사회 기관으로부터 의뢰된 만성질환자 등

### 다. 사업내용

운동지도 사업으로 개인별 운동상담 및 운동지도를 제공하는 것이다.

## ③ 홍보 및 캠페인 사업

### 가. 사업목적

신체활동 정보의 효과적인 전달 및 인식제고를 위한 홍보 및 캠페인을 전개하여 주민의 신체활동 실천율을 향상시키는 것이다.

### 나. 사업대상

지역주민 전체를 대상으로 한다.

### 다. 사업내용

- 지자체 축제를 활용하여 걷기대회 및 다양한 신체활동 독려 이벤트를 개최한다.
- 신체 비활동의 위험성을 홍보하는 등 지역사회 인식 개선 및 신체활동 실천 분위기 조성을 위한 홍보 및 캠페인 실시한다.
- 주민 신체활동 참여 동기부여를 위한 지역사회 신체활동 환경조성과 홍보를 한다.
- 한국인 신체활동 가이드 기반 홍보를 전개하여 신체활동에 대한 정확한 정보 제공 및 신체활동 실천율 향상을 한다.

## ④ 환경조성 사업

### 가. 사업목적

일상생활 및 여가시간에 활용 가능한 신체활동 환경 및 제도를 마련하여 주민 신체활동 실천율을 향상시키는 것이다.

### 나. 사업대상

지역주민 전체를 대상으로 한다.

### 다. 사업내용

- 일상생활 활동량 증가를 위한 환경조성을 한다.
- 걷기운동 및 자전거 이용률 증가를 위한 산책로·자전거 도로를 조성한다.
- 환경개선 우수기관을 선정하여 표창 및 적극 홍보 등을 한다.

#### ⑤ 지역사회 자원 및 연계강화 사업

**가. 사업목적**

효과적·체계적 신체활동 서비스 제공을 위한 지역 공공·민간 등 관련 기관 연계체계 마련과 지역사회 자조모임 조성 및 기존 자조모임 지원을 통한 지역사회 신체활동 실천 활성화 및 인식제고이다.

**나. 사업대상**

지역주민 전체를 대상으로 한다.

**다. 사업내용**

지역사회 연계강화 및 지역사회 지원 사업을 실시한다.

## 4) 영양 프로그램

좋은 영양은 건강을 유지하는 데 아주 중요하다. 식습관은 질병예방, 에너지 보존 및 생산적 삶에 중요한 역할을 한다. 국민의 영향을 책임지는 보건의료인은 개인·가족·지역사회의 식이상담과 영양교육 등 건강 식이에 대한 정보를 제공하고 도와줄 수 있는 자원이다. 보건의료인은 영양을 치료적 측면에서 뿐만 아니라 건강증진과 질병예방의 주요한 요소로서도 다룰 수 있어야 한다. 학교보건교육이나 보건소 영양플러스사업을 통해 건강한 영양섭취와 비만에 관한 보건교육과 지도가 절실히 필요하다.

### (1) 영양과 건강

#### ① 생애주기별 영양요구

**가. 영유아 및 아동**

성장기에는 열량과 영양의 섭취가 더 요구된다. 신생아기의 영양은 주로 모유나 우유로 이루어진다. 신생아기에는 열량의 40% 이상을 지방으로부터 섭취한다. 그러나 2세가 되기 시작하면 그때부터는 포화지방산의 양과 콜레스테롤의 양, 지방 총량을 평균 섭취량인 36~40%보다 줄여야 만성질환의 발병률이 낮아진다.

이유식은 칼로리의 40~50%는 탄수화물에 의해, 30%는 지방에 의해, 10% 정도는 단백질에 의해 공급이 되도록 한다. 모유는 열량의 50%를 지방으로 제공하므로 신생아와 영아기는 모유와 철분 강화만으로도 거의 모든 영양소를 충분히 섭취할 수 있다.

소아기에 부족하기 쉬운 것은 철분이다. 소아들도 어른처럼 여러 종류의 음식을 포함한 균형 있는 식사가 필요하며 기초식품군을 섭취하여야 한다. 전체 지방의 양을 줄이고 포화지방과 콜레스테롤이 낮은 음식을 선택하도록 하며 설탕과 소금의 사용을 제한하고 칼슘, 철분이 풍부한 음식을 권장한다.

건강한 체중 유지의 중요성을 부모에게 교육한다. 건강한 체중은 신장에 대한 체중의 비율로 측정한다. 신장에 대한 체중의 비율이 25~75%까지가 건강한 체중으로 볼 수 있다. 과체중아는 체중 감량의 방법보다는 신체적 활동을 증가시킬 수 있는 방법을 권장한다.

**나. 청소년**

청년기의 성장속도는 유아나 태아의 성장보다 훨씬 빠르다. 여아는 성장 시기에 지방을 많이 필요로 한다. 반면 남아는 여아의 2배 정도의 제지방체중(lean body mass)을 형성하므로 사춘기 말기에는 특히 철분과

칼로리의 요구가 증가한다. 성장기에는 비타민 $B_6$의 역할이 중요하며 청소년의 40% 이상이 비타민 $B_6$의 부족현상이 나타나고 있어 고단백식이와 비타민 $B_6$ 보충제를 제공하는 것이 필요하다.

급속 성장기 동안 단백질 대사와 적혈구 생성에 엽산이 중요한 역할을 하므로 일일 평균 6.8nmol/kg (3μg/kg)의 엽산 섭취가 권장된다. 엽산은 열과 저장에 불안정하고 요리를 통하여 쉽게 손실되므로 식이를 통한 충분한 섭취가 어렵다. 강화 시리얼이나 엽산의 좋은 공급원인 간과 잎채소를 권장한다. 철분 역시 성장기에 필요한 미네랄이다. 청소년의 12～14%에서 철분 부족의 보고가 있으므로 일일 평균 남아는 12mg, 여아는 15mg의 섭취를 권장한다.

칼슘은 일일 500～700mg을 섭취하여야 한다. 청소년에서는 에스트로겐(estrogen), 테스토스테론(testosterone), 성장 호르몬과 같은 동화성 호르몬이 증가하여 골형성 활동이 더욱 왕성하게 되므로 칼슘의 필요량이 증가한다. 청소년기에 있는 여성이 칼슘섭취가 부족하면 폐경기에 여과 칼슘의 요 내 손실로 인하여 잠재적 골다공증을 일으킬 수 있는 건강문제를 초래한다. 최대 골량은 청소년기의 성장이 끝나면서 동시에 끝나기 때문이다.

아연은 70여 개의 효소와 관련이 있어 청소년기에 특히 중요한 영양소이다. 아연은 핵산과 단백질의 합성에 필요하며 아연 결핍은 체중감소, 잦은 감염, 남아의 생식선 기능저하, 성장지연, 식욕부진, 무력증, 창상 치유지연 등의 증상을 나타낼 수 있다. 따라서 아연의 결핍은 다발성 상해, 대형골절 등을 초래한다. 아연의 가장 좋은 공급원은 해산물, 가금류와 육류이며, 견과류, 종실류, 강낭콩 등도 중요한 식물성 공급원이다.

### 다. 성인

성인에서의 영양은 질병 예방의 측면에서 중요하다. 식이 중 열량, 지방, 콜레스테롤, 복합당질, 섬유소와 염분섭취에 대하여 정기적으로 상담을 하고, 여자에게는 칼슘과 철분 섭취에 대한 평가가 필요하다. 기초식품군의 섭취가 매 끼니마다 이루어질 수 있도록 식단을 고려한다.

건강을 증진시키는 식습관을 가지도록 하는 영양교육이 중요하다. 정확한 영양정보를 제공하고 이런 지식을 활용하여 바람직한 행위로 바꾸도록 한다. 문화적·정신적 문제, 경제적 문제를 포함하여 영양 상담을 하는 것이 바람직하나 매우 어려운 일이기도 하다.

따라서 개별 식이 상담이 영양교육에는 많이 사용되고 있는 방법이다. 개인상담은 개인의 식습관, 영양 상태를 평가한 후 이루어진다. 식이교육은 동기부여가 중요하며 동기부여가 되어야 식이 습관을 변화시키고자 하는 마음을 가지고 기꺼이 행위로 변화시킬 수 있다.

### 라. 노인

노인은 노화로 인해 제지방체중(lean body mass)과 신체활동 및 소화기계 흡수기능이 변하고 이로 인해 열량, 단백질, 영양소의 필요량이 달라진다. 건강한 식이 습관을 유지하고 있는 노인이라도 식사의 질이나 양이 변하고, 삶의 질과 영양의 상태가 기능적으로 독립이 유지되지 않는 위험 수위에 있기 때문에 영양요구량의 변화가 필요하다.

위장의 산도와 위장관 분비 및 위장관계 운동성이 감소되며 미뢰와 유두, 후각세포 수의 감소로 미각과 후각이 약화되고 식욕이 변한다. 제지방체중은 감소되고 뼈의 질량, 키, 몸무게, 체내 수분, 산소소모가 감소하고 지방이 증가한다. 노화에 따른 혈중 콜레스테롤과 혈압이 상승한다. 65세 이상의 50%에서 치아가 없거나 70세 이상의 66%에서 의치가 맞지 않아 씹는 데 어려움이 있다.

따라서 고영양식이나 야채, 육류와 같은 비타민과 미네랄이 풍부한 재료를 이용하고 지방과 정제함수탄소는 줄인다. 식사는 소량씩 자주하는 것이 좋다.

### ② 영양과 건강문제

#### 가. 비만

비만은 체지방 또는 지방조직의 증가를 말하며 과체중은 신장과 관련하여 체중이 증가한 것을 말한다. 따라서 비만과 과체중은 엄밀한 의미에서 서로 의미가 다르다. 체중은 비만을 임상적으로 평가할 때 초기 지표가 될 수 있다. 비만을 측정할 때는 피부두겹주름두께 측정법, 또는 체질량지수를 사용한다. 캘리퍼를 사용하여 상지의 이두박근과 삼두박근, 견갑골 하부, 장골능 상부 등 피부 네 곳의 피부두겹주름두께를 측정하여 이들의 합을 구한다. 피하지방 두께의 값은 간접적으로 체지방률을 나타내는 수치가 되며 체지방의 밀도와도 매우 높은 상관관계를 나타낸다.

비만도를 측정하는 또 다른 방법은 체질량지수를 이용하는 것이다. 한국인의 체질량지수(Body Mass Index; BMI)는 BMI가 18.5kg/m$^2$ 미만은 저체중, 23～24.9kg/m$^2$은 과체중, 25～29.9kg/m$^2$은 비만, 30kg/m$^2$ 이상이면 고도의 비만으로 정의하고 있다(김숙영, 1996; 김양수 & 이철희, 1995). 비만일 경우 체중을 관리하기 위한 식이상담이 필요하며 좌식 생활을 하는 사람이라면 운동과 함께 식이 조절이 필요하므로 상담을 통한 운동과 식습관의 변화가 있어야 한다.

#### 나. 고지혈증

콜레스테롤은 모든 성인병에서 위험요인으로 작용하므로 콜레스테롤의 총량과 HDL 콜레스테롤에 기초한 혈중 콜레스테롤 수준을 체크하고 기준에 따라 식이를 조절하는 것이 필요하다. 총 콜레스테롤이 240mg/dL 이상이거나 또는 HDL 콜레스테롤이 35mg/dL 이하일 때는 동맥경화, 고혈압, 죽상경화의 위험이 높아지므로 식이에서 콜레스테롤을 적게 섭취할 필요가 있다. LDL 콜레스테롤은 160mg/dL가 넘지 않도록 식이로 조절을 하는 것이 필요하다.

콜레스테롤을 낮추기 위한 식이로는 첫 단계로 일반적인 식이 권유 사항을 지키는 수준에서의 식이를 한다. 즉 칼로리 섭취량, 지방, 포화지방 그리고 콜레스테롤 감소를 하기 위한 식이를 선택하여 섭취하는 것이다. 대부분의 임상 상태에서 이러한 식이를 유지하였을 때 15～20% 정도의 혈중 콜레스테롤을 저하시키는 효과가 있다. 심혈관질환이 있는 환자를 위한 식이에서 LDL 콜레스테롤 수준이 100～129mg/dL인 사람들에게 약물치료를 하는 것보다 우선적으로 식이요법을 권고한다.

## (2) 영양 프로그램의 중재방법

### ① 개인수준의 행위적 중재방법

대부분의 개인수준 영양중재는 초기 식습관 변화와 변화된 식습관의 장기적 유지를 위해 몇 가지 주요 요인들을 포함한다. 그 요인들은 영양교육, 동기강화상담법과 변화단계 사용, 식이습관에 대한 주의 깊은 사정, 자가 모니터링, 자극조절에 대한 훈련, 문제해결 훈련, 사회적지지 강화, 인지조절 전략을 통해 자아효능감 증진, 재발 방지 훈련, 행동유지를 촉진하는 지속적인 프로그램 등이다. 이러한 요소들은 행위 자기관리, 사회인지이론, 동기강화상담, 변화단계이론 등에 기반한다.

#### 가. 영양교육

적절한 영양 정보는 식습관 중재 성공에 중요한 요소이다. 더 많은 영양지식을 알수록 대상자들은 더 건강한 식습관을 갖게 될 것이다.

### 나. 동기강화상담법과 변화를 위한 준비

동기강화상담은 식이 변화를 시도하고 변화를 유지하는 데 중요한 요인으로 대두되고 있다. 식이권고를 받아들이는 것은 개인의 의지에 따라 다양하기 때문에 대상자의 동기를 강화하는 것이 중요하다.

### 다. 문제해결 훈련

문제해결 요법은 인식과 행동 기술의 사용을 통해 장애물을 다루는 환자의 접근법에 대하여 다룬다. 대상자들은 문제를 밝히고, 해결하기 위하여 대안을 통합하고, 어떤 해결책을 시도할지 결정하고, 해결책을 수행할 계획을 수립하고, 결과를 평가하는 방법에 대하여 훈련된다.

### 라. 목표설정

목표설정은 좋은 식습관 유지를 위한 중재의 중요한 요소이다. 목표설정은 특정 체중감소 목표를 설정하는 것인데 체중감소 목표를 초기 본인 체중의 몇 % 감소로 정할 수도 있고, 몇 kg으로 정할 수도 있다. 목표는 체중으로만 설정되는 것은 아니고, 대상자가 매일 섭취해야 할 지방이나, 총 칼로리의 양, 일주일 동안 실시해야 할 운동시간 등으로 설정할 수 있다.

### 마. 자가 모니터링

식품섭취에 대하여 지속적으로 자가 모니터링을 실시하는 것이 성공적인 식이변화를 이끄는 중요한 역할을 한다. 대다수의 연구에서 성공적으로 체중감량에 성공한 사람들은 음식 섭취와 체중에 대한 규칙적인 자가 모니터링이 결정적인 요인이라고 보고하였다.

### 바. 지속적인 프로그램 접촉

지속적인 프로그램 접촉은 초기에 이루어진 식이변화를 유지하는 데 중요한 요인으로 인식되고 있다. 비만치료에 있어 변화를 오랫동안 유지하는 것은 지속적으로 프로그램에 접촉할 때 가능하다.

### 사. 사회적지지

사회적 지원이 부족한 것은 식이변화를 만들고 유지하는 데 걸림돌이 된다. 프로그램에 참여하는 같은 동료나 가족 등으로부터의 지원을 받는 사람은 그러한 지원이 없는 사람보다 더 식이 변화를 잘 유지한다.

### 아. 식습관 변화를 위한 단계적 접근

식습관 변화를 위한 중재는 모든 사람에게 적용되는 단일한 프로그램을 제공하기보다는 대상자의 상황에 맞게 단계적으로 제공하는 것이 적절하다. 일단 프로그램에 참여하는 모든 대상자에게 식이교육을 제공하고, 프로그램 초기에 다양한 자가 모니터링과 목표설정에 대한 중재를 제공한다. 이후 성공하지 못한 사람들을 위해서는 영양사나 심리학자 등 행위 변화를 위해 훈련된 전문가에 의해 부가적인 사정을 하고, 새로운 자가 모니터링 도구나 동기강화 전략을 사용하는 등의 더욱 강력한 중재가 필요하다. 그리고 문제해결 훈련, 인지전략, 재발방지 중재 등을 포함한 기술들이 제공될 수 있다.

## ② 조직/환경적 중재방법

개별적 수준의 식습관 변화 중재는 임상에서는 매우 유용하지만 식이 선택을 증진하는 환경적 요소를 집중하여 다루지 않는다. 식이습관을 변화시키기 위해서는 유전적·개인적·대인 관계적·환경적 요인이 폭넓게 영향을 미치므로 인구집단의 건강수준 변화를 위해서는 다양한 수준의 중재가 필요하다.

식습관 변화에 대한 지역사회 수준 접근에서는 식이에 관한 건강정보를 널리 알리기 위해 대중매체 의사소통과 마케팅의 요소가 중요하다. 지역사회 주민과 표적집단은 적절한 정보에 노출되어야 하고, 또 이러한 정보를 효과적으로 확산시키기 위한 방법 선택이 중요하다.

#### 가. 지역사회 현장에서의 식이 변화

학교는 건강에 좋은 식습관을 증진시키기에 적합한 장소이다. 개인수준 행동중재와 가족 참여, 학교 환경과 정책 변화 등 다양한 요소의 접근은 행동과 환경 모두의 변화를 이끌 수 있다. 학교 급식 프로그램이나 자동판매기를 통해서 건강한 식품을 선택하도록 하는 프로그램은 학생들의 건강식품 선택에 긍정적인 영향을 미친다.

그러나 많은 연구에서 이러한 중재가 이루어지는 동안은 학생들의 과일과 야채 등의 섭취가 증가하지만 프로그램이 끝난 후에는 그 효과가 감소하는 결과를 보였다. 따라서 그러한 효과를 지속시키기 위해서는 지속적인 지원과 학교의 변화 또는 지역사회 규범의 변화가 필요하다.

직장도 학교와 마찬가지로 식이변화 중재를 하기에 적절한 곳이다. 개별교육과 대중매체를 활용한 홍보, 식품 구매정보 제공, 제품 홍보, 회사 내 자문위원회를 활용한 중재 등 다양한 중재 활동들이 개별적이거나 혼합되어 활용될 수 있다.

개인적 수준의 식이변화 교육과 자동판매기 표지 바꾸기, 음식 조달업체 변경, 홍보자료, 프로그램 참여를 위한 인센티브, 근로자 자문위원회 구성 등의 중재를 제공한 직장건강 프로젝트는 과일과 야채, 섬유소 섭취에 있어서 작지만 유의한 증가를 이끌어냈다.

#### 나. 지지적 환경 만들기

환경적인 전략은 건강한 식습관을 형성할 수 있는 기회를 제공하거나 건강한 식생활을 하는 데 장애를 제거함으로써 건강한 식습관을 장려하는 것이다. 지역사회 수준에서 식이문제를 다루기 위해서는 환경적 접근이 중요하다. 이러한 환경적 전략은 대상자들이 좋은 식품에 쉽게 접근할 수 있도록 학교, 직장, 지역사회에서 좋은 식품의 가격을 낮춰 접근성을 높이고, 자동판매기에서 질 나쁜 식품을 판매하는 것을 통제하는 것 등이 포함된다.

지역사회 식료품점과 식당은 주민들이 식품을 구입하는 주경로이기 때문에 지역사회 수준의 식이변화를 이끄는 데 중요한 장소이다. 이러한 지역사회 식료품점과 식당은 지역사회 어디에나 있고, 지역적으로 개발된 중재를 어느 인구집단이나 환경에 비교적 쉽게 적용할 수 있기 때문에 중요하다. 일반적으로 이러한 장소를 통해 가능한 중재들은 구입 시 각 식품에 대한 정보 제공, 가격인하 쿠폰 제공, 좋은 식품의 접근성 높이기, 홍보 등이 있다.

### (3) 우리나라의 영양사업

지역사회 통합건강증진사업의 세부사업으로 영양사업을 실시한다.

'태아부터 노년까지 생애주기별 영양관리 서비스 강화'를 위해 식생활지침 개발·보급, 초등돌봄교실 식생활·영양교육 프로그램 확산 등 국민 개개인이 건강한 식생활을 실천하고 능동적인 영양관리를 할 수 있도록 지원하기 위한 「제2차 국민영양관리기본계획(2017～2021)」을 발표하였다.

이는 2010년에 제정된 「국민영양관리법」에 따라 '제1차 국민영양관리기본계획(2012～2016)에 대한 평가를 바탕으로 국민건강증진정책심의위원회(위원장 : 보건복지부 차관)에서 심의·확정되었음을 보건복지부에서 보도자료를 발표하였다(2017.6.15).

「제2차 국민영양관리기본계획」은 인구 고령화, 1인가구·만성질환 증가, 서구화된 식습관 등 사회환경 변화에 맞추어 개인의 영양관리 능력 향상을 통한 능동적 영양관리가 필요하다고 진단하였다.

#### ① 최종 목표

"건강식생활 실천 인구 증가"

#### ② 핵심 전략

첫째, 맞춤형 영양관리 서비스 지원 강화
둘째, 건강식생활 실천을 위한 환경조성 및 기반 강화
셋째, 건강식생활 실천에 대한 국민 인식제고

#### ③ 세부 추진 과제

세부 추진과제에서 우선적으로, 영양관리가 특히 중요한 임신·수유부, 영유아 및 노인 취약계층 등에 대한 맞춤형 영양관리서비스를 강화한다.

##### 가. 임산·수유부, 영유아

체계적인 영양관리가 필요한 임산·수유부, 영유아 등을 대상으로 2008년부터 시행한 "영양플러스사업"의 참여 대상을 확대하고, 영양 상담 및 교육을 대폭 강화한다.

영양플러스 사업은 중위소득 80% 미만 가구의 빈혈·저체중 등 영양위험요인 보유 영유아, 임신부, 출산·수유부에 대해 영양상담·교육 및 보충식품을 제공한다. 영양플러스 집합교육 참여가 어려운 임산·수유부의 편의를 위해 2018년부터 온라인 및 앱 기반 영양교육을 실시하고, 대상자 범위를 일반인까지 확대한다.

##### 나. 아동

맞벌이 부부의 증가로 방과 후 저영양·고열량 인스턴트 식품 등에 의존하기 쉬운 초등학교 아동들을 위해 초등돌봄교실 아동을 대상으로 '놀이'에 기반한 식생활·영양교육 프로그램을 확산한다.

이 프로그램은 지난해 첫 시범 운영하여 학교현장의 좋은 반응을 얻었으며, 올해부터는 지역보건소와 연계 실시하여 전국 61개교가 참여하고 있다. 2018년부터는 지역사회 통합건강증진사업의 일환으로 지속 시행하고자 한다. 2016년 경기 10개교에서 2017년 14개 시·도 61개교, 2018년 이후 점차적으로 확대한다.

##### 다. 만성질환 고위험군

건강검진과 연계하여 고혈압·당뇨병 질환 의심자 또는 유질환자 등 위험군에 대한 영양상담 서비스를 강화한다. 현재 시범사업 중인 보건소 모바일 헬스케어, 지역사회 일차의료 사업과 연계하여 고위험군들은 사전·사후 건강관리의 일환으로 보건소에서 영양 상담 및 관리를 받을 수 있게 된다.

보건소 모바일 헬스케어사업은 보건소에서 건강검진 결과 질환 단계는 아니나, 혈압·혈당이 높거나, 복부비만 등의 건강위험군을 대상으로 모바일 앱을 통해 개인 맞춤형 상담·관리 서비스를 운동·영양관리를 포함해서 제공한다. 지역사회 일차의료 시범사업은 동네의원에서 고혈압·당뇨병 환자 대상 주기적으로 개인 맞춤형 상담·관리 서비스를 운동·영양관리 포함해서 제공한다.

### 라. 노인

경로당·복지관 등에서의 회합형 노인 영양관리 프로그램 및 재가 노인에 대한 방문형 영양관리 프로그램을 개발하여 지역사회에 보급해나갈 계획이다.

### 마. 다문화가정

문화적 차이, 언어 장벽 등으로 식생활 및 육아에 어려움을 겪기 쉬운 결혼 이주여성과 자녀의 영양관리 및 건강을 위해 다국어 영양교육 매체·프로그램 개발 등 지역사회의 다문화 수요를 반영한 특화사업을 개발·보급한다.

### 바. 일반대상자

- 국민이 일상에서 스스로 더 좋은 제품을 선택할 수 있는 환경 조성을 위해 법적·제도적 기반을 강화한다. 가공식품 및 일반 음식점 등의 영양표시 의무를 확대·강화한다. 특히, 당류 관련 정보제공을 위한 영양표시 의무화 품목을 확대하고, 가공식품의 활자 및 표시량 간소화 등 식품표시 관리체계도 개선한다. 당류 영양표시 의무화 품목 확대는 2017년 시리얼, 코코아 가공품, 2019년 드레싱, 소스류 등, 2022년 과일·채소류 가공품류로 확대한다.
- 개인이 스스로 식생활 및 영양섭취수준을 파악할 수 있도록 영양평가 도구를 개발·보급한다.
  이를 위해 식생활 관련 건강위험도 평가시스템(D-HRA; Diet Related Health Risk Appraisal), 칼로리코디 등 그동안 개발된 식생활 평가도구를 검증·보완하고, 이를 활용한 영양관리서비스 모델을 개발·고도화해 나간다는 계획이다.
- 식생활 영양정책 추진 기반을 강화하기 위해 우리 국민 특성이 반영된 영양 관련 연구 및 프로그램 개발을 지원하고, 국민건강영양조사와 지역사회건강조사 등 실태 모니터링을 강화한다.
  특히, 국민건강통계의 산출 영양소 수, 식생활관련 조사 항목, 식품섭취조사를 1일 조사하던 것을 2일 조사하는 것으로 확대하는 한편, 국민들의 식생활 변화가 반영된 영양소 섭취기준을 마련한다.
- 영양관리·신체활동에 대한 국민인식 개선을 보다 적극적으로 추진한다.
  이를 위해 신뢰성 있는 영양정보에 누구나 쉽게 접근할 수 있도록 '생애주기별·질환별 식생활지침'을 개발·보급하고, 영양섭취기준, 영양성분 함량 등 과학적 근거에 기반한 영양·건강 정보를 쉽게 찾아볼 수 있도록 통합 플랫폼을 구축할 계획이다.
  생애주기는 영유아, 어린이, 청소년, 임신·수유부, 성인, 노인으로 구분하고 주요 질환은 비만, 당뇨병, 고혈압, 심혈관질환 등 식생활과 관련 있는 만성질환으로 구성한다.
  또한 올바른 영양정보를 보다 적극적으로 활용하여 건강한 식생활 실천을 유도할 수 있도록 건강식생활 실천 캠페인 및 대국민 홍보 활동을 강화한다.

보건복지부는 "영양관리와 건강식생활 실천은 일상의 한 부분으로 그 중요성을 간과하기 쉽지만 건강을 위한 핵심적인 요소이다. 국민 개개인이 영양관리의 중요성을 인식하고 스스로 건강한 식생활을 실천하도록 환경을 조성해 나가겠다."고 발표하였다.

보건복지부는 국민영양관리기본계획 성과지표의 이해, 건강식생활 실천 여부에 따른 만성질환 위험도의 관계, 섭취열량 소비를 위한 신체활동 시간(예시)을 [표 5-6, 5-7, 5-8]과 같이 제시하였다.

**표 5-6 국민영양관리기본계획 성과지표의 이해**

| | |
|---|---|
| 1. 적정 수준의 지방 섭취 인구 비율 증가 | • 정의 : 총 지방에너지 섭취비율(AMDR)에 부합되는 수준의 지방섭취 인구 비율<br>* AMDR : 총 에너지 섭취량 중 지방이 15~30%이면서 n-6지방산 4~10%, 포화지방산 7% 이내, 트랜스지방산 1% 이내 등(만 19세 이상 기준)<br>• 목표 : 2015년 44.2% → 2021년 50% |
| 2. 나트륨 2,000mg/일 이하 섭취 인구 비율 증가 | • 정의 : WHO 1일 권고량(2,000mg) 이하 섭취 인구비율(6세 이상)<br>• 목표 : 2015년 19.6% → 2021년 31% |

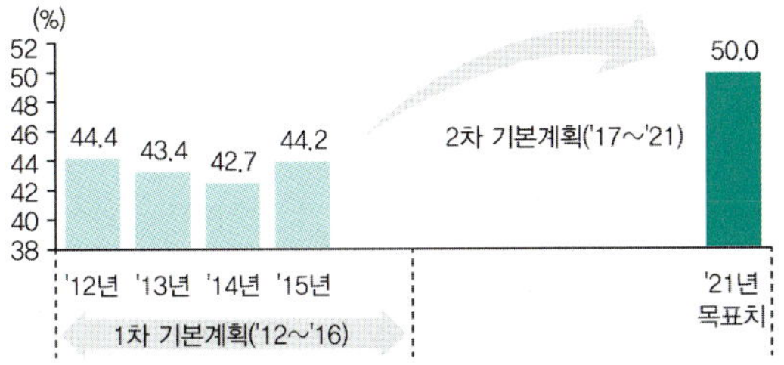


지방을 적정 수준으로 섭취하는 인구 비율

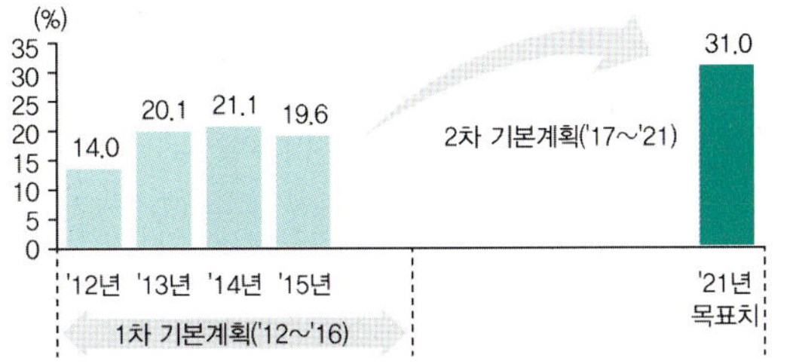


나트륨을 1일 2,000mg 이하로 섭취하는 인구 비율(만 6세 이상)

| | |
|---|---|
| 3. 적정 수준의 당 섭취 인구 비율 증가(2차 기본계획에서 신규 지표로 설정) | • 정의 : 우유 이외의 가공식품을 통해 섭취되는 첨가당을 총 에너지 섭취량의 10% 미만(가공식품을 통한 당 섭취량은 50g 이내)으로 섭취하는 인구 비율<br>* 당류 50g이 들어있는 가공식품의 양 : 아이스크림 2개, 탄산음료 1잔, 오렌지쥬스(250ml) 2병, 카스테라 3조각, 커피음료 2개 등<br>• 목표 : '15년 64.6% → '21년 80% |
| 4. 과일 채소 500g/일 이상 섭취 인구 비율 증가 | • 정의 : 하루 과일과 채소 섭취량의 합이 500g인 인구비율(6세 이상)<br>• 목표 : '15년 38.5% → '21년 42% |

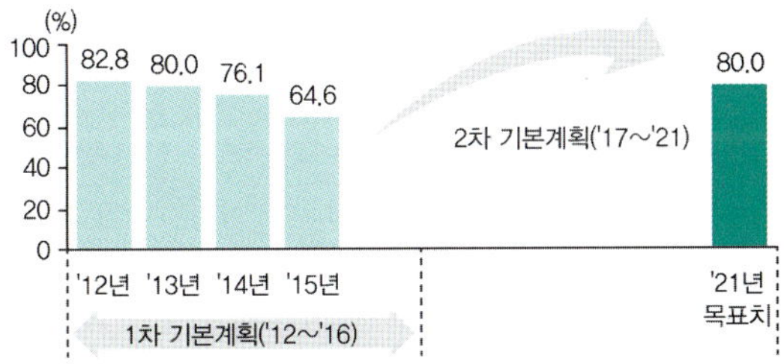


당을 적정 수준으로 섭취하는 인구 비율(만 6세 이상)

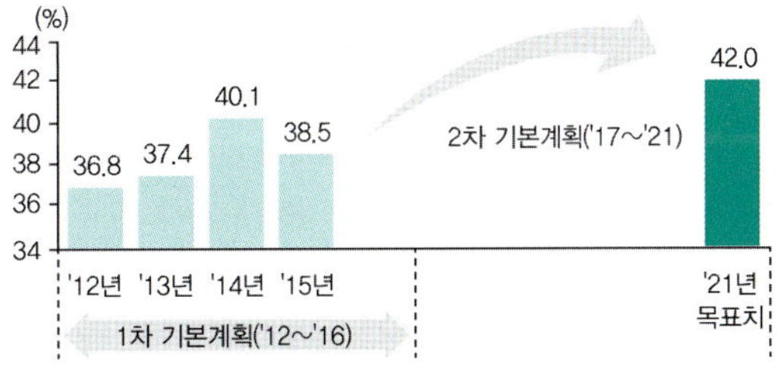


과일과 채소를 1일 500g 이상 섭취하는 인구 비율(만 6세 이상)

| | |
|---|---|
| 5. 가공식품 선택 시 영양표시 이용 인구 비율 증가 | • 정의 : 가공식품 선택 시 영양표시를 읽는 인구비율(초등학생 이상)<br>• 목표 : '15년 26.4% → '21년 30% |
| 6. 아침결식률 감소 | • 정의 : 조사 1일전 아침식사를 결식한 분율<br>• 목표 : '15년 26.1% → '21년 18% |

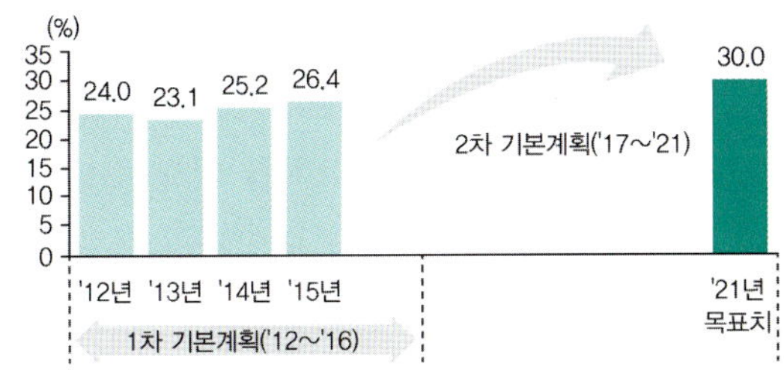


가공식품 선택 시 영양표시 이용 인구 비율

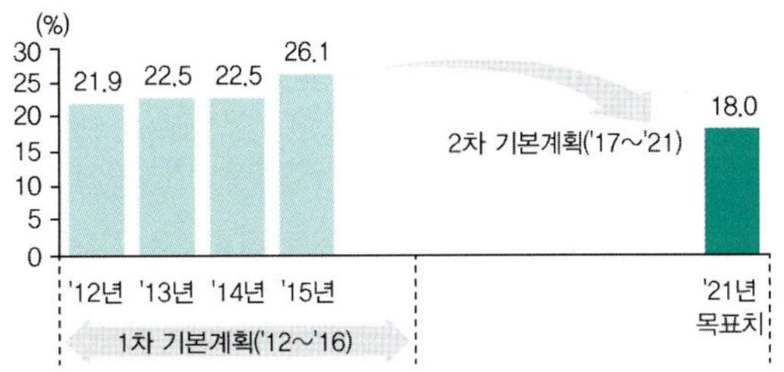


아침식사 결식률

〈 자료원 : 한국보건산업진흥원(2016.12). 제2차 국민영양관리기본계획 수립을 위한 연구 〉

**표 5-7 건강식생활 실천 여부에 따른 만성질환 위험도의 관계**

- 건강식생활을 실천하는 성인과 실천하지 않는 성인의 만성질환 유병률에 대한 오즈비 분석결과 ▲비만 위험은 0.9배(10% ↓), ▲고혈압 위험은 0.6배(40% ↓), ▲당뇨 위험은 0.7배(30% ↓)로 낮다는 연구결과가 있다.
  이때 건강식생활 실천은 지방 섭취량 적정수준 유지, 나트륨 섭취량 2,000mg/일 미만, 과일/채소 섭취량 500g 이상, 영양표시 활용 등 4개의 지표에서 2개 이상의 지표를 실천하고 있다고 응답한 경우이고 국민건강영양조사(2010~2015년)에서 수집된 만 30세 이상 성인의 데이터 비교 분석 결과이다.

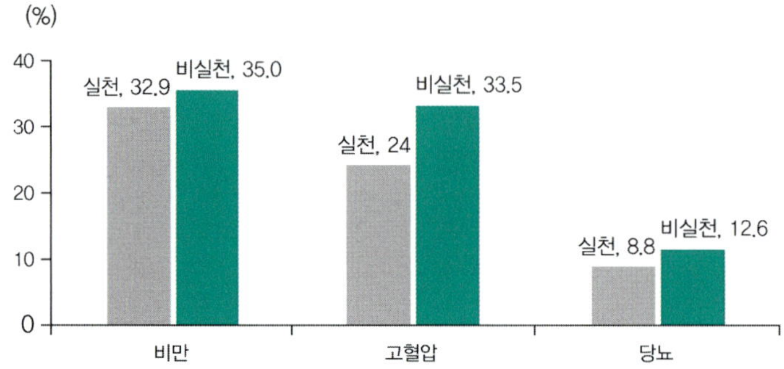


건강식생활 실천여부에 따른 만성질환 유병률(만 30세 이상)
2010~2015년 통합자료

〈 자료원 : 한국보건산업진흥원(2016.12). 제2차 국민영양관리기본계획 수립을 위한 연구 〉

**표 5-8 섭취열량 소비를 위한 신체활동 시간(예시)**

| 대표 외식식품 섭취 열량 소비를 위해 필요한 신체활동 시간 | | | | | | |
|---|---|---|---|---|---|---|
| | 라면 1인분(505kcal) | | 피자 1조각(450kcal) | | 자장면 1인분(797kcal) | |
| | 남(70kg) | 여(50kg) | 남(70kg) | 여(50kg) | 남(70kg) | 여(50kg) |
| 걷 기 | 1시간 58분 | 2시간 45분 | 1시간 45분 | 2시간 27분 | 3시간 6분 | 4시간 20분 |
| 계단오르기 | 51분 | 1시간 11분 | 46분 | 1시간 4분 | 1시간 21분 | 1시간 54분 |
| 자전거타기 | 52분 | 1시간 12분 | 46분 | 1시간 4분 | 1시간 21분 | 1시간 54분 |
| 조 깅 | 59분 | 1시간 22분 | 52분 | 1시간 13분 | 1시간 33분 | 2시간 10분 |
| 등 산 | 52분 | 1시간 12분 | 46분 | 1시간 4분 | 1시간 21분 | 1시간 54분 |
| 수 영 | 52분 | 1시간 12분 | 46분 | 1시간 4분 | 1시간 21분 | 1시간 54분 |

〈 자료원 : Ainsworth, B.E., Haskell, W.L., Whitt, M.C., Irwin, M.L., Swartz, A.M., Strath, S.J., ... & Jacobs, D.R.(2000). Compendium of physical activities: an update of activity codes and MET intensities. Medicine and science in sports and exercise, 32(9; SUPP/1), S498-S504 〉

제2차 국민영양관리기본계획(2017~2021)의 법적근거는 「국민영양관리법」(제정 2010.3, 시행 2010.9)에 따라 체계적 계획 수립을 하고 「국민영양관리법」 제7조에 따라 5년마다 국민의 영양관리를 위해 필요한 계획과 대책 등을 종합한 「국민영양관리기본계획」을 수립·시행하며 향후 5년 간 우리나라 영양관리 목표와 정책방향을 설정하고 이를 달성하기 위한 범정부적 정책과제를 제시하였다.

**국민영양관리기본계획(국민영양관리법 제7조 제1항)**
보건복지부장관은 관계 중앙행정기관의 장과 협의하고 「국민건강증진법」 제5조에 따른 국민건강증진정책심의위원회의 심의를 거쳐 국민영양관리기본계획)을 5년마다 수립하여야 한다.

**국민영양관리시행계획(국민영양관리법 제8조 제1항)**
시장·군수·구청장은 기본계획에 따라 매년 국민영양관리시행계획(이하 "시행계획"이라 한다)을 수립·시행하여야 하며 그 시행계획 및 추진실적을 시·도지사를 거쳐 보건복지부장관에게 제출하여야 한다.

**시행계획의 수립시기 및 추진절차 등(국민영양관리법 시행규칙 제3조 제1항)**
법 제8조에 따른 국민영양관리시행계획(이하 "시행계획"이라 한다)을 수립하여 매년 1월 말까지 특별시장·광역시장·도지사·특별자치도지사(이하 "시·도지사"라 한다)에게 보고하여야 하며, 이를 보고받은 시·도지사는 관할 시·군·구(자치구를 말한다. 이하 같다)의 시행계획을 종합하여 매년 2월 말까지 보건복지부장관에게 제출하여야 한다.

〈 자료원 : 보건복지부 건강증진과. https://korea.kr/archive/expDocView.do?docId=37584 〉

「제2차 국민영양관리기본계획」 수립·추진 방향은 [그림 5-18]과 같이 영양관리의 변화된 패러다임 적용과 제1차 기본계획의 보완·발전에 있다.

영양관리의 패러다임은 20세기 말 소극적 질병 예방에서, 적극적으로 영양과 건강을 챙기는 영양관리 시대로 진화하였고 우리나라 영양관리의 패러다임도 1960년대부터 80년대 초반까지는 '영양구호', 80년대 후반부터 90년대 중반까지는 '영양개선', 90년대 중반부터는 '영양관리'로 변화되어 왔다.

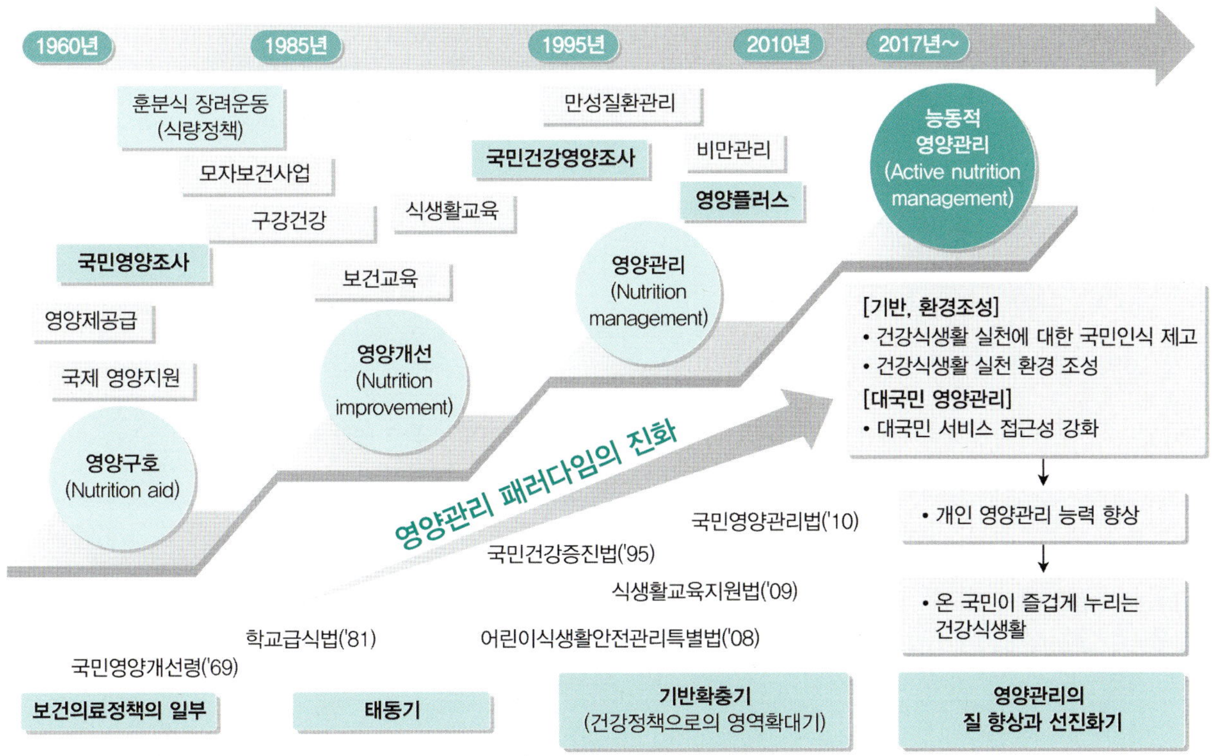


〈 자료원 : 보건복지부 건강증진과. https://korea.kr/archive/expDocView.do?docId=37584 〉

**그림 5-18 영양관리의 변화된 패러다임**

「제1차 국민영양관리기본계획(2012~2016년)」의 성과를 바탕으로 개개인이 보다 적극적으로 건강한 식생활을 실천하고 영양을 관리하며, 정부는 이를 뒷받침할 수 있는 환경과 기반을 강화하는 "능동적 영양관리"를 지향한다. 〈제1차와 2차 국민영양관리기본계획 비교는 부록 7을 참고할 것〉

제2차 국민영양관리기본계획에서 제1차 기본계획의 보완·발전은 영양정책 환경변화에 대응과 국민인식 제고 및 실천환경 조성 강화 및 역할분담과 유기적 협력이다.

- 영양정책 환경변화에 대응은 급격한 인구고령화, 만성질환 증가, 식생활 행태변화 등 영양환경 변화에 대응하여 일상적인 식생활습관과 관련된 건강위험요인에 대한 사전 예방적 관리 강화이다.
- 국민인식 제고 및 실천환경 조성 강화는 국민 건강 증진 및 관리에 있어서 영양관리의 중요성에 대한 국민인식을 제고하고, 실제 건강 식생활 실천이 가능한 환경을 조성한다.
- 역할분담과 유기적 협력은 산발적·중복적 사업을 지양하고, 중앙정부와 지자체간 역할분담 및 유기적 협력을 통한 체계적 추진한다.

이를 통해 건강한 식생활을 실천할 수 있는 환경과 기반을 강화하고, 사업 효과성 극대화하여 제2차 국민영양관리기본계획 추진 방향을 [그림 5-19]와 같이 설정하였다.

| 제1차 기본계획에 대한 평가 | | 제2차 국민영양관리기본계획 |
|---|---|---|
| • 일관된 공통 목표 설정 미흡 | → | • 중앙정부와 지방정부가 공통의 최종 목표를 공유 |
| • 중앙정부와 지자체 간 역할 구분 미흡<br>– 중앙정부 차원의 주도적 진행 미흡 (영양플러스 사업, 영양표시, 나트륨 줄이기 운동 등에 국한)<br>– 지자체 수준의 산발적 사업 수행 | → | • 중앙정부의 역할 확대 및 지방정부와의 유기적 협조 강화<br>– 건강식생활 실천 확대를 위해 국가 차원의 영양관리에 대한 국민 인식 제고 노력<br>– 필수사업과 지역특화사업 정립을 통한 체계적 영양관리사업 추진 |
| • 인력 및 예산 지원 미흡한 측면 | → | • 인력 확보, 예산, 법·제도 정비 등 기반 확충<br>– 맞춤형 영양정보 제공 등 건강식생활 실천 환경 조성 강화 |

〈 자료원 : 보건복지부 건강증진과. https://korea.kr/archive/expDocView.do?docId=37584 〉

**그림 5-19 제2차 국민영양관리기본계획 추진 방향**

[그림 5-20]과 같이 제2차 국민영양관리기본계획(2017~2021) 비전 및 추진 과제를 발표하고 [그림 5-21]과 같이 제2차 국민영양관리기본계획(2017~2021) 추진체계와 [표 5-9]의 추진과제를 제시하였다.

**비전**: 온 국민의 영양관리로 건강사회 구현

**목표**: 건강식생활 실천 인구 증가

- ✓ 적정 수준의 지방 섭취 인구 비율 증가('15년 44.2% → '21년 50%)
- ✓ 나트륨 2,000mg/일 이하 섭취 인구 비율 증가('15년 19.6% → '21년 31%)
- ✓ 적정 수준의 당 섭취 인구 비율 증가('15년 64.6% → '21년 80%)
- ✓ 과일·채소 500g/일 이상 섭취 인구 비율 증가('15년 38.5% → '21년 42%)
- ✓ 가공식품 선택시 영양표시 이용 인구 비율 증가('15년 26.4% → '21년 30%)
- ✓ 아침결식률 감소('15년 26.1% → '21년 18%)

| 전략 | 국민식생활 실천 국민 인식 제고 | 국민식생활 실천 환경 조성 | 국민식생활 실천 기반 강화 | 맞춤형 영양관리서비스 지원 강화 |
|---|---|---|---|---|
| 추진과제 | • 건강식생활 실천 운동 전개<br>• 건강식생활 실천 참여형 홍보 활동 강화 | • 신뢰성 있는 영양정보 제공<br>• 건강한 식품 선택권 보장<br>• 개인의 영양관리 능력 향상 및 실천을 위한 영양관리서비스 산업 활성화 | • 국민식생활·영양모니터링 강화<br>• 식생활·영양 관리 기준의 체계적 제·개정 및 보급<br>• 식생활·영양 관련 체계적 DB 구축·관리<br>• 관련 제도·인력·재정적 기반 강화 | • 영유아·임산부 영양관리 지원 강화<br>• 아동·청소년의 영양관리 능력 향상<br>• 성인 만성질환 예방을 위한 영양관리 강화<br>• 노인 영양관리 강화<br>• 지역사회 특화 영양사업 개발 |

〈 자료원 : 보건복지부 건강증진과. https://korea.kr/archive/expDocView.do?docId=37584 〉

그림 5-20 제2차 국민영양관리기본계획('17~'21) 비전 및 추진 과제

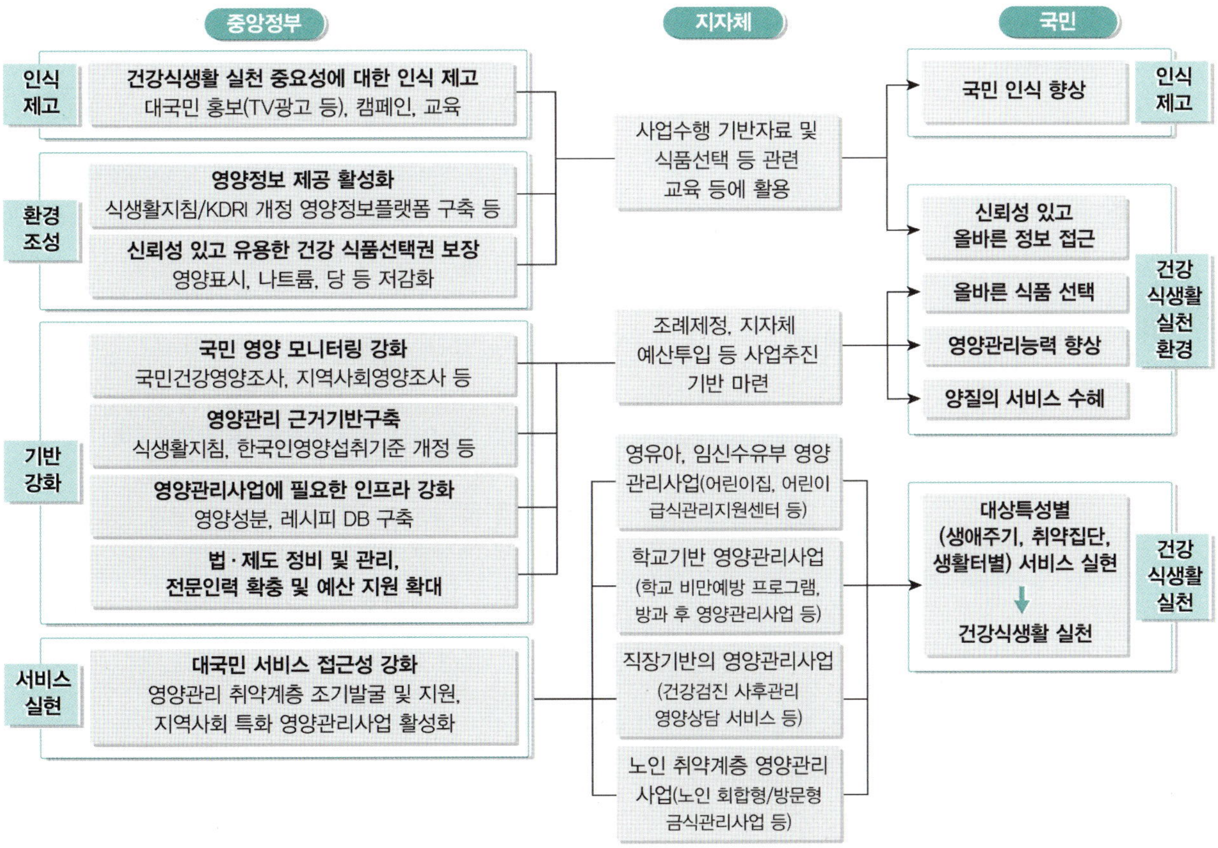


〈 자료원 : 보건복지부 건강증진과. https://korea.kr/archive/expDocView.do?docId=37584 〉

그림 5-21 제2차 국민영양관리기본계획('17~'21) 추진체계

**표 5-9 제2차 국민영양관리기본계획('17~'21) 추진과제**

| 추진전략 | 추진과제 | 세부추진과제 | 주요 사업내용 |
|---|---|---|---|
| 건강식생활 실천 국민 인식 제고 | 건강식생활 실천운동 전개 | 건강식생활 실천 캠페인 추진 | • 올바른 영양정보 교육·홍보 강화<br>• 건강 식생활 실천 캠페인 전개 |
| | | 건강식생활 실천 참여기회 제공확대 | • 관련 자원의 협력체계 강화<br>• 참여형 건강식생활 실천 프로그램 운영 |
| 건강식생활 실천 환경 조성 | 신뢰성 있는 영양정보 제공 | 식생활·영양정보 통합 플랫폼 구축·운영 | • 식생활·영양 정보 통합 플랫폼 모델 개발<br>• 식생활·영양 정보 통합 플랫폼 구축 운영 방안 마련<br>• 식생활·영양 정보 통합 플랫폼 운영 |
| | 건강한 식품선택권 보장 | 영양표시 의무화 확대 및 위해 가능 영양소 섭취 저감화 | • 나트륨·당류 관련 정보제공을 위한 가공식품의 영양표시 의무화 확대 및 표시제도 개선<br>• 나트륨 및 당류를 줄인 가공식품 개발 및 기술지원<br>• 당류 저감정책 추진기반 마련 |
| | 개인의 영양관리 능력 향상 및 실천을 위한 영양관리서비스 산업 활성화 | 개인 맞춤형 영양평가·관리도구 개발 및 보급 | • 개인 맞춤형 영양평가 및 관리 도구 개발<br>• 개인 맞춤형 영양평가 및 도구를 활용한 영양관리서비스 모델 개발<br>• 민간 활용 확대를 위한 시범사업 실시<br>• 보건소, 민간업체, 일반 국민의 활용을 위한 홍보 및 보급 |
| 건강식생활 실천 기반 강화 | 국민 건강·영양 상태 모니터링 강화 | 국민건강영양조사 확대·개선 | • 산출 영양소 수 및 식생활 관련 조사항목 확대<br>• 영양소 섭취수준과 식생활 지표 간 관련성 평가 |
| | | 청소년건강행태 온라인조사 개선 | • 청소년 영양평가 조사항목 개발 |
| | | 지역사회 건강조사 개선 | • 지역단위의 영양관리 성과 평가를 위한 조사항목 개발 |
| | | 식품소비행태조사 개선 | • 국민 식품소비행태 및 정책에 대한 인식 조사 보완·강화 |
| | | 기타 영양문제 진단에 필요한 조사 개선 | • 영양관리를 위한 식생활행태 및 영양성분 실태조사(섭취량 평가) |
| | 영양관리 근거 기반 강화 | 한국인 영양소 섭취기준 제·개정 및 보급 | • 한국인 영양소 섭취기준 개정 연구<br>• 한국인 영양소 섭취기준 개정 |
| | | 식생활지침 제·개정 및 보급 | • 국민 식생활지침 위원회(가칭) 구성·운영<br>• 국민공통 식생활지침 개정 |
| | 영양관리 인프라 강화 | 식품영양성분 국가관리망 운영 및 영양성분 제공 | • 식품 및 외식의 영양성분, 영양소 잔존률 등에 대한 DB구축·관리<br>• 식품영양성분 DB 통합관리시스템(식품안전정보포탈, 식품의약품안전처) 운영 |
| | | 기초영양DB 구축·관리 | • 섭취 평가를 위한 음식별 식품재료량 DB 구축·관리<br>• 섭취 평가를 위한 식품별 영양성분 DB 구축·관리 |
| | | 국가표준식품성분 통합 DB구축 및 활용 | • 식품 영양·기능성분 분석 및 DB 구축·관리<br>• 미량 영양성분 DB 구축 확대<br>• 소비자 맞춤형 영양정보 DB 구축·관리<br>• '국가표준식품성분표' 발간 및 활용 |

**표 5-9 제2차 국민영양관리기본계획('17~'21) 추진과제** (계속)

<table>
<tr><th>추진전략</th><th>추진과제</th><th>세부추진과제</th><th>주요 사업내용</th></tr>
<tr><td rowspan="3">건강식생활 실천 기반 강화</td><td rowspan="3">법·인력·재정적 기반 강화</td><td>관련 법령·제도 정비</td><td>• 아동급식·노인급식 등에 대한 식생활지침, 한국인 영양소섭취 기준 적용범위 지정 등<br>• 알레르기 유발 식품 표시 등 정비<br>• 지자체에서의 영양관리사업 추진의 법적 근거 마련</td></tr>
<tr><td>영양관리 전문 인력 양성</td><td>• 전문성 제고 및 역량 강화 프로그램 개발·운영<br>• 영양사 인력 연계 및 활용 촉진 창출 방안 마련</td></tr>
<tr><td>사업예산 확보 및 지원 확대</td><td>• 한국인 영양소 섭취기준 설정 근거 확보용 대사연구, 질병과 식품섭취관련성 연구 등<br>• 영양관리사업 수행을 위한 필수 예산 확보 및 운용</td></tr>
<tr><td rowspan="10">맞춤형 영양관리 서비스 지원강화</td><td rowspan="3">임산·수유부, 영유아 영양관리 지원 강화</td><td>지역사회 취약계층 발굴·지원</td><td>• 영양플러스사업 대상자 확대<br>• 지역사회 취약계층 발굴 지원 강화</td></tr>
<tr><td>영양플러스사업 참여 접근성 강화</td><td>• 온라인 기반 영양교육프로그램 개발</td></tr>
<tr><td>영양플러스사업 운영 지원체계 강화</td><td>• 정기적인 교육 지원체계를 마련<br>• 표준 영양 상담·교육 매체 개발</td></tr>
<tr><td>아동 청소년의 영양 관리 능력 배양</td><td>학교 영양관리 프로그램 개발·보급</td><td>• 학교 영양관리 프로그램 개발<br>• 학교 영양관리사업 운영 모델 개발 및 보급</td></tr>
<tr><td>성인의 만성질환 예방을 위한 중점 영양관리</td><td>보건소 모바일 헬스케어 사업과 연계한 건강검진 사후 영양 상담서비스 사업 도입</td><td>• 보건소 모바일 헬스케어 사업 적용을 위한 영양상담 서비스 도구개발<br>• 영양관리프로그램을 적용한 보건소 모바일 헬스케어 사업 개발 및 시범 적용<br>• 보건소 모바일 헬스케어사업 전국 확대 실시<br>• 담당 전문가(영양사) 역량강화 및 질환자 전문 관리 체계 마련<br>• 개인, 기업 등 참여 유도 및 확대를 위한 제도적 기반 마련</td></tr>
<tr><td>노인 건강을 위한 국가 영양지원 프로그램 강화</td><td>노인 취약계층 영양관리 지원사업</td><td>• 노인 회합형 영양관리프로그램 개발 및 운영 방안 마련<br>• 노인방문/배달형 영양관리 프로그램 개발 및 운영 방안 마련<br>• 노인 영양관리를 위한 법적·제도적 기반 마련<br>• 노인 눈높이의 체험형 식생활 안전관리 교육 모델 개발</td></tr>
<tr><td rowspan="3">지역사회 특화 영양사업 개발 및 운영</td><td>어린이 급식관리 지원센터 운영 내실화</td><td>• 어린이 급식관리 지원센터 운영 내실화를 위한 방안 마련<br>• 담당자 교육과 사업지원체계 강화<br>• 수혜자 규모 확대</td></tr>
<tr><td>저소득층 아동 과일제공 및 영양교육 사업운영</td><td>• 시범사업 운영, 교육자료 개발 및 홍보 강화</td></tr>
<tr><td>다문화가정에 대한 영양관리</td><td>• 다문화가정 영양관리 프로그램 개발 및 운영<br>• 다국어 영양교육자료 개발</td></tr>
</table>

〈 자료원 : 보건복지부 건강증진과. https://korea.kr/archive/expDocView.do?docId=37584 〉

## 제3절 + 보건교육의 이해

**Keywords**

- 보건교육
- 보건교육의 필요성
- 보건교육의 목적
- 보건교육 대상 및 범위
- 학습이론(행동주의, 인지주의, 인본주의, 구성주의 이론)

# 1 보건교육의 개념

### 1) 보건교육의 정의

교육(education)이란 인간이 가지고 있는 잠재적 역량을 끌어내어 인간을 보다 나은 상태로 발달시키는 것으로 Kant는 '인간을 인간답게 만드는 것', Dewey는 '생활과 성장 및 사회적 과정에서 경험의 재구성'이라고 하였다. 따라서 인간은 교육을 통해 학습된 경험들에 의해 개인의 역량을 습득하고 그 역량을 유지·증진하여 인간다운 삶을 영위할 수 있게 한다. 그러므로 교육은 궁극적으로 삶의 질을 향상시키도록 돕고 안내하는 과정이다. 이 과정은 인간의 지식(Knowledge), 태도(Attitude) 및 행위(Behavior)에 영향을 주기 위한 계획된 교육활동을 전개하는 것을 말한다.

보건교육(health education)이란 건강(health)을 교육(education)한다는 말로, 인간이 가지고 있는 건강과 관련된 잠재적 역량을 끌어내어 건강을 보다 나은 상태로 발달시키기 위한 것이다. 즉 보건교육을 통해 학습된 경험들을 재구성하여 건강한 삶을 유지·증진할 수 있도록 돕고 안내하는 과정으로 이 과정은 건강에 대한 지식, 태도 및 행위에 영향을 주는 '계획된 보건교육활동'을 전개하는 것을 말한다.

**보건교육의 정의**

- Griffiths(1976) : "보건교육은 최적의 건강행위에 대해 알고 있는 것과 실제 행위 사이의 차이를 줄이기 위해 행하는 활동이다."
- Simonds(1976) : "보건교육은 개인·집단·지역사회를 대상으로 건강에 해로운 행위를 건강에 유익한 행위로 바꾸는 활동이다."
- Green(1991) : "보건교육이란 건강에 도움을 주는 행위에 대해 자발적으로 순응하는 것을 촉진하기 위해 고안된 학습경험들의 조합이다."
- WHO(1998) : "건강지식을 향상하기 위해 고안된 의사소통의 형식과, 개인과 지역사회의 건강에 도움이 되는 생활방법을 개발할 수 있는 능력을 갖도록 의도적으로 구축한 학습기회를 말한다."
- **우리나라의 국민건강증진법 제2조** : "보건교육"이라 함은 개인 또는 집단으로 하여금 건강에 유익한 행위를 자발적으로 수행하도록 하는 교육을 말한다.
- **미국 학교보건 교육과 건강증진 용어 공동위원회**(Joint Committee on Terminology in School Health Education & Promotion; 2001) : 보건교육은 "개인이나 집단을 대상으로 건강에 관한 지식, 태도 및 행위의 변화가 나타나도록 영향을 주는 모든 경험의 총합이다."
- **국민건강증진사업과 보건사업 측면** : 보건교육은 개인·가족·집단 및 지역사회를 대상으로 건강에 관한 지식과 경험을 제공하여 대상자로 하여금 건강에 대한 긍정적인 지식, 태도, 가치관 및 신념을 갖도록 하고 건강에 유익한 행위를 자발적으로 수행할 수 있는 역량을 함양하도록 돕고 안내하는 계획된 교육활동이다.

이상과 같이 여러 학자들과 보건 관련 단체 및 기타 보건교육에 관한 정의를 종합해보면, 보건교육은 개인·가족·집단 및 지역사회의 건강을 유지·증진하기 위해서 대상자 스스로 건강에 유익한 행위(적절한 보건서비스 이용, 건강문제예방, 건강증진 행위 등)를 선택하고 수행할 수 있는 역량을 갖도록 돕고 안내하는 과정이다. 이 과정은 대상자의 건강행위에 영향을 주는 즉 건강과 관련된 지식, 태도와 가치관 및 신념 그리고 기술을 건강에 유익한 방향으로 변화시키기 위해 '계획된 학습경험'을 제공하는 것이다.

따라서 보건교육은 자신의 삶을 위해 대상자가 건강한 삶을 선택하여 실천하도록 하고, 보건서비스를 적절하게 선택하여 이용하도록 하고, 개인의 건강문제를 예방하고, 건강증진을 할 수 있도록 계획된 교수-학습 과정이다.

그리고 보건교육 제공자는 보건의료와 교육에 대한 지식을 충분히 쌓고 전문적으로 준비가 된 보건교육 전문 의료인에 의해서 실시되는 것이 가장 바람직하다. 간호사는 「의료법」 제2조 제2항 다목에서 간호 요구가 있는 대상자에 대한 교육·상담 및 건강증진을 위한 활동의 기획과 수행, 그 밖의 대통령령으로 정한 보건활동을 하도록 명시하고 있다.

## 2) 보건교육의 필요성과 중요성

보건교육은 대상자에게 지속적으로 건강을 유지·증진하도록 하는 데 기본적인 역할을 한다. 현대사회에서 보건교육의 필요성과 중요성은 여러 측면에서 찾아볼 수 있고 이를 살펴보면 다음과 같다.

### (1) 생활환경 변화와 질병양상의 변화

오늘날 경제발전, 국민소득수준의 향상 및 산업과 과학기술의 발달로 의료기술과 영양공급이 발달됨에 따라 평균수명이 연장되어 고령인구가 증가하고, 식생활 및 생활양식 등의 생활환경이 변화되고, 또한 지구환경과 생활환경 오염이 증가되고 있다. 이에 따른 질병양상의 변화로 만성퇴행성질환의 증가와 난치병이 증가하고 있다. 이는 낮은 건강 수명과 장기간의 의료에 대한 수요증가를 야기하고 있다.

### (2) 건강에 대한 인식의 변화

오늘날 건강은 인간의 기본권으로 「헌법」이 보장하고 있다. 또한 건강의 개념은 단순히 질병예방과 치료가 아닌 건강에 대한 관리와 증진개념으로 확대되었다. 최근 학자들의 주장에 따르면 건강문제의 80% 정도는 일차적으로 자기관리를 필요로 하고, 예방이 가능한 것들이라고 한다. 따라서 질병 원인에 대한 예방과 관리의 중요성을 인식하게 되었고, 그 예방과 관리 방법을 식습관이나 운동 등의 생활습관과 생활양식의 바람직한 변화에서 찾게 되었다.

### (3) 건강에 대한 관심과 건강문제해결에 관한 알권리 증가

현대인들은 건강에 대한 인식 변화와 함께 건강에 대한 관심이 증가되었다. 그리고 1998년 전 국민 의료보험 실시의 영향으로 의료기관 이용이 용이해지고, 소득증가와 함께 생활수준이 향상됨에 따라 과거와 달리 자신의 건강과 관련된 선택을 의료전문가와 함께 능동적으로 참여하여 결정하고자 하며, 교육수준이 향상됨에 따라 필요한 건강지식과 정보를 얻고자 하는 욕구가 강하다. 따라서 자신이 제공받고 있는 의료서비스의 수준을 판단하고, 의료수요 증가, 의료비 상승 및 보건의료 요구에 대한 대처능력 부족을 보완하기 위해 다양한 건강지식과 정보를 요구하고 있다.

#### (4) 보건의료 요구 및 수요증가에 대한 대처능력 부족

치료중심의 보건의료전달체계의 보완이 필요하고, 보건의료의 전문화 다양화로 인해 소비자가 필요로 하는 보건의료요구 및 수요 증가에 대한 대처능력 부족으로 이를 만족스럽게 충족하지 못하고 의료비상승을 야기하고 있다.

#### (5) 의료비 상승에 대한 대처능력 부족

오늘날 여러 가지 요인들에 의한 의료비 상승은 소비자로 하여금 보건의료에 대한 접근성을 낮추게 되므로 의료비 감소를 위한 대안이 필요하고 이에 대한 대처능력이 부족하다.

#### (6) 건강관리 역량 함양에 대한 요구 증가

건강관리역량 함양은 세계보건기구(WHO, 1974) 보건교육전문위원회에서 규정한 보건교육의 기본목적에 해당되고 1986년 WHO 제1차 국제회의 오타와 헌장(Ottawa Charter)에서 역량강화(Empowerment), 개인의 기술개발(Develop Personal Skills), 2009년 제7차 나이로비국제회의에서 건강문해력과 건강행위, 건강증진 역량강화, 2016년 제9차 상하이 국제회의에서 건강정보이해(health literacy) 역량강화 등을 강조하고 있다.

개인의 건강잠재력을 발현하기 위해서는 스스로 자신의 건강을 관리할 수 있는 건강관리역량을 함양할 필요가 있다. 이를 위해서 적절한 건강정보와 지식이 필요하며, 이는 보건교육을 통해 가능하다. 따라서 보건교육은 건강 확보와 유지 및 증진의 기본이라고 할 수 있다. 대상자의 건강관리 역량, 즉 건강잠재력의 발현은 지속적인 건강행위 실천에 있다. 이러한 지속적인 건강행위의 실천을 가능하게 할 수 있는 방법으로 생활습관이 고정되기 이전인 유아기부터 평생을 통해 실시하는 지속적인 보건교육을 들 수 있다. 그래서 오늘날 보건교육의 필요성과 중요성은 더욱 강조되고 있다.

### 3) 보건교육의 목적과 목표

#### (1) 보건교육의 목적

보건교육의 목적은 개인·가족·집단 및 지역사회 주민 모두가 스스로 건강을 관리할 수 있는 역량을 갖추고, 자발적인 실천을 통해 건강수명을 늘리고, 삶의 질을 향상시키는 것이다. 세계보건기구(WHO, 1974) 보건교육전문위원회에서 규정한 보건교육의 기본목적은 대상자 스스로의 행동과 노력으로 자신의 건강을 유지·증진하는 데 있다. 구체적인 목적은 다음과 같다.

- 개인·가족·집단 및 지역사회 구성원은 그들의 건강이 지역사회 발전의 중요한 자산임을 인식하도록 한다.
- 개인·가족·집단 및 지역사회의 구성원이 자신의 건강문제를 인식하고 자신의 건강관리를 스스로 수행할 수 있는 역량을 갖도록 한다.
- 지역사회가 그들의 건강문제를 인식하여 스스로 지역사회건강을 유지·증진할 수 있는 역량을 갖도록 한다.

### (2) 보건교육의 목표

보건교육이 달성해야 할 구체적인 목표는 다음과 같다.

#### ① 건강에 대한 인식 개선 교육

- 건강에 대한 중요성을 인식하게 한다 : 대상자 한 개인의 건강은 자신과 가족 및 지역사회의 중요한 자산임을 알고 스스로 자신의 건강을 좀 더 바람직한 방향으로 추구할 수 있도록 돕는다.
- 건강문제를 인식하게 한다 : 개인·가족·집단 및 지역사회의 건강문제가 무엇인지 인식하고, 그 해결에 대한 책임 또한 그 자신에게 있다는 것을 인식한다면 보다 적극적인 참여와 동기유발이 가능하고, 교육의 효과를 높일 수 있다. 또한 건강문제의 심각성 정도를 인지하게 한다.
- 건강증진과 예방·조기검진·조기치료의 중요성을 인지하게 한다.
- 질병이나 장애 또는 불구가 발생할 수 있는 환경적 위험 또는 위험요소를 분별할 수 있도록 위험요인을 인지하게 한다.
- 자신의 선택으로 건강행위 변화가능성을 인지하게 한다. 따라서 자신의 건강에 유익한 건강 관련 지식, 태도, 행위를 스스로 선택할 수 있게 한다.

#### ② 스스로 건강을 관리할 수 있는 역량 교육

- 보건교육을 통해 대상자가 습득한 새로운 지식·태도 및 행위역량은 건강한 삶을 위해 스스로 자신의 생활습관을 통제하게 한다. 그러므로 보건교육은 스스로 건강관리를 할 수 있는 역량을 함양하게 하고, 함양된 건강 잠재력을 일상생활에서 발현되게 한다.

#### ③ 자발적인 건강행위 실천방법 교육

- 자발적인 건강행위 실천방법을 알고 실천을 통해 스스로 건강을 유지·증진하게 한다.
- 바람직한 건강 행위를 실천하여 건강문제의 심각성을 감소시키고 신속하게 정상적인 기능을 수행할 수 있도록 돕는다.
- 건강증진과 예방·조기검진·조기치료의 중요성을 알고 실생활에서 실천하여 건강증진과 질병을 예방하고, 건강문제를 가진 상황에서 자신의 건강문제를 적절히 관리한다.
- 질병이나 장애 또는 불구가 발생할 수 있는 위험 또는 위험요소를 분별할 수 있고 실생활에서 실천하여 건강 위협요인을 제거하거나 조절할 수 있는 역량을 함양하고, 자발적인 실천을 통해 스스로 건강을 유지·증진한다.
- 질병이나 장애 또는 불구가 발생했을지라도 최대한 자신의 기능을 알고 최대한 발휘할 수 있도록 재활과 사회복귀를 돕는다.

## 2 보건교육자의 역할

교육의 성립은 교육의 3요소로 이루어진다. 교육의 3요소는 교육의 주체·객체·매개체(the subject of education, the object of education, the medium of education), 즉 교수자·교육대상인 학습자·교수－학습방법이다. 과거에는 교육이 주로 교육자의 계획과 실행에 의해 이루어진다는 전통적 관점에서 교육자를 교육의 주체로 보는 견해가 일반적이지만 근래에는 인본주의와 구성주의 영향에 의한 학습자중심교육에 따라 학습자를 교육의 주체로 보고 있다.

교육자는 교육에 대한 관점에 따라 다양한 역할과 자질을 갖추어야 한다. 특히 보건교육자는 개인·가족·집단·지역사회의 질병예방, 건강 보호·유지·증진에 기여하기 위해 안전하고 건강한 환경과 생활양식을 갖도록 동기부여를 하고 교육을 하는 역할을 한다.

- **윤리적 책임** : 교육을 하는 과정에서 보건교육 방법을 선택하고 수행할 때는 다양한 보건교육 관련 이론과 윤리적 원칙을 적용해야 한다. 윤리적 기본 원칙이 적용되지 않으면 대상자에게 잘못된 정보를 제공하게 되거나, 부당한 대우를 하게 되거나, 부당한 대우를 받게 될 수도 있다. 그러므로 보건교육자는 보건교육에 대한 윤리적 책임이 있다.
- **다양한 전문능력 함양** : 교육자가 갖추어야 할 윤리적 덕목과 함께 보건교육과 관련된 간호학, 영양학, 보건학, 인구학, 역학 등의 공중보건 분야와 교육학, 사회심리학, 행동과학 등 교육 관련 분야에 대한 다양한 전문능력을 두루 갖추어야 한다. 또한 보건교육 내용에 관한 지식과 교수기법, 의사소통 기술, 조직화 등과 같은 교육자 자신의 강점을 적극 활용한다. 전반적인 보건교육 과정을 적용하기 위해 교육에 필요한 자료를 수집하고 분석하여 보건교육의 요구를 사정하고, 보건교육사업 계획과 학습지도 계획을 수립하고, 수행하며 평가하는 능력을 가지고 있어야 한다.
- **다학제간 지식 활용** : 최근 보건교육 동향에 따르면 건강관리자로서의 교육자는 다학제 간의 지식을 통합적으로 전달하고, 학습자의 지식개발과 잠재력·사고력·창의력을 개발하고, 학제 간 및 교육자－학습자 간의 협력조정능력을 함양하고, 전문화된 교육능력을 함양하고, 교육의 효율성을 향상하는 등의 다양한 역할이 요구된다.
- **책임과 노력(사명감, 봉사 및 헌신)** : 미국의 보건교육국가자격위원회(National Commission for Health Education Credentialling; NCHEC)에서는 '보건교육 전문가는 개인·가족·집단 및 지역사회의 건강증진을 위해 전문적인 헌신을 해야 한다'라고 하였으며, '보건교육자는 책임영역(Seven Areas of Responsibility)을 가지며, 그에 대한 역량이 필요하다'라고 하였다.

**보건교육자의 7가지 책임영역(USA. NCHEC)**

① 보건교육을 위한 요구, 자산 및 역량 사정(Assess Needs, Assets and Capacity for Health Education)
② 보건교육 기획(Plan Health Education)
③ 보건교육 수행(Implement Health Education)
④ 보건교육과 관련된 평가와 연구 수행(Conduct Evaluation and Research Related to Health Education)
⑤ 보건교육의 관리 및 운영(Administer and Manage Health Education)
⑥ 보건교육의 인적자원으로 기능(Serve as a Health Education Resource Person)
⑦ 건강과 보건교육을 위한 의사소통과 옹호(Communicate and Advocate for Health and Health Education)

오늘날 보건교육자의 역할은 매우 다양하다. 기능에 따라 자문가, 평가자, 변화촉진자, 정보제공자, 자원의뢰자, 상담가, 옹호자, 조정자, 역할모델, 관리자, 협력자, 연구자, 지도자, 일차의료제공자 등의 역할이 필요하다. 이러한 보건교육자의 역할을 정리하면 [표 5-10]과 같다.

보건교육의 목적이 보건교육을 통해 학습자의 건강관리능력을 향상시킴으로써 학습자 스스로가 건강에 유익한 행위를 실천하도록 하는 데 있음을 고려할 때, 교육자는 학습자가 목적달성에 대한 필요성을 느끼고 학습에 임하도록 학습동기를 유발하고, 교육에 능동적인 참여를 조장하고, 학습자 스스로 변화할 수 있는 자가 학습의 기회를 갖도록 교육할 필요가 있다.

학습자가 보건교육과정에 능동적으로 참여함으로써 얻을 수 있는 이점은 건강에 대한 인식이 증진되고, 건강문제 발견 가능성과 자신의 건강관리에 대한 관심과 책임 의식이 높아지며, 스스로 건강문제 해결방법을 모색하고 해결할 수 있는 가능성이 높아진다.

따라서 보건교육자는 건강에 대한 대상자의 요구를 사정하고, 건강문제를 확인하는 단계부터 문제 해결방법을 계획하고 수행하며 평가하는 단계까지, 즉 보건교육 전 과정에 학습자를 능동적으로 참여시킴으로써 보건교육의 효과를 극대화할 수 있다. 이와 같이 보건교육자는 전문가로서의 능력을 갖추고 사회가 기대하는 역할을 다함으로써 학습자의 건강목적 달성을 도와야 한다.

**표 5-10 보건교육자의 역할**

| 구 분 | 역 할 |
|---|---|
| 자문가(Adviser) | 교육과정 편성에 참여, 교육목적에 맞게 보건사업과 보건교육이 조정되도록 조언 |
| 평가자(Evaluator) | 교육을 통해 변화된 학습자의 지식, 태도, 행위 등의 학습결과와 건강수준을 평가, 반영, 개선방안 모색 |
| 변화촉진자<br>(Facilitator, Change Agent) | 교육을 통해 변화하는 과정에서 학습자에게 작용하는 촉진요인과 방해요인 확인, 변화를 위한 동기를 부여, 긍정적인 변화 유발, 학습자의 건강을 위한 변화가 긍정적으로 일어날 수 있도록 매개 |
| 정보제공자(Informer) | 건강의 유지·증진에 관련된 다양한 정보 제공 |
| 자원의뢰자(Resource Referrer) | 유용한 자원, 기관과의 네트워킹을 통해 인프라 구축, 학습자의 건강요구를 해결하기 위해 필요 시 의뢰 |
| 상담가(Counselor) | 대상자 스스로 문제를 인식하고 해결방법을 모색하도록 도움<br>학습자가 건강에 대한 인식과 관리방법을 스스로 찾을 수 있도록 도움 |
| 옹호자(Advocator) | 건강과 관련해서 불평등을 겪고 있다면 보건교육을 통해 또는 관련 조직이나 기관에 의견을 제시하여 대상자의 편에서 두둔하고 지지하여 대상자에게 이롭게 함 |
| 조정자(Coordinator) | 보건교육이 부족·편중·중복되지 않게 문제점 파악, 발전적인 방안과 해결책 찾고 개선 |
| 역할모델(Role Model) | 보건교육자와 접하는 모든 사람들의 행위에 영향을 주고, 건강위행의 표본이 됨 |
| 관리자(Manager) | 보건교육을 위한 계획, 조직, 조정, 감시, 감독 등의 관리를 함 |
| 협력자(Collaborator) | 보건교육 팀의 타 건강관리요원들과 의사소통, 의사결정, 효과적인 보건교육을 위해 협력 |
| 연구자(Researcher) | 보건교육을 위한 효과적이고 체계적인 연구, 연구의 계획, 수행, 평가 및 실무의 적용 |
| 지도자(Leader) | 보건교육 팀의 타 건강관리요원들과 타부서 구성원, 대상자 등을 대상으로 지역사회에서 지도력을 발휘함 |
| 일차의료제공자<br>(Primary Health Care Giver) | 보건교육을 통해 개인·가족·지역사회의 건강증진, 예방, 치료 및 재활을 위한 통합적 서비스 시행 |

## 3 보건교육의 대상 및 범위

보건교육의 대상 및 범위는 개인뿐만 아니라 가족, 조직 및 지역사회전체를 대상으로 건강관리 역량을 강화시키고, 보다 나은 건강수준을 향상시키기 위해 건강증진에서부터 질병의 예방, 진단과 조기발견 및 치료 그리고 재활 등의 범위를 모두 포함한다.

보건교육의 대상 및 범위는 다양한 관점에 따라 분류될 수 있다[그림 5-22]. 첫째, 대상자의 수(크기)에 따라 개인과 집단을 단위로 나눌 수 있다. 둘째, Rapp & Poertner(1992)의 대상자결정 모형에 따르면 대상 집단의 특성에 따라 일반적 집단, 위험집단, 표적집단, 대상자집단으로 구분할 수 있다. 셋째, 생애주기에 따라 영·유아, 학령전기, 학령기, 청소년기, 성인기 및 노년기로 나눌 수 있으며, 마지막으로, 지역사회간호 실무현장을 중심으로 가정, 의료기관, 학교, 산업장, 공공보건사업기관, 지역사회 보건관련 단체 등으로도 구분할 수 있다.

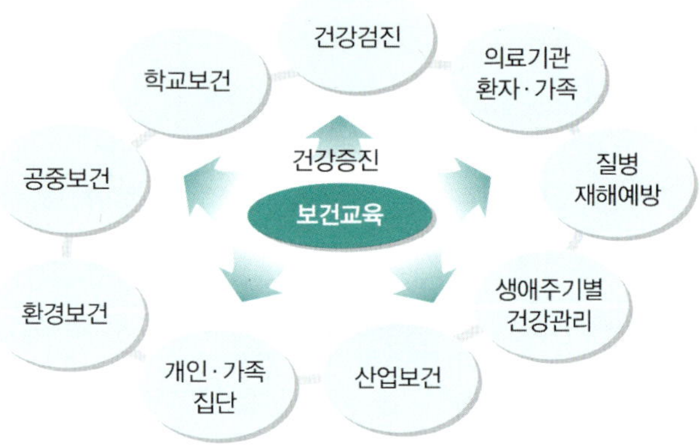


그림 5-22 보건교육의 대상 및 범위

### 1) 대상자의 수에 따른 분류

대상자의 수에 따른 분류를 살펴보면 교육대상 인원이 1명인 개별교육과 2명 이상인 집단교육이 있다. 개별 보건교육은 지역사회간호 실무현장에서 개인별 보건교육이 필요한 경우 대상자 한 명에게만 교육이 이루어지는 것이다. 예를 들면 상황적 특성에 따라 개인의 비밀유지가 필요한 경우(에이즈, 비합법적인 임신 등), 감염 전파 우려가 있는 경우 등이다. 집단별 보건교육은 두 명 이상을 대상으로 수행하는 보건교육을 말한다. 개별교육과 집단교육은 p.441 '보건교육시 활용하는 교수-학습방법의 종류'에서 상세히 제시하고 있다.

### 2) 대상자집단의 특성에 따른 분류

보건교육 대상자집단의 특성에 따른 분류를 도식화하면 [그림 5-23]과 같고 그 설명은 다음과 같다.

#### (1) 일반집단

지역사회에서 가장 포괄적인 인구집단을 말한다. 따라서 지역사회 주민 전체, 누구나 일반적인 집단으로 보건교육 대상이 될 수 있다.

그림 5-23 대상자집단의 특성에 따른 분류

#### (2) 위험집단

문제에 직접 노출되거나 노출될 위험이 있어 취약한 상태에 있는 대상자로 특정 보건교육의 개입이 필요한 대상자를 말한다. 국가 또는 지역사회 보건정책의 개입이 필요한 집단 등이다.

#### (3) 표적집단

위험집단 중에서 구체적인 보건교육 프로그램의 중재가 필요한 대상으로 국가 또는 지역사회 보건사업의 대상자로 선정된 집단이나 고위험집단 등이다.

#### (4) 대상자집단

실제로 보건프로그램에 참가하는 집단으로 프로그램의 성격에 따라 일반집단, 위험집단, 표적집단 중에서 보건교육에 자발적으로 또는 선택적으로 참여한 집단이다.

### 3) 대상자의 생애주기에 따른 분류

영·유아, 학령전기, 학령기, 청소년기, 성인기(임산부 포함) 및 노년기의 특성과 병태생리 및 발달과업에 따라 분류하여 보건교육을 수행하는 것이다.

### 4) 실무현장에 따른 분류

최근에는 모든 지역사회간호실무현장에서 공통적으로 재난·안전·위생·감염 예방교육의 중요성이 그 어느 때보다 강조되고 있다. 보건교육 또한 지역사회간호실무현장에 따라 그 특성을 반영하여 대상자와 보건교육 범위를 [표 5-11]과 같이 정하고 있고 그 설명은 다음과 같다.

#### (1) 의료기관에서의 보건교육

의료기관에서 이루어지는 보건교육은 넓은 의미와 좁은 의미에서 교육이 이루어질 수 있다.

넓은 의미에서의 의료기관 보건교육은 지역사회 내 불특정 다수의 일반인이나 환자 및 그 가족을 대상으로 하는 각종 건강강좌 또는 인터넷이나 소책자 등을 이용하여 질병관리에 필요한 정보제공, 기관내 의료인과 직원 등을 대상으로 직무관련 재난·안전·위생·감염 예방교육 등이 다양한 방법과 경로를 통해 이루어질 수 있다.

**표 5-11 보건교육 대상 및 범위의 실무현장에 따른 분류**

| 분 류 | 의료기관 | 가 정 | 학 교 | 산업장 | 지역사회 |
|---|---|---|---|---|---|
| 대 상 | 환자·가족·전문인력 | 개인·가족 | 학생·교직원·가족 | 근로자·가족 | 전 주민·보건인력<br>공공단체·민간단체 |
| 범 위<br>(교육<br>내용) | • 질병관련 교육<br>• 재난·안전·위생·감염 예방 및 관련 교육 | • 건강증진·발달과업·재난·안전·위생·감염 예방 및 관련 교육 | • 교과과정에 따른 보건교육·건강증진·재난·안전·위생·감염 예방 및 관련 교육 | • 산업안전·산업재해 및 직업병 예방 교육<br>• 건강증진·재난·안전·위생·감염 예방 및 관련 교육 | • 건강증진·만성질환 예방 및 관리·재난·안전·위생·감염 예방 및 관련 교육 |

좁은 의미에서의 의료기관 보건교육은 급성 또는 만성질환의 진단과 치료 과정 중에 있는 환자와 그 보호자를 대상으로 의료인에 의해 행해지는 교육이다. 의료기관에서의 보건교육은 의료인에게 새로운 정보를 제공하고, 환자와 그 가족에게 질병과 치료에 대한 이해를 돕고, 질병치료와 관리의 필요성을 알게 하고, 재원기간을 감소시키거나, 재원 시 병원환경에 잘 적응할 수 있도록 하며, 퇴원 후 가정에서 자가 건강관리능력을 향상시키고, 지속적인 재활과 재발 및 합병증을 예방하는 데 도움을 줄 수 있다.

### (2) 가정에서의 보건교육

가정에서 이루어지는 보건교육은 방문간호사나 가정간호사 그 외 지역사회 보건요원이 가정을 방문하여 대상자와 그의 가족에게 간호수행 시 교육이 함께 이루어진다. 그리고 가족의 문제해결을 위해 가족간호중재의 한 방법으로 가족을 단위로 수행하는 보건교육이 있다.

### (3) 학교에서의 보건교육

학교에서 학생들과 교직원을 대상으로 행해지는 보건교육은 수업을 통한 정규 교육과정과 비정규 교육과정 속에서 재난·안전·위생·감염 예방교육을 포함한 건강에 대한 지식, 태도, 가치 및 기술을 교육하는 것으로 교육이 용이하고 매우 효과적이다. 학령기 및 청소년기는 한 개인의 일생 중 가장 감수성이 예민하고 성장이 활발한 시기로 교육을 통한 변화가 용이하고 이 시기에 받은 올바른 보건교육은 평생 좋은 습관으로 습득되어 일생동안 지속되기 때문에 개인의 삶의 질에 많은 영향을 미친다. 뿐만 아니라 학교인구는 지역사회인구 중 차지하는 범위가 매우 크다. 부모나 다른 가족구성원의 행위변화에도 중요한 영향을 미칠 수 있어 학교에서의 보건교육은 지역사회에 파급효과가 크다.

### (4) 산업장에서의 보건교육

산업장에서 근로자, 직원 및 가족을 대상으로 하는 보건교육으로 산업보건활동의 기본이 되는 중요한 활동이다. 재난·안전·위생·감염 예방교육을 포함한 산업장의 각종 작업환경 및 건강위험요인들이 산업재해와 직업병의 발생에 미치는 영향에 관한 정보를 제공하고, 이에 대한 인식을 높여 산업재해와 직업병 발생을 예방하고, 근로자의 건강과 안전 및 생산성 향상에 기여한다.

### (5) 지역사회에서의 보건교육

#### ① 공공보건사업기관에서의 보건교육

우리나라에서는 지방보건행정단위인 보건소, 보건지소, 건강생활지원센터 및 보건진료소 등을 통해서 국민건강증진사업의 일환으로 지역주민을 대상으로 보건교육사업이 활발하게 이루어지고 있다. 그러나 최근에는 재난·안전·위생·감염 예방교육 관련 부분이 절실하게 요구되고 있다. 보건교육의 대상은 특정 보건사업의 대상자를 포함하여 평생건강관리체계 내에서 생애주기별로 영·유아에서 노인에 이르기까지 지역사회 전 주민을 모두를 포함한다.

#### ② 기타 보건관련 단체에서의 보건교육

기타 보건관련 단체는 정부보건사업을 지원하는 측면에서 정규교육을 보충하고 실생활과 밀접한 내용을 다루는 평생교육의 기능을 갖고 사회교육활동의 한 부분으로 이루어지고 있다. 우리나라 주요 보건관련 단체로는 대한결핵협회, 대한나병관리협회, 대한산업보건협회, 대한암협회, 대한적십자사, 인구보건복지협회, 의료보험관리공단, 한국건강관리협회, 한국교육개발원, 한국마약퇴치운동본부, 한국성인병예방협회, 한국소비자연맹, 한국에이즈연맹 등이 있고, 이곳에서 다양한 보건교육들이 이루어지고 있다.

## 4 보건교육의 내용

보건교육에서 교육내용은 신체적, 정신적, 정서적, 사회적, 환경적, 지적, 영적, 건강의 모든 측면을 포괄하는 전문영역으로 자연과학(간호학, 영양학, 생물학, 의학 등)과 행동과학, 사회과학(철학, 교육학, 심리학, 사회학, 경영학, 행정학 등) 등의 다양한 분야의 접근이 필요한 다학제 간의 응용 학문이다. 그러므로 보건교육 내용은 매우 다양하지만 여기서는 예방수준별 보건교육 내용과 「국민건강증진법」의 보건교육 내용을 살펴보기로 한다. 그 내용은 다음과 같다.

### 1) 예방수준별 보건교육 내용

#### (1) 일차예방 수준의 보건교육

일차예방 수준의 보건교육은 건강한 상태에 있는 개인·가족·집단 및 지역사회를 대상으로 건강을 보호·유지·증진하는 것과 질병의 발생·예방에 대처할 수 있는 효과적인 대응방법 등을 포함한 교육을 말한다. 즉 보건교육을 실시함으로써 더 나은 건강을 위해 질병을 예방하고 건강을 보호·유지·증진할 수 있도록 하는 것이다.

예를 들면 보건교육을 실시함으로써 적절한 식이, 운동, 흡연, 과음, 약물남용, 비만, 영양결핍, 스트레스, 수면부족, 위험한 성행위, 임신, 수유, 이유식 등과 재난·안전·위생·감염 예방교육을 포함한 건강의 위험요인과 유익한 요인을 인식하고 분별할 수 있는 능력을 갖게 하여 건강행위를 관리하고 실천하도록 하는 것이다.

#### (2) 이차예방 수준의 보건교육

이차예방 수준의 보건교육은 개인·가족·집단 및 지역사회의 건강문제를 조기에 발견하고 치료가 가능하도록 대처할 수 있는 효과적인 대응방법 등을 포함한 교육을 말한다. 즉 보건교육을 실시함으로써 심각한 질병으로 발전하거나, 질병의 확산을 막을 수 있도록 하는 것이다. 예를 들면 건강검진의 필요성과 중요성, 질병의 초기증상과 심각성, 재난·안전·위생·감염의 초기징후 및 조기발견 등을 교육하여 건강검진 수검률, 조기 치료율 및 조기 대처율을 향상시키도록 하는 것이다.

#### (3) 삼차예방 수준의 보건교육

삼차예방 수준의 보건교육은 개인·가족·집단 및 지역사회의 기능장애 또는 사망, 파괴 등을 방지하고 고통을 완화하며 기능장애를 복구하거나 남은 기능을 최대한 활용하도록 하는 재활교육을 말한다. 즉 보건교육을 실시함으로써 적응방법, 재활, 사회복귀, 복구 등을 돕는 것이다. 예를 들면 10대 임신을 경험한 후 재임신을 예방하는 교육, 알코올 중독자 재발 방지교육, 재난·안전·위생·감염 재발 방지교육 등이 있다.

### 2) 국민건강증진법의 보건교육 내용

우리나라 「국민건강증진법」에 따른 보건교육의 내용은 대통령령으로 정한다(제12조 4항). 보건교육의 관장은 국민의 보건교육에 관하여 관계중앙행정기관의 장과 협의하여 보건복지부장관이 총괄한다(제11조).

> **국민건강증진법 시행령 제17조 보건교육 내용**(2020.6.4)
> 1. 금연·절주 등 건강생활의 실천에 관한 사항
> 2. 만성퇴행성질환 등 질병의 예방에 관한 사항
> 3. 영양 및 식생활에 관한 사항
> 4. 구강건강에 관한 사항
> 5. 공중위생에 관한 사항
> 6. 건강증진을 위한 체육활동에 관한 사항
> 7. 기타 건강증진사업에 관한 사항

## 5 학습이론과 보건교육

학습이론은 학습이 일어나는 현상, 즉 학습자가 어떠한 행동을 지속하거나 또는 중단하게 하는 요인과 과정에 관하여 설명하는 이론이다. 따라서 학습은 경험의 결과로 비교적 영속적인 행위와 행위를 유발할 수 있는 잠재력의 변화를 초래한다. 즉 경험의 결과로 인해 지식을 습득하고, 태도가 변화하고, 행위가 비교적 영속적으로 변화하는 것이다. 그러므로 학습이론은 학습자가 학습경험을 통해 어떻게 지식을 습득하고, 태도가 바뀌고, 비교적 영속적인 행위변화를 유발할 수 있는 잠재력의 변화를 경험할 것인지를 나타내는 현상과 요인과 과정에 관한 설명이다.

다양한 학자들의 학습이론은 인간의 본성에 대한 관점과 가치관에 따라 다양한 이론이 있다. 그 이론은 학습을 유발하고, 학습을 촉진하는 과정과 학습결과로 나타난 변화를 설명한다. 이러한 다양한 이론들은 학습의 특성을 다양한 관점에서 설명하고 있다. 때문에 보건교육자의 학습에 대한 관점에 따라 보건교육을 수행하는 방법이 달라질 수 있다. 교육자는 모든 학습자가 동일한 과정으로 학습을 경험하지도, 교육자 자신이 학습하는 방법으로 학습하지도 않는다는 것을 명심해야 한다.

따라서 보건교육자는 동일한 건강문제를 가지고 있는 서로 다른 대상자를 교육할 때, 각 학습자의 학습특성에 따라 그에 적합한 학습전략과 교육설계가 이루어져야 할 것이다. 그리고 보건교육자는 보건교육의 사정·계획·수행·평가·회환(feedback)의 전 교육과정에서 학습에 관한 다양한 이론적 특성을 충분히 이해하고 적용할 필요가 있다. 그러므로 보건교육자는 학습이론을 잘 이해하고 있을 때 효과적인 교육이 가능하게 된다.

이 장에서는 오늘날 교육학에서 일반적으로 널리 소개되고 있는 4가지 주요 교육이론인 행동주의(Behaviorism), 인지주의(Cognitivism), 인본주의(Humanism), 구성주의(Constructivism) 학습이론을 살펴보고자 한다.

### 1) 행동주의 학습이론

행동주의 학습이론(Learning Theory of Behaviorism)은 20세기 초 John B. Watson(1910년, 미국)이 창안한 것으로 구조주의에 반대해 나타난 이론이다. 자연과학의 일부로서 객관적, 외현적 행동만이 연구 대상이 되었다. 행동주의 학습이론의 특징적인 개념은 '유기체는 빈 백지상태로 태어난다.'는 가정 하에서 유기체가 환경과 경험의 자극과 반응 간의 연결이나 강화를 통해서 독특한 행동을 습득하게 된다고 주장한다.

행동주의적 관점에서 학습은 경험에 의해 발생하는 관찰 가능한 지속적인 행동변화로 내면적인 사고나 태도의 변화는 학습이 아니고 외현적인 행동의 변화가 나타났을 때 학습이 일어난다고 보았다. 행동주의자들은 인간의 사고나 정서, 동기와 같은 유기체의 내적인 과정은 관찰이나 측정이 불가능하기 때문에 연구대상에서 제외하였다.

행동주의적 접근에서 제안된 학습의 원리는 주로 통제된 실험실에서 동물실험을 통해 밝혀진 것들이다. 대표적인 이론가에는 Pavlov의 '고전적 조건화이론(S-R 이론)', Thorndike의 '시행착오설', Skinner의 '조작적 조건화 이론(S-O-R 이론)' 등이 있다[그림 5-24].

| Pavlov의 고전적 조건화 | Thorndike의 도구적 조건화(시행착오학습) | Skinner의 조작적 조건화(강화학습) |
|---|---|---|
| • 개념 : 무조건자극(음식물)+조건자극(종소리)을 결합, 무조건자극 없이 조건자극만으로 조건반응(침흘림)을 얻는 것 | • 개념 : 자극반응에 대해 유기체가 시행착오적으로 반응을 반복하는 가운데 효과의 법칙에 따라 실패반응은 약화되고 성공반응은 강화되어 학습이 일어남 | • 개념 : 스스로 조작해서 보여주는 능동적 반응이 간접적으로 자극의 역할을 하여 강화를 가져오게 된다는 것. 단순히 자극에 의해 이끌어져 나오게 된 반응과 스스로 조작해서 보여주게 된 반응과 구별되는 것 |

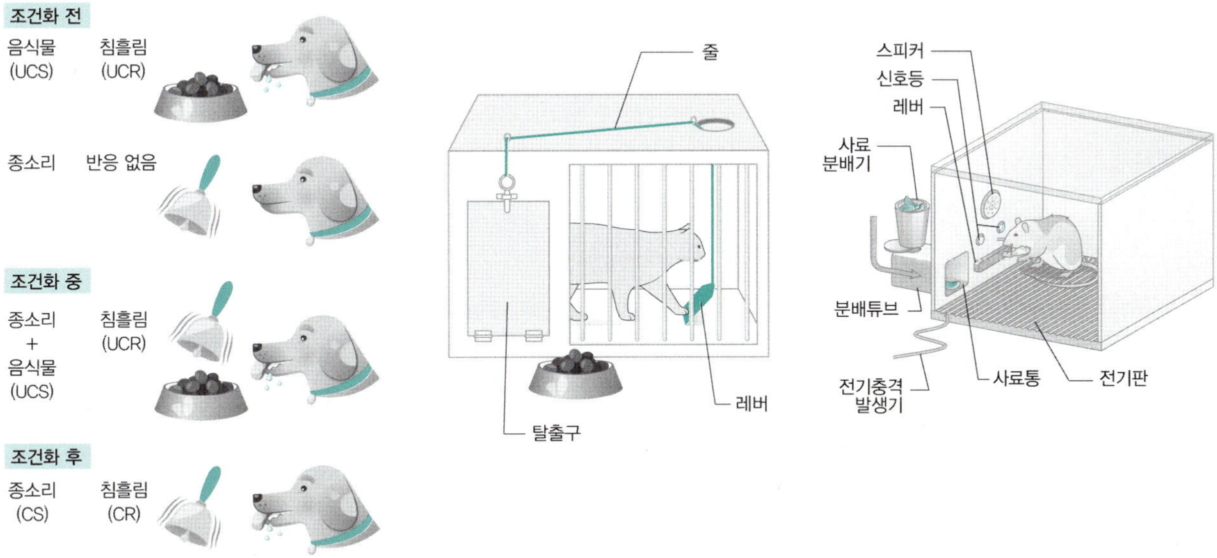


그림 5-24 행동주의 학습이론

### (1) 행동주의 학습이론과 보건교육

보건교육에서 행동주의 학습이론의 적용은 반복연습과 강화를 함으로써 학습효과를 최대화하기 위한 이론적 배경을 제공한다. 행동주의 학습이론을 교수-학습에 적용하는 원리는 다음과 같다.

- 강화와 반복을 통한 행동수정 원리 활용
- 강화를 통해 학습흥미 유발과 학습동기 유발
- 간헐적인 강화로 외적 동기 유발
- 사전에 구체적인 목표제시
- 계열화를 통한 작은 단위의 분절적인 과제 제시
- 반복 연습과 즉각적인 회환(feedback) 제공
- 변별력 있는 자극 제공

### (2) 행동주의 학습원리의 시사점과 비판점

행동주의 이론에 따르면 학습은 반복되는 경험을 통해 학습하는 과정에서 행동이 수정된다고 한다. 유기체의 행동을 변화시키는 것은 주변 환경의 자극과 경험이기 때문에, 행동주의는 행동과 환경자극의 기능적 관계의 중요성을 부여한다. 따라서 행동주의 이론이 교육에서 주는 가장 큰 시사점은 강화물과 반복연습이라는 행동수정 원리이다.

행동주의 학습이론은 인간의 가능성을 겉으로 드러나는 외면적인 행동에만 초점을 두고 있어, 학습의 진행과정은 간과하고 있다는 점에서 비판을 받는다. 그러나 실제 교육현장에서 이 이론은 학습자의 바람직하지 못한 행동을 억제하고 바람직한 행동을 격려하여 지속시킬 수 있는 행동수정에 있어 가장 효과적인 학습이론으로 평가받고 있다.

## 2) 인지주의 학습이론

인지주의 학습이론(Learning Theory of Cognitivism; 1970년대)은 Gestalt심리학자들이 창안한 것으로 행동주의가 지나치게 개별주의적(particularistic)이고, 단편적인 사건이나 행동에 집착하고, 학습을 설명하는 것이 지나치게 외현적인 행동에 의존한다고 비판하며, 행동주의에 저항하여 생겨난 학습이론이다. Gestalt심리학자들은 내적 역동과 정보처리를 중시하며, 부분보다 전체, 단편적인 사건보다 유형을 강조하고, 의식의 활동과 지각의 전체성을 중시하는 기억이나 동기와 같이 관찰 불가능한 것들을 말하고 있다.

인지주의 학습이론의 특징적인 개념은 학습을 정보습득에 초점을 두고 인간의 내면에 있는 지식, 태도, 가치 및 신념과 같은 인지적 요인을 행위로 변화시키도록 접근한다. 인지주의 학습이론에 기여한 중요한 개념은 지각(cognitivism), 통찰력(insight), 의미(meaning)의 3가지가 있다. 즉 인간에게 자극(stimulus)이 들어오면 유기체(organism) 내부에서 사고를 통해 지각(cognitivism)하고 통찰력(insight)과 의미부여(meaning)를 통해서 반응(response)하는 것을 행위라고 표현하는 자극－유기체－반응(S-O-R)모형으로 설명하고 유기체인 인간의 내적 특징을 강조한다.

따라서 자극이 직접적으로 반응을 유발한다기보다는 자극이 유기체와 작용해서 반응을 일으킨다고 본다. 또한 하나의 유기체인 개인이 갖는 주관적 가치와 특정한 행위를 목표로 설정하고 목표달성의 결과가 유발될 것이라고 믿는 주관적 기대감이 행위변화의 주된 요인이 된다는 것이다.

인지주의에서 인간에 대한 관점은 문제해결을 위한 정보를 적극적으로 탐색하고 이미 알고 있는 것을 재배열하고 재구성함으로써 새로운 학습을 성취하는 능동적이고 적극적인 존재로 보았다. 학습 외적인 요인도 중요시 하지만 인지주의는 학습을 본질적으로 내적인 사고과정의 변화로 보았다. 그래서 인지주의에서는 행동에 인간의 인지가 결합되어 나타나게 되므로 인간의 행동을 행위라고 표현한다. 따라서 인지주의 이후부터는 동물적 행동과 인간의 행위를 구분 짓는 용어로 '행위'를 사용한다.

초기 인지주의 심리학자들로는 James, Wundt, Galton 등이 있고, 고전적 인지주의 학자들로는 'Köhler의 통찰이론(insight theory)', 'Lewin의 장이론(field theory)', 'Piajet의 인지발달이론(cognitive development theory)' 등이 있다. 대표적인 교육학자는 'Ausubell(1967)의 유의미학습', 'Bruner(1965)의 발견학습', Gagne & Briggs (1979), 'Gagne의 처방적 교수이론' 등이 있다[그림 5-25].

**Kohler의 통찰학습**

• 개념 : 학습은 반복을 필요로 하지 않는 통찰에 의해 전체적인 관계 파악함으로써 이루어짐

A–ha phenomenon ↑
상황을 구성하는
요소 간의 관계 파악

**Lewin의 장(field)이론**

• 개념 : 장은 생활공간, 유기체의 행동을 결정하는 모든 요인의 복합적 상황(개인과 심리적 환경 포함 : 상호 의존적 → 이 상호작용에 의해 행동 발달)

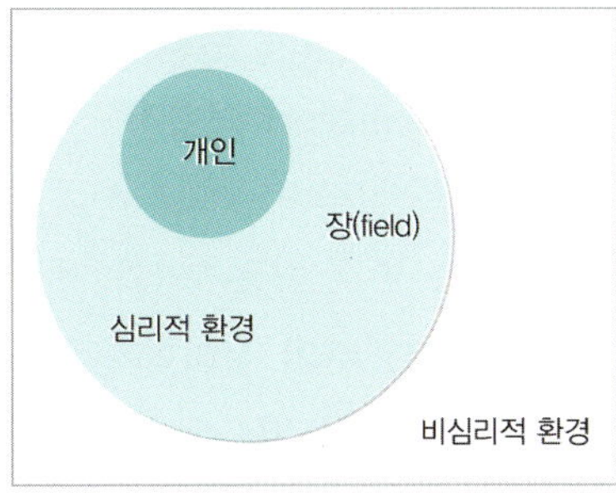


**Piaget의 인지발달이론**

• 개념 : 학습은 더 발달된 인지구조를 얻는 과정
• 대상자의 발달단계에 따라 그들의 인지구조에 적합한 교육 필요
• 학습과정 : 동화(assimilation), 조절(accommodation)을 통해 이루어짐

이전에 알고 있던 아이디어, 개념, 기억 + 새 아이디어 관련 통합

새 아이디어에 적용할 때 개인은 어떤 신념 버리거나 본질적으로 준거틀을 바꿀 필요 없음. 인지구조가 수정

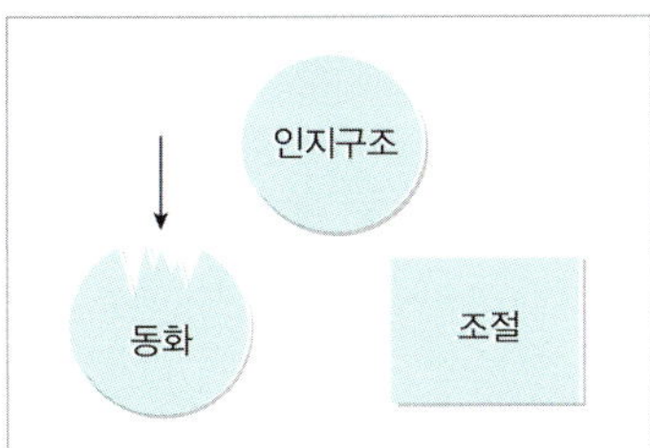


**정보처리 이론**

• 개념 : 인간은 보고 듣고 느끼는 감각기관을 통해 들어온 정보를 두뇌라는 저장고에 체계적으로 정리, 보관, 필요시 이를 재생, 활용
• 기억향상 위해
① 정보 분석, 의미 정교하게 설명
② 추상적 < 구체적 단어< 그림
③ 정보 조직(범주화, 위계 사용) 예 IAICBFMBI → FBI CIA IBA
④ 주제, 목표 제시
⑤ 새 정보를 기존 정보와 결합

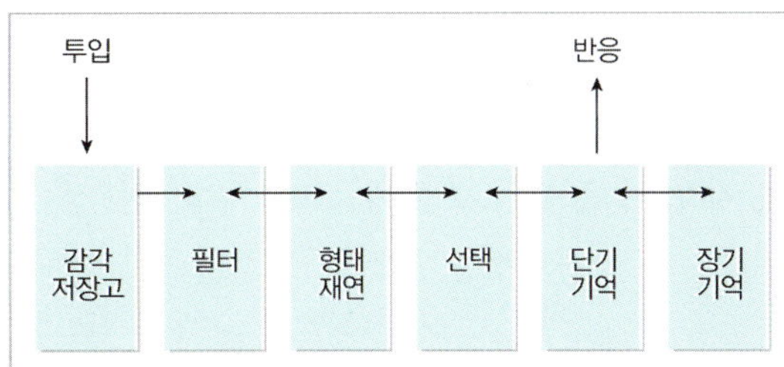


**그림 5-25 인지주의 학습이론**

### (1) 인지주의 학습이론과 보건교육

보건교육에서 인지주의 학습이론 적용은 학습내용을 구조화하고 체계적으로 전달함으로써 학습효과를 최대화하기 위한 이론적 배경을 제공한다. 인지주의 학습이론을 교수-학습에 적용하는 원리는 다음과 같다.

- 주의집중은 학습을 증진시킨다.
- 신기함이나 새로움은 파지에 영향을 준다.
- 교육을 시작할 때 처음에 제시한 우선적인 것은 파지에 영향을 준다.
- 이전 정보와 관련지음으로서 학습을 증진시킨다.
- 학습을 일반화할 때 기억이 증진된다.
- 모방은 하나의 학습방법이다.
- 사고과정과 탐구기능을 강조한다.
- 정보처리전략을 사용한다.
- 내적 학습동기를 강조한다.
- 학습평가에 학습과정을 포함한다.
- 사람들의 학습유형은 각양각색으로 다양하다.

### 3) 인본주의 학습이론

인본주의 학습이론(Learning Theory of Humanism)은 1970년대에 나타난 인본주의 심리학(Humanistic psychology) 이론을 바탕으로 등장한 학습이론으로 인간의 성장 가능성 관점에서 학습에 접근하였다. 학습하는 목적을 개인의 개성과 존엄성, 자아성장과 자아실현에 두고, 인간의 속성, 인간의 잠재능력, 인간의 감정 등의 정의적 측면을 강조하였다. 인본주의 학습이론의 핵심은 학습자가 교육과정의 중심이 되고, 교육자는 학습을 촉진하는 촉진자(facilitator) 역할을 한다.

학습은 발견을 통해 이루어진다고 하며 결과보다 학습과정을 중시한다. 이것은 환경에 의해 형성된 관찰 가능한 행동에 초점을 두는 행동주의와 정신적 정보습득을 다루는 인지주의와는 대조적이다. 인본주의자들은 행동주의자들과 프로이드주의 심리학자들이 주장하는 환경이나 개인의 잠재의식에 의해서 행동이 결정된다는 개념을 거부하고 이들의 인간에 대한 관점을 거부하였다.

인본주의자들이 보는 인간에 대한 관점은 다음과 같다.

- 인간은 자기 자신의 운명을 통제할 수 있다.
- 인간은 선천적으로 선하며, 보다 나은 세계를 위해 노력한다.
- 인간은 자신의 선택에 따라 행동하는 자유로운 존재이다.
- 인간은 성장과 발전을 위한 무한한 잠재능력을 가지고 있다.
- 학습은 인지적인 차원뿐만 아니라 정서적인 차원에서 이루어지는 과정이다.
- 인본주의는 인간 행동에 대한 Freud의 정신분석학적 접근법에 부분적으로 기인하고 있다.

인본주의의 학습에 대한 관점은 다음과 같다.

- 개인은 자신의 가능성을 발휘할 수 있는 자유와 책임이 있다 : 개인은 자신이 되고자 하는 인간상을 선택할 자유가 있고 그에 따른 책임이 있다.
- '지각'이 경험의 중심에 있다 : 자신의 경험이 개인의 지각 안에서 중심이 된다.
- 자신의 학습과정을 스스로 조절할 때 학습이 증가한다.

위와 같은 인본주의의 학습에 대한 관점은 학습과정에서 자기주도성과 경험의 가치를 강조하는 인본주의 학습이론의 기초가 되었고, 자기주도성과 경험은 인본주의 학습이론의 핵심이 되었다. 따라서 인본주의자들은 학습을 외면적 행동과 인지과정 그 이상의 것으로 설명하고, 학습은 동기와 관련되며 선택과 책임이 학습자에게 있다고 한다. 최근 강조되고 있는 자기주도학습의 개념 또한 인본주의적 학습이론에 그 바탕을 두고 있다.

인본주의 학습이론의 대표적인 학자에는 Maslow와 Rogers가 있다.

#### (1) 인본주의 학습이론과 보건교육

보건교육에서 인본주의 학습이론 적용은 학습자의 적극적인 참여와 자기주도적 학습 및 인간의 정의적 측면에서의 인간존중을 강조함으로써 학습효과를 최대화하기 위한 이론적 배경을 제공한다. 인본주의 학습이론을 교수-학습에 적용하는 원리는 다음과 같다.

- 학습은 자신의 선택에 의한 형성과정임을 학습하도록 한다.
- 학습자 스스로 참여하여 자신의 시각으로 학습이 진행되도록 한다.
- 자신의 경험을 통해 무엇을 배운다.

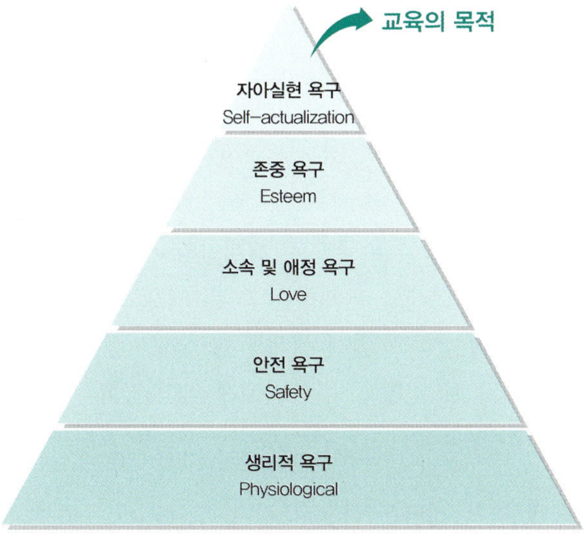


그림 5-26 Maslow의 동기위계론

- 자신의 학습과정을 어떻게 평가하는지에 대한 내부자적 시각에서 학습이 이루어져야 학습자의 문제들을 인지적으로 의식한다.
- 학습자의 참여를 매우 중시한다.
- 학습과정이 역동적이며, 성찰을 특징으로 한다.
- 학습자는 자기주도적인 환경에서 스스로 학습목표를 설정한다.
- 스스로 학습방법을 선택한다.
- 자신이 가진 지식을 최대한 응용한다.
- 일상생활에서 이치를 발견하는 발견적 학습이다.
- 발견적인 자세를 통해 결과에 도달한다.
- 프로젝트기반학습 및 비판적 학습과 같은 형태의 학습을 운영할 수 있다.

### 4) 구성주의 학습이론

구성주의 학습이론(Learning Theory of Constructivism; 1980년대)은 전통적인 객관주의 교육방법의 개념에 비판적으로 등장한 오늘날 대표적인 교육철학으로 오늘날 큰 이슈가 되고 있는 '열린교육운동'의 배경 중의 하나이다. Piajet, Vygotsky와 같은 발달심리학자들의 철학에 바탕을 둔 상대주의적 인식론에 기초를 두고 있다. 즉 객관적인 지식의 존재를 부정하고 학습은 개인적인 경험과 흥미에 따라 지식의 가치가 결정되고, 학습활동은 결과가 아니고 학습하는 과정으로 학습자 스스로 구성해나가는 과정이다. 이러한 구성과정을 수행할 수 있는 능력이 있는가에 대해 평가를 한다.

구성주의 학습이론은 문제중심학습(PBL), 팀 기반 학습(TBL), 사례기반학습(CBL), 근거기반학습(EBL) 등의 철학적 배경이 되었다. 이러한 학습방법은 구성주의에 영향을 받은 교수-학습과정으로는 학습자중심학습, 학습맥락중심학습, 학습환경의 중요성 등 능동적인 학습을 강조하고 있다.

구성주의 학습이론에서 지식에 대한 개념은 다음과 같다.

- 지식을 상대적, 주관적, 사회문화적 관점으로 본다. 이전에 객관주의자들이 지식을 객관적, 보편적, 초월적으로 보는 것과 다르다.
- 지식은 학습자가 외부환경과 상호작용하는 과정에서 개인적으로 구성한다. 즉 지식의 구성은 개인의 인지작용과 사회구성원들 간의 사회적 상호작용을 통해서 이루어진다. 이것은 상대주의적 인식론에 기초한 것이다.
- 지식은 개별적으로 구성되어 사람의 마음속에 내재되어 있다.
- 인식, 곧 아는 것은 인간의 사전 경험을 바탕으로 개개인의 마음속에 구성된다고 주장한다.
- 인간의 경험과는 별도로 객관적인 실제로 존재하는 외부지식을 지식으로 인정하지 않는다.
- 지식은 의미 있는 과정을 통해서 발전하고 실제 세계를 반영하는 풍부한 맥락 속에서 상황화 되어야 한다.
- 앎의 이론으로 지식을 진행형으로 보고 있으며, 본인에게 의미 있고, 적합하고, 타당한 것이면, 그것이 곧 진리요, 지식이라고 보았다.

구성주의 학습이론에서 학습에 대한 개념은 다음과 같다.

- 학습은 학습자가 어떻게 지식을 구성하느냐에 일차적으로 관심이 있다.
- 학습은 주어진 상황에서 학습자의 주관적인 경험과 사회적 상호작용을 통해 지식이 갖는 내적인 의미를 구성하는 과정이다.
- 학습은 자신의 개인적인 경험에 근거해서 독특하게 개인적으로 해석을 내리는 능동적인 과정이다.

### (1) 구성주의 학습이론과 보건교육

보건교육에서 구성주의 학습이론 적용은 교수자의 실제적 환경제시를 통해 학습자의 창조와 구성을 강조함으로써 학습효과를 최대화하기 위한 이론적 배경을 제공한다. 교수설계를 할 때 교사는 실제 세계를 반영하는 풍부한 환경에서 학습이 필요한 창의적인 경험을 하도록 실제상황을 제시하여 교수-학습과정을 구성해야 한다. 구성주의 학습이론을 교수-학습에 적용하는 원리는 다음과 같다.

- 학습자 주도적인 학습 환경제공 : 학습의 문제규명, 문제해결과정과 방안모색, 자기평가의 학습 전 과정을 학습자 스스로 주도적으로 수행하도록 하여 학습자에 대한 책무성과 주인의식 및 자율성을 강화한다.
- 협동학습 제공 : 협동학습을 통해 새로운 인지구조를 구성할 수 있는 기회를 제공하여 사회적인 상호작용을 촉진한다.
- 학습의 안내자, 동료학습자로 역할전환 : 교육자가 지식의 전수자, 유일한 정보 제공자에서 학습의 안내자, 코치, 촉진자, 멘토, 동료학습자의 역할로 전환한다.
- 평가의 개념 및 원리의 변화 : 학습의 성과나 결과가 아닌 학습하는 과정을 중심으로 평가한다. 학습과정에서 연속적인 평가가 이루어지며, 문제해결과정에서 지식과 기능을 새로운 상황에 전이할 수 있는 능력에 초점을 두고 평가한다. 학습 또는 행동변화는 지적영역과 정의적 영역, 심리운동영역에서 이루어진다고 보았다. 학습내용, 학습과정 및 학습성과에 대해 스스로 성찰하고 반성하도록 하여 다양한 관점에서 경험하고 평가할 수 있는 기회를 제공한다.
- 비위협적이고 안전한 학습환경 제공 : 학습과정에서 학습자가 의기소침하고 주눅이 들고 위축되지 않도록 '그것도 몰라', '왜 그렇게 했어', '무슨 뚱딴지같은 소리야', '그 정도 밖에 못해' 등으로 학생의 잘못이나 실수 등을 질책하지 말고 스스로 인식하고 개선하도록 긍정적인 회환(feedback)과 격려를 통해 도전의식과 자신감을 고취한다.

## 5) 학습이론 간의 특성 비교

학습이론 간의 특성을 비교하자면 행동주의 교육에서는 학습을 자극과 반응의 관계로 파악할 수 있다고 보고 학습이론에 정신적 사건을 포함시키지 않았다. 정신적 사건은 관찰할 수도 없고 측정 불가능하여 객관적으로 연구할 수 없기 때문이다. 인지주의 교육에서는 인간의 학습은 정신과정이 중심이 되어야 한다고 보았다. 행동주의와 인지주의 교육의 공통점은 학습은 고정된 외부의 지식이나 정보의 습득으로 지식은 외부세계와 독립적으로 해석되고, 고정적이며 확인가능하다고 보았다.

인본주의 교육에서는 학습을 인지적 차원과 정서적 차원에서 이루어진다고 보고 학습은 최대한의 자발적인 자아실현을 위한 경험이라고 보았다. 구성주의 교육에서는 학습을 자신이 획득한 정보에 대해 독특한 방식으로 능동적으로 조직하고 이해하려고 노력하면서 그 정보를 새롭게 구성한다. 이러한 구성은 개인적으로 또는 협동학습 형태로 일어나기도 한다. 지식은 의존적이고 주관적으로 인식되는 과정으로 개인의 사회적 경험을 바탕으로 개인의 인지적 작용에 의해 지속적으로 구성되고 재구성되는 것이라고 보았다.

시대에 따라 교육의 패러다임 또한 변화를 요구하고 있다. 오늘날 인본주의나 구성주의 이론이 주류를 이루고 있고 바람직하고 적합하다고는 하고 있으나 이상의 이론들이 모든 교수-학습이론을 대변할 수는 없을 것이다. 교육자는 다양한 이론들을 적절하게 접목하여 교육 상황에 따라 통합적인 관점을 가지고 교육을 할 때 효과적인 교육이 가능할 것이다. 따라서 보건교육자는 다양한 교육 현장과 대상자의 특성과 건강문제의 주제에 따라 다양한 형태의 교수-학습 상황을 분석하고 그에 적합한 이론을 활용하여 교수설계를 하고 통합적으로 적용할 수 있어야 한다.

학습이론 간의 특성을 비교하면 [표 5-12]와 같다.

**표 5-12 학습이론 간의 특성 비교**

| 구 분 | 행동주의 | 인지주의 | 인본주의 | 구성주의 |
|---|---|---|---|---|
| 특 징 | • 반복연습, 강화물<br>• 외적 행동적 측면 강조 | • 정보습득, 내적동기<br>• 인지적 측면 강조 | • 개인의 존엄성, 잠재능력<br>• 정의적 측면 강조 | • 문제해결과 협동<br>• 인지적, 정의적 측면 강조 |
| 교육목적 | • 지식과 기능에 중점을 둔 능력의 습득<br>• 행동수정 | • 인지기능의 최적 발달<br>• 지식습득 | • 개인의 존엄성 존중<br>• 잠재능력 개발<br>• 자아성장 발달, 자아실현 | • 지식의 재구성<br>• 문제해결능력 습득<br>• 실생활에 적용 |
| 교육내용 | • 지식이나 기능 습득이 가능한 내용 | • 감각운동, 언어, 인지적 발달을 촉진시킬 수 있는 내용 | • 의사소통 기술, 개인 및 집단의 욕구에 대한 민감성 등 사회적 발달을 촉진시킬 수 있는 통합적 내용 | |
| 교육방법 | • 지식 및 기능 발달을 위한 구체적 방법과 교육공학 활용<br>• 교사중심<br>• 외적보상에 의한 동기유발<br>• 과제, 훈련, 보상의 개별화 강조<br>• 기계적 학습(학습자의 수동적 참여) 강조 | • 인지기능 발달 촉진<br>• 내적보상에 의한 동기유발<br>• 지적호기심의 만족<br>• 학습자의 발달 수준에 따른 개별화 강조<br>• 통찰과 이해(학습자의 능동적 참여)강조 | • 통합된 프로젝트에 의한 접근<br>• 내적보상에 의한 동기유발, 내적욕구의 만족<br>• 학습자의 개성과 욕구에 기초한 개별화<br>• 자기주도적 학습<br>• 학습자의 능동적 참여<br>• 학습자의 경험 강조<br>• 자유와 책임 강조 | |
| 교육원리 | • 행동수정 원리활용<br>• 반복연습<br>• 즉각적 회환(feedback)<br>• 간헐적 외적 동기화<br>• 계열화, 단순화, 세분화<br>• 변별력 있는 자극 제공 | • 사고과정과 탐구기능 교육 강조<br>• 정보처리 전략사용<br>• 내적학습동기 강조<br>• 학습평가에 과정적 측면 포함 | • 학습자 스스로 참여<br>• 스스로 목표설정<br>• 학습자가 학습의 중심<br>• 교육자는 학습을 촉진<br>• 역동적인 학습<br>• 자기성찰<br>• 학습과정평가<br>• 일상생활에서 발견학습 | • 학습자중심학습 협동학습<br>• 상황적 학습<br>• 체험학습<br>• 성과나 결과가 아닌 학습과정 중심 평가<br>• 학습 또는 행동변화는 지적, 정의적 영역에서 이루어짐 |

**표 5-12 학습이론 간의 특성 비교** (계속)

| 구 분 | 행동주의 | 인지주의 | 인본주의 | 구성주의 |
|---|---|---|---|---|
| 학습자 | 집단 | | 개인, 개별화된 학습자, 수업설계자<br>교육과정의 중심 | |
| 교육자 | 수업설계자, 전수자, 관리자 | | 촉진자, 인도자, 코치, 자극자, 동료학습자 | |
| 학습에 대한 관점 | • 자극-반응 관계로 파악가능<br>• 정신적 사건 포함하지 않음<br>고정된 외부지식과 정보습득 | • 정신과정의 중심<br>고정된 외부지식과 정보습득 | • 최대한의 자발적인 자아 실현의 경험<br>• 인지적·정서적 차원에서 이루어 짐<br>• 학습은 발견을 통해 이루어짐, 결과보다 과정 중시 | • 자신이 획득한 정보를 능동적으로 독특한 방식으로 조직, 이해, 새롭게 구성 |
| 지식에 대한 관점 | • 외부세계와 독립적으로 해석함<br>• 고정적으로 봄<br>• 변화 정도를 확인 가능하다고 봄 | | 지각 | • 학습자가 외부환경과 상호작용해서 스스로 구성, 마음속에 내재 됨<br>• 인간의 경험과 별도로 외부환경에 존재하는 지식은 지식으로 인정하지 않음<br>• 지식을 진행형으로 보고 자신에게 의미 있고, 적합하고, 타당한 것이면 진리요 지식이라고 봄 |
| 학습목표 | 행동 변화 | 진리와 일치되는 지식 습득(발견) | | 개인의 개별적인 의미형성과 사회적 적합성과 융화성(창조와 구성) |
| 학습목표 제시 | 명확하게 세분화해서 제시 | | 학습내용과 통합해서 제시 | |
| 학습목표 설정과 교수설계 | 교육자에 의해 | | 학습자 스스로 수업과정 중에 지속적으로<br>학습환경에 따라 설계할 수 있어야 함 | |
| 학습내용 제시 | • 단순화, 계열화, 선행학습을 구체화<br>• 교육자가 세분화, 순서화, 연계화, 체계화 | | 정보의 핵심적 본체 | |
| 학습환경 | 효과적·효율적 교육환경에 중점 | | 다양함, 실제적인 상황 제시<br>자기주도적 학습, 협동학습, 융합교육, 열린교육 | |
| 학습방법 | • 반복 연습<br>• 즉각적인 회환(feedback)을 통한 강화 | • Ausubell의 유의미학습과 기계적 학습<br>• Bruner의 발견학습<br>• Gagne의 처방적 교수이론 | • 프로젝트학습<br>• 비판적 학습<br>• 협동학습 | • 열린학습<br>• 문제중심학습(PBL)<br>• 팀기반학습(TBL)<br>• 사례기반학습(CBL)<br>• 근거기반학습(EBL) |
| 인식의 실현 | • 학습내용 자체와 학습내용의 활용은 별개임<br>• 인식실현을 경시함 | | • 학습을 실제적인 현실 안에서 실현<br>• 학습을 통한 인식결과가 학습과정의 모형화 됨 | |
| 평 가 | 행동수정결과<br>학습 후 객관식으로 성취도 평가 | 인지과정, 성취과정<br>학습 후 객관식으로 성취도 평가 | 학습자 스스로 또는 동료에 의해 수업 과정 중에<br>다양한 형태로 사고과정을 평가 | |
| 철학적 배경 이론 | • 행동수정 이론<br>• Pavlove 고전적 조건화 이론<br>• Thorndike의 시행착오설<br>• Skinner의 조작적 조건화 이론 | • Lewin의 장이론<br>• Piajet의 인지발달이론<br>• 정보처리이론 | • Maslow의 동기이론<br>• Rogers의 유의미학습 이론 | • Piajet의 인지발달이론<br>• Vygotsky의 사회인지발달이론 |

## 제4절 + 보건교육 프로그램의 개발

**Keywords**

- 보건교육 프로그램
- 보건교육 요구조사
- 보건교육계획
- 학습목표 진술
- 보건교육 계획서 작성

보건교육프로그램은 보건교육을 하기 위한 교육과정, 시간표, 수업, 각종 행사활동 계획으로 보건교육을 할 때 해야 할 일의 개요, 절차 및 활동종류나 순서를 말한다. 즉 대상자의 보건문제를 발견하기 위해 필요한 대상자요구 분석에서부터 그 보건문제를 해결하기 위한 보건교육 목적설정과 목적을 달성하기 위한 교육수단과 교육방법, 평가방법 등을 교육과정에 따라 일련의 활동순서를 만들어 미리 계획해 놓은 것을 말한다.

건강증진을 위해 개인과 집단 및 지역사회를 대상으로 건강에 유익한 행위를 일상생활에서 습관화할 수 있도록 하기 위하여 건강증진에 필요한 학습경험을 제공하는 보건교육과정은 다음의 5가지의 단계로 나누어 설명할 수 있다.

- 제1단계 : 보건교육 요구조사 및 분석단계
  사정에 참여할 구성원 먼저 구성하고 사정활동을 실시한다. 사정을 통해 수집한 자료를 분류, 치침확인 비교 분석하여 문제를 도출하고, 보건교육 대상자를 선정하고, 도출한 문제해결을 위한 보건교육 요구를 규명한다. 대상자가 선정되면 자료수집을 하기 위해서 사전평가, 진단평가를 실시한다.
- 제2단계 : 보건교육 계획단계
  분석 결과를 바탕으로 도출된 보건교육 요구를 충족할 수 있는 학습목표를 설정하고 교육내용, 교육방법 및 교육매체를 선정하고 보건교육시간을 배정하고 평가방법을 설정하여 보건교육계획서를 작성한다.
- 제3단계 : 보건교육 수행단계
  보건교육 계획단계에서 계획한 보건교육이 실제로 이루어지는 단계이다. 보건교육의 진행정도를 과정평가를 통해 확인하고 미흡한 점은 수정·보완해 가면서 교육을 수행한다.
- 제4단계 : 보건교육 평가단계
  보건교육 수행단계에서 수행한 보건교육에 대해 성과, 영향, 효과, 효율, 결과 등을 평가한다.
- 제5단계 : 보건교육 회환(feedback)단계
  제1단계부터 4단계를 각 단계별로 모두 분석하고 그에 따른 장·단점을 살펴보고 좋은 점은 그대로 활용하거나 단점을 수정·보완하거나 폐기하여 다시 새로운 교육을 준비는 단계이므로 지속적으로 보건교육과정 5단계를 순환한다.

이상은 보건교육이 효과적으로 이루어지기 위해 일반적으로 활용되고 있는 보건교육과정이다.

그리고 보건교육자로서 지역사회 간호사는 보건교육의 목적을 달성하기 위해서 보건교육의 보편적인 원리를 이해하여야 한다. 보건교육의 보편적인 원리는 크게 보건교육 대상자, 학습 환경 및 보건교육 목표설정과 보건교육과정에 대한 이해이다.

### 보건교육 시 고려해야 할 보편적인 원리

① **보건교육의 대상**
- 모든 연령층, 모든 생애주기에 해당된다.
- 대상자가 자발적으로 참여하도록 한다.

② **보건교육 요구사정**
- 보건교육 사정단계의 체계화가 필요하다.
- 자료수집, 분석 및 결론 도출을 체계화한다.
- 체계화된 단계를 통해 정확하게 문제를 인식할 때 효과적인 보건교육을 시행할 수 있다.
- 개인, 가족, 조직, 지역사회 주민의 요구도나 관심사, 강점을 파악한다.

③ **보건교육의 목표**
- 대상자의 지식, 태도 및 행위를 긍정적인 방향으로 변화시키는 데 있다.
- 궁극적으로는 최적의 건강수준 달성, 건강수명 연장, 삶의 질을 향상하는 데 있다.
- 명확한 목표설정은 보건교육 수행과 평가에 있어 분명한 기준과 원칙을 제공한다.
- 목표설정과 관련된 자료나 정보를 재차 확인한 후 보건교육에 관한 계획을 체계적으로 수립한다.
- 보건교육의 목표를 효과적으로 달성하기 위한 다학제 간의 관심과 협조가 필요하다.

④ **보건교육 계획**
- 교육대상자의 인원수, 연령, 교육수준, 경제수준과 같은 특성을 고려한다.
- 대상자가 속한 지역사회의 문화, 건강에 대한 태도와 건강신념에 대한 파악이 필요하다. 이를 통해 적합한 교육방법과 교육내용을 선정한다.

⑤ **보건교육 수행**
- 수행을 위한 접근방법과 전략을 세운다.
- 교육환경과 교육대상 및 대상이 속한 조직과 지역사회의 관심과 요구 및 동기를 파악하여 반영한다.
- 대상자에게 실생활과 비슷한 학습 환경을 제공하고 단편적인 지식을 전하는 것이 아니라 실생활에 적용이 가능한 내용을 교육한다.

⑥ **보건교육 수행평가**
- 평가에 대한 계획은 보건교육의 계획단계에서 수립되어야 한다.
- 평가는 사전, 과정, 사후 평가를 실시하는 것이 좋다.
- 양적인 평가뿐만 아니라 질적 평가를 통해 보건교육의 결과를 해석하고 회환(feedback)할 수 있어야 한다.

세계보건기구(WHO)의 보건교육전문위원회는 일련의 보건교육과정에 다음과 같은 지침을 활용하도록 권장하고 있다.

### 보건교육과정 지침(WHO 권장)

- 보건교육은 전체 보건사업의 일부로서 처음부터 계획되어야 한다.
- 지역사회진단이 선행되어야 한다.
- 보건교육계획에 주민들이 참여하여야 한다.
- 지역사회의 인재와 자원에 관한 실태파악을 하며 지도자를 발견한다.
- 지역개업의 및 공공기관의 협조를 얻도록 한다.
- 보건교육은 뚜렷한 목표가 있어야 하며 그 목표 달성을 위하여 구체적인 계획을 세워야 한다.
- 작은 범위의 시범사업으로부터 시작하여 점차 확대한다.
- 모든 보건요원은 보건교육의 실천자가 되어야 한다.
- 보다 효율적인 보건교육 사업수행을 위하여 보건교육 전문가의 자문을 받는다.
- 보건교육에는 예산이 요구되며, 이 예산은 사업의 우선순위에 따라 사용되어야 한다.
- 효과적인 보건교육을 위하여 적절한 평가가 따라야 한다.

## 1 보건교육 요구조사 및 분석

동일한 교육주제를 가지고 보건교육을 수행하게 되더라도 대상자의 특성과 건강요구, 그리고 대상자가 속한 지역사회와 교육환경 등에 따라 보건교육 수행에 필요한 교육요구가 달라질 수 있다. 따라서 이러한 요구조사와 분석은 제1단계의 사정진단단계로 교육 전에 반드시 거쳐야 하는 단계이다.

지역사회 보건교육 요구를 조사하기 위하여 대상자와 지역사회의 과거 건강문제들이 무엇인지를 먼저 확인하고 자료수집을 위한 기본적인 지침을 설정하여야 한다. 이 자료수집을 위한 기본적 지침은 실제로 어떤 자료를 어떤 내용으로 어떻게 수집할 것인지 자료수집 내용과 범위 및 방법들을 결정하는 것이다. 자료수집에 널리 활용되고 있는 방법으로는 대인면접조사, 설문조사, 전화면접, 우편조사, 기록 및 통계활용, 모임, 행사참여 등이 있다. 수집된 자료를 특성에 따라 분류하고 범주화한 다음 기준과 비교·분석을 하고 추론하여 건강문제를 도출해낸다. 도출된 건강문제의 본질과 내용을 기술한다. 도출된 건강문제들을 우선순위선정기준에 따라 보건교육이 필요한 우선순위를 설정하고 교육적 진단을 내리고 보건교육의 성공적인 수행을 위하여 계획단계로 진입하게 된다.

보건교육 요구사정은 건강을 위해 학습자가 배우기 원하는 것이 무엇인지, 학습자가 배워야만 하는 것은 무엇인지를 사정하는 것이다. 보건교육 요구 사정을 통해 보건교육의 필요성을 파악할 수 있으며, 교육의 주제를 도출하고, 목적설정 및 교육의 내용과 범위 및 깊이를 설정할 수 있다.

여기에서 말하는 요구란 대상자의 현재 상태와 원하는 바람직한 상태 사이의 차이를 의미하고 있으므로, 교육요구란 현 상태와 바람직한 상태 사이의 차이가 지식, 태도, 기술의 결함에서 기인할 때 발생하게 되는 요구이다.

### 학자별 보건교육 요구의 개념

- Rossett(1987) : 요구를 최적의 수행과 실제 수행 사이의 불일치 및 격차라고 정의하였다. 그는 요구가 발생하는 상황을 '작업수행상의 문제해결 요구', '새로운 공학, 상품, 정책이나 시스템의 도입', '습관적 또는 자동적 교육관행' 등 세 가지로 설명하였다.
- Scissions(1982) : 요구의 기본요소를 '관련성(해당 기능의 유용성)', '숙달도(어떠한 기능을 수행하는 개인의 능력)', '동기(기능 면에서 자신의 능력을 향상시키고자 하는 개인의 동기)'로 제시하였다.
- Robinson(1980) : 요구의 특징을 '내적 충동(순간 어떤 행동을 하고 싶은 마음속 자극)', '역동성(긴장, 동기, 목표달성, 새로운 에너지의 획득)', '다차원성(내적 요구와 외적 요구)'으로 설명하였다.
- Bradshaw(1972) : 요구를 다음과 같이 네 가지 유형으로 분류하여 제시하였다.
  - 규범적 요구(Normative needs) : 전문가에 의해 규정되는 요구이다. 대부분 일정한 표준이나 준거들에 의해 설정되고 제시된다. 교육대상자의 주관적 느낌이나 생각과는 차이가 있을 수 있다. 예를 들면 예방접종, 건강검진 등이다.
  - 내면적 요구(Perceived need, Felt need) : 학습자의 개인적인 생각이나 느낌으로 인식되는 요구이다. 설문조사와 같은 방법을 통해서 학습자가 무엇을 필요로 하는지 내면적 요구를 알 수 있다.
  - 외향적 요구(Expressed needs) : 학습자가 언행으로 표현하는 요구이다. 이것은 내면적 요구가 행위로 전환된 것이다. 예를 들면 '다른 사람들은 고혈압을 예방하기 위해 어떤 방법으로 운동을 하나요?', '당뇨에 대해서 알고 싶어요.', '당뇨식이에 대해 잘 모르겠어요'라고 표현하는 것 등이다.
  - 상대적 요구(Comparative needs) : 다른 집단과는 다르게 특정 집단만이 갖는 고유한 문제로 그 집단의 특성에서 비롯되는 요구이다. 예를 들면 청소년 집단, 고혈압 집단, 임산부 집단, 풍토병이 있는 지역 등에서 상대적으로 발생하는 특정한 요구이다.

보건교육 요구에서 중요한 것은 대상자가 인지하여 표출된 요구와 대상자가 속해 있는 사회적, 환경적 맥락에서 사정되는 요구 그리고 보건교육 전문가의 입장에서 규정하는 요구들이 모두 함께 존재한다는 것이다. 따라서 보건교육 전문가는 보건교육 요구 사정 시 대상자의 다양한 요구들을 최대한 수집할 수 있도록 노력해야 한다.

그리고 보건교육 요구 사정·진단을 위해 대상자와 대상자를 둘러싸고 있는 다양한 환경을 조사·분석하여 건강문제를 진단할 때에 수집한 자료의 질에 따라 신뢰성이 크게 좌우된다. 따라서 사정을 위한 자료를 수집할 때는 필요한 자료의 범주와 내용, 자료수집의 방법은 매우 중요하다. 여기서 자료란 보건교육과정의 요구조사 및 분석단계와 교육평가 단계에서 직접 또는 간접적으로 이용되는 일체의 정보를 말한다. 자료에는 문서 또는 구두 등 다양한 형태를 모두 포함한다.

## 1) 자료수집

보건교육 요구 사정을 위한 자료수집의 방법과 내용은 다음과 같다.

### (1) 자료수집 방법

자료수집 방법은 자료를 수집하는 방법에 따라 자료를 활용하려는 사람에 의해 직접자료를 수집하는 직접법과 다른 사람이 만들어놓은 자료를 활용하는 간접법으로 나눌 수 있다. 이것은 자료의 성격에 따라 1차 자료, 2차 자료로 구분되기도 한다.

#### ① 1차 자료(Primary data)수집

주로 직접법으로 수집된 자료이다. 건강문제를 사정하고 진단하기 위하여 사전에 작성된 자료수집 방법의 설계에 따라 참여관찰, 설문지, 방문, 전화, 면담 등의 방법으로 직접 자료를 수집하는 방법이다. 이 방법은 조사자가 직접 필요에 의해 수집하는 자료이므로 조사자에게는 타당성과 신뢰성이 있고, 필요한 시기에 적절하게 이용할 수 있다는 장점이 있다. 하지만 이 방법은 조사하는 과정에서 비용, 인력, 시간 등이 많이 소요되는 단점이 있다. 또한 수집한 자료가 공신력 있고 타당한 자료를 수집하였는지 확인이 필요하다.

#### ② 2차 자료(Secondary data)수집

주로 간접법으로 수집된 자료이다. 어떤 목적을 위해 이미 수집된 자료를 조사자가 자신이 수행 중인 보건교육 요구를 사정하고 진단하기 위해 선택해서 활용하는 것을 말한다. 2차 자료는 일반적으로 인구센서스, 건강보험 관련 통계, 국민건강영양조사, 의료기관 실태조사, 사망률, 유병률, 영아사망률 등이 있다. 2차 자료를 수집할 때는 수집한 자료가 해당 조사목적에 부합하는지(타당성), 사용하고자 하는 자료가 정확한 것인지(신뢰성), 자료의 출처가 서로 다른 경우에는 그 자료가 일관성이 있는지, 최신의 자료인지를 반드시 검토하여야 한다.

### (2) 자료수집 내용

보건교육을 하기 위한 자료수집 내용은 지역사회의 특성, 대상자 특성, 학습환경, 건강수준 그리고 보건의료자원, 인적·물적·사회적 자원 등 보건교육 요구와 학습에 영향을 미치는 요인을 수집한다. 자세한 내용은 다음과 같다.

### ① 지역사회 특성

지역사회의 일반적 특성으로 지정학적 특성, 자연환경적 특성, 지역주민들의 인구학적 특성, 사회경제적 특성 그리고 생활환경적 특성 등을 조사한다.

### ② 대상자 특성

효과적이고 효율적인 교육과정을 계획하기 위해서는 반드시 학습대상자의 특성에 대한 분석이 이루어져야 한다. 대상자를 개인·가족·집단으로 분류하고 학습자 개인의 신체적(성, 연령, 신체기능, 건강수준 등), 정서적(정신건강, 발달단계, 학습동기 등), 경험적(교육정도, 선수학습, 과거경험, 성공경험, 학습성향, 학습태도, 학습방법 선호도, 학습능력 등) 준비도와 학습자 집단의 특성 등을 조사한다. 그리고 교육자는 학습자의 특성을 고려하여 적절한 교육주제, 교육내용, 교수-교육방법과 매체 등을 준비해야 한다.

### ③ 학습환경

학습환경은 보건교육과정이 직접 수행될 장소를 말한다. 교육을 위해 준비가 되어 있는 곳에서 보건교육을 실시한다면 기본적으로 학습을 위한 도구나 환경이 구비되어 있으므로 보건교육을 용이하게 실시할 수가 있다. 하지만 산업장이나 보건의료기관 또는 마을회관 등 지역사회의 다양한 생활터 또는 이러닝(e-Learning)과 같은 특수한 교육환경에서는 교육수행 시 필요한 환경이 불충분할 수가 있으므로 온도, 조명, 전원, 콘센트 위치, 컴퓨터나 빔프로젝트 등 학습환경에 대한 자료수집과 분석은 체계적으로 이루어져야 한다. 그리고 교육자는 학습환경을 고려하여 수행 가능한 교수-교육방법과 매체 등을 준비해야 한다.

### ④ 건강수준

지역사회의 건강수준을 확인할 수 있는 지표는 건강상태나 건강문제 및 건강특성을 나타내는 지표(사망률, 주요 질병의 유병률, 이환율, 출생률, 모성사망률, 영아사망률 등), 건강행태를 나타내는 지표(영양, 흡연율, 음주율 및 운동실천율 등), 삶의 질에 영향을 주는 지표(산업재해률, 범죄율, 인구밀도, 실업률, 보건의료기관의 분포와 이용률, 재해발생률) 등을 조사한다.

대상자의 건강수준에 대한 교육요구를 사정하고 분석을 통해 건강의 문제점을 탐색하고, 교육적 진단을 내린다. 이 교육적 진단을 기반으로 보건교육 주제와 구체적인 보건교육목표가 설정되어야 하며, 이 목표에 따라 보건교육 프로그램을 개발하고 보건교육계획, 수행 및 평가에 반영한다.

### ⑤ 자원

지역사회의 자원에 대한 자료수집은 인적자원(보건의료 전문인력의 종류와 인원수 등), 물적자원(보건의료 시설의 종류와 개수 등의 보건의료자원, 재원 등), 사회적자원(교통·통신 수단과 공공시설 및 교육기관 등) 등을 조사한다.

### ⑥ 건강관리체계와 관련 정책 및 법규

보건교육은 보건교육자와 교육대상자의 특성과 재원 및 지역사회 특성과 학습환경에 따라 교육의 내용과 방법 및 효과 등이 달라질 수 있다. 따라서 우선적으로 지역사회의 활용 가능한 자원들을 먼저 조사하는 것이 중요하다. 이미 개발된 보건교육 프로그램이 존재하는지, 교육매체 등이 준비되어 있는지, 보건교육을 위한 전문적인 인적자원이 어느 정도 있는지, 보건교육을 실시하기 위해 필요한 각종 교육시설, 설비, 기자재 등이 준비되어 있는지 또한 대상자가 속해 있는 지역사회를 중심으로 건강관리체계와 관련 정책 및 법규 등의 자료를 조사한다.

### 2) 자료분석

다양한 방법으로 수집한 자료들은 정보의 특성과 종류에 따라 분류하여 범주화하고, 요약·정리해서 비교, 확인, 분석을 통해서 건강문제들을 추론하여 도출한다. 건강문제를 도출할 때는 더 필요한 자료가 없는지 확인하고 조사 결과 서로 상반되고 모순되는 자료는 없는지 검토해야 한다. 비교 분석한 결과로 대상자와 그가 속한 지역사회의 건강문제에 대한 추론도출을 함으로써 보건 교육적 진단을 하게 된다.

일반적으로 수집된 자료의 분류방법은 자료수집의 범위, 방법 그리고 자료의 성격 및 용도에 따라 다르지만 주로 지역, 인구, 환경, 자원으로 분류하는 것이 보편적이다.

- 인구 : 인구집단별로는 영·유아, 학령기, 청소년, 성인, 노인, 임산부, 다문화가족, 취약가족 등으로 분류할 수 있다.
- 환경 : 환경은 교육, 소득 등의 사회경제적 환경, 물리적 환경, 생물학적 특성 등으로 분류할 수 있다.
- 자원 : 자원은 인적, 물적, 사회적 자원으로 분류할 수 있다.

대상자의 건강문제는 신체적, 사회적, 정서적, 영적, 지적, 직업적 영역 등 전인적인 접근이 이루어져야 한다. 영역별 장애, 증상, 증후, 지식, 인지, 태도 및 건강행위의 실천수준으로 대상자의 건강문제를 분류한다. 분류된 자료는 기존의 자료와의 비교하고 분석하여 건강문제를 도출하는 과정을 거치게 된다.

대상자 분석에서 다음의 사항들을 주의해야 한다.

- 모든 학습대상자에게 같은 교육내용과 교육방법을 적용하는 것은 아니다. : 대상자 분석에서 범하기 쉬운 실수 중의 하나는 '모든 학습대상자가 비슷할 것이다'라고 가정하는 것이다. 특히 대상자들이 교육자 자신과 비슷할 것이라고 생각해서는 안 된다. 이러한 가정으로 인하여 자신이 이해하는 방식으로 설명하게 되고, 자신에게 친숙한 사례를 제시하려고 하는 오류를 범하게 되므로 주의하여야 한다.
- 교육과정 및 내용 설계 후 이에 적합한 대상을 찾는 것은 아니다. : 흔히 교육 프로그램 설계 시 내용을 설계한 다음에 그 내용에 적합한 대상을 찾는 오류를 범한다. 그러나 이러한 설계방식은 교육 프로그램의 효과를 저해하는 요인이 될 수 있다. 만일 여러 사람을 대상으로 하는 교육과정을 설계·개발하는 경우라 할지라도 학습대상자를 1차 대상, 2차 대상 등으로 세분화하여 그들의 특성을 확인하는 과정을 반드시 거치는 것이 필요하다.
- 교육과정 설계자가 대상자에게 기대하는 특성을 기술하는 것은 아니다. : 교육과정 설계에 있어서 학습대상자의 특성을 기술하다 보면 학습대상자가 실제로 가지고 있는 특성이 아닌 설계자가 기대하는 대상자의 특성을 기술하는 경우가 있다. 이것은 존재하지 않는 학습자를 위해 교수설계를 하는 것과 같다. 학습대상자 분석단계에서는 학습자들이 알아야 하거나 알 필요가 있는 것을 고려하는 것이 아니라, 현재 학습자가 어떠하고 어떤 것을 알고 있는지를 파악하는 일이 무엇보다 중요하다.

### 3) 교육주제 도출

보건교육의 주제는 교육을 통해 변화되어야 할 건강문제가 무엇인지에 따라 도출한다. 이 주제는 보건교육 목표를 설정하기 위한 근거를 제시하고, 보건교육 목적과 목표를 달성하기 위한 자원활용과 유형을 결정하는 데 필요하다. 보건교육의 주제는 수집된 자료분석을 통해서 요약되고 정리된 정보들을 토대로 도출한다. 대상자를 포함한 지역사회의 현재 건강상태와 바람직한 건강상태와의 차이를 규명하고, 보건교육 목표달성을 위해 해결되어야 할 요인과 국가 또는 지역사회 보건정책 그리고 개인·가족·집단 및 지역사회의 문제해결능력과 한계를 규명하여 반영한다.

보건교육의 주제는 국가 또는 지역사회 보건정책과 연계하여 금연, 절주, 신체활동, 영양, 심뇌혈관질환, 비만, 정신보건, 구강보건, 치매 등의 건강증진활동, 질병예방활동, 병원에서의 검진과 치료 및 재활 관련 활동 분야로 분류할 수 있다. 이 외에 Leavell & Clark(1965)의 일차, 이차, 삼차 예방 수준으로 분류하기도 한다.

### 4) 우선순위설정

수집한 자료에 따라 대상자의 건강문제는 한 가지뿐만 아니라 여러 가지가 도출될 것이다. 이는 보건교육 요구 또한 여러 개가 된다. 제한된 자원으로 모든 보건 문제를 한 번에 해결하기는 불가능하다. 따라서 제한된 자원을 활용하여 효과적, 효율적으로 목적달성을 하기 위해 우선순위를 선정한다. 보건교육에서 우선순위를 정하는 것은 보건교육을 필요로 하는 건강문제의 순서를 정하는 일이다. 보건교육의 우선순위를 결정하는 방법은 다음과 같다.

Stanhope & Lancaster(2008)는 우선순위 결정기준으로 건강문제에 대한 대상자들의 인식 정도, 건강문제를 해결하려는 대상자의 동기수준, 건강문제 해결에 영향을 미치는 대상자의 능력, 건강문제 해결에 필요한 적절한 전문가의 유용성, 건강문제가 해결이 되지 않았을 때 야기되는 결과의 심각성, 건강문제 해결에 소요되는 시간 등을 제시하였다.

또한 Hanlon(1990)은 문제의 크기, 심각성, 실현가능성, 자원의 동원 가능성과 대상자의 수용력을 우선순위 결정기준으로 제안하였다. 그 외에도 Bryant방법, PATCH방법, BPRS방법, PEARL방법 등이 있다. 〈자세한 내용은 p.182 제3장의 '우선순위설정' 참고〉

**보건교육의 우선순위설정 시 고려사항**

- **문제의 크기** : 많은 사람에게 영향을 주는 문제를 고려한다.
- **문제의 심각성** : 건강상에 심각한 영향을 미치는 보건문제를 고려한다.
- **해결가능성, 실현가능성** : 보건교육을 통해 문제해결이 가능한가, 문제 해결을 위한 교육방법이 실현이 가능한가를 고려한다.
- **자원동원가능성** : 효율성을 높이기 위해 경제적 측면과 인적 및 물적 자원에 대한 고려를 한다.
- **대상자의 인식과 자발성** : 대상자가 문제에 대해 인식하고 있어 교육에 대한 관심과 자발성을 가지고 있는가를 고려한다.
- **수용가능** : 사회적, 경제적, 문화적, 법적으로 수용이 가능한가를 고려한다.

## 2 보건교육 계획

보건교육의 제2단계로 교육을 수행하기 전에 반드시 거쳐야 하는 단계이다. 계획단계에서는 장·단기 학습목표와 최종적으로 달성해야 하는 학습목적을 설정하고 그 목표를 달성하기 위해 누가 누구에게, 언제, 어디서, 어떤 교육방법과 매체를 활용하여, 어느 정도의 예산을 가지고, 무엇을 얼마만큼 수행할 것인지를 구체적으로 계획하고 누가, 언제, 어디서, 어느 영역을, 얼마만큼, 어떻게 평가할 것인지 구체적으로 평가계획을 수립한다. 보건교육이 성공적으로 이루어지기 위해서는 보건교육의 과정이 계획적이고 체계적으로 진행되어야 한다.

**보건교육계획의 단계**

① 보건교육 요구사정 및 지침확인(사정단계 수행)
② 학습목표 설정
③ 학습내용 선정
④ 교육방법 및 매체 선정
⑤ 교육시간 배정 등 수행계획 수립
⑥ 평가계획 수립
⑦ 보건교육 계획서 작성(교수－학습계획서 작성)

### 1) 학습목표 설정

#### (1) 학습목표의 개념

교육자는 학습자의 요구를 충족시키기 위해 의식적으로 의도하는 교육의 목적에 따라 교육목표를 설정한다. 여기서 교육자의 교육목적과 목표는 곧 학습자의 학습목적과 목표와 동일하게 설정되므로 동일한 의미를 지닌다. 따라서 교육자가 학습자에게 학습경험을 통해 지식(Knowledge), 태도(Attitude) 및 행위(Behavior)를 바람직한 방향으로 변화시켜야 하는 기준을 설정하는 것을 학습목표 설정이라고 한다.

다시 말하면 학습목표는 학습자가 교육을 받는 학습과정을 거치면서 지식, 태도 및 행위를 어떠한 상태까지 변화되기를 바라는가에 대한 구체적인 진술이다. 즉 학습목표의 기준을 진술한 것이다. 교육자는 교육을 시작하기 전에 학습자에게 학습목표를 명확하게 알려주어 교육의 효과를 높일 수 있다. 학습목적과 학습목표의 개념을 정리하면 다음과 같다.

##### ① 학습목적

학습목적은 교육활동의 방향과 지침이다. 학습대상자의 행위변화의 결과로 보건교육을 통해 실현하고자 하는 의도이다. 다시 말하면 교육이 달성하고자 하는 미래의 상태를 뜻한다.

##### ② 학습목표

학습목표는 목적달성에 도달하기 위한 수단을 구체적으로 표현한 것이다. 보건교육을 통해 목적을 달성하기 위하여 의도했던 교육의 성취결과를 구체적으로 진술한 것이다. 따라서 학습경험을 통해서 학습대상자들의 지식, 태도 및 행위변화를 지칭한다.

**학습목적과 목표설정 시 고려해야 할 사항**

- 학습영역(인지적, 정의적, 심동적 영역)
- 학습자 수준 : 대상자의 발달적·정서적·경험적 준비 정도
- 학습환경
- 문제의 우선순위
- 장단기 목표
- 측정 가능한 행동적 용어 사용
- 한 문장에 한 가지 목표·목적 제시
- 순차적 배열
- 지속적 관리

### (2) 학습목표의 분류

Bloom(1956)은 교육을 통해 변화시킬 수 있는 학습목표를 사고(Thinking)와 지식(Knowledge)을 넓히는 인지적 영역(Cognitive Domain)과 정서(Affective)와 태도(Attitude)를 변화시키는 정의적 영역(Affective Domain)으로 분류하였다. 또한 Simpson(1972)은 행위(Behavior), 수행 기술(Skill) 또는 실행(Practice)능력을 증진시키는 심동적 영역(Psycho-Motor Domain)을 분류하였다. 이 세 영역의 주요개념을 살펴보면 다음과 같다[표 5-13].

#### ① 인지적 영역

인지적 영역(Behavior in Cognitive Domain)은 앎, 인식하는 것, 지식을 넓히는 것을 말한다. 인지적 영역의 학습목표는 학습자가 반드시 알아야 하는 사실이나 정보, 원리, 과정 등이다.

##### 가. Bloom의 분류

Bloom(1956)은 지식 습득과정을 학습하기 쉬운 낮은 단계에서부터 상위 수준으로 지식암기, 이해, 적용, 분석, 종합 평가의 6가지 단계로 분류하였다. 이 6가지 분류단계는 다음과 같다.

- 지식암기(Knowledge) : 사실과 개념원리의 기억수준으로 구체적이고 단순한 사실, 용어, 개념, 방법, 구조 등을 외우는 단순 암기수준이다.
- 이해(Comprehension) : 내용의 의미를 파악하는 능력으로 단순히 정보를 기억하는 수준을 넘어 자료의 내용이 다소 바뀌어도 그 의미를 알고 해석하고 토론하는 능력이다. 사실과 개념원리 등을 설명하고 번역, 해석 및 추론까지를 포함하는 것이 이해 수준이다.
- 적용(Application) : 이미 배운 내용인 개념원리, 규칙, 이론, 기술, 방법을 구체적이거나 새로운 장면에 응용할 수 있는 능력으로 실제 상황에서 구체적으로 법칙이나 원리, 이론, 기술, 방법을 적용하는 능력의 수준이다.
- 분석(Analysis) : 특성별 분류기준에 따라 자료를 범주화하여 분류하고 분류된 자료들 간의 관계를 규명하여 추론을 도출하고 재구성할 수 있는 방법을 발견하는 능력으로 요소와 관계 및 구성원리 등을 분석하는 능력의 수준이다.
- 종합(Synthesis) : 여러 개의 요소나 부분을 추론하여 하나가 되도록 묶는 방법과 능력으로 비구조적인 요소들을 조직화된 구조적인 전체로 배열하고, 요약하고, 구성하고, 창안하는 능력의 수준이다.

**표 5-13 3가지 학습 영역의 개괄**(An overview of the three learning domain)

| 인지적 영역 | 정의적 영역 | 심동적 영역 |
|---|---|---|
| **사고(thinking)<br>지식(Knowledge)** | **감각(feeling)<br>태도(Attitude)** | **행위(doing)<br>기술(Skill)** |
| 정보의 상기(Recall information)<br>이해(Understand)<br>적용(Application)<br>분석(Analyze)<br>종합(Synthesize)<br>평가(Evaluate) | 의식(Awareness)<br>반응(Respond)<br>가치화(Valuing)<br>조직화(Organization)<br>통합(Integration) | 관찰(Observation)<br>모방(Imitation)<br>수행(Practice)<br>습관(Habit) |

- 평가(Evaluation) : 특정 목적을 가지고 아이디어나 작품, 방법, 소재 등에 관한 가치를 판단을 하는 능력으로 여러 가지 현상이나 사실 등을 선정된 준거에 따라서 비평, 논의, 평가하는 능력의 수준이다.

Bloom은 2001년 교육목표분류를 아래와 같이 개정하였다.

- Remember(기억, 암기) : 사실을 인식과 회상하기
- Understand(이해) : 사실이 의미하는 것을 이해하기
- Apply(적용) : 사실, 규칙, 개념, 아이디어를 적용하기
- Analyze(분석) : 정보를 구성요소로 분해하기
- Evaluate(평가) : 정보, 아이디어의 가치 판단하기
- Creative(창의, 종합) : 부분을 결합하여 새로운 전체 만들기

Bloom의 인지적 영역의 분류 수준에 따른 정의와 학습목표 설정의 예 및 행위동사수준은 [표 5-14]와 같다.

**표 5-14 인지적 영역의 분류 수준에 따른 정의와 학습목표 설정의 예 및 행위동사**

| 수 준 | 정 의 | 학습목표 | 행위동사 |
|---|---|---|---|
| 1. 지식<br>(Knowledge) | 정의, 사실, 용어, 개념, 방법, 구조 등을 외우는 단순 암기수준 | 대상자들은 흡연의 피해를 열거한다.<br>담배의 유해성분을 열거한다. | 정의한다. 기술한다. 진술한다.<br>나열한다. 열거한다. 묘사한다.<br>진술한다. 분류한다. 연결한다. |
| 2. 이해<br>(Comprehension) | 내용의 의미를 파악하는 능력, 사실과 개념원리 등을 설명하고 번역, 해석 및 추론 수준 | 대상자들은 니코틴의 작용을 설명한다. | 설명한다. 추론한다. 번역한다.<br>구별한다. 요약한다. 확대한다.<br>확장한다. 일반화한다. 예를 든다. |
| 3. 적용<br>(Application) | 알고 있는 지식을 실제 상황에서 구체적으로 법칙이나 원리, 이론, 기술, 방법을 적용하는 능력 | 대상자들은 심장질환과 니코틴의 작용을 관련지어 말한다. | 계산한다. 증명한다. 변형한다.<br>수정한다. 예측한다. 조작한다.<br>만든다. |
| 4. 분석<br>(Analysis) | 자료를 범주화하여 분류하고 분류된 자료들 간의 관계를 규명하여 추론을 도출하고 재구성할 수 있는 방법을 발견하는 능력 | 대상자들은 흡연으로 인한 증상과 자신에게서 나타나는 증상을 비교한다. | 구별한다. 변별한다. 식별한다.<br>추측한다. 선택한다. 세분한다.<br>분리한다. 요점을 말한다. |
| 5. 종합<br>(Synthesis) | 비구조적인 요소들을 조직화된 구조적인 전체로 배열하고, 요약하고, 구성하고, 창안하는 능력 | 대상자들은 자신의 문제해결을 위해 금연방법을 참고하여 자신의 금연계획을 작성한다. | 편집한다. 구성한다. 범주화한다.<br>재구성한다. 조직한다. 공식화한다.<br>디자인한다. 계획한다. 요약한다. |
| 6. 평가<br>(Evaluation) | 가치를 판단을 하고 비평, 논의, 평가하는 능력 | 대상자들은 자신이 계획한 금연계획을 실행한 후 실천 가능성과 결과에 따라 평가한다. | 평가한다. 비교한다. 판단한다.<br>해석한다. 기술한다. 정당화한다.<br>결론을 내린다. |

### 나. Mconire의 분류

Mconire는 '행위중심 교육(practice discipline)'에서 학습목표를 암기수준, 이해 또는 판단수준, 문제해결수준의 3단계로 분류하였다. 이 3단계의 분류는 성과중심 학습에서 난이도 Level Ⅰ, Level Ⅱ, Level Ⅲ의 개념으로 활용되기도 한다. Mconire가 제안하는 3단계의 행위중심교육의 수준별 분류 개념은 다음과 같다.

- 암기수준(Level Ⅰ) : 알아야 할 내용을 외우는 방법으로 인간의 기억력에 의존하여 사물의 특성이나 구조, 배경 등의 사항을 암기하는 것이다. Bloom의 인지적 영역으로는 암기가 이 수준에 해당된다.

- 이해 또는 판단수준(Level Ⅱ) : 사물, 현상 등 여러 가지 자료를 활용하여 해석하거나 판단하기 위해 필요한 지식으로 암기수준보다는 높은 수준이다. 즉 여러 가지 현상을 비교 분석하거나, 비교 분석하여 적절한 방법을 선택하거나, 비교 분석하여 필요한 부분과 불필요한 부분을 감별하는 상황판단을 하는 수준이다. Bloom의 인지적 영역으로는 이해와 적용이 이 수준에 해당된다.
- 문제해결수준(Level Ⅲ) : 지식뿐만 아니라 실습이나 현장 경험을 통해서도 학습되는 것으로 지식을 실제 상황에서 응용하여 활용하는 수준이다. 즉 주어진 상황에서 그 상황을 분석하여 문제점을 찾아내고 그 문제점을 해결하기 위해 계획하고 수행하는 데 필요한 지식으로 최고의 지적 수준이다. Bloom의 인지적 영역으로는 분석, 종합, 평가가 이 수준에 해당된다.

### ② 정의적 영역

정의적 영역(Behavior in Affective Domain)은 인간이 가치를 획득하는 태도를 말한다. Bloom, Krathwhohl, Masia(1964)가 제안하는 정의적 영역의 학습목표는 인간의 느낌이나 정서의 내면화가 깊어짐에 따라 낮은 단계에서부터 상위 수준으로 감수, 반응, 가치화, 조직화, 성격화(통합)의 5가지 단계로 분류하였다. 이 5가지 분류단계는 다음과 같다.

- 감수(Receiving) : 수용(Attending) 또는 의식(Awareness)이라고도 한다. 어떤 현상이나 자극에 대해 긍정적인 반응을 보이고 받아들이려는 태도를 보이는 것으로 가장 낮은 수준의 정의적 행위이다. 교수의 견지에서 학습자의 관심을 이끌어 내어 주의집중을 적절한 방향으로 유도하는 단계이다. 주어진 어떤 현상이나 자극을 감지하고 그것을 수용하며 관심을 가지는 수준이다.
- 반응(Responding) : 적극적인 참여를 나타내는 것으로서 무엇인지 알고자 하는 심리적 태도를 보이는 것을 말한다. 즉 특정 자극이나 현상에 대해 관심(주의)을 집중하고, 그것에 대해 자발적으로 반응하고, 특정 행위를 수행하고, 이에 반응하여 흥미를 갖는 것이다. 주어진 현상에 대한 감수 이상의 것으로 자극에 대하여 능동적으로 반응하는 수준이다.
- 가치화(Valuing) : 행위의 지침이 되는 근본적인 가치에 대하여 동기가 유발되는 수준이다. 어떤 사물이나 현상 또는 행위에 대하여 의미와 가치를 부여하는 것으로 내면화의 정도 수준이다. 이는 특정한 가치가 내면화된 상태를 의미하지만 외적 행위로 나타날 수도 있으며, 특히 학습된 가치는 일관적으로 안정성이 있어 측정할 수 있다. 이 단계의 가치화가 완전한 내면화로 이루어지면 개인의 성격으로 자리 잡는 성격화가 되고, 무엇이 가치 있는 것인지, 그것을 해야 할 것인지, 아닌지, 판단을 하고, 그 행위의 가치를 인정하고, 그 가치에 따라 책임감을 가지고 행위수행에 임하게 된다.
- 조직화(Organization) : 하나 이상의 가치가 학습자의 내면에서 조직되고, 그들 간의 상호관계 및 위계적 관계를 수립하는 단계이다. 학습자가 조직화 수준에서는 여러 가지의 가치를 종합하고 자기 나름대로 내적 일관성이 있는 가치체계를 확립해 나아간다. 이 수준의 학습은 보다 구체적으로 하나의 가치를 학습자의 내면에서 개념화하는 단계에서부터 이를 한 개인의 내면적인 가치관으로 조직화하는 단계에 이르기까지의 수준이다.
- 성격화(Characterization) : 통합(Integration)이라고도 한다. 정의적 태도행위가 가장 내면화 되었을 때를 말한다. 즉 이미 자신의 것으로 자리 잡혀 수용된 가치체계에 따라 일관성 있는 행위를 할 수 있도록 인격의 일부인 개인의 성격으로 내면화된 상태의 수준이다. 이 수준에서는 완전히 체계화된 인생철학과 가치관으로 확립되어 있어 일관적인 체계를 가지고 모든 사물이나 사건 또는 행위로 나타나는 수준이다.

Bloom, Krathwhohl, Masia(1964)의 정의적 영역의 분류 수준에 따른 정의와 학습목표 설정의 예 및 행위동사수준은 [표 5-15]와 같다.

**표 5-15 정의적 영역의 분류 수준에 따른 정의와 학습목표 설정의 예 및 행위동사**

| 수 준 | 정 의 | 학습목표 | 행위동사 |
|---|---|---|---|
| 1. 감수 (Receiving) | 어떤 현상이나 자극에 대해 긍정적인 반응을 보이고 받아들이려는 태도 | 대상자는 담배연기로 죽어가는 쥐를 들여다본다. | 본다. 듣다. 주목한다. 조절한다. 관찰한다. 참석한다. 주의집중 한다. |
| 2. 반응 (Responding) | 무엇인지 알고자 하는 심리적 태도를 보이는 것 | 대상자는 담배가 자신이나 가족에게 매우 해롭다고 말한다. | 박수친다. 따라서 한다. 참여한다. 연습한다. 동의한다. 가지고 논다. |
| 3. 가치화 (Valuing) | 어떤 사물이나 현상 또는 행위에 대하여 의미와 가치를 부여하는 것, 내면화의 정도 수준 | 대상자는 금연계획을 세우고 담배를 줄이며, 금연 스티커를 자신이 볼 수 있는 곳곳에 붙여놓는다. | 행위를 한다. 토의한다. 조직한다. 확신한다. 표현한다. 시도한다. 자원한다. 돕는다. |
| 4. 조직화 (Organization) | 하나 이상의 가치가 내면에서 조직되고, 그들 간의 상호관계, 위계적 관계를 수립하는 수준. 개념화에서부터 가치화까지 다양한 단계가 있다. | 대상자는 흡연의 유혹을 피하기 위해 기상과 함께 조깅을 하고, 아침식사 후 담배 대신 과일을 먹는 등의 생활양식을 체계적으로 실행한다. | 결정한다. 정의한다. 조작한다. 비교한다. 합성한다. 완성한다. 통합한다. |
| 5. 성격화 (Characterization) | 이미 수용된 가치체계에 따라 일관성 있는 행위를 하는 인격의 일부인 성격으로 내면화된 수준 | 대상자는 지역사회 금연운동에서 자원봉사자로 활동한다. | 내면화 한다. 저항한다. 결정한다. 과시한다. 방어한다. 구분해 낸다. |

### ③ 심동적 영역

심동적 영역(Behavior in psychomotor domain)은 행위수행 기술능력으로 여기에서 기술은 학습을 통해 지적 활동이 가능한 상태에서 신체적운동이 행위로 나타나는 것을 말한다. 일반적인 기능, 움직임, 지각(perception) 활동이 여기에 포함된다. 이것은 관찰과 연습을 통해 학습이 이루어진다. 그리고 이 영역은 관찰이 가능하여 확인과 측정이 가능하다. 이 심동적 영역의 기술은 두뇌에서 사고하고 판단하여 시행하는 것으로 근육만의 손놀림은 여기에 해당하지 않는다.

심리운동영역은 Dave, R.(1967), Simpson, E.(1972), Harrow, A.(1972)에 의해 제시된 3가지 분류방법이 있다.

#### 가. Dave의 분류

Dave, R.(1967)의 분류는 [표 5-16]과 같다.

#### 나. Simpson의 분류

Simpson, E.(1972)의 분류는 [표 5-17]과 같다. Simpson, E.의 심동적 영역의 학습목표 수준은 낮은 단계에서부터 상위 수준으로 지각, 태세, 안내에 따른 반응, 기계화, 복합적인 명백한 반응, 적용, 창조 7가지 단계로 분류하였다. 이 7가지의 분류단계는 다음과 같다.

- 지각(Perception) : 신체의 감각기관을 통해 학습대상의 특징과 관계를 인식하는 단계이다. 수행해야 할 행위의 과제와 단서와의 관계를 확인하고 자신의 과거 경험과 관련지어 현재 상황과 관련된 단서를 활동 지침으로 활용할 수 있는 수준이다.
- 태세(Set) : 학습자가 특정 행위나 경험을 하기 위해 심리적인 준비를 하고 긍정적이고 적극적인 자세를 취하는 수준이다.

**표 5-16** Dave, R.(1967)의 심리운동 영역 분류, 정의 및 사용 가능한 동사

| 수 준 | 정 의 | 가능한 동사 |
|---|---|---|
| 1. 모방<br>(Imitate) | 기술을 관찰하고 완성된 제품을 보거나 본보기에 주의를 기울려 반복을 시도한다. | 시도한다. 꾀한다. 복사한다. 사본을 만든다.<br>모방한다. 흉내 낸다. |
| 2. 능숙하게 조작<br>(Manipulate) | 기술을 수행하거나 오히려 관찰보다 일반적인 지침에 따라 인식할 수 있는 방식으로 제품을 생산하고 있다. | 완성한다. 뒤를 잇는다. 놀이를 한다. 수행한다.<br>생산한다. |
| 3. 정확한 조작<br>(정확도, Precision) | 독립적인 스킬을 수행하거나 전문가 수준의 정확하게, 비율에 따라 크거나 작게 제품을 생산한다. | 자동으로 해낸다. 탁월하게 전문적으로 한다.<br>능숙하게 수행한다. |
| 4. 명료한 연결<br>(명료도, Articulation) | 기술이나 제품을 새로운 상황에 맞게 제품을 수정한다.; 조화롭고 일관성 있게 순서에 하나 이상의 기술을 결합한다. | 적용한다(사용자 정의). 변경, 개조한다.<br>주문에 따라 만든다. 창작한다. |
| 5. 자연스럽게 받아들임<br>(Naturalization) | 쉽게 하나 또는 그 이상의 기술을 완성하고 제한된 신체적 또는 정신적 노력으로 기술을 자연스럽게 만든다. | 자연스럽게 한다. 완벽하게 한다. |

〈 자료원 : Dave, R.(1967). Psychomotor domain. Berlin: International Conference of Educational Testing. Huitt, W.(2003). The psychomotor domain. Educational Psychology Interactive. Valdosta, GA: Valdosta State University. Retrieved [date], from http://www.edpsycinteractive.org/topics/behavior/psymtr.html 〉

**표 5-17** Simpson, E.(1972)의 심리운동 영역 분류, 정의 및 사용 가능한 동사

| 수 준 | 정 의 | 가능한 동사 |
|---|---|---|
| 1. 지각(Perception) | 신체 활동을 안내하는 감각 신호를 사용하는 능력 | 식별한다. 선택한다. 구별한다. |
| 2. 태세(Set) | 활동을 준비한다; 기술을 수행하는 데 필요한 행위의 지식이나 의식을 알고 시범을 보이기 위해 학습자에게 규정한 활동 | 자세를 취한다. 시범을 보인다.<br>실 예를 든다. 제시한다. 보인다. |
| 3. 안내에 따른 반응<br>(Guided Response) | 복잡한 기술 학습의 초기 단계; 모방을 포함한다;<br>지시에 따라 기술에 관련된 단계를 완료할 수 있다. | 시도한다. 꾀한다. 모방한다. 시도한다. |
| 4. 기계화<br>(Mechanism) | 복잡한 움직임을 요하는 기술을 수행할 수 있는 능력;<br>복잡한 기술 학습의 중간 단계 | |
| 5. 복합적인 명백한 반응<br>(Complex overt Response) | 정확하게 완전한 정신 운동 기술을 수행할 수 있는 능력 | 가지고 와서 수행한다. 이끌어내어 수행한다.<br>작동한다. 수행한다. |
| 6. 적용(Adaptation) | 새로운 상황에 맞게 움직임의 기술을 수정할 수 있다. | 적응한다. 변경한다. 수정한다. 개정한다. 교정한다. |
| 7. 창작(Origination) | 처음에 배운 기술을 대신해서 고유의 기술을 개발하는 능력 | 고안한다. 디자인을 만든다. 창작한다. |

〈 자료원 : Simpson, E.(1972). The classification of educational objectives in the psychomotor domain: The psychomotor domain. Vol. 3. Washington, DC: Gryphon House. Modification of Simpson by the University of Mississippi School of Education 〉

- **안내에 따른 반응(Guided response)** : 학습자가 교육자의 설명에 따라서 외형적인 행위를 수행하는 수준이다.
- **기계화(Mechanism)** : 기계처럼 반복되는 행위로 습관적으로 자신감 있게 상황에 따라서 기계처럼 행위를 한다. 반복된 연습을 통해 숙련된 수준이다.
- **복합적인 명백한(외적) 반응(Complex overt response)** : 복잡한 동작을 최소한의 시간과 노력으로 자연스럽게 효과적으로 표현하고, 습관화되고 자신감 있게 다른 상황에서도 적합한 행위를 하는 수준이다.
- **적용(Adaptation)** : 새로운 문제 상황에 대처하기 위해 행위를 변경하는 것으로 학습한 행위를 실제 현장에 적용하는 수준이다.

• **창작**(Origination) : 심동영역의 가장 높은 단계의 학습행위로 새로운 활동이나 자료를 다루는 방법을 새롭게 만들어 내는 수준이다.

Simpson, E.(1972)의 심동적 영역의 분류 수준과 학습목표 설정의 예 및 행위동사는 [표 5-18]과 같다.

**표 5-18 심동적 영역의 분류 수준과 학습목표 설정의 예 및 행위동사**

| 수 준 | 학습목표 | 행위동사 |
|---|---|---|
| 지 각 | 노인들은 운동시범자가 시범을 해 보이는 근력운동을 관찰한다. | 기술한다. 발견한다. 분리한다. 선택한다. 차이를 구분한다. |
| 태 세 | 노인들은 운동을 하기 위해 필요한 고무밴드를 하나씩 집어 든다. | 시작한다. 착수한다. 전시한다. 반응한다. 출발한다. 자원한다. |
| 지시에 따른 반응 | 노인들은 운동시범자의 지시에 따라 고무밴드를 이용한 운동을 따라한다. | 측정한다. 조정한다. 조직한다. 분해한다. 조립한다. 스케치한다. 따라서 해본다. |
| 기계화 | 노인들은 음악을 들으며 스스로 운동을 한다. | 수행한다. 행위를 한다.(자신감 있게, 습관적으로 한다.) |
| 복합적인 명백한 반응 | 노인들은 집에서 텔레비전을 보면서 고무밴드를 이용한 운동을 능숙하게 실행한다. | 이끌어 내어 수행한다.(복잡한 행위를 순조롭게 한다.) |
| 적 용 | 노인들은 고무밴드가 없는 노인회관에서 고무밴드 대신 긴 타월을 이용하여 운동을 한다. | 적응한다. 변경한다. 재배열한다. 재조직한다. 변화시킨다. |
| 창 작 | 노인들은 고무밴드를 이용한 상체운동을 응용하여 능숙하게 하체운동을 만들어 실행한다. | 새로운 것을 개발한다. |

### 다. Harrow의 분류

마지막으로 Harrow, A.(1972)의 분류방법은 [표 5-19]와 같다. Harrow(1972)가 제안하는 심동적 영역의 행위목표는 낮은 단계에서부터 상위 수준으로 반사동작, 기초적인 기본 동작, 지각능력, 신체능력, 숙련된 동작, 추론적인 의사소통 6가지 단계로 분류하고 있다. 이 6가지 분류단계는 다음과 같다.

• **반사동작**(Reflex movement) : 불수의적인 동작으로 성장과 성숙을 통해서 발달되는 기초 동작이다. 개인의 의지와 관계없이 나타나는 단순한 반사운동의 수준이다.

**표 5-19 Harrow, A.(1972)의 심리운동 영역 분류, 정의 및 사용 가능한 동사**

| 수 준 | 정 의 | 가능한 동사 |
|---|---|---|
| 1. 반사적 동작(Reflex movement) | 부분 별, 부분 간 사이 및 부분을 초월해서 반응 | 응답한다. 반응한다. 대답한다. |
| 2. 기초적인 기본 동작 (Basic-fundamental movements) | 보행 동작, 비 보행 동작, 교묘한 조작적 동작 | |
| 3. 지각능력(Perceptual abilities) | 운동 감각적 시각, 청각 및 촉각 식별과 조정 능력 | |
| 4. 신체능력(Physical abilities) | 인내력, 지구력, 강도, 유연성, 민첩성 | |
| 5. 숙련된 동작(Skilled movements) | 단순, 복합, 복잡한 적응 기술 | 조립한다. 측정한다. 정밀한 작업을 한다. 분석한다. |
| 6. 추론적인 의사소통 (Non-discursive communication) | 동작 표현과 해석 | 배열한다. 조립한다. 조직한다. 구성한다. 창조한다. 창작한다. 설계한다. |

〈 자료원 : Harrow, A.(1972). A taxonomy of the psychomotor domain. A guide for developing behavioral objectives. New York: McKay 〉

- 기초적인 기본 동작(Basic-fundamental movement) : 반사동작의 결합으로 이루어지는 내재적인 동작 유형이다. 몇 개의 반사적 운동이 결합하여 함께 발달되고 통합됨으로써 이루어지는 초보적인 동작의 수준이다.
- 운동지각능력(Perceptual abilities) : 자극이 학습자에게 수용되고 뇌 중추에 전달됨으로써 인지되어 각성되는 능력이다. 감각기관을 통하여 자극을 지각하고 이를 해석하며 해석된 것을 토대로 환경에 대처하고 적응하는 기능의 수준이다.
- 신체능력(Physical abilities) : 신체적 역량이 민첩하고 유연하게 숙달되어 운동을 연속시켜가는 것에 필요한 기초 기능의 수준이다. 이는 지구력, 근력, 유연성, 민첩성 등으로 발전한다.
- 숙련된 동작(Skilled movement) : 복잡한 운동과제를 수행하는 데 요구되는 비교적 복잡하고 반복연습을 통해 숙련된 기능을 요구하는 수준이다. 운동을 할 때 동작의 능률성, 효율성, 숙달정도, 통합성을 요구하는 운동기능의 수준이다.
- 추론적 의사소통(Non-discursive communication) : 산만하지 않은 의사소통으로 신체적 운동 및 동작을 통하여 자신의 감정, 흥미, 의사, 요구 등을 표현하고 소통하며 그 표현 자체를 창작하는 운동기능의 수준이다.

전반적인 학습목표의 학습난이도에 따른 각 영역별 수준은 [표 5-20]과 같다.

**표 5-20 학습 난이도에 따른 영역별 수준**

<table>
<tr><th>수 준</th><th>인지적 영역</th><th>정의적 영역</th><th colspan="3">심동적 영역</th></tr>
<tr><td rowspan="3">암기수준<br>Level Ⅰ</td><td>1. 지식<br>Knowledge</td><td>1. 감수<br>Receiving</td><td>1. 지각<br>Perception</td><td>1. 모방<br>Imitate</td><td>1. 반사적 동작<br>Reflex movement</td></tr>
<tr><td rowspan="2">2. 이해<br>Comprehension</td><td rowspan="2">2. 반응<br>Responding</td><td>2. 태세<br>Set</td><td rowspan="2">미숙한 조작</td><td rowspan="2">2. 기초적인 기본 동작<br>Basic-fundamental movements</td></tr>
<tr><td>3. 안내에 따른 반응<br>Guided Response</td></tr>
<tr><td rowspan="2">판단수준<br>Level Ⅱ</td><td>3. 적용<br>Application</td><td>3. 가치화<br>Valuing</td><td>4. 기계화<br>Mechanism</td><td>2. 능숙하게 조작<br>Manipulate</td><td>3. 지각능력<br>Perceptual abilities</td></tr>
<tr><td>4. 분석<br>Analysis</td><td>4. 조직화<br>Organization</td><td>5. 복합적인 명백한 반응<br>Complex overt Response</td><td>3. 정확한 조작(정확도)<br>Precision</td><td>4. 신체능력<br>Physical abilities</td></tr>
<tr><td rowspan="2">문제<br>해결수준<br>Level Ⅲ</td><td>5. 종합<br>Synthesis</td><td rowspan="2">5. 성격화<br>Characterization</td><td>6. 적용<br>Adaptation</td><td>4. 명료한 연결(명료도)<br>Articulation</td><td>5. 숙련된 동작<br>Skilled movements</td></tr>
<tr><td>6. 평가<br>Evaluation</td><td>7. 창작<br>Origination</td><td>5. 자연스럽게 받아들임<br>Naturalization</td><td>6. 추론적인 의사소통<br>Non-discursive communication</td></tr>
</table>

### (3) 학습목표의 진술

학습목표의 진술은 평가 시 평가기준으로 활용하게 된다. 즉 학습의 결과로 대상자에게 기대되는 측정 가능하고 관찰 가능한 행위를 판단하기 위해 행위동사로 제시된 단어들을 활용하여 평가기준으로 진술한다. 이 때 인지적 영역, 정의적 영역 및 심동적 영역의 학습목표 수준의 분류에 따라 학습목표의 위계를 정한다. 즉 그 위계를 통해 학습결과로서 기대되는 행위의 난이도 수준을 구분하거나 그 위계에 따른 행위동사를 학습결과로서 기대되는 행위로 변화시키기 위한 행동용어를 활용한다.

### ① 학습목표 진술의 구성요소

#### 가. 학습목표 진술 구성요소

학습목표 진술의 기본적인 6가지 구성요소는 다음과 같다. 이때 '무엇을', '얼마만큼'은 절대 생략할 수 없다.

- 누가(Who) : 학습대상자
- 언제까지(Till when) : 목표달성 기한
- 어디서(Where) : 교육장소
- 무엇을(What) : 교육내용
- 어떻게(How) : 교육방법
- 왜(Why) 얼마만큼(How much) : 변화되어야 할 정도, 달성 수준, 기준

#### 나. Mager의 학습목표 진술 4가지 구성요소

- 내용 : 대상자가 변화되어야 할 내용을 명확하게 기술한다.
- 기준 : 변화를 할 때 도달해야 할 기준으로 목표달성여부 판단기준을 명확하게 기술한다.
- 조건 : 변화를 할 때 갖추어야 할 요구 조건으로 목표달성을 위한 최종 행위를 할 때 구체적으로 지켜져야 할 구비조건과 상황을 명확하게 제시한다.
- 행위 : 교육 후 기대되는 최종 행위를 구체적으로 행위동사로 기술한다.

학습목표 진술의 예시는 [표 5-21]과 같다.

**표 5-21 학습목표 진술의 구성요소 예시**

**[예시 1]**

학습목표를 기록할 때 목표의 구성 요소 6가지가 모두 포함되어 있어야 한다.

30세 이상 ○○지역주민들에게 (who) 2018년 3월 1일부터 10월 31일까지 (when) 보건소 5층 교육실에서 (where)

'혈압잡GO 건강잡GO' 교육을 (what) 매월 1회 40분씩 8회 수행하여 (how) 고혈압 인지율을 20%에서 25%로 향상한다. (how much)

**[예시 2]**

학습목표를 기록할 때 목표의 구성 요소 6가지 중 무엇과 얼마만큼은 생략할 수 없다.

고혈압 인지율을 (what) 20%에서 25%로 향상한다. (how much)

**[예시 3]**

| 내용(content) | | 기준(criteria) | 조건(condition) | 행위(action) |
|---|---|---|---|---|
| 학습자는 | 흡연의 유해성을 | 3가지 이상 | 정확하게 | 설명한다. |
| | 감염 예방을 위해 (손 씻기를) | 하루에 6번 이상 6단계 방법으로 | 흐르는 물에 1분 동안 | 손을 씻는다. |
| | 비만을 예방하기 위해 (줄넘기를) | 주 3회 이상 | 1회에 30분 이상씩 땀이 날 정도로 | 줄넘기를 한다. |

### ② 학습목표 진술방법

학습목표 진술은 사업수행을 원활하게 하고 사업평가에 활용될 수 있도록 바르고 구체적으로 기술되어야 한다. 학습목표 진술방법에는 SMART공식을 활용하는 방법과 일반적인 학습목표 진술방법이 있다. 먼저 SMART공식을 활용하는 방법을 그다음 일반적인 학습목표 진술방법을 설명하면 다음과 같다.

#### 가. SMART공식을 활용

- 구체성(Specific) : 목표는 구체적으로 기술해야 한다.
- 측정가능성(Measurable) : 목표는 측정가능하게 수치와 행동용어로 기술해야 한다.
- 적극성(Aggressive)과 성취가능성(Achievable) : 목표는 적극적으로 성취가능하고 현실적으로 실현이 가능해야 하며, 노력 없이 소극적으로 달성되는 것이 아니고 적극적인 노력을 통해 달성 가능한 것이어야 한다.
- 관련성(Relevant) : 상위목적과 하위목표와의 관련성, 국가정책이나 기관, 사업의 목적 등과 관련성, 문제해결과 직접적인 관련성과 인과관계가 있어야 하고 논리적이어야 한다.
- 기한(Time Limited) : 목표달성을 하는 기한을 명시해야 한다.

#### 나. 일반적인 학습목표 진술원칙

- 한 문장에 한 가지 목표(단일성과)만을 진술한다.
- 일반적인 학습목표 범위에서 일관성 있게 진술한다.
- 학습자를 주체로 진술한다.

  '○○을 할 수 있도록 한다.'와 같이 교육자의 행위를 주체로 진술하는 것이 아니라 '○○을 할 수 있다.', '○○을 한다.'와 같이 학습자의 행위를 주체로 진술한다.
- 구체적인 행위 동사로 진술한다.

  학습목표는 직접 관찰이 가능하고 측정할 수 있는 외현적 행위(Overt Behavior)로 진술해야 하며, 행위목표는 직접 관찰이 가능한 동작을 묘사하는 행위동사(Action Verbs)로 진술해야 한다. 예를 들면 '계산한다', '발음한다', '분해한다', '설명한다', '열거한다' 등은 외현적 행위 동사로 직접 관찰이 가능하다. 그러나 '안다', '이해하다', '파악하다', '감상하다' 등은 관찰할 수 없는 추상적인 내재적 행위 동사로 측정할 수가 없다. 그러므로 학습목표 진술은 명시적 행동용어를 쓰도록 한다. 이러한 명시적 용어는 더 이상 설명을 할 필요가 없다. 학습목표 진술 용어는 [표 5-22]와 같다.

**표 5-22 학습목표 진술 용어**

| 암시적 행위용어 | | 명시적 행위용어 | |
|---|---|---|---|
| 안다.<br>이해한다.<br>존경한다.<br>믿는다. | 토의한다.<br>인식한다.<br>파악한다.<br>신용한다. | 설명한다.<br>구별한다.<br>시범한다.<br>비교한다. | 말한다.<br>푼다.<br>열거한다.<br>대조한다. |

- 도달점 행위로 명시한다.

  도달점 행위에는 내용과 행위의 두 가지 요소를 반드시 포함해야 한다. 학습자 위주의 최종 행위로 어떤 내용에 대해 어떤 행위를 수행해야 하는지를 구체적으로 명시한다.

  예 손을 씻는다.

- 도달점 행위를 할 때 수행해야 할 조건을 제시한다.

  조건이란 도달점 행위를 할 때 구체적으로 수행해야 할 일련의 구비조건과 상황을 말한다. 이는 질문에 답을 하거나, 과제 제시, 자료 제시, 장비나 도구 활용, 수행시간 제한, 수행 장소나 물리적 환경, 심리적 환경 등의 정확도의 조건을 말한다.

  예 6단계 손씻기 방법을 활용하여

- 도달점 행위를 할 때 준거기준을 명시한다.

  도달점 행위 수행 준거기준이란 도달점 행위의 달성여부를 판단할 수 있는 기준을 말한다. 일반적으로 '도달점 행위를 수행한다, 못 한다' 등의 평가표준을 진술한다.

  예 6단계 손씻기를 하였지만 충분한 비누거품을 내어 흐르는 물에 1분 동안 손을 씻어야 한다는 기준을 지키지 못하고 거품이 불충분하다거나 흐르는 물이 아니었거나 1분을 지키지 못했거나 하였다면 평가 결과는 '손씻기를 정확하게 수행하지 못 한다'이다.

## 2) 학습내용 선정과 구성

학습목표를 설정한 다음에는 그 목표를 성취하기 위해 필요한 학습내용을 선정하고 이를 체계화한다. 여기에서 말하는 체계화란 학습내용을 일정기준에 따라 조직화 하거나 분류하여 교육순서와 위계를 정하는 것을 말한다.

일반적으로 보건교육내용을 체계화할 때에는 학습자가 이미 알고 있는 것에서 모르는 것으로, 학습하기 쉬운 것에서 어려운 것으로, 직접적인 것에서 간접적인 것으로 그리고 구체적인 것에서 추상적인 것으로 교육내용을 배열한다.

### (1) 학습내용 선정기준

- 학습목표와의 관련성 : 학습내용은 정해진 학습목표와 관련된 내용이어야 한다.
- 타당성 : 대상자의 보건교육 요구와 일치하며 건강향상을 위해 반드시 필요하고 중요한 내용이어야 한다.
- 넓이와 깊이의 균형 : 교육내용이 너무 광범위하거나 피상적이지 않게 하고, 특정 내용만을 깊게 다루지 않도록 대상자에게 적합한 균형을 유지한다.
- 참신성 : 최신 이론이거나 최신 정보를 활용하고 어디서나 반복되는 진부한 내용을 되풀이하지 않도록 한다.
- 적절성 : 대상자가 살고 있는 현실적 여건과 상황에 적합한 내용이어야 한다.
- 유용성 : 대상자의 건강관리에 활용이 가능하고 기여하는 내용이어야 한다.
- 영속성 : 한번 활용하고 끝나는 것이 아니라 계속적으로 다양한 실생활에서 활용할 수 있어야 한다.

### (2) 학습내용의 구성원리

교육자는 학습내용의 구성이 교육자의 편의와 학문의 체계를 위한 것이 아니고 학습자의 학습증진을 돕기 위한 것이라는 것을 명심해야 한다. 학습내용의 구성은 학습자가 학습을 통해서 지식, 태도 및 행위의 성장 발달을 촉진할 수 있도록 계획된 학습경험을 제공하는 과정을 체계적으로 조직하는 것이다. 학습내용을 조직할 때는 도입활동, 전개활동, 정리활동 순으로 조직한다. 도입활동, 전개활동, 정리활동은 p.437 '보건교육 수행단계'에서 설명하기로 한다.

#### ① Tyler의 교육내용 조직의 원칙

교육학자 Tyler는 교육내용 구성(조직)의 원칙으로 계열성, 계속성, 통합성의 3가지를 제시하고 있다. Tyler의 교육내용 조직의 원칙은 다음과 같다.

- **계속성** : 교육과정과 학습내용 조직이 계속될 수 있도록 종적인 관계를 구성한다. 그리고 학습내용의 여러 요소가 어느 정도 계속해서 반복되어야 한다.
- **계열성** : 교육과정과 학습내용의 종적인 관계가 앞뒤 순차적으로 위계를 따라 먼저 학습할 내용과 뒤이어 학습할 내용이 계열을 따라 순차적으로 누적되어 학습이 이루어지도록 구성한다. 그리고 단순히 계속해서 반복되는 것이 아니라 학습내용 간에 관련성, 확대성, 심화성이 있어야 한다. 그래서 보건교육의 진행 방향은 계열성에 따라 학습내용이 과거에서 현재로 시간 순서를 지키고, 쉬운 것에서 어려운 것, 단순한 것에서 복잡한 것, 구체적인 것에서 추상적인 것으로 단계적으로 확대 심화되어야 한다. 예를 들면 초급·중급·고급의 단계별 학습 또는 저학년·고학년별 학습내용을 구성하는 것을 말한다.
- **통합성** : 교육과정과 학습내용 조직의 횡적인 관계로 학습자의 과거 경험이 학습내용과 상호 조화되고 통합되어 바람직한 행위변화를 이루고 학습자의 궁극적인 학습목적을 달성하도록 한다. 예를 들면 간호학과 학생이 학년별 교과목별로 배운 내용을 모두 통합하여 졸업 후 하나의 간호사로서 성장·발달하도록 학습내용을 구성하는 것을 말한다.

#### ② 일반적인 학습내용의 구성 원리

- **적절성** : 학습자의 발달수준과 학습목적, 학습목표에 맞는 적절한 내용으로 구성한다.
- **일관성과 연계성** : 교육목표에 효과적으로 도달 가능한 내용을 차시별로 일관성과 연계성 있게 구성한다.
- **계열성** : 교육내용이 순차적으로 위계를 따라 먼저 학습할 내용과 뒤이어 학습할 내용이 계열을 따라 순차적으로 누적되어 학습이 이루어지도록 구성한다.
- **계속성** : 차시별 학습내용이 계속될 수 있도록 구성한다.
- **통합성** : 학습내용이 연결되고 이들을 통합하여 활용할 수 있게 구성한다.

### 3) 교수-학습방법 선정

보건교육 대상자의 특성 및 달성하고자 하는 교육목표에 따라 보건교육의 내용이 선정되고 그 교육내용에 따라 교수-학습방법을 선정한다. 교육의 주체를 교육자로 본다면 교육방법이고 학습자를 교육의 주체로 본다면 학습방법이다. 그래서 과거에는 교육방법이라는 용어를 주로 사용하였지만 오늘날은 인본주의나 구성주의의 영향으로 학습자를 교육의 주체로 보는 교수-학습방법이라는 표현을 함께 사용한다. 보건교육에서 교수-학습방법은 대상자와 학습환경에 적용이 가능하고, 학습목표달성 및 학습효과를 증진하고, 학습대상자의 성숙정도에 따라 학습대상자가 무리 없이 받아들일 수 있고 활용하기 편리한 방법을 선정한다.

> **교육목표에 따른 교수-학습방법**
>
> - **건강에 대한 의식의 변화** : 강의, 대중매체, 홍보, 캠페인, 집단 활동 등
> - **건강지식의 증대** : 강의, 전시, 홍보, 개별교육, 집단교육 등
> - **건강에 대한 자각과 태도 결정** : Role Play, 토론 등의 집단 활동 등
> - **행위변화·사회변화 유도** : 기술적인 방법, 압력단체 활용 등

교수-학습방법을 선정할 때 고려사항은 대상자의 수, 대상자의 교육수준, 대상자의 신체적, 정신적, 사회적, 문화적 특성과 학습목표의 난이도, 교육장소 및 시설 등의 물리적 학습환경, 보건교육 주제, 보건교육의 소요 시간과 시기, 교육자의 능력, 예산 등의 특성과 제한점 등을 고려한다.

## 4) 교육매체 선정

보건교육을 수행할 때 학습에 도움을 줄 수 있는 학습보조 자료가 교육매체이다. 교육매체는 학습대상자와 학습환경에 적합한 매체를 선정하고 활용하여 학습목표 달성과 학습효과를 증진한다.

**교육매체 선정 시 고려할 사항**

- 보건교육대상자 전체가 다 듣고 보고 활용할 수 있어야 한다.
- 보건교육 학습목표에 따라 단계별로 제시되어야 한다.
- 교육매체를 활용할 수 있는 적절한 시간이 배정되어야 한다.
- 교육매체를 쉽게 구할 수 있고 조작이 간편해야 한다.
- 교육매체 활용이 경제적이어야 한다.

교육 수행계획에 앞서 목적달성을 위한 방법과 수단, 즉 교육내용, 교육방법, 교육매체 선정이 법률적, 사회적, 기술적, 경제적, 예측적 타당성이 있는지 확인해야 한다. 보건교육에 있어 법률적 타당성이란 교육목적달성 방법과 수단이 현행 법률과 정책 등에 합법한 것인지를, 사회적 타당성이란 현 사회제도에 부합되는지 사회문화적으로 받아들일 수 있는지 등의 사회적 수용가능성을 보고, 기술적 타당성이란 현재의 기술로 수행이 가능하고 그것이 효과적이고 효율적인가를 보며, 경제적 타당성이란 현실적으로 자원동원이 가능하고 그것을 수행함으로서 경제적으로 효과가 있는지를 보고, 예측적 타당성은 그 방법의 수행 과정과 결과에 대한 예측이 가능한지를 확인하여 발생할 수 있는 상황에 대해 미리 대처하는 것이다.

## 5) 교육수행 계획

보건교육을 수행하기 위해 일련의 활동 계획서를 작성하는 것으로 누가, 언제, 어디서, 무엇을, 어떻게, 얼마만큼 교육할 것인지 교수-학습계획안을 작성한다.

**보건교육 수행계획 수립 시 고려사항**

- 건강문제와 관련된 교육의 주제는 단기적으로 한 번에 해결되는 것이 아니라 지속적으로 문제가 발생되는 경우가 대부분이다. 따라서 보건교육 수행계획은 단기 또는 장기 계획을 연속적으로 세우는 것이 바람직하다.
- 교육대상의 모집 가능성과 선정한 보건문제의 교육시기를 조화롭게 계획해야 한다. 그 지역사회의 생계와 관련되어 농번기와 같이 바쁜 계절이나 시기를 피하는 것이 좋다.
- 교육대상자의 신체적, 정신적, 사회적 특성과 인원수와 강의실의 크기, 좌석배열, 전기, 조명, 환기, 기온 등 물리적 교육환경과 교육 매체활용 등을 고려하여 보건교육 장소, 보건교육 방법, 매체 선정을 계획해야 한다.

### 6) 교육평가 계획

평가계획은 보건교육을 통해 학습자가 도달해야 할 목표달성 정도와 평가기준 등의 보건교육을 평가하는 방법과 평가자, 평가시기, 평가장소, 평가내용, 평가방법, 평가기준 등에 관한 계획이다.

**목표달성 확인을 위한 평가계획이 갖추어야 할 기준**

① **평가 측정을 명확히 할 수 있는 평가내용 및 평가 기준 선정계획**
② **평가기관 및 평가자 선정계획**
③ **평가내용 계획**
- 건강에 대한 의식, 관심, 흥미의 변화 측정계획 : 건강관련 정보 찾는 방법, 관심정도, 건강상담 신청횟수 등
- 건강에 대한 태도 변화 측정계획 : 교육 전후 측정, 교육집단과 비교육집단의 차이 비교 등
- 건강행위의 변화 측정계획 : 교육집단과 비교육집단과의 비교, 교육 전후 비교, 동료들로부터의 평가 등
- 사회적 변화 측정계획 : 지역사회 정책 및 회사 방침의 변화, 건강정보제공·건강시설·장비·기자재 등의 보강 및 증가 등

④ **평가자료 수집계획**
평가자료를 수집하고 분석할 수 있는 계획
⑤ **평가자료 비교·분석 계획**
적절한 회환(feedback)이 가능한 평가자료 비교·분석 및 결과보고서 작성계획
⑥ **가치 확인 계획**
건강문제와 기준을 재정립할 수 있는 평가결과의 가치판단 기준
⑦ **회환(feedback) 계획**
회환을 통해 평가결과의 활용과 보급 및 재계획 수립을 위한 계획

### 7) 보건교육 계획서 작성

보건교육 계획서는 보건교육 계획단계에서 수립된 내용들을 종합적으로 정리한 것을 말한다. 보건교육 계획서는 [표 5-23], 차시별 수업계획서는 [표 5-24], 보건교육 Timetable은 [표 5-25]와 같다. 그리고 계획서에 포함되어야 할 내용은 다음과 같다[그림 5-27].

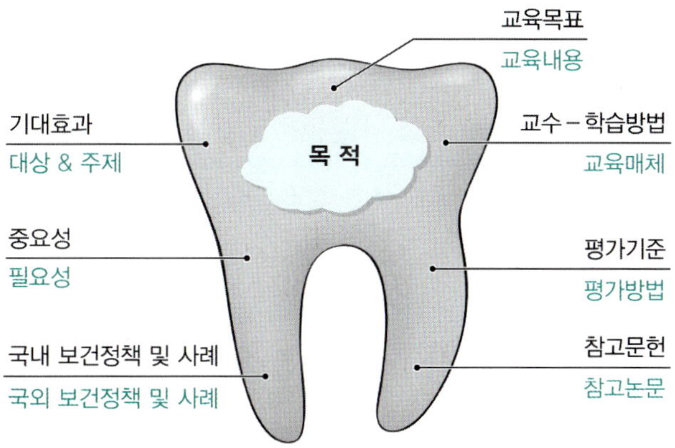


**그림 5-27 보건교육 계획서 내용**

- 사업명
- 프로그램명
- 교육명
- 대상자, 참가인원 수
- 교육자 명 및 연락처
- 교육 장소 및 일시
- 전체 교육 진행 과정과 시간
- 국내·외 정책 및 사례
- 필요성, 중요성 : 대상자와 주제선정 이유
- 교육주제
- 교육목적 및 기대효과
- 교육계획
  - 교수-학습 목표
  - 교수-학습 방법
  - 교수-학습 매체
  - 교수-학습 내용
  - 평가방법 및 평가계획
- 활용계획
- 참고문헌

**표 5-23** 보건교육 계획서

# 보건교육 계획서

날짜 : 20○○년 3월 5일

<table>
<tr><td rowspan="2">교 육 명</td><td rowspan="2">치매예방 오히려 좋아!</td><td>보건사업명</td><td>치매통합관리사업</td><td>교육자명</td><td>김 ○ ○</td></tr>
<tr><td>프로그램명</td><td>치매조기발견 프로그램</td><td>연 락 처</td><td>010 ○○○○ ○○○○</td></tr>
<tr><td>교육대상</td><td>60세 이상 ○○지역주민</td><td>대상 인원수</td><td>20명씩 3개 반 / 총 60명</td><td>E-mail</td><td>○○○@○○○</td></tr>
<tr><td>교육기간</td><td>20○○. 4. 1.~20○○. 6. 10.</td><td>교 육 시 간</td><td>주 1회 2시간 / 10주</td><td>장소</td><td>교육실</td></tr>
</table>

<table>
<tr><td>사업목적</td><td colspan="4">치매위험이 높은 ○○지역 60세 이상 주민을 대상으로 "치매통합관리 서비스"를 제공함으로써 치매예방, 조기발견 및 조기치료, 재활 프로그램을 단계별로 체계적이고 지속적으로 제공함으로써 치매유병율을 감소시키고 중증치매를 예방하여 본인 및 가족의 사회적 부담을 경감시키고 삶의 질을 향상시키고자 한다.</td></tr>
<tr><td>교육의 개요 및 주제</td><td colspan="4">본 교육은 치매 조기발견 및 조기치료 프로그램으로 치매선별검사 실시 후 경도의 인지저하자를 선별하여 조기치료 및 인지력향상 교육을 한다.</td></tr>
<tr><td>선수학습 및 후속교육</td><td colspan="4">1차 교육 수료자에 한해, 2차, 3차, 4차 … 교육에 연차적으로 적용함</td></tr>
<tr><td colspan="3">프로그램목적</td><td colspan="2">학습성과</td></tr>
<tr><td colspan="3">1. 치매 조기발견 – 60세 이상 ○○지역주민 90% 이상 치매선별검사를 실시한다.<br>2. 조기치료 – 발견된 경도의 인지저하자 90% 이상을<br>① 지역병원과 연계하여 약물 등의 치료를 받게 한다.<br>② 인지력향상 교육에 참여하도록 한다.</td><td colspan="2">① 치매조기발견의 중요성을 3가지 이상 말한다.<br>② 치매발견시 지역병원과 연계하여 약물 등의 치료를 받는다.<br>③ 발견된 경도의 인지저하자는 인지력향상교육에 참여한다.</td></tr>
<tr><td colspan="3">교수 – 학습방법 / 매체</td><td colspan="2">평가방법</td></tr>
<tr><td colspan="3">강의, 시범, 동영상 시청 / 컴퓨터, 빔프로젝트, DVD</td><td colspan="2">관찰, 설문조사</td></tr>
<tr><td rowspan="5">평가체계</td><td rowspan="2">Rubric</td><td colspan="2">Pass</td><td>Fail</td></tr>
<tr><td colspan="2">① 치매조기발견의 중요성을 하나 이상 말한다.<br>② 치매발견시 지역병원과 연계하여 약물 등의 치료를 받는다.<br>③ 발견된 경도의 인지저하자는 인지력향상교육에 참여한다.</td><td>① 치매조기발견의 중요성을 말하지 못 한다.<br>② 치매발견시 지역병원과 연계하여 약물 등의 치료를 받지 않는다.<br>③ 발견된 경도의 인지저하자가 인지력향상교육에 참여하지 않는다.</td></tr>
<tr><td>달성목표</td><td colspan="3">학습자의 90%가 "pass" 이상을 달성한다.</td></tr>
<tr><td>미달성자 지도</td><td colspan="3">"Fail"한 학습자는 개별지도를 통해 개선한다.</td></tr>
<tr><td>공개</td><td colspan="3">개별 통지함</td></tr>
<tr><td>과 제</td><td colspan="4">교육 시 학습한 인지력향상 방법을 집에서 반복 연습한다. – 스마트폰 앱을 활용하여 check</td></tr>
<tr><td>교 재</td><td colspan="4">인지력향상 프로그램 보건교육 자료</td></tr>
<tr><td>참고문헌</td><td colspan="4">치매예방교육, 인지력향상 프로그램 보건교육, 보건교육 방법론, 지역사회 간호학</td></tr>
</table>

〈 자료원 : 류화라 〉

**표 5-24** 차시별 수업계획서

# 차시별 보건교육 계획서; 제1차시

20○○년 4월 1일 10시　　　　교육명 : 치매예방 오히려 좋아!

<table>
<tr><td rowspan="2">1차시</td><td>제 목</td><td colspan="3">치매 조기발견과 조기치료</td></tr>
<tr><td>목 표</td><td colspan="3">① 치매조기발견의 중요성을 3가지 이상 말한다.<br>② 치매발견시 지역병원과 연계하여 약물 등의 치료를 받는다.<br>③ 발견된 경도의 인지저하자는 인지력향상교육에 참여한다.</td></tr>
<tr><td>시 간</td><td colspan="2">내 용</td><td>교수-학습방법 및 매체</td><td>학습장소</td></tr>
<tr><td>5분</td><td>도입활동</td><td>치매의 심각성과 치료의 중요성</td><td>동영상</td><td>교육실</td></tr>
<tr><td>30분</td><td>전개활동</td><td>치매조기발견의 중요성과 조기치료<br>인지력향상 활동의 필요성</td><td>강의, 동영상, 발표</td><td>교육실</td></tr>
<tr><td>5분</td><td>정리활동</td><td>치매조기발견의 중요성과 조기치료<br>요약, 정리, 질문</td><td>Quiz, 질의응답</td><td>교육실</td></tr>
<tr><td>사전 진단평가</td><td colspan="4">치매 선별용 간이정신상태검사(MMSE-DS) 검사 : 치매 정도를 알기 위한 설문조사</td></tr>
<tr><td rowspan="3">교육내용</td><td>도입활동</td><td colspan="3">치매의 심각성과 치료의 중요성 관련 동영상 시청<br>학습목표 제시 및 동기유발</td></tr>
<tr><td>전개활동</td><td colspan="3">치매조기발견의 중요성과 조기치료, 인지력향상 활동의 필요성 관련<br>강의, 동영상 시청, 경험 등 발표</td></tr>
<tr><td>종결활동</td><td colspan="3">요점정리, 발표 및 Quiz, 질의응답, 차시예고</td></tr>
<tr><td>사후평가</td><td colspan="4">치매조기발견의 중요성과 조기치료, 인지력향상 활동의 필요성 관련 문항 질문지 test, 만족도</td></tr>
<tr><td>회 환<br>(feedback)</td><td colspan="4">수업 성찰 및 소감 발표</td></tr>
</table>

〈 자료원 : 류화라 〉

**표 5-25** 차시별 수업계획서

## 차시별 보건교육 계획서; 제2～10차시

20○○년 4월 8일 10시 교육명 : 치매예방 오히려 좋아!

<table>
<tr><td rowspan="2">2차시～10차시</td><td>제 목</td><td colspan="3">치매예방 오히려 좋아!－인지력향상 활동(만다라 색칠하기)</td></tr>
<tr><td>목 표</td><td colspan="3">① 대상자(발견된 경도의 인지저하자)는 인지력향상 활동(만다라 색칠하기)에 참여한다.</td></tr>
<tr><th>시 간</th><th colspan="2">내 용</th><th>교수－학습방법 및 매체</th><th>학습장소</th></tr>
<tr><td>5분</td><td>도입활동</td><td>인지력향상 활동 － 만다라 색칠하기 설명</td><td>동영상, 강의, 시범</td><td>교육실</td></tr>
<tr><td>30분</td><td>전개활동</td><td>인지력향상 활동 － 만다라 색칠하기</td><td>만다라 색칠하기 활동,<br>만다라 색칠하기 교재</td><td>교육실</td></tr>
<tr><td>5분</td><td>정리활동</td><td>요약, 정리, 질문</td><td>Quiz, 질의응답</td><td>교육실</td></tr>
<tr><td>사전 진단평가</td><td colspan="4">인지력향상 활동 － 만다라 색칠하기 인식정도를 알기 위한 설문조사, 인지력검사(1차시 검사 활용)</td></tr>
<tr><td rowspan="3">교육내용</td><td>도입활동</td><td colspan="3">인지력향상 활동 － 만다라 색칠하기 활동설명, 동영상 시청, 시범<br>학습목표 제시 및 동기유발</td></tr>
<tr><td>전개활동</td><td colspan="3">인지력향상 활동 － 만다라 색칠하기 1～10 차시별 적용</td></tr>
<tr><td>종결활동</td><td colspan="3">요점정리, 발표 및 Quiz, 질의응답, 차시예고</td></tr>
<tr><td>사후평가</td><td colspan="4">인지력향상 활동 － 만다라 색칠하기 관련 활동 결과 확인,<br>10차시 : 만족도조사, 인지력검사 : 인지력 향상 정도 확인</td></tr>
<tr><td>회 환<br>(feedback)</td><td colspan="4">수업 성찰 및 소감 발표, 인지력 변화 또는 유지 점검</td></tr>
</table>

〈 자료원 : 류화라 〉

# 제5절 + 보건교육의 수행

Keywords

• 보건교육 수행 • 교수 - 학습방법 • 보건교육 방법 • 보건교육 매체

## 1 보건교육 수행단계

보건교육 수행단계는 보건교육의 제3단계로 교육을 직접 수행하는 실질적인 단계이다. 이 단계는 학습자에게 학습내용을 전달하는 단계로 학습활동이라고 한다. 보건교육을 수행하기 위해서는 실제로 교육에 필요한 자원들을 보건교육을 수행하기 전에 미리 검토하고 관리하고 실제 진행되는 교육에 대한 조정, 감시, 감독하는 것이 요구된다. 조정, 감시, 감독은 학습활동을 수행하는 과정에서 이루어진다. 그리고 학습활동은 도입단계, 전개단계, 종결단계로 구성되며 학습활동 단계는 다음과 같다.

### 1) 도입활동

도입활동은 수업시작 5~10분 정도로 학습목표를 제시하고 학습 진행방법을 설명하고 사전 테스트나 학습동기유발을 한다. 이때 학습자의 흥미유발과 동기부여에 도움이 되는 방법으로 활용되는 학습매체로는 영화나 동영상, 슬라이드, 녹음테이프, 전시물, 실물 등을 활용할 수 있다.

학습환경의 동기적 측면을 설계하는 문제해결식 접근법으로 Keller의 ARCS 모델(1984)을 적극 활용한다. ARCS 모델은 학습동기를 유발하고 유지시키기 위한 방법은 다음과 같다.

- **주의집중(Attention) 유발** : 학습자의 흥미와 주의집중을 유발하기 위해 호기심과 관심을 이끌어낸다.
- **관련성(Relevance) 제시** : 이전에 배운 것 혹은 학습자가 이미 알고 있는 내용과 오늘 학습할 내용의 관련성을 지적해서 연결해준다.
- **자신감(Confidence) 증진** : 학습자의 심리적 안정감과 자신감을 고취시키는 칭찬이나 격려, 보상 등을 제시하여 학습자의 지적 활동을 자극한다.
- **만족감(Satisfaction) 제공** : 결과적으로 학습자가 학습에 대한 만족감을 느끼도록 한다.

### 2) 전개활동

전개활동은 30~40분 정도로 도입활동에서 학습자에게 학습에 대한 흥미와 동기가 유발이 된 후 계획단계에서 구성한 학습내용을 전달하기 위해 학습내용을 전개하는 것이다. 학습자에게 학습내용의 지식·기술·기능·태도 등의 습득을 위하여 집단 또는 개별적으로 교육활동을 수행하는 본 수업단계이다.

문제해결학습에서는 학습자가 도입활동에서 학습동기 유발과 함께 학습해야 할 문제를 발견하고 전개활동에서 그 문제해결을 위한 학습활동을 수행하는 것을 말한다. 이러한 전개활동은 보건교육 전반의 가장 핵심적인 활동이다. 학습자의 이해를 돕기 위해 폭넓고 다양한 교수-학습방법과 매체를 활용한다. 또한 연구에 따르면 학습자의 집중 시간이 15분을 넘지 못한다고 한다. 그래서 매 15분마다 새로운 질문이나 주의집중을 유도하는 방법을 활용하거나 다양한 학습매체를 활용한다. 전개활동의 학습활동은 다음과 같다.

- 학습자에게 지식적 영역의 정보를 획득하게 하기 위한 방법으로는 책 읽기, 문헌 검토, 강의와 토론참석, 체계적 관찰 등의 교육활동을 전개할 수 있다.
- 학습자에게 정의적 영역의 태도 변화를 목적으로 하는 보건교육활동 방법으로는 토의, 상담, 역할극, 예술품의 감상 혹은 연극관람, 영화와 같은 동영상 시청 등의 교육활동을 전개할 수 있다.
- 학습자에게 심동적 영역의 기능을 습득하게 하기 위한 방법으로는 체험학습, 실험, 실습, 시범 등의 교육활동을 전개할 수 있다.

### 3) 정리활동

정리활동은 마무리 5~10분 정도로 전개활동에서의 활동을 종합하고 요약정리하며, 설정된 학습목표가 성취되었는지, 문제해결이 되었는지 확인을 하기 위해 중요한 부분을 학습자에게 질문하거나, 쪽지시험을 보거나, 토의함으로써 전개활동을 통해서 습득한 학습내용의 학습목표 성취여부를 확인한다.

그리고 학습 진행 중에 발생된 문제점을 회환(feedback)해서 다음 교육에 반영하고, 교육을 마무리 정리하고 결론짓는 학습전반에 대한 평가활동과 다음 학습을 위한 차시예고, 과제제시, 참고문헌을 제시한다.

## 2 보건교육시 활용하는 교수 – 학습 방법

### 1) 교수 – 학습방법 선정의 원리

학습자의 학습효과를 높이기 위해서는 교육자가 학습자에게 적절한 교수 – 학습방법을 선정하는 것이 필수적이다. 교수 – 학습에 영향을 미치는 요인은 매우 다양하고, 적절한 교수 – 학습방법은 효과적인 학습을 위해 매우 중요하다.

교수 – 학습방법을 선정할 때는 교육자, 학습자 그리고 교육이 이루어지는 환경적 측면을 모두 고려하고 이를 교육에 반영할 때에 적절성을 가질 수 있다. 효과적인 교육을 위해서는 교육의 궁극적인 목적, 구체적인 목적과 목표를 명확하게 이해한 다음에 학습자와 교육자, 학습환경의 특성을 고려하여 교수 – 학습방법을 선정하는 것이 바람직하다. 학습에 영향을 미치는 요인이 되는 교수 – 학습방법 선정 시 고려할 사항은 다음과 같다[표 5-26].

#### (1) 학습자 개인의 요소

교수 – 학습방법 선정의 원리에서 학습자와 관련된 사항은 다음과 같다.

##### ① 학습자의 능력과 성숙정도

교육내용과 교수 – 학습방법은 학습자의 신체적, 정신적, 사회적 능력과 성숙정도에 부합되어야 한다. 학습자의 정서적·경험적·신체적·사회적·지적·기능적 상태 및 준비도의 개인차 수준에 따라 다양한 교육내용과 교수 – 학습방법을 적용하는 것이 학습자의 능동적인 참여를 증진하고 효과적인 교육을 유도할 수 있다. 학습자의 지적 수준과 성숙정도 수준이 높아질수록 교육내용과 교수 – 학습방법은 복잡해지거나 추상화된 다양한 내용과 방법을 적용할 수 있다.

**표 5-26 보건교육의 방법 선정 시 고려사항**(학습에 영향을 미치는 요인)

| 학습자(대상자) 측면 | 교육자 측면 | 학습환경 측면 | 학습내용 측면 |
|---|---|---|---|
| • 대상자 수<br>• 교육대상자의 신체적, 정신적, 사회적 특성 : 건강, 성별, 연령, 직업 등<br>• 학습자의 능력<br>• 흥미<br>• 경험<br>• 대상자의 교육 정도<br>• 성숙 정도<br>• 선수학습 정도<br>• 학습동기 | • 교육자의 특성<br>• 역량－학습지도 기술<br>• 경험 | • 물리적 환경<br>• 교육장소<br>• 시설<br>• 교육시간과 시기<br>• 비용<br>• 예산<br>• 경제성<br>• 효율성 | • 학습목표<br>• 학습내용<br>• 난이도 수준 |

### ② 학습자의 요구도

보건교육 내용과 교수－학습방법은 학습자의 흥미와 과거의 경험, 사전지식, 보건교육 요구 등에 적합해야 한다. 따라서 이러한 요인들을 고려하여 다양한 교수－학습방법을 적용한다면 학습자의 능동적인 참여를 증진하고 학습효과를 높일 수 있다.

### ③ 윤리적 사항

대상자의 의사소통 능력, 글자를 읽고 이해할 수 있는 문해력, 문화적인 요소와 수용가능성, 외국어 사용 등의 언어 소통과, 읽고, 쓰고, 보건교육 정보 이해능력을 고려하여 배려하는 것이 필요하다.

### ④ 형평성과 자원배분

대상자에게 유익하거나 불리한 국가, 지방자치 단체, 관련 기관의 정책들의 영향, 지지, 건강관련 정책 결정에 참여 또는 의견수렴이 가능한지, 보건 관련 지원에 대한 정보활용과 자원배분의 유용성, 접근성, 형평성 등을 고려한다.

### ⑤ 문화적 다양성

문화적 배경에 따라 대상자의 가치관, 신념, 행동유형, 종교, 영성, 건강과 질병에 관한 인식 등을 고려한다. 즉 문화의 다양성은 식이습관, 영양섭취, 종교, 자원, 교육, 노화에 대한 생각 등과 관련이 있으므로 건강관리자는 대상자의 문화로 인한 특성을 이해하고 보건교육 시 이를 고려한다.

참고로 간호사이면서 인류학자인 Madeleine Leininger는 1959년 간호와 인류학 사이의 철학적·이론적 유사성을 정의하기 위해 '횡문화적 간호(transcultural nursing)'라는 용어를 사용하기 시작하였다. 횡문호적 간호란 건강과 질병에 관한 신념, 가치관, 그리고 사람들에게 문화－특이적, 문화－우주적 간호를 다양한 대상자에게 제공하기 위해 사용되는 지식과 다양한 하위문화를 분석하는 학문과 실무 분야라고 재정의하였다(Leininger, 1978). 문화－특이적이란 특별한 문화만이 가진 특별한 가치관, 신념, 행동의 유형을 의미하며 문화－우주적이란 인간행동과 삶의 방식에 관한 공통적이고 유사한 가치관, 신념, 방식을 의미하는 것이다(Leininger, 1991)라고 하였다.

### (2) 교육자의 요소

교수 – 학습방법 선정의 원리에서 교육자와 관련된 사항은 다음과 같다.

#### ① 교육자의 교수 – 학습지도 기술과 능력

교수 – 학습방법의 활용은 효과적인 학습을 위해서 교육자의 능력을 확보하는 것이 매우 중요하다. 실제로 교육자의 교수 – 학습지도 기술이나 능력은 교육자의 학문적 깊이나 성숙도에 비례하지 않는다고 한다. 또한 교육자마다 동일한 교수 – 학습지도 기술이나 능력을 가지고 있지도 않다. 그러므로 학습자에게 효과적인 학습을 유도하기 위해서는 교육자 자신의 장점과 단점을 인식하고 다양한 경험을 통해 학습하고 효과적으로 능숙하게 활용할 수 있는 교수 – 학습지도 기술을 포함한 다양하고 유용한 능력을 끈임 없이 개발하고 이를 교수 – 학습에 활용하는 것이 필요하다.

#### ② 교육자의 지식과 흥미 및 경험의 적합성

교육자의 교수 – 학습지도 기술 외에 교육자의 해당 분야에 대한 지식 정도와 흥미와 경험 여부와 보건교육 내용과의 적합성에 따라 교수 – 학습과정에 영향을 미치게 된다.

### (3) 학습환경적 요소

교수 – 학습방법 선정의 원리에서 학습환경과 관련된 사항은 다음과 같다.

#### ① 시간과 장소

보건교육을 수행하기 위해 교수 – 학습방법을 학습과정에 적용할 시간이 충분한가, 교육 시기는 적절한가, 학습장소의 접근성과 시설에 적합한 방법인가를 고려해서 교수 – 학습방법이 선정되어야 한다.

#### ② 교육장소의 물리적 조건

온도, 조명, 소음, 전기, 인터넷, 학습도구와 학습매체 활용 가능성 등의 물리적 환경은 교수 – 학습방법 적용에 크게 영향을 준다. 이러한 물리적 조건이 교수 – 학습방법의 적용과 학습의 효과를 방해하거나 증진할 수 있으므로 교육장소의 물리적 조건에 적합한 교수 – 학습방법이 선정되어야 한다.

#### ③ 타 보건교육과의 연계성 및 사회적 환경

정책이나 규범 및 사회적 관심사 등의 사회적인 환경과 기존의 보건사업이나 보건교육이 하고자 하는 보건교육과 연관성이 있는지 해당 보건교육의 목표와 얼마나 부합되는지 그 연관성을 확인한다. 하고자 하는 보건교육이 타 보건교육과 연계성이 있을 때는 그 연계성을 고려하여 하고자 하는 보건교육의 목표 달성을 위해 적합한 교수 – 학습방법을 선정한다.

#### ④ 사용가능한 자원동원의 다양성

교수 – 학습에 필요한 적절한 인적·물적·사회적 자원이 충분히 확보되어 있는지, 제한점이나 방해요인은 없는지 등을 고려하여 교수 – 학습방법을 선정한다.

#### ⑤ 학습 대상자 수

학습에 참여하는 학습 대상자 수가 개인 또는 몇 명인가 소규모인가 대규모인가에 따라 적절한 교수-학습방법을 선정한다. 학습 대상자의 수가 많아질수록 다양한 교수-학습방법을 적용하는 것에 제한이 따르게 된다.

### (4) 학습내용적 요소

#### ① 보건교육 목적과 학습목표

교수-학습방법은 보건교육을 통해 학습자가 구체적인 보건교육목적과 학습목표를 달성할 수 있도록 선정하고 계획하는 것이 바람직하다. 따라서 학습자가 학습해야 하는 보건교육 내용과 보건교육 목적과 학습목표에 따라 효과적인 교수-학습방법을 선정한다.

#### ② 학습난이도와 학습목표에 따른 적절한 지식과 기술 및 가치의 연관성

보건교육을 학습대상자에게 적용하기 위해서 학습의 난이도는 적절한지, 교육자가 의도하고 있는 학습목표와 연관성이 있는 지식과 기술을 포함하는 학습인지, 학습에 충분한 가치가 있는지를 사전에 검토한다. 따라서 실제 교육이 이루어지기 전에 모집단을 대상으로 시험교육을 해보고 난이도를 조절하거나 문제점을 수정 보완하여 실제 학습대상자에게 적용한다.

## 2) 보건교육시 활용하는 교수-학습방법의 종류

Facione, P.A.(2011)의 학습효과를 보면 듣는 것(5%)보다 토의(50%)하고, 직접 해보고(75%), 말로 설명하는 것(90%)이 더 효과적이다[그림 5-28].

그러므로 교수-학습방법은 학습의 효과를 증진시키기 위해서 매우 중요하다. 보건교육시 활용하는 교수-학습방법은 크게 개별보건교육, 집단보건교육으로 구분할 수 있다. 그리고 학습자의 교육에 참여하는 정도에 따라서 수용적 학습, 발견학습 등으로 구분하기도 한다. 이를 도식화 하면 [그림 5-29]와 같다.

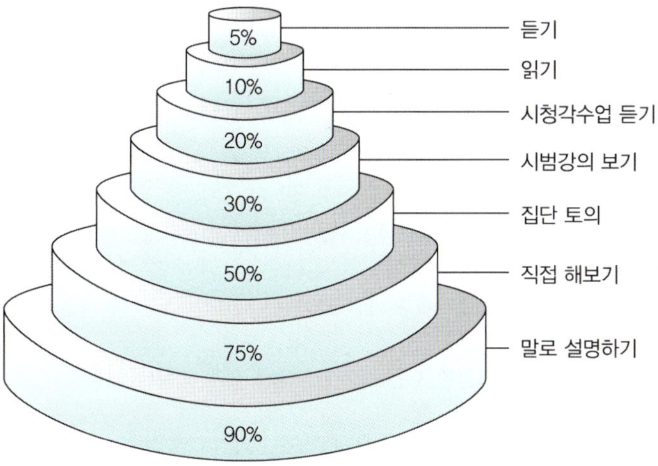


〈 자료원 : Facione P.A.(2011). Critical thinking: What it is and why it counts 〉

**그림 5-28 학습효과 피라미드**

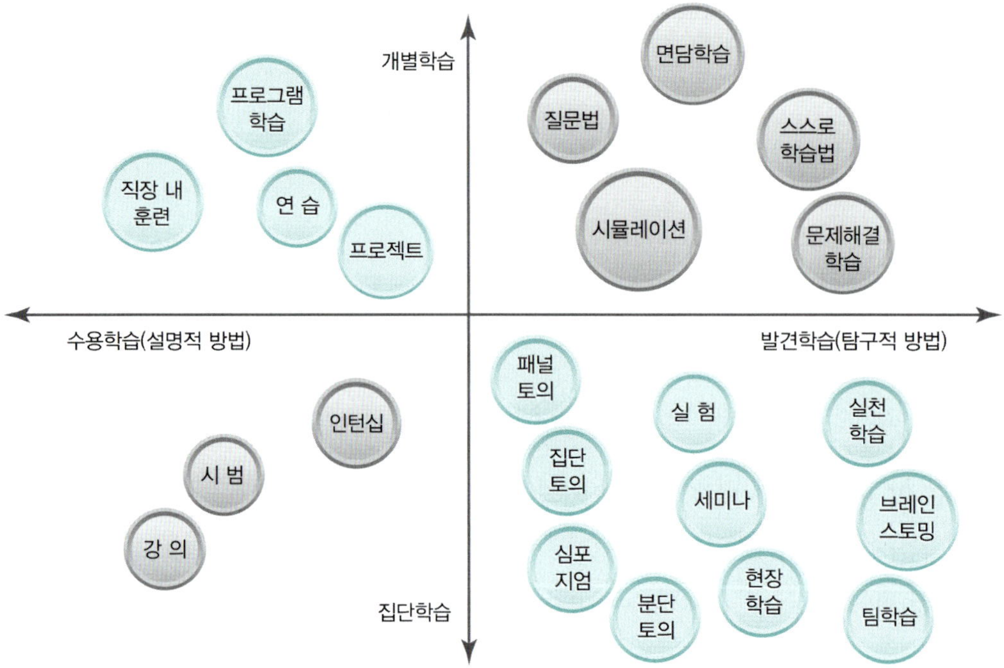


그림 5-29 보건교육 방법의 분류

### (1) 개별보건교육

개별보건교육은 보건사업이 이루어지는 현장에서 개인을 대상으로 가장 많이 활용되고 있는 보건교육방법 중의 하나이다. 이 방법은 개인의 비밀에 관한 보건문제나 대상자가 집단 내에서 개인차가 클 때 유용하다. 개별교육 대상자로는 학교보건실에 찾아온 학생, 보건소를 방문한 개별교육 대상자, 산업장 내의 의무실에 찾아온 근로자 및 병원 외래나 입원 환자 또는 그의 가족 등이 있다.

개별보건교육 내용은 대상자에게 변화가 필요한 건강에 관한 지식이나 태도, 행위 또는 건강과 관련된 생활습관을 바람직한 방향으로 변화하도록 돕는 교육 등이 있다. 개별보건교육을 위한 교수-방법에는 가정방문, 우편, 전화, 면접, 상담, 그리고 개별학습으로 인터넷과 소책자 등을 이용한 프로그램학습과 컴퓨터보조학습 등이 있다. 개별보건교육에서 활용 가능한 교수-학습방법과 교육매체는 [표 5-27]과 같다.

#### 개별보건교육의 장·단점

**장점**

- 학습자에 대한 이해를 돕고, 학습자의 변화유도가 용이하다.
- 집단교육보다 교육효과가 높다.
- 집단교육에 비하여 대상자를 모집해야 하는 시간이 불필요하다.
- 보건교육을 위한 시간과 장소의 제약이 없다.
- 짧은 시간에도 보건교육이 가능하므로 다양한 보건사업 현장에서 쉽게 적용이 가능하다.

**단점**

- 한 번의 교육에 한 명의 학습자밖에 교육시킬 수 없으므로 비효율적, 비경제적인 측면이 있다.
- 일대일 학습이므로 학습자가 교육에 대한 부담을 느낄 가능성이 있다.
- 다른 학습자와 상호작용과 지지가 없어 협력하고 배울 기회가 없다.

**표 5-27 개별보건교육에서 활용 가능한 교수-학습방법과 교육매체**

| 구 분 | 보건교육방법 | 보건교육 매체 | |
|---|---|---|---|
| 수용학습 | 강의, 연습/자율학습 | • 실물(real-thing/real situation)<br>• 모형(model) | • 인쇄물 |
| | 프로그램 학습(program learning) | • 컴퓨터 | |
| 발견학습 | 상담(counseling) | • 인쇄물 | |
| | 문제해결학습(PBL)<br>사례기반학습(CBL)<br>근거기반학습(EBL) | • 인쇄물<br>• 컴퓨터 | • 인터넷<br>• 견학 |
| | 시뮬레이션(simulation) 학습 | • 컴퓨터 | • 모형(model) |
| | 모델링(modeling) | • 실물(real-thing/real situation) | |
| | 컴퓨터 활용교육<br>(computer-assisted instruction; CAI) | • 인쇄물<br>• 비디오/DVD player | • 컴퓨터 |
| | 멀티미디어활용 학습<br>(web based learning) | • 멀티미디어(multimedia)<br>• 인터넷 | • 스마트폰(smart phone) |

개별보건교육에서 활용 가능한 교수-학습방법을 살펴보면 다음과 같다.

### ① 면접

면접(Interview)은 두 사람 사이에 특정한 목표를 가지고 대면하여 언어를 도구로 기술적인 방법을 적용하여 이루어지는 전문직업적인 대화이다.

#### 가. 면접자의 자질

- 면접자는 대상자의 인격을 존중하는 태도를 가져야 한다.
- 면접자는 대상자와 타인으로부터 신뢰감을 받을 수 있어야 한다.
- 면접자는 좋은 청취자가 될 수 있어야 한다.
- 면접자는 관찰력과 이해능력이 있어야 한다.
- 면접자는 융통성과 적응 능력이 있어야 한다.
- 면접자는 효과적인 의사소통 능력이 있어야 한다.
- 면접자는 인간 및 사회현상에 대한 통찰력이 있어야 한다.
- 면접자는 전문영역에 대한 충분한 지식과 활용가능한 자원에 대한 폭넓은 이해가 있어야 한다.
- 면접자는 대상자의 비밀 엄수 등의 면접자로서 기본적인 자질을 가지고 있어야 한다.

#### 나. 면접과정

- 면접자는 면접 전에는 면접의 목적을 명확히 이해하고 대상자에게 사전에 연락하여 면접 시간과 장소를 약속하며 대상자의 의견을 존중한다.
- 면접자는 대상자에게 전문적인 질문을 하고 대상자는 그 질문에 성실하게 답변을 한다.
- 면접 시에는 대상자에 대한 성실한 태도와 공감적 이해 및 수용의 정신을 가지고 적극적인 경청을 한다.

- 면접 후에는 다음 면접 계획을 알려주고, 서로 만족한 상태에서 면접을 끝낸다.
- 면접의 계속성을 위해서 면접서식에 기록으로 남긴다.

**면접의 장·단점**

| 장점 | 단점 |
| --- | --- |
| • 면접 장소와 시간에 구애받지 않는다.<br>• 면접자는 자연스럽게 대상자의 유도가 가능하다.<br>• 면접자는 대상자에게 심리적 부담을 주지 않고, 면접 준비에 따르는 번거로움을 주지 않을 수 있다. | • 인원과 시간 및 비용이 소요되므로 비경제적이다.<br>• 집단 내의 상호작용과 지지가 불가능하다. |

### ② 상담

상담(Counseling)은 대화를 통해서 대상자로 스스로 자신의 문제를 인식하고 그 문제의 원인을 탐색하여 대상자 스스로 문제해결 방안을 찾도록 돕는 방법이다. 보건교육 현장에서 가장 활용도가 높은 교수-학습방법 중 하나이다. 이 방법은 에이즈나 10대 임신 같은 개인의 비밀스럽고 사적인 문제에 속하는 건강관련 문제에 대한 보건교육을 할 경우에 효과적인 방법이다.

#### 가. 내담자 관점의 상담의 단계

- 관계형성단계 : 상담의 첫 단계로 학습자가 자신의 문제를 솔직하게 이야기할 수 있도록 학습자와 교육자가 믿을 수 있는 신뢰관계를 형성한다. 그러기 위해서 교육자는 학습자를 충분히 이해해야 한다. 이것은 다른 말로 Rapport형성단계라고 한다.
- 경청단계 : 상담의 두 번째 단계로 내담자가 이야기하는 것을 충분하게 들어준다. 이것을 경청 또는 반영적 경청이라고 한다. 내담자가 자신의 문제를 표현할 때 공감대를 형성하면서 반응을 하고, 이해하고, 건강문제에 대한 정보를 탐색하고, 비언어적인 표현까지 경청한다.
- 문제인식단계 : 내담자 스스로 자신의 문제를 정확하게 파악하고 인식하여 자신의 문제에 직면하도록 한다.
- 문제해결단계 : 내담자 스스로 인식하고 직면한 건강문제에 대해 스스로 여러 가지 해결방법을 제시하고, 합당한 해결방법을 스스로 선택도록 하여 문제를 해결한다.
- 종결단계 : 상담의 마지막 단계로 내담자 자신의 보건문제에 대해 긍정적으로 느끼고, 문제를 해결하기 위해 선택한 변화된 행위를 수행한다. 이때 보건교육 상담자와 내담자가 모두 만족한 상태에서 상담을 종료한다.

#### 나. 상담자의 상담 시 주의사항

- 상담자는 내담자에 대한 긍정적인 태도를 가지고 상담에 임한다.
- 본 상담 내용으로 들어가기 전에 먼저 신뢰관계를 형성한다.
- 상담 내용은 현재의 문제에만 초점을 맞춘다.
- 부드럽고 조용한 상담 분위기를 조성한다.
- 내담자의 말이나 대답을 강요하지 않아야 한다.
- 내담자의 부정적 감정도 수용한다.

- 내담자에게 지시나 명령, 훈계, 설득, 충고, 권유 등은 피한다.
- 내담자의 비밀을 엄수한다.

**상담의 장·단점**

| 장점 | 단점 |
|---|---|
| • 상담자가 내담자에 대한 이해가 용이하다.<br>• 상담을 위한 별도의 공간을 마련하지 않아도 상담이 가능하다. 건강관리실이나 클리닉, 가정 등 언제 어디에서나 보건교육을 실시할 수 있다.<br>• 내담자 한 명의 건강관련 문제에 집중하게 되므로 문제해결이 용이하고 집단교육에 비해 효과적이다.<br>• 개인의 비밀과 관련된 문제나 도덕적으로 회피하기 쉬운 주제 등에 대해서도 교육이 이루어질 수 있다. | • 내담자 한 명을 대상으로 보건교육이 이루어지므로 경제성이 낮다.<br>• 상담자의 역량과 준비에 따라 보건교육의 효과가 달라질 수 있다.<br>• 다른 사람과의 공감이나 비교 등 상호작용과 지지를 통해 학습할 수 있는 기회가 적다. |

### ③ 전화상담

전화를 이용한 상담(Telephone counseling)으로 다음과 같이 3가지의 단계를 거친다.

- 도움 단계 : 상담자와 대상자가 공감대를 나눌 수 있는 신뢰관계가 형성이 되어야 한다.
- 탐색 단계 : 상담자가 질문을 하기보다는 대상자의 이야기를 들어줌으로써 대상자 자신의 문제에 대해 스스로 인식이 가능하도록 대상자가 원하는 이야기를 할 수 있는 충분한 기회를 준다.
- 해결 단계 : 대상자의 생활 속에 존재하고 있는 문제해결 가능성을 찾고 대상자 스스로 문제해결방법을 선택할 수 있도록 유도한다.

**전화상담의 장·단점**

| 장점 | 단점 |
|---|---|
| • 시간과 비용이 경제적이다.<br>• 방문에 따르는 부담감이 없다.<br>• 개인적이며 덜 사무적이다.<br>• 방문을 필요로 하는 가족 선별에 이용한다. | • 가정상황에 대한 전체적인 파악이 불가능하다.<br>• 전화시설이 있어야만 활용이 가능하다<br>• 대화의 진실성이 떨어질 수도 있다. |

### ④ 프로그램 학습, 컴퓨터보조학습

프로그램 학습(Programmed learning, programmed instruction)은 Skinner의 강화이론과 학습내용 조직의 원리에 기반을 둔 개별교육방법으로 학습자 스스로 학습을 할 수 있도록 구성된 방법이다. 프로그램학습 매체는 팸플릿, 소책자, 컴퓨터 등을 이용할 수 있다. 프로그램 학습의 원리는 학습자 검증, 개인의 학습속도, 적극적인 반응, 즉시 확인, 스몰 스텝(Small step)의 5가지 원리에 바탕을 둔다. 이것은 학습대상자가 시간적 제약이 없을 때 잘 배우는 사람이나 학습내용을 여러 번 반복해야 안심을 하는 사람에게 유용한 방법이다. 주로 학습목표가 인지적 영역과 특정 심리운동영역일 경우에 사용한다. 예를 들면 고혈압을 예방하는 음식의 종류, 치매를 예방하기 위한 방법 등이다.

프로그램 학습 시 유의사항은 다음과 같다.

- 모든 학습자가 프로그램을 사용할 수 있도록 매체가 준비가 되어야 한다.
- 학습자의 학습과정과 학습 진행정도를 수시로 점검해야 한다.
- 학습자의 개인차를 고려한 학습지도가 필요하다.

**프로그램 학습의 장·단점**

| 장점 | 단점 |
|---|---|
| • 학습자의 개인차를 고려한 개별학습이 가능하다. 학습자의 개인적인 능력에 따라 학습속도, 학습 자료의 분량을 조절하는 것이 가능하다.<br>• 학습자 스스로 반복학습이 가능하다.<br>• 컴퓨터프로그램 학습은 학습에 대한 즉각적인 회환(feedback)과 강화가 가능하다. | • 한 번 개발된 학습프로그램의 자료를 수정하기가 쉽지 않다.<br>• 학습프로그램의 개발비가 많이 든다.<br>• 학습자 혼자서 학습이 이루어지므로 사회성이 결여될 우려가 있다.<br>• 교육자의 세심한 배려와 컴퓨터에 대한 이해 없이는 비인간적이고 비교육적일 수 있다. |

### (2) 집단보건교육

집단보건교육은 2명 이상 다수의 대상자에게 동시에 이루어지는 교육이다. 통상적으로 건강교실이나 건강관리실 교육 그리고 학교, 산업장, 지역사회에서 다수의 대상자에게 적용하고 있는 보건교육이다. 교수-학습방법에는 강의, 토의, 시범, 역할극, 캠페인, 전시, 인형극, 모델링, 모의실험극, 프로젝트법, 현장견학, 원격학습, 웹기반 교육, 문제중심학습, 근거중심학습 등이 있다. 집단보건교육에서 활용 가능한 교수-학습방법과 교육매체는 [표 5-28]과 같다. 집단보건교육에서 활용 가능한 교수-학습방법을 살펴보면 다음과 같다.

#### ① 강의

강의(Lecture)는 언어를 통해서 교육자에 의해 일방적인 의사전달 방법으로 학습자에게 지식과 정보를 전달하는 교수-학습방법이다. 역사적으로 가장 오래된 교육방법 가운데 하나다. 교육 대상자가 교육 내용에 관하여 기본적인 지식이 없고 적극적인 참여나 준비가 없을 때 또는 많은 청중을 대상으로 다른 교육방법을 적용하기 어려울 때 활용한다.

Cruickshank는 강의의 주된 목적은 학습자들에게 분명한 사실이나 아이디어 또는 개념과 지식 등에 관한 정보를 제공하는 데 있다고 한다. 구성주의 교육자 Ausubel은 효율적인 학습을 유도할 수 있는 조건을 다음과 같이 제시하였다.

첫째, 학습과제가 논리적이어야 한다.
둘째, 학습자가 그의 인지구조 내에 학습과제를 수용할 수 있어야 한다.
셋째, 학습자의 학습의도와 학습동기가 있어야 한다.

**표 5-28 집단 보건교육에서 활용 가능한 교수-학습방법과 교육매체**

| 구 분 | 교수-학습방법 | 교육매체 | |
|---|---|---|---|
| 수용 학습 | 강의 (lecture) | • 칠판<br>• 인쇄물<br>• 융판<br>• 슬라이드 환등기(slide projector)<br>• 빔 프로젝터(beam projector) | • 비디오/DVD player<br>• 컴퓨터<br>• 멀티미디어(multimedia)<br>• 스마트폰(smart phone)<br>• 인터넷 |
| | 시범 (demonstration) | • 실물(real-thing/real situation)<br>• 모형(model) | • 컴퓨터<br>• 스마트폰(smart phone) |
| | OJT (On-the-Job-Training) | • 인쇄물<br>• 컴퓨터 | • 빔 프로젝터<br>• 멀티미디어 |
| | 방송 | • TV, 라디오, 인터넷 | |
| 발견 학습 | Eb학습(TBL)<br>집단토의(group discussion)/<br>분담토의(buzz session discussion) | • 칠판<br>• 인쇄물<br>• 빔 프로젝터 | • 멀티미디어<br>• 컴퓨터<br>• 인터넷 |
| | 배심토의(panel discussion)/<br>강연식 토의(symposium) | • 빔 프로젝터 | • 멀티미디어 |
| | 세미나(seminar)/<br>브레인스토밍(brainstorming) | • 인터넷 | • 인쇄물 |
| | 실험(experiment) | • 실물<br>• 모형<br>• 인쇄물 | • 빔 프로젝터<br>• 컴퓨터 |
| | 현장학습/견학(field trip) | • 실물 | • 인쇄물 |
| | 역할극(role play) | • 실물<br>• 모형 | • 인쇄물 |

### 강의의 장·단점

**장점**

- 짧은 시간 내에 많은 양의 지식과 정보를 많은 사람에게 전달할 수 있다.
- 경제적이다.
- 학습자가 학습에 대한 기본 지식이 없을 때, 학습에 대한 준비를 하지 않아도, 적극적인 참여 없이도 교육이 가능하다.
- 교육자가 준비한 자료를 학습과정에 맞추어 조절할 수 있다.
- 대상자 수가 많아서 다른 교수-학습방법을 사용하기 어려울 때 이용하기 편리하다.
- 교육자의 언어적 표현 능력에 따라 체계화 되었을 때 대상자의 이해력을 높일 수도 있다.
- 교육자의 철학과 가치관 등을 학습자에게 전달할 수 있는 높은 가치가 있다.

**단점**

- 짧은 시간에 많은 양의 지식이나 정보가 전달되지만 학습자가 다 기억하지 못한다.
- 학습자의 기억에 오래 남아있지 않을 수 있다.
- 학습자의 학습 동기유발이 어렵다.
- 학습자의 흥미를 지속시키기가 어렵다.
- 학습자의 개인차를 고려하기 힘들다.
- 교육자 중심의 교육이 되기 쉽다.
- 학습자의 개별화, 사회화를 기대하기 어렵다.
- 교육자의 능력과 철저한 준비가 부족하면 학습의 효과를 기대하기 어렵다.
- 주의가 산만한 학습자나 기초지식이 부족한 학습자는 강의 내용을 제대로 이해하고 분석하지 못하거나 강의 내용의 요점을 파악하기 어렵다.
- 학습자가 수동적이고 방관자적이며 학습자로부터 회환(feedback)이 부족할 수 있다.
- 학습자가 주도적이지 못하고 교육에 능동적인 참여도가 낮기 때문에 학습자 스스로 건강문제를 이해하고 해결하기 어렵다.

효과적인 교육이 되기 위해서 강의의 단점을 보완하기 위한 전략은 다음과 같다.

- 교육자가 사전에 철저히 계획하고 준비한다. 교육자는 강의 목표를 분명히 하고, 대상자의 특성을 분석하고, 대상자의 특성을 고려하여 강의 내용을 선택하며, 적절한 보건교육자료를 준비한다.
- 보건교육의 내용을 조직적이고 체계적으로 준비한다. 보건교육 주제에 맞추어 강의 내용을 조직한다. 대상자의 이해를 돕도록 단순한 것에서 복잡한 것, 쉬운 것에서 어려운 것, 익숙한 것에서 새로운 것으로 순차적이고 논리적으로 조직한다. 그리고 강의 개요를 작성한다. 강의 개요는 도입, 전개, 중간 중간 요약, 결론을 맺는 종결단계 순으로 조직한다.
- 교육내용을 너무 많이 전달하지 않도록 한다.
- 강의내용을 전달하는 언어 수준이 청중에게 적합하도록 한다.
- 교육자의 목소리의 크기와 속도 등을 적절하게 대화하듯이 태도에 변화를 주어 학습이 지루하지 않도록 한다.
- 강의를 변화 있게 전개한다. 학습자는 한 가지 면에 15분 이상 주의집중하기 어려우므로 15분마다 시청각자료를 활용하거나 질문 등의 다양한 방법을 활용한다.
- 대상자들과 눈을 맞추며 강의한다.
- 교육자의 외모가 보건교육의 주제와 청중과 어울리게 준비한다.
- 강의 전에 연습을 하고 회환(feedback)을 하여 보완한다.
- 다른 교수－학습방법과 병행한다.
- 학습의 이해를 증진시키기 위해 다양한 매체와 시청각자료를 적절히 함께 활용한다.
- 효과적인 설명 방식으로 정의 또는 일반적인 서술 방식을 사용하고, 비교, 예시, 사실제시, 지적, 질문, 증명, 구체적인 통계 사용, 시청각 등 교육매체 사용, 중요부분 반복 등의 방법을 활용한다.

### ② 토의

토의(Discussion)는 공동학습의 한 형태로서 민주주의 원칙에 기반을 둔 교수－학습방법이다.

#### 가. 토의의 단계

효과적인 토의식 교수－학습을 하기 위해서는 계획을 세우고 그 계획에 기초하여 토론을 전개하고 평가하는 등 일련의 단계를 거친다.

- **계획단계** : 학습자의 능력이나 수준, 관심 정도, 토의에서 다루는 내용과 제반 여건 등을 고려한다.
  - 토의 목적을 명확하게 설정한다.
  - 목적에 맞는 주제를 선정한다.
  - 토의방식을 선정한다.
  - 토의에 필요한 자료와 시설을 점검한다.
  - 효과적인 진행을 위해 다양한 시설과 자료들을 활용한다.
  - 좌석배치를 결정한다.
  - 사회자를 선정한다.

- 전개단계 : 토의가 실제로 이루어지는 전개과정으로 효과적인 토의식 수업의 관건이 된다. 토의가 효과적으로 진행되려면 사회자가 역할을 잘 수행해야 한다.
  - 토의가 시작될 때 교육자는 토의의 목적과 주제 및 토의방식을 분명하게 설명한다.
  - 학습자 전원이 이를 이해하고 적극적으로 반응할 수 있도록 한다.
  - 사회자는 토의를 시작하게 하고 흐름을 유지해야 한다.
  - 사회자는 토의 중 곤란하거나 어려운 상황을 다루어야 한다.
  - 사회자는 발표자의 발표내용을 요약하고 질문과 다음 발표자에게 발언 기회를 제공하는 등의 토의 진행을 한다.
  - 사회자는 토의가 끝나면 토의 내용을 요약해서 공지한다.

평가단계
  - 교육자는 이제까지 토의한 내용을 요약, 정리하고 결론을 도출한다.
  - 교육자는 토의의 목적달성 여부를 확인하고 전체 학습자들에게 회환(feedback)을 제공한다.
  - 교육자는 앞으로 학습자가 해야 할 일을 제시하고 토의를 마무리한다.

**토의의 장·단점**

| 장점 | 단점 |
|---|---|
| • 학습자들이 학습목표 도달에 능동적으로 참여할 수 있는 기회를 제공한다.<br>• 자신의 의사를 요약 정리하여 올바르게 전달하는 의사전달능력을 배양할 수 있다.<br>• 다른 사람의 의견을 듣고 요약하고 이해하는 청취능력을 기를 수 있다.<br>• 반성적인 사고 능력이 향상된다.<br>• 토의 결과에 따라 타인의 의견을 수렴하는 사회성이 학습될 수 있다. 집단의식과 공유능력, 자율성을 향상시킬 수 있다. | • 시간이 많이 소요된다.<br>• 토의를 주관하는 사람이 토론 유도 기술이 없으면 장점을 살릴 수가 없다. 즉 사회자의 토의 진행 능력이 부족하면 시간 낭비가 될 수 있다.<br>• 소극적인 참여자가 나올 수도 있다.<br>• 몇몇에 의해 주도될 가능성이 있다.<br>• 철저한 사전 준비와 체계적인 관리에도 불구하고 예측하지 못한 상황이 발생할 수 있다.<br>• 토의에 참여하는 학습자들이 토의 주제를 충분히 파악하지 못한다면 기대하는 효과에 도달하기 어렵다. |

## 나. 토의 방법의 종류

토의의 종류에는 집단토의, 분단토의, 브레인스토밍, 배심토의, 심포지엄, 그리고 세미나 등이 있다.

### A. 집단토의(Group discussion)

집단 내의 참가자들이 어떤 특정한 주제에 대해 자유롭게 상호의견을 교환하고 정리하며, 부족한 부분과 요약을 교육자가 지원해주고 결론을 내리는 토의 방법이다. 참여인원은 5~10명이 적당하다.

**집단토의의 장·단점**

| 장점 | 단점 |
|---|---|
| • 학습목표에 능동적으로 참여할 수 있는 기회를 제공한다.<br>• 상호 협동적이고 민주적 회의 능력과 사회성을 기를 수 있다.<br>• 학습의욕이 향상될 수 있다. | • 많은 시간이 소모될 수 있다.<br>• 많은 대상자의 참여가 어렵다.<br>• 비경제적일 수 있다.<br>• 교육자 및 사회자의 토론 유도기술이 부족하면 집단토론의 장점을 살릴 수 없다. |

B. 분단토의(Buzz session discussion)

전체 참가자의 의견을 제한된 시간 내에 상호교환하기 위해서 교육에 참가한 학습자 전원을 소그룹으로 나누어 토의를 진행하게 한다. 그리고 마무리에 전체가 같이 모여 토의하는 시간을 갖고 그룹별로 정리된 의견을 모아 서로 교환하여 결론에 도달하는 방법이다. 전체 참여인원의 제약은 없지만 각각 한 개의 분단은 6~8명이 적당하다.

**분단토의의 장·단점**

| 장점 | 단점 |
|---|---|
| • 참석인원이 많아도 진행이 잘 되며, 학습자 전체가 의견을 모두 교환이 가능하다.<br>• 어떤 주제라도 토론이 가능하다.<br>• 어떤 문제에 관해서도 협동해서 해결하려는 것으로 문제 해결 방법을 다각적으로 모색할 수 있다. | • 주어진 시간이 짧고 인원이 너무 많으면 시간제한 등으로 진행이 잘되지 않을 수가 있다.<br>• 소란스러운 분위기가 되기 쉽고 진행이 원활하지 못하면 참가자 전원의 참여가 불가능해질 수 있다. |

C. 브레인스토밍(Brainstorming)

어떤 문제를 해결하기 위해 아이디어를 모으는 협동적인 토의로 문제를 여러 각도로 검토하는 방법이다. 학습자가 적극적으로 순발력 있게 기발하고 창의적인 아이디어를 발표할 때 효과적이다. 여기저기서 자유롭게 아이디어를 제시하게 되므로 묘안착상법, 팝콘회의라고도 한다. 참가인원은 12~15명이 적당하다. 토의 시간은 10~15분 정도 단기토론을 하는 것을 원칙으로 한다. 다양한 의견이 나올 수 있도록 유도 기술이 필요하기 때문에 사회자와 서기를 정하는 것이 매우 중요하다.

브레인스토밍 시 주의사항은 다음과 같다.

- 자유롭게 의견을 제시한다.
- 다른 사람의 의견을 비난하지 않는다.
- 자기의견만을 주장하지 않는다.
- 사회자는 참여자의 모든 의견을 수집한다.
- 의견의 질보다는 양을 추구한다.
- 모든 의견을 조합하고 종합하여 새로운 아이디어나 의견을 만들어 낸다.

**브레인스토밍의 장·단점**

| 장점 | 단점 |
|---|---|
| • 재미있고 어떤 문제든지 토론의 주제로 삼을 수 있다.<br>• 참가자 사이에 상호자극이 되고 창의성 신장에 도움이 된다.<br>• 다양한 아이디어를 얻을 수 있다. | • 토론을 성공적으로 이끌기 위해서는 사회자의 고도의 기술이 필요하다.<br>• 사회자에 따라 좌우되며 잘못하면 시간 낭비로 끝날 수 있다.<br>• 자신의 의견을 잘 표현하지 못하는 사람은 능력을 살리기 어렵다. |

D. 배심토의(Panel discussion)

주제에 대해 상반되는 견해를 가진 전문가 4~6명이 다수의 청중 앞에서 각기 다른 의견을 발표하고, 사회자가 주제를 소개하고 전문가의 대립된 의견을 청중에게 설명하며 토의를 유도하고, 청중에게 질문이나 발언 기회를 제공하는 방법으로 토의를 진행한다. 이때 청중들은 토론 주제에 대해 비전문가들이다. 따라서 청중들이 토론내용을 청취하게 되는 것으로 인해서 토론의 주제로 채택한 건강문제에 대해 전문적인 지식을 알게 되고, 건강문제에 대한 해결 방법을 찾아내는 교육방법이다.

**배심토의의 장·단점**

| 장점 | 단점 |
|---|---|
| • 제한된 시간 내에 전문가로부터 일정한 주제에 대하여 다각도로 의견을 청취할 수 있다.<br>• 청중은 비교적 높은 수준의 토론을 경험한다.<br>• 타인의 의견을 듣고 비판하는 능력이 배양된다. | • 적절한 전문가의 선정이 쉽지 않다.<br>• 사회자의 토의 진행기술에 따라 토론의 성공여부가 좌우된다.<br>• 많은 인원을 수용할 수 없다.<br>• 전문가초빙의 어려움과 경제적 부담이 될 수 있다.<br>• 청중들이 토론 내용에 대한 기존 지식이 없을 때는 토론 내용을 이해하지 못한다. |

E. 심포지엄(Symposium)

동일한 주제에 대해 전문적인 지식을 가진 전문가 3~4명을 초청하여 주제에 대해 10~15분 정도 의견을 발표하도록 한 후 발표된 내용을 중심으로 사회자가 연사의 발표내용을 짧게 요약하고 질문과 답변을 통해 청중들과 토의를 진행하는 방법으로 주제에 대해 자유롭게 공개 토론하는 방법이다. 학술대회나, 정책이나 제도의 변화를 시도할 때 주로 사용된다. 이때 청중들 또한 토론 주제에 대해 전문가들이다.

**심포지엄의 장·단점**

| 장점 | 단점 |
|---|---|
| • 특별한 주제에 대해 밀도 있는 접근이 가능하다.<br>• 청중이 알고자 하는 문제에 대해 파악이 가능하다.<br>• 발표자 수만큼 다양하고 깊이 있는 지식과 경험을 얻을 수 있다.<br>• 발표내용이 다양하므로 청중의 지속적인 집중이 가능하다.<br>• 교육장의 크기에 따라 많은 수가 참여할 수 있다. | • 청중이 주제에 대한 정확한 윤곽을 형성하지 못했을 때는 비효과적이다.<br>• 연사의 발표내용이 중복될 수 있다.<br>• 토론 주제가 청중들의 요구(건강문제)에 맞지 않을 때는 청중들에게 도움이 되지 못한다. |

F. 세미나(Seminar)

토론 참가자 모두 토론 주제에 대해 전문가이고 연구자이다. 토론 주제 발표자가 먼저 발표를 하고나서 토론자가 이 주제에 대해 함께 토론을 하는 방법이다. 발표자는 발표 주제에 대해 사전에 구체적으로 깊이 있게 준비를 하고, 참가자 모두가 전문적인 지식이나 정보를 가지고 토론에 임하게 된다. 이 방법은 연구 및 선정된 문제를 과학적으로 분석하기 위하여 사용한다. 따라서 전문가나 연구자들로 구성된 집회 형태이다. 주로 대학원 수업에서 지도교수 아래 특수 주제를 연구하고 토의하는 학습법으로 단기간에 집중적으로 연구하고 토론하는 집회이다.

#### 세미나의 장·단점

| 장점 | 단점 |
|---|---|
| • 참가자 모두 전문가이므로 주제에 대해 전문적인 정보교류가 가능하다.<br>• 심층적이고 전문적인 연구기회를 제공하고 높은 전문성과 다양한 발표와 토의를 통해서 참석자들의 관심집중과 흥미유발 및 전문성을 높이는 효과가 있다. | • 전문적인 지식이 없는 사람은 주제의 내용을 이해하기 어렵다. 그래서 일반인을 대상으로 보건교육을 하는 방법으로 적합하지 못하다. |

### ③ 시범

시범(Demonstration)은 학습목표가 심동적 영역의 기술 습득인 경우 교육자가 실제로 학습자들에게 술기의 전 과정을 천천히 실시해 보임으로써 학습자가 관찰하고 따라서 할 수 있도록 하여 학습이 이루어지게 하는 방법이다. Bandura의 사회학습이론에 근거한 학습방법으로 보건교육 현장에서 가장 많이 사용하는 방법이다. 교육자는 여러 번 반복해서 시범을 보인 후 학습자가 따라서 실습할 수 있는 기회를 주고 관찰한다. 이때 학습자의 잘못된 점을 즉시 시정해주는 것이 바람직하다. 예를 들면 손 씻기, 양치질방법 등의 교육이 있다.

#### 시범의 장·단점

| 장점 | 단점 |
|---|---|
| • 주의집중, 흥미유발, 동기유발이 용이하다.<br>• 배운 내용을 실제 상황에 적용하기가 용이하다.<br>• 대상자의 교육수준이 일정하지 않고 학습하고자 하는 내용에 대한 경험이 없어도 눈으로 보고 배우는 것이므로 학습목표의 도달이 용이하다.<br>• 개인차에 따른 개별화가 가능하다. | • 많은 수에 적용하기 불가능하다.<br>• 소수에게만 적용하여야 하므로 경제성이 없다.<br>• 교육자가 교육 준비에 많은 시간이 소요된다.<br>• 시범을 하는 데는 시설 및 기구가 필요하다.<br>• 시설, 장비구입, 유지 교체에 비용이 든다.<br>• 모든 학습자가 보고, 시범을 해볼 수 있게 충분한 시간이 필요하므로 많은 교육시간이 소요된다. |

### ④ 역할극

역할극(Role play)은 학습자들이 직접 실제 상황의 한 인물로 등장하여 연기를 하면서 그 상황에 처한 사람들의 입장이나 감정을 이해하고 상황분석을 통해서 해결방안을 모색하는 방법이다. 역할극을 보건교육방법으로 적용할 때는 사전에 준비를 철저히 해야 한다. 역할극 내용을 학습자의 건강문제 상황과 일치하는 내용으로 준비하고, 학습자에게 역할극의 주제와 내용을 정확하게 제시한다. 역할극을 종료한 후에는 학습자와 충분한 논의 시간을 가져서 학습자의 건강문제 해결방법에 대한 학습이 가능하도록 한다.

역할극에 출연자가 많을수록 극의 초점이 흐려지고 시간의 제약으로 깊이 있는 내용을 연출하기 힘이 들기 때문에 역할극은 소집단으로 진행한다. 역할극의 준비과정은 주제제시 → 사전계획수립 → 역할선택 → 역할극 시행 → 평가 및 토의 → 결론 도출 → 최종 요약 → 마무리 순으로 진행한다. 역할극에서 가장 중요한 것은 출연자와 관중이 함께 참여하는 토론을 통해 역할극에 대한 반응을 보는 것이다. 이때 출연자에게 다음과 같은 질문을 하면서 답변을 유도한다.

- 맡은 역할을 하면서 어떻게 느꼈는가?
- 맡은 역할에서 일어났던 상황이 만족스러웠는가?

• 설정된 상황에서 더욱 바람직한 결과를 가져오기 위해서는 어떻게 하는 것이 좋았겠는가?

#### 역할극의 장·단점

| 장점 | 단점 |
|---|---|
| • 학습자가 직접 참여하여 역할극을 수행하므로 흥미와 동기 유발이 용이하다.<br>• 문제의 상황과 해결방법에 대해 좀 더 객관적인 이해가 가능하다.<br>• 역할을 통해 심리적 정화를 경험한다.<br>• 서로 간의 상호작용이 높아 공동체의식 형성이 가능하다.<br>• 타인의 입장에서 의사소통하는 방법을 학습할 수 있다.<br>• 사회성이 개발된다. | • 다른 교육방법에 비하여 많은 준비 시간과 노력이 요구된다.<br>• 학습자의 건강문제에 맞는 역할극 상황을 만들어 내기가 쉽지 않다.<br>• 역할극 상황이 학습자의 건강문제의 상황과 차이가 있으면 학습자에게 기대하는 학습효과를 얻을 수 없다.<br>• 극중의 인물 역할수행 중에 학습자가 감당하기 어려운 예기치 못한 상황이 만들어질 수도 있다. |

### ⑤ 캠페인

캠페인(Campaign)은 짧은 시간 내에 특정 문제에 대한 태도나 가치관을 형성하기 위해 매스컴, 포스터, 신문, 방송 등을 활용하여 집중적인 반복과정을 통해 많은 사람들에게 교육내용을 알도록 하는 방법이다. 전달하려는 정보의 내용이 반복과정을 거쳐 지식의 축적 작용에 의해 그 효과를 나타낸다. 효율적인 캠페인 활동을 위해서는 추후관리가 필요하다. 추후관리로는 가정방문, 지역사회 모임, 우편, 집단토의, 정기적인 교육을 실시하여 주민들의 건강지식과 태도 및 행위실천을 할 수 있도록 지속적인 관리가 필요하다.

#### 캠페인의 장·단점

| 장점 | 단점 |
|---|---|
| • 새로운 지식과 정보를 가장 빠른 시일 내에 많은 사람들에게 반복적으로 전달할 수 있다.<br>• 주민에게 보건에 대한 경각심을 줄 수 있다.<br>• 지역사회 어디에서나 사용이 가능하다.<br>• 다양한 매체활용이 가능하다. | • 전달하고자 하는 내용이 자칫 대상자들에게 유리한 방향으로 해석될 수 있어 의미 전달이 정확하지 않을 수 있다.<br>• 대상자의 지식수준에 따라 전달되는 정보의 이해능력에 차이가 있을 수 있다.<br>• 시간과 경비가 많이 든다.<br>• 캠페인이 끝나고 시간이 조금 지나면 쉽게 잊어지게 되므로 교육 효과가 일시적이다. |

### ⑥ 전시

전시(Exhibition)는 다양한 실물이나 모형 등 다양한 시각적인 자료들을 한 장소에 모아두거나 설치하여 관람하는 것을 통해 교육적 효과를 이끌어내는 방법이다.

#### 전시의 장·단점

| 장점 | 단점 |
|---|---|
| • 주의집중을 통한 흥미유발이 용이하다.<br>• 학습자가 이해하기 쉽도록 하는 효과가 있다.<br>• 필요한 정보의 축적을 통해서 교육의 효과를 높일 수 있다. | • 시선을 끌 수 있도록 전시가 잘 계획이 되지 않으면 교육의 효과가 떨어진다.<br>• 오랫동안 같은 내용을 전시할 경우 학습자의 관심을 끌기 어렵다. |

### ⑦ 현장견학

현장견학(Field visit or field trip)은 현장을 직접 방문해서 관찰하며 학습하는 교육활동이다. 견학을 가기 전에 견학의 목적을 반드시 학습자에게 설명하고, 견학인원을 현장에 맞게 조정하고, 견학장소에 도착시간과 상황을 체크하고, 교육자가 직접 현장사전답사를 해야 한다. 견학을 한 후 과제물을 제출하게 하고 평가를 실시해서 부족한 점은 교육자가 보충하고 개선점을 보완해야 한다.

**현장견학의 장·단점**

| 장점 | 단점 |
|---|---|
| • 실제 상황을 직접 눈으로 관찰이 가능하다.<br>• 흥미와 동기유발이 가능하다.<br>• 관찰력이 배양된다.<br>• 현장 적응력이 향상된다. | • 시간과 경제적 비용이 많이 소요된다.<br>• 노력에 비해 적은 효과를 얻기 쉽다.<br>• 장소에 따른 어려운 상황이 존재한다. |

### ⑧ 프로젝트법

구성주의 학습이론을 기반으로 만들어진 프로젝트법(Project method)은 실제 상황에서 학습과제를 실행해 보는 방법을 말한다. 먼저 학습자에게 학습과제를 제시하면 학습자는 학습과제를 실행하기 위해 자료를 수집하고 수행계획을 세워 실행을 한다. 주제에 따라 지식, 태도, 기술에 관한 자료를 포괄적으로 수집하고 활용해서 과제를 완성해야 한다. 이 과제는 개별적으로 수행할 수도 있고 팀을 형성하여 팀 과제로도 수행이 가능하다.

**프로젝트법의 장·단점**

| 장점 | 단점 |
|---|---|
| • 자발적이고 능동적인 동기유발 학습이 가능하다.<br>• 자주성과 책임감을 증진한다.<br>• 인내심, 탐구심, 자립심, 창의력, 문제해결능력이 배양된다.<br>• 팀 과제로 수행할 경우 협동심, 리더십, 희생과 양보, 배려, 의사소통과 의사결정능력이 배양된다.<br>• 지식, 태도, 기술에 관한 포괄적인 학습이 가능하다.<br>• 실제 상황에서 이루어지므로 실생활에 즉시 활용이 용이하다.<br>• 과제 수행과정에서 발생하는 다양한 요인들을 발견하고 해결하면서 과제에 대해 심층적으로 분석하고 다양한 변수의 발생 등을 이해하고 준비하게 된다. | • 기초학습과정에서는 노력에 비해 효과가 떨어진다.<br>• 수동적이고 의존적이며 동기유발이 되지 않은 학습자에게는 부적합하고 목표달성이 어렵다. |

### ⑨ 시뮬레이션 학습

모의실험극(Simulation)은 학습자에게 실제와 유사한 상황을 제공하여 실제에서 유발될 수 있는 위험 부담 없이 학습을 할 수 있는 환경을 제공하는 방법이다. 이 학습을 설계할 때는 실제 상황에서 학습자에게 가장 필요한 부분이 무엇인지를 파악하고 이것을 집중적으로 다루어야 한다. 실제문제의 상황을 단순명료화 시킨 모의상황 속에서 가장 기본적이고 중요한 요소만을 선택하여 그 요소에 한정하여 교수-학습상황을 설정한다.

시뮬레이션 학습의 형태가 도입된 배경은 군사시설과 훈련, 항공 분야, 원자력 발전 분야 등과 같이 실수를 용납할 수 없는 교육에서 모의실험이 필요하다는 인식으로 시작되었다. 의학 분야로 확산되는 배경은 1999년부터 환자의 안전에 대한 의료계의 인식확산으로 환자를 대상으로 실습이 용납되지 않는 분위기에서 의료인들을 교육하기 위해 시뮬레이션 학습의 필요성이 높아지기 시작하였다.

#### 시뮬레이션 학습의 장·단점

| 장점 | 단점 |
|---|---|
| • 발견학습이나 태도, 기술을 습득해야 하는 교수-학습에 유용하다.<br>• 학습자에게 실제 현장과 거의 같은 여건 하에서 안전하고 빠르게 현실을 경험하게 한다.<br>• 학습자의 참여 조장, 즉각적인 회환(feedback)을 줌으로써 교수-학습의 활기를 준다.<br>• 윤리적 문제가 발생하지 않는다.<br>• 교육자가 학습의 상황을 통제할 수 있다.<br>• 팀 훈련에 적합하다.<br>• 임상기술에 대한 평가도구로 활용이 가능하다. | • 학습 진행에 시간과 비용이 많이 소요된다.<br>• 학습의 준비가 잘못되었을 경우 학습자가 교육목적을 인지하지 못하여 흥밋거리로 끝날 위험성도 있다.<br>• 사용방법과 조작이 복잡하므로 숙련된 교육자, 운영자, 평가자로서의 역량 개발이 요구된다. |

### ⑩ 팀기반학습(TBL)

구성주의 학습이론을 기반으로 만들어진 팀 기반 학습(Team Based Learning; TBL)은 공동의 목표를 달성하기 위해 팀을 구성하여 학습을 하는 것으로 팀 구성원들이 비전을 공유하고, 효율적인 의사소통 체계를 갖추고, 상호작용함으로써 학습성과를 달성하는 팀 체계에 바탕을 둔 교수-학습 방법이다.

#### 팀기반학습의 장·단점

| 장점 | 단점 |
|---|---|
| • 학습자들과 상호작용하는 방법을 습득하게 된다.<br>• 대인관계가 발달된다.<br>• 구성원 각자의 강점과 약점을 자세히 알게 된다.<br>• 결과에 대해 회환(feedback)을 할 수 있는 명확한 통찰력을 갖게 된다.<br>• 동료평가를 하기 위해 자료를 수집하고 회환(feedback)을 하는 것이 학습자들에게 변화할 수 있는 기회를 제공한다.<br>• 동료평가과정을 활용함으로써 학습자들이 스스로를 이해하도록 긍정적이고 유의미한 영향을 줄 수 있다. | • 리더십과 협동심이 잘 발휘되지 못하면 학습목적을 달성하기 어렵다.<br>• 열심히 하는 사람만 수고를 하게 되거나, 노력하지 않고 무임승차하는 학습자가 있을 수 있다.<br>• 동료평가를 하는 것이 팀의 발달과정에 부정적인 영향을 미칠 수 있다. |

### ⑪ 문제중심학습(PBL)

구성주의 학습이론을 기반으로 만들어진 문제중심학습(Problem Based Learning; PBL)은 Barrows가 개발한 것으로 1950년대 중반 의과 대학 학생들을 위한 교수-학습 모형으로 개발된 것이다. 그 후 미국의 60여 개의 의과 대학에서 실행되고 있다(Savery & Duffy, 1995; 최정임, 1999). 문제중심학습(PBL)은 학습자들이 제시된 가상시나리오상황을 통해 문제점을 발견하고 문제해결 과정을 거치면서 필요한 지식과 태도 및 기술을 학습하게 되고 실제 상황에서 이와 유사한 상황에 대처할 수 있도록 하는 학습방법이다. 실제 사례를 만나는 것과 같은 가상의 시나리오를 체계적으로 구성하여 제공해야 한다. 문제중심학습의 장·단점은 팀기반학습의 장점과 단점을 포함한다.

**문제중심학습의 장·단점**

| 장점 | 단점 |
|---|---|
| • 학습자중심의 교육환경을 조성한다.<br>• 협동학습을 촉진한다.<br>• 학습동기 유발이 된다.<br>• 학습문제를 스스로 결정하고 해결하는 자기주도적인 학습능력이 배양된다.<br>• 새로운 상황에 대한 효과적 대처가 가능하다.<br>• 지식, 태도 및 기술의 동시 학습이 가능하다.<br>• 실제상황(실무) 대처 능력이 배양된다.<br>• 평생학습능력이 배양된다.<br>• 문제해결, 분석적, 비판적 사고가 배양된다. | • 기초학력 배양에는 부적합하다.<br>• 노력에 비해 능률이 낮을 수 있다.<br>• 교육자의 사전 준비 능력에 따라 한계가 있을 수 있다.<br>• 교과과정 기획과 문제 설계가 복잡하다.<br>• 시간이 많이 든다. |

### ⑫ 사례기반학습

구성주의 학습이론을 기반으로 만들어진 사례기반학습(Case Based Learning; CBL)은 1980년대 이후 교육 현장에서 나타나는 문제점을 해결하기 위한 대안으로 등장하였다. 이 학습은 일화 또는 시나리오 같은 사례를 중심으로 그 사례 속에서 문제를 파악하고 이것을 해결하는 과정에서 지식과 태도 및 기술을 학습하게 된다. 사례기반 학습은 사례연구와 매우 비슷하다고 볼 수 있다. 사례연구는 예비교사, 교육대학, 법과대학, 의과대학, 간호대학 등의 전문적인 분야에서 많이 활용되고 있다. 사례기반학습의 장·단점은 문제중심학습(PBL)과 팀학습(TBL)을 합친 장·단점과 같다.

### ⑬ 근거기반학습

구성주의 학습이론을 기반으로 만들어진 근거기반학습(Evidence Based Learning; EBL)은 근거기반실무(Evidence Based Practice; EBP)에서 학습으로 이어진 것으로 근거기반실무(EBP)는 검증된 과학적 증거를 바탕(Evidence Based)으로 전문적인 실무(Practice)를 수행하는 것을 말한다. 즉, 연관된 학문에서 이미 도출된 이론들을 사용하는 것으로 이론과 실무가 융합되어 있는 모형이다. 그리고 이론에 기초하여 세운 가설이 맞는지 확인하기 위해 실험을 하거나, 메타분석을 하기도 한다.

Steven(2013)은 근거기반실무(EBP)를 통하여 보건의료의 실무를 과학과 최상의 근거로 표준화시키고, 예측할 수 없는 건강결과를 가져오는 것으로 알려진 치료의 모순된 변이를 줄이고자 하는 것이라고 하였다.

### ⑭ 문제중심학습(PBL)과 팀학습(TBL), 사례기반학습(CBL)의 전제조건과 주요개념 및 차이점

#### 가. 전제조건

- 학습과정에서 실제사건이나 가상된 사건을 다루는 것이 교육적 효과를 증진시킬 수 있다는 판단과 확신이 있어야 한다.
- 학습자들이 사례의 문제를 다룰 수 있는 분석능력, 토론능력, 평가능력 및 회환(feedback)을 할 수 있는 능력을 갖추고 있는지 판단해야 한다.
- 교육자는 학습자가 사례에 대해 충분히 이해하도록 도와주어야 한다.

- 사례에 대해 다양한 방법이 논의될 수 있도록 충분한 시간을 주어야 한다.
- 교육자는 학습자의 개인적 경험이나 특정 상황에 따라 보편타당한 합의점을 도출하기 어렵다는 것을 알아야 한다.
- 학습자들의 응용력과 분석력을 배양할 수 있도록 사례의 내용이 구성되어야 한다.
- 목적하는 전문직의 현장실무를 반영하여 사례의 내용이 구성되어야 한다.

### 나. 주요개념

문제중심학습(PBL)과 팀학습(TBL), 사례기반 학습(CBL)의 단계는 팀원구성과 행동 원칙(Ground rule) 정하기, 사례선정, 사례보기, 사례분석, 개별탐구, 팀별활동, 결론제시 및 평가단계로 각 단계의 주요개념은 다음과 같다.

- **팀원구성과 행동 원칙**(Ground rule) **정하기** : 팀원구성과 행동 원칙(Ground rule) 정하기는 교육자와 학습자의 특성에 따라 매우 다양하다. 학습자, 교육현장, 교육자 특성에 따라 합당한 방법을 준비해서 활용한다. 팀원의 수는 보통 4～6명 정도지만 학습목표의 특성에 따라 가감 조정한다.
- **사례선정** : 학습자가 성취해야 할 학습목표를 이해하고 학습목표에 따라 주제를 선정한다. 학습에 필요한 자원을 준비하는 단계로 구체적인 학습활동을 시작하기 전 준비단계이다.
- **사례보기** : 사례 시나리오를 보고 용어나 개념에 대해 팀원이 함께 토론하며 모르는 용어나 개념을 찾아 공유한다.
- **사례분석** : 사례에 대해 무엇을 표현하고자 하는지, 어떤 요소가 포함되어 있는지 팀원이 함께 분석하여 문제를 명확히 한다.
- **개별탐구** : 문제해결을 하기 위해 개별적으로 수행할 임무를 배분하고 임무 완료시간을 정하는 등의 학습을 계획하고 수행하는 단계이다.
- **팀별활동** : 개별탐구를 해서 수집한 내용을 가지고 팀원이 함께 토론하고 확인하는 검증단계를 거쳐 결론을 도출하는 단계이다. 학습목표에 부합되는 결론을 얻을 때까지 개별탐구와 팀 학습을 반복한다.
- **결론제시** : 팀 토론을 거쳐 도출한 최종 결론을 발표하고 성찰하는 단계이다.
- **평가단계** : 학습과정과 최종 결과에 대해 팀 평가, 동료평가를 하는 마지막 단계이다.

### 다. 차이점

문제중심학습(PBL)과 팀학습(TBL), 사례기반 학습(CBL)의 차이점은 다음과 같다.

- **팀학습**(TBL) : 학습대상자가 팀을 형성하여 동일한 주제와 목적을 가지고 함께 학습을 하는 것으로 꼭 시나리오나 사례가 있어야 하는 것은 아니다.
- **문제중심학습**(PBL) : 팀학습과 동일한 방법을 활용하지만 반드시 시나리오를 제시하고 시나리오 속에 문제점을 발견하여 해결해나가는 과정을 거친다. 하나의 시나리오(scenario)를 3～4차례의 패키지(package)로 분류하여 제시하고 각 패키지 별로 연속적으로 문제해결과정을 거치는 과정에서 학습이 이루어진다.
- **사례기반 학습**(CBL) : 팀학습과 동일한 방법을 활용하지만 반드시 하나의 사례상황(a case, a pack, a episode)이 주어지고 그 사례 상황에서 발견된 사건이나 문제를 해결 또는 해석하는 것으로 일회성으로 종결을 한다. 이 때 발견한 사건이나 문제를 해결 또는 해석하기 위해 각종 이론적 근거를 찾아서 제시하며 그 이론들에 따라 해결방법과 해석방법을 제시하고 새로운 방법을 도출하는 과정에서 학습이 이루어진다.

## 3 보건교육 매체

교육매체는 교육이 이루어지는 현장에서 학습자의 학습목표를 효과적으로 달성하기 위해 교육자와 학습자 간 활용되는 교육내용 전달수단을 의미한다. 즉 학습내용을 가능한 이해하기 쉽게 효율적으로 전달하는 도구이다. 매체를 사용하는 목적은 실무현장에서 학습자의 학습에 대한 흥미와 동기를 유발하고, 감각적인 경험을 확대하여 추상적인 내용에 대해서 구체적인 의미를 전달하거나, 복잡하고 어려운 내용을 쉽게 전달하기 위해 활용된다.

보건교육시 교육매체를 활용하여 구체적인 학습경험을 제공할수록 학습자의 이해도를 높일 수 있으며 학습목표 달성에 도움을 준다. Kemp & Smellie(1989)가 제시한 교육매체의 기능은 다음과 같다.

- 교육활동 표준화
- 학습자의 주의집중 증진
- 학습자의 학습동기 유발
- 상호작용매체 활용시 상호작용적인 교육환경 조성
- 빔프로젝터 등의 다양한 매체 활용은 교육에 소요시간 감축
- 실물, 사진, 동영상 제공 등의 매체 활용은 학습의 질 향상
- 온라인 매체 활용 등은 학습자가 원하는 시간과 장소에서 교육 가능
- 효과적인 매체 선정에 따른 학습 효과 증대로 교육자의 역할이 긍정적으로 변화

교육에서 매체 선정의 중요성은 표준화된 교육활동을 제공하고 학습의 질을 보장하며 교육자와 학습자의 흥미 유발 및 효과적인 상호작용을 가능하게 한다.

### 1) 보건교육 매체의 선정의 원리

#### (1) 매체 선정의 원리

교육매체를 선정할 때에는 교육방법을 선정할 때와 같이 학습목표와 학습내용, 학습자의 특성, 교육매체의 이용 가능성 등을 고려한다.

##### ① 학습목표와 학습내용

교육매체는 학습목표와 학습내용을 학습자에게 전달하기에 적합해야 한다. 즉 학습목표와 학습내용이 인지적 영역, 정의적 영역, 심동적 영역 인지를 고려하여 그 영역에 적합한 매체를 선택하고 학습목표를 달성하기 위해서 어떤 교육매체를 선택하는 것이 효과적인지를 고려하여 선택한다.

##### ② 학습자특성

학습대상자의 수, 학습에 대한 성숙 정도, 학습요구 정도, 동기부여 수준, 과거 경험과 신체적, 정신적, 사회적 배경 등을 확인하는 것도 필요하다.

##### ③ 학습환경

학습환경은 학습을 위한 시간적 제한, 예산, 매체를 적용하기 위한 물리적 환경이나 시설, 대상자 수용가능 인원 수 등과 관련된 사항 등을 고려해야 한다.

#### ④ 교육매체의 활용 가능성

교육매체의 활용 가능성은 교육자의 측면과 학습자의 측면, 환경적 측면에서 고려해야 한다. 교육자는 매체를 다룰 기술이나 지식이 확보되어 있는지, 학습자는 활용하려는 교육매체의 전달방법에 수용적이거나 익숙한지, 매체활용으로 인한 교육적 효과를 학습자 전체가 동시에 듣고 볼 수 있는지, 학습환경은 전원, 마이크, 동영상 사용, 컴퓨터, 빔프로젝트, 기타 등의 교육매체 보유나 사용가능성 등과 관련된 부분을 고려해야 한다.

참고로 교육매체 활용에 대한 사전점검에 대한 질문은 다음과 같다.

- 유용성(availability)
  - 교육에 사용이 가능한가?
  - 대상자 규모를 고려하여 적합한가?
  - 필요한 자원(장비나 기구, 소모품, 예산 등)의 확보가 가능한가?
  - 매체의 조작이 가능한가?
- 내용(content)
  - 내용은 정확하고 최신의 상태인가?
  - 학습자의 알고자 하는 요구를 충족하는가?
  - 객관적이고 편견은 없는 내용인가?
- 교육수준과 언어(educational level and language)
  - 학습자 수준을 고려하고 있는가?
  - 인쇄자료의 경우 문장이 간결하고 문법이 정확하면서 알기 쉬운 용어를 사용하고 있는가?
  - 학습자의 읽기, 보기, 듣기 수준에 적합한가?
- 양식과 편집(style and presentation)
  - 정보는 논리적으로 전개되고 있는가?
  - 단순한 내용에서 복잡한(어려운) 내용으로 순차적으로 전개되는가?
  - 용어나 양식은 일정한 형식을 띄고 있는가?
  - 전문적인 용어는 최소화하고 설명이 잘 되고 있는가?
  - 학습자의 관심을 끌 수 있게 편집이 되어 있는가?
  - 주요 부분은 심볼 등을 사용하여 강조하고 있는가?
  - 그림이나 도표가 내용의 강조에 도움이 되는가?
  - 자료개발의 기술적 수준이 적합한가?

요약하면 교육매체 선정시 고려사항은 다음과 같다.

- 정확한 학습목표와 내용을 제시할 수 있어야 한다.
- 교육 내용을 효과적으로 전달할 수 있어야 한다.
- 학습자(신체적, 정신적, 교육정도, 연령, 경험, 대상자 수 등), 교육자(활용 능력, 태도, 신념 등), 환경적(장소, 시설, 조명, 온도 등) 특성에 적합하여야 한다.
- 매체의 기능과 성능이 시대와 환경 및 대상에 적합해야 한다.
- 매체 사용이 편리하고 쉽고 경제적이어야 한다.

### (3) 매체 선정과정

교육매체를 선정하는 것은 교수-학습방법을 효과적으로 활용하기 위해서, 그리고 교육내용을 학습자에게 충분히 효과적으로 전달하기 위해서 필요하다. 적절한 교육매체의 선정은 학습자의 능동적인 참여를 이끌어 낼 수 있으므로 학습목표 달성에 긍정적인 기여를 할 수 있다. ASSURE모형을 활용한 효과적인 교육매체 선정은 다음과 같다.

#### ① 학습자 분석(Analyze learners)

학습자분석은 교육매체를 선정하기 위해서 가장 먼저 실시해야 하는 사항이다. 교육에 참여하는 교육대상자의 특성을 포괄적으로 파악하는 것을 말한다. 학습자의 특성은 지식, 태도, 행위적 특성을 파악하는 것으로 교육수준, 지적 발달 정도, 성별, 연령, 문화, 신체적, 정신적, 사회적 상황, 학습에 대한 성숙 정도, 동기부여 수준, 교육에 대한 요구도, 과거의 경험, 학습자 수, 교육매체에 대한 수용 정도 등을 분석한다.

#### ② 목표 진술(State objectives)

학습자의 특성 분석이 이루어진 후에는 학습목표와 학습내용에 따라 이를 효과적으로 성취하기 위해 어떤 교육매체를 선정하는 것이 적절한가를 고려한다. 즉 선정한 교육매체를 활용하여 전달하고자 하는 학습목표가 명확해질 수 있는지, 그리고 학습목표에 따른 학습내용이 충분히 잘 전달될 수 있는지를 파악한 후, 교육매체를 통해 도달해야 할 인지적 영역, 심동적 영역, 정의적 영역의 구체적인 학습목표를 대상자의 변화되어야 할 행동, 내용, 기준, 조건의 학습목표 진술 방법에 따라 진술한다.

#### ③ 방법, 매체 및 자료 선정(Select methods, media & materials)

교수-학습방법에 알맞은 활용 가능한 학습자료를 점검하고 확인한 후, 교수-학습방법에 적합한 교육매체를 선정한다. 이 과정에서 사용할 매체를 미리 점검하고 학습내용과의 관련성을 확인한다. 또한 매체 사용방법과 다른 학습경험과의 관련성과 학습환경도 고려하는 것이 필요하다. 학습자료는 학습목표와 교육내용, 교육매체를 확인·검토한 후, 그 연관성을 고려하여 학습자료를 준비한다.

#### ④ 매체와 자료 활용(Utilize media and materials)

선택한 매체와 자료를 교육자나 학습자가 실제상황에서 어떻게 사용할 것인지를 구체적으로 계획한다. 매체와 학습자료 활용 계획시 고려해서 사전점검할 사항은 다음과 같다.

- 매체와 자료 사전점검 : 학습자의 준비도와 특성 및 학습목표와의 적합성
- 자료 준비 : 교육매체와 자료 사용순서 설정
- 환경준비 : 교육매체와 자료 사용이 가능한 시설 및 작동 여부
- 학습자준비 : 학습의 전반적인 개요와 사용할 매체 설명
- 학습경험 제공 : 하고자하는 교육에 적합한 학습경험 제공 여부

#### ⑤ 학습자 참여유도(Require learner participation)

교육매체가 선정된 이후에는 교육자는 교수-학습에 활용할 매체를 사전에 학습자에게 공지하고, 매체를 사용하여 어떤 교육활동을 할 것인지와 그와 관련된 정보를 미리 제공하여 매체와 자료의 활용 효과를 높이고 학습자의 능동적인 사고 활동을 요구하여 도입, 전개, 정리 단계별 적극적인 참여를 유도한다.

#### ⑥ 평가와 수정(Evaluate and revise)

가능하다면 선정된 매체를 활용하여 모의 보건교육을 시험가동 한 다음 매체가 어떻게 활용되었는지를 평가하고 수정하는 것이다. 매체 선정은 적절한지, 학습목적에 부합되는지, 학습내용을 충분히 효과적으로 전달하는지, 교육자의 매체사용은 능숙한지, 학습자의 참여와 학습목적 달성은 효과적인지 등에 대해서 학습자성취도와 방법과 매체 및 자료를 평가하고 이들에 대한 회환(feedback)을 통해 수정·보완하여 실제 교육에 반영한다.

### 2) 보건교육 매체의 종류

보건교육 매체의 종류를 분류하면 [표 5-29]와 같다.

**표 5-29 교육매체 유형**

<table>
<tr><th colspan="2">구분</th><th colspan="2">매체 명</th><th>특성</th></tr>
<tr><td rowspan="23">비투사매체</td><td rowspan="5">상징적 매체</td><td colspan="2">사진과 그림</td><td rowspan="5">시각 기능 활용</td></tr>
<tr><td colspan="2">벽보, 포스터</td></tr>
<tr><td colspan="2">전단지(Leaflet), 소책자(Pamphlet) 등 유인물</td></tr>
<tr><td colspan="2">괘도</td></tr>
<tr><td colspan="2">게시판</td></tr>
<tr><td>청각 매체</td><td colspan="2">녹음기와 카세트 테이프, 라디오방송</td><td>청각 기능 활용</td></tr>
<tr><td rowspan="3">영상 매체</td><td colspan="2">동영상과 비디오 및 영화</td><td rowspan="3">시각, 청각 기능 활용</td></tr>
<tr><td colspan="2">빔프로젝트/PPT</td></tr>
<tr><td colspan="2">매스미디어</td></tr>
<tr><td rowspan="8">상호작용 매체</td><td rowspan="6">컴퓨터 활용 수업</td><td>컴퓨터 보조수업(CAI)</td><td rowspan="8">시각, 청각 및 상호작용 기능 활용</td></tr>
<tr><td>컴퓨터 관리수업(CMI)</td></tr>
<tr><td>멀티미디어(multimedia)</td></tr>
<tr><td>하이퍼미디어(hypermedia)</td></tr>
<tr><td>메타버스(Metabus)</td></tr>
<tr><td>LMS(learning management system) 플랫폼</td></tr>
<tr><td colspan="2">VR 및 AR</td></tr>
<tr><td colspan="2">스마트폰 어플리케이션</td></tr>
<tr><td rowspan="6">행동 및 상호작용 매체</td><td colspan="2">칠판</td><td rowspan="6">오감, 행동 및 상호작용 기능 활용</td></tr>
<tr><td colspan="2">융판</td></tr>
<tr><td colspan="2">실물</td></tr>
<tr><td colspan="2">모형</td></tr>
<tr><td colspan="2">컴퓨터프리젠테이션/PPT</td></tr>
<tr><td colspan="2">교육용 3D 콘텐츠, 3D 프린터</td></tr>
<tr><td rowspan="4">투사 매체</td><td rowspan="4">영상 매체</td><td colspan="2">슬라이드 환등기(slide projector)</td><td rowspan="4">시각 기능 활용</td></tr>
<tr><td colspan="2">투시물 환등기(Over Head Projector; OHP)</td></tr>
<tr><td colspan="2">실물환등기(Opaque Projector; OP)</td></tr>
<tr><td colspan="2">실물화상기(real image presenter)</td></tr>
</table>

### (1) 비투사매체

#### ① 상징적 매체

상징적인 매체는 주로 인쇄물(Print-out)을 활용한다. 보건교육에서 활용되는 매체 중에서 인쇄로 제작된 것에는 사진, 그림, 포스터, 전단지, 소책자, 괘도(차트), 게시판 등이 있다.

##### 가. 사진과 그림

사진과 그림(Photograph & picture)은 인물, 장소, 사물 등을 카메라로 찍거나 그림을 그리거나 잡지 등에서 오려서 학습에 활용이 가능한 것으로 교육자 또는 학습자가 직접 학습주제에 맞게 제작하여 활용할 수 있다.

**사진과 그림 활용의 장·단점**

| 장점 | 단점 |
|---|---|
| • 현장감이 있다.<br>• 간결하게 표현된다.<br>• 구하기 쉽고 비용이 적게 들며 쉽게 이용이 가능하다.<br>• 여러 장을 만들어 학습자에게 배부할 수 있다.<br>• 창의력 배양과 자율학습 자료로 활용할 수 있다. | • 자료가 평면적이고 정적이어서 입체성과 움직임을 표현할 수 없다.<br>• 집단을 대상으로 하기 어려움이 있다.<br>• 주의집중의 어려움이 있다. |

##### 나. 포스터

포스터(Poster)는 학습자에게 전하고 싶은 내용을 간단하고 빠르게 기억하도록 하기 위하여 사용하는 보조매체이다. 포스터를 제작할 때 유의할 점은 간단명료하게 제작하고 한 장의 포스터에 너무 많은 내용을 담으려고 하지 말고 중요한 문구는 색이나 글씨 크기로 강조한다. 그림으로 나타낸 내용이 교육내용과 잘 맞아야 한다.

**포스터 활용의 장·단점**

| 장점 | 단점 |
|---|---|
| • 보관이 용이하다.<br>• 쉽게 제작할 수 있고 장기간 부착할 수 있어 경제성이 있다.<br>• 이동 용이하다.<br>• 매력적이고 학습자의 관심을 끌 수 있다. | • 제작 시 전문적 기술이 요구된다.<br>• 강의 보조 자료로 사용하기에는 어려움이 있다. |

##### 다. 전단지, 소책자 등 유인물

한 장으로 된 전단지(Leaflet)와 몇 장으로 된 소책자(Pamphlet, Brochure)는 알리고자 하는 정보를 짤막하고 명확하게 요약해서 그림과 함께 인쇄하여 많은 사람들이 그 내용을 읽고 보도록 한다. 전단지, 소책자는 [그림 5-30]과 같다.

제작 시 유의사항은 학습자의 요구와 문제를 명확하게 규명한 후에 가장 알고 싶어 하는 내용을 중심으로 만든다. 제작 시에는 학습자의 인구학적 특성을 파악하여 반영한다. 글씨는 크게, 보기에 즐겁게, 쉽게 읽을 수 있는 문단으로 한눈에 들어오게 각 문단은 서로 분리되도록 그림, 도표 등을 넣거나 여백을 두는 것이 효과적이다. 내용은 대상별, 목적별로 구분하여 제작한다.

그림 5-30 전단지(leaflet), 소책자(pamphlet)

**전단지, 소책자 활용의 장·단점**

**장점**

- 교육내용과 관련 있는 그림을 효과적으로 사용할 때 이해가 빠르고 쉽게 기억한다.
- 쉽게 제작이 가능하고, 사용이 용이하다.

**단점**

- 기존의 만들어진 자료는 교육자의 교육목표와 동일하지 않은 경우가 많아서 정보 제공에 제한이 있다.
- 학습자의 흥미를 끌기가 어렵고 주의집중이 잘 안될 수가 있다.

### 라. 괘도

괘도는 교육내용을 전달하기 위해 글자, 그림(diagram), 그래프, 도표, 지도 등을 그리거나, 인쇄하여 체계적으로 시각화한 매체이다. 괘도는 교육내용의 개념을 단순화하여 대상자의 관심과 흥미를 끌 수 있고, 학습자의 주의집중을 유도하는 매체로 큼직한 스케치북을 활용하는 것도 하나의 좋은 방법이 될 수 있다.

**괘도 활용의 장·단점**

**장점**

- 쉽게 제작이 가능하고, 사용이 용이하다.
- 제작비용이 적게 들기 때문에 보건교육시 수시로 만들어 사용 가능하다.
- 학습자의 주의집중과 흥미유발이 용이하다.
- 글, 그림을 요약하거나 확대하여 제공할 수 있다.

**단점**

- 평면적이고 정보 제공에 제한이 있다.
- 제작 시간이 많이 소요된다.
- 정밀한 글자나 그림을 쓰거나 그리기가 어렵다.
- 학습자가 잘 볼 수 있도록 도표나 글씨가 충분히 커야 한다.

### 마. 게시판

게시판(Bulletin board)은 눈에 잘 띄는 곳에 걸어두고 중요한 뉴스나 알림 같은 게시물을 붙여 그곳을 지나는 모든 사람이 볼 수 있도록 한다. 여기에는 모두에게 알려야 할 게시물을 붙이는 것이 본래 목적이지만 오늘날 장식 용도로도 사용된다. 효과적인 게시판을 꾸미기 위해서는 체계적으로 계획을 세워야 하고 항상 게시판의 목적을 생각해야 한다.

#### 게시판 활용의 장·단점

| 장점 | 단점 |
|---|---|
| • 게시된 내용을 불특정 다수에게 알릴 수 있다<br>• 특정한 정보나 지식에 대해 대상자의 흥미유발이 가능하다.<br>• 정보교환이 가능하다.<br>• 교육자 없이도 교육이 가능하다. | • 학습효과를 확인할 수 없다.<br>• 길거나 복잡한 내용의 전달은 부적합하다.<br>• 장시간 같은 내용을 붙여두면 학습자가 보지 않는다.<br>• 학습자의 흥미와 주의집중을 유도하기 쉽지 않다. |

### ② 청각 매체

#### 가. 녹음기와 카세트 테이프

녹음기와 카세트 테이프는 쉽게 구할 수가 있어서 학습내용이 청각적인 것일 때 이용하면 효과적이다. 녹음기의 일반적인 특성은 몇 번이건 녹음이나 재생할 수 있는 반복성과 어떤 사건, 대화 등을 사실 그대로 기록해 두는 기록성과 보존성, 시간·장소 등의 장애를 극복할 수 있는 시공간의 극복성 등을 들 수 있다. 슬라이드나 인쇄된 자료와 함께 이용하면 효과를 더 높일 수 있다. 아동들에게 건강과 관련된 이야기를 들려줄 수도 있고, 이완요법이나 유도·심상요법 등에 사용한다.

#### 녹음기와 카세트 테이프 활용의 장·단점

| 장점 | 단점 |
|---|---|
| • 보고 읽을 수 없는 대상자들에게 유용하다.<br>• 제작이 간편하다. 녹음과 재생이 간편하다.<br>• 경제적이다.<br>• 자율학습과 반복사용이 가능하다.<br>• 작고 이동이 편리하고 어디서나 이용할 수 있다.<br>• 보관이 용이하다. | • 청각 이상자는 사용할 수 없다.<br>• 주의집중이 곤란하다. |

#### 나. 학교방송(라디오방송)

학교방송(Broadcasting of school)은 일방향적인 강의 형식이기는 하지만 방송 내용에 관한 유인물을 이용하거나 학생들의 의견을 개별토론, 상담, 편지 또는 전화로 주고받음으로써 학생들과의 상호작용을 할 수 있다.

#### 학교방송 활용의 장·단점

| 장점 | 단점 |
|---|---|
| • 권위 있게 인식됨으로써 학생들의 주의집중을 시킬 수 있다.<br>• 가장 빠르게 많은 대상자에게 정보 전달이 가능하다.<br>• 음성전달매체이므로 대상자들이 자유롭게 상상력을 발휘할 수 있게 해준다.<br>• 비문자성 : 시각정보와 음성정보로 전달되기 때문에 문자가 가지는 추상성도 없고, 문자의 해독력에 영향을 적게 받는다. | • 일방적인 정보전달을 한다.<br>• 정보의 제한성이 있다. |

### ③ 영상매체

#### 가. 동영상과 비디오 및 영화

시청각매체는 정보를 전달하기 위해 시각과 청각을 함께 사용하게 되는 매체를 말하는 것으로 주로 비디오 카메라에 의해 제작된다. VTR에 의해 시청되는 비디오 자료, 영화제작용 카메라에 의해 제작되어 영사기를 통해 활용되는 영화필름(Film), 그리고 방송국에서 카메라로 제작해서 송출되는 TV나 VTR을 통해 활용되는 교육방송 등이 있다.

A. 동영상과 비디오

비디오(Video tape / DVD)는 실물이나 모형을 보여주기 어렵거나 진행과정 등을 많은 대상자들에게 보여주어야 할 경우에 비디오테이프 또는 스마트폰, 디지털 카메라 동영상, 유튜브 등으로 영상물을 제작하여 사용하는 것이다. 시각과 청각을 자극하는 방법으로서 실제 경험과 유사한 경험을 할 수도 있다.

**비디오 활용의 장·단점**

| 장점 | 단점 |
|---|---|
| • 움직이는 전 과정을 대화와 함께 보여주므로 실제에 가장 가깝게 접근할 수 있다.<br>• 시간과 공간의 제약을 초월할 수 있다.<br>• 학습자의 흥미와 편안함을 유지하면서 주의집중을 지속시킬 수 있다.<br>• 필요할 때 화면을 정지하거나 되돌려 볼 수 있다.<br>• 교육목적에 맞게 재구성이 가능하다. | • 제작할 경우 비용이 많이 든다.<br>• 시설과 장비를 갖추어야 한다.<br>• 일단 제작된 것은 내용을 고치기가 어렵다.<br>• 과거에는 동영상 제작이 위와 같은 단점이 있었지만 요즘은 학습자나 교육자가 통신기기의 카메라 기능을 활용하여 간단하게 동영상 제작과 편집 및 활용이 매우 용이하다. |

B. 영화

영화(Movie)는 움직임, 색, 음향을 제공하면서 학습자의 흥미를 유도하고 실제 경험에 가깝게 접근할 수 있는 매체이다. 교육목적에 부합되는 영화는 새로운 지식, 가치, 태도, 행위를 효과적으로 전달할 수 있으며 대상자의 행위변화를 유도할 수 있다.

**영화 활용의 장·단점**

| 장점 | 단점 |
|---|---|
| • 집단의 크기와 관계없이 이용할 수 있다.<br>• 학습자의 흥미를 유지하거나 학습목적을 이끌 수 있다. | • 제작비용이 많이 든다.<br>• 필름 파손이 쉬우며 실제 교육현장에서 제작하여 활용하기 어렵다.<br>• 영화 상영시설이 필요하다. |

#### 나. 빔 프로젝터/PPT

빔 프로젝터(Beam projector)는 노트북이나 컴퓨터와 연결하여 파일로 제작된 교육내용을 스크린에 비추어 다수의 사람들이 볼 수 있도록 하는 교육매체이다. 최근에 교육매체로 가장 많이 활용하고 있다. 노트북이나 컴퓨터, CD나 USB device 등 저장매체가 필요하다. 빔 프로젝터에 컴퓨터나 스마트폰 등의 기기를 연결한 후 스크린에 투사하여 사용한다. 필요하다면 즉시 캠코더, 스캐너 등과 연결하여 사용할 수도 있다.

### 빔 프로젝터 활용의 장·단점

| 장점 | 단점 |
|---|---|
| • 그림이나 도표, 동영상, PPT(power point) 파일 등 다양한 자료를 사용할 수 있다.<br>• 앞뒤로 돌아가서 보거나 내용을 수정할 수 있다.<br>• 반복하여 사용할 수 있다.<br>• 컴퓨터의 지원체계에 따라 다양한 자료 및 인터넷 자료 등을 사용할 수 있다. | • 비용이 비싸다.<br>• 다른 매체(컴퓨터와 스크린)가 필요하다.<br>• 교수자의 사전준비와 활용능력이 요구된다. |

#### 다. 매스미디어

매스미디어(Mass media)에는 신문, 방송, TV방송 등 다양한 것이 있지만 매스미디어는 비슷한 장단점을 가지고 있으므로 이 장에서는 대표적으로 교육방송을 설명하기로 한다.

교육방송(Broadcasting of education)은 텔레비전 방송이나 라디오 방송을 교육매체로 활용하는 것을 말한다. 교육방송의 장점은 다음과 같다.

### 교육방송 활용의 장·단점

| 장점 | 단점 |
|---|---|
| • 속보성 : 생방송 등 정보의 빠른 전달이 가능하다.<br>• 동시성 : 전국으로 많은 사람에게 동시에 전달될 수 있다.<br>• 경제성 : TV 방송을 만들고 송출하는 데는 많은 비용이 드는 것이 사실이나 전국적인 시청자의 수를 고려하면 오히려 경제적이라고 할 수도 있다.<br>• 비문자성 : 시각정보와 음성정보로 전달되기 때문에 문자가 가지는 추상성도 없고, 문자의 해독력에 영향을 적게 받는다. | • 방송국 등의 전문적인 제작기술과 장비 및 인력이 소요된다.<br>• 제작비용이 많이 든다. |

### ④ 상호작용 매체

#### 가. 컴퓨터

컴퓨터(Computer)는 상호작용매체 중 대표적인 것으로는 고도의 컴퓨터 기술을 교육에 활용하는 방법이다. 컴퓨터 프로그램을 통해서 교육대상자의 인지적 측면의 교육에 도움을 준다. 컴퓨터를 이용하는 교육은 컴퓨터 이용 보조수업(CAI)과 컴퓨터 관리수업(CMI), 인터넷활용 수업, 멀티미디어 활용 수업, 하이퍼미디어 활용 수업, 메타버스 활용수업, LMS 등이 있다.

- **컴퓨터 이용 보조수업**(Computer Assisted Instruction; CAI)은 교육과정에서 컴퓨터를 책이나 교수-학습매체 활용이나 학습보완용으로 사용하는 것으로, 다양한 교육방법을 적용하여 개별적인 지도를 실시함으로써 학습자의 흥미를 유지해준다. 또한 많은 대상자를 반복적으로 교육시킬 수 있어 교육자가 개별적인 교육지도에 전념하도록 도와준다.
- **컴퓨터 관리수업**(Computer Managed Instruction; CMI)은 컴퓨터 기술을 교육에 활용하여 대상자의 인지적 측면 교육에 도움을 주는 교육방법으로 학습자의 학습내용, 속도, 진도, 성취도를 학습자가 선택해서

학습할 수 있는 개별학습이 가능하고, 컴퓨터를 활용해서 수업과 관련된 정보나 자료를 분석, 기록, 평가하여 교육자의 수업에 대한 관리를 지원하는 형태이다.

또한 이 방법들은 인터넷과 연결하여 사용하거나 인터넷을 연결하지 않고 사용할 수도 있다.

**컴퓨터 활용의 장·단점**

| 장점 | 단점 |
|---|---|
| • 개별학습이 가능하다.<br>• 반복학습이 가능하다.<br>• 학습내용, 속도, 진도, 성취도에 맞추어 개인별 조절이 가능하다.<br>• 양방향 소통(상호작용)이 가능하다. | • 컴퓨터 시스템 구입 비용이 고가이다.<br>• 컴퓨터가 없거나 컴퓨터 활용능력이 없는 사람은 적용이 불가능하다. |

### 나. 인터넷

인터넷(Internet)을 이용하는 사람은 누구나 자신의 요구에 따라 스스로 배워 나갈 수 있다. 따라서 이러한 상황에서 필요한 능력은 종합적 사고력과 창의력이라 할 수 있다. 학습자 본인이 찾은 정보를 정리, 분류, 종합, 분석하여 자신에게 필요한 정보로 만들어야 하기 때문이며 학습자는 작문, 논리력, 의사소통 등에 대한 기본 소양도 있어야 한다.

컴퓨터 관리수업과 인터넷을 병행하는 교육으로 대표적인 예가 인터넷수업이 있다. 인터넷 수업은 근자에 '인강'이라고 불리는 수업으로 원격학습(e-Learning)이다. 이는 보건교육에서 지식과 기술을 전달하는 인지적 영역, 심동적 영역에서 활용이 가능하다. 그리고 보건교육관련 사이트를 통해서 캠페인, 홍보, 정보제공, 구매 등 다양한 목적으로도 활용이 가능하다.

**인터넷 활용의 장·단점**

| 장점 | 단점 |
|---|---|
| • 동영상, 그림, 음향효과 등을 다양하게 보건프로그램에 활용이 가능하여 학습자의 주의를 집중시키고 학습동기 유발이 높다.<br>• 개별 학습자의 요구나 반응에 따라 적절한 회환(feedback)을 제공할 수 있다.<br>• 학습의 개별화 효과가 높다.<br>• 수업 후 연습문제를 풀 때, 오답에 대한 즉각적인 확인과 교정적 회환(feedback) 제공으로 즉각적인 강화가 이루어진다.<br>• 즉각적인 회환(feedback)은 학습효과와 동기를 높여준다.<br>• 빠른 시간 내에 많은 양의 데이터를 효과적으로 탐색할 수 있고 정보 수집과 분류, 정리를 통한 문제해결력을 키울 수 있다.<br>• 개별 학습자에 대한 모든 형태의 정보를 분류, 저장이 가능하고 분석이 가능하여 개별적 처치를 용이하게 한다.<br>• 양방향 소통(상호작용)이 가능하다. | • 수업목적에 맞는 좋은 소프트웨어를 구하는 것이 쉽지 않다.<br>• 컴퓨터와 주변기기를 구입하는 비용이 많이 든다.<br>• 인터넷을 이용한 수업을 할 때 음란물이나 폭력물 등의 비교육적인 내용의 프로그램으로부터 학습자를 보호할 방법이 아직 미흡하다.<br>• 프로그램의 제작과정과 품질을 관리할 수 있는 제도적 장치가 없기 때문에 비효율적이고 비효과적인 프로그램들을 접할 수 있는 문제가 있다.<br>• 정의적 영역의 교육이 불가능하다.<br>• 컴퓨터, 인터넷 활용능력이 없는 사람에게 적용할 수가 없다. |

### 다. 멀티미디어

멀티미디어(Multimedia)는 복합다중매체로서 문자, 그래픽, 음향, 동영상, 애니메이션 등의 다양한 자료를 컴퓨터를 기반으로 하여 디지털 방식으로 통합시킨 매체이다. 학습자는 멀티미디어를 통해 자신의 흥미와 요구에 따라 창의적으로 자료와 정보 및 지식을 재구성하고 새로운 가치를 창출하면서 학습과정에 적극적으로 참여하게 된다.

멀티미디어의 교육적 효과는 시각정보와 청각정보의 적절한 결합은 학습효과를 높인다. 정보가 단편적으로 제시될 때보다 상황과 관련되어 제시되었을 때 더욱 효율적으로 기억된다. 주어진 학습환경과 상호작용이 높을수록 학습효과는 향상된다. 이것은 의도적으로 설계된 것이고, 교육에 일관성이 있다.

#### 멀티미디어 활용의 장·단점

| 장점 | 단점 |
|---|---|
| • 학습자가 직접 풍부한 자료와 정보를 만날 수 있다.<br>• 학습자와 교육자의 상호작용이 가능하다.<br>• 학습자간, 교육자와 학습자 간, 외부 사용자와 학습자 간 등 정보공유가 가능하다.<br>• 양방향 소통(상호작용)이 가능하다. | • 기본적인 설비구축을 위한 비용이 많이 든다.<br>• 교육자는 컴퓨터와 멀티미디어 사용에 능숙함이 요구된다.<br>• 학습자의 개인 차이에 따라 학습이 달라진다. |

### 라. 하이퍼미디어

하이퍼미디어(Hypermedia)는 문자, 그래픽, 비디오, 오디오 등을 유용하게 연결시켜 주는 컴퓨터 소프트웨어로 문자, 그림, 음성 및 음향, 동영상 등의 매체를 교육자와 학습자의 요구에 따라 선택하여 사용할 수 있다.

하이퍼미디어는 유사한 개념으로 쓰이는 하이퍼텍스트의 원리와 멀티미디어의 원리를 통합한 것으로, 하이퍼미디어는 노드(Node) - 링크(Link)의 관계를 통해 정보를 연결하는 하이퍼텍스트와 정보 전달의 원리에 있어서는 비슷한 것이지만 정보구현의 매개가 텍스트에 머무르지 않고 멀티미디어화 되어 있다는 점에서 큰 차이가 있다. 멀티미디어는 텍스트, 그래픽스, 애니메이션, 비디오, 오디오 등을 복합한 다중모드(Multimode)의 미디어로 표현한 정보들이지만, 서로를 연결하지 못한다. 하이퍼미디어는 하이퍼텍스트의 장점과 멀티미디어의 장점을 하나의 형태로 통합한 것이다.

#### 하이퍼미디어 활용의 장·단점

| 장점 | 단점 |
|---|---|
| • 학습자 중심의 탐구학습이 가능하다.<br>• 교육자와 학습자가 동일한 조건의 환경에서 교수 - 학습이 가능하다.<br>• 심리적 일체감을 맛볼 수 있다.<br>• 학습 성취도가 높고 매우 효과적이다.<br>• 대량의 정보를 효과적으로 저장·재생할 수 있다.<br>• 자료 관리를 효과적으로 할 수 있다.<br>• 인지능력을 향상시킬 수 있다.<br>• 학습효과를 극대화할 수 있다.<br>• 자율학습, 비대면학습이 가능하다.<br>• 양방향 소통(상호작용)이 가능하다. | • 비용이 많이 든다.<br>• 그릇된 정보를 검색할 경우 정보에 대한 정확성과 신뢰성이 떨어질 수 있다<br>• 교육자료 설계에 전문가의 도움이 필요하다. |

### 마. 메타버스

'메타버스(Metaverse)'는 초월과 추상을 뜻하는 '메타(Meta)'와 우주를 뜻하는 '유니버스(Universe)'가 결합한 합성어로, '현실을 초월한 가상세계'를 말한다. 메타버스는 발달된 IT 기술을 활용하여 현실과 가상공간을 결합해 만든 가상 세계로 시·공간을 초월하여 제약 없이 상호작용하고 사회·경제적 활동이 가능한 가상 세계를 말한다. 미래 사회는 메타버스를 이해하고 거기에서 요구하는 규범과 활동 방식에 따라 소통과 상호작용하면서 생활하고, 새로운 콘텐츠를 창출할 수 있는 역량이 요구된다. 그러므로 미래 교육에서는 메타버스가 무엇이고, 어떻게 소통하고, 사회·경제적 활동을 해야 하는지 교육을 할 필요가 있다.

가상공간에서의 합리적 의사소통 능력 함양을 위한 윤리교육이 절실하게 필요하다. 가상공간에서 발생하는 여러 문제에 대한 도덕적 민감성을 기르며, 지켜야 할 예절과 규칙을 알고 습관화될 때까지 교육의 역할이 중요한 역할을 할 것이다.

메타버스는 대부분 텍스트, 이모티콘, 사진, 동영상, 간단한 대화체를 통해 소통하거나 상호작용한다. 따라서 학습자와 교육자는 그에 적합한 언어와 소통 방식을 배워야 한다. 또한 언어에 대한 AI 기능으로 욕설과 폭언 등 위험 요소가 있을 때 자동으로 걸러주는 프로그램 장치가 작동되어야 하며, 양질의 콘텐츠가 다양하게 개발되고 활용할 수 있어야 효과적인 보건교육이 가능하다.

그러나 메타버스 활용은 교육 콘텐츠 개발의 어려움과 접근성의 문제 및 교육적 효과의 경험적 검증이 아직 없다는 문제점이 있어 아직은 교육적 한계가 있다.

#### 메타버스 활용의 장·단점

**장점**
- 학습자의 주도성(적극성, 능동성) 신장에 도움을 줄 수 있다.
- 학습자의 다양성을 존중할 수 있다.
- 미래사회에서 요구하는 역량을 키우는 데 도움을 줄 수 있다.
- 역동적 교육이 될 수 있다.
- 다양한 가상 체험으로 교육 확장이 가능하다.
- 관습적 교육관에서 교육관이 수정될 수 있다.

**단점**
- 의사소통시 욕설과 폭언 등에 대한 통제가 어렵다.
- 메타버스 플랫폼에 게임적(gamification) 방식을 수업에 적용하고 있어 양질의 콘텐츠가 아니면 교육의 효과가 낮아진다.
- 플랫폼이나 활용방식 등 접근성이 부족하다.
- 교육적 효과의 경험적 검증이 부족하다.
- 제작비용이 많이 든다.

### 바. LMS(Learning management system) 플랫폼

LMS(Learning management system) 플랫폼은 코로나19로 인한 비대면 시대를 경험하면서 다양한 온라인 매체를 활용한 교육이 활발히 이루어지고 있다. 대부분의 대학에서는 LMS(Learning management system) 학사운영 플랫폼을 구축하여 컴퓨터 온라인을 통한 학습 콘텐츠 개발과 학사운영 등 교육내용 전달과 평가 및 관리에 이르기까지 교수학습의 전반적 과정을 통합적으로 운영·관리하고 있다.

국내외 플랫폼 개발 업체에서 구글 클래스룸(Google classroom), 웨벡스(Webex) 등의 학습 플랫폼을 개발하여 비대면 학습환경을 제공하고 있으며, 줌(Zoom), 러닝엑스(LearningX) 등의 어플리케이션(Application)과 카카오톡(kakaotalk), 페이스북(facebook), 네이버 밴드(Naver band) 등의 SNS를 활용한 상호 소통할 수 있는 다양한 콘텐츠가 개발되어 학습에 활용되고 있다.

아직 보건교육에서 LMS 플랫폼은 활용되지 못하고 있지만 어플리케이션과 SNS는 활발하게 활용되고 있다.

### LMS 플랫폼 활용의 장·단점

| 장점 | 단점 |
| --- | --- |
| • 학습자의 주도성(적극성, 능동성) 신장에 도움을 줄 수 있다.<br>• 학습자의 다양성을 존중할 수 있다.<br>• 비대면 교수-학습이 가능하다.<br>• 시간과 장소에 상관없이 교육이 이루어질 수 있다.<br>• 관습적 교육관에서 교육관이 수정될 수 있다. | • 양질의 콘텐츠가 아니면 교육의 효과가 낮아진다.<br>• 교육적 효과의 경험적 검증이 부족하다.<br>• 교육의 질이 제작비용에 영향을 받는다.<br>• 정의적인 면의 교육이 부족할 수 있다. |

### 사. VR 및 AR

VR(Virtual reality; 가상현실)은 헤드셋을 통해 가상세계안에서 감각을 몰입할 수 있게 하는 것으로 현실을 조작한 가상세계에 완전몰입을 경험하게 하는 것이다. AR(Augmented reality; 증강현실)는 물리적 세계 위에 정보를 덧입힌 것으로 교육에서는 교육적 내용을 덧입혀 연출한 세계이다.

AR(Augmented reality; 증강현실)은 실세계와 가상세계를 이음새 없이(seamless) 실시간으로 혼합하여 사용자에게 제공함으로써, 사용자에게 보다 향상된 몰입감과 현실감을 제공하는 기술이다. 가상현실과 증강현실은 모두 가상성에 바탕을 두고 있으나, 증강현실 기술은 컴퓨터가 구축한 가상공간 속에 사용자를 몰입하게 하는 기술인 VR(Virtual reality; 가상현실)과 TV영상과 같은 현실의 중간에 위치하는 기술로 학습자의 실제 환경에 가상의 정보를 더해줌으로써 실재감을 향상시키는 기술이다.

3차원 방식의 다감각적(Multi sensory) 정보를 제공하는 증강현실은 가상현실과 같이 다양한 감각을 지원하는 3차원의 입체적 객체를 통해 현실감 있는 정보를 제공한다. 이렇게 현실감 있는 경험은 시각, 청각, 촉각, 후각 등을 통해 이루어진 지각화(Perceptualizion)의 결과이다.

인간의 능동적 탐구를 통해 보고, 듣고, 느끼는 다양한 감각이 서로 보완적으로 상호작용함으로써 인지 활동이 가능해진다. 증강현실은 다감각에 의존한 표현 방식을 통해 인간의 지각력을 높임으로써 정보에 대한 몰입으로 현실과 가상세계 간의 자연스러운 전환을 경험하게 한다. 최근 보건교육에서 학습자의 집중도를 높여 교육목표 달성을 효과적으로 돕는 방법 중 하나로 활용하고 있다.

### VR 및 AR 활용의 장·단점

| 장점 | 단점 |
| --- | --- |
| • 증강현실은 실세계와 가상세계를 연결하는 상호작용을 제공할 수 있다.<br>• 학습장면에 몰입과 학습동기를 유발하여 학습경험을 증진할 수 있다.<br>• 실제상황처럼 느낄 수 있는 공간적인 정보를 제공한다.<br>• 가상 세계와 현실세계의 부드러운 전환을 가능하게 해준다. | • 증강현실 기술의 활용이 비맥락적 측면에서 제공될 때는 단순한 감각적 호기심 제공만으로 끝나는 경우는 학습효과보다는 오락적인 면이 될 수도 있다.<br>• 학습 자체에 대한 몰입과 효과를 얻기 위해 교육적 콘텐츠 개발 및 활용이 필요하다.<br>• 콘텐츠 개발 비용이 많이 든다. |

### 아. 스마트폰 어플리케이션(App)

스마트폰(Smart phone) 보급률이 세계 1위를 달리고 있는 우리나라에서 보건교육에서도 스마트폰 앱을 활용하는 것이 점차 늘어나고 있다. 예를 들면 2014년 7월에 보건소에서 초등학교학생을 대상으로 세계 최초 원격 구강보건교육 시범사업 설명회를 개최했다.

이 보건소에서는 향후 초등학교 학생들을 대상으로 구강보건교육 전 잇솔질 능력 수준을 판단하고, 교육 후 잇솔질 능력의 향상을 측정하고, 학생들의 잇솔질 교육 효과를 제고하기 위해 스마트폰 앱을 활용한 보건 프로그램을 실시하였다.

이 프로그램에서는 스마트폰의 어플리케이션과 잇솔질 동작 감지 센서가 부착된 장치를 대상자의 스마트폰에 설치하여, 대상자들이 잇솔질을 하게 되면 보건소의 보건프로그램 관리자에게 실시간으로 데이터가 전송된다. 따라서 보건소의 보건프로그램 관리자는 대상자들에게 즉각적인 회환(feedback)을 제공할 수 있게 된다.

스마트폰 어플리케이션을 활용한 보건교육은 IT기술을 활용한 신개념의 대상자 개인별 맞춤형 실시간 원격 보건교육프로그램이다. 근자에는 다양한 웨어러블 활동기기 및 어플리케이션(앱, 어플)들이 개발되어 모바일 헬스케어 서비스로 건강증진사업에 활발하게 사용되고 있다.

**스마트폰 어플리케이션(앱, 어플) 활용의 장·단점**

| 장점 | 단점 |
|---|---|
| • 시간과 장소의 제한을 거의 받지 않는다.<br>• 앱 프로그램 개발에 따라 다양한 내용을 적용할 수 있다.<br>• 개별교육이 가능하다.<br>• 즉각적인 회환(feedback)이 가능하다.<br>• 양방향 소통(상호작용)이 가능하다. | • 비용이 많이 든다.<br>• 스마트폰의 센서가 감지한 정보의 신뢰도에 문제가 있을 수 있다.<br>• 스마트폰 구입 비용이 비싸다.<br>• 주기적이고 지속적으로 어플의 업그레이드가 필요하다.<br>• 스마트폰이 없거나 기기 활용능력이 없는 사람에게는 적용이 불가능하다. 그러나 근래에는 간편한 기기들이 다양하게 출시되고 있다. |

## ⑤ 행동 및 상호작용 매체

### 가. 칠판

칠판은 분필을 이용하여 대상자에게 전달할 글이나 도형, 그림 등을 쓰거나 그릴 수 있는 매체이다. 학교교육에서 오랫동안 가장 많이 사용되었다. 분필 가루의 유해성이나 청소의 불편함으로 보드마커를 활용한 화이트보드(White board)가 활용되었고, 최근에는 IT기술의 발달로 전자칠판으로 바뀌어 가고 있지만 동일한 매체로 간주할 수 있다.

칠판은 교육자와 대상자가 상호작용을 하면서 교육 진행 상황에 따라 적절하고 자유롭게 활용할 수 있고 다양한 동작과 매체를 함께 병행해서 활용이 가능하다.

**칠판 활용의 장·단점**

| 장점 | 단점 |
|---|---|
| • 누구나 쉽게 활용할 수 있다.<br>• 기록한 내용을 쉽게 지우고 다시 쓸 수 있다.<br>• 학습자의 참여가 가능하다.<br>• 대상자의 특성에 따라 다양한 방법으로 활용할 수 있다.<br>• 대상자의 주의집중 상태에 따라 내용과 방법을 달리하여 활용할 수 있다. | • 짧은 시간에 많은 양의 정보를 제공하기 어렵다.<br>• 대상 인원이 많아지면 흥미나 집중이 어려워질 수 있다.<br>• 대상자 수가 많은 경우 집중력이 낮아진다.<br>• 그림을 그리는 경우 교육자에 따라 현실감이 낮을 수 있다.<br>• 교육자의 필체에 따라 학습자에 전달이 어려울 수 있다. |

### 나. 융판

융판(Flannel board)은 얇은 판자나 두꺼운 하드보드지에 융이나 펠트(felt)를 씌워 융판을 만든 다음, 그림이나 글자, 숫자 등 교육내용에 필요한 종이나 플라스틱의 뒷면에 융이나 사포 찍찍이를 붙여서 모양을 만든 다음 이것을 준비된 융판에 붙였다 뗐다 하면서 교육에 사용하는 것이다.

**융판 활용의 장·단점**

| 장점 | 단점 |
|---|---|
| • 융판과 모양 제작이 용이하고 특별한 조작기술이 필요 없다.<br>• 이동이 간편하다.<br>• 반복해서 사용할 수 있다.<br>• 대상자의 이해가 용이하다.<br>• 주의집중이 잘된다.<br>• 실제적으로 표현하기 곤란한 학습내용을 풍자적이거나 해학적으로 표현이 가능하다. | • 자세한 설명이 불가능하다.<br>• 대상자 수가 많을 때는 사용하기 어렵다. |

### 다. 실물 또는 실제상황

실물 또는 실제상황(Real-thing / Real situation)은 학습내용에 해당되는 실물을 직접 활용하거나 실제상황에서 교육을 실시하는 것을 말한다. 실물은 생활용품, 의료용품, 도구, 식물, 동물 등은 크기가 작고 간단한 것은 구하기가 쉽고 효과적인 학습자료이다. 실물은 그대로 사용할 수도 있고 단면이나 표본같이 변형하여 사용할 수도 있다. 보건교육 시 가능하다면 실물 또는 실제상황을 많이 사용하는 것이 효과적이다.

**실물 또는 실제상황 활용의 장·단점**

| 장점 | 단점 |
|---|---|
| • 학습자가 다양한 종류의 감각기관을 사용하여 다차원적인 학습을 할 수 있으므로 학습목표 도달이 용이하다.<br>• 교육 후 실생활에 즉시 활용할 수 있다. | • 학습목표에 맞는 실물을 구하기가 어렵다.<br>• 실제 현장에 가서 직접 보려고 하는 경우 경제적 비용이 많이 든다.<br>• 시간이 많이 요구된다. |

### 라. 모형

모형(Model, Miniature)은 실물이나 실제상황을 직접 사용할 수 없을 경우에는 실물과 닮은 모형이나 실물과 같이 움직이거나 기능할 수 있는 유사물(Simulation Device)을 만들어서 교수－학습에 활용하는 것이다. 인체 장기모형 등이 이에 해당된다[그림 5-31].

**모형 활용의 장·단점**

| 장점 | 단점 |
|---|---|
| • 실물이나 실제상황과 거의 비슷한 효과를 얻을 수 있다.<br>• 학습목표에 맞게 모형 제작이 가능하며 반복적으로 사용할 수 있다.<br>• 실물에서 볼 수 없는 부분을 확대하거나 축소하여 제작이 가능하다. | • 가격이 비싸다.<br>• 학습대상자가 많을 때에는 효과가 떨어진다.<br>• 파손되기 쉽고 보관 장소가 필요하다.<br>• 실제 현장에서도 모형을 다루듯이 함부로 할 수가 있다. |

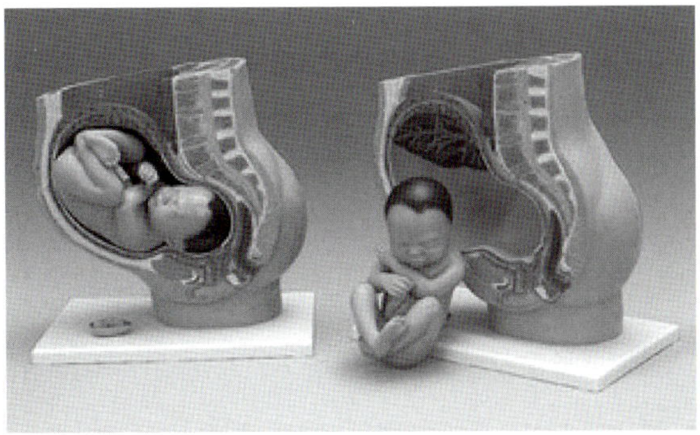

그림 5-31 모형

### 마. 컴퓨터 프레젠테이션/PPT

컴퓨터 프레젠테이션(Computer presentation)을 하려면 컴퓨터로 자료를 제시를 하기 위해서 컴퓨터, 자료 파일 및 프로젝터가 있어야 한다. 자료를 만드는 프로그램은 다양하게 개발되어 있으며, 보통 파워포인트(PPT)가 가장 널리 사용되고 있다.

**컴퓨터 프레젠테이션 활용의 장·단점**

**장점**
- 다양한 문자배열, 음향, 영상, 애니메이션 효과 등으로 인해 학습자의 흥미유발이 용이하다.
- 학습효과를 높일 수 있다.
- 학습자 개인에게 맞는 속도를 조절하여 개별학습이 가능하다.
- 자료파일을 웹페이지에 링크해서 정보를 공유할 수 있다.

**단점**
- 컴퓨터 시스템 및 프로젝터의 구입과 유지에 드는 비용이 고가이다.
- 매력적인 자료파일을 제작하기 위해서 지식과 기술, 시간과 노력이 필요하다.

### 바. 교육용 3D 콘텐츠, 3D 프린터 활용 교육

3D(3차원 입체영상)는 인간이 두 눈으로 보는 시각차를 적용하여 입체감을 느낄 수 있는 화면으로 구성된 영상을 말한다. 3D를 구현하는 방법 중 3D 효과를 제공하는 안경을 이용한다. 3D 프린팅은 디지털 모델을 기반으로 레이어에 재료를 배치하여 실제 개체를 제작하는 프로세스이다.

모든 3D 프린팅 프로세스에서는 소프트웨어, 하드웨어, 재료가 함께 작동해야 한다. 3D 프린팅 기술은 프로토타입과 간단한 부품은 물론, 고도의 기술력이 요구되는 최종 제품(예 비행기 부품, 친환경 건물, 생명을 구하는 의료 임플란트, 인체 세포층을 사용한 인공 장기)에 이르기까지 모든 항목을 제작하는 데 활용될 수 있어, 의학교육을 포함한 각종 교육에도 활용하고 있다.

**교육용 3D 콘텐츠 활용의 장·단점**

**장점**
- 현실감 있게 내용을 전달하기 때문에 학생들의 흥미와 집중력을 높인다.
- 창의성을 향상시키는데 효과적이다.
- 단순히 눈으로만 영상을 수용하는 것이 아니라 지각과 감각을 새롭게 개발하게 되며 육체적 자극을 하게 한다.
- 일 연구에서 학습내용 이해, 기억, 흥미유발, 집중, 실감 요소에 대해 모두 긍정적인 반응이 있었다.
- 흥미를 유발시키고 실감나게 하는 효과가 있다.

**단점**
- 교사의 멀티미디어 편집능력이 낮은 경우에는 효과가 떨어진다.
- 새로운 내용이 아닌 경우에는 효과가 낮을 수 있다.
- 교육내용에 따라 활용을 고려해 보아야 한다.

### (2) 투사매체

투사매체는 주로 투명한 필름에 강한 빛을 투사하여 시각적으로 자료를 볼 수 있게 하는 매체로 슬라이드 환등기, 투시환등기(OHP), 실물화상기 등이 있다. 투사매체는 주로 어두운 공간에서 환하게 확대되어 비춰지는 화면이 보는 사람의 주의를 강하게 집중시키는 경향이 있다.

#### ① 슬라이드 환등기

슬라이드 환등기(Slide projector)는 필름 슬라이드를 환등기를 통해 보여주는 교육매체로 많은 사람이 시공간 제약 없이 시각적으로 보고 배울 수 있다. 과거에는 여행이 자유롭지 못하고, 카메라, 동영상 등의 매체가 보급되지 못했기 때문에 실제상황이나 희귀한 실물을 보기도 어렵고 보여주기도 어려웠다. 그래서 사진의 필름을 가지고 슬라이드를 제작하여 암막을 치고 환등기를 통해 보여주었지만 현재는 추억의 교육매체가 되었다. 슬라이드 환등기는 [그림 5-32]와 같다.

**슬라이드 환등기 활용의 장·단점**

| 장점 | 단점 |
|---|---|
| • 실제 보기 어려운 내용을 보여줄 수 있다.<br>• 제작비가 적게 들고 관리, 보관, 이용이 간편하다.<br>• 슬라이드의 정지, 전·후 이동이 용이하다.<br>• 반복사용이 가능하다. | • 전기와 암막시설이 요구된다.<br>• 연속적 과정을 교육시키는 데에는 무리가 있다.<br>• 어둡기 때문에 학습자가 졸거나 주의집중이 안 될 수도 있다. |

그림 5-32 슬라이드 환등기

#### ② 실물환등기와 실물화상기

실물환등기(Epidiascope) 또는 실물화상기(Visual presenter)는 복사대 위에 놓인 문서, 일반사진, 그림, 도표, 신문, 책이나 잡지 등의 작은 물체를 올려놓고 그 물체를 향하여 비추는 카메라가 위쪽에 설치되어 있어 어떤 것이든지 현장에서 즉시 투사가 가능하다. 그리고 확대, 축소가 가능해서 삼차원적인 물체도 자세히 들여다 볼 수 있는 교육용 매체이다.

실물화상기는 카메라와 연결되어 있어 물체를 비추면 화면으로 실물을 볼 수 있는 교육용 매체이다. 캠 카메라가 설치된 컴퓨터와 비슷한데 다른 점은 캠 카메라 대신 실물환등기가 비춘 것을 크게 확대해서 학습자 전체가 볼 수 있다는 것이다. 실물환등기와 실물화상기는 [그림 5-33]과 같다.

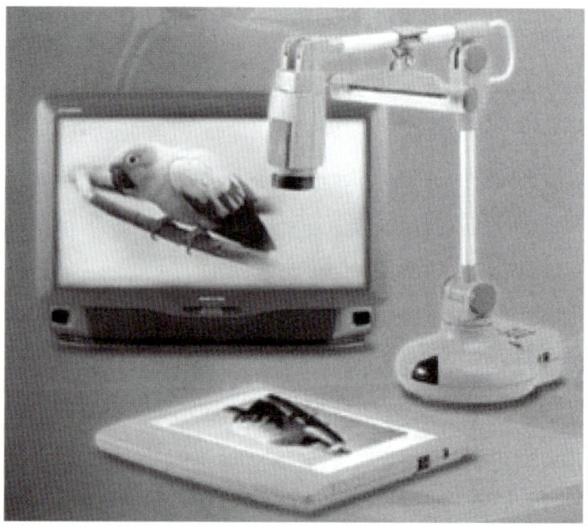

그림 5-33 실물환등기와 실물화상기

### 실물환등기, 실물화상기 활용의 장·단점

| 장점 | 단점 |
|---|---|
| • 어떤 자료라도 크기와 두께만 적절하면 바로 확대하여 볼 수 있다.<br>• 작은 그림, 사진, 자료 등을 크게 확대하여 학습자 전체가 보면서 토론하는 것이 가능하다. | • 실물화상기를 쉽게 옮기는 것이 가능하지만, 모니터, 비디오 투사기 등은 손수레 없이는 옮기기가 힘들 정도로 부피가 크고 무겁다.<br>• 모니터나 비디오 투사기 등 실물화상기 없이는 전혀 사용할 수 없다.<br>• 실물화상기는 좋은 화질을 위해 추가로 조명을 사용하므로 비경제적이다. |

### ③ 투시환등기

투시환등기(Over Head Projector; OHP)는 설치된 스크린에 크고 선명한 상을 비추는 기계로 별도의 암막장치 없이 학습자와 교육자가 마주보고 교육이 가능한 장점이 있다. 또한 조작이 매우 간단하여 누구나 손쉽게 사용할 수 있다. 투시환등기(OHP)는 [그림 5-34]와 같다.

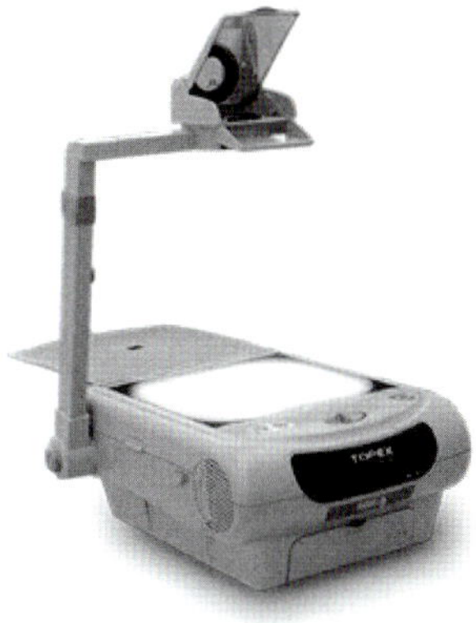

그림 5-34 투시환등기(OHP)

### OHP 활용의 장·단점

| 장점 | 단점 |
|---|---|
| • 암막이 필요 없다.<br>• 학습자들과 대면하여 눈 맞춤이 가능하다.<br>• 문자, 그림 등 다양한 투명자료를 투사할 수 있다.<br>• 투사되는 자료를 조작하는 것이 가능하다.<br>• 교육 중에 중요한 부분을 지적하거나 컬러 펜으로 강조할 수 있고, 구체적인 내용을 기록할 수도 있으며, 점차적으로 정보를 추가할 수도 있다.<br>• OHP에 동반되어 사용되는 투시물 자료인 투명한 TP (tranceparency)는 손쉽게 제작이 가능하다.<br>• 과정, 사실, 요점 등을 시각적으로 명료하게 효과적으로 제시할 수 있다.<br>• 칠판에 쓰거나 그리지 않고 그 내용을 사전에 TP로 준비하여 편리하게 사용할 수 있다.<br>• 소규모교육에서 대단위교육까지 광범위하게 사용이 가능하다. | • 인쇄물과 화보와 같은 비투사 자료는 실물화상기처럼 그대로 투사될 수 없다.<br>• 다른 어떤 투사기보다 OHP를 사용할 때 이미지의 변형이 심하게 발생한다. |

## 제6절 + 보건교육의 평가

Keywords

- 보건교육 평가
- 과정평가
- 구조평가
- 집단평가
- 결과평가

보건교육 계획을 통해 제시된 활동들은 보건교육활동 전, 활동과정에서 또는 교육이 끝나고 나서 평가하는 과정은 반드시 수행되어야 한다. 일반적으로 보건교육은 대상자들의 건강증진을 위해 행위·환경적 요인의 바람직한 변화를 목표로 설정하고 있으며, 행위·환경적 요인의 변화를 유도하기 위한 결정요인의 변화를 세부목표로 설정하고 있다. 이러한 목표를 달성하기 위한 보건교육의 요소로 제시된 활동들이 세부목표와 궁극적인 목적달성에 기여하였는가를 판단하는 평가과정은 체계적으로 수행하여야 한다.

평가과정을 통해 학습자는 자신의 성취정도를 객관적으로 확인할 수 있으며, 교육자는 교육의 효과를 증대시키는 방법을 배울 수 있다. 보건교육과정에서 평가가 효과적으로 이루어지려면 계획단계에서 평가계획을 명료하게 수립해야 하고 교육 수행과정 중에 중간평가를 하여 그 결과에 따라 계획수정에 즉각 반영하여야 한다.

### 1 보건교육 평가의 목적과 기능

보건교육 평가의 목적과 기능은 보건교육과정에서 진행상황 확인, 목표달성 정도 확인, 보건교육자가 구사한 교육전략 확인, 교육성과 확인, 긍정적으로 학습효과를 나타낸 요소 파악, 차기 프로그램의 계획에 반영으로 요약할 수 있다.

- **보건교육 진행상황 확인** : 보건교육 활동과정에서 계획대로 원활하게 진행되고 있는지, 방해요인이나 예기치 못한 일이 발생되는지 과정평가를 한다. 과정평가 결과 교육활동이 계획한 대로 원활하게 진행이 되고 있다면 계획한대로 계속 진행을 하고, 만일 방해요인이 있거나 원활한 진행이 이루어지지 못하고 있다면 그 원인을 찾아서 해결하거나, 계획을 수정·보완해서 교육을 수행하는 것에 활용하고자 한다.
- **보건교육 목표달성 정도 확인** : 보건교육에 있어서 교육활동을 통해 사전에 계획한 교육목표를 얼마나 달성했는지를 확인하고 목표 달성에 영향을 주는 요인을 찾아 교육효과를 최대화하고자 한다.
- **보건교육자가 활용한 교육전략 확인** : 보건교육자가 계획한 보건교육목표에 도달하기 위해 행한 활동인 교육전략이 얼마나 효과적이었는가를 확인한다.
- **교육성과 확인** : 학습자가 보건교육 프로그램을 통해 얼마나 학습목표에 도달했는지를 확인하여 학습자의 학습능력을 파악하고 회환(feedback)하고자 한다.
- **긍정적 학습효과를 나타낸 요소 파악** : 보건교육자가 학습자를 대상으로 한 교육전략(학습목표, 교육방법, 교육매체) 중 어떤 전략이 학습자로 하여금 흥미를 가지고 학습 동기를 강화하고, 학습을 촉진했는지를 확인하여 긍정적으로 학습효과를 나타낸 교육전략들은 그대로 유지시키고, 학습성과에 도움이 되지 않거나 방해요인이 된 전략들은 차기 보건교육에서 제외하도록 한다.

• **차기 프로그램의 계획** : 현행 보건교육의 성과나 결과를 파악함으로써 차기 프로그램 및 보건교육사업의 유지 및 변화 등 차기 계획의 수립에 활용하고자 한다.

## 2 보건교육 평가의 단계

### 1) 보건교육 관계자 참여

보건교육의 평가는 다음과 같은 이해관계자들을 평가에 참여시키는 것으로 시작한다.

#### (1) 보건교육 수행에 참여하는 사람들 또는 단체

보건교육 수행에 참여한 사람들과 단체에는 보건관리자·보건교육자·간호사·영양사·사회복지사 등 보건교육수행자와 보건복지부 또는 지방자치단체·복지재단 등 재정지원자 그리고 지역사회 보건소·민간보건의료기관·단체·교육기관·사회복지단체 등의 보건교육 협력자들이 포함된다.

#### (2) 보건교육의 영향을 받은 사람들 또는 단체

보건교육의 영향을 받은 사람들과 단체에는 보건교육 참여자와 참여자들의 가족, 지방자치단체, 학교·직장·보건소의 건강증진사업 담당자와 보건단체 등과 수행된 건강증진 보건교육에 대해 찬반의 입장을 갖고 있는 단체의 대표들이 포함된다.

#### (3) 평가결과의 주요 활용자

평가결과의 주요 활용자는 보건교육을 수행하는 입장이거나 의사결정을 할 수 있는 위치에 있는 사람들이다. 파악된 이해관계자들 중 일부분이 이에 해당한다. 예를 들면 취약지역 빈곤아동의 경우는 보건복지부 또는 지방자치단체의 아동보건복지 관계자 또는 지역보건소 등 관련 보건교육 수행기관의 담당자가 이에 해당된다.

### 2) 보건교육의 기술

보건교육의 목적과 전략을 충분히 이해할 수 있도록 구체적으로 보건교육을 기술한다. 보건교육의 기술에는 다음과 같은 항목들이 포함된다.

#### (1) 필요성

보건교육의 필요성은 보건교육이 해결하고자 하는 문제 또는 해결할 수 있는 기획에 대해 어떻게 대응할 것인가에서 보건교육적인 방법으로 해야 하는 이유를 기술한다. 이때 국내·외 정책이나 지역사회 현황 및 대상자의 상태 등을 비교·분석한다. 예를 들면 빈곤아동 건강문제의 성격과 크기, 건강문제 해결을 위한 여건, 건강문제가 특히 영향을 미치고 있는 집단의 특성 등에 대해 기술한다.

#### (2) 예상되는 효과

성공적인 보건교육의 성취 결과물에 대한 예상을 의미한다. 대부분의 보건교육의 효과는 시간이 지남에 따라 서서히 나타난다. 따라서 시간의 경과함에 따라 나타나게 되는 효과에는 즉각적 효과와 장기적인 효과로 구분되어 기술된다. 보건교육의 목적 및 목표 등은 시간적 경과에 따른 보건교육 예상결과를 나타낸다. 또한 부수적으로 발생할 수 있는 의도하지 않은 결과들에 대해서도 기술한다.

#### (3) 중재활동

건강증진을 유도하기 위해 보건교육이 제공한 것들을 의미한다. 단계별로 수행된 전략 또는 중재활동을 논리적인 순서대로 기술한다. 중재활동들 간의 관계, 보건교육의 가정된 메커니즘이 이해될 수 있도록 기술한다. 보건교육의 성공에 영향을 주었을 가능성이 있는 외부 영향요인에 대한 제시도 포함된다.

#### (4) 자원

시간, 전문 인력, 장비, 정보, 재정 등 보건교육 중재활동을 수행하는 데 이용 가능했던 것들이 포함된다. 보건교육 수행에 필요한 보건복지 서비스의 양과 정도, 기타 보건교육활동을 수행하기 위해 필요한 자원들 간의 부조화한 상황에 관한 기술도 반드시 포함되어야 한다. 직·간접적인 보건교육에 투입된 모든 것과 비용에 대한 기술도 경제성 평가를 위해 필요하다.

#### (5) 개발단계

보건교육 프로그램은 시간이 경과함에 따라 변화하며 발달한다. 따라서 보건교육의 개발단계는 발달의 정도를 의미하므로, 평가과정에서 보건교육 수행의 완숙도가 반드시 고려되어야 한다.

#### (6) 상황

보건교육의 상황(context)은 보건교육의 운영과 관계된 세팅과 환경적 영향에 대한 기술이다. 상황을 고려한 평가를 가능하게 하고 평가결과를 정확하게 이해하게 하며 결과의 일반화 가능성을 정확하게 판단하게 한다.

### 3) 평가단계

#### (1) 평가내용과 평가기준

계획단계에서 설정한 보건교육 목표와 평가기준을 확인한다.

#### (2) 평가자료 수집

자료수집 방법과 계획된 절차에 따라 평가자료(프로그램 수행과정, 상황, 일정, 보건교육 후 대상자의 지식, 태도, 행위변화 정도 등)를 수집한다.

### (3) 평가자료 분석 및 보고서 작성

수집한 자료를 계획단계에서 설정한 보건교육 목표와 현재 달성수준과 비교, 분석을 실시하고 자료에 대한 다양한 해석을 시도한다. 결과보고를 해야 할 대상자, 결과보고를 담당할 사람, 결과를 어떠한 방법으로 알릴 것인가를 결정한다. 영향, 성과 또는 총괄적 평가의 결과들이 발표될 수 있는지에 대하여 결정하고 평가결과들을 정리하고 보고서를 작성한다.

### (4) 평가결과의 가치판단

도출된 평가결과의 결론은 평가결과로 공표되기 전에 반드시 보건교육의 장점, 가치, 중요도와 관련하여 정당성을 증명하는 과정이 필요하다. 평가결과의 결론은 수집된 증거들에 의해 그리고 보건교육 관계자들의 가치관이나 기준과 일치할 때 정당화된다. 구체적인 정당화 방법은 변화를 가능하게 하는 메커니즘을 요약하여 제시하고 보건교육의 중재활동과 효과 간의 관계를 시간적 순서로 구체적으로 묘사하는 것이다. 또한 외부 요인의 영향 가능성을 평가하여 가능성이 낮음을 증명한다. 마지막으로 보건교육의 효과가 반복적으로 나타날 수 있음을 증명한다.

### (5) 평가결과의 활용과 보급 및 재계획

보건교육 관계자들이 평가절차와 결과에 대해 알고 있는가를 확인하고, 결과들이 의사결정 과정이나 활동에 활용되고 있는지 여부와 평가과정의 참여가 유익했는지 여부를 확인한다.

일반적으로 평가결과를 보급하는 데는 다음과 같은 세 가지 경로를 통하게 된다.

- 평가수행자가 보건교육 개발자에게 평가결과를 제시하는 것이다. 보건교육 개발자는 향후 보건교육의 지속적인 수행이나 확대의 필요성을 설명하는 자료로 활용할 수 있으며, 보건교육의 효과성이 낮은 경우는 그 이유를 설명할 수 있는 근거자료가 된다.
- 전문가 단체의 학술모임에서 발표하는 것이다. 건강증진, 보건행정, 예방의학, 사회의학, 사회복지, 아동복지, 교육학 관련 학술대회에서 평가결과를 발표할 수 있다. 학술대회에서의 발표는 관련 전문가들의 회환(feedback)을 받을 수 있다는 장점이 있으며, 회환(feedback)은 평가의 이론이나 방법론적 측면의 조언을 얻을 수 있는 좋은 기회가 된다.
- 평가보고서 형태로 제작하여 재정 지원자, 보건교육 개발자, 정책 결정자 등에게 제공하는 것이다. 이는 수행된 보건교육에 대한 근거자료가 되는 동시에 향후 건강증진을 위한 다른 사업 기획의 기초자료가 된다.

# 3 보건교육 평가의 분류 및 방법

## 1) 보건교육 평가의 분류

보건교육 평가의 분류는 평가주체, 평가기능, 평가시기 등으로 분류할 수 있다.

### (1) 평가주체에 의한 분류

#### ① 내부평가

내부평가는 보건교육 수행을 주관하는 기관의 내부 인사가 평가에 참여한다.

**내부평가의 장·단점**

| 장점 | 단점 |
| --- | --- |
| • 조직에 익숙하고 사업의 배경을 알 수 있다.<br>• 비용이 적게 든다.<br>• 모든 사람이 받아들일 수 있다.<br>• 평가결과를 정확하게 의사소통할 수 있다. | • 사업에 지나치게 연관되어 있어 객관적 평가가 어렵다.<br>• 평가에 대한 전문적 기술이 부족하다.<br>• 결과를 성공적으로 해석하려는 선입견이 존재할 수 있다. |

#### ② 외부평가

외부평가는 보건교육 수행을 주관하는 기관이 아닌 외부 기관이나 외부 인사가 평가에 참여한다.

**외부평가의 장·단점**

| 장점 | 단점 |
| --- | --- |
| • 선입견 없는 태도로 평가에 임할 수 있다.<br>• 전문적 평가가 가능하다.<br>• 새로운 시각으로 사업을 조망할 수 있다. | • 비용이 많이 든다.<br>• 평가 의뢰자와 사업 집행자, 사업 평가자 간에 평가목적이 다를 수 있다.<br>• 사업 진행자의 협조적 참여가 쉽지 않을 수도 있다. |

### (2) 평가수준에 의한 분류

#### ① 구조평가

사전조사를 포함하는 구조평가는 보건교육을 실시하기 전에 자료의 강점이나 약점 또는 보건교육 전략의 강점과 약점을 평가하기 위하여 실시한다. 일반적으로 보건교육에 투입되는 자원의 적절성을 평가하는 것으로 인적자원과 시설 및 장비의 적절성을 평가한다. 보건교육이 진행되기 전에 필요한 수정을 할 수 있도록 하고, 보건교육 활동이 시작되기 전에 보건교육을 성공시키기 위한 기회를 최대화하는 것이 구조평가의 기본적인 목적이다.

#### ② 과정평가

보건교육을 실행하는 과정 중에 실시하는 평가로 보건교육 진행일정의 준수, 보건교육 자원의 적절성과 효율성, 보건교육 대상자의 특성과 형평성, 참여정도 그리고 보건교육 전략 및 활동의 적합성과 제공된 서비스의 질을 평가한다. 이러한 과정평가를 통하여 보건교육계획과 진행 정도를 비교함으로써 목표달성이 가능하도록 보건교육의 내용을 조정하고 목표달성을 저해하는 요인을 조기에 발견하여 시정하는 한편 목표달성을 촉진하는 요인은 강화하고자 하는 목적으로 실시한다.

#### ③ 영향평가

보건교육의 단기적 결과에 대한 평가로 즉각적으로 관찰 가능한 보건교육의 효과인 지식, 태도, 기술 및 행위의 변화를 측정한다. 즉 영향평가는 보건교육에 대한 기술적인 자료 확보와 단기결과를 문서화하기 위한 자료를 얻는 데 사용되고 단기결과는 대상 집단에 대해 보건교육의 즉각적인 효과를 설명해준다.

#### ④ 성과평가, 결과평가

보건교육의 목적달성 여부에 대한 평가로 성과평가는 단기에 목표달성 정도를 평가하는 것이라면 결과평가는 궁극적인 목적 달성여부와 결과에 대한 평가로 보건교육 대상 집단의 생리학적 측정지표, 유병률, 사망률 등의 장기적인 결과와 변화, 건강상태의 증진 등을 측정한다. 영향평가에 비해 자원과 시간이 많이 걸리고, 추가적인 노력과 전략이 요구되기 때문에 실제로 이루어지기 어렵고 외부 영향으로 인해 보건교육의 직접적인 영향을 파악하기 어려운 점이 있다.

따라서 소기의 목적달성이라는 말과 함께 성과평가를 많이 사용하게 된다. 예를 들면 궁극적인 장기목표인 사망률을 낮추기 위해서 단기적으로 고혈압 인지율을 향상 시킨다거나, 자기혈압 수치 알기, 걷기 실천율 향상, 신체활동률 향상 등의 성과목표를 설정하고 성과평가를 한다.

### (3) 평가시점에 의한 분류

#### ① 진단평가

사전평가로서 보건교육이 시작되기 전에 대상자들의 교육에 대한 이해도, 흥미도, 준비도, 지식수준, 동기여부 등을 사전에 측정하기 위해 시도되거나 어떠한 형태의 보건교육이 필요한지를 결정하기 위해 대상자의 보건교육 요구분석과 선행연구 검토 등을 통하여 실시하는 평가이다.

#### ② 형성평가

보건교육을 실행하는 중간에 실시되는 평가로 보건교육이 계획한 대로 진행되고 있는지, 무엇을 어느 정도 수행했는지, 수행한 내용은 잘 이해되고 있는지, 실행 중 어떠한 문제점이 발생했는지, 문제점이 발생했다면 파급 정도가 얼마나 되고 해결방안은 무엇인지 등을 평가한다.

#### ③ 총괄평가

보건교육이 실시된 후에 진행되는 평가로 투입된 노력의 대가로 무엇이 나타났는지, 목표는 달성되었는지, 효과평가, 효율성평가, 보건교육이 대상자 및 사회에 끼친 영향 등을 평가한다.

## 2) 보건교육 평가방법

보건교육의 평가방법은 학습목표 영역에 따라 적절한 평가방법을 활용해야 한다. 인지적 영역의 평가방법은 설문지를 통한 지필검사나 구두 질문법 등을 활용하고, 정의적 영역의 평가방법은 관찰법, 설문지를 통한 평정법, 면접방법 등을 활용한다. 그리고 심동적 영역 평가방법은 토론, 실기, 실험실습, 프로젝트, 포트폴리오 등을 활용한다. 일반적으로 주로 활용하는 평가방법은 다음과 같다.

### (1) 질문지법

질문지법은 교육성과를 고려하여 만든 문항들로 질문지를 만들어 평가하는 방법으로 인지적 영역을 평가할 때 사용한다. 이 설문지에는 측정하고자 하는 내용을 모두 포함시켜 학습자의 변화 상태를 기록하게 한다. 질문지는 학습자가 문항을 읽었을 때 쉽고 구체적으로 답변할 수 있도록 보기를 정확하게 만들어 주는 것이 좋다. 또한 세부적이고 개별적인 사항에 대해서 더 자세한 내용을 기록할 수 있도록 서술형의 공간을 두는 것이 필요하다. 평정법으로 활용되는 질문지는 3∼5점 Likert척도를 일반적으로 활용한다.

### (2) 구두질문법

보건교육 실시 중 교육자가 학습자에게 측정하고자 하는 내용의 문항을 직접 질문하여 응답한 내용을 평가하는 방법으로, 인지적 영역을 평가할 때 사용한다. 구두질문법은 학습자의 변화를 즉각적이고 정확하게 측정할 수 있는 평가방법이다.

### (3) 자기보고서법

보건교육을 통해 성취하고자 하는 구체적인 학습성과를 체크리스트 형식으로 만들어 학습자 스스로가 자신의 지식, 태도, 기술 등의 상황을 체크하여 기록할 수 있도록 만든 평가방법이다. 문항내용에 따라 평가영역을 달리 할 수 있다.

### (4) 관찰법

보건교육자가 학습자의 보건교육과 관련된 변화 내용들을 집적 관찰하여 작성하는 평가방법으로, 심동적 영역, 정의적 영역을 평가할 때 사용한다. 관찰한 자리에서 관찰한 내용을 기록하는 방법으로 사전에 체크리스트를 작성하여 활용하면 편리하다.

## 3) 평가도구의 조건

교육자가 보건교육을 실시하면서 평가 과정에서 사용될 평가도구가 갖추어야 할 조건에는 타당도, 신뢰도, 실용도, 객관도가 있다.

### (1) 타당도

평가 항목이 측정하고자 하는 내용을 정확하게 측정하는 정도를 의미한다. 예를 들어 교육자가 실시한 보건교육 내용이 건강증진 전략 중 비만관리라고 한다면 평가 항목들은 비만과 관련된 내용이어야지 금연이나 절주와 관련된 내용이어서는 안 된다는 것이다.

### (2) 신뢰도

평가도구가 평가대상을 얼마나 잘 평가하고 있는가, 그 평가의 결과를 믿을 수 있는가, 즉 평가하고자 하는 내용을 얼마나 오차 없이 측정하는가의 정도를 의미한다. 예를 들면 보건교육을 통해 성취하고자 하는 학습목표달성 여부를 교육이 끝난 시점에 평가했을 때에 평가하는 평가도구가 다르거나, 평가자가 다르거나 했을 때의 평가결과가 일치하는 정도를 의미하며, 일치하는 정도가 높으면 평가도구 또는 평가자의 신뢰도는 높은 것으로 판단할 수 있다.

### (3) 실용도

평가도구를 가지고 평가를 할 때 시간이 너무 오래 걸려서 교육자, 학습자 모두 평가에 너무 많은 에너지를 소모하게 되어 평가하기가 어렵다고 느끼거나, 소수의 학습자를 평가하기 위해 평가자가 너무 많이 요구되거나, 평가에 드는 비용이 너무 많이 든다거나 한다면 현실적으로 평가하기 어려울 것이다. 그러므로 교육자, 학습자 모두가 평가를 수행함에 있어서 실제적으로 편리하고, 시간적으로 제약이 없으며, 간편하게 평가할 수 있는 등 현실적으로 평가가 가능하도록 비용·시간·노력이 적절하게 투입되는 실용가능한 적합성의 정도를 뜻한다.

### (4) 객관도

평가를 위해 작성된 도구가 서로 다른 여러 교육자에 의해 평가를 할지라도 평가결과들 간의 일치 정도를 의미하는 것으로, 평가도구 또는 채점자 신뢰도라고도 한다. 이 조건은 평가자가 평가자로서의 소양이 충분히 있어야 하며, 반응한 내용만을 정확히 채점하여 명확한 채점기준이 제시되어 있을 때, 평가도구에 대한 기준이 명확하게 반영되었을 때 객관도는 높아질 수 있다. 객관도를 더 높이기 위해서는 여러 사람이 공동으로 평가도구를 제작하거나, 여러 사람이 각각 평가하거나 해서 그 결과를 종합해야 한다.

COMMUNITY HEALTH NURSING

# 부록

COMMUNITY HEALTH NURSING

# 1 다문화 대상자의 문화 사정도구

| 구 분 | | 내 용 | | |
|---|---|---|---|---|
| 문화적으로 독특한 개인 | | 1. 출생지<br>2. 문화적 정의<br>3. 그 나라에 머문 기간 | | |
| 문화현상 | Ⅰ. 의사소통 | 1. 목소리 특징 | a. 강하고 낭랑함<br>c. 보통 | b. 부드러움<br>d. 날카로움 |
| | | 2. 억양과 발음 | a. 명확함<br>c. 사투리 사용함 | b. 불분명함 |
| | | 3. 침묵의 사용 | a. 드물게 침묵함<br>c. 길이 : 짧게, 보통, 길게, 관찰 못 함 | b. 자주 침묵함 |
| | | 4. 언어적 의사소통 사용 | a. 손짓<br>c. 몸짓 | b. 눈짓<br>d. 동작(자세, 표정, 발의 위치 |
| | | 5. 터치 | a. 접촉했을 때 움츠러들거나 뒤로 뺌<br>b. 불편함 없이 접촉을 받아들임<br>c. 불편함 없이 다른 사람과 접촉함 | |
| | | 6. 기타 질문 | a. 다른 사람에게 당신 의견을 어떻게 전달하는가?<br>b. 친구, 가족이나 아는 사람과 이야기하기를 좋아하는가?<br>c. 질문을 받았을 때 보통 어떤 반응을 하는가?(예 말, 몸짓)<br>d. 가족과 논의해야 할 중요한 일이 있을 때 어떤 방법으로 접근하는가? | |
| | Ⅱ. 공간 | 1. 편안한 정도 | a. 공간 침범을 당했을 때 움직임이 있음<br>b. 공간 침범을 당했을 때 움직이지 않음 | |
| | | 2. 대화의 거리 | a. 1~45cm(1~18inch)<br>b. 45~90cm(18inch~3feet)<br>c. 90cm 이상(3feet 이상) | |
| | | 3. 공간의 정의 | a. 다름 사람과 이야기하거나 가까이 서 있을 때 친밀감과 편안함 정도를 설명함<br>b. 환경 안에 물건들이 당신의 공간감에 어떠한 영향을 주는가?(예 가구) | |
| | | 4. 다음 내용이나 유사한 질문을 한다. | a. 당신이 가족과 이야기할 때 얼마나 가까이 서 있는가?<br>b. 당신이 아는 사람과 대화를 나눌 때 얼마나 가까이 서 있는가?<br>c. 낯선 사람이 당신과 접촉했을 때, 당신은 어떻게 반응하고 느끼는가?<br>d. 사랑하는 사람과 접촉한다면, 당신은 어떻게 반응하고 느끼는가?<br>e. 지금 우리 사이의 거리는 편안한가? | |
| | Ⅲ. 사회조직 | 1. 건강상태 | a. 나쁨<br>c. 좋음 | b. 양호<br>d. 아주 좋음 |
| | | 2. 결혼상태<br>3. 자녀 수<br>4. 부모 생존 여부 | | |

(계속)

| 구 분 | | 내 용 | |
|---|---|---|---|
| 문화현상 | Ⅲ. 사회조직 | 5. 다음 내용이나 유사한 질문을 한다. | a. 사회활동을 어떻게 정의하는가?<br>b. 당신을 즐겁게 하는 활동들은 무엇인가?<br>c. 취미가 무엇인가 혹은 시간이 있을 때 무엇을 하는가?<br>d. 당신은 신을 믿는가?<br>e. 당신은 신을 어떻게 숭배하는가?<br>f. 가족 내에서 당신은 무슨 역할을 하는가?<br>g. 가족 내에서 당신의 위치는 어떠한가?<br>h. 어릴 때 당신에게 가장 영향을 미친 것은 혹은 사람은?<br>I. 부모와 형제와의 관계는 어떤가?<br>j. 일하는 것은 당신에게 어떤 영향을 주는가?<br>k. 당신의 과거, 현재, 미래 직업을 설명하시오.<br>l. 당신의 정치적 견해는?<br>m. 당신의 정치적 견해가 건강과 질병에 대한 당신 태도에 어떤 영향을 주는가? |
| | Ⅳ. 시간 | 1. 시간관념 | a. 과거 중심 b. 현재 중심<br>c. 미래 중심 |
| | | 2. 시간관점 | a. 사회적 시간 b. 시계에 표시된 시간 |
| | | 3. 시간에 대한 물리화학적 반응 | a. 밤에 적어도 8시간은 잔다.<br>b. 일정한 계획에 따라서 자고 일어난다.<br>c. 계획대로 약을 먹고 치료받는 것의 중요성을 이해한다. |
| | | 4. 다음 내용이나 유사한 질문을 한다. | a. 매일 어떤 종류의 시계를 차는가?<br>b. 오후 2시에 약속을 했을 때, 몇 시에 도착하는 것이 괜찮은가?<br>c. 간호사가 30분 내에 약을 받을 수 있다고 하면 실제로 어느 정도 기다릴 수 있는가? |
| | Ⅴ. 환경통제 | 1. 통제위 | a. 내적 통제위(변화하게 하는 힘이 내부에 있다고 믿는 것)<br>b. 외적 통제위(운명, 운, 기회가 어떤 것을 변화하는 데 상당한 역할을 한다고 믿는 것) |
| | | 2. 가치관념 | a. 초자연적인 힘을 믿는다.<br>b. 변화하기 위해서 마술, 기도에 의존한다.<br>c. 초자연적인 힘을 믿지 않는다.<br>d. 변화하기 위해서 마술, 기도에 의존하지 않는다. |
| | | 3. 다음 내용이나 유사한 질문을 한다. | a. 당신의 집에 방문객은 얼마나 자주 오는가?<br>b. 갑자기 방문객이 왔을 때 수용할 수 있는가?<br>c. 어렸을 때 부모님이나 다른 사람이 당신 병을 치료하려고 어떤 방식으로 말했는가?<br>d. 당신에게 주위에 가까운 사람들이 당신이 아플 때 사용하는 가정요법이 있는가?<br>e. 어떤 가정요법을 사용하였는가? 앞으로 당신도 그 요법을 사용할 것인가?<br>f. 강하다는 것에 대한 정의는 무엇인가?<br>g. 병이나 건강이 나쁘다는 것에 대한 정의는 무엇인가? |

(계속)

<table>
<tr><th colspan="2">구 분</th><th colspan="2">내 용</th></tr>
<tr><td rowspan="2">문화현상</td><td rowspan="2">Ⅵ. 생물학적 차이</td><td>1. 신체사정을 철저하게 실시한다.</td><td>a. 신체구조(적음, 보통, 혹은 큰 체형)<br>b. 피부색<br>c. 색다른 피부 특징<br>d. 모발 색과 숱<br>e. 다른 신체 특징(홍터, 기미 등)<br>f. 체중<br>g. 신장<br>h. 검사에서 혈색소, 헤마토크릿, 겸상적혈구 등의 변화 점검</td></tr>
<tr><td>2. 다음 내용이나 유사한 질문을 한다.</td><td>a. 당신 가족에게 일반적인 질환이나 질병이 있는가?<br>b. 당신 가족에게 유전적으로 취약한 특별한 질병이 있는가?<br>c. 가족이 아플 때 당신 가족의 전형적인 행동은 무엇인가?<br>d. 화가 나면 어떻게 반응하는가?<br>e. 보통 어려울 때 대처하기 위해 누구에게 도움을 청하는가?<br>f. 당신과 가족이 좋아하는 음식은 무엇인가?<br>g. 어떤 특이한 것을 섭취하는 것을 갈구한 적이 있는가?(예 백색/붉은 점토, 세탁풀)<br>h. 어릴 때, 어떤 유형의 음식을 먹었는가?<br>i. 가족이 좋아하는 음식이나 전통음식은 무엇인가?</td></tr>
<tr><td colspan="2">간호사정</td><td colspan="2">1. 대상자가 문화적으로 동화되었는지 아니면 자기 문화적 관행을 관찰할 수 있는지를 확인한다.</td></tr>
<tr><td></td><td></td><td>2. 자료를 간호계획에 통합한다.</td><td>a. 대상자에게 문화차이를 이야기하게 한다.<br>b. 대상자의 의사소통 방법을 받아들이고 이해한다.<br>c. 개개인의 사적인 공간요구를 존중한다.<br>d. 대상자가 신을 숭배할 권리를 존중한다.<br>e. 연락하는 성직자나 영적인 사람을 확인한다.<br>f. 영적 관행이 건강, 삶과 안녕에 관련되는지를 결정한다(예 여호와 증인은 수혈을 거부, 정통 유대교인은 유대교 율법에 따라 만든 음식만 먹음).<br>g. 취미를 확인한다(특히 긴 요양기간이나 회복 동안 계획된 중재를 할 때).<br>h. 시간과 가치관념 그리고 차이를 존중한다.<br>I. 대상자의 건강상태와 개인 요구에 맞추어서 프라이버시를 보호해준다(예 통증에 대한 인식과 반응은 문화에 따른다).<br>j. 문화적 건강관행을 확인한다.<br>◦ 효과적인 관행을 확인하고 격려한다.<br>◦ 역기능적 관행을 확인하고 자제하게 한다.<br>◦ 건강 관행이 장기적으로 나쁜 영향을 주는지를 확인하고 결정한다.<br>k. 기호음식을 확인한다.<br>◦ 장기적 이점이 있다면 대상자 중심의 식이로 조정을 한다.<br>◦ 대상자와 관련된 부정적인 식이관행을 확인한다.</td></tr>
</table>

〈 자료원 : Giger J.N.(2013). Transcultural Nursing: Assessment and Intervention. St. Louis, Missouri: Elsevier 〉

# 2 Omaha체계

## 1) Omaha체계의 구조

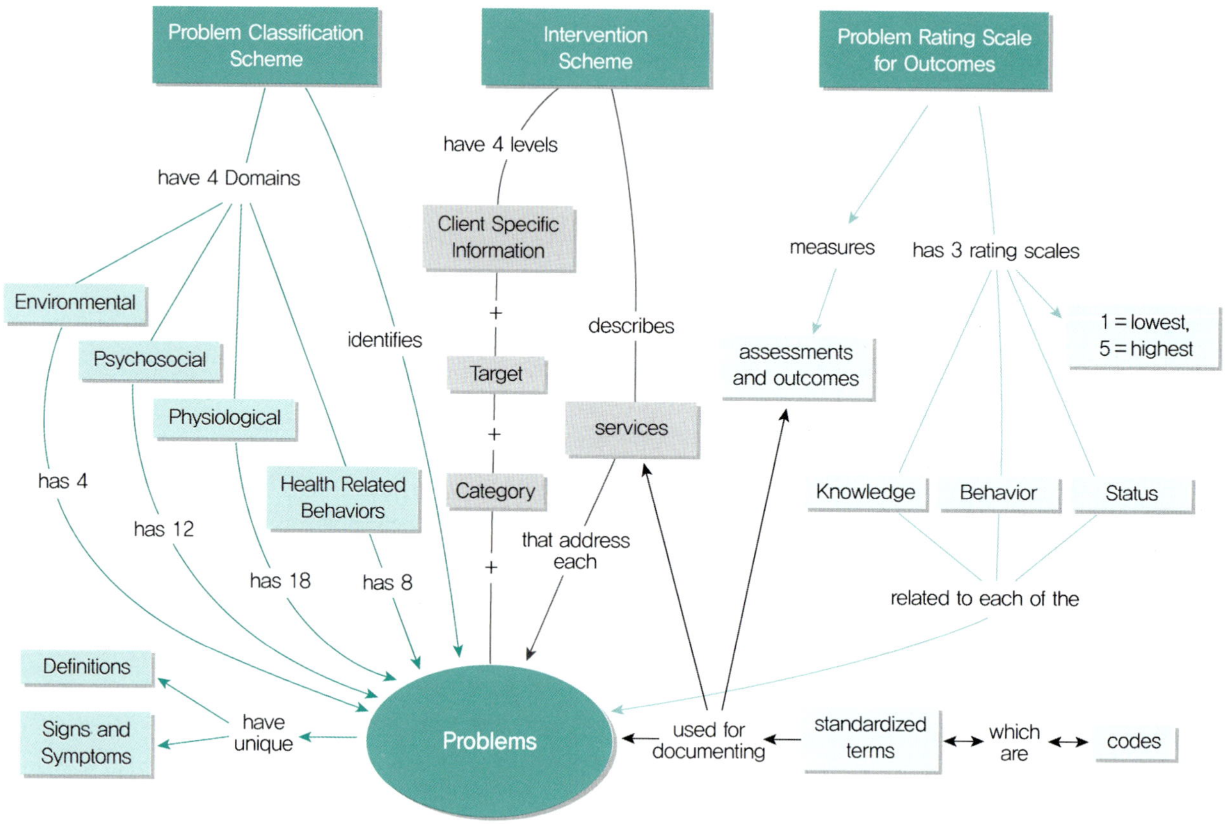


〈 자료원 : http://omahasystempartnership.org/international-conference-on-research-methods-for-standardized-terminologies/ 〉

## 2) Omaha System 간호진단 분류체계

| 영역(4)<br>1단계 | 문제(42)<br>2단계 | 수정인자(6)<br>3단계 | 증상/징후(377)<br>4단계 |
|---|---|---|---|
| 환경<br>(4) | 수입 | • 개인<br>• 가족<br>• 지역사회 | 낮은 수입/수입 없음, 건강보험이 없음, 부적절한 금전관리, 필수품만 구입할 수 있음, 필수품 구입 어려움, 기타 |
| | 위생 | | 지저분한 주거공간, 부적절한 음식보관/처리, 곤충/쥐 등, 악취, 부적절한 식수공급, 부적절한 하수처리, 부적절한 세탁시설, 알러지 유발 원인, 감염/오염원, 곰팡이 있음, 많은 애완동물, 기타 |
| | 주거 | • 건강증진<br>• 결핍(손상) 가능성<br>• 결핍(손상) | 구조적으로 견고치 않음, 부적절한 냉난방, 가파른/안전하지 않은 계단, 부적절한/막힌 출입구, 어질러진 주거공간, 물건 등이 안전치 못하게 쌓여 있음, 매트 등이 안전치 못함/깔개들이 널브러져 있음, 부적절한 안전(보한)장치 등, 납성분 페인트가 노출됨, 안전하지 못한 가스/전기 기구, 부적합한/비좁은 주거공간, 집이 없음(homeless), 전선 등이 노출되어 있음, 구조적 장애물이 있음(structural barrier), 기타 |
| | 이웃/<br>작업장 안전 | | 높은 범죄율, 높은 오염수준, 방치된/위험한/감염된 동물들, 부적절한/안전하지 못한 놀이/운동 공간, 불충분한 공간/건강 관련 자원, 폭력의 위험성/폭력위험이 보고됨, 물리적 위험, 교통사고 위험, 화학적 위험물, 방사선 위험, 기타 |
| 심리<br>사회<br>(12) | 지역사회<br>자원과<br>의사소통 | • 개인<br>• 가족<br>• 지역사회 | 지역사회 서비스를 받기 위한 선택/절차 등 익숙하지 않음, 서비스 제공자들의 규정/역할을 이해하는 데 어려움, 서비스 제공자와 관심사 의사소통 어려움, 서비스에 대한 불만족, 언어장벽, 불충분한/이용할 수 없는 지원, 언어장애(언어장벽), 문화적장애, 교육적 장애, 이동(교통편 이용) 어려움, 의료적 돌봄/서비스/상품 이용에 대한 장애, 의사소통 기구 및 장비가 불충분함/사용 어려움, 기타 |
| | 사회적 접촉 | | 제한된 사회적 접촉, 사회적 접촉을 위해 보건의료인력 활용, 최소한의 외부자극/여가시간활동, 기타 |
| | 역할변화 | | 자신의 의지와 관련 없이 역할 바뀜, 새로운 역할이 주어짐, 과거의 역할이 소실됨, 기타 |
| | 대인관계 | | 관계형성/유지 어려움, 공유된 활동 매우 적음, 일치하지 않는 가치/목표/기대/스케줄, 부적절한 대인관계술, 지속되는/완화되지 않은 긴장, 부적합한 의심/조정/통제, 상대방에게 신체적/정신적 욕설, 갈등 없이 문제해결이 어려움, 기타 |
| | 영성 | | 영적인 우려가 나타남, 영적의식(예배 등) 중단, 영적 신뢰에 대한 혼란, 영적 신념과 의학적 처방 간 갈등, 기타 |
| | 슬픔 | | 슬픔과정/치유과정을 인식하지 못함, 슬픔(비통)반응 적응에 대한 어려움, 슬픔반응 표현에 대한 어려움, 개인/가족 간 슬픔과정에 대한 갈등, 기타 |
| | 정신건강 | • 건강증진<br>• 결핍(손상) 가능성<br>• 결핍(손상) | 슬픔/절망감/쓸모없게 느낌, 염려/막연한 두려움, 활동/자가간호에 대한 관심/참여 상실, 집중이 산만함, 무감정, 흥분/초조/공격적, 목적 없는/강박적 행동, 스트레스관리의 어려움, 분노에 대한 관리의 어려움, 신체적 불평/피로, 섬망, 환시/환청, 죽고 싶다/죽이고 싶다는 표현, 자살/살인시도, 자해, 심한 감정기복, 환각 재현, 기타 |
| | 성 | | 성적 행동의 결과에 대한 인지 어려움, 친밀감 표현의 어려움, 성적 정체감에 대한 혼란, 성적 가치에 대한 혼란, 성관계에 대한 불만, 안전하지 못한 성관계, 성적행동/도발적 행동/괴롭힘, 성적 범행/폭행, 기타 |
| | 돌봄/양육 | | 신체적 간호/안전 제공의 어려움, 정서적 양육 제공의 어려움, 인지적 학습 제공이나 활동 제공의 어려움, 예방적/치료적 보건의료 제공의 어려움, 성장발달 단계가 적합하지 못함이 예견됨, 책임에 대한 불만족과 어려움, 언어적 또는 비언어적 의사소통에 대한 어려움, 방치, 학대, 기타 |

(계속)

| 영역(4)<br>1단계 | 문제(42)<br>2단계 | 수정인자(6)<br>3단계 | 증상/징후(377)<br>4단계 |
|---|---|---|---|
| 심리<br>사회<br>(12) | 방임<br>(방치) | • 건강증진<br>• 결핍(손상) 가능성<br>• 결핍(손상) | 적합한 신체적 간호 부족, 정서적 양육/지지부족, 적절한 자극/인지적 경험 부족, 혼자 방치됨, 필요한 감독 결여, 충분하지 않은/지연된 의료서비스, 기타 |
| | 학대 | | 가혹한/지나친 훈육, 매자국/멍/화상, 손상에 대한 의심스러운 설명, 폭언, 매우 두려워하는/지나치게 경계하는 행동, 폭력적 환경, 계속되는 부정적 표현, 성폭행, 기타 |
| | 성장/발달 | | 발달검사 결과 비정상임, 표준 성장곡선/연령과 관련해서 몸무게/키/머리둘레가 비정상적임, 연령에 맞지 않는 행동, 발달과업의 부적절한 수행/유지, 기타 |
| 생리<br>(18) | 청력 | • 개인<br>• 가족<br>• 지역사회 | 일반적 목소리 듣는 데 어려움, 집단 속에서 연설을 듣는 것 어려움, 고음을 듣기 어려움, 소리에 대한 반응 없음/부적절한 반응, 청력검사 결과 비정상, 기타 |
| | 시력 | | 작은 글씨/눈금 보는 데 어려움, 먼 물체 보는 데 어려움, 가까이 있는 물체 보는 데 어려움, 시각적 자극에 대한 반응 없음/부적절한 반응/시력검사 결과 비정상, 사시/눈을 깜빡임/눈물/복시, 보는 데 어려움으로 인한 실수/섬광, 색 구분의 어려움, 기타 |
| | 말과 언어 | | 말을 하거나 소리내는 능력이 없거나/비정상, 이해하는 능력이 없거나/비정상, 대안적 의사소통기술/제스처 부족, 부적합한 문장 구조, 제한된 발음/명확성, 부적절한 단어 사용, 기타 |
| | 구강건강 | | 치아가 없거나 부러짐/기형, 충치, 지나친 치석, 잇몸 부음/출혈/상처, 부정교합, 잘 맞지 않는/잃어버린 틀니, 찬물이나 뜨거운 물에 민감한 치아, 기타 |
| | 인지 | | 판단력 소실, 시간/장소/사람에 대한 지남력 장애, 최근 사건에 대한 기억력 제한, 과거 사건에 대한 기억력 제한, 계산/순위 기술에 대한 제한, 집중력 제한, 합리적 사고/추상적 사고 능력 제한, 충동적, 반복적 언어/행동, 배회, 기타 |
| | 통증 | | 불편감/통증 표현, 맥박/호흡/혈압 증가, 보상성운동/경계행위, 침착하지 못한 행동, 찌푸린 얼굴, 창백/발한, 기타 |
| | 의식 | | 무기력, 혼미, 무반응, 혼수, 기타 |
| | 피부 | | 병변, 발진, 심한건성, 심한지성, 염증, 소양증, 삼출물, 빈상출혈, 손톱/발톱의 비대, 상처치유 지연, 기타 |
| | 신경-근육-골격 기능 | • 건강증진<br>• 결핍(손상) 가능성<br>• 결핍(손상) | 제한된 관절 가동범위, 근력 감소, 조정력 감소, 감소된 근긴장도, 증가된 근긴장도, 감각 감소, 감각 증가, 균형감소, 보행/거동장애, 이동의 어려움, 골절, 진전(tremor)/발작, 체온조절 어려움, 기타 |
| | 호흡 | | 비정상적 호흡 양상, 독립적으로 숨을 쉴 수 없음, 기침, 스스로 기침/가래 못 뱉음, 청색증, 비정상적 가래, 호흡 시 시끄러운 소리, 콧물, 비정상적 호흡음, 비정상적 호흡 관련 임상결과, 기타 |
| | 순환 | | 부종, 사지저림/통증, 맥박감소, 피부색변화/청색증, 손상부위의 온도변화, 정맥류, 기절경험/어지러움, 비정상적 혈압, 맥박결손, 불규칙적 심박동, 빈맥, 서맥, 협심증, 비정상적 심음/잡음, 비정상적 혈관 막힘, 비정상적 순환 관련 임상결과, 기타 |
| | 소화-수분공급 | | 오심/구토, 씹기/삼키기/소화하기 어렵거나 할 수 없음, 소화불량, 역류, 식욕부진, 빈혈, 복수, 황달/간 비대, 피부 탄력성 저하, 입술 갈라짐/입안 건조, 전해질 불균형, 기타 |
| | 장기능 | | 비정상적 변 굳기/빈도, 배변 시 동통, 장음 감소, 혈변, 비정상적 색깔, 복부압통/팽만, 변실금, 기타 |
| | 비뇨기능 | | 소변 시 동통/작열감, 요실금, 긴박성/빈뇨, 소변보기 시도가 어려움, 소변을 시원하게 보기 어려움, 비정상적 소변량, 혈뇨/비정상적 색, 야뇨, 비정상적 소변검사 결과, 기타 |

(계속)

| 영역(4)<br>1단계 | 문제(42)<br>2단계 | 수정인자(6)<br>3단계 | 증상/징후(377)<br>4단계 |
|---|---|---|---|
| 생리<br>(18) | 생식기능 | • 건강증진<br>• 결핍(손상) 가능성<br>• 결핍(손상) | 비정상적 분비물, 비정상적 월경 양상, 폐경관리/남성 갱년기에 대한 어려움, 생식기관 또는 유방에 비정상적 덩어리/부종/압통, 성교 시 또는 후에 통증, 불임, 성교불능(발기 안 됨), 기타 |
| | 임신 | | 태어나지 않은 아이에 대한 유대감 어려움, 신체변화에 대한 적응 어려움, 산전 운동/휴식/식이/행동에 대한 어려움, 분만과정에 대한 두려움, 임신합병증/조기 분만, 불충분한 사회적지지, 기타 |
| | 산후 | | 모유수유 어려움, 산욕기 변화에 대한 적응 어려움, 산욕기 운동/휴식/식이/행동에 대한 어려움, 비정상적 출혈/질분비물, 산욕기합병증, 비정상적인 산후우울, 기타 |
| | 전염/감염 상황 | | 감염, 기생충 감염, 발열, 생리적인 위험, 검사/배양 결과 양성, 감염예방을 위한 불충분한 도구 및 장비/정책, 감염방지를 위한 규정을 따르지 않음, 불충분한 면역, 기타 |
| 건강 관련 행위<br>(8) | 영양 | • 개인<br>• 가족<br>• 지역사회 | 체중과다(BMI25 이상/소아의 경우 BMI 95% 이상), 과소체중(BMI 18.5 미만/소아의 경우 BMI 5% 미만), 일일표준열량/수분섭취 부족, 일일표준열량/수분섭취 과잉, 균형 잡히지 못한 식이, 연령에 비해 부적절한 수유계획, 처방된 식이 불이행, 이유 없이/점진적 체중 감소, 음식을 준비하거나 얻기가 어려움, 저혈당증, 고혈당증, 기타 |
| | 수면과 휴식 양상 | | 가족을 방해하는 수면/휴식 양상, 밤에 자주 깸, 몽유병, 수면장애, 악몽, 연령/신체상태에 비해 불충분한 수면/휴식, 수면무호흡, 코골음, 기타 |
| | 신체적 활동 | | 좌식생활양식, 부적합한/일관성 없는 운동, 연령/신체상태에 비해 부적합한 운동의 형태/양, 기타 |
| | 개인위생 | | 불충분한 세탁, 불충분한 목욕, 용변보기 어려움, 상의 입기 어려움, 하의 입기 어려움, 몸에서 냄새가 남, 불충분한 머리감기/머리빗기, 불충분한 양치/구강간호, 개인위생에 대한 의지가 없음/할 수 없음/잊어버림, 기타 |
| | 약물사용 | | 처방약/OTC(처방 없이 구매할 수 있는 약) 남용, 약장사들이 파는 약 사용, 알코올 남용, 흡연, 일상적인 수행 어려움, 반사장애, 행동변화, 흡연에 노출됨, 법에 저촉되는 물질(마약 등)을 사고 팜, 기타 |
| | 가족계획 | • 건강증진<br>• 결핍(손상) 가능성<br>• 결핍(손상) | 피임법 지식부족/부적합함, 임신방지를 위한 불충분한 지식, 부적절한/일관성 없는 피임법 사용, 현 피임법의 불만족, 피임법 선택에 대한 타인 반응을 두려움, 가족계획 방법을 얻는 데 대한 어려움, 기타 |
| | 보건의료 서비스 감독 | | 규칙적/예방적 의료서비스를 받지 못함, 평가와 치료를 요하는 증상에 대한 서비스를 이용하지 못함, 의료서비스 제공자가 약속한 날에 방문을 하지 못함, 여러 예약일정과 치료처방 조정 못함, 의료서비스 이용기관의 일관성 부족, 의료서비스 이용기관이 불충분함, 불충분한 치료계획, 기타 |
| | 투약처방 | | 처방된 복용량/시간을 지키지 않음, 부작용이 나타남, 약물복용의 부적합한 체계, 약의 부적절한 보관, 적합하게 보충(refill)/타오지 못함, 예방접종을 하지 않음, 불충분한 투약처방, 도움 없이 약을 타올 수 없음, 기타 |

### 3) Omaha체계 사례

#### (1) 사례 1 : 김○○(10대 임신)

##### ① 첫 방문에서 얻은 정보

15세인 김 씨는 임신 29주로 복통과 열 때문에 응급실에 갔다. 그녀는 응급실에서 클라미디아 감염치료를 받은 후 지역사회간호사에게 의뢰되었다. 응급실에서 보내 온 의뢰서를 보면 김 씨는 키 161cm, 체중 59kg이었고, 클라미디아 감염은 더 이상 치료받지 않아도 되나 추후간호가 필요하다고 되어 있었다. 지역사회간호사가 김 씨의 집을 방문하여 사정해 보니 그 가족은 엄마와 김 씨로 구성된 기초생활보장/의료급여 대상자였으며, 지역사회 봉사센터로부터 의복과 기타 필요한 지원을 받고 있었다. 김 씨의 엄마는 정규적인 산전간호를 시작할 필요가 있다는 것과 음식을 지원받는 것에 대해 동의했다. 간호사는 엄마의 휴대폰으로 연락을 취하기로 하고, 급한 일이 있을 때는 엄마의 자동차를 이용하도록 하였다.

김 씨의 활력징후와 혈압은 정상이었으며, 간호사와 김씨는 '건강한 아이를 출산할 것'을 목표로 하여 적절한 체중 증가, 건강한 식단, 비타민 보충, 각종 검사 및 운동 등에 대해 계획을 함께 세웠다. 간호사는 김 씨가 클라미디아 감염 증상은 없다고 말했지만, 클라미디아의 감염과정과 치료되지 않을 경우 태아에 미치는 영향에 대해 설명했다.

김 씨는 출산에 대한 두려움이 컸기 때문에 분만에 대해 함께 얘기하는 것과 보건소에서 실시하는 예비부모교육에 참여하기를 원하지 않았다. 또한 김 씨는 임신 후에 체중이 늘었는지 줄었는지를 알지 못했으며, 오심이 심해 보건소에서 제공된 비타민을 복용하지 못했다. 김 씨는 식욕이 없어 보통 하루 2끼만 식사했으며, 우유나 육류를 좋아하지 않았고, 야채나 과일은 조금만 먹었다. 김 씨는 가끔 운동을 할까 생각할 때도 있었다.

김 씨는 어린 동생들을 돌본 경험이 있었으므로 출산 후 아이를 돌볼 수 있을 것 같다고 하여 간호사와 함께 이를 계획하였다. 간호사는 다음 주에 김 씨를 다시 방문하기로 하였다.

##### ② 오마하 체계 적용

| 문제분류체계 | | | | 중재체계 | 성과에 대한 문제 등급 척도 |
|---|---|---|---|---|---|
| 영 역 | 문 제 | 수정인자 | 증상/징후 | | |
| 환경 | 수입<br>(우선순위 낮음 : 필요하다면 중재 제공; 음식, 옷 등을 포함하여 의료보험/정부지원 최대로 받고 있음) | 개인적/<br>실제적 | • 낮은 수입/<br>수입 없음 | | |

(계속)

| 문제분류체계 | | | | 중재체계 | 성과에 대한 문제 등급 척도 |
|---|---|---|---|---|---|
| 영 역 | 문 제 | 수정인자 | 증상/징후 | | |
| 생리적 | 임신<br>(우선순위 높음) | 개인적/<br>실제적 | • 산전운동/휴식/식이의 어려움<br>• 분만과정에 대한 두려움<br>• 산전 합병증/조기 분만 | 범주 : 교육, 안내, 상담<br>중재 대상: • 해부/생리(정상적인 변화, 운동/분만/출산) • 의학/ 치의학 치료(산전간호/클라미디아, 임신결과 향상)<br>범주 : 사례 관리<br>중재 대상: • 의학적/치의학 치료(정보제공, 카멜리타의 엄마는 약속을 정함<br>범주: 감시<br>중재 대상: • 신체적-증상/징후(활력징후, 혈압) | • 지식(K) : 2-최소한의 지식(분만에 대해 두려워하며, 임신/감염에 대한 지식이 없음)<br>• 행위(B) : 2-약간 적절(임신하면 간호가 필요하다는 것을 모르고 있음)<br>• 상태(S) : 2-심한 증상/징후(산전간호 없이 임신 29주 되었음) |
| | 전염성/감염성 상태<br>(우선순위 낮음; 다른 감염의 증거가 비교적 적고 중재를 제공함) | 개인적/<br>잠재적 | 위험요인(ER에서 클라미디아 치료했음; 더 이상 증상 없음) | | |
| 건강 관련 행위 | 영양<br>(우선순위 높음) | 개인적/<br>실제적 | 1일 칼로리/수분 섭취량의 부족 불균형적인 식이 | 범주 : 교육, 안내, 상담<br>중재 대상: • 식이관리(체중 감시, 비타민 복용, 식이 향상, 임상검사)<br>범주 : 사례관리<br>중재 대상: • 기타 지역사회 자원들(엄마는 음식공급을 약속받음)<br>범주: 감시<br>중재 대상: • 식이관리(식이력/ 변화 필요함) | • K : 2-최소한의 지식(영양균형, 태아에 대한 영양 효과, 체중증가 등에 대한 지식이 없음)<br>• B : 2-약간 적절(영양식이, 비타민 복용, 체중 체크 등을 하지 않고 있음)<br>• S : 3-중등도 증상/징후(안색과 자가 보고에 따르면 건강해 보임) |

〈 자료원 : Martin, S.K.(2005). The Omaha system, 2nd ed. St. Louis: Mosby 자료를 활용함 〉

### (2) 사례 2 : 인플루엔자 발생

#### ① 지역사회 감염병 전파 감소 프로젝트

G 지역사회의 인구는 12만 명이다. 겨울 휴가 시즌에 A쇼핑센터에 근무하는 직원이 첫 인플루엔자 환자로 확진되었다. 번화가에 위치한 A쇼핑센터는 늘 손님들로 붐볐으며, 해당 직원은 아픈 중에도 쉬지 못하고 일을 하게 되면서 많은 사람들이 감염위험에 노출되었다. 이 직원이 병에 걸린 후 5일 만에 사망하면서 주민들은 공포에 떨기 시작했다. 보건당국은 신속하게 백신을 공급했지만 수량이 부족하여 조기 소진되었고, 질병관리본부는 다음 주에 모든 주민들이 사용할 수 있는 충분한 용량의 백신을 보내왔다. 지역 보건소는 날마다 24시간 예방접종 클리닉을 운영했다. 많은 병원이 걱정하는 주민들로 넘쳐났고 보안이 염려되는 상황이었다. 병원에 입원한 환자 대부분이 인플루엔자 양성 확진을 받았으며, 또한 친구, 가족, 동료 등 다양한 사람들이 발열 및 기침의 가벼운 증상이 있었지만 사람들은 그것이 인플루엔자의 초기 단계라는 것을 모르고 있었으므로 감염

전파를 예방하기 위해 격리할 필요가 있었다.

보건소의 건강교육자, 지역사회간호사 및 기타 직원은 국가 보건 당국의 도움으로 의사, 의료 시설, 상점, 교회 및 기타 지역 사회 단체 등 미디어 캠페인을 적극적으로 실시했다. 캠페인은 질병의 예방 및 치료 방법과 백신을 구하는 방법에 대한 정보를 제공할 뿐만 아니라 다른 사람과의 접촉을 제한할 필요성에 대한 경고를 했고 백신도 보급하였다. 많은 주민들은 휴가 시즌이었기 때문에 자발적인 격리를 수행하지 않으려 했다. 대부분의 지역축제와 행사가 취소 또는 연기되었고, 참석은 최소한으로 줄었다. 인플루엔자 증상을 상담하고 처방 받을 수 있는 공공서비스가 제공됨에도 불구하고, 많은 주민들은 계속해서 지역응급의료센터를 방문했다.

보건소 직원은 인플루엔자 관련 자료 조사를 실시하고 노출된 가족들을 격리하도록 했다. 직원은 정확하고 적절한 공중보건정보를 제공하였고 공중보건문제를 해결하기 위해 국가 보건당국과 함께 일했다. 이 지역사회의 인플루엔자 감염은 200건 발생했고, 31명 사망으로 종결되었다.

### ② 오마하체계 적용

<table>
<tr><th colspan="4">문제분류체계</th><th colspan="2" rowspan="2">중재체계</th><th rowspan="2">성과에 대한<br>문제 등급 척도</th></tr>
<tr><th>영 역</th><th>문 제</th><th>수정인자</th><th>증상/징후</th></tr>
<tr><td rowspan="8">생리적</td><td rowspan="8">전염성/감염성 상태 (우선순위 높음)</td><td rowspan="8">지역 사회 /실제적</td><td rowspan="8">• 감염<br>• 발열<br>• 양성의 감별검사/배양/임상결과<br>• 전파방지에 불충분한 공급/장비/정책<br>• 감염 관리법을 따르지 않음<br>• 불충분한 면역</td><td colspan="2">범주 : 교육, 안내, 상담</td><td rowspan="8">• K : 2-최소한의 지식(대부분의 주민들이 질병발생을 알고 있었고, 병에 걸린 사람들은 다른 예방법이 있는 것이 아니라 항바이러스 약물 치료가 필요하다는 것을 알고 있었다. 일부는 지나치게 우려했음)<br>• B : 3-일관성 없이 적절(일부 주민들은 항바이러스 약물치료를 받았지만/ 많은 사람들이 행동을 제한하지도 않았고 자발적인 검역도 따르지 않았음)<br>• S : 2-심각한 증상/징후(통계 모니터링 결과 인플루엔자 감염 사망자 많음)</td></tr>
<tr><td>중재 대상</td><td>• 해부/생리(전파)<br>• 의사소통(질병에 대한 정보제공, 항바이러스 약물을 얻는 방법과 그 한계들에 대한 정보제공, 대중의 공포를 줄이기 위한 시도)<br>• 교육(전파 위험을 감소를 위한 부분)<br>• 감염예방(자가 방역 및 평소 건강관리 서비스제공자를 방문하는 등의 효과적인 예방대책 및 조치)<br>• 의학/치의학 치료(응급실과 가정의료의 적절한 사용)</td></tr>
<tr><td colspan="2">범주 : 치료 및 처치</td></tr>
<tr><td>중재 대상</td><td>• 투약관리(환자들에 대한 항바이러스 약물</td></tr>
<tr><td colspan="2">범주: 사례관리</td></tr>
<tr><td>중재 대상</td><td>• 의사소통(많은 개인과 단체가 지원하는 건강부서 조직 미디어 캠페인)<br>• 감염예방(노출된 주민들에 대한 강제격리)</td></tr>
<tr><td colspan="2">범주 : 감시</td></tr>
<tr><td>중재 대상</td><td>• 감염예방(연락처 조사 실시, 모니터링 준수, 사망의 경우 보고서를 추적)</td></tr>
</table>

〈 자료원 : Martin, S.K.(2005). The Omaha system, 2nd ed. St. Louis: Mosby 자료를 활용함 〉

# 3 간호과정 보고서 양식

## 1) 지역사회 간호과정 보고서 양식

(1면)

### 주요문제 list

- 
- 
- 

대상지역 : ______ 시(군) ______ 동(읍) ______ 면 ______ 리
과 목 명 :
담당교수 :
제 출 일 :
제 출 자 : ______ 학년 ______ 반 ____ 조 ( ____ 명)
______ 학번 이름 ____________ 기여도 _____

(2면)

### 목 차



(3면 이하)

**1. 지역사회간호과정**

1) 자료수집
   a. 지역특성
   b. 건강수준
   c. 지역사회자원
2) 사정방법
   지역시찰, 면담, 기존 자료 조사, 지역조사 등 이용한 방법 설명할 것(지도나, 도표, 설문지, 사진 등 자료 제시 권장)

3) 지역사회자원 분석

| 구 분 | 자료 요약 | 결 론 | 필요한 자료나 문제 |
|---|---|---|---|
| | | | |

## 2. 지역사회간호진단

1) 지역사회 간호진단 도출의 예

| 영 역 | 자 료 | 간호문제 | 관련요인 |
|---|---|---|---|
| 환경위생 | 가연성, 비가연성 쓰레기 분리하지 않음 | 부적절한 쓰레기 관리 | 분리수거 인식부족 |

영역의 예) 지리적 특성, 인구특성, 건강수준, 환경특성, 교통통신공공시설, 오락 휴식, 자원 등

2) 우선순위 결정

| 번 호 | 간호문제 | 관련요인 | 요 소 | | | BPRS (A+2B)×C | 순 위 |
|---|---|---|---|---|---|---|---|
| | | | 문제크기(A) | 심각도(B) | 측정효과(C) | | |
| | | | | | | | |

## 3. 지역사회 간호계획

1) 목표설정

| 간호문제 | 일반목표(장기목표) | 구체적목표(단기목표) |
|---|---|---|
| | | |

2) 수행계획

| 사업명(간호문제반영) | |
|---|---|
| 사업목표 | |
| 사업 대상 | |
| 사업량 | |
| 사업기간 & 세부일정 | |
| 활동전략(방법 및 수단) | |
| 사업 세부내용 | |
| 필요인력 | |
| 예 산 | |
| 장소 등 참고사항 | |
| 지역사회 연계 | |
| 홍 보 | |
| | |
| | |

3) 평가계획
   a. 평가자
   b. 평가시기 및 장소
   c. 평가범주
   d. 평가도구

| 구 분 | 지표명 | 평가기준 | 평가시기 | 유의사항 | 비 고 |
|---|---|---|---|---|---|
| 구조 평가 | | | | | |
| 과정 평가 | | | | | |
| 결과 평가 | | | | | |

**4. GROUP WORK 참여소감 및 사진 제시**
(친필로 이름과 소감작성, 사진속 인물과 이름 연결)

* 그룹당 PPT 작성 및 15분 이내 발표
* 제출 : 프린트 & 교수메일로 제출

## 2) 가족 간호과정 보고서 양식

(1면)

### 주요문제 list

- 
- 
- 

과 목 명 :

담당교수 :

제 출 일 :

제 출 자 : ______ 학년 ______ 반

______ 학번 이름 ___________

(2면)

### 목 차

(3면 이하)

**1. 가족 간호사정**

1) 자료수집

가. 가구원 조사

| 번호 | 성명 (가명) | 성별 | 세대주와 관계 | 직업 | 학력 | 현재 건강 문제 및 상태 | 혈압 | 음주 정도 | 흡연 | 습관 | 거주 지역 |
|---|---|---|---|---|---|---|---|---|---|---|---|
| | | | | | | | | | | | |

나. 가족 구조도, 가족 밀착도, 가족 연대기, 사회지지도, 외부체계도

다. 가족 발달 단계 및 발달 요구에 대한 이해

라. 일반위생원칙 적용정도

(영양, 피부청결 등 개인위생, 음식물 준비 및 저장 등)

마 .가족의 질병상태 및 질병에 대한 태도

바. 가족 역동상태

(가족의 문제 해결 방법, 의사소통 형태, 상호작용 및 교류, 가족 분위기 및 지지, 예산 관리 등 경제면)

사. 물리적 환경

(주택, 상하수, 환기, 조명, 소음, 쓰레기처리, 학교나 직장 등과의 교통상태, 안전면 등)

아. 지역사회자원 및 활용정도

2) 사례 기술

**2. 가족 자료분석**

| 가족영역 | 문제영역 | 의미있는 자료 | 결 론 | 더 필요한 자료나 문제 |
|---|---|---|---|---|
| | | | | |

**3. 가족 간호진단**

1) 가족 간호진단 도출의 예

| 가족영역 | 문제영역 | 간호문제 | 관련요인(원인) |
|---|---|---|---|
| | | | |

영역의 예) 가족구조, 체계 유지, 상호작용 및 교류, 지지, 대처와 적응, 건강관리, 주거환경 등

2) 우선순위 결정

| 번 호 | 간호문제 | 관련요인 | 요 소 | | | BPRS (A+2B)×C | 순 위 |
|---|---|---|---|---|---|---|---|
| | | | 문제크기(A) | 심각도(B) | 측정효과(C) | | |
| | | | | | | | |

## 4. 가족간호계획

1) 목표설정

| 간호문제 | 일반목표(장기목표) | 구체적목표(단기목표) |
|---|---|---|
| | | |

2) 수행계획

| 사업명<br>(가족간호문제반영) | |
|---|---|
| 사업목표 | |
| 사업 대상 | |
| 사업량 | |
| 사업기간 & 세부일정 | |
| 활동전략(방법 및 수단) | |
| 사업 세부내용 | |
| 필요인력 | |
| 예 산 | |
| 장소 등 참고사항 | |
| 지역사회자원 연계 | |

3) 평가계획

a. 평가자

b. 평가시기

c. 평가범주

d. 평가도구

| 구 분 | 지표명 | 평가기준 | 평가시기 | 유의사항 | 비 고 |
|---|---|---|---|---|---|
| 구조 평가 | | | | | |
| 과정 평가 | | | | | |
| 결과 평가 | | | | | |

## 5. 소감

❋ 제출 : 프린트 & 반별로 압축하여 교수메일로 제출

# 4 보건진료소 주요 업무

## 1) 보건진료소 주요업무 상세 기능

<table>
<tr><th rowspan="2">주메뉴</th><th colspan="2">업무개요</th></tr>
<tr><th>중메뉴</th><th>업무상세내용</th></tr>
<tr><td rowspan="3">지역사회진단</td><td colspan="2">관할 지역의 민원인의 가구정보, 주민특성, 생활환경, 보험정보 등의 정보를 등록·관리하는 기능을 제공</td></tr>
<tr><td>가구 및 가구원관리</td><td>가구 및 가구원정보, 전출/사망자관리, 세대주변경</td></tr>
<tr><td>현황 조회</td><td>가구원등록대장 작성, 연령별등록대장 작성, 생활환경별분포도그래프 작성, 주민특성별분포도그래프 작성, 연령별인구분포도 작성, 가정건강기록부 일괄출력, 전출 및 사망자명부 작성, 전입자명부 작성, 현황표, 주민특성대장, 관리병력등록대장</td></tr>
<tr><td rowspan="5">일차진료</td><td colspan="2">보건진료원이 근무지역으로 지정받은 의료취약지역 안에서 실시하는 대통령령이 정하는 경미한 의료 행위를 원활히 수행할 수 있도록 환자의 진료, 검사, 처방 내역 정보를 등록·관리하는 기능을 제공</td></tr>
<tr><td>진료 및 처방</td><td>일차진료 및 처방 정보</td></tr>
<tr><td>의뢰서 작성</td><td>진료의뢰서 등록, 검사의뢰서 등록, 건강증진정보</td></tr>
<tr><td>현황 조회</td><td>진료기록부, 환자접수 및 진료대장, 진료의뢰서대장, 진단명별명부, 검사의뢰서대장, 상병명별인구분포도, 진료현황</td></tr>
<tr><td>의료비소득공제</td><td>연말정산영수증, 의료비 소득공제 증빙자료제출</td></tr>
<tr><td rowspan="4">상담 및 교육</td><td colspan="2">해당 수진자에 대해 상담을 실시하고 상담을 진행하면서 필요한 기초 검사(혈압/혈당 등) 후 그에 적합한 건강증진교육 내역을 등록·관리하는 기능을 제공</td></tr>
<tr><td>진료 및 상담</td><td>진료 및 상담 정보</td></tr>
<tr><td>방문교육</td><td>집단보건교육, 지역방문, 가정방문</td></tr>
<tr><td>현황 조회</td><td>상담 및 교육대장, 집단보건교육대장, 지역방문대장, 가정방문대장</td></tr>
<tr><td rowspan="5">방문건강관리</td><td colspan="2">빈곤, 질병, 장애, 고령 등 건강위험요인 큰 취약계층을 대상으로 가정방문을 통해 제공한 건강관리서비스 기초조사 및 내역을 등록·관리하는 기능을 제공</td></tr>
<tr><td>건강면접조사</td><td>18개월 미만 영유아, 19개월~만 11세 이하, 만 12세~만 19세 미만, 만 19세 이상, 65세 이상, 임산부</td></tr>
<tr><td>서비스관리</td><td>방문보건서비스, 집단서비스, 연계서비스</td></tr>
<tr><td>집중건강관리</td><td>고혈압, 당뇨, 뇌졸중, 암환자, 관절통증, 허약노인</td></tr>
<tr><td>관리현황조회</td><td>인력채용 및 예산집행 현황, 취약계층가구조사 현황, 지역사회 등록 관리가구 현황, 방문건강관리 군별 건강관리 현황, 취약계층의 건강수준, 취약계층과 여성과 어린이 건강관리 현황, 만성질환 관리 현황, 노인관리 현황, 암환자관리 현황, 방문서비스 현황, 연계서식 현황 조회 및 현황보고</td></tr>
<tr><td rowspan="4">모자보건</td><td colspan="2">관활 지역의 임산부 및 영유아에 대한 필요한 정보 및 서비스 내역을 등록·관리하는 기능을 제공</td></tr>
<tr><td>임산부관리</td><td>임산부등록, 산전관리, 분만관리, 산후관리</td></tr>
<tr><td>영유아관리</td><td>영유아등록, 영유아건강관리, 예방접종</td></tr>
<tr><td>현황조회</td><td>산전관리대장, 분만대장, 신생아대장, 산후관리대장, 영유아건강관리대장, 영유아예방접종대장</td></tr>
</table>

(계속)

| 주메뉴 | 업무개요 | |
|---|---|---|
| | 중메뉴 | 업무상세내용 |
| 특화사업 | 정신장애/치매/암환자 등에 필요한 정보 및 서비스 내역을 등록·관리하는 기능을 제공 | |
| | 특화사업 | 정신장애환자 등록, 노인인지기능평가검사, 간이치매사정도구, 치매환자등록 및 관리, 암환자등록, 정신장애현황보고, 노인인지기능평가검사대장, 치매환자관리대장, 암환자등록대장, 거동불편요양급여명세서 작성, 거동불편환자등록대장, 거동불편현황보고, 지역특화건강형태개선사업 |
| 만성질환 | 고혈압/당뇨병/안보건 등에 필요한 정보 및 서비스 내역을 등록·관리하는 기능을 제공 | |
| | 환자관리 | 고혈압환자 등록, 당뇨병환자 등록, 안보건환자 등록, 고지혈증환자 등록 |
| | 진료의뢰서 관리 | 진료의뢰서 등록 및 진료회신서 등록 |
| | 홍보사업관리 | 만성질환의 홍보사업 등록 관리 |
| | 현황보고 | 지역사회 예방교육홍보 및 조기발견사업, 환자등록현황, 교육 및 상담현황, 등록환자지속투약을 현황조회 및 현황보고 |
| 감염병 및 결핵관리 | 결핵환자 및 감염병환자에 필요한 정보 및 서비스 내역을 등록·관리하는 기능을 제공 | |
| | 결핵환자관리 | 결핵환자등록, 상담내역, 검사의뢰내역 관리 |
| | 감염병환자관리 | 감염병환자등록관리 |
| 예방접종 | 예방접종내역 등록 관리하고 질병관리본부 시스템과 연계를 통한 수진자의 예방접종내역 전송 및 실시간 조회 기능을 제공 | |
| | 예진표 | 예방접종 예진표 작성 및 내역 |
| | 예방접종내역 등록 및 조회 | 질병관리본부 전송 |
| 행정관리 | 건강보험심사평가원 진료비 청구 및 기관운영관련 비용(예산/현금출납부 등)에 대한 정보 등록·관리하는 기능을 제공 | |
| | 청구 | 진료비청구, 누락청구, 보완청구 |
| | 비품관리 | 비품구매관리, 비품관리, 비품파기대장 |
| | 회계관리 | 예산서, 입/출금관리, 징수부, 현금출납부, 수입보조부, 진료비내역, 지급내역부, 회계계정목록, 본인부담금징수결정결의서, 지원 및 봉사대장, 해지연령요양급여청구, 총계정원장, 지출내역서 |
| 약품관리 | 약품/소모품/기자재에 대한 정보를 손쉽게 관리할 수 있도록 기능을 제공 | |
| | 의약품/소모품/기자재 입고, 출고 | 품의요구, 입고/검수, 구입과 지출 결의 |
| | 현황조회 | 업체별의약품수불내역, 의약품수불내역, 의약품별사용내역, 의약품재고장, 기간별의약품수불집계, 월별의약품수불대장, 기자재수불내역, 소모품수불내역, 향정신성의약품관리대장 |

〈 자료원 : 보건복지부. 사회보장정보원(2015). 2015 지역보건의료정보시스템 활용안내 〉

## 2) 개인정보 수집·이용 동의서

# 개인정보 수집·이용 동의서

보건복지부는 지역보건법에 따른 보건소의 업무(진료 및 각종 보건사업 등)를 처리함에 있어 상담, 검진, 의료비 지원, 진료 등 각종 서비스의 제공을 위하여 아래와 같은 개인정보를 수집·이용에 관하여 귀하의 동의를 얻고자 합니다.

| ❏ **동의자 성명** : | ❏ **주민등록번호** : |
|---|---|

**❏ 개인정보 수집 및 이용 목적**

귀하의 개인정보를 아래와 같은 목적으로 수집 및 이용합니다.

- 예방접종, 진료, 검사 및 검진 등 각종 의료서비스의 제공
- 모자보건, 구강보건, 노인보건 등 각종 보건사업 관련 상담·교육 및 서비스의 제공
- 진료비 지원 등 각종 현물·현금 급여의 제공
- 그 밖에 보건기관에서 실시하는 각종 서비스에 대한 안내 등

**❏ 개인정보 수집 및 이용 항목**

- 고유식별정보 및 인적사항 : 성명, 성별, 연령, 주민등록정보(등·초본), 연락처, 이메일주소
- 민감정보 : 건강상태 및 진료이력, 기타 타법에 의한 실시되는 공공부조·사회서비스 수혜이력 등
- 기타정보 : 건강보험 관련 정보 등 그 밖에 동의자에 대한 서비스 제공에 필요한 사항

**❏ 개인정보 보유 및 이용기간**

- 상기 내용은 개인정보보호법을 기준으로 합니다.
- 상기 개인정보의 이용목적 소멸 시까지 보유

※ 상기 내용과 관련, 개인정보 수집 동의에 거부하실 수 있으며, 거부 시 관련 구비서류 또는 증빙서류를 직접 제출하여야 합니다. 서류 제출을 거부할 경우에는 각종 서비스 제공이 제한될 수 있습니다.

상기명 본인은 개인정보보호법 제16조·제18조, 제23조 및 제24조에 따른 개인정보, 민감정보, 고유식별정보의 처리에 관하여 고지 받았으며, 이를 충분히 이해하고 그 처리에 동의합니다.

본인은 위의 동의사항에 관하여 개인정보보호법 제15조 제1항 및 제18조 제3항에 따른 안내로 갈음하는 것에 동의합니다.

년 월 일

동의인 : (서명)

관 계 :

(대리인 서명 시) 사유 :

## 5 사례관리 프로그램의 실제

### 1) 만성질환 중심의 고위험군 사례관리

의료급여 사례관리사업의 고위험군 사례관리(현재 다빈도 외래이용자 사례관리)의 효과를 비교한 연구논문의 사례이다.

의료급여 사례관리사업 대상자 중 의료급여 1종 수급자로서 2010년 의료급여일수 365일을 초과한 과다의료이용자 중 1개 이상의 만성질환을 가진 고위험군을 대상으로 12주간의 고위험군 사례관리 중재[그림 1] 후 효과를 측정하기 위한 단일집단전·후설계 연구이다. 사례관리 효과 비교를 위해 건강관리와 의료이용을 분석하였다.

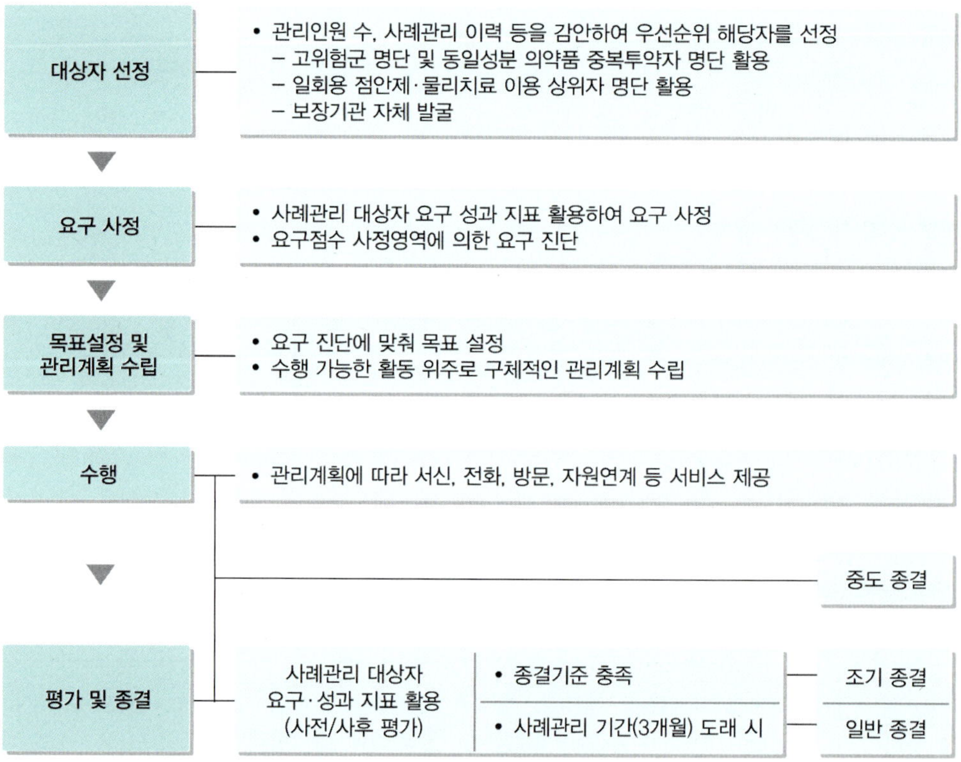


**그림 1** 고위험군 사례관리 업무흐름도

#### (1) 대상자의 요구사정

요구 사정은 영역별 세부 항목에 대하여 실시하며 의료급여 사례관리 대상자 요구점수사정영역 및 요구사정지표, 요구 성과지표를 확인하여 사정한다[표 1, 2, 3].

**표 1 요구점수사정영역**

| 영 역 | 세부항목 | |
|---|---|---|
| Ⅰ. 제도 이해 | • 의료급여제도 이해 정도 | |
| Ⅱ. 합리적 의료이용 | • 의료쇼핑<br>• 이용 의료기관 전문수준<br>• 이용 의료기관 수 | • 중복처방 정도<br>• 전반적 의료이용의 합리성 |
| Ⅲ. 건강 삶의 질 | • 건강상태<br>• 일상수행능력(ADL)<br>• 통증 | • 우울<br>• 약물 복용<br>• 신체증상관리/상태조절 |
| Ⅳ. 자가 건강관리능력 | • 전반적 질병 이해 정도<br>• 건강관심도<br>• 생활습관 관리(흡연, 음주, 운동, 식이) | • 위생 및 예방에 대한 관리 정도(개인위생 청결 정도, 예방접종 유무, 정기 건강검진 유무) |
| Ⅴ. 지지체계 구축 | • 사회적 고립도 | • 자원연계 정도 |
| Ⅵ. 생활환경 | • 주거환경(채광/환기, 냉난방, 부엌상태, 안전상태, 화장실/목욕시설) | |

〈 자료원 : 보건복지부(2022). 의료급여사업안내 〉

**표 2 요구사정지표 측정기준표**

| 영역 | 지표 | 측정기준 |
|---|---|---|
| Ⅰ. 제도 이해 | 1. 의료급여제도 이해 | 선택의료급여기관제, 본인부담제, 본인부담금 상한제 등 대상자가 알아야 할 의료급여제도에 대한 대상자의 지식 정도(의료급여관리사 판단)<br>1. 전혀 모른다 2. 잘 모른다 3. 보통이다<br>4. 잘 아는 편이다 5. 매우 잘 알고 있다 |
| Ⅱ. 합리적 의료이용 | 1. 의료쇼핑 | 동일 질병으로 3기관 이상 다른 의료기관을 중복 이용하는 등 의료쇼핑의 경향을 보임<br>1. 매우 심하다 2. 조금 심하다 3. 보통이다<br>4. 거의 문제가 없다 5. 전혀 문제가 없다 |
| | 2. 이용 의료기관 전문수준 | 질병대비 의원급이나 1차 진료로 충분하다고 판단되나 주로 2·3차 병원 등 전문 진료를 이용함<br>1. 매우 심하다 2. 조금 심하다 3. 보통이다<br>4. 거의 문제가 없다 5. 전혀 문제가 없다 |
| | 3. 이용 의료기관 수 | 단골기관 없이 많은 수의 의료기관을 방문함<br>1. 매우 심하다 2. 조금 심하다 3. 보통이다<br>4. 거의 문제가 없다 5. 전혀 문제가 없다 |
| | 4. 중복처방 정도 | 대상자가 동일 질병으로 중복처방 받은 정도(의료급여관리사 판단)<br>1. 3개 질환 이상을 1~2회 정도 중복처방을 받고 있거나 또는 1개 질환을 4회 이상 중복처방 받고 있다.<br>2. 2개 질환을 1~2회 정도 중복처방 또는 1개 질환을 3회 중복처방 받고 있다.<br>3. 1개 질환을 현재 1~2회 정도 중복처방 받고 있다.<br>4. 1개 질환을 과거 한번 정도 중복처방 경험 있으나 현재는 그렇지 않다.<br>5. 중복처방을 받은 적이 전혀 없다. |

**표 2 요구사정지표 측정기준표** (계속)

| | | |
|---|---|---|
| II. 합리적 의료이용 | 5. 전반적 의료이용의 합리성 | 대상자의 질병상태 및 증상과 비교하여 의료쇼핑, 이용 의료기관 전문수준, 이용 의료기관 수, 중복처방의 적정 정도(의료급여관리사 판단)<br>1~2점 : 위의 4항목이 모두 심한 경우<br>3~4점 : 위의 4항목 중 3항목이 심한 경우<br>5~6점 : 위의 4항목 중 2항목이 심한 경우<br>7~8점 : 위의 4항목 중 1항목이 심한 경우<br>9~10점 : 전혀 문제가 없는 경우<br>1. 매우 불합리적 ~ 10. 매우 합리적 |
| III. 건강 상태 | 1. 건강상태 | 최근 3개월을 기준으로 전반적 건강상태에 대한 대상자의 주관적 판단을 물어서 기록<br>1. 매우 나쁘다 2. 나쁘다 3. 보통이다<br>4. 좋다 5. 매우 좋다 |
| | 2. 일상수행능력 | 일상수행능력에 대해 질문(의료급여관리사 판단)<br>1. 완전히 무력하다. 자기 자신을 전혀 돌볼 수 없고, 전적으로 침대나 의자에 누어있어야 한다.<br>2. 단지 제한적으로만 자신을 돌볼 수 있다. 깨어있는 시간의 50% 이상을 누워있거나 앉아있다.<br>3. 보행이 가능하고 자신을 돌보는 모든 일은 가능하지만 깨어있는 시간의 50% 이상의 일을 할 수 없다.<br>4. 신체적으로 격렬한 활동은 제한 받으나 보행은 가능하고 가벼운 일을 할 수 있다.<br>5. 제한 없이 모든 정상적인 활동을 수행할 수 있다. |
| | 3. 통증 정도 | 최근 일주일을 기준으로 통증에 대해 질문(대상자 주관적 판단)<br>1. 매우 심한 통증이 있다 2. 심한 통증이 있다 3. 가벼운 통증이 있다<br>4. 아주 가벼운 통증이 있다 5. 전혀 없다 |
| | 4. 우울 정도 | 최근 일주일을 기준으로 대상자의 정서 상태에 대해 질문(의료급여관리사 판단)<br>1. 자살을 자주 생각하고 무력감에 빠져있다. |
| III. 건강 상태 | 4. 우울 정도 | 2. 삶의 의미가 없다고 생각하고 별로 희망이 없다.<br>3. 때때로 지루하다고 생각하나 그런대로 삶에 만족한다.<br>4. 희망적이며 주위에 관심이 많은 편이다.<br>5. 매사에 활력이 있으며 삶에 만족하고 있다. |
| | 5. 신체증상 관리/상태 조절 | 질병과 관련된 신체적 증상관리나 혈압, 혈당 체크 등 상태조절을 위한 관리를 어느 정도 의사 지시에 따라 잘 수행하고 있는지 정도를 질문·관찰(의료급여관리사 판단)<br>1. 전혀 관리하지 않는다 2. 가끔 관리한다 3. 보통이다<br>4. 잘 관리한다 5. 스스로 매우 잘 관리한다 |
| | 6. 약물복용 | 약물복용 횟수, 양, 시간을 지시대로 이행하는지 질문(의료급여관리사 판단)<br>1. 전혀 처방을 따르지 못한다 2. 가끔 처방을 따르지 못한다<br>3. 보통이다 4. 잘 복용한다<br>5. 처방대로 매우 잘 복용한다 |
| III. 건강 상태 | 4. 우울 정도 | 2. 삶의 의미가 없다고 생각하고 별로 희망이 없다.<br>3. 때때로 지루하다고 생각하나 그런대로 삶에 만족한다.<br>4. 희망적이며 주위에 관심이 많은 편이다.<br>5. 매사에 활력이 있으며 삶에 만족하고 있다. |
| | 5. 신체증상 관리/상태 조절 | 질병과 관련된 신체적 증상관리나 혈압, 혈당 체크 등 상태조절을 위한 관리를 어느 정도 의사 지시에 따라 잘 수행하고 있는지 정도를 질문·관찰(의료급여관리사 판단)<br>1. 전혀 관리하지 않는다 2. 가끔 관리한다 3. 보통이다<br>4. 잘 관리한다 5. 스스로 매우 잘 관리한다 |

**표 2 요구사정지표 측정기준표** (계속)

<table>
<tr><td>Ⅲ.<br>건강<br>상태</td><td>6. 약물복용</td><td>약물복용 횟수, 양, 시간을 지시대로 이행하는지 질문(의료급여관리사 판단)<br>1. 전혀 처방을 따르지 못한다 2. 가끔 처방을 따르지 못한다<br>3. 보통이다 4. 잘 복용한다<br>5. 처방대로 매우 잘 복용한다</td></tr>
<tr><td rowspan="4">Ⅳ.<br>자가건강<br>관리수준</td><td>1. 전반적 질병 이해 정도</td><td>자신의 질병에 대한 기본 이해, 증상 및 합병증 관리 등 질병에 대한 지식 정도 질문(의료급여관리사 판단)<br>1. 전혀 모른다 2. 잘 모른다 3. 보통이다<br>4. 잘 아는 편이다 5. 매우 잘 알고 있다</td></tr>
<tr><td>2. 건강 관심도</td><td>건강에 대해 어느 정도 중요하게 생각하는지 관심 정도 질문(의료급여관리사 판단)<br>1. 매우 낮다 2. 낮다 3. 보통이다<br>4. 높다 5. 매우 높다</td></tr>
<tr><td>3. 생활습관 관리</td><td>전반적인 건강관리를 위해 현 생활습관인 흡연, 음주, 운동, 식이 정도를 어느 정도 관리하고 있는지 질문(의료급여관리사 판단)<br>1. 전혀 관리하지 않는다 2. 가끔 관리한다 3. 보통이다<br>4. 잘 관리한다 5. 스스로 매우 잘 관리한다</td></tr>
<tr><td>4. 위생 및 예방에 대한 관리 정도</td><td>대상자의 위생 및 청결상태, 정기적인 건강검진 여부, 인플루엔자 예방접종 등 예방행위에 대한 실천 정도 질문(의료급여관리사 판단)<br>1. 전혀 관리하지 않는다 2. 가끔 관리한다 3. 보통이다<br>4. 잘 관리한다 5. 스스로 매우 잘 관리한다</td></tr>
<tr><td rowspan="2">Ⅴ.<br>지지자원</td><td>1. 사회적 고립도</td><td>각 항목에 대해 질문 후 해당 항목에 체크(체크된 항목 개수=점수)<br>– 무슨 일이 일어났을 때 도와줄 사람이 있다. 예( 1 ) 아니오( 0 )<br>– 문제가 생겼을 때 이야기할 사람이 있다. 예( 1 ) 아니오( 0 )<br>– 밖에 나가 함께 어울릴 수 있는 사람이 있다. 예( 1 ) 아니오( 0 )<br>– 아플 때 도와줄 사람이 있다. 예( 1 ) 아니오( 0 )</td></tr>
<tr><td>2. 자원연계 정도</td><td>현재 대상자에게 필요로 되는 자원에 비해 연계된 자원의 충족 정도(의료급여관리사 판단)<br>1. 매우 부족 2. 약간 부족 3. 보통<br>4. 양호 5. 매우 양호</td></tr>
<tr><td>Ⅵ.<br>생활환경</td><td>1. 주거환경</td><td>대상자의 주거환경을 각 항목별로 관찰·질문 후 의료급여관리사가 판단하여 양호한 경우 체크(점수)<br>– 채광·환기 우수( 1 ) 불량( 0 )<br>– 냉난방 우수( 1 ) 불량( 0 )<br>– 부엌상태 우수( 1 ) 불량( 0 )<br>– 안전상태(문지방, 계단, 미끄럼 방지 등 낙상, 골절 관련) 우수( 1 ) 불량( 0 )<br>– 화장실/목욕시절 우수( 1 ) 불량( 0 )</td></tr>
</table>

〈 자료원 : 보건복지부(2022). 의료급여사업안내 〉

**표 3 사례관리 대상자 요구 성과지표**(사전·사후 평가용)

| Ⅰ. 자가관리능력 (30점) | | | | | |
|---|---|---|---|---|---|
| 1. 자신의 질병상태 | ①<br>전혀 모른다 | ②<br>잘 모른다 | ③<br>보통이다 | ④<br>잘 아는 편이다 | ⑤<br>매우 잘 알고 있다 |
| 2. 의료급여제도 이해 | ①<br>전혀 모른다 | ②<br>잘 모른다 | ③<br>보통이다 | ④<br>잘 아는 편이다 | ⑤<br>매우 잘 알고 있다 |
| 3. 신체증상 관리/상태조절 | ①<br>전혀 관리하지 않는다 | ②<br>가끔 관리한다 | ③<br>보통이다 | ④<br>잘 관리한다 | ⑤<br>스스로 매우 잘 관리한다 |
| 4. 약물 복용 | ①<br>전혀 처방을 따르지 못한다 | ②<br>가끔 처방을 따르지 못한다 | ③<br>보통이다 | ④<br>잘 복용한다 | ⑤<br>처방대로 매우 잘 복용한다 |
| 5. 생활습관 관리(금연/절주/운동/식이) | ①<br>전혀 관리하지 않는다 | ②<br>가끔 관리한다 | ③<br>보통이다 | ④<br>잘 관리한다 | ⑤<br>스스로 매우 잘 관리한다 |
| 6. 위생 및 예방(위생/청결/건강검진/예방접종) | ①<br>전혀 관리하지 않는다 | ②<br>가끔 관리한다 | ③<br>보통이다 | ④<br>잘 관리한다 | ⑤<br>스스로 매우 잘 관리한다 |
| **Ⅱ. 합리적 의료이용 (30점)** | | | | | |
| 1. 전반적 의료이용의 적정성 | ① 매우 부적정 ② ③ ④ ⑤ ⑥ ⑦ ⑧ ⑨ ⑩ 매우 적정 | | | | |
| 2. 의료쇼핑 | ①<br>매우 심하다 | ②<br>조금 심하다 | ③<br>보통이다 | ④<br>거의 문제가 없다 | ⑤<br>전혀 문제가 없다 |
| 3. 이용 의료기관 전문수준 | ①<br>매우 심하다 | ②<br>조금 심하다 | ③<br>보통이다 | ④<br>거의 문제가 없다 | ⑤<br>전혀 문제가 없다 |
| 4. 이용의료 기관 수 | ①<br>매우 심하다 | ②<br>조금 심하다 | ③<br>보통이다 | ④<br>거의 문제가 없다 | ⑤<br>전혀 문제가 없다 |
| 5. 중복처방 정도 | ①<br>매우 심하다 | ②<br>조금 심하다 | ③<br>보통이다 | ④<br>거의 문제가 없다 | ⑤<br>전혀 문제가 없다 |
| **Ⅲ. 지지체계 구축 (10점)** | | | | | |
| 1. 사회적 고립도 | **<점수 - 체크한 항목 개수>**<br>① 무슨 일이 일어났을 때 도와줄 사람이 있다.<br>② 문제가 생겼을 때 의논할 사람이 있다.<br>③ 금전적인 문제에 대해 도와줄 사람이 있다.<br>④ 밖에서 함께 어울릴 수 있는 사람이 있다.<br>⑤ 아플 때 도와줄 사람이 있다. | | | | |
| 2. 자원연계 | **<요구에 대해 필요한 자원연계 정도 : 현재 상태를 판단>**<br>① 매우 부족 ② 약간 부족 ③ 보통 ④ 양호 ⑤ 매우 양호 | | | | |

표 3 사례관리 대상자 요구 성과지표(사전·사후 평가용) (계속)

| Ⅳ. 건강 삶의 질 (30점) | |
|---|---|
| 1. 건강상태 | **<최근 3개월간 대상자의 전반적인 건강상태에 대한 대상자의 주관적 판단>**<br>① 매우 나쁘다 ② 나쁘다 ③ 보통이다 ④ 좋다 ⑤ 매우 좋다 |
| 2. 일상수행능력 | **<현재 상태를 판단>**<br>① 완전히 무력하다. 자기 자신을 전혀 돌볼 수 없고, 전적으로 침대나 의자에 누워있어야 한다.<br>② 단지 제한적으로만 자신을 돌볼 수 있다. 깨어있는 시간의 50% 이상을 누워있거나 앉아 있다.<br>③ 보행이 가능하고 자신을 돌보는 모든 일은 가능하지만 깨어있는 시간의 50% 이상의 일을 할 수 없다.<br>④ 신체적으로 격렬한 활동은 제한 받으나 보행은 가능하고 가벼운 일을 할 수 있다.<br>⑤ 제한 없이 모든 정상적인 활동을 수행할 수 있다. |
| 3. 통증 | **<지난 일주일간>**<br>① 매우 심한 통증이 있다.<br>② 심한 통증이 있다.<br>③ 가벼운 통증이 있다.<br>④ 아주 가벼운 통증이 있다.<br>⑤ 전혀 없다. |
| 4. 우울 | **<지난 일주일간>**<br>① 자살을 자주 생각하고 무력감에 빠져있다.<br>② 삶의 의미가 없다고 생각하고 별로 희망이 없다.<br>③ 때때로 지루하다고 생각하나 그런대로 삶에 만족한다.<br>④ 희망적이며 주위에 관심이 많은 편이다.<br>⑤ 매사에 활력이 있으며 삶에 만족하고 있다. |
| 5. 건강관심도 | **<현재 상태를 판단>**<br>① 매우 낮다 ② 낮다 ③ 보통이다 ④ 높다 ⑤ 매우 높다 |
| 6. 주거환경 | **<현재 상태 판단(양호한 경우 체크), 점수 : 체크된 항목 개수>**<br>• 채광·환기<br>• 냉난방<br>• 부엌상태<br>• 안전상태<br>• 화장실/목욕시설 |

〈 자료원 : 보건복지부(2022). 의료급여사업안내 〉

## (2) 목표설정 및 계획수립

### ① 목표설정

요구점수 사정영역에 의거하여 요구 진단 목록을 작성하고 요구 진단별 목표를 설정한다[표 4].

### ② 계획수립

사례관리기간, 수행내용, 전화 상담 및 방문일자, 차기 약속일자, 종결일자 등 요구 진단별 수행활동 위주로 계획 수립하고 계획한 내용을 대상자에게 알려 적극적인 동참을 유도한다[표 5].

**표 4 목표설정**

| 요구 진단 목록 | 목 표 |
|---|---|
| • 의료급여제도 이해 부족 | • 의료급여제도 이해 향상 |
| • 비합리적 의료이용<br>– 의료쇼핑<br>– 비합리적 전문 의료기관 이용<br>– 약물 중복처방 | • 합리적 의료이용 유도<br>– 의료쇼핑 감소<br>– 합리적 의료기관 이용<br>– 약물 중복처방 감소 |
| • 부적절한 질병관리<br>– 낮은 치료 순응도(혈압/혈당 상태 조절 등)<br>– 부적절한 증상관리(통증, 우울 등)<br>– 합병증 발생<br>• 약물복용 불이행 | • 질병관리능력 향상<br>– 치료 순응도 향상<br>– 증상관리 향상(통증, 우울 등)<br>– 합병증 예방<br>• 복약 순응도 향상 |
| • 자가 건강관리능력 부족<br>– 부적절한 생활습관<br>– 예방행위 불이행<br>– 낮은 건강관심도<br>• 질병에 대한 지식 부족 | • 자가 건강관리능력 향상<br>– 생활습관 개선<br>– 예방행위 실천<br>– 건강관심도 증가<br>• 질병에 대한 지식과 이해 증가 |
| • 자원연계 부족 | • 자원연계 |
| • 부적절한 생활환경 | • 생활환경 개선 |

〈 자료원 : 보건복지부(2022). 의료급여사업안내 〉

**표 5 사례관리 계획표**

<table>
<tr><th></th><th>1주차</th><th>2주차</th><th>3주차</th><th>4주차</th><th>5주차</th><th>6주차</th><th>7주차</th><th>8주차</th><th>9주차</th><th>10주차</th><th>11주차</th><th>12주차</th></tr>
<tr><td>서신</td><td>1차</td><td></td><td></td><td></td><td>2차</td><td></td><td></td><td></td><td></td><td></td><td></td><td></td></tr>
<tr><td>전화</td><td>1차</td><td></td><td></td><td>2차</td><td></td><td></td><td colspan="2">3차</td><td></td><td></td><td></td><td>4차</td></tr>
<tr><td>방문</td><td></td><td colspan="2">1차</td><td></td><td></td><td></td><td></td><td></td><td></td><td colspan="2">2차</td><td></td></tr>
<tr><td>자원<br>연계</td><td></td><td></td><td>사정</td><td>계획<br>수립</td><td></td><td colspan="4">연계</td><td colspan="2">모니터링</td><td>평가</td></tr>
</table>

〈 자료원 : 보건복지부(2022). 의료급여사업안내 〉

### (3) 수행

수립된 계획에 의해 대상자에게 적합한 수행방법 및 교육 자료를 선택하여 [그림 1]에 의해 수행하며, 수행 활동이 계획된 목표에 맞게 진행되는지 확인하고, 대상자의 실천정도에 따라 지지와 격려를 한다. 필요시에는 재 안내 및 상담을 실시한다.

### (4) 평가 및 종결

계획단계에서 수립했던 목표와 비교·평가하며, 대상자의 의료이용 행태, 행동·인지변화 등을 사례관리 시작시점과 비교한다. 종결 시 목표 달성요인 및 미진사유 등을 파악하여 향후 사례관리 시 반영하며, 필요 시 재개입한다.

## 2) 고혈압환자 사례관리

방문건강관리사업의 고혈압 사례관리효과를 비교한 연구논문의 사례이다.

보건소 맞춤형 방문건강관리사업 대상자 중 고혈압 환자를 대상으로 사례관리 효과를 파악하기 위한 비동등성 대조군 전·후 실험설계 연구이다. 8주간 6회의 가정방문과 2회의 전화 모니터링을 통한 고혈압 사례관리 중재 후 고혈압 지식, 자가간호행위, 혈압 및 혈중 지질의 변화 효과를 측정하였다[표 6, 7, 8, 9].

**표 6 고혈압 건강문제 선정**

| 문제목록 | 문제선정 (√ 하시오) | 우선순위설정 기준(5점 척도) | | | | | 우선순위 |
|---|---|---|---|---|---|---|---|
| | | 시급성 | 영향력 | 대상자 요구 | 중재효과 | 합계 | |
| 혈압조절이 안 됨 | | | | | | | |
| 투약지시 불이행 | | | | | | | |
| 체중조절이 안 됨 | | | | | | | |
| 식이조절이 안 됨 | | | | | | | |
| 운동실천이 안 됨 | | | | | | | |
| 흡 연 | | | | | | | |
| 음 주 | | | | | | | |
| 합병증 발생 | | | | | | | |
| 의사소통 장애 | | | | | | | |
| 가족지지가 안 됨 | | | | | | | |
| 스트레스 | | | | | | | |

〈 자료원 : 김명숙(2009). 맞춤형 방문건강관리사업의 고혈압 사례관리 효과 〉

**표 7 고혈압 사례관리를 위한 보건교육 내용**

| 구 분 | 내 용 | |
|---|---|---|
| 고혈압의 이해 | • 일차성고혈압(본태성고혈압)<br>• 고혈압의 유전인자<br>• 고혈압의 증상<br>• 고혈압의 합병증 | • 이차성 고혈압<br>• 고혈압의 진단<br>• 고혈압의 치료방법<br>• 고혈압의 예방 |
| 혈압측정 | • 혈압측정의 중요성 | • 올바른 혈압측정법 |
| 고혈압 환자의 생활요법 (운동, 식이) | • 혈압과 체중<br>• 비만과 혈압의 상관관계 | • 고혈압환자의 식사실천 내용 |
| 고혈압 환자의 생활요법 (금연, 절주, 스트레스) | • 혈압과 흡연(금연 성공방법)<br>• 혈압과 술 | • 스트레스와 고혈압(스트레스 관리) |

〈 자료원 : 김명숙(2009). 맞춤형 방문건강관리사업의 고혈압 사례관리 효과 〉

**표 8 고혈압환자에 대한 사례관리 적용과정**

| 구 분 | 내 용 |
|---|---|
| 1주(방문) | • 일정안내, 건강문제 선정<br>• 설문조사(일반적 특성, 질병관련 특성, 고혈압지식, 자가간호 행위)<br>• 채혈검사(콜레스테롤, 중성지방)<br>• 고혈압관리 교육, 상담, 연계<br>• 행동체크리스트작성법 지도 및 배부 |
| 2주(방문) | • 중재(재교육 및 상담, 연계)<br>• 행동체크리스트 수거, 배부 |
| 3주(방문) | • 중재(재교육 및 상담, 연계)<br>• 행동체크리스트 수거, 배부 |
| 4주(전화) | • 중재 내용의 실천정도 파악 |
| 5주(방문) | • 중재(재교육 및 상담, 연계)<br>• 행동체크리스트 수거, 배부 |
| 6주(전화) | • 중재 내용의 실천정도 파악 |
| 7주(방문) | • 중재(재교육 및 상담, 연계)<br>• 행동체크리스트 수고, 배부 |
| 8주(방문) | • 설문조사(고혈압지식, 자가간호행위)<br>• 교육, 상담, 연계<br>• 채혈검사(콜레스테롤, 중성지방)<br>• 사례관리 결과(목표달성 정도)평가, 행동체크리스트 수거 |

〈 자료원 : 김명숙(2009). 맞춤형 방문건강관리사업의 고혈압 사례관리 효과 〉

**표 9 고혈압 사례관리 대상자의 행동 체크리스트**

| 확인할 내용 | 월 | 화 | 수 | 목 | 금 | 토 | 일 |
|---|---|---|---|---|---|---|---|
| 오늘 약은 드셨습니까? | | | | | | | |
| 오늘 금연하셨습니까? | | | | | | | |
| 오늘 절주하셨습니까? | | | | | | | |
| 오늘 운동은 하셨습니까? (한번에 20~30분 정도의 땀을 흘리는 운동) | | | | | | | |
| 오늘 혈압을 측정하셨습니까? | | | | | | | |
| 오늘 혈압은 정상이십니까? | | | | | | | |
| 간식을 하지 않으셨습니까? | | | | | | | |
| 싱겁게 드셨습니까? | | | | | | | |
| 오늘 야채를 충분히 드셨습니까? | | | | | | | |
| 오늘 스트레스를 잘 조절하셨습니까? | | | | | | | |
| 하하~호호 소리 내어 15초 이상 웃으셨습니까?(손뼉 치며) | | | | | | | |

〈 자료원 : 김명숙(2009). 맞춤형 방문건강관리사업의 고혈압 사례관리 효과 〉

## 3) 허약노인 사례관리

방문건강관리사업의 허약노인 사례관리의 효과를 비교한 연구논문의 사례이다.

보건소 맞춤형 방문건강관리사업 대상자 중 65세 이상의 허약 노인을 대상으로 8주간의 허약노인사례관리 지침에 근거한 사례관리 중재 후 효과를 보기위한 비동등성 대조군 유사실험설계 연구이다. 사례관리 기간에 따른 효과의 차이를 보기 위해 1, 5, 8주 총 3회에 걸쳐 허약노인 유무, 활동체력, 약물이행도, 우울을 측정하였다 [표 10, 11, 12, 13].

**표 10 허약노인 사례관리 전체 일정**

| | 사전조사 | 중재 | 5주 평가 | 중재 | 8주 평가 |
|---|---|---|---|---|---|
| 실험군 | • 일반적 특성<br>• 허약노인 유무<br>• 활동체력<br>– 악력<br>– 정적균형도<br>– 복합적 이동능력<br>• 약물이행도<br>• 우울 | • 1～4주/8주 방문<br>**사례관리**<br>• 중재강화교육<br>• 행동체크리스트교육<br>– 운동, 영양<br>– 우울, 구강<br>– 요실금관리 등<br>• 건강운동 지도 등<br>**일반방문 건강관리**<br>• 교육 및 상담<br>• 서비스 의뢰, 연계 등 | • 허약노인 유무<br>• 활동체력<br>– 악력<br>– 정적균형도<br>– 복합적 이동능력<br>• 약물이행도<br>• 우울 | • 5～8주/4차 방문<br>**사례관리**<br>• 중재강화교육<br>• 행동체크리스트교육<br>– 운동, 영양<br>– 우울, 구강<br>– 요실금관리 등<br>• 건강운동 지도 등<br>**일반방문건강관리**<br>• 교육 및 상담<br>• 서비스 의뢰, 연계 등 | • 허약노인 유무<br>• 활동체력<br>– 악력<br>– 정적균형도<br>– 복합적 이동능력<br>• 약물이행도<br>• 우울 |

〈 자료원 : 연정운(2009). 방문건강관리사업 허약노인 사례관리 효과 〉

**표 11 허약노인 사례관리 기초 측정표**

| 번호 | 질문내용 | 1주 | | 5주 | | 8주 | |
|---|---|---|---|---|---|---|---|
| 1 | 버스나 지하철(전철) 등, 교통수단을 이용해서 혼자 외출할 수 있습니까? | □ 예 | □ 아니오 | □ 예 | □ 아니오 | □ 예 | □ 아니오 |
| 2 | 슈퍼마켓이나 동네가게에서 잘못이나 실수 없이 제대로 생필품을 구입합니까?<br>(※ 주문배달의 경우는 '아니오') | □ 예 | □ 아니오 | □ 예 | □ 아니오 | □ 예 | □ 아니오 |
| 3 | 은행이나 농협, 우체국 등에서 예·적금 등의 금전관리를 스스로 하고 있습니까?<br>(※ 타인이 해주면 '아니오') | □ 예 | □ 아니오 | □ 예 | □ 아니오 | □ 예 | □ 아니오 |
| 4 | 이웃이나 친구의 집에 마실하러 다닙니까?<br>(※ 가족이나 친척집은 아님) | □ 예 | □ 아니오 | □ 예 | □ 아니오 | □ 예 | □ 아니오 |
| 5 | 가족이나 친구에게 생활상의 문제에 대해 상담이나 조언을 해줍니까?<br>(※ 전화를 통한 상담·조언도 포함함) | □ 예 | □ 아니오 | □ 예 | □ 아니오 | □ 예 | □ 아니오 |
| | **(1～5번) 소계** | | | | | | |

**표 11 허약노인 사례관리 기초 측정표** (계속)

| 번호 | 질문내용 | 1주 | | 5주 | | 8주 | |
|---|---|---|---|---|---|---|---|
| 6 | 계단 손잡이나 벽을 짚지 않고 계단을 올라갑니까?<br>(※ 처음부터 습관적으로 잡는 경우는 '아니오'이고, 올라가는 중간, 중간에 짚는 경우는 '예') | □ 예 | □ 아니오 | □ 예 | □ 아니오 | □ 예 | □ 아니오 |
| 7 | 의자에 앉은 상태에서 부축이나 지팡이 없이 일어납니까? | □ 예 | □ 아니오 | □ 예 | □ 아니오 | □ 예 | □ 아니오 |
| 8 | 15분 정도 쉬지 않고 걸어 다닙니까?<br>(※ 실내외를 불문) | □ 예 | □ 아니오 | □ 예 | □ 아니오 | □ 예 | □ 아니오 |
| 9 | 지난 1년간 넘어진 적이 있습니까?<br>(※ 미끄러지거나, 무언가에 걸려서) | □ 예 | □ 아니오 | □ 예 | □ 아니오 | □ 예 | □ 아니오 |
| 10 | 넘어지는 것에 대한 걱정이나 염려가 큽니까? | □ 예 | □ 아니오 | □ 예 | □ 아니오 | □ 예 | □ 아니오 |
| | **(6~10번) 소계** | | | | | | |
| 11 | 지난 6개월간 몸무게가 2~3kg 이상 빠졌습니까?<br>(※ 고의적인 체중감량은 제외) | □ 예 | □ 아니오 | □ 예 | □ 아니오 | □ 예 | □ 아니오 |
| 12 | 신장(　　cm), 체중(　　kg)<br>BMI(=체중/신장×신장)가 18.5 미만인가?<br>(※ 키를 잴 때에는 똑바로 선 채로 재고, 굽은 경우는 줄자로 재야 함) | □ 예 | □ 아니오 | □ 예 | □ 아니오 | □ 예 | □ 아니오 |
| 13 | 지난 6개월 전에 비해 딱딱한 음식을 먹기가 어려워졌습니까? | □ 예 | □ 아니오 | □ 예 | □ 아니오 | □ 예 | □ 아니오 |
| 14 | 음료수나 국물을 드실 때 목이 멘 적(삼키기 어려움)이 있습니까? | □ 예 | □ 아니오 | □ 예 | □ 아니오 | □ 예 | □ 아니오 |
| 15 | 자주 입이 말라서 신경이 쓰입니까? | □ 예 | □ 아니오 | □ 예 | □ 아니오 | □ 예 | □ 아니오 |
| 16 | 1주일에 한번 이상 외출(나들이)합니까?<br>(※ 1~2주에 한번 정도도 '예') | □ 예 | □ 아니오 | □ 예 | □ 아니오 | □ 예 | □ 아니오 |
| 17 | 작년에 비해서 외출횟수가 줄어들었습니까? | □ 예 | □ 아니오 | □ 예 | □ 아니오 | □ 예 | □ 아니오 |
| 18 | 주위사람이 '항상 똑같은 말을 되풀이 한다'는 등, 건망증이 있다는 말을 듣습니까?<br>(※ 건망증이 있어도, 그런 말을 듣지 않으면, '아니오') | □ 예 | □ 아니오 | □ 예 | □ 아니오 | □ 예 | □ 아니오 |
| 19 | 혼자서 전화를 걸 수 있습니까?<br>(※ 누군가가 걸어주면 '아니오') | □ 예 | □ 아니오 | □ 예 | □ 아니오 | □ 예 | □ 아니오 |
| 20 | 오늘이 몇 월 며칠인지를 모를 때가 있습니까? | □ 예 | □ 아니오 | □ 예 | □ 아니오 | □ 예 | □ 아니오 |
| | **(11~20번) 소계** | | | | | | |
| | **(01~20번) 총계** | | | | | | |

〈 자료원 : 연정운(2009). 방문건강관리사업 허약노인 사례관리 효과 〉

**표 12 노인 우울 검사표(Geriatric Depression Scale; short form)**

| 내 용 | 1주 | | 5주 | | 8주 | |
|---|---|---|---|---|---|---|
| | 예 | 아니오 | 예 | 아니오 | 예 | 아니오 |
| 1. 자신의 삶에 만족하십니까? | | | | | | |
| 2. 지금까지 해온 일이나 흥미가 있었던 일을 그만 두었습니까? | | | | | | |
| 3. 자신의 삶이 허무하다고 느끼십니까? | | | | | | |
| 4. 지루하다고 느끼는 일이 자주 있습니까?<br>(배우자생일, 결혼기념일, 제삿날 등) | | | | | | |
| 5. 보통 기분이 좋은 편입니까? | | | | | | |
| 6. 자신에게 어떤 좋지 않은 일이 일어날지도 모른다는 불안이 있습니까? | | | | | | |
| 7. 항상 행복하다고 느끼고 있습니까? | | | | | | |
| 8. 자신이 무력하다고 자주 느끼십니까? | | | | | | |
| 9. 외출하여 새로운 일을 하는 것보다 집안에 있는 것을 더 좋아합니까? | | | | | | |
| 10. 다른 사람보다 기억력이 떨어졌다고 느낍니까? | | | | | | |
| 11. 지금 살고 있는 것이 멋지다고 생각합니까? | | | | | | |
| 12. 자신의 현재 상태는 전혀 무가치하다고 느끼십니까? | | | | | | |
| 13. 당신은 활력이 넘친다고 느끼십니까? | | | | | | |
| 14. 지금 당신의 상황은 희망이 없는 것으로 느끼십니까? | | | | | | |
| 15. 다른 사람들은 당신보다 더 여유로운 생활을 하고 있다고 생각합니까? | | | | | | |

주) 질문이 최근 1주일 동안의 기분과 일치하면 '예', 그렇지 않으면 '아니오'에 동그라미 하세요.

〈 자료원 : 연정운(2009). 방문건강관리사업 허약노인 사례관리 효과 〉

**표 13 허약노인 사례관리 대상자의 행동 체크리스트**

| 확인할 내용 | 월 | 화 | 수 | 목 | 금 | 토 | 일 |
|---|---|---|---|---|---|---|---|
| 팔을 들어 올리는 운동 1회 10번 | | | | | | | |
| 의자에서 일어나는 운동 1회 10번 | | | | | | | |
| 무릎을 앞으로 펴는 운동 1회 10번 | | | | | | | |
| 벽을 잡고 다리를 옆으로 들어 올리는 운동 1회 10번 | | | | | | | |
| 손발 흔들기, 주무르기 100번 (3분 이상) | | | | | | | |
| 항문조이기 운동 | | | | | | | |
| 3끼를 고루 드셨습니까? (빵도 포함) | | | | | | | |
| 1번 이상 양치를 하셨습니까? (틀니를 닦으셨습니까?) | | | | | | | |
| 약을 처방대로 드셨습니까? | | | | | | | |
| 하하~호호 소리 내어 15초 이상 웃으셨습니까? (손뼉 치며) | | | | | | | |

〈 자료원 : 연정운(2009). 방문건강관리사업 허약노인 사례관리 효과 〉

## 6 Green의 PRECEDE-PROCEED 모형 변화

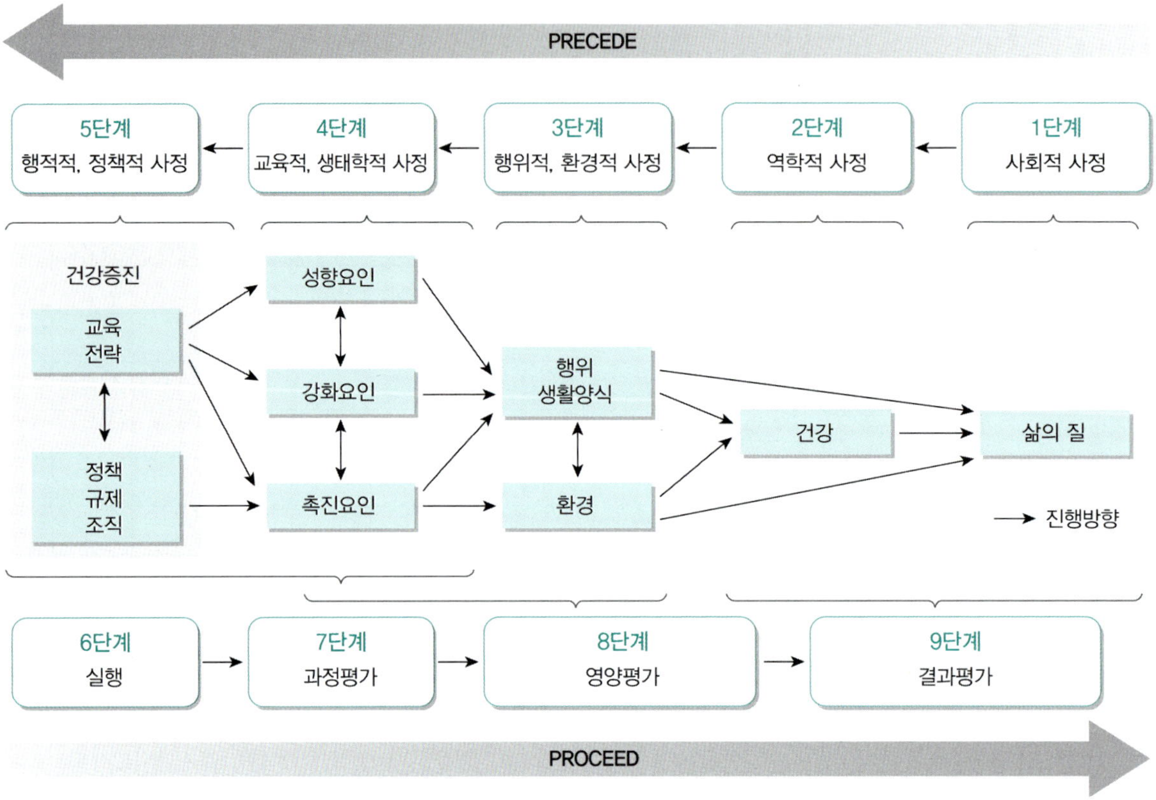


〈 자료원 : Green, L. & Kreuter, M.(1999). Health Promotion Planning: An Educational and Ecological Approach, 3rd ed. 〉

그림 2 PRECEDE-PROCEED Planning Model 9단계

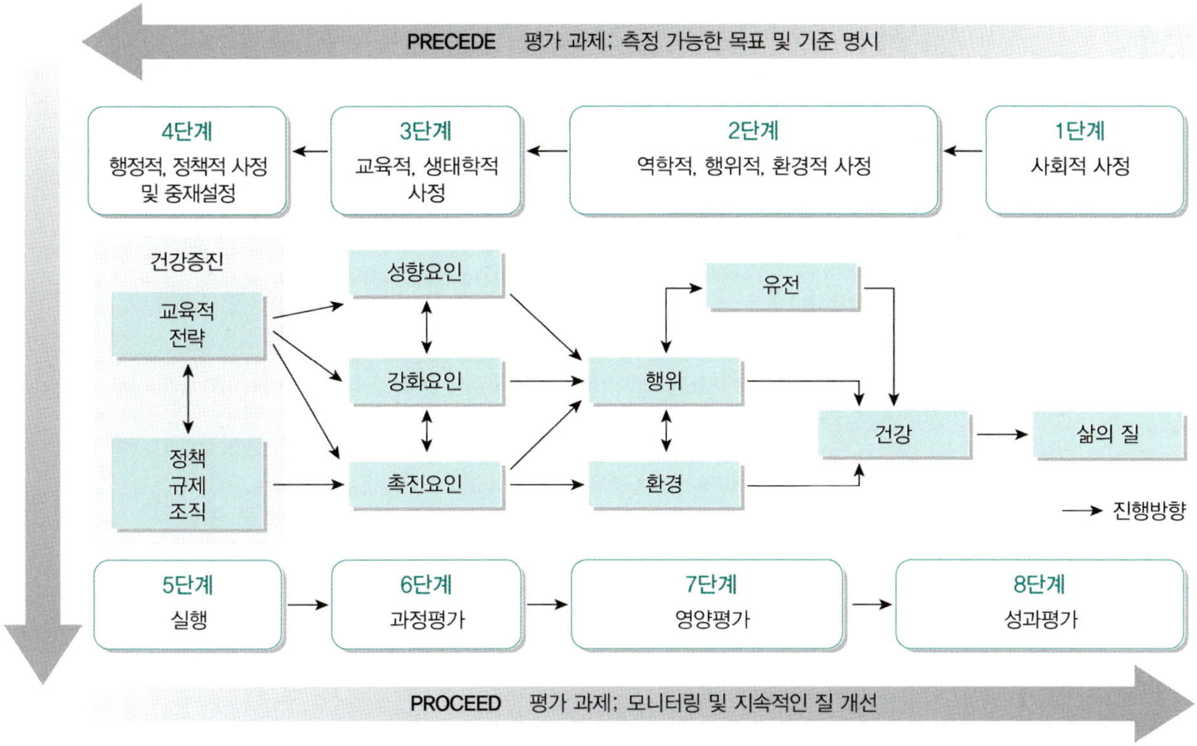


〈 자료원 : Green, L. & Kreuter, M.(2005). Health Program Planning: An Educational and Ecological Approach, 4th ed. 〉

**그림 3** PRECEDE-PROCEED Planning Model 8단계

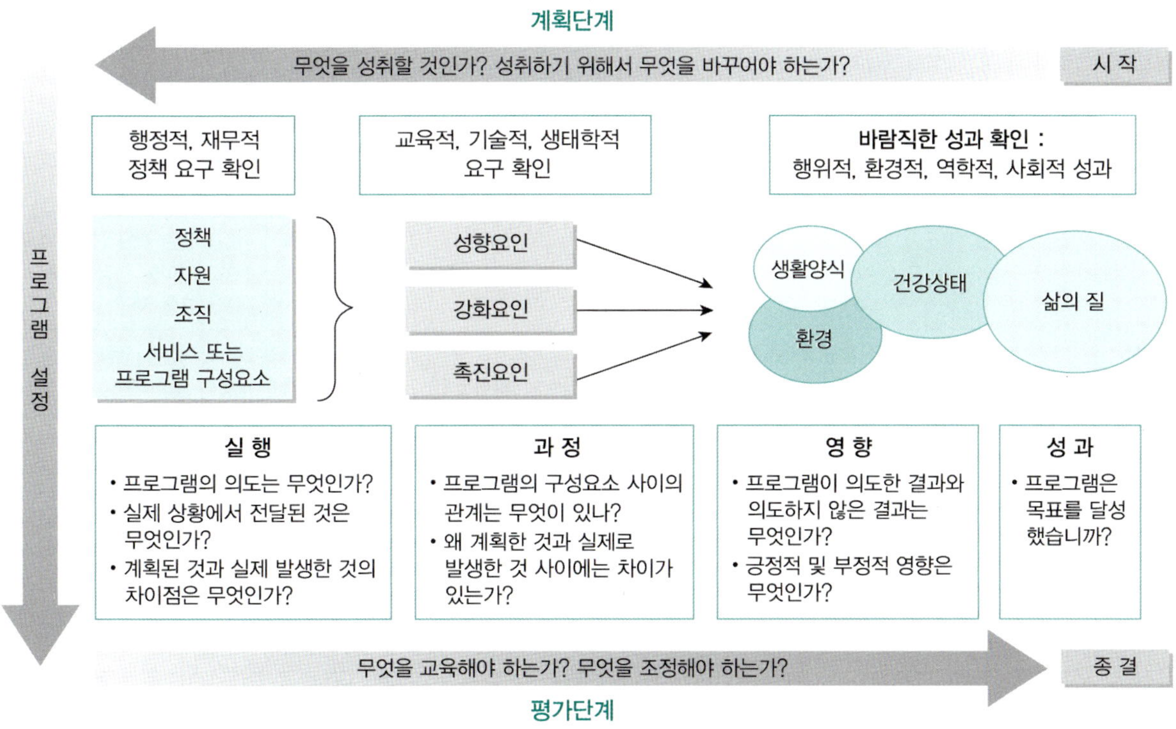


〈 자료원 : Green, L.(2009). Health Promotion Planning: An Educational and Ecological Approach. 〉

**그림 4** Green의 PRECEDE-PROCEED Planning Model 7단계

## 7 제1·2차 국민영양관리기본계획 비교

<table>
<tr><th>구 분</th><th colspan="3">제1차 국민영양관리기본계획</th><th colspan="3">제2차 국민영양관리기본계획(안)</th></tr>
<tr><td>비 전</td><td colspan="3">건강 100세를 위한 최적의 영양관리</td><td colspan="3">온 국민의 영양관리로 건강사회 구현</td></tr>
<tr><td>목 표</td><td colspan="3">① 건강 식생활 실천율 제고<br>② 인구 특성에 따른 영양격차 최소화<br>③ 만성질환 증가 속도 관리</td><td colspan="3">건강식생활 실천 인구 증가</td></tr>
<tr><td>성과<br>지표</td><td colspan="3">① 건강 식생활 실천 인구비율 증가(지방, 나트륨, 과일/채소, 영양표시 등 4개 지표 중 2개 이상을 만족하는 인구 비율 증가; '08년 28.9% → '15년 32.5%)<br>② 영양섭취 부족인구 비율 감소('08년 13.7% → '15년 8%)<br>③ 영양표시 활용인구 증가('08년 22.7% → '15년 27%)<br>④ 아침결식률 감소('08년 21.5% → '15년 18%)<br>⑤ 영양관리(교육 및 상담)를 받는 인구비율 증가('08년 8.3% → '15년 15.1% 증가)<br>⑥ 식품 안정성이 확보된 가구 비율 확대('08년 88.1% → '15년 92.1% 확대)<br>⑦ 적정체중(18.5 ≤ BMI < 25) 성인 인구비율 증가('08년 64.0% → '15년 65.8% 증가)<br>⑧ 고혈압 유병률(30세 이상) 감소('08년 26.9% → '15년 25.0% 감소)</td><td colspan="3">① 적정 수준의 지방 섭취 인구 비율 증가('14년 42.7% → '21년 50%)<br>② 나트륨 2,000mg/일 이하 섭취 인구 비율 증가('14년 21.1% → '21년 31%)<br>③ 적정 수준의 당 섭취 인구 비율 증가('14년 76.1% → '21년 80%)<br>④ 과일·채소 500g/일 이상 섭취 인구 비율 증가('14년 40.1% → '21년 42%)<br>⑤ 아침결식률 감소('14년 22.5% → '21년 18%)</td></tr>
<tr><td>추진<br>전략</td><td colspan="3">① 환경조성 및 교육·홍보<br>② 생애주기별 영양관리 지원<br>③ 기반조성</td><td colspan="3">① 건강식생활 실천 중요성에 대한 국민 인식제고<br>② 건강식생활 실천 환경 조성<br>③ 건강식생활 실천 기반 강화<br>④ 맞춤형 영양관리 서비스 지원 강화</td></tr>
<tr><td rowspan="5">추진<br>과제</td><td rowspan="5">**1. 환경조성 및 교육·홍보**</td><td rowspan="2">1-1. 건강식생활 실천 환경 조성</td><td rowspan="2">1-1-1. 영양표시제도 확산<br>1-1-2. 식품원산지표시 의무화<br>1-1-3. 건강음식점 지정</td><td rowspan="2">**1. 건강식생활 실천에 대한 국민 인식제고**</td><td>1-1. 건강식생활 실천운동 전개</td><td>1-1-1. 올바른 영양정보 교육·홍보 강화<br>1-1-2. 건강식생활 실천 캠페인 실시</td></tr>
<tr><td>1-2. 건강식생활 실천 참여기회 제공 확대</td><td>1-2-1. 관련 자원 협력체계 강화<br>1-2-2. 참여형 건강식생활 실천 프로그램 제공</td></tr>
<tr><td rowspan="3">1-2. 건강식생활 교육·홍보</td><td rowspan="3">1-2-1. 나트륨 섭취 저감<br>1-2-2. 주류 및 위해가능 영양성분 섭취 저감화<br>1-2-3. 건강체중 인식 확산을 위한 교육 및 홍보<br>1-2-4. 맞춤형 영양관리 도구 개발(스마트 영양관리)</td><td rowspan="3">**2. 건강식생활 실천 환경조성**</td><td>2-1. 신뢰성 있는 영양정보 제공</td><td>2-1-1. 식생활·영양정보 통합 플랫폼 구축·운영</td></tr>
<tr><td>2-2. 건강한 식품 선택권 보장</td><td>2-2-1. 영양표시 의무화 확대 및 위해가능 영양소 섭취 저감화</td></tr>
<tr><td>2-3. 개인의 영양 관리능력 향상 및 실천을 위한 영양관리 서비스산업 활성화</td><td>2-3-1. 개인 맞춤형 영양평가·관리도구 개발 및 보급</td></tr>
</table>

(계속)

| 구 분 | 제1차 국민영양관리기본계획 | | | 제2차 국민영양관리기본계획(안) | | |
|---|---|---|---|---|---|---|
| 추진 과제 | **2. 생애주기별 영양관리 지원** | 2-1. 영유아 및 임산부 | 2-1-1. 임산부 및 영유아 영양관리 내실화 및 교육 강화<br>2-1-2. 다문화가정에 대한 영양<br>2-1-3. 어린이 급식관리지원센터 확대 및 운영 내실화<br>2-1-4. 보육교사 영양·식생활 교육 이수 및 보육시설 영양교육 강화 | **4. 맞춤형 영양관리 서비스 지원 강화** | 4-1. 영양플러스 사업 운영 내실화 | 4-1-1. 영양플러스사업 대상자 확대<br>4-1-2. 취약계층 발굴지원 강화<br>4-1-3. 온라인 영양교육프로그램 개발<br>4-1-4. 정기적인 교육지원체계 마련<br>4-1-5. 표준 영양 상담교육 매체 개발 |
| | | 2-2. 어린이 및 청소년 | 2-2-1. 지역아동센터 급식관리 체계화<br>2-2-2. 저소득층 어린이 과일제공시범사업 교육자료 개발 및 홍보<br>2-2-3. 영양친화학교(Nutrition-friendly school) 운영 | | 4-2. 학교 영양관리 프로그램 개발·보급 | 4-2-1. 학교 영양관리 프로그램 개발<br>4-2-2. 학교 영양관리사업 운영모델 개발 및 보급 |
| | | 2-3. 성인 | 2-3-1. 비만 및 만성질환 예방·관리를 위한 영양관리 | | 4-3. 보건소 모바일 헬스케어 사업과 연계한 건강검진 사후 영양상담 서비스 사업 | 4-3-1. 보건소 모바일 헬스케어 사업 적용을 위한 영양상담 서비스 도구 개발<br>4-3-2. 영양관리프로그램을 적용한 보건소 모바일 헬스케어 사업 개발 및 시범 적용<br>4-3-3. 보건소 모바일 헬스케어 사업 전국 확대 실시<br>4-3-4. 담당 전문가(영양사) 역량 강화 및 질환자 전문 관리 체계 마련<br>4-3-5. 개인, 기업 등 참여 유도 및 확대를 위한 제도적 기반 마련 |
| | | 2-4. 노인 | 2-4-1. 노인 급식의 질 관리 제고<br>2-4-2. 노인 질환자 방문 영양관리서비스 체계 개발 | | 4-4. 노인 취약계층 영양관리 사업 | 4-4-1. 노인 회합형 영양관리 프로그램 개발 및 운영 방안 마련<br>4-4-2. 노인 방문·배달형 영양관리 프로그램 개발 및 운영 방안<br>4-4-3. 노인 영양관리를 위한 법적·제도적 기반 마련<br>4-4-4. 노인 눈높이의 체험형 식생활 안전관리 교육 모델 개발 |
| | | | | | 4-5. 지역사회 특화 영양사업 개발 및 운영 | 4-5-1. 어린이급식관리지원센터 운영 내실화<br>4-5-2. 저소득층 아동 과일 제공 및 영양교육 사업 운영<br>4-5-3. 다문화가정에 대한 영양관리 |

(계속)

<table>
<tr><th>구 분</th><th colspan="3">제1차 국민영양관리기본계획</th><th colspan="3">제2차 국민영양관리기본계획(안)</th></tr>
<tr><td rowspan="5">추진 과제</td><td rowspan="5">3.<br>기반조성</td><td>3-1. 국민 식생활 모니터링</td><td>3-1-1. 국민건강영양조사 영양조사 개선<br>3-1-2. 영양취약계층 등에 대한 심층 식생활 조사<br>3-1-3. 위해가능영양성분의 실태조사 및 영향 평가<br>3-1-4. 녹색식생활 조사연구 등<br>3-1-5. 올바른 식습관 홍보교육자료 개발</td><td rowspan="5">3.<br>건강식생활 실천 기반 강화</td><td>3-1. 국민 영양 상태 모니터링 강화</td><td>3-1-1. 국민건강영양조사 확대·개선<br>3-1-2. 청소년건강행태온리안조사 개선<br>3-1-3. 지역사회건강조사 개선<br>3-1-4. 식품소비행태조사 개선<br>3-1-5. 기타 영양문제 진단에 필요한 조사 개선</td></tr>
<tr><td>3-2. 영양정보 뱅크 운영</td><td>3-2-1. 영양정보·영양교육자료 등록, 인증 및 국가영양정보뱅크 운영<br>3-2-2. 식품의 영양성분 국가관리망 운영<br>3-2-3. 음식 레시피 등 기초DB 구축·관리<br>3-2-4. 국가식품성분표 작성 및 국가식품영양정보 제공 시스템 구축</td><td>3-3. 영양관리 인프라 강화</td><td>3-3-1. 식품영양성분 국가관리망 운영 및 영양정보 제공<br>3-3-2. 섭취량 평가를 위한 기초영양DB 구축·관리<br>3-3-3. 국가표준식품성분 통합 DB 구축 및 활용</td></tr>
<tr><td>3-3. 영양관리 기준연구</td><td>3-3-1. 영양섭취기준 제·개정 및 보급<br>3-3-2. 식생활지침 제·개정 및 보급</td><td>3-2. 영양관리 근거 기반 강화</td><td>3-2-1. 한국인 영양소 섭취기준 제·개정 및 보급<br>3-2-2. 식생활지침 제·개정 및 보급</td></tr>
<tr><td></td><td></td><td>3-4. 법·인력·재정적 기반 강화</td><td>3-4-1. 관련 법령·제도 정비<br>3-4-2. 영양관리 전문 인력 양성<br>3-4-3. 예산 확보 및 지원 확대</td></tr>
<tr><td>3-4. 영양관리서비스의 산업기반 정비</td><td>3-4-1. 영양관리식 조제에 필요한 특수식자제 및 인증제도 마련<br>3-4-2. 영양 관리식 개발을 위한 지원, 식품가공·제조업 및 음식업 분야 연계 지원<br>3-4-3. 생산된 질환·영양관리식의 적시적온 배송 및 관리를 위한 인프라 확충<br>3-4-4. 질 높은 전문 인력의 차별화된 양성 및 관리<br>3-4-5. 영양관리 서비스 선도기업 육성 및 고객 맞춤형 상품 개발</td><td></td><td></td></tr>
</table>

〈 자료원 : 보건복지부 건강증진과. https://korea.kr/archive/expDocView.do?docId=37584 〉

- 지역사회 통합건강증진사업 4분기 시도·시도지원단 워크숍자료.
- 강경숙 외(2022). 보건교육학. 정문각.
- 강수진 외(2013). 응급처치 매뉴얼. 수문사.
- 경기도교육청(2022). 행복한 학교를 위한 보건실무 매뉴얼.
- 고용노동부(2020). 화학물질 및 물리적 인자의 노출기준.
- 고용노동부(2020). 화학물질의 분류·표시 및 물질안전보건자료에 관한 기준.
- 고용노동부(2022). 근로자 건강진단 실시기준.
- 교육부(2020). 교육통계연보.
- 교육부(2022). 학생 감염병 예방·위기대응 매뉴얼.
- 국립암센터(2022). 국가암검진사업.
- 국립암센터(2022). 암환자의료비지원사업.
- 국민건강보험공단(2019). 건강관리 업무처리 지침.
- 국민건강보험공단(2021). 2021 노인장기요양보험 통계연보.
- 국민건강보험공단(2022). 건강검진 실시안내.
- 국민건강보험공단(2022). 과다의료이용자 사례관리 시범운영 매뉴얼.
- 국민건강보험공단(2022). 노인장기요양보험.
- 권수자 외(2017). 학교보건. 수문사.
- 김동진 외(2014). 한국의 건강불평등 지표와 정책과제. 통계집Ⅰ. 한국보건사회연구원, 연구보고서 2014-3.
- 김순아(2012). 의료급여 관리사가 수행한 사례관리 중재 효과 : 만성질환을 가진 의료급여수급자 중심으로. 한양대학교 임상간호정보대학원 석사학위 논문.
- 김정순(2014). 역학원론. 신광출판사.
- 김춘미 외(2022). 지역사회보건간호학. 수문사.
- 김혜련(2013). 다문화가족의 건강문제와 정책과제. 보건복지 이슈와 포커스, 185.
- 김화중 외(1999). 학교보건과 간호. 수문사.
- 남철현 외(2021). 에센스 보건교육학. 메디시언.
- 노인숙 외(2012). 다문화사회와 건강간호. 현문사.
- 대한민국정부(2022). 제4차 저출산·고령사회 기본계획.
- 대한심폐소생술협회(2020). New Science New Guidelines. 2020 한국심폐소생술 가이드라인.
- 대한예방의학회(2021). 예방의학과 공중보건학. 계축문화사.
- 류황건 외(2017). 알기쉬운 공중보건학. 수문사.
- 문재우 외(2021). 보건행정학. 계축문화사.
- 물질안전보건자료시스템(2022). MSDS 작성.
- 박인혜, 강경숙 외 공역(2018). 오마하체계 입문. 현문사.
- 배상수 외(2010). 보건소 기능 개편방안. 의료정책연구소 연구 보고서.
- 배상수(2012). 건강증진의 이론과 접근방법. 계축문화사.
- 배상수(2015). 보건사업기획. 제3판. 계축문화사.
- 법무부(2022). 출입국 외국인정책 통계연보

- 보건복지부(2010). 의료기관 가정간호사업 업무편람.
- 보건복지부(2011). 제3차 국민건강증진종합 계획.
- 보건복지부(2013). 제5기 지역보건의료계획 시행결과 및 시행수립 안내.
- 보건복지부(2016). 제4차 국민건강증진종합계획.
- 보건복지부(2019). 지역사회 통합돌봄(커뮤니티케어) 선도사업 추진계획
- 보건복지부(2020). 지역사회 통합돌봄 자체추진 가이드 북.
- 보건복지부(2021). 2021년 치매검진사업
- 보건복지부(2021). 공공부문 사례관리 연계·협력 업무안내.
- 보건복지부(2021). 일차의료 만성질환관리 시범사업 안내 지침.
- 보건복지부(2021). 제5차 국민건강증진종합계획.
- 보건복지부(2022). 건강생활지원센터사업 안내.
- 보건복지부(2022). 2021년 노인복지시설 현황.
- 보건복지부(2022). 2022년 난임부부 시술비지원사업.
- 보건복지부(2022). 2022년 난청조기진단사업.
- 보건복지부(2022). 2022년 노인보건복지사업.
- 보건복지부(2022). 2022년 미숙아 및 선천성이상아 등록관리사업.
- 보건복지부(2022). 2022년 지역사회중심재활 사업지침 안내.
- 보건복지부(2022). 2022년 청소년산모 임신·출산 의료비 지원사업.
- 보건복지부(2022). 보건복지통계연보.
- 보건복지부(2022). 우리나라 국민건강보험제도 연혁.
- 보건복지부(2022). 의료급여사업 안내.
- 보건복지부(2022). 장애인등록현황.
- 보건복지부(2022). 제4차 저출산 고령사회 기본계획.
- 보건복지부(2022). 치매정책사업안내.
- 보건복지부(2022). 희망복지지원단 업무 안내.
- 보건복지부. 사회보장정보원(2017). 2017 지역보건의료정보시스템 활용안내.
- 보건복지부. 한국건강증진개발원(2020). 2020년 지역사회통합건강증진사업 안내.
- 보건복지부. 한국건강증진개발원(2022). 2021년 보건소 모바일 헬스케어사업 결과보고서.
- 보건복지부. 한국건강증진개발원(2022). 2022년 지역사회통합건강증진사업 안내.
- 보건복지부. 한국건강증진개발원(2022). 제8기 지역보건의료계획 수립 안내.
- 보건복지부. 한국건강증진재단(2018). 제7기 지역보건의료계획 수립안내.
- 사회보장정보원(2022). 지역보건의료 정보시스템.
- 산업안전공단(2022). 감정노동 종사자 건강보호 가이드.
- 서울특별시(2022). 서울특별시 제7기 지역보건의료계획(2019~2022).
- 서울특별시 성동구(2022). 서울특별시 성동구 제7기 지역보건의료계획(2019~2022).
- 선우성(2003). 외국의 학교보건(School Health Program : International Trend). 대한의사협회, 116-123.
- 송명경 외(2015). 의료급여 관리사의 개인적 특성 및 자기효능감, 소속 보장기관의 조직특성이 업무수행능력에 미치

는 영향. 보건사회연구.

- 신영석 외(2008). 의료급여 사례관리 및 효과분석Ⅱ. 보건사회연구.
- 양숙자 외(2020). 지역사회간호학1. 현문사.
- 심문숙 외(2020). 지역사회간호학2. 현문사.
- 안전보건공단(2022). 산업재해 기록·분류에 관한 지침.
- 안전보건공단(2017). 건설업 보건관리자 실무가이드.
- 안전보건공단(2020). 공단의 30년사.
- 안전보건공단(2022). 2021년 산업재해현황.
- 안전보건공단(2022). 2021년도 산업재해분석.
- 양경희 외(2019). 학교보건의 이론과 실제. 현문사.
- 여나금·이재은(2022). 주요국의 보건의료 정책 개혁 동향. 보건복지포럼.
- 여성가족부(2019). 2018년 전국 다문화가족 실태조사 연구.
- 연정윤(2009). 방문건강관리사업 허약노인 사례관리 효과. 한양대학교 임상간호정보 대학원 석사학위논문.
- 오영호(2012). 2012년 보건의료정책의 변화와 전망. 보건복지포럼.
- 유명란 외(2012). 의료인을 위한 재난관리의 실제. 수문사.
- 유영주 외(1991). 가족발달학. 교문사.
- 유영주(1988). 신가족관계학. 교문사.
- 소애영 외(2020). 지역사회간호학Ⅰ, Ⅱ. 제6판. 수문사.
- 이주열(2021). 보건프로그램 개발 및 평가. 계축문화사.
- 윤순녕(2011). 지역사회간호개념재정립. 지역사회간호학회 창립 40주년 기념학술대회.
- 이규식(2013). 의료보장과 의료체계. 계축문화사.
- 이승욱(2008). 통계학의 이해. 자유아카데미.
- 이영란 외(2021). 보건교육학. 수문사.
- 이옥철 외(2019). 응급 및 재난간호. 현문사.
- 이은현 외(2006). 보건통계분석. 군자출판사.
- 이정렬(2014). 지역사회간호학 이론과 실제. 제2판. 현문사.
- 이종태(2021). 환경보건종합계획을 통해 살펴본 환경보건정책. 지난 10년과 향후 10년.
- 이주열 외(2011). 보건사업관리. 군자출판사.
- 이한기 외(2013). 공중보건학. 현문사.
- 전경자 외(2000). 간호대상자로서의 지역사회 개념 및 지역사회 간호사정에 관한 문헌분석. 지역사회간호학회지, 11(1), 3-20.
- 지역사회보건간호학 편찬위원회 편(2022). 최신 지역사회보건간호학 1, 2. 수문사.
- 질병관리청 국가건강정보포털(2022). 식중독.
- 질병관리청 국가건강정보포털(2022). 식중독의 분류.
- 질병관리청(2021). 2021년도 감염병 관리사업 안내.
- 질병관리청(2021). 2021년도 예방접종 후 이상반응 관리지침.
- 질병관리청(2021). 감염병위기대응.

- 질병관리청(2022). 2021 감염병 감시연보.
- 질병관리청(2022). 2021년 결핵환자 신고현황 연보.
- 질병관리청(2022). 2022 국가결핵관리지침.
- 질병관리청(2022). 2022년도 감염병 관리사업 안내.
- 질병관리청(2022). 코로나바이러스감염증-19.
- 차경미 외(2017). 지역사회보건 간호학 Ⅰ, Ⅱ. 정문각.
- 채수미 외(2021). 미래 환경변화에 대응하기 위한 보건정책 방향, 건강과 질병, 14(38).
- 최은숙 외(2019). 보건교육학. 정담미디어.
- 통계청·한국은행·금융감독원(2021). 가계금융복지조사.
- 안전보건공단(2017). 근골격계 질환 예방을 위한 작업환경개선 지침.
- 안전보건공단(2021). 감정노동 종사자 건강보호 가이드.
- 안전보건공단(2022). 2021.12월 산업재해현황.
- 한국식품안전관리인증원(2022). HACCP 7원칙 12절차.
- 한국전문간호사협회(2020). 전문간호사 정의와 자격, 교육과정.
- 한국직업건강간호학회(2014). 지역사회간호학교수 산업간호연수강좌.
- 행정안전부(2022). 2021 지방자치단체 외국인 주민현황.
- 환경부(2009). 환경성 질환의 이해와 국내 동향.
- 환경부(2022). 2021 환경백서.
- 환경부(2022). 제5차 국가환경종합계획 2020-2040.
- 환경부(2022). 폐자원관리과. 의료폐기물 분류·관리방법 안내.

- Ainsworth, B.E., Haskell, W.L., Whitt, M.C., Irwin, M.L., Swartz, A.M., Strath, S.J., ... & Jacobs, D.R.(2000). Compendium of physical activities: an update of activity codes and MET intensities. Medicine and science in sports and exercise, 32(9; SUPP/1), S498-S504.
- Ajzen(1988). Attitudes personality and behavior.
- American Nurse' Association(1980). A conceptual model of community health nursing, pub No C-10. Kansas city, MO.
- American Nurse' Association(2002). A conceptual model of community health nursing.
- Anderson, E.T., & McFarlane, H.(1994). Community as partner : Theory and practice in nursing(2nd Ed,). Lippincott-Raven.
- Anderson, J.E.(1984). Public Policy Making, 3rd ed. New York: Holt, Rinehart and Winston.
- B. G. Simons-Morton et al.(1995). Reprinted by permission of Waveland Press, Inc. from B. G. Simons-Morton, W. H. Greene, and N. H. Gottlieb, Introduction to health education and promotion, 2nd ed. Long Grove, IL: Waveland Press, Inc., 1995, All rights reserved.
- Bergen, A.(1992). Case management in community care: concepts, practices, and implications for nursing. Journal of Advanced Nursing, 17, 1106-1113.
- Beveridge, W.(1942). Social Insurance and Allied Services.
- Brown, R., Peikes, D., Chen, A., Ng, J., Schore, J., & Soh, C.(2007). The evaluation of the Medicare coordinated

care demonstration: Findings for the first two years. *Princeton, NJ : Mathematica Policy Research, Inc.*

- Burgel, B.J.(2011). The Future of nursing-opportunities for occupational health nursing. AAOHN Journal, 59(5), 207-211.
- Case Management Society of America(CMSA)(2002). Stadard of practice for case management. Little Rock, AR: CMSA.
- Centers for Disease Control and prevention(2003). Planed Approach to Community Health.
- Challis, D.(1993). Case management in social and health care: Lessons from a United Kingdom program. *Journal of Case Management*, 2, 79-90.
- Clark, M.J.(1999). Nursing in the community. Appleton & Lange.
- Clark, M.J.(2008). Community health nursing. 5th Ed. New Jersey: Pearson Prentice Hall.
- Clemen, S.A., Eigsti, D.G., & MaGuire, S.L.(1981). *Comprehensive family and community health nursing*. McGraw-Hill.
- Collins, M., & Sykes, W.(1999). Extending the Definition of Survey Quality. Journal of Official Statistics, 15(1), 57-66.
- Critchley, M.(1978). Butterworth's medical dictionary. London, Butterworth.
- Dave, R.(1967). Psychomotor domain. Berlin: International Conference of Educational Testing. Huitt, W.(2003). The psychomotor domain. Educational Psychology Interactive. Valdosta, GA: Valdosta State University. Retrieved [date], from http://www.edpsycinteractive.org/topics/behavior/psymtr.html
- Dochterman, J.M., & Bulechek., G.M.(2004). *Nursing interventions classification(NIC)*(4th ed.). St. Louis, MO: Mosby.
- Duhh, L.A.(2000). A Short History and Some Acknowledgement.
- Duvall, E.M.(1977). *Marriage and family development(5th ed.)*. Lippincott.
- Facione P.A.(2011). Critical thinking : What it is and why it counts Retrieved from http://www.student.uwa.edu.au/data/assets/pdf_file/0003/1922502/Critical-Thinking-What-it-is-and-why-it-counts.pdf.
- Forchuk, C., Ouwerkerk, A., Yamashita, M., & Martin, M.L.(2002). Mental health case management in Canada: Job description analyses. *Issues in Mental Health Nursing*, 23, 477-496.
- Freshman, R.P.(1979). Community health nursing. Duxbury Press.
- Friedman, G.D.(1974). Primer of Epidemiology. New York: McGraw-Hill.
- Gebbie, K.M., & Lavin, M.A.(1974). Classifying nursing diagnoses. American Journal of Nursing, 74, 250-253.
- Gillespie, David F.(2015). 재난의 개념과 이슈. 박영사.
- Gillis, C.L.(1991). Family nursing research, theory and practice. *Image*, *Journal of Nursing Scholarship*, 23(1).
- Girade, N.(1994). The case management model of patient care delivery. *Association of Perioperative Registered Nurse Journal*, 60(3), 403-415.
- Glanz, K., Rimer, B.K. & Lewis, F.M.(2002). Health Behavior and Health Education; Theory, Research and Practice(3rd Ed.). San Francisco; Jossey-Bass.
- Glanz, Rimer & Viswanath(2008). Health Behavior and Education. Jossey-Bass.
- Goeppinger, J., Lassiter, P.G., & Wicox, B.(1982). Community Health is Community Competence. Nursingoutlook, 30(8), 464.

- Gordis, L.(2008). Epidemiology(4th Ed.). Elsevier.
- Gordon, M.(1976). Nursing diagnosis and the diagnotic process. American Journal of Nursing, 76(8), 1298-1300.
- Green, L. & Kreuter, M.(1999). Health Promotion Planning: An Educational and Ecological Approach, 3rd ed.
- Green, L. & Kreuter, M.(2005). Health Program Planning: An Educational and Ecological Approach, 4th ed.
- Green, L.(2009). Health Promotion Planning: An Educational and Ecological Approach.
- Harrow, A.(1972). A taxonomy of the psychomotor domain. A guide for developing behavioral objectives. New York: McKay.
- Institution of Medicine.(1988). The future of public health. National Academy Press. Washington, D.C.
- Jason S. Palmer.(1998). Prioritization in Community Health Planning: Combining Methods to Achieve Implementable Priorities. Journal of Health and Human Services Administration. Vol. 21, No. 1(SUMMER), 109-134
- Karen Glanz, Barbara K. Rimer, & K. Viswanath.(2015). Health Behavior: Theory, Research, and Practice, 5th Edition, Jossey-Bass.
- Keller, J.M.(1984). The use of the ARCS model of motivation in teacher training. In K. Shaw & A.J. Trott(Eds.), Aspects of Educational Technology Volume XVII: staff Development and Career Updating. London; Kogan Page.
- Kersbergen, A.L.(1996). Case management: A rich history of coordinating care to control costs. Nursing outlook, 44(4), 169-172.
- Kleczkowski, B.M., Roemer, M.I., & Albert Van Der Werff(1984). National health systems and their reorientation towards health for all. Geneva, WHO.
- Koplan, J.P., Bond, T.C., Merson, M.H., Reddy, K.S., Rodriguez, M.H., Sewankamlbo, N.K., & Wasserheit, J.N.(2009). Toward a common definition of global health. *Lancet*, 373(9679), 1993-1995.
- K.W. Thomas, WH Schmidt(1976). A survey of managerial interests with respect to conflict. Academy of Management journal.
- Leavell, H.R., & Clark, E.G.(1965). Preventive Medicine for the Doctor in His Community: An Epidemiologic Approach, 3rd ed. McGraw-Hill.
- Leininger, M.M.(1997). Overview of the Theory of Culture Care with the Ethnonursing research method. Journal of Transcultural Nursing, 8(2). 32-52.
- Linda Y. Landesman.(2005). *Public health management of disasters: The Practice Guide(2nd Ed.)*. American Public Health Association.
- Lundgren, R.E., & McMakin, A.H.(2009). Risk Communication; A Handbook for Communicating Environmental, Safety, and Health Risks, Fourth Edition.
- L.W. Geen, M.W. Kreuter(1999). Health Promotion Planning: An Educational and Ecological Approach, 3rd ed.
- Lyon, J.C.(1993). Models of nursing care delivery and case management: Clarification of terms. *Nursing Economics*, 11(3), 163-168.
- Martin, S. K.(2005). The Omaha system, 2nd ed. St. Louis: Mosby.
- Martinez, M.E., Zammitti, E.P., Cohen, R.A.(2018). Health Insurance Coverage: Early Release of Estimates From the National Health Interview Survey, January-June 2018, National Center for Health Statistics.
- Miller, M.A & Rahe, R.H.(1997). Life change scaling for the 1990's. Journal of Psychosomatic Research, 43(3),

279-292.

- Novick, L.F., Morrow, C.B., & Mays, G.P.(2007). Public Health Administration: Principles For Population-Based Management. Jones and Bartlett Publishers.
- Offerdy, M. Bunn, F., & Morgan, J.(2009). Case managemenr in long term condition: An inconsistent journey? *British Journal of Community Nursing*, 14(6), 252-257.
- Pender et al.(2006). Health promotion in nursing practice.
- Phillip, L. Currance.(2005). *Medical responses to weapons of mass destruction*. Elsevire, Inc.
- Pickett, G., & Hanlon, J.J.(1990). Public Health: Administration and Practice. 9th ed. St. Louis, MO: Times Mirror/Mosby College Publishing.
- Poland, B.(2007). Settings for health promotion: Promising directions in unpacking and addressing how place matters. Presented at Canadian/International Symposium on Settings for Health and Learning, June 2-4.
- Powell, S.K., & Tahan, H.A.(2008). Core curriculum for case management(2nd ed). Little Rock, AR: CMSA.
- Prochaska & Velicer.(1997). The transheoretical model of health behavior change.
- Public Health Functions Steering Committee(1994). U.S. Public Health Service. Public Health in America. Washington, DC.
- Rakel, R.E.(1984). Textbook of Family Practice, Philadelpia, WB Saunder Co, 190-197.
- Roemer, M.I.(1992). *National Health Systems of the World*. Oxford University Press.
- Rothman, J.(1991). A model of care management: Toward empirically based practice. *Social Work*, 36(6). 36.
- Sallis, j., Owen, N., & Fisher, E.(2008). Ecological Models of Health Behavior. In Glanz K., Rimer B., Viswanath K.(eds.). Health Behavior and Health Education(4th Ed.). San Francisco; Jossey-Bass.
- Simpson, E.(1972). The classification of educational objectives in the psychomotor domain: The psychomotor domain. Vol. 3. Washington, DC: Gryphon House. Modification of Simpson by the University of Mississippi School of Education.
- Smilkstein, G., Ashworth, C., & Montano, D. (1982). Validity and reliability of the family APGAR as a test of family function. J Fam Pract, 15(2), 303-311.
- Smillie, I.(1993). Changing partners: Northern NGOs, Northern governments. Paris: OECD.
- Smillie, I., & Helmich, H.(1993). Non-governmental organizations and governments:Stakeholders for development. Paris: OECD.
- Smith, J.A.(1981). The idea of health: A philosophy inquiry. *Advances in Nursing Science*, 3, 43-50.
- Spradely, B.W.(1985). Community health nursing. Little Brown Company.
- Stanhope, M., & Lancaster, J.(2004). Community health nursing. 6th ed. St. Louis : Mosby.
- Stanhope, M., & Lancaster, J.(2012). Public Health Nursing: Population-centered health care in the community (8th ed.). Philadelphia; Mosby, 12-17.
- Stanhope, M., & Lancaster, J.(2013). (Eds). Public Health Nursing: Population-centered health care in the community(7th ed.). St Louis, MO: Elsevier Mosby.
- Steinberg, R.M., & Carter, G.W.(1983). *Case management and the eldery*. Lexington Books.
- Stevens, B.J.(1979). What is nursing theory, nursing theory. Little Brown Company, 1-17.

- Takano, T.(2003). Healthy cities and Urban Policy Research, London: Spon Press Talor & Francis Books.
- Tannahill A.(1985). What is health promotion? Health Education Journal 44(4):167-8.
- Terry Mahan Buttaro, Joanne Trybulski, Patricia Polgar Bailey, Joanne Sandberg-Cook(2013). Primary Care: A Collaborative Practice, 4th ed. by Mosby Elsvior.
- Tomey, A.M. & Alligood, M.R.(1998). Nursing theorists and their work(4th ed.). St. Louis; Mosby.
- Virginia K. Saba, Alan E. Zuckerman(1994). Home Health Care Classification(HCC) System. Proc Annu Symp Comput Appl Med Care. p1046, Washington, DC.
- Warhola, C.F.R.(1980). Planning for home health services: A resource handbook. US Department of Health and Human Services, Public Health Service, Health Resources Administration, Bureau of Health Planning.
- Whall, A.L.(1986). The family as the unit of care in nursing: A historical review. *Public Health Nursing*, 3, 240-249.
- Whitehead, M.(1992). The concepts and principles of equity and health. *International Journal of Health Services*, 22(3), 429-445.
- Whitelaw, S., Baxendale, A., Bryce, C., Machady, L., Young, I., & Witney, E.(2001). 'Settings' based health promotion: a review. *Health Promotion Internationa*, 16(4), 339-353.
- WHO(2009). ICN Framework of Disaster Nursing Competencies.
- WHO(2014). Twelfth General Programme of Work: Not Merely the Absence of Disease.
- WHO. Regional office for Europe(1997). Twenty Steps for developing a Healthy Cities Project.
- Winslow CEA(1920). The untilled fields of public health. Science, 51(1306), 23-33.

[사이트]

- 가정간호사회 http://www.hcna.or.kr
- 건강보험심사평가원 http://www.hira.or.kr
- 경상북도교육청 http://www.kbe.go.kr
- 교육부 http://www.moe.go.kr
- 교육환경보호구역 https://cleanupzone.edumac.kr/institution/info.do
- 국가 수자원관리 종합정보시스템 http://www.wamis.go.kr
- 국가통계포털 http://www.kosis.kr
- 국립국어원 표준국어대사전 http://stdweb2.korean.go.kr
- 국립암센터 http://www.ncc.re.kr
- 국립재활원 http://www.nrc.go.kr
- 국민건강가정센터 https://www.familynet.or.kr/web/index.do
- 국민건강보험공단 http://www.nhic.or.kr
- 국토교통부 http://www.molit.go.kr
- 노인장기요양보험 http://www.longtermcare.or.kr
- 대한민국건강도시협의회 http://www.khcp.kr
- 방역연계 범부처 감염병 연구개발 사업단 https://www.gfid.or.kr
- 법제처, 국가법령정보센터 https://www.law.go.kr

- 보건복지부 http://www.mohw.go.kr
- 안전보건연구원 http://oshri.kosha.or.kr
- 생활환경정보센터 https://iaqinfo.nier.go.kr/leinfo/light_influence.do
- 서울특별시 학교보건진흥원 http://www.bogunseoul.kr
- 세계보건기구 http://www.who.int
- 식품의약품안전처 http://www.mfds.go.kr/index.jsp
- 아이사랑 http://www.childcare.go.kr
- 안전보건공단 http://www.kosha.or.kr
- 유니세프한국위원회 http://www.unicef.or.kr
- 질병관리청 http://www.kdca.go.kr
- 한국건강증진개발원 https://khealth.or.kr
- 한국건강증진개발원 모바일 헬스케어 사업안내 https://www.khealth.or.kr:8090/mhcOpenAPI/pageNavi.do?menuCd=OCM210
- 한국국제보건의료재단 https://www.kofih.org
- 한국국제협력단 https://koica.go.kr
- 한국전문간호사협회 http://www.kaapn.or.kr
- 행정안전부 http://www.mpss.go.kr
- KOICA ODA 교육원 https://oda.koica.go.kr
- 수자원공사 http://kwater.or.kr
- 오마하협회 http://omahasystempartnership.org/international-conference-on-research-methods-for-standardized-terminologies
- UN http://unstats.un.org
- 미국 보건복지부 http://www.health.gov
- 적신월사연맹 http://www.ifrc.org
- 김해시청 https://www.gimhae.go.kr
- 미국 지방보건공무원협회 http://www.naccho.org
- WHO https://extranet.who.int/nhptool/
- NANDA Nursing Diagnosis List https://health-conditions.com
- UN 경제사회부 https://sdgs.un.org/goals
- https://www.khan.co.kr/article/201105162059005
- https://www.ksa.hs.kr/Home/Sub/188
- 교육부 https://www.moe.go.kr
- 미국 적십자 https://www.redcross.org

COMMUNITY HEALTH NURSING

Community Health Nursing

# INDEX

## 가

# INDEX

## R



## S



## T

## U



## V



## W



## Y



## 기타

COMMUNITY HEALTH NURSING

I

V·O·L·U·M·E

5th EDITION

성과기반

# 지역사회간호학

COMMUNITY HEALTH NURSING

초판 발행 2015년 3월 5일
5판 발행 2023년 2월 20일

저 자 강경숙, 조명숙, 류화라, 장윤경, 송명경, 김형선
정미라, 이원유, 김미정, 김경숙, 이영희, 오수현
김성민, 홍시명, 김유리

고 문 오미성

발행인 최 명 희
발행처 **퍼시픽북**
서울시 중구 충무로 29 아시아미디어타워 503호
TEL. 02-2272-7766(代) / FAX. 02-2272-7166
www.papu.co.kr

ISBN 979-11-5814-419-7
set ISBN 979-11-5814-421-0



정가 40,000원

COMMUNITY HEALTH NURSING